Les somnambules

Christopher Clark

Les somnambules

Été 1914 : comment l'Europe a marché vers la guerre

Traduit de l'anglais par Marie-Anne de Béru

Flammarion

Titre original : *The Sleepwalkers. How Europe went to war in 1914*
Éditeur original : Allen Lane
Copyright © 2012 Christopher Clark
All rights reserved
© Flammarion, 2013, pour la traduction française
ISBN : 978-2-0812-1648-8

À Josef et Alexander

INTRODUCTION

Quand l'archiduc François-Ferdinand et sa femme Sophie Chotek arrivent à la gare de Sarajevo le dimanche 28 juin 1914, le continent européen est en paix. Trente-sept jours plus tard, il est en guerre. Le conflit qui commence cet été-là mobilise soixante-cinq millions de soldats, emporte trois empires, fait vingt millions de morts, civils et militaires, et vingt et un millions de blessés. Cette catastrophe qui engendra les horreurs du XXe siècle européen « fut le premier cataclysme du XXe siècle, le cataclysme d'où surgirent tous les autres[1] », selon les termes de l'historien américain Fritz Stern. Les premiers coups de feu n'étaient pas encore tirés que déjà on débattait des origines du conflit. Et le débat depuis n'a pas cessé, générant une littérature historique d'une ampleur, d'une sophistication et d'une intensité morale sans égales. Aux yeux des spécialistes des relations internationales, les événements de 1914 demeurent la crise politique par excellence, dont l'enchevêtrement même porte en germe un nombre illimité d'hypothèses.

L'historien qui cherche à comprendre la genèse de la Première Guerre mondiale se heurte à plusieurs problèmes. Le premier, et le plus évident d'entre eux, est la surabondance des sources. À commencer par les nombreux volumes de dépêches diplomatiques publiés par chacun des États belligérants, fruits d'un vaste travail collégial de collecte d'archives. Cet océan de documents est parcouru de courants dangereux. La plupart des éditions officielles publiées dans l'entre-deux-guerres trahissent un parti-pris apologétique. Les cinquante-sept volumes de *Die Große Politik*, forts de 15 889 documents répartis en trois cents sections différentes, n'ont pas été établis pour le seul bénéfice des érudits : l'Allemagne espérait que la révélation des archives d'avant-guerre suffirait à réfuter la thèse de sa « responsabilité », consacrée par les termes du traité de Versailles[2]. Du côté français, la publication de documents après guerre a été une entreprise « de portée essentiellement politique » visant à contrebalancer la

1. L'Europe en 1914

0   400 km

campagne lancée par les Allemands à la suite du traité de Versailles, comme l'écrivait en 1934 le ministre des Affaires étrangères Jean-Louis Barthou[3]. À Vienne, de l'aveu même de Ludwig Bittner, coéditeur de la collection en huit volumes *Österreich-Ungarns Außenpolitik*, il s'agissait de faire paraître une édition qui fasse autorité avant qu'aucune organisation internationale – la Société des Nations, peut-être ? – ne force le gouvernement autrichien à publier ses archives dans des circonstances moins favorables[4]. Les premières publications soviétiques visaient entre autres à prouver que la guerre avait éclaté à l'initiative du tsar, un autocrate, et de son allié, le bourgeois Raymond Poincaré : l'idée était de faire perdre toute légitimité aux exigences françaises de remboursement des emprunts russes contractés avant la guerre[5]. Même en Grande-Bretagne, où la publication des *British Documents on the Origins of the War* s'est accompagnée de nobles déclarations qui en appelaient à l'objectivité des érudits, ces recueils n'ont pas été exempts d'omissions tendancieuses qui donnaient une image plus ou moins faussée du rôle de la Grande-Bretagne dans les événements qui ont précédé le déclenchement de la guerre en 1914[6]. Pour résumer, en dépit de la valeur indéniable qu'elles présentent pour les chercheurs, les grandes éditions documentaires européennes ont toutes servi de munitions dans ce que dès 1929 l'historien militaire allemand Bernhard Schwertfeger a qualifié dans une étude critique de « guerre mondiale des documents[7] ».

Les Mémoires des hommes d'État, commandants et autres hauts responsables, bien qu'indispensables à quiconque cherche à comprendre les événements qui ont jalonné le chemin de la guerre, ne posent pas moins de problèmes. Certains montrent des réticences frustrantes à parler de sujets d'intérêt crucial. Pour ne prendre que trois exemples : les *Considérations sur la guerre mondiale* publiées en 1919 par le chancelier allemand Theobald von Bethmann-Hollweg restent pratiquement muettes sur la teneur de son action, ou de celle de ses collègues, pendant la crise de juillet ; les Mémoires politiques du ministre russe des Affaires étrangères Sergueï Sazonov se perdent en conjectures verbeuses, pompeuses, parfois mensongères, sans rien nous apprendre du rôle qu'il a joué lors d'événements clés ; les dix volumes de Mémoires que le président Raymond Poincaré consacre aux années qu'il a passées au pouvoir contiennent plus de propagande que de révélations ; sans parler des incohérences frappantes entre le souvenir qu'il garde des événements de la crise et les notes jetées au jour le jour dans son journal intime, resté inédit[8]. Quant au secrétaire d'État au Foreign Office Sir Edward Grey, il ne fait qu'effleurer d'un ton urbain la question délicate des engagements qu'il avait pris envers les pouvoirs de l'Entente avant août 1914, et le rôle que ces engagements ont joué dans sa gestion de la crise[9].

Quand l'historien américain Bernadotte Everly Schmitt parcourut l'Europe à la fin des années 1920, muni de lettres d'introduction, pour rencontrer les hommes politiques impliqués dans les événements, il fut frappé par leur totale imperméabilité à toute forme de remise en question (à l'exception de Grey, qui « remarqua spontanément » avoir commis une erreur tactique en cherchant à négocier avec Vienne par l'intermédiaire de Berlin pendant la crise de juillet. Mais cette erreur de jugement n'était que mineure cependant, et sa remarque tenait plus de l'autodérision typique des mandarins britanniques que d'une authentique reconnaissance de sa responsabilité [10]). Certains avaient également la mémoire défaillante. Schmitt retrouva la trace de Peter Bark, ancien ministre des Finances russe, devenu banquier à Londres. En 1914, Bark avait participé à des réunions où avaient été prises des décisions d'importance majeure. Cependant, quand Schmitt le rencontra, Bark répéta avec insistance qu'il « ne se souvenait guère des événements de cette période [11] ». Heureusement, les notes prises à l'époque par l'ancien ministre sont plus éloquentes. Quand le chercheur Luciano Magrini se rendit à Belgrade à l'automne 1937 pour s'entretenir avec tous ceux qui avaient eu un lien avéré avec la conspiration de Sarajevo, il découvrit que certains témoins relataient des faits dont ils ne pouvaient avoir eu aucune connaissance, que d'autres « restaient muets ou donnaient un compte rendu erroné de ce qu'ils savaient », tandis que d'autres encore « enjolivaient leurs déclarations, ou n'avaient pour seul but que de justifier leur action [12] ».

Il reste, par ailleurs, de multiples béances dans nos connaissances. Nombre d'échanges cruciaux entre des acteurs clés, qui se sont effectués de vive voix, n'ont pas été consignés. On ne peut les reconstruire qu'à partir de preuves indirectes ou de témoignages tardifs. Les organisations serbes impliquées dans l'attentat de Sarajevo, agissant dans le plus grand secret, n'ont laissé aucune trace écrite. Dragutin Dimitrijević, chef du Renseignement militaire serbe, figure centrale du complot visant à assassiner l'archiduc à Sarajevo, brûlait ses documents à intervalle régulier, tout comme le faisait, de façon plus surprenante, son ennemi Nikola Pašić, le Premier ministre serbe. Et il reste de nombreuses inconnues quant au contenu précis des toutes premières discussions entre Vienne et Berlin sur les mesures à prendre pour répondre aux assassinats de Sarajevo. Les minutes des réunions au sommet qui se sont tenues entre les gouvernements russe et français à Saint-Pétersbourg du 20 au 23 juillet, documents d'une importance sans doute capitale pour comprendre la dernière phase de la crise, n'ont jamais été retrouvées (les protocoles russes ont probablement tout simplement été perdus ; l'équipe française chargée d'éditer les documents diplomatiques français n'a pas retrouvé leur version française).

Et si les bolcheviques ont bien publié de nombreux documents diplomatiques majeurs pour tenter de dénoncer les machinations impérialistes des grandes puissances, ces documents ont paru à intervalles irréguliers, sans ordre particulier, et se concentrent généralement sur des problèmes précis, tels que les visées russes sur le Bosphore. Certains documents (sans que l'on sache exactement combien) ont été perdus pendant la période chaotique de la guerre civile, et l'URSS n'a jamais publié d'archives systématiques qui puissent rivaliser avec les éditions britanniques, françaises, allemandes, et autrichiennes [13]. Les archives publiées par les Russes demeurent, à ce jour, largement incomplètes.

La structure exceptionnellement complexe de cette crise constitue une autre de ses caractéristiques distinctives. La crise des missiles à Cuba était loin d'être simple, cependant elle n'impliquait que deux protagonistes principaux (les États-Unis et l'URSS) ainsi qu'une poignée de pays leur servant de doublures ou de seconds couteaux. Par comparaison, il faut ici parvenir à comprendre les interactions multilatérales entre cinq adversaires d'importance égale (Allemagne, Autriche-Hongrie, France, Russie et Grande-Bretagne, voire six si nous ajoutons l'Italie) ainsi que d'autres acteurs tout aussi souverains et d'importance stratégique, tels l'Empire ottoman et les États de la péninsule balkanique, région d'extrême tension et d'instabilité politique constante pendant la période d'avant-guerre.

Un degré supplémentaire de difficulté provient du fait que les processus de prise de décisions au sein des États impliqués dans la crise manquaient souvent de transparence. On peut considérer la crise de juillet 1914 comme une crise internationale, terme qui suggère un panel d'États-nations conçus comme des entités compactes, autonomes et isolables les unes des autres, telles des boules sur un billard. Mais les structures souveraines qui conduisaient les politiques pendant cette crise étaient profondément désunies. Où le pouvoir décisionnaire résidait-il exactement au sein des différents exécutifs ? On ne le savait pas avec certitude à l'époque, et les historiens l'ignorent encore aujourd'hui. Quant aux « politiques » suivies – ou du moins aux initiatives de toutes sortes qui les influençaient – elles n'étaient pas nécessairement définies au sommet de la pyramide ; il arrivait qu'elles émanent de lieux assez périphériques de l'appareil diplomatique, de gouverneurs militaires, de hauts fonctionnaires, voire d'ambassadeurs qui se trouvaient parfois être des « décideurs » de plein droit.

Les sources qui nous sont parvenues présentent donc un mélange chaotique de promesses, de menaces, de plans et de pronostics – d'où, en retour, l'extrême diversité d'interprétations sur le déclenchement du conflit, dont quasiment toutes peuvent être corroborées en sélectionnant des documents parmi les sources disponibles ; ceci permet, réciproquement, d'expliquer pourquoi la littérature sur « les origines de la Première Guerre mondiale » a pris des proportions telles qu'aucun historien (pas même un être imaginaire maîtrisant toutes les langues nécessaires) ne peut espérer la lire au cours de sa vie. Il y a vingt ans, l'inventaire des ouvrages disponibles s'élevait à vingt-cinq mille livres et articles [14]. Certains récits ciblent la culpabilité d'une brebis galeuse (l'Allemagne essentiellement, même si aucune des grandes puissances n'a échappé à l'accusation d'être le principal responsable) ; d'autres préfèrent la thèse de la responsabilité collective ou recherchent les failles du « système ». La réalité a toujours été suffisamment complexe pour alimenter la controverse. Autour de ces débats menés par les historiens, qui ont généralement porté sur les questions de la culpabilité, ou des relations entre initiative personnelle et contraintes structurelles, s'étend à l'infini la littérature critique sur les relations internationales – littérature dans laquelle des catégories telles que la dissuasion, la détente, l'inadvertance, ou des mécanismes de portée universelle tels que l'équilibre des pouvoirs, la négociation, l'opportunisme, occupent le centre du terrain. Malgré un débat vieux de près d'un siècle, le sujet semble loin d'être épuisé [15].

Car si le débat est ancien, le sujet est encore neuf, plus neuf et plus pertinent aujourd'hui qu'il y a vingt ou trente ans. Les mutations de notre monde ont changé notre perspective sur les événements de 1914. Des années 1960 aux années 1980, une sorte de nostalgie avait envahi la mémoire des événements de 1914. Le désastre du « dernier été » de l'Europe avait alors pris des allures de pièce de théâtre édouardienne jouée en costumes d'époque. Rituels surannés, uniformes chamarrés : tout le décorum d'un monde encore largement organisé autour de la monarchie avait pour effet de maintenir le souvenir à distance. Ces signes semblaient indiquer que les protagonistes appartenaient à un monde disparu. Insidieusement le présupposé s'imposa : si les couvre-chefs des acteurs étaient ornés d'éclatantes plumes d'autruche vertes, leurs opinions et leurs raisons d'agir étaient probablement tout aussi excentriques [16].

Pourtant, ce qui frappe le lecteur du XXIᵉ siècle qui s'intéresse à la crise de l'été 1914, c'est sa modernité brutale. Tout commence avec un groupe de tueurs kamikazes et une poursuite en automobile. Derrière l'attentat de Sarajevo se trouve une organisation ouvertement terroriste, mue par le culte du sacrifice, de la mort et de la vengeance – une organisation extraterritoriale, sans ancrage géographique ou politique clair, éclatée en différentes cellules qui ignorent les clivages politiques. Une organisation qui ne rend de comptes à personne, dont les liens avec un gouvernement souverain sont indirects, secrets et certainement très difficiles à repérer pour qui n'en est pas membre. De toute évidence, juillet 1914 nous est moins lointain, moins illisible aujourd'hui qu'il ne l'était dans les années

1980. La fin de la guerre froide a mis à bas un système bipolaire garantis-
sant la stabilité du monde, aujourd'hui remplacé par un panel de forces
plus complexes et plus imprévisibles, parmi lesquelles des empires en
déclin et des pouvoirs émergents – une situation qui appelle la comparaison avec l'Europe de 1914. Ces changements de perspective nous incitent
à repenser l'histoire du déclenchement de la guerre en Europe en 1914.
Accepter ce défi ne signifie pas faire preuve de soumission au présent en
réécrivant le passé pour répondre aux besoins d'aujourd'hui, mais plutôt
reconnaître les éléments du passé dont nous avons une vision plus claire
depuis que notre point de vue a changé.

Parmi ces éléments figure le contexte balkanique des origines de la
guerre. La Serbie reste dans l'angle mort des historiens de la crise de
juillet, qui réduisent souvent l'attentat de Sarajevo au rang de simple
prétexte ou d'événement sans véritables conséquences sur les forces réelles
dont l'interaction ont déclenché la guerre. Dans un excellent ouvrage
publié récemment sur le déclenchement de la guerre en 1914, les auteurs
déclarent que « les assassinats [de Sarajevo] en eux-mêmes n'ont rien provoqué. C'est l'exploitation qui a été faite de ces événements qui a mené
les nations à la guerre [17] ». La marginalisation de la dimension serbe de
cette histoire, et par conséquent celle de sa dimension balkanique au sens
large, a commencé dès la crise de juillet elle-même, crise qui s'est développée en réaction aux meurtres de Sarajevo, mais qui a ensuite changé de
dimension pour entrer dans une phase géopolitique où la Serbie et ses
décisions ont occupé une place mineure.

C'est également notre échelle de valeurs qui a changé. Le fait qu'une
Yougoslavie dominée par les Serbes ait émergé comme l'un des États
victorieux de la guerre a semblé implicitement cautionner l'acte de
l'homme qui a appuyé sur la détente le 28 juin 1914. C'était certainement l'opinion des autorités yougoslaves, qui ont érigé un monument sur
les lieux de l'attentat : des empreintes coulées dans le bronze ainsi qu'une
plaque célébrant les premiers pas de l'assassin « vers la liberté de la Yougoslavie ». Dans une Europe où l'idée de nation, encore neuve, semblait
pleine de promesses, le nationalisme slave éveillait une sympathie spontanée qui n'avait d'égale que le peu d'empathie ressentie pour l'Empire
des Habsbourg, cette pesante et lourde communauté multinationale. Les
guerres qui ont déchiré la Yougoslavie dans les années 1990 sont venues
nous rappeler la dangerosité du nationalisme balkanique. Depuis Srebre-
nica et le siège de Sarajevo, il est devenu plus difficile de considérer la
Serbie comme un objet ou une victime des politiques des grandes puissances, et plus facile de concevoir le nationalisme serbe comme une force
historique à part entière. Depuis qu'existe l'Union européenne, nous
sommes enclins à regarder avec davantage d'empathie qu'auparavant –

sinon moins de mépris – cette mosaïque impériale que constituait l'Autriche-Hongrie des Habsbourg, à présent disparue.

En dernier lieu, on peine aujourd'hui à écarter les deux assassinats de Sarajevo comme de simples accidents de parcours, dénués de toute force causale réelle. L'attentat contre le World Trade Center en septembre 2001 a révélé comment un événement symbolique isolé (quoique étroitement pris dans les rets d'évolutions historiques plus vastes) peut provoquer des changements irrévocables dans les politiques menées, frappant d'obsolescence les choix anciens et incitant à prendre de toute urgence de nouvelles résolutions. Remettre Sarajevo et les Balkans au centre de l'Histoire ne signifie pas vouer les Serbes et leurs hommes d'État aux gémonies. Cela ne nous dispense pas davantage de l'obligation de comprendre les forces qui ont influencé et animé les hommes politiques, les militaires et les activistes serbes – ceux dont le comportement et les décisions ont façonné les conséquences des coups de feu tirés à Sarajevo.

Ce livre s'efforce donc de comprendre la crise de juillet 1914 comme un événement moderne, le plus complexe de notre époque, peut-être de tous les temps. Son propos est moins d'expliquer *pourquoi* la guerre a éclaté que *comment* on en est arrivé là. Bien qu'inséparables en toute logique, le pourquoi et le comment nous conduisent dans des directions différentes. La question du *comment* nous invite à examiner de près les séquences d'interactions qui ont produit certains résultats. Par opposition, la question du *pourquoi* nous conduit à rechercher des catégories causales lointaines : impérialisme, nationalisme, matériel militaire, alliances, rôle de la haute finance, conceptions du patriotisme, mécanismes de mobilisation. Cette approche a le mérite de la clarté mais produit également un effet trompeur en ce qu'elle crée l'illusion d'une causalité dont la pression augmente inexorablement, les facteurs s'empilant les uns sur les autres et pesant sur les événements. Les acteurs du jeu politique deviennent les simples exécutants de forces établies depuis longtemps qui échappent à leur contrôle.

Dans l'histoire que raconte ce livre, au contraire, l'initiative personnelle est prépondérante. Les principaux décideurs – rois, empereurs, ministres des Affaires étrangères, ambassadeurs, commandants militaires ainsi qu'une foule de fonctionnaires subalternes – marchèrent vers le danger à pas calculés, en restant sur leurs gardes. Le déclenchement de la guerre a été le point culminant de chaînes de décisions prises par des acteurs politiques visant des objectifs précis, capables d'un regard critique sur eux-mêmes, conscients de se trouver devant des options variées et désireux de se forger le meilleur jugement possible sur la base de l'information à leur disposition. Nationalisme, matériel militaire, alliances, intérêts financiers : tous ces éléments jouèrent un rôle dans cette histoire, mais on ne peut leur attribuer une vraie valeur d'explication que si l'on observe leur influence sur les décisions qui, combinées les unes aux autres, ont fait éclater la guerre.

Comme l'a fait récemment remarquer un historien bulgare des guerres balkaniques, « dès que nous posons la question du "pourquoi", la culpabilité devient le point central [18] ». Les questions de culpabilité et de responsabilité dans le déclenchement de la guerre ont envahi cette histoire avant même que les combats ne commencent. Les sources regorgent d'accusations : c'était toujours à l'ennemi que l'on prêtait des intentions agressives et à soi-même des intentions défensives. De plus, le jugement formulé par l'article 231 du traité de Versailles a fait en sorte que la question de la « responsabilité de la guerre » ne cesse de prédominer. Là encore, mettre l'accent sur le *comment* suggère une approche différente : un parcours des événements qui ne soit pas dicté par la nécessité d'établir un procès-verbal contre tel État ou tels individus, mais dont le but serait d'identifier les décisions qui ont mené à la guerre et de comprendre les raisonnements et les émotions qui les ont sous-tendues. Ce qui ne signifie pas exclure entièrement du débat les questions de responsabilité. Il s'agit davantage de laisser les réponses à la question du *pourquoi* surgir en quelque sorte des réponses à la question du *comment*, plutôt que l'inverse.

Ce livre raconte comment l'Europe continentale est entrée en guerre. Il retrace les chemins qui l'y ont menée, dans un récit à plusieurs niveaux englobant les centres décisionnaires majeurs – Vienne, Berlin, Saint-Pétersbourg, Paris, Londres, et Belgrade – avec de brèves incursions à Rome, Constantinople et Sofia. Il est divisé en trois parties. La première se concentre sur les deux protagonistes, la Serbie et l'Autriche-Hongrie, dont la rivalité a déclenché le conflit, et retrace leurs interactions jusqu'à la veille de l'attentat de Sarajevo. La seconde partie rompt avec la narration des événements pour poser quatre questions en quatre chapitres : comment la bipolarisation de l'Europe en deux blocs d'alliance opposés s'est-elle produite ? Comment les gouvernements des États européens élaboraient-ils leur politique étrangère ? Comment les Balkans, région périphérique éloignée des centres de pouvoir et de richesse de l'Europe, en sont-ils venus à être le théâtre d'une crise d'une telle ampleur ? Comment un système international qui semblait entrer dans une ère de détente a-t-il engendré une guerre mondiale ? La troisième partie s'ouvre sur les attentats de Sarajevo et raconte la crise de juillet proprement dite ; elle examine les interactions entre les principaux centres décisionnaires et met en lumière les calculs, les erreurs d'interprétation et les décisions qui ont propulsé la crise d'une étape à l'autre.

Une des thèses majeures de ce livre est que les événements de juillet 1914 ne prennent tout leur sens qu'une fois la lumière faite sur le parcours des différents décideurs, parcours qui influencèrent leur perception des événements. Pour ce faire, nous ne pouvons nous contenter de revisiter la séquence des « crises » internationales qui précédèrent le déclenchement de la guerre : il faut comprendre comment ces événements furent vécus et transformés en récits structurant la perception qu'en avaient les décideurs et motivant leur comportement. Pourquoi ces hommes, dont les décisions entraînèrent l'Europe dans la guerre, agissaient-il comme ils le faisaient ? Comment voyaient-ils les choses ? Comment le sentiment de crainte et d'appréhension, que l'on retrouve dans tant de documents, s'articule-t-il avec l'arrogance et la bravade, souvent chez les mêmes individus ? D'où vient l'importance d'éléments qui nous paraissent aujourd'hui exotiques, comme la « question albanaise » ou le « prêt bulgare » ? Comment étaient-ils liés dans l'esprit de ceux qui détenaient le pouvoir politique ? Quelle réalité avaient-ils aux yeux des décideurs qui discouraient sur la situation internationale ou les menaces extérieures ? Projetaient-ils leurs propres peurs et désirs sur leurs adversaires ? Ou bien un peu des deux ? L'intention ici a été de reconstruire de manière aussi vivante que possible ces « positions de pouvoir » extrêmement changeantes qu'occupaient les acteurs principaux avant et pendant cet été 1914.

Parmi les publications récentes les plus intéressantes sur cette guerre, certaines ont défendu la thèse selon laquelle, loin d'être inévitable, cette guerre était en fait « improbable », du moins jusqu'au moment où elle a effectivement éclaté [19]. Il en découlerait que la guerre n'a pas résulté d'une longue détérioration, mais de chocs infligés au système international sur une courte période. Que l'on accepte cette analyse ou non, elle a le mérite d'introduire un élément de contingence dans cette histoire. Alors que certains développements analysés dans ce livre semblent pointer, sans aucune équivoque possible, dans la direction de ce qui est de fait arrivé en 1914, il est indéniable que d'autres vecteurs de changement dans l'avant-guerre suggèrent des issues différentes, qui ne se sont pas réalisées. Gardant cela à l'esprit, ce livre entend montrer comment l'engrenage de la causalité s'est mis en place et a mené au conflit, mais sans en surdéterminer l'issue finale. Je me suis efforcé de rester conscient du fait que les personnages, les événements et les forces décrits dans ce livre portaient en eux les germes d'autres avenirs, peut-être moins terribles.

Première partie

SUR LA ROUTE DE SARAJEVO

1

FANTÔMES SERBES

Meurtres à Belgrade

En ce 11 juin 1903, peu après 2 heures du matin, vingt-huit officiers de l'armée serbe s'approchent de l'entrée principale du Palais royal à Belgrade *. Après un échange de tirs, les sentinelles qui montent la garde devant le bâtiment sont arrêtées et désarmées. Grâce aux clés dérobées au capitaine de service, les conjurés s'introduisent dans la salle de bal et se dirigent vers la chambre à coucher du roi, grimpant les escaliers et traversant les couloirs en toute hâte. Une double porte de chêne massif interdit l'accès à l'appartement du roi : les conjurés la font sauter avec une cartouche de dynamite. La charge est si forte que les portes sont arrachées de leurs gonds et projetées à l'intérieur de l'antichambre, tuant l'ordonnance qui se tenait derrière. L'explosion provoque aussi un court-circuit qui plonge le palais dans le noir. Imperturbables, les assaillants mettent la main sur des bougies dans une pièce voisine, pénètrent dans l'appartement du roi, mais le temps qu'ils parviennent à la chambre à coucher, le roi Alexandar et la reine Draga ont disparu. Le roman français que lisait la reine est resté ouvert, posé à l'envers sur la table de nuit. Touchant les draps, l'un des conjurés s'aperçoit que le lit est encore tiède : à l'évidence, les souverains viennent juste de s'enfuir. Ayant fouillé la chambre en vain, les assaillants passent le palais au peigne fin, à la lueur des bougies, pistolet au poing.

Tandis que les officiers avancent de pièce en pièce en faisant feu sur toutes les cachettes possibles – meubles, tentures, canapés – le roi Alexandar et la reine Draga restent tapis à l'étage, dans un minuscule réduit situé derrière la chambre à coucher où, en temps ordinaire, les femmes de chambre de la reine repassent et préparent ses robes. La fouille du palais se poursuit pendant presque deux heures. Le roi, n'ayant aucune

---

* De nos jours, l'ancien palais abrite l'Assemblée de la ville de Belgrade sur l'avenue Dragoslava Janovica.

envie que ses ennemis ne le découvrent nu, profite de cet intervalle pour enfiler un pantalon et une chemise de soie rouge aussi silencieusement que possible. La reine parvient à se couvrir d'un jupon, d'un corset de soie blanche, et d'un unique bas jaune.

Dans Belgrade, d'autres victimes sont débusquées et tuées : les deux frères de la reine, que beaucoup soupçonnent d'avoir des vues sur le trône de Serbie, se laissent convaincre par ruse de quitter la demeure belgradoise de leur sœur puis, « emmenés dans un corps de garde non loin du palais, ils [sont] insultés et sauvagement poignardés [1] ». Le Premier ministre Dimitrije Cincar-Marković et le ministre de la Guerre Milovan Pavlović sont tous deux assassinés dans leurs appartements – Pavlović, transpercé de vingt-cinq balles alors qu'il s'était caché dans un coffre en bois. Laissé pour mort, le ministre de l'Intérieur Belimir Théodorović, lui, survivra à ses blessures. D'autres ministres sont placés en état d'arrestation.

Pendant ce temps au palais, le premier aide de camp du roi, le loyal Lazar Petrović, désarmé et fait prisonnier après un échange de coups de feu, est amené de salle en salle par les assassins, dans l'obscurité, et contraint d'appeler le roi à chaque porte. Retournant dans la chambre royale pour la fouiller à nouveau, les conjurés finissent par trouver une porte dissimulée derrière la tenture. Quand l'un des assaillants propose d'abattre le mur à la hache, Petrović comprend que la partie est jouée et accepte de demander au roi de sortir. De derrière la boiserie, le roi veut savoir qui s'adresse à lui, ce à quoi Petrović répond : « C'est moi, votre fidèle Laza, ouvrez la porte à vos officiers. » Au roi qui demande alors s'il peut avoir confiance en la parole de ses officiers, les conjurés répondent par l'affirmative. Selon un témoignage, le roi émerge, amorphe, lunettes sur le nez, vêtu de son incongrue chemise de soie rouge, tenant la reine dans ses bras. Le couple est abattu par une volée de balles tirées à bout portant. Dégainant un pistolet qu'il avait caché sur lui, Petrović tente désespérément de protéger son maître (ou du moins c'est ce qui sera déclaré plus tard) mais tombe également sous les balles. S'ensuit alors un déchaînement de violence gratuite : cadavres transpercés de coups d'épée, déchirés à la baïonnette, à demi éventrés, frappés à coups de hache jusqu'à en devenir méconnaissables. Le barbier italien du roi, à qui l'on donne l'ordre de ramasser les corps et de les préparer pour l'enterrement, rapportera, traumatisé, comment le corps de la reine a été traîné jusqu'à la balustrade de la fenêtre et jeté dehors dans le jardin, à moitié nu et couvert de sang. On raconte également que lorsque les assassins ont tenté de faire de même avec Alexandar, une de ses mains s'est refermée sur la balustrade. Un officier lui tranche le poignet d'un coup de sabre, et le corps ainsi que plusieurs doigts sectionnés tombent à terre. Au moment

Petar Ier Karadjordjević

où les assassins se rassemblent dans le jardin pour fumer une cigarette et inspecter le résultat de leurs œuvres, il se met à pleuvoir[2].

Les événements du 11 juin 1903 marquent un nouveau départ dans l'histoire politique serbe. La dynastie des Obrenović, qui avait dominé la Serbie pendant presque toute la courte existence de ce pays depuis son indépendance, a pris fin. Quelques heures après les assassinats, les conjurés annoncent l'extinction de la lignée des Obrenović et l'avènement sur le trône de Petar Karadjordjević, alors exilé en Suisse.

La brutalité de ce règlement de compte trouve son origine dans la coexistence de familles dynastiques rivales à la tête de la Serbie, où la monarchie n'est jamais parvenue à devenir une institution stable. Deux grands clans, les Obrenović et les Karadjordjević, s'étaient distingués dans la lutte pour libérer la Serbie du joug ottoman. En 1804, « Georges le Noir » (en serbe, « Kara Djordje ») Petrović, fondateur de la lignée des Karadjordjević, mène une insurrection qui parvient à chasser les Ottomans de Serbie pendant quelques années. Mais en 1813, lors de la contre-offensive ottomane, cet ancien berger au teint basané doit se réfugier en Autriche. Deux ans plus tard, une deuxième insurrection éclate sous la conduite de Miloš Obrenović, un politique retors qui parvient à négocier la reconnaissance par les autorités ottomanes d'une principauté serbe. De retour d'exil, Karadjordjević est assassiné sur ordre d'Obrenović, avec la complicité des Ottomans. S'étant ainsi débarrassé de son principal rival politique, Obrenović se fait donner le titre de prince de Serbie. Le clan Obrenović va donc diriger la Serbie pendant la plus grande partie de son existence en tant que principauté de l'Empire ottoman.

L'existence de deux dynasties rivales, une situation à découvert entre les empires ottoman et autrichien, une culture politique caractérisée par une très forte irrévérence, dominée par de petits propriétaires terriens : la combinaison de ces facteurs allait pérenniser la fragilité de la monarchie. Il est frappant de noter combien sont rares les régents serbes morts de cause naturelle. À l'été 1839, le prince Miloš Obrenović, fondateur de la principauté, abdique en faveur de son fils aîné au terme d'un règne brutal marqué par de fréquentes rébellions. Mais la rougeole emporte l'héritier, le prince Milan, déjà si malade au moment de son accession au trône qu'il meurt treize jours plus tard sans avoir eu conscience de sa promotion. Mihailo, fils cadet de Miloš, lui succède, mais son règne est prématurément interrompu par une rébellion en 1842. La voie est alors ouverte à l'installation d'un Karadjordjević – Alexandar, le propre fils de Georges le Noir. Cependant, en 1858, Alexandar est à son tour poussé à l'abdication : c'est le retour de Mihailo, qui remonte sur le trône en 1860. Son second règne n'est guère plus populaire que le premier et huit années plus tard, Mihailo est assassiné, ainsi que l'un de ses cousins, au cours d'un complot sans doute ourdi avec l'aide du clan Karadjordjević.

Le long règne du successeur de Mihailo, le prince Milan Obrenović (1868-1889), offre à la Serbie un certain degré de continuité politique. En 1882, quatre ans après que le Congrès de Berlin a accordé à la Serbie le statut d'État indépendant, Milan institue la royauté et se proclame roi. Mais l'agitation politique incessante demeure un problème. En 1883, le gouvernement veut désarmer des milices paysannes du nord-est de la Serbie, ce qui déclenche une insurrection massive dans cette région, la rébellion de Timok. Les représailles brutales contre les rebelles s'accompagnent d'une chasse aux sorcières lancée à Belgrade contre les hommes politiques soupçonnés d'avoir fomenté les troubles.

Au début des années 1880, l'apparition de partis politiques modernes et de leurs nouveaux outils transforme la culture politique : journaux, réunions électorales, manifestes, stratégies de campagne, comités locaux se multiplient. Le roi répond par des mesures autoritaires à l'émergence de ces forces nouvelles et redoutables dans la vie publique. Les élections de 1883 donnent une majorité à l'opposition radicale au Parlement serbe (la Skupština) mais le roi, refusant de nommer un gouvernement issu du

Parti radical, choisit à la place de former un cabinet de bureaucrates. La session de la Skupština, ouverte par décret, est clôturée dix minutes plus tard, à nouveau par décret. Une guerre désastreuse contre la Bulgarie en 1885 – résultat de décisions exécutives prises sans aucune consultation ni avec les ministres ni auprès du Parlement – ainsi qu'un divorce acrimonieux, qui fait scandale, d'avec la reine Nathalie, fragilisent encore davantage la position du monarque. Quand Milan abdique en 1889 (dans l'espoir, notamment, de se remarier avec la jeune et ravissante épouse de son secrétaire personnel), son départ ne s'est que trop fait attendre.

La régence mise en place pour gérer les affaires courantes pendant la minorité de son fils, le prince héritier Alexandar, ne dure que quatre ans. En 1893, âgé d'à peine seize ans, Alexandar la renverse lors d'un coup d'État extravagant : invités à dîner, les ministres sont aimablement informés au cours d'un toast qu'ils sont tous en état d'arrestation. Le jeune roi annonce son intention de s'arroger les pleins pouvoirs. Les principaux ministères et l'administration du télégraphe ont déjà été investis par les militaires[3]. Le lendemain, à leur réveil, les habitants de Belgrade découvrent les murs recouverts d'affiches annonçant qu'Alexandar a pris le pouvoir.

En réalité, c'est l'ancien roi Milan qui continue de tirer les ficelles en coulisses, qui a organisé la régence, puis monté le coup d'État en faveur de son fils. Par une manœuvre familiale grotesque, dont on peine à trouver un équivalent en Europe à l'époque, le père, qui a abdiqué, est devenu le conseiller spécial du fils. Pendant les années 1887 à 1900, cet arrangement est formalisé sous le nom de « diarchie de Milan et d'Alexandar ». Le « roi père » Milan est nommé commandant en chef de l'armée serbe, premier civil à avoir jamais occupé cette fonction.

Le règne d'Alexandar marque la phase terminale de la dynastie des Obrenović. Soutenu en sous-main par son père, Alexandar a tôt fait de dilapider l'état de grâce qui accompagne souvent l'inauguration d'un nouveau régime. Il ne tient aucun compte des dispositions relativement libérales de la Constitution serbe, imposant à la place une forme de néo-absolutisme : suppression du vote à bulletin secret, abolition de la liberté de la presse, interdiction des journaux. Quand les chefs de file du Parti radical protestent, ils se voient exclus de l'exercice du pouvoir. Alexandar abolit, impose ou suspend les constitutions à la façon d'un dictateur d'opérette. Il n'a aucun respect pour l'indépendance de la justice, et conspire même contre la vie d'hommes politiques de premier plan. Le spectacle de ce tandem, roi et roi père, manipulant les leviers de l'État en toute désinvolture – sans oublier l'influence persistante de la reine mère Nathalie malgré l'échec de son mariage avec Milan – a un effet désastreux sur l'image de la dynastie.

La décision que prend Alexandar d'épouser la veuve peu recommandable d'un obscur ingénieur ne fait rien pour arranger les choses. Il avait rencontré Draga Mašin en 1897, alors qu'elle était dame d'honneur de sa mère. Âgée de dix ans de plus que le roi, Draga n'est pas aimée de la société belgradoise, qui la soupçonne d'être stérile et lui prête de nombreuses liaisons. Au cours d'un conseil de la Couronne houleux où les ministres tentent en vain de dissuader le roi de l'épouser, le ministre de l'Intérieur Djordje Genčić utilise un argument de poids : « Sire, vous ne pouvez pas l'épouser. Elle a été la maîtresse de tout le monde – y compris la mienne. » Pour toute récompense, il reçoit une gifle ; il rejoindrait plus tard les rangs de la conjuration des régicides [4]. Des altercations similaires impliquent d'autres hauts fonctionnaires [5]. Un Conseil des ministres tendu voit ainsi le Premier ministre par intérim suggérer de placer le roi en résidence surveillée dans son palais, ou de l'expulser du pays par la force, afin d'empêcher la célébration de cette union [6]. L'opposition de la classe politique à la reine Draga est si intense que le roi se trouve, pendant un temps, dans l'impossibilité de recruter des candidats qualifiés pour des postes de responsabilité. La simple annonce des fiançailles d'Alexandar et de Draga suffit à pousser à la démission l'ensemble du cabinet, obligeant le roi à se débrouiller avec un « cabinet de mariage » éclectique composé de figures peu connues.

La controverse née de ce mariage entraîne également une dégradation des relations entre le roi et son père. Scandalisé par la perspective d'avoir Draga pour belle-fille, Milan démissionne de son poste de commandant en chef de l'armée. Dans une lettre adressée à son fils en juin 1900, il l'accuse de « précipiter la Serbie dans un abîme » et conclut par une mise en garde sans détour : « Je serai le premier à acclamer le gouvernement qui vous chassera du pays après une telle folie de votre part [7]. » Alexandar n'en tient aucun compte : le 23 juin 1900, il épouse Draga à Belgrade et profite de la démission de son père pour renforcer son pouvoir sur le corps des officiers. Une purge au sein de la haute fonction publique civile et militaire écarte les amis de Milan (et les ennemis de Draga). Placé sous surveillance nuit et jour, le roi père est encouragé à quitter la Serbie, et plus tard empêché d'y revenir. Lorsque Milan s'éteint en Autriche en janvier 1901, le couple royal apprend la nouvelle avec un certain soulagement.

L'année 1900 s'achève sur un bref regain de popularité pour la monarchie : l'annonce par le palais que la reine attend un enfant déclenche un mouvement de sympathie dans la population. Le scandale n'en est que plus grand lorsqu'en avril 1901, on apprend que la grossesse de Draga n'a été qu'une ruse calculée pour calmer l'opinion publique (la rumeur se répand alors dans la capitale qu'un plan visant à établir « un héritier putatif » sur le trône de Serbie a été déjoué). Ignorant ces mauvais présages, Alexandar lance un culte de la personnalité autour de la reine : de

Le roi Alexandar et la reine Draga, vers 1900

somptueuses cérémonies officielles sont organisées pour son anniversaire, des régiments, des écoles et même des villages sont rebaptisés de son nom. Dans le même temps, ses manipulations constitutionnelles se font plus impudentes. En mars 1903, par exemple, le roi suspend la Constitution serbe en pleine nuit, le temps d'entériner à la hâte de nouvelles lois restreignant la liberté de la presse et la liberté d'association, avant de la remettre en vigueur trois quarts d'heures plus tard.

Au printemps 1903, Alexandar et Draga ont ligué contre eux presque toute la société serbe. Le Parti radical, qui a obtenu une majorité absolue en nombre de sièges au Parlement aux élections de juillet 1901, s'indigne des manipulations autoritaires du roi. Parmi les puissantes familles de banquiers et de marchands (particulièrement ceux qui exportent du bétail ou des produits agricoles), beaucoup considèrent que la politique étrangère pro-viennoise des Obrenović emprisonne l'économie serbe dans l'étau du monopole autrichien et leur coupe l'accès aux marchés mondiaux[8]. Le 6 avril 1903, à Belgrade, une manifestation dénonçant les manipulations constitutionnelles du roi est brutalement dispersée par la police et la gendarmerie, faisant dix morts et environ cinquante blessés[9]. Parmi la centaine de manifestants arrêtés et emprisonnés, puis pour la plupart relâchés quelques jours plus tard, on compte un certain nombre d'officiers.

Car à l'épicentre de cette opposition croissante à la Couronne se trouve effectivement l'armée serbe, l'une des institutions les plus dynamiques de la société serbe au tournant du XXe siècle. Dans une économie encore largement rurale et peu développée, où les opportunités de carrière sont rares, un brevet d'officier est le moyen privilégié d'obtenir prestige et influence. Cette prééminence avait été renforcée par le roi Milan, qui avait considérablement augmenté le budget militaire et le nombre des officiers, aux dépens du financement, déjà fort maigre, de l'enseignement supérieur. Les années fastes s'interrompent brutalement après le départ du roi père en 1900. Alexandar réduit le budget militaire, la solde des officiers leur est payée avec des mois de retard, et des amis ou parents du roi et de la reine sont promus par favoritisme à des postes clés, au détriment de leurs collègues. Le mécontentement est exacerbé par la conviction largement répandue – en dépit des démentis officiels – que le roi, n'ayant pas réussi à engendrer d'héritier biologique, a l'intention de désigner Nikodije Lunjevica, frère de la reine Draga, comme héritier du trône de Serbie [10].

Pendant l'été 1901, un complot militaire s'organise autour d'un jeune et brillant lieutenant de l'armée serbe qui jouera un rôle important dans les événements de juillet 1914. Dragutin Dimitrijević – surnommé Apis par ses admirateurs, à cause de son imposante carrure qui leur rappelle les larges épaules du dieu-taureau de l'Égypte ancienne – a été nommé à l'état-major dès sa sortie de l'Académie militaire de Serbie, signe assurément de l'estime que lui portent ses supérieurs. Dimitrijević est fait pour le monde des complots politiques. Secret jusqu'à l'obsession, entièrement voué à sa carrière militaire et politique, impitoyable dans ses méthodes et d'un sang-froid absolu dans les moments de crise, Apis n'est pas homme à dominer un grand mouvement populaire. Mais il possède au plus haut degré le don particulier de se faire des disciples au sein de petits groupes et de cercles privés, de les former, de leur donner le sentiment de leur propre importance, de faire taire leurs doutes et de les entraîner dans l'action [11]. Un de ses associés l'a décrit comme « une force secrète, à la disposition de laquelle je dois me mettre, bien que ma raison ne me donne aucun motif de le faire ». Un autre régicide s'interrogeait sur les raisons d'une telle influence que ni son intelligence, ni son éloquence, ni la force de ses idées ne semblaient suffire à expliquer : « Cependant il était le seul parmi nous qui, par sa simple présence, pouvait forcer mes réflexions à suivre le cours des siennes, et de quelques mots prononcés de la manière la plus ordinaire, me transformer en un exécutant docile de sa volonté [12]. » Le milieu où Dimitrijević déploie ses dons est presque exclusivement masculin. Les femmes ne jouent qu'un rôle marginal dans sa vie ; il ne manifestera jamais la moindre attirance pour elles. Son milieu naturel, théâtre de toutes ses intrigues, c'est le monde enfumé des cafés de Belgrade, un monde d'hommes, un espace à la fois public et privé, où les conversations peuvent être vues sans nécessairement être entendues. La meilleure photographie qui nous soit parvenue de lui nous montre cet intrigant, massif, le visage barré d'une moustache, en compagnie de deux acolytes, dans la pose caractéristique des conjurés.

Dimitrijević avait à l'origine prévu d'assassiner le couple royal pendant un bal donné à Belgrade le 11 septembre pour l'anniversaire de la reine. On aurait dit un plan tout droit sorti d'un roman de Ian Fleming ; deux officiers devaient monter un assaut contre la centrale électrique qui alimentait Belgrade, sur le Danube, pendant qu'un autre en neutralisait une deuxième, plus petite, qui desservait le bâtiment où aurait lieu le bal. Une fois l'électricité coupée, les quatre assassins présents au bal en service commandé prévoyaient de mettre le feu aux rideaux, de déclencher les alarmes à incendie, et de liquider le roi et la reine en les forçant à ingérer du poison (la méthode avait été choisie pour ne pas avoir à porter d'armes faciles à découvrir en cas de fouille). Le poison avait été testé avec succès sur un chat, mais toutes les autres étapes du plan avaient échoué. Il s'était trouvé que la centrale électrique était trop bien gardée, et que la reine avait de toute façon décidé de ne pas paraître au bal [13].

Ni cet échec ni d'autres tentatives ratées n'ont découragé les conjurés, qui ont redoublé d'efforts au cours des deux années suivantes pour préparer un coup de plus grande ampleur. Plus de cent officiers ont été recrutés, dont beaucoup parmi les plus jeunes. Dès la fin de l'année 1901, il y a eu également des contacts avec des hommes politiques civils, parmi lesquels l'ancien ministre de l'Intérieur Djordje Genčić, celui qui avait été giflé pour s'être opposé au mariage du roi. À l'automne 1902, un serment secret rédigé par Dimitrijević donne une existence formelle à la conjuration. Il exprime avec une brutalité inédite l'objet de l'entreprise : « Prévoyant l'effondrement de l'État et considérant que le roi Alexandar et sa maîtresse Draga Mašin en sont les premiers responsables, nous faisons le serment de les tuer et à cet effet apposons ci-après nos signatures [14]. »

Au printemps 1903, alors que le complot implique entre cent vingt et cent cinquante conjurés, le plan visant à assassiner le couple royal à l'intérieur du palais est bouclé. Cependant, sa mise en œuvre nécessite une préparation intensive car le roi et la reine, pris d'une paranoïa entièrement justifiée, renforcent les mesures destinées à assurer leur protection. Le roi ne se montre plus jamais en ville sans être entouré d'une suite nombreuse ; Draga a si peur d'un attentat qu'elle en vient à rester cloîtrée dans le palais pendant six semaines. Les détachements de gardes, à l'intérieur et tout autour du palais, sont doublés. La rumeur de l'imminence d'un coup d'État se répand si largement que, citant une source « confidentielle » à Belgrade, le *Times* de Londres daté du 27 avril 1903 écrit : « Il existe un

L'assassinat des Obrenović, dans *Le Petit Journal*, 28 juin 1903

complot militaire de telle ampleur contre le trône que ni le roi ni le gouvernement n'osent prendre de mesures pour l'écraser [15]. »

Le recrutement de conjurés dans l'entourage même du roi, parmi lesquels des officiers de la garde du palais et son propre aide de camp, permet aux assassins de franchir les lignes successives de sentinelles et de gagner le saint des saints. La date de l'attaque n'est choisie que trois jours à l'avance, lorsque l'on apprend que les principaux conjurés seront tous sur place, de garde à leurs postes respectifs. Il est décidé que la chose doit être faite le plus rapidement possible et annoncée sur-le-champ, pour empêcher toute réaction de la police ou de régiments restés fidèles au roi [16]. Le désir de rendre public le succès de la conjuration dès son but atteint peut contribuer à expliquer la décision de jeter les cadavres du roi et de la reine du haut du balcon de leur chambre. Apis fait partie du groupe de tueurs qui s'introduit dans le palais, mais il n'assiste pas au dénouement du drame. Grièvement blessé dans l'échange de tirs avec les gardes à l'intérieur de l'entrée principale, il s'effondre sur place, perd connaissance et manque de mourir d'une hémorragie.

« *Des éléments irresponsables* »

« La ville est calme dans l'ensemble, les habitants n'ont pas l'air de s'émouvoir », note Sir George Bonham, l'ambassadeur britannique à Belgrade, dans une dépêche lapidaire envoyée à Londres au soir du 11 juin [17]. La « révolution » serbe, signale-t-il, « a été accueillie avec une satisfaction non dissimulée » par les habitants de la capitale ; le lendemain des assassinats « a été déclaré jour férié, les rues décorées de drapeaux ». Il n'y a « pas la moindre expression de condoléances de circonstance [18] ». « L'aspect le plus frappant » de la tragédie serbe, déclare Sir Francis Plunkett, son homologue à Vienne, « c'est le calme extraordinaire avec lequel l'exécution d'un crime aussi atroce a été accepté [19] ».

Alors que des observateurs hostiles à la Serbie voient dans cette égalité d'humeur la preuve de la cruauté caractéristique de cette nation, endurcie par une longue tradition de violence et de régicides, les citoyens de Belgrade, eux, ont de bonnes raisons d'accueillir favorablement les assassinats. Les conjurés ont immédiatement transmis le pouvoir à un gouvernement provisoire émanant de tous les partis politiques. Le Parlement, convoqué sans délai, choisit Petar Karadjordjević comme nouveau roi et le rappelle de son exil suisse. La Constitution ouvertement démocratique de 1888 – désormais rebaptisée Constitution de 1903 – est remise en vigueur moyennant quelques modifications mineures. Le problème ancestral de la rivalité entre deux dynasties serbes a soudainement disparu. Le fait que Karadjordjević, qui a passé la plus grande partie de sa vie en France et en Suisse, soit un grand admirateur de John Stuart Mill – dans sa jeunesse, il a même traduit son traité *Sur la liberté* en serbe – est un signe d'encouragement pour ceux qui adhèrent aux idées libérales.

Plus rassurant encore, peu après son retour d'exil, le roi adresse à son peuple une déclaration dans laquelle il s'engage à régner sur la Serbie « en tant que monarque constitutionnel [20] ». Le royaume est désormais devenu un authentique régime parlementaire dans lequel le monarque règne mais ne gouverne pas. L'assassinat pendant le coup d'État du Premier ministre Cincar-Marković, l'un des favoris d'Alexandar et homme de la répression, est un signal clair que le pouvoir politique dépendra désormais du soutien de la population et des partis politiques plutôt que du bon vouloir de la Couronne. Les partis politiques peuvent remplir leur fonction sans crainte de représailles, ainsi que la presse, enfin libérée de la censure qui était la norme sous le règne des Obrenović. La perspective d'une vie politique nationale répondant mieux aux besoins de la population et reflétant l'opinion publique est toute proche. La Serbie semble être au seuil d'une nouvelle ère de son histoire politique [21].

Mais autant le coup d'État de 1903 avait résolu certains problèmes anciens, autant il en avait créé de nouveaux qui pèseraient de tout leur poids sur les événements de 1914. En tout premier lieu, le réseau de conjurés constitué pour assassiner la famille royale ne disparaît pas ; au contraire, il demeure une force importante dans la politique et la vie publique serbes. Le gouvernement révolutionnaire provisoire formé au lendemain des assassinats compte quatre conjurés (dont le ministre de la Guerre, le ministre des Travaux publics et celui de l'Économie) et six autres politiciens. Apis, non encore remis de ses blessures, reçoit les remerciements officiels de la Skupština et devient un héros national. Le fait que l'existence du nouveau régime dépende de l'action sanglante des conjurés, ajouté à la crainte de ce que ce réseau est encore capable d'entreprendre, rend difficile toute opposition ouverte. Dix jours après les événements, l'un des ministres du nouveau gouvernement confie à un journaliste qu'il trouve l'action des assassins « déplorable » mais qu'il « ne peut le dire ouvertement par crainte de la réaction de l'armée, sur qui reposent et le trône et le gouvernement [22] ».

Le réseau des régicides est tout particulièrement influent à la cour. Wilfred Thesiger, le chargé d'affaires britannique, écrit de Belgrade en novembre 1905 qu'« aujourd'hui encore, les officiers conjurés constituent le soutien le plus important, voire le seul, de Sa Majesté ». Leur renvoi priverait donc la Couronne « du seul parti dont le dévouement ou même l'amitié soient fiables [23] ». Rien d'étonnant à ce que, cherchant quelqu'un pour accompagner son fils le prince héritier Djordje en voyage à travers Europe, le roi Petar choisisse Apis lui-même, tout juste sorti de sa longue convalescence, bien que les trois balles reçues la nuit du coup d'État n'aient toujours pas pu être extraites. L'architecte en chef de l'assassinat du roi Alexandar est ainsi chargé de peaufiner l'éducation du prince héritier de la dynastie des Karadjordjević. En fait, Djordje ne deviendra jamais roi : en 1909, il perdra tout droit à la succession, après avoir battu à mort son valet [24].

L'ambassadeur autrichien à Belgrade peut donc écrire à son gouvernement, sans guère exagérer, que même après son élection par le Parlement le roi demeure « prisonnier » de ceux qui l'ont porté au pouvoir [25]. « Le roi est une quantité négligeable », conclut un haut fonctionnaire du ministère autrichien des Affaires étrangères à la fin du mois de novembre. « Ce sont les conjurés du 11 juin qui tiennent les rênes [26]. » Ces derniers usent de leur influence pour s'emparer des postes gouvernementaux et militaires les plus convoités : aides de camp du roi fraîchement nommés, officiers d'état-major, chef du renseignement au ministère de la Guerre. Ils peuvent également peser sur les nominations clés au sein de l'armée, y compris à des postes de commandement. Usant de l'accès privilégié dont ils disposent auprès du monarque, ils exercent également leur influence sur les questions politiques d'importance nationale [27].

Les manipulations des régicides se heurtent à de la résistance. Des pressions extérieures tentent d'inciter le nouveau gouvernement à prendre ses distances avec le réseau, tout particulièrement de la part des Britan-niques, qui rappellent leur ministre plénipotentiaire et laissent la légation dans les mains de Thesiger, le chargé d'affaires. À l'automne 1905, de nombreuses cérémonies officielles d'importance symbolique – tout parti-culièrement à la cour – sont encore boycottées par les représentants des grandes puissances européennes à Belgrade. Au sein de l'armée elle-même, dans la ville fortifiée de Niš, une contre-conspiration militaire s'organise sous la direction du capitaine Milan Novaković, qui publie un manifeste réclamant la radiation de soixante-huit régicides. Novaković et ses com-plices sont rapidement arrêtés et, malgré une défense vigoureuse devant la Cour martiale, ils sont déclarés coupables et condamnés à diverses peines d'emprisonnement. À sa sortie de prison, deux ans plus tard, Novaković reprend ses attaques publiques contre les régicides et est de nouveau incarcéré. En septembre 1907, il trouve la mort, ainsi qu'un membre de sa famille, dans des circonstances mystérieuses, durant une prétendue tentative d'évasion. Le scandale déclenche l'indignation du Par-lement et de la presse libérale[28], mais la question des relations entre l'armée et les autorités civiles n'avait pas été résolue après les assassinats de 1903, ce qui conditionnera la façon dont la Serbie traitera les événe-ments de 1914.

L'homme qui endosse la lourde responsabilité de devoir gérer ces multi-ples rivalités est Nikola Pašić, chef de file des radicaux, qui devient l'homme d'État le plus important du royaume de Serbie après 1903. Entre 1904 et 1918, il préside dix cabinets ministériels pendant une durée totale de neuf ans. Au sommet de l'édifice politique serbe avant, pendant et après l'attentat de Sarajevo en 1914, il deviendra l'un des acteurs clés de la crise précédant le déclenchement de la Première Guerre mondiale.

Sa carrière politique a certainement été l'une des plus remarquables de l'histoire de l'Europe moderne, non seulement en raison de sa longévité – il joue un rôle actif dans la vie politique serbe pendant plus de quarante ans – mais également parce qu'il connaît tour à tour des moments de triomphe exaltant et des situations d'extrême danger. Après des études d'ingénieur à Zurich, il consacre son existence tout entière à l'action politique – l'une des raisons pour lesquelles il demeurera célibataire jus-qu'à l'âge de quarante-cinq ans[29]. Dès le début de sa carrière, il s'engage dans la lutte pour arracher l'indépendance de la Serbie des mains des puissances étrangères. Quand en 1875 une révolte éclate en Bosnie contre la domination turque, le jeune Pašić se rend sur place comme correspon-dant du journal indépendantiste *Narodno Oslobodjenje* (« Libération populaire ») pour être en première ligne dans ce combat de la Serbie pour la liberté et en témoigner par ses dépêches. Au début des années 1880, il supervise la modernisation du Parti radical, qui demeurera la seule grande force politique en Serbie jusqu'au déclenchement de la Première Guerre mondiale.

Les radicaux incarnent alors une doctrine politique éclectique, combinant des idées constitutionnelles libérales et des appels à l'expansion territoriale et à l'unification de tous les Serbes de la péninsule balkanique. La base populaire du parti – et la clé de ses succès électoraux répétés – est constituée des petits propriétaires terriens. Parti des paysans, la majorité de la population, les radicaux embrassent des idées populistes qui les rapprochent des groupes panslaves de Russie. Ils se méfient de l'armée de métier, non seulement parce qu'ils acceptent mal le fardeau fiscal imposé pour la financer, mais aussi parce qu'ils restent fidèles au principe des milices de paysans, la forme la meilleure et la plus naturelle selon eux de toute organisation armée. Pendant la rébellion de Timok en 1883, ils se rangent aux côtés des paysans armés contre le gouvernement, et l'écrasement du soulèvement est suivi de représailles contre leurs leaders. Pašić, qui fait partie des suspects, a juste le temps de s'enfuir en exil pour échapper à l'arrestation. Il est condamné à mort par contumace. Pendant ces années d'exil, il établit des contacts durables avec Saint-Pétersbourg et devient le favori des cercles panslaves. À partir de ce moment, sa ligne politique reste toujours très proche de celle des Russes [30]. Après l'abdication de Milan en 1889, Pašić, dont l'exil a fait un héros au sein du Parti radical, est gracié. Il revient à Belgrade, adulé par la population, et se fait élire président de la Skupština, puis maire de la capitale. Mais son premier mandat de Premier ministre (de février 1891 à août 1892) s'achève quand il donne sa démission pour protester contre les incessantes manipulations extraconstitutionnelles du roi Milan et des régents.

En 1893, après son coup d'État contre la régence, Alexandar le nomme ambassadeur extraordinaire de Serbie à Saint-Pétersbourg. Son but est de satisfaire les ambitions politiques de Pašić tout en l'éloignant de Belgrade. Ce dernier ne ménage pas sa peine pour renforcer les relations serbo-russes, ne faisant pas mystère de sa conviction que l'émancipation nationale de la Serbie dépendrait en dernier recours de l'aide des Russes [31]. Mais le retour sur la scène politique belgradoise du roi père Milan interrompt ses efforts. Les radicaux sont pourchassés, exclus de la fonction publique, et Pašić, rappelé à Belgrade, va passer les années du règne conjoint de Milan et Alexandar sous surveillance constante, à l'écart du pouvoir. En 1898, il est condamné à neuf mois de prison sous prétexte d'avoir insulté Milan dans une publication du Parti radical. Il est encore derrière les barreaux en 1899 lorsqu'un attentat raté contre le roi père ébranle le pays. Une fois de plus, les radicaux sont soupçonnés d'avoir trempé dans ce complot, bien que leurs liens avec l'auteur du coup de feu, un jeune Bosniaque, n'aient jamais été élucidés. Le roi Alexandar exige l'exécution de Pašić pour suspicion de complicité dans la tentative d'assassinat, mais le leader radical aura la vie sauve grâce aux protestations insistantes du gouvernement austro-hongrois – ironie du sort si l'on considère la suite des événements. Par une manipulation caractéristique du règne d'Alexandar, Pašić est informé qu'il sera exécuté, tout comme une douzaine de ses collègues radicaux, à moins qu'il ne signe une reconnaissance de sa responsabilité morale dans la tentative d'assassinat. Ignorant que l'intervention de Vienne lui a déjà sauvé la vie, il accepte. Le document est publié et il sort de prison, soupçonné par la population d'avoir incriminé son propre parti afin de sauver sa peau. Il est toujours en vie mais, du moins pour un temps, politiquement mort. Pendant les dernières années du règne d'Alexandar, il se retire presque entièrement de la vie publique.

Le changement de régime inaugure l'âge d'or de sa carrière politique. Le parti qu'il dirige est désormais la force principale de la vie publique serbe. Il est taillé pour l'exercice du pouvoir, lui qui a lutté si longtemps pour l'obtenir, et il endosse rapidement le rôle de père de la nation. Les élites intellectuelles belgradoises ne l'aiment guère, mais il jouit d'une immense popularité parmi la paysannerie. Il s'exprime dans le lourd dialecte rustique de Zaječar, dont se moquent les Belgradois. Sa diction est heurtée, et ses interventions semées d'apartés et d'interjections se prêtent à l'anecdote. Apprenant que le célèbre écrivain satirique Branislav Nušić avait protesté contre l'annexion de la Bosnie-Herzégovine en 1908 en traversant la ville à la tête d'une manifestation, puis en entrant à cheval dans le ministère des Affaires étrangères, Pašić aurait, dit-on, réagi en disant : « Euh... voyez-vous... je savais qu'il était bon écrivain, mais... hum... qu'il soit si bon cavalier, je l'ignorais [32]... » Ce n'est pas un bon orateur, mais un excellent communicateur, tout particulièrement auprès des paysans qui forment l'écrasante majorité de l'électorat serbe. À leurs yeux, son discours peu sophistiqué et introverti, son humour pataud et sa barbe de patriarche foisonnante sont signes d'une prudence, d'une clairvoyance et d'une sagesse quasi surnaturelles. Parmi ses amis et ses partisans, il est connu sous le nom de « Baja », terme qui désigne un homme important qui n'est pas seulement respecté mais également aimé de ses contemporains [33].

Une condamnation à mort, de longues années d'exil, la paranoïa née d'une vie passée sous constante surveillance, tout ceci a laissé une marque profonde sur les habitudes et les attitudes de l'homme politique. Il a acquis des réflexes de prudence, de secret et de ruse. De nombreuses années plus tard, un ancien secrétaire se souviendra qu'il répugnait à mettre par écrit idées et décisions, voire à les exprimer à haute voix. Il avait l'habitude de brûler régulièrement tous ses documents, officiels et privés. Dans les situations de conflit, il affectait la passivité, n'aimant pas abattre ses cartes avant le dernier moment. Il était pragmatique au point de passer, aux yeux de ses adversaires, pour un homme dénué de tout principe. Tout ceci s'accompagnait d'une sensibilité extrême à l'état de l'opinion publique et du besoin de se sentir en harmonie avec la nation pour laquelle il avait souffert et œuvré [34]. En 1903, Pašić est tenu au courant de la préparation du complot : il garde le secret mais refuse d'y prendre une part active. Quand les détails de l'opération lui sont communiqués, la veille de l'attaque du palais, il a une réaction tout à fait caractéristique : il part en train avec sa famille sur la côte adriatique – qui dépend à l'époque des autorités autrichiennes – pour y attendre la suite des événements.

Pašić comprend alors que son succès dépendra de deux facteurs : assurer l'indépendance du gouvernement ainsi que sa propre indépendance, et établir dans le même temps une relation stable et durable avec l'armée et, au sein de l'armée, avec le réseau des conjurés. Ce réseau ne comprend plus seulement la centaine d'hommes qui ont effectivement pris part au complot, mais également un nombre croissant de jeunes officiers qui voient dans les conjurés l'incarnation de la volonté nationale serbe. La situation est d'autant plus complexe que ses opposants politiques les plus dangereux, les radicaux indépendants (une faction dissidente qui a quitté son propre parti en 1901), sont prêts à collaborer avec les régicides si cela leur permet d'ébranler son gouvernement.

Il traite cette situation délicate avec intelligence. Il prend des contacts personnels et individuels avec certains conjurés afin de perturber la formation d'une coalition antigouvernementale. Malgré les protestations de certains membres de son parti, il soutient le vote d'un budget généreux pour l'armée afin de compenser une partie du retard accumulé depuis le départ du roi père Milan. Il reconnaît publiquement la légitimité du coup d'État de 1903, décision symbolique d'importance majeure aux yeux des conjurés, et s'oppose aux tentatives de les faire juger par un tribunal. Dans le même temps, cependant, il ne cesse de limiter leur présence dans la vie publique. Apprenant que les conjurés ont l'intention d'organiser un bal pour célébrer le premier anniversaire des meurtres, Pašić (alors ministre des Affaires étrangères) intervient pour que les festivités soient reportées au 15 juin, date anniversaire de l'élection du nouveau roi. Pendant l'année 1905, alors que l'influence politique des régicides est un sujet de controverse dans la presse et au Parlement, il met en garde la Skupština contre la menace que constituent pour la démocratie « des acteurs qui n'ont pas d'obligation de rendre des comptes » et agissent en dehors des institutions d'autorité constitutionnelle – une position bien accueillie par la base des radicaux, qui déteste ce qu'elle considère comme l'esprit prétorien du corps des officiers. En 1906, il exploite avec habileté la normalisation des relations diplomatiques avec la Grande-Bretagne pour obtenir la mise à la retraite d'un certain nombre d'officiers supérieurs régicides [35].

Ces manœuvres adroites ont des conséquences mitigées. Certains régicides les plus éminents perdent des postes clés, ce qui affaiblit à court terme leur influence sur la politique nationale. En revanche, Pašić ne peut faire grand-chose pour empêcher leur influence de grandir au sein de l'armée et parmi des civils sympathisants, les *zaveritelji* – ceux qui se sont ralliés à la cause de la conjuration après son succès –, qui ont tendance à avoir des opinions encore plus extrêmes que les conjurés de la première heure [36]. Mais la conséquence majeure de l'éviction des principaux conjurés, c'est de laisser le champ libre à l'infatigable Apis, qui se retrouve sans rival au sein du réseau. Apis demeurera toujours le personnage central des célébrations commémoratives du régicide, où les conspirateurs se réunissent dans le restaurant de Kolarak, dans un petit parc près du Théâtre national au centre de Belgrade, pour boire de la bière et se divertir. Il sera également le plus actif des conjurés dans le recrutement d'un noyau d'officiers ultranationalistes, prêts à tout dans la lutte pour l'unité de tous les Serbes.

Cartes imaginaires

« L'unification de la Serbie » : cette idée repose sur une représentation mentale de la Serbie qui n'a guère de rapport avec la carte politique des Balkans au tournant du XXᵉ siècle. Sa traduction politique la plus influente est un mémorandum secret, rédigé en 1844 par le ministre serbe de l'Intérieur Ilija Garašanin pour le roi Alexandar Karadjordjević, et connue sous le titre de *Načertanije* (du mot *náčrt*, « ébauche, projet » en vieux serbe) après sa publication en 1906. Garašanin y trace les grandes lignes d'un « programme de politique étrangère et nationale serbe » qui exercera une influence capitale sur des générations d'hommes politiques et de patriotes serbes. Au fil des années, le *Načertanije* devient l'équivalent de la Magna Carta du nationalisme serbe *. Garašanin ouvre son mémorandum en observant que « la Serbie est un petit pays, mais ne doit pas demeurer dans cette situation [37] ». Il affirme que le premier commandement de la politique serbe doit être « le principe d'unité nationale ». Il

---

* L'auteur du texte sur lequel se fondait le *Načertanije* était un Tchèque, Frantisek Zach, qui avait envisagé une organisation fédérale des peuples slaves du Sud. Mais là où Zach avait écrit « slave du Sud », Garašanin substitua le nom ou l'adjectif « serbe ». Cette modification transforma la vision cosmopolite de Zach en un manifeste nationaliste centré sur les revendications serbes.

entend par là l'unification de tous les Serbes à l'intérieur des frontières d'un État serbe : « La Serbie est partout où demeurent des Serbes. » Le modèle historique de cette vision expansionniste de l'État serbe, l'empire médiéval de Stepan Dušan, est constitué d'une vaste bande de territoires comprenant la majeure partie de la République serbe actuelle ainsi que l'Albanie actuelle, une grande partie de la Macédoine, toute la Grèce du nord et du centre, mais – et ceci est intéressant à noter – pas la Bosnie.

L'empire du tsar Dušan s'était effondré après une défaite contre les Turcs au champ de Kosovo (*Kosovo Polje*) le 28 juin 1389. Mais ce revers, selon Garašanin, n'avait pas entamé la légitimité de l'État serbe : il n'avait fait qu'interrompre son existence historique. La « restauration » d'une Grande Serbie rassemblant tous les Serbes n'est donc pas une innovation mais l'expression d'un droit historique ancien : « Ils ne peuvent pas [nous] accuser de rechercher une idée nouvelle, infondée, de préparer une révolution ou un soulèvement. Au contraire, chacun doit reconnaître que ce droit est une nécessité politique, qu'il a été fondé dans des temps très anciens et plonge ses racines dans la vie politique et nationale serbe d'autrefois [38]. » Son argument présente ce raccourci spectaculaire infligé à l'histoire qui se manifeste parfois dans les discours nationalistes radicaux. De plus, il repose sur l'illusion que cet immense empire médiéval du tsar Dušan, hétérogène et multiethnique, puisse se confondre avec l'idée moderne d'un État-nation culturellement et linguistiquement homogène. Les patriotes serbes ne voyaient là aucune contradiction, puisqu'ils considéraient que presque tous les habitants de ces régions étaient serbes. Vuk Karadžić, architecte du serbo-croate littéraire moderne et auteur d'un célèbre pamphlet nationaliste, *Srbi svi i svuda* (« Serbes, tous et partout », publié en 1836), parlait d'une nation de cinq millions de Serbes parlant « la langue serbe », dispersés de la Bosnie-Herzégovine au Banat de Temesvar (à l'est de la Hongrie, de nos jours l'ouest de la Roumanie), en passant par la Bačka (une région s'étendant du nord de la Serbie jusqu'au sud de la Hongrie), la Croatie, la Dalmatie et la côte adriatique de Trieste jusqu'au nord de l'Albanie. Bien sûr, certains habitants de ces territoires, concédait-il en faisant tout particulièrement référence aux Croates, « ont encore des difficultés à se considérer comme serbes, mais il semble probable qu'avec le temps, ils y viendront [39] ».

Ce programme d'unification engage le régime serbe – Garašanin en a bien conscience – dans une lutte contre deux grands empires, l'Empire ottoman et l'Empire autrichien, dont les possessions empiètent sur la Grande Serbie imaginée par les nationalistes. En 1844, l'Empire ottoman contrôle encore la majeure partie de la péninsule balkanique. « La Serbie doit s'employer sans relâche à faire tomber, pierre après pierre, la façade de l'empire turc, et à absorber ces bons matériaux afin de les réutiliser pour construire et établir un nouveau grand État serbe sur les fondations saines de l'Empire serbe[40]. » L'Autriche, elle aussi, est destinée à devenir un ennemi[41]. En Hongrie, en Croatie-Slavonie et en Istrie-Dalmatie, vivent des Serbes, sans parler des nombreux Croates qui n'ont pas encore embrassé cette nationalité : selon les nationalistes, ils attendent tous d'être libérés du joug des Habsbourg et réunis sous la protection de Belgrade.

Jusqu'en 1918, date à laquelle beaucoup de ses objectifs sont remplis, le mémorandum de Garašanin demeure le principal projet politique des dirigeants serbes, tandis que ses préceptes se répandent au sein de la population, soumise à un flot continu de propagande, en partie coordonnée par Belgrade et en partie pilotée par les réseaux patriotes au sein de la presse[42]. De plus, cette vision de la Grande Serbie ne relevait pas seulement de la politique gouvernementale ni même de la propagande. Elle était profondément ancrée dans la culture et l'identité serbes. La mémoire du grand empire de Dušan résonnait toujours dans la tradition extraordinairement vivace des chants épiques populaires serbes, de longues ballades souvent accompagnées au son mélancolique de la *gusla*, un instrument à une corde. Au fil de ces ballades, chanteurs et auditeurs revivaient les grands moments fondateurs de l'histoire serbe. Dans les villages, sur les places de marché, sur toutes les terres serbes, ces chants mêlaient de façon remarquablement intime poésie, histoire et identité. L'historien allemand Leopold von Ranke, l'un des premiers à le remarquer, note dans son histoire de la Serbie publiée en 1829 que « l'histoire de cette nation, forgée par sa poésie, a constitué un patrimoine national, et c'est ainsi que le peuple en a conservé la mémoire[43] ».

Ce que cette tradition préserve en tout premier lieu, c'est le souvenir de la lutte des Serbes contre l'oppression étrangère. La défaite des Serbes contre les Turcs au champ de Kosovo le 28 juin 1389 en est un thème récurrent. Embelli au fil des siècles, le récit de cette bataille médiévale à l'issue plutôt indécise s'est épanoui jusqu'à devenir le prototype symbolique de tous les combats entre les Serbes et les Infidèles, leurs ennemis. Sur ce récit foisonnant se greffe une chronique peuplée non seulement de prestigieux héros ayant unis les Serbes en ces temps troublés, mais aussi de traîtres scélérats ayant refusé de soutenir la cause commune ou vendu les Serbes à leurs ennemis. Ce panthéon mythique inclut le célèbre assassin Miloš Obilić, dont les ballades racontent qu'il s'était introduit dans le quartier général des Turcs le jour de la bataille pour trancher la gorge du sultan avant d'être capturé et décapité par les gardes ottomans. Assassinats, martyrs, victimes et héros assoiffés de vengeance, tels étaient les thèmes centraux[44].

Cette culture orale fait donc apparaître dans tout son éclat une Serbie imaginaire, projetée sur un passé mythique. Observant des Serbes de

Bosnie interpréter des chants épiques pendant la révolte contre les Turcs en 1875, l'archéologue britannique Sir Arthur Evans admire la capacité de ces ballades « à faire oublier aux Serbes de Bosnie les traditions plus étroites de leur royaume, à fondre leur expérience dans celle de leurs "frères" de toutes les terres serbes et, par là, à fouler aux pieds le jargon des géographes et des diplomates [45] ». Certes, cette culture de l'épopée orale connaît un déclin progressif au cours du XIXe siècle, lorsqu'elle est peu à peu remplacée par la presse populaire. Mais quand le diplomate britannique Sir Charles Eliot parcourt la Serbie en 1897, il a encore l'occasion d'entendre ces chants épiques interprétés par certains musiciens ambulants sur les marchés de la vallée de la Drina. « Ces rhapsodies, raconte-t-il, qui se chantent sur une mélopée monotone accompagnée à la guitare à une corde, expriment tant de sincérité et d'émotion que l'effet d'ensemble n'est pas déplaisant [46]. » En tout état de cause, les recueils de poésie épique serbe, compilés et publiés par Vuk Karadžić, ont une immense influence et continuent à circuler au sein d'une élite littéraire de plus en plus nombreuse. De plus, ce corpus épique continue de s'enrichir. *La Couronne de montagne*, un classique du genre publié en 1847 par l'évêque seigneur du Monténégro Petar II Petrović-Njegos, glorifie Miloš Obilić, tyrannicide mythique et martyr national, et appelle à reprendre la lutte contre l'oppression étrangère. *La Couronne de montagne* entre au panthéon littéraire de l'identité serbe, et l'est resté depuis [47].

L'engagement pris de sauver les terres serbes « perdues » ajouté aux dangers d'une situation à découvert entre deux empires confère à la politique étrangère de l'État serbe un certain nombre de traits fondamentaux. En tout premier lieu, les Serbes n'ont pas d'objectifs géographiques clairement déterminés. S'engager en faveur de la Grande Serbie est une chose, mais où le processus de rédemption doit-il commencer ? En Voïvodine, à l'intérieur des frontières du royaume de Hongrie ? Au Kosovo ottoman, connu sous le nom de « Vieille Serbie » ? En Bosnie, qui n'a jamais appartenu à l'empire de Dušan, mais abrite une importante population de Serbes ? Ou en Macédoine, vers le sud, toujours sous domination ottomane ? Le décalage entre l'objectif visionnaire de l'unification et les maigres ressources militaires et financières de l'État serbe signifie que les hommes politiques de Belgrade sont contraints de réagir avec opportunisme aux changements rapides intervenant dans la péninsule balkanique. Par conséquent entre 1844 et 1914, les priorités de la politique étrangère serbe vont tournoyer comme l'aiguille d'une boussole, d'un point à l'autre de la périphérie de l'État. La plupart du temps, la logique de ces oscillations est réactive. En 1848, quand les Serbes de Voïvodine se rebellent contre la politique de « magyarisation » du gouvernement révolutionnaire hongrois, Garašanin leur vient en aide en leur fournissant des armes et des régiments de volontaires venus de la principauté de Serbie. En 1875, tous les regards se portent sur l'Herzégovine, où les Serbes se sont révoltés contre les Ottomans – parmi ceux qui se précipitent sur le théâtre d'opérations se trouve Pašić et le commandant militaire et futur roi Petar Karadjordjević, qui combat sous un nom d'emprunt. Après 1903, à la suite d'une rébellion locale avortée contre les Turcs, le projet de libérer les Serbes de Macédoine ottomane connaît un regain d'intérêt. En 1908, lorsque les Autrichiens annexent officiellement la Bosnie-Herzégovine – après l'avoir occupée militairement depuis 1878 – ce territoire revient brusquement à l'ordre du jour. En 1912 et 1913 cependant, c'est à nouveau la Macédoine qui figure en tête des priorités.

La politique étrangère serbe devait affronter l'écart entre le nationalisme visionnaire imprégnant la culture politique du pays et les réalités ethniques complexes des Balkans. Au centre de cette cartographie mythique serbe se trouve le Kosovo qui n'est pas, au plan ethnique, un territoire uniformément serbe. Les albanophones musulmans y sont en majorité depuis la fin du XVIIIe siècle au moins[48]. Beaucoup des Serbes que Vuk Karadžić recense en Dalmatie et en Istrie sont en fait des Croates, qui n'ont aucun désir de rejoindre l'État de la Grande Serbie. La Bosnie qui, historiquement, n'a jamais fait partie de la Serbie, abrite de nombreux Serbes (ils représentent 43 % de la population de Bosnie-Herzégovine en 1878, au début de l'occupation austro-hongroise) mais elle contient également des Croates catholiques (environ 20 %) et des Bosniaques musulmans (environ 33 %). La présence d'une importante minorité musulmane est l'une des caractéristiques distinctives de la Bosnie alors qu'en Serbie même, la plupart des communautés musulmanes ont été poussées à l'émigration, expulsées ou tuées pendant la longue lutte pour l'indépendance[49].

Le cas de la Macédoine est encore plus complexe. Si on la superpose à une carte politique contemporaine des Balkans, la région géographique de Macédoine inclut, en plus de l'ancienne République yougoslave du même nom, des régions périphériques le long de la frontière avec le sud de la Serbie et l'est de l'Albanie, un large morceau du sud-ouest de la Bulgarie et une vaste partie du nord de la Grèce[50]. De nombreuses questions restent controversées (en témoigne le conflit qui couve encore de nos jours entre Athènes et Skopje sur l'emploi du nom « Macédoine » pour désigner la république de Skopje) : quelles sont précisément les frontières historiques de la Macédoine ? Dans quelle mesure cette région possède-t-elle une identité culturelle, linguistique ou nationale distincte ? À ce jour, l'existence de la langue macédonienne est reconnue par les linguistes du monde entier, sauf en Serbie, en Bulgarie et en Grèce[51]. En 1897, quand Sir Charles Eliot voyage à travers la Serbie, il découvre avec stupeur que ses compagnons serbes « refusent de reconnaître la présence de Bulgares en Macédoine », affirmant au contraire avec insistance que « les habitants slaves de ce pays sont tous des Serbes [52] ». Seize ans plus tard, la fondation Carnegie enverra une commission dans cette région pour enquêter sur des atrocités commises au cours de la seconde guerre des Balkans : il leur sera impossible de faire parvenir leurs interlocuteurs locaux à un consensus sur la question de savoir quelle est l'appartenance ethnique des habitants de la Macédoine, tant ce débat reste polarisé, même au sein des universités. Le rapport publié par la commission en 1913 inclut donc non pas une, mais deux cartes ethniques de la région, l'une reflétant le point de vue de Belgrade, l'autre celui de Sofia. Dans la première, l'ouest et le nord de la Macédoine pullulent de Serbes non encore libérés qui attendent d'être réunis avec leur mère patrie. Dans la seconde, cette même région apparaît comme le cœur d'une zone de peuplement bulgare [53]. Pendant les dernières décennies du XIXe siècle, Serbes, Grecs et Bulgares entretiendront d'ailleurs des officines de propagande extrêmement actives en Macédoine même, dans le but de convertir les populations slaves locales à leurs causes nationales respectives.

Ce décalage entre vision nationale et réalités ethniques signifiait que la réalisation des objectifs serbes serait, selon toute probabilité, un processus violent, non seulement au niveau régional, où les diverses puissances, grandes et moins grandes, avaient des intérêts à défendre, mais aussi au sein des villes et villages des zones contestées. Certains hommes d'État relèvent donc le défi en essayant d'enrober les objectifs nationaux serbes dans une vision politique « serbo-croate » plus généreuse, incluant l'idée de collaboration pluriethnique. C'est le point de vue de Nikola Pašić qui, dans les années 1890, développe longuement la nécessité pour les Serbes et les Croates de s'unir dans un monde où les petites nations sont vouées à disparaître. Deux présupposés cependant sous-tendaient cette rhétorique : le premier consistait à penser que les Serbes et les Croates étaient essentiellement un seul et même peuple ; et, le second, que c'étaient les Serbes qui devaient prendre la tête de ce processus parce qu'ils étaient un peuple plus authentiquement slave que les Croates catholiques, depuis si longtemps exposés à « l'influence de cultures étrangères [54] ».

Petit État disposant de relativement peu de ressources naturelles, la Serbie ne pouvait guère se permettre de poursuivre ses objectifs au vu et au su du monde entier. Un certain degré de clandestinité rentrait donc de manière préprogrammée dans la poursuite de la « liberté » pour les Serbes encore sujets d'États ou d'empires voisins. Dès le soulèvement de la Voïvodine en 1848, Garašanin formule cet impératif : « Les Serbes de Voïvodine attendent que la nation serbe leur tende une main secourable afin de pouvoir triompher de leurs ennemis traditionnels. [...] Mais à cause de certains facteurs politiques, nous ne pouvons pas les aider officiellement. Nous sommes donc contraints de le faire en secret [55]. » Cette préférence pour des actions clandestines se manifeste également en Macédoine. Après l'insurrection avortée des Macédoniens contre les Turcs en 1903, le nouveau régime Karadjordjević pratique une politique active dans la région. Des comités se créent pour promouvoir la guérilla serbe en Macédoine, et des réunions s'organisent à Belgrade pour recruter et armer des groupes de combattants. Mis en cause par l'ambassadeur ottoman à Belgrade, le ministre serbe des Affaires étrangères Kaljević nie toute implication de son gouvernement, protestant que ces réunions ne sont en aucun cas illégales puisqu'elles sont organisées « non pour lever des troupes, mais simplement pour collecter des fonds et exprimer [notre] sympathie à nos coreligionnaires qui vivent de l'autre côté de la frontière [56] ».

Les régicides sont très largement impliqués dans ces activités transfrontalières. Les officiers conjurés et leurs sympathisants au sein de l'armée créent un comité national informel à Belgrade, coordonnent les opérations militaires et commandent de nombreuses unités de volontaires. Bien qu'il ne s'agisse pas à proprement parler d'unités régulières, les officiers volontaires qui se mettent à leur tête se voient accorder sur-le-champ des permissions exceptionnelles – ce qui laisse supposer un fort degré de soutien officiel [57]. Les opérations des miliciens prennent de plus en plus d'ampleur, et des accrochages nombreux et violents ont lieu entre les *četniks* serbes (des rebelles) et les groupes de volontaires bulgares. En février 1907, le gouvernement britannique somme Belgrade de mettre un terme à ces opérations qui risquent de déclencher une guerre entre la Serbie et la Bulgarie. Une fois de plus, Belgrade nie toute responsabilité et dément financer les activités des *četniks,* déclarant qu'elle « ne peut empêcher [son peuple] de se défendre contre des groupes armés étrangers ». Mais le soutien que le gouvernement serbe continue à apporter à cette lutte sape la crédibilité de cette position – en novembre 1906, la Skupština a déjà voté une aide de trois cent mille dinars pour les Serbes qui souffrent en Vieille Serbie et en Macédoine, somme complétée par des « fonds secrets » accordés pour « des dépenses extraordinaires et la défense des intérêts nationaux [58] ».

Cet irrédentisme présente des risques multiples. Autant il est facile d'envoyer des chefs de guérilla sur le terrain, autant il se révèle difficile de les contrôler une fois là-bas. Dès l'hiver 1907, il devient clair qu'un certain nombre de ces groupes de *četniks* opèrent en Macédoine indépendamment de tout contrôle ; un émissaire envoyé par Belgrade parvient difficilement à rétablir l'ordre. Les leçons équivoques de « l'imbroglio macédonien » auront donc des conséquences fatales pour les événements de 1914. D'un côté, confier le commandement des opérations militaires à des cellules d'activistes dominées par les régicides de 1903 risque de faire basculer le contrôle de la politique nationale serbe des autorités politiques centrales à des éléments irresponsables et marginaux. D'un autre, la diplomatie des années 1906-1907 démontre que les relations informelles et floues entre le gouvernement serbe et les réseaux irrédentistes peuvent être exploitées pour exonérer Belgrade de toute responsabilité politique et optimiser ainsi la marge de manœuvre du gouvernement. Les élites politiques serbes prennent donc l'habitude de s'accommoder de ce double langage, fondé sur la fiction que la politique étrangère officielle de la Serbie d'une part et l'œuvre de libération nationale au-delà des frontières de l'État serbe d'autre part sont deux phénomènes bien distincts.

La séparation

« Au plan politique, il est impossible que l'Autriche et la Serbie puissent cohabiter en harmonie », écrivait Garašanin en 1844 [59]. Jusqu'en 1903, les situations de conflit potentiel entre Vienne et Belgrade restent limitées. Les deux pays partagent une longue frontière qui, vue de Belgrade, se révèle plus ou moins impossible à défendre. La capitale serbe, située au confluent pittoresque du Danube et de la Sava, n'est qu'à faible distance de la frontière avec l'Autriche-Hongrie. Les exportations serbes se font principalement vers l'Empire, d'où provient également une grande partie de ses importations. Les contraintes de la géographie sont renforcées par la politique de la Russie dans la région : en 1878, au congrès de Berlin, la Russie a contribué à détacher de l'Empire ottoman un large morceau du territoire bulgare, dans l'espoir que la Bulgarie resterait un allié de Moscou. Puisqu'il est prévisible que la Bulgarie – soutenue par Saint-Pétersbourg – et la Serbie se disputeront un jour des territoires macédoniens, le prince Milan (plus tard devenu roi) tente de contrebalancer cette menace en cherchant à se rapprocher de Vienne. Tant que la Russie continuera à jouer la carte bulgare dans les Balkans, elle poussera la Serbie dans les bras de l'Autriche, et les relations austro-serbes demeureront harmonieuses.

En juin 1881, l'Autriche-Hongrie et la Serbie concluent un traité commercial. Trois semaines plus tard, il est complété par une convention secrète, négociée et signée par le prince Milan lui-même, qui stipule d'une part que l'Autriche-Hongrie assistera la Serbie dans ses efforts pour accéder au statut de royaume, et d'autre part qu'elle soutiendra ses revendications territoriales en Macédoine. Quant à la Serbie, elle accepte de ne pas ébranler la position de la monarchie autrichienne en Bosnie-Herzégovine. L'article 2 précise qu'elle « interdira la menée depuis son territoire de toute intrigue politique, religieuse ou autre contre la monarchie austro-hongroise, y compris en Bosnie, en Herzégovine et dans le sandjak de Novi Pazar ». En outre, Milan renforce ces accords en prenant par écrit l'engagement personnel de ne conclure « aucun traité d'aucune sorte » avec un pays tiers sans consultation préalable avec Vienne [60].

Ces accords sont, à l'évidence, des bases bien fragiles pour bâtir de bonnes relations entre les deux pays. Ils ne s'ancrent dans aucun senti-ment populaire, les Serbes étant profondément anti-autrichiens. Aux yeux des nationalistes, ils symbolisent une relation de dépendance économique de plus en plus inacceptable. Ils dépendent de la coopération d'une monarchie serbe de plus en plus erratique et impopulaire. Mais tant que Milan Obrenović reste sur le trône, ils assurent au moins que la Serbie ne s'allie pas avec la Russie contre l'Autriche, et que le fer de lance de sa politique étrangère reste pointé dans la direction de la Macédoine et du conflit à venir avec la Bulgarie, plutôt que dans celle de la Bosnie-Herzé-govine [61]. Un nouveau traité commercial est signé en 1892, et la Conven-tion secrète renouvelée en 1989 pour une période de dix ans. Même si elle n'a pas été prorogée après, elle demeure au fondement de la politique serbe vis-à-vis de Vienne.

En 1903, le changement de dynastie donne le signal d'un réalignement majeur. L'Autriche reconnaît sans délai le nouveau régime issu du coup d'État, en partie parce que le nouveau souverain, Petar Karadjordjević, avait assuré les Autrichiens de son intention de maintenir un cap provien-nois en politique étrangère [62]. Mais l'intention des nouveaux dirigeants serbes de promouvoir une plus grande indépendance politique et écono-mique devient vite évidente. Les années 1905-1906 voient se développer une situation de crise où politiques commerciales, course aux armements, haute finance et géopolitique se trouvent étroitement mêlées. Vienne poursuit un triple objectif : obtenir la signature d'un traité commercial avec la Serbie, s'assurer que les commandes de matériel militaire continue-ront à se faire auprès d'entreprises autrichiennes, et consentir un prêt très important à Belgrade [63]. Aucune de ces questions ne débouchant sur un accord, les relations entre les deux voisins se refroidissent brutalement, ce qui entraîne des conséquences catastrophiques pour Vienne. Les Serbes commandent désormais leur matériel militaire auprès de la firme française Schneider au Creusot, au détriment de sa rivale autrichienne Škoda en Bohême. En représailles, les Autrichiens interdisent toute importation de porc en provenance de Serbie, déclenchant un conflit douanier connu sous le nom de « guerre des cochons » (1906-1909). Cette mesure se révèle contre-productive, puisque la Serbie, qui trouve rapidement d'autres débouchés commerciaux (tout particulièrement en Allemagne, en France et en Belgique), se met enfin à construire des abattoirs de grande capacité, s'émancipant ainsi d'une dépendance ancienne vis-à-vis des conserveries austro-hongroises. Enfin Belgrade obtient un prêt très important, non pas de Vienne, mais à nouveau de Paris (en échange de commandes d'armement passées auprès des firmes françaises).

Il faut s'arrêter un moment pour examiner l'ampleur de la signification de ce prêt français. Comme tous les États émergents des Balkans, la Serbie était un emprunteur invétéré qui dépendait intégralement des crédits internationaux, en majeure partie utilisés pour financer l'expansion militaire et les projets d'infrastructure. Pendant le règne du roi Milan, les Autrichiens étaient tout disposés à octroyer des prêts à Belgrade. Mais puisque ces prêts outrepassaient les capacités de remboursement de l'État débiteur, ils devaient être adossés à des hypothèques : chaque emprunt était gagé sur une recette fiscale précise, ou sur une concession ferroviaire. Il était convenu que les recettes gagées provenant des chemins de fer, des taxes sur l'alcool et des timbres fiscaux seraient versées sur un compte spécial, contrôlé conjointement par des représentants du gouvernement serbe et des prêteurs. Cet arrangement, qui permet à l'État serbe de se maintenir à flot pendant les années 1880 et 1890, ne fait rien pour restreindre la prodigalité financière du gouvernement de Belgrade : en 1895, il a accumulé une dette de plus de trois cent cinquante millions de francs. Menacé de banqueroute, il négocie un nouveau prêt permettant de consolider la quasi-totalité des dettes précédentes à un taux d'intérêt plus bas. Les revenus gagés sont confiés à une administration indépendante, contrôlée en partie par les représentants des créditeurs.

En d'autres termes, des créditeurs fragiles comme la Serbie (cela est également vrai pour les autres États des Balkans et l'Empire ottoman) ne pouvaient obtenir de prêts à des conditions avantageuses que s'ils acceptaient de faire des concessions sur le contrôle de leur politique fiscale, ce qui revenait à hypothéquer partiellement les fonctions régaliennes de l'État. C'est une des raisons pour lesquelles les prêts internationaux sont, à l'époque, un enjeu politique de la plus haute importance, inextricablement lié à la question de l'équilibre des pouvoirs et à la diplomatie. Les prêts français, en particulier, constituent des leviers d'action politique : Paris refuse d'accorder des prêts aux gouvernements dont la politique est alors jugée défavorable aux intérêts de la France, et favorise ceux consentis en échange de contreparties politiques ou économiques. À l'occasion, elle accepte à contrecœur d'accorder un prêt à des clients peu solvables, mais stratégiques, pour les empêcher d'aller chercher du soutien ailleurs, et démarche ses clients potentiels avec agressivité. Dans le cas de la Serbie, Paris fait comprendre aux membres du gouvernement serbe que s'ils ne donnent pas la préférence à la France, les marchés financiers parisiens leur seront complètement fermés [64]. Signe de cette imbrication de la stratégie et de la finance, le ministère des Affaires étrangères français fusionnera son département commercial et son département politique en 1907 [65].

Dans ce contexte, l'emprunt serbe de 1906 marque un tournant important. Les relations financières entre la France et la Serbie deviennent, selon les termes d'un des premiers analystes américains de la haute finance d'avant-guerre, « de plus en plus intimes et dominatrices [66] ». Les Français finiront par détenir plus des trois quarts de la dette serbe [67]. Pour le gouvernement serbe, il s'agit d'engagements très importants : les échéanciers calculés à l'époque courent jusqu'en 1967. En fait, Belgrade fera défaut sur la plupart de ses obligations après 1918. Ces sommes sont en majeure partie utilisées pour acheter du matériel militaire (en particulier de l'artillerie légère) principalement en France, au grand dam non seulement de l'Autriche, mais également des diplomates et des marchands d'armes britanniques. Le prêt de 1906 permet aussi à la Serbie de ne pas céder à la pression commerciale de Vienne et de mener une longue guerre douanière. « La résistance indéniablement victorieuse de M. Pašić aux exigences autrichiennes, rapporte l'ambassadeur britannique à Belgrade en 1906, marque une étape décisive de l'émancipation politique et économique de la Serbie [68]. »

Ces succès financiers ne doivent pas dissimuler la situation alarmante de l'économie serbe dans son ensemble. Celle-ci est bien moins due à la politique douanière de l'Autriche qu'à un processus de déclin économique profondément enraciné dans l'histoire et la structure agraire de ce pays. L'émergence et l'expansion territoriale ultérieure de la Serbie s'accompagnent d'un mouvement dramatique de désurbanisation, au fur et à mesure que les villes, majoritairement peuplées de musulmans, se vident de leurs habitants, chassés par des décennies de harcèlement et d'expulsions [69]. Les structures sociales relativement urbanisées et cosmopolites de cette région périphérique de l'Empire ottoman sont remplacées par une société et une économie entièrement dominées par de petits propriétaires terriens chrétiens. Cette situation résulte d'une part de l'absence d'une aristocratie serbe autochtone, et d'autre part des efforts de la dynastie régnante pour empêcher l'émergence d'une telle classe dirigeante en s'opposant au remembrement des propriétés latifundiaires [70]. Tandis que les villes décroissent, la population augmente à un rythme impressionnant. Des centaines de milliers d'hectares de terres à faibles rendements sont distribués à de jeunes familles, ce qui relâche les contraintes sociales sur le mariage et la fécondité. Mais cette croissance galopante de la population ne fait rien pour inverser la sous-productivité et le déclin qui paralysent l'économie serbe entre le milieu du XIXe siècle et le déclenchement de la Première Guerre mondiale [71]. La production agricole par habitant chute de 27,5 % entre le début des années 1870 et 1910-1912, en partie parce que l'augmentation des surfaces arables entraîne une déforestation massive qui détruit les surfaces boisées nécessaires à l'élevage intensif du porc, traditionnellement l'activité la plus rentable de la production agricole serbe. Dans les années 1880, les vastes et magnifiques forêts de la Šumadija ont pratiquement disparu [72].

Le bilan aurait pu être moins négatif si l'industrie et le commerce avaient connu un véritable développement, mais là encore, le tableau est sombre, même comparé à la situation d'autres pays balkaniques. La population rurale a peu accès aux marchés, et il n'y a pas d'industries de base comme les usines textiles qui contribuent au développement de l'industrie en Bulgarie voisine [73]. Dans ces conditions, le développement économique de la Serbie dépend des investissements étrangers. La première entreprise industrielle de conditionnement de confiture de prune est lancée par des employés d'une entreprise similaire à Budapest. De la même manière, des entrepreneurs étrangers sont à l'origine de l'essor de la production de soie et de vin à la fin du XIXe siècle. Mais les investissements étrangers stagnent, en partie parce que les entreprises sont rebutées par la xénophobie, la corruption des fonctionnaires et le peu d'éthique auxquels elles se heurtent quand elles tentent de s'installer en Serbie. Même dans des domaines où la politique gouvernementale encourage l'investissement, les autorités locales harcèlent les entreprises étrangères, ce qui demeure un problème sérieux [74].

L'investissement en capital humain est tout aussi médiocre : en 1900, il n'y a encore que quatre écoles normales pour toute la Serbie, où la moitié des instituteurs n'ont reçu aucune formation pédagogique ; la plupart des cours ne se déroulent pas dans des bâtiments conçus à cet effet, et seul un tiers des enfants sont effectivement scolarisés. Tous ces obstacles reflètent les préjugés d'une population rurale qui ne se soucie guère d'éducation et ne considère pas l'école, imposée par le gouvernement, comme une institution familiale. En 1905, pressée de trouver de nouvelles recettes fiscales, la Skupština, dominée par la paysannerie, choisit de taxer les livres d'école plutôt que l'eau-de-vie artisanale. Tout cela explique un taux d'alphabétisation extrêmement faible, variant de 27 % dans les régions du nord de la Serbie à seulement 12 % dans le sud-est [75].

Ce sombre tableau d'une « croissance sans développement » pèse de diverses manières sur l'histoire que nous racontons. La société serbe avait gardé une homogénéité inhabituelle tant sur le plan socio-économique

que sur le plan culturel ; le lien entre vie urbaine et traditions d'une culture paysanne orale façonnée par de puissants récits mythiques n'a jamais été rompu. Même Belgrade – où le taux d'alphabétisation n'est que de 21 % en 1900 – demeure une ville d'immigrants ruraux, un monde de « citadins paysans » profondément influencé par la culture et les structures familiales de la société rurale traditionnelle [76]. Dans cet environnement, le développement de la conscience moderne est vécu non comme l'évolution d'un mode antérieur de compréhension du monde, mais plutôt comme la superposition discordante d'attitudes modernes sur un mode de vie encore empreint des valeurs et des croyances traditionnelles [77].

Cette conjoncture économique et culturelle très particulière permet d'expliquer plusieurs traits saillants de la Serbie d'avant-guerre. Dans une économie offrant si peu de débouchés aux jeunes gens ambitieux et talentueux, la carrière militaire apparaît particulièrement attractive. Ce qui, à son tour, explique la fragilité des autorités civiles devant faire face aux défis lancés par la hiérarchie militaire – il s'agira là d'un facteur crucial dans la crise qui submergera la Serbie pendant l'été 1914. Cependant, il est également vrai que la tradition de guérillas menées par des milices d'irréguliers et des groupes de partisans, thème central de l'histoire de la naissance de la Serbie en tant que nation indépendante, demeure vivace dans la mentalité des paysans, très méfiants vis-à-vis de l'armée régulière. Pour un gouvernement confronté à une culture militaire de plus en plus arrogante, et qui ne peut pas compter sur le soutien d'une classe sociale éduquée et prospère suffisamment nombreuse – à l'inverse de tous les autres systèmes parlementaires au XIXe siècle –, le nationalisme représente un instrument politique et une force culturelle uniques et des plus puissants. L'enthousiasme quasi unanime en faveur de l'annexion des terres serbes encore opprimées se nourrit non seulement des passions mythifiées de la culture populaire, mais également de la « faim de terre » d'une classe paysanne dont les propriétés deviennent plus petites et moins productives. Dans ces conditions, les discours rendant les droits de douanes autrichiens ou l'étau financier austro-hongrois responsables des difficultés économiques des Serbes, bien que fallacieux, ne peuvent manquer de soulever l'approbation la plus enthousiaste. Ces contraintes renforcent également l'obsession de Belgrade d'obtenir un débouché sur la mer qui lui permettrait, pense-t-on, de briser le carcan de son retard. Le faible développement industriel et commercial de la Serbie signifie que les dirigeants serbes demeurent dépendants des capitaux étrangers pour les dépenses militaires indispensables à la poursuite d'une politique étrangère active. Réciproquement, cela explique l'intégration croissante de la Serbie, à partir de 1905, au réseau d'alliances scellées par la France, où se mêlent impératifs financiers et géopolitiques.

L'engrenage

Après 1903, l'attention des nationalistes serbes se concentre principalement sur le conflit tripartite qui se déroule alors en Macédoine entre Serbes, Bulgares et Turcs. Tout change en 1908 avec l'annexion de la Bosnie-Herzégovine par l'Autriche-Hongrie. Comme ces deux anciennes provinces ottomanes avaient été occupées par l'Autriche pendant trente ans, et qu'il n'avait jamais été question de faire évoluer le statu quo, on aurait pu penser que cette modification symbolique – passer d'une occupation à une véritable annexion – se serait faite dans l'indifférence générale. Mais la population serbe est d'une tout autre opinion : l'annonce de l'annexion suscite « une vague de ressentiment et d'émotion populaire sans précédent », à Belgrade comme en province. Lors de « nombreuses réunions publiques », les orateurs « réclament de partir en guerre contre l'Autriche [78] ». Plus de vingt mille personnes assistent à un rassemblement anti-autrichien au Théâtre national de Belgrade où Ljuba Davidović, chef des radicaux indépendants, déclare que les Serbes doivent lutter jusqu'à la mort contre l'annexion : « Nous nous battrons jusqu'à la victoire, mais si nous sommes battus, nous tomberons avec la certitude d'avoir donné toutes nos forces et d'avoir gagné le respect non seulement de tous les Serbes, mais de toute la race slave [79]. » Quelques jours plus tard, l'impétueux prince héritier Djordje, prenant la parole devant dix mille personnes à Belgrade, propose de se mettre la tête d'une croisade pour sauver les provinces annexées : « Je suis extrêmement fier d'être soldat, et je serais fier d'être à votre tête, peuple de Serbie, dans ce combat désespéré, pour la vie ou pour la mort, pour notre nation et notre honneur [80]. » Nikola Pašić lui-même, président du Parti radical serbe, n'étant pas au gouvernement à l'époque et donc plus libre de s'exprimer, déclare que si l'annexion ne peut être annulée, la Serbie doit se préparer à mener une guerre de libération [81]. Le libéral russe Pavel Milioukov, qui voyage alors en Serbie, est frappé de l'intensité de l'émotion populaire. La perspective d'une guerre avec l'Autriche, raconte-t-il, se transforme en « désir de combattre, et la victoire semble à la fois facile et certaine ». Telle est l'opinion de tous, et personne ne la conteste, au point que « toute tentative d'en débattre aurait été totalement inutile [82] ».

Une fois de plus, cette cartographie imaginaire qui influence la perception que les élites et le peuple ont alors de la politique et des intentions de la Serbie joue un rôle évident. Le seul moyen de comprendre l'intensité de l'émotion suscitée en Serbie par l'annexion, explique l'ambassadeur britannique à Belgrade dans un rapport du 27 avril 1909, est de se rappeler que tout patriote serbe qui s'intéresse ou prend part à l'action politique considère que la nation serbe ne rassemble pas seulement les sujets du roi Petar, mais englobe tous ceux qui leur sont apparentés par la race et la langue. Il aspire donc à la création d'une Grande Serbie, qui rassemblera en un seul pays les différentes régions de la nation, à présent divisées et sous domination autrichienne, hongroise et turque. De ce point de vue, au plan géographique et ethnographique, la Bosnie est le cœur de la Grande Serbie [83].

Dans un pamphlet publié presque simultanément, le célèbre ethnographe Jovan Cvijic, conseiller le plus influent de Nikola Pašić pour les questions de nationalité, fait observer qu'« il est évident que la Bosnie-Herzégovine, par la position centrale qu'elle occupe dans la répartition ethnographique de la race serbo-croate, détient la clé du problème serbe. Sans elle, il ne peut y avoir de grand État serbe [84] ». Pour les propagandistes panserbes, la Bosnie-Herzégovine fait partie des « territoires serbes sous domination étrangère ». Sa population est entièrement serbe, par la race et la langue, étant constituée de Serbes, de Serbo-Croates et de « Serbes-Mahométans », à l'exception bien sûr d'une minorité d'« habitants temporaires » et de « profiteurs » installés là au cours des trente années précédentes par les Autrichiens [85].

Propulsée par cette vague d'indignation, surgit une nouvelle organisation de masse dont le but est de poursuivre les objectifs des nationalistes. Connue sous le nom de Défense nationale serbe (Srpska Narodna Odbrana), elle recrute des milliers de membres, regroupés dans plus de deux cent vingt comités dispersés dans les villes et villages de Serbie, ainsi qu'un réseau d'auxiliaires en Bosnie et en Herzégovine [86]. La campagne irrédentiste, qui avait pris de l'ampleur en Macédoine, est désormais redirigée vers les provinces annexées : Narodna Odbrana met sur pied des groupes de partisans, recrute des volontaires, organise des réseaux d'espions en Bosnie et fait pression sur le gouvernement serbe pour qu'il adopte une politique nationale plus agressive. Des vétérans de la campagne macédonienne, comme le major Voja Tankosić, un proche d'Apis, sont déployés à la frontière bosniaque où ils entraînent des milliers de nouvelles recrues en prévision de combats à venir. Pendant un temps, la Serbie semble prête à lancer une attaque-suicide contre son voisin [87].

À Belgrade, les leaders politiques commencent par encourager cette agitation, mais ils se rendent rapidement compte que la Serbie n'a aucune chance de renverser l'annexion. Ce retour à la raison s'explique par l'attitude de la Russie, qui ne fait pas grand-chose pour encourager la résistance des Serbes, et ce sans grande surprise, puisque c'est le ministre russe des Affaires étrangères Alexandre Izvolski qui a proposé l'annexion – ou du moins son principe – à son homologue autrichien Alois von Aehrenthal. Il a même prévenu Milovan Milovanović, ministre serbe des Affaires étrangères, de son imminence : au cours d'une réunion à Marienbad où il prend les eaux, il lui dit que bien que Saint-Pétersbourg considère les États balkaniques comme « les enfants de la Russie », ni la Russie elle-même ni aucune autre grande puissance ne feraient quoi que ce soit pour contester l'annexion. (Il omet cependant de lui mentionner qu'il a lui-même proposé l'annexion de ces provinces aux Autrichiens dans le cadre d'un accord conclu pour que la marine russe obtienne en contrepartie un accès plus facile aux détroits du Bosphore.) Quelques jours plus tard, l'ambassadeur serbe à Saint-Pétersbourg reçoit cette mise en garde : la Serbie ne devait pas mobiliser ses troupes contre l'Autriche, « car personne ne serait en mesure de [l']aider, le monde entier désirant la paix [88] ».

Le ministre des Affaires étrangères Milovanović, un politicien modéré qui a critiqué la façon dont Pašić a géré la crise austro-serbe de 1905-1906 et a été choqué de ses appels à la guerre en 1908, se retrouve alors dans une situation extrêmement délicate. S'étant entretenu directement avec Izvolski, il s'aperçoit que l'idée de rallier les puissances européennes à la cause serbe ne mènera nulle part. Mais il doit également contrôler l'hystérie nationaliste en Serbie, tout en amenant la Skupština et les élites politiques à soutenir une politique « nationale » modérée – deux objectifs virtuellement incompatibles, car l'opinion publique serbe aurait inter-prété la moindre concession aux Autrichiens comme une « trahison » de l'intérêt national [89]. Ces difficultés sont aggravées par l'hostilité entre les radicaux et leurs anciens camarades, les radicaux indépendants, deux partis dont les programmes sont caractérisés par un nationalisme panserbe particulièrement intransigeant. Les rivalités entre dirigeants du Parti radi-cal, opposant « la faction de Pašić » aux « radicaux de la cour » proches de Milovanović, rendent la situation encore plus confuse et incertaine. En coulisses, ce dernier met toute son énergie à poursuivre une politique modérée visant à obtenir des compensations territoriales limitées pour la Serbie, tout en endurant sans se plaindre les injures de la presse panserbe. En public cependant, il adopte un ton intransigeant qui ne manque pas de susciter l'enthousiasme en Serbie, et l'indignation des journaux autri-chiens. « Le programme national serbe », annonce-t-il dans un tonnerre d'applaudissements devant la Skupština, en octobre 1908, « exige l'éman-cipation de la Bosnie-Herzégovine. » En interférant avec la réalisation de ce plan, l'Autriche-Hongrie a rendu inévitable le fait que « tôt ou tard, la Serbie et tous ceux qui appartiennent à la nation serbe [*Serbdom*] mène-ront contre l'Autriche-Hongrie un combat à mort [90] ».

La situation extrêmement difficile de Milovanović révèle les pressions auxquelles les hommes politiques serbes sont exposés à cette époque. Cet homme intelligent et prudent comprend très clairement quelles sont les limites imposées à la Serbie par sa localisation géographique et sa situation économique : au cours de l'hiver 1908-1909, toutes les puissances font pression sur Belgrade pour qu'elle renonce et accepte l'inéluctable [91]. Mais il sait également qu'aucun ministre responsable ne peut se permettre de désavouer ouvertement le programme d'unification de la nation serbe. En tout état de cause, Milovanović est lui-même un partisan fervent et sincère de ce programme. La Serbie, avait-il déclaré un jour, ne pouvait se permettre d'abandonner la cause de la nation serbe : « Du point de vue serbe, il n'y a pas de différence entre les intérêts de l'État serbe et les intérêts des autres Serbes [92]. » Ici encore est en jeu la projection de cette carte mentale qui mêle impératifs politiques et impératifs ethniques. Le point crucial est le suivant : la seule différence fondamentale entre les modérés, tels que Milovanović ou même Pašić (qui finit par renoncer à ses appels à la guerre), et les nationalistes extrémistes, c'est la question de savoir *comment* résoudre les difficultés auxquelles l'État serbe est alors confronté. Les modérés ne peuvent se permettre de désavouer le programme nationaliste et d'ailleurs ne le souhaitent pas. En Serbie même, les extrémistes ont donc toujours un avantage rhétorique, puisque ce sont eux qui fixent les termes du débat. Dans un tel environnement, les modérés ont toujours du mal à se faire entendre, à moins d'adopter le discours des extrémistes. Conséquence ultime, les observateurs étrangers ont de grandes difficultés à saisir une quelconque nuance entre les positions adoptées par l'ensemble de la classe politique, qui donne l'illusion trompeuse de présenter un front uni. La dynamique dangereuse de cette culture politique viendra hanter Belgrade en juin et juillet 1914.

En l'occurrence, l'Autriche-Hongrie obtient gain de cause et le 31 mars 1909, Belgrade est contrainte de renoncer formellement à ses revendications. Le gouvernement parvient très difficilement à calmer l'agitation. Belgrade promet à Vienne qu'elle désarmera et dissoudra « ses groupes de volontaires [93] ». Narodna Odbrana, qui n'a plus le droit de se livrer à des activités subversives ou militaires, se voit transformée – en apparence du moins – en une agence pacifique d'information et de propagande panserbe, agissant en étroite collaboration avec tout un éventail d'autres associations nationalistes, tels les clubs de gymnastique Soko et des groupes comme Prosveta et Prirednik, dont la mission est de renforcer la culture serbe par la littérature, l'instruction publique et les activités pour la jeunesse.

La Serbie n'a donc pas réussi à renverser l'annexion ou à obtenir les concessions territoriales exigées par Milovanović, mais deux changements importants se sont produits. En premier lieu, cette crise a inauguré une période de collaboration plus intense entre Belgrade et deux grandes puissances amies : les relations avec Saint-Pétersbourg sont renforcées par l'arrivée du nouvel ambassadeur russe, le baron Nikolaï Hartwig, panslave et serbophile convaincu, qui jouera un rôle central dans la vie politique belgradoise jusqu'à son brusque décès en 1914, juste avant le déclenchement de la guerre ; les liens politiques et financiers avec la France sont également confortés, ce qui se manifeste par un prêt très important consenti par Paris dans le but d'étendre le recrutement de l'armée serbe et d'améliorer son équipement.

En deuxième lieu, la fureur et la déception de 1908-1909 ont pour effet de radicaliser les groupes nationalistes. Bien qu'un moment découragés par la capitulation du gouvernement sur la question de l'annexion, ils ne renoncent pas à leurs ambitions. Le fossé entre le gouvernement et les milieux nationalistes se creuse. Bogdan Radenković, un activiste nationaliste civil agissant en Macédoine – où la lutte contre les Bulgares continue – rencontre des officiers ayant combattu sur le front macédonien, dont certains conjurés de 1903, pour discuter de la création d'une nouvelle organisation secrète. Le 3 mars 1911, dans un appartement de Belgrade, naît Ujedinjenje ili smrt ! (« L'union ou la mort ! »), plus populairement connu sous le nom de la « Main noire ». Apis, désormais professeur de stratégie à l'Académie militaire, fait partie des sept personnes – cinq officiers régicides et deux civils – présents à cette réunion inaugurale. Il apporte avec lui le soutien du réseau de jeunes régicides et de sympathisants sur lesquels il exerce désormais une autorité incontestée[94]. La constitution d'Ujedinjenje ili smrt ! s'ouvre sur une déclaration attendue : le but de la nouvelle organisation est « l'unification de la nation serbe ». Les articles subséquents déclarent que ses membres doivent s'efforcer de convaincre le gouvernement d'adopter l'idée que la Serbie est le « Piémont » des Serbes et de tous les Slaves du Sud. Le journal fondé pour promouvoir les idéaux d'Ujedinjenje ili smrt ! prend tout logiquement le titre de *Pijemont*. Ce nouveau mouvement adopte une conception hégémonique et conquérante de la nation serbe : la propagande de la Main noire ne reconnaît pas d'identité distincte aux musulmans bosniaques et nie catégoriquement l'existence des Croates[95]. Afin de préparer la nation serbe à une lutte pour l'unité qui s'annonce violente, l'organisation prévoit de se livrer à des activités révolutionnaires dans tous les territoires habités par des Serbes. Hors des frontières de l'État serbe, l'organisation combattra les ennemis de la cause serbe par tous les moyens disponibles[96].

Ces hommes défendant la « cause de la nation » se considèrent de plus en plus comme des ennemis du système démocratique parlementaire alors en vigueur en Serbie, et tout particulièrement du Parti radical dont ils dénoncent les chefs comme traîtres à la patrie[97]. La haine ancienne que les militaires serbes vouent au Parti radical perdure au sein d'Ujedinjenje ili smrt ! Les membres de l'organisation ont des affinités avec l'idéologie protofasciste : leur objectif n'est pas seulement de changer le personnel politique à la tête de l'État – ceci a été accompli en 1903, sans bénéfice notable d'après eux pour la nation serbe – mais plutôt de rénover en profondeur la vie politique et la société serbes, de « régénérer notre race dégénérée[98] ».

Le culte du secret influence profondément ce mouvement. Les membres sont initiés au cours d'une cérémonie orchestrée par Jovanović-Čupa, membre fondateur et franc-maçon. Les nouvelles recrues prêtent serment devant un homme au visage dissimulé par un capuchon, dans une pièce sombre, et jurent obéissance absolue à l'organisation sous peine de mort.

> Moi [nom de la recrue], en rejoignant l'organisation « L'union ou la mort », jure par le soleil qui me réchauffe, par la terre qui me nourrit, devant Dieu, par le sang de mes ancêtres, sur mon honneur et sur ma vie, de rester dès maintenant et jusqu'à ma mort, fidèle aux lois de l'organisation, et toujours prêt à tout sacrifier pour elle.
>
> Je jure, devant Dieu, sur mon honneur et sur ma vie, d'exécuter toute mission et tout ordre sans aucune question.
>
> Je jure, devant Dieu, sur mon honneur et sur ma vie, d'emporter dans la tombe avec moi tous les secrets de l'organisation.
>
> Que Dieu et mes camarades de l'organisation soient mes juges si, volontairement ou involontairement, je viole ce serment[99].

L'organisation ne conserve que fort peu d'archives. Il n'y a pas de registre centralisé recensant tous ses membres, mais un réseau informel de cellules, dont aucune ne possède une vision globale de l'étendue de l'organisation ou de ses activités. Par conséquent, son recrutement demeure incertain. Fin 1911, elle compte environ deux mille à deux mille cinq cents membres. Ce nombre croît de façon très importante pendant les guerres des Balkans, mais l'estimation rétrospective de cent mille à cent cinquante mille membres, sur la base d'informations livrées par un ancien membre devenu indicateur, est certainement exagérée[100]. Quel que soit le nombre précis de ses membres, la Main noire se répand rapidement dans toutes les institutions serbes, bien au-delà de sa base au sein de l'armée, infiltrant le commandement des gardes-frontières ainsi que celui des douanes, tout particulièrement le long de la frontière avec la Bosnie. Elle fait également de nombreuses recrues parmi les agents secrets travaillant toujours en Bosnie pour le compte de Narodna Odbrana, en dépit de la mise en sommeil officielle de cette organisation en 1909. Entre autres activités, ils y dirigent un camp d'entraînement où les recrues reçoivent un entraînement terroriste – tirer, lancer des bombes, faire sauter des ponts – et apprennent des techniques d'espionnage[101].

C'était un environnement sur mesure pour le conjuré chevronné qu'était Apis. Le culte du secret convenait à son tempérament, tout comme le blason officiel de l'organisation, un motif circulaire arborant une tête de mort, un poignard, une fiole de poison et une bombe. Quand on lui demanda plus tard pourquoi lui-même et ses collègues avaient adopté ces symboles, Apis répondit que, pour lui, « ces emblèmes n'avaient pas un aspect si effrayant ou négatif ». Après tout, c'était la mission de tous les Serbes attachés à leur patrie que de « sauver la nation serbe par la poudre, le poignard et le fusil ». « Quand j'agissais en Macédoine, rappela-t-il, on utilisait le poison, et tous les guérilleros en avaient sur eux, à la fois comme arme, et comme moyen de sauver quelqu'un s'il tombait aux mains de l'ennemi. Voici pourquoi de tels symboles, qui signifiaient que ses membres étaient prêts à mourir, ornaient le sceau de l'organisation [102]. »

La clandestinité de la Main noire avait un caractère paradoxalement officiel [103]. Au cours de conversations informelles, le gouvernement et la presse sont informés de l'existence du mouvement, et certains éléments indiquent que le prince Alexandar, héritier du trône après l'abdication de son frère aîné Djordje, est mis courant de sa création et soutient ses activités. (Le prince fait partie du petit cercle de parrains qui financent le lancement de *Pijemont*.) Le processus de recrutement est informel, parfois semi-public : les recruteurs se contentent de mentionner la mission patriotique de l'organisation, et beaucoup d'officiers les rejoignent sans autre forme de procès [104]. Des dîners et des banquets se tiennent dans les cafés de Belgrade, Apis y préside de grandes tables où se pressent des étudiants nationalistes [105]. Quand le gouverneur militaire de Belgrade, Miloš Bozanović, demande à son adjoint le major Kostić des informations sur la Main noire, ce dernier a une réaction incrédule : « Vous n'êtes pas au courant ? C'est de notoriété publique, on en parle dans tous les cafés et les tavernes. » Ceci était sans doute inévitable dans une ville comme Belgrade, où tout le monde se connaissait et où le cœur de la vie sociale était le café plutôt que la demeure privée. Mais le culte du secret paradoxalement spectaculaire de la Main noire répondait sans doute également à un besoin émotionnel, car à quoi servait-il d'appartenir à une organisation secrète si personne n'était au courant ? Être vu en compagnie d'autres conjurés, en train de boire et dîner à leur table habituelle, conférait aux affiliés le sentiment de leur propre importance et suscitait une complicité intense avec ceux qui n'appartenaient pas formellement à l'organisation tout en étant dans la confidence. Tout cela comptait pour un mouvement qui revendiquait alors de représenter la majorité silencieuse de la nation serbe.

Si son existence était largement connue, il y avait encore de grandes incertitudes quant à ses buts. Pašić, comme de nombreux responsables du Parti radical, considérait que le but premier de la Main noire était de renverser l'État serbe de l'intérieur – à ses yeux, son ultranationalisme ne servait qu'à camoufler des activités subversives. On retrouve cette erreur d'interprétation dans beaucoup de dépêches diplomatiques. En novembre 1911 par exemple, l'ambassadeur autrichien à Belgrade, d'habitude bien renseigné, écrit que la Main noire affirme être un groupe patriotique opérant à l'extérieur de la Serbie pour l'union de tous les Serbes, mais que cela n'est « en fait qu'une couverture ; son but véritable est d'intervenir dans les affaires intérieures [106] ». Cette erreur d'appréciation entretiendra la confusion des autorités autrichiennes pendant la crise de juillet 1914.

En Bosnie-Herzégovine, les réseaux d'Ujedinjenje ili smrt ! et de Narodna Odbrana se mélangent à des groupes locaux d'activistes panserbes dont le plus important est Mlada Bosna (« Jeune Bosnie »). Mlada Bosna n'est pas une organisation unifiée, mais un agrégat de groupes et de cellules de jeunes révolutionnaires opérant dans toute la province depuis environ 1904. Ses objectifs sont moins étroitement définis que ceux poursuivis par la Main noire ou Narodna Odbrana [107]. Comme ils doivent échapper à la surveillance de la police autrichienne, les Jeunes-Bosniaques adoptent une structure flexible et non centralisée de petits « cercles » (kruzki) reliés uniquement par des intermédiaires désignés. Jeune Bosnie connaît son heure de gloire en 1910 lorsqu'un de ses membres lance une attaque-suicide contre le gouverneur autrichien de Bosnie. Le 3 juin 1910, à l'occasion de l'ouverture du Parlement bosniaque, Bogdan Žerajić, un étudiant serbe originaire d'Herzégovine, tire à cinq reprises contre le gouverneur Marijan Varešanin. Aucun de ses coups n'atteint sa cible, et Žerajić se suicide en se tirant la sixième balle dans la tête. Il est enterré à Sarajevo, dans le carré réservé aux criminels et aux suicidés, mais sa tombe devient rapidement un lieu de pèlerinage pour le mouvement clandestin serbe et son geste est célébré par la presse nationaliste à Belgrade [108].

Personne ne fera davantage pour exalter la réputation de Žerajić qu'un autre Jeune-Bosniaque, Vladimir Gačinović, qui a quitté la Bosnie pour faire ses études secondaires à Belgrade puis a poursuivi pendant un semestre à l'université, avant d'obtenir une bourse du gouvernement pour étudier à Vienne. En 1911, il devient membre d'Ujedinjenje ili smrt ! et de Narodna Odbrana ; de retour à Sarajevo, il y établit un réseau de cellules activistes. Mais ce qui le rend le plus célèbre est un tract rédigé pour célébrer la vie et la mort de Žerajić. La Mort d'un héros, qui décrit le terroriste kamikaze comme « un homme d'action, fort, plein de vie, rempli de vertu, le type d'homme qui inaugure une époque », se conclut par un défi brûlant : « Jeunes Serbes, de tels hommes se lèveront-ils parmi vous ? » Largement diffusé sous le manteau en Bosnie, le pamphlet de Gačinović devient l'un des textes cultes du milieu terroriste panserbe, unissant le thème de l'assassinat et celui du sacrifice à la manière des textes épiques célébrant la bataille de Kosovo [109]. L'attentat de Žerajić marque le début d'un recours systématique au terrorisme contre les élites politiques de l'Empire des Habsbourg. Il y aura sept attaques similaires et plus d'une douzaine de tentatives avortées dans les provinces slaves du Sud de l'empire pendant les trois années qui séparent la mort de Žerajić et les coups de feu fatals tirés le 28 juin 1914 à Sarajevo [110].

Trois guerres contre la Turquie

Fin septembre 1911, six mois seulement après la fondation d'Ujedinjenje ili smrt !, l'Italie lance une offensive contre la Libye. Cette invasion surprise d'une des provinces de l'Empire ottoman déclenche, par opportunisme, une série d'attaques contre des territoires contrôlés par ces mêmes Ottomans dans les Balkans. Une coalition improvisée d'États balkaniques, Serbie, Macédoine, Bulgarie et Grèce, attaque simultanément le territoire ottoman, déclenchant ainsi la première guerre des Balkans (d'octobre 1912 à mai 1913). Elle se conclut par la victoire historique des alliés sur les forces ottomanes qui sont chassées d'Albanie, de Macédoine et de Thrace. Pendant la seconde guerre des Balkans, les vainqueurs se disputent les dépouilles de la première : Serbie, Grèce, Monténégro et Roumanie s'allient contre la Bulgarie pour conquérir des territoires en Macédoine, en Thrace et dans la région de la Dobrudja.

Les conséquences de ces guerres font l'objet d'une analyse plus détaillée au chapitre 5. Pour le moment, il suffit de noter que c'est la Serbie qui en retire le plus grand bénéfice : elle acquiert le bassin central du Vardar, y compris les villes d'Ohrid, Bitola (Monastir), Štip et Kočani, le Kosovo ainsi que la partie orientale du sandjak de Novi Pazar (la partie occidentale revient au Monténégro). La surface du royaume de Serbie passe de 48 300 km² à 87 780 km², et sa population augmente de plus d'un million et demi d'habitants. La conquête du Kosovo, territoire mythique de la poésie nationale serbe, donne lieu à de grandes réjouissances, et comme l'ouest de la Serbie a désormais une frontière commune avec le Monténégro, la perspective d'obtenir un accès permanent à la côte adriatique en contractant une union politique avec ce voisin se rapproche. De plus, la façon dont la Serbie a conduit cette guerre semble prouver que des années d'investissements militaires, financés par les prêts français, n'ont pas été vaines (en septembre 1913, un nouveau prêt d'importance est consenti à la Serbie par un consortium de banques françaises). Moins de trois semaines après le début de la mobilisation, trois cent mille soldats étaient opérationnels. Comme le fit remarquer un observateur étranger, l'armée serbe était désormais « un facteur avec lequel il fallait compter » et la Serbie elle-même une puissance régionale de premier rang [111]. Dayrell Crackanthorpe, l'ambassadeur britannique à Belgrade, rapporte le sentiment d'exultation de l'opinion publique serbe : « La Serbie considère qu'elle est devenue majeure, pour ainsi dire, et qu'elle peut désormais poursuivre sa propre politique nationale. » Les élites politiques du royaume traversent « une phase d'autosatisfaction exacerbée ». La presse comme l'opinion publique opposent les succès militaires des Serbes aux « échecs de la diplomatie autrichienne [112] ».

Pour nombre d'habitants des territoires nouvellement conquis par Belgrade, cependant, la domination serbe s'accompagne de persécutions et d'oppression : la liberté d'association et de réunion, ainsi que la liberté de la presse (les articles 24, 25 et 22 de la Constitution de 1903) ne sont pas introduites dans les nouveaux territoires, ni l'article 13 abolissant la peine de mort pour les crimes politiques. Les habitants des nouveaux territoires n'obtiennent ni le droit de vote, ni celui d'éligibilité. En résumé, les territoires conquis ne deviennent rien d'autre que des colonies. Le gouvernement justifie à l'époque ses décisions par le fait que le niveau de développement culturel des nouveaux territoires est si faible que leur donner la liberté mettrait en péril le pays. En réalité, sa préoccupation principale est d'empêcher que les non-Serbes, majoritaires au sein de ces populations, ne participent à la vie politique nationale. Les journaux d'opposition tels que *Radičke Novine* et *Pravda* ne tardent d'ailleurs pas à faire remarquer que les « nouveaux Serbes » avaient joui de droits politiques plus étendus sous la domination turque que sous la nouvelle administration [113].

La guerre telle qu'elle a été conduite par la Serbie a pris deux visages : elle a été menée par l'armée régulière mais également, comme fréquemment dans le passé, par des bandes de partisans, des *comitatjis* et autres combattants autonomes. Dans les territoires nouvellement conquis, la collusion entre les autorités officielles et les groupes d'irréguliers entraîne des conséquences dramatiques. De nombreux bâtiments turcs, écoles, bains publics, mosquées, sont détruits de façon arbitraire. Dans certains cas, les consuls britanniques parviennent à limiter les destructions en persuadant les commandants militaires serbes que tel ou tel bâtiment date de l'empire de Stepan Dušan et fait donc partie du patrimoine national serbe ; cette ruse permet de sauver le superbe pont bâti par les Turcs à Skopje (Üsküb) en Macédoine au XVIe siècle [114].

En octobre et novembre 1913, les vice-consuls britanniques de Skopje et de Monastir font état d'intimidations systématiques, de détentions arbitraires, de passages à tabac, de viols, d'incendies de villages et de massacres perpétrés par les Serbes dans les territoires annexés [115]. « Il est d'ores et déjà parfaitement clair que les musulmans sous domination serbe n'ont rien à attendre de plus que d'être périodiquement massacrés, systématiquement exploités et, finalement, ruinés », rapporte Greig, vice-consul à Monastir. Onze jours plus tard, il envoie une nouvelle dépêche avertissant que « les Bulgares et plus particulièrement les populations musulmanes des districts de Perlepe, Krchevo et Krushovo courent le risque d'être tous exterminés à la suite des massacres barbares et des pillages répétés perpétrés contre eux par des bandes de Serbes [116] ». À la fin du mois, « les pillages, meurtres et exactions de toute sorte commis par des bandes de *comitadjis* serbes et leurs alliés » ont plongé la région dans une quasi-anarchie [117]. Les Albanais et les autres musulmans, bulgares et valaques, ainsi que les juifs, rapporte le vice-consul en décembre, sont terrorisés par la perspective de devenir les sujets d'un « État ruiné » qui semble déterminé à « priver chaque communauté de ses moyens de subsistance par des extorsions pires encore que celles commises aux temps les plus sombres de la domination turque [118] ». De Bitola, ville du sud proche de la frontière grecque, le vice-consul britannique rapporte que les fonctionnaires municipaux ont été remplacés par une nouvelle cohorte « d'anciens propagandistes serbes » corrompus, à la tête de laquelle se trouvent « un ex-barbier, espion et agent serbe [...], et un Serbe de profession inavouable appelé Maxime ». « Rien ne pourrait être plus favorable aux ennemis de la Serbie que le climat de terreur que fait régner cette clique », conclut Greig [119].

Ce que ces dépêches ont d'intéressant n'est pas tant leur contenu que le scepticisme avec lequel elles sont reçues par Crackanthorpe, l'ambassadeur britannique, serbophile convaincu dont la principale source sur les événements dans les territoires annexés est « un officier serbe de ses connaissances [120] ». Il prend les dénégations officielles du gouvernement de Belgrade pour argent comptant et tente d'atténuer l'impact des dépêches que Greig envoie de Monastir en suggérant au Foreign Office que le vice-consul est abusé par les affabulations de réfugiés hystériques. On peut noter que, dès 1913, les événements se déroulant dans les Balkans sont observés à travers le prisme de la géopolitique, d'un système d'alliances où la Serbie joue le rôle d'État ami s'opposant avec vaillance à l'Autriche-Hongrie, un voisin redoutable. Il faudra l'accumulation des détails dans les rapports en provenance des régions annexées ainsi que des récits corroborant les faits, envoyés par des diplomates roumains, suisses et français, pour persuader le Foreign Office que les atrocités commises en Macédoine ne sont pas à mettre au compte de la propagande autrichienne.

Pendant ce temps, le gouvernement serbe ne fait preuve d'aucune volonté de mettre fin aux violences ni de mener des enquêtes sur les faits déjà commis. Alerté par les Britanniques sur les événements qui se déroulent à Pistola, Pašić se contente de répondre qu'il ne connaît pas personnellement le préfet de cette ville et ne peut faire aucun commentaire. Sa proposition d'envoyer un commissaire enquêter dans le sud ne sera suivie d'aucun effet. Informé par l'ambassadeur serbe à Constantinople des plaintes formulées par une délégation de hauts dignitaires musulmans, il déclare que ces récits proviennent d'émigrants qui ont noirci le tableau pour assurer un accueil chaleureux à leurs nouveaux compatriotes [121]. Quand la commission Carnegie, composée d'une équipe d'experts internationaux soigneusement choisis pour leur impartialité, arrive dans les Balkans pour mener sa célèbre enquête sur les atrocités commises dans les zones de conflit, Belgrade ne lui accorde pratiquement aucune assistance [122].

Les guerres des Balkans semblent résoudre pour un temps les tensions structurelles qui affectent l'exécutif serbe : pendant un court intervalle, les réseaux clandestins, l'armée régulière, les bandes de partisans et les ministres œuvrent de conserve pour la cause de la nation. Avant l'invasion de 1912, Apis est envoyé mener des opérations clandestines en Macédoine pour le compte de l'armée. Dans les négociations avec les chefs de clans albanais en 1913, la Main noire fonctionne essentiellement comme relais du ministère des Affaires étrangères. La pacification des territoires conquis dans le sud est menée non seulement par l'armée, mais aussi par des bandes de volontaires affiliés à des membres de la Main noire, comme Voja Tankosić, ancien conjuré régicide qui avait organisé l'assassinat des deux frères de la reine Draga [123]. Signe du prestige croissant de l'organisation, Apis est promu lieutenant-colonel en janvier 1913 puis nommé chef du service des renseignements de l'état-major en août. Ce poste le met à la tête du vaste réseau d'espions serbes de Narodna Odbrana en Autriche-Hongrie [124].

Le sentiment d'unité nationale commence cependant à s'évaporer dès la fin des guerres balkaniques : un désaccord sur le mode de gouvernance des territoires nouvellement acquis déclenche une détérioration spectaculaire des relations entre civils et militaires. D'un côté se trouvent le ministre de la Guerre, l'armée serbe et ses différents sympathisants issus des rangs de l'opposition radicale indépendante ; de l'autre, des chefs de file du Parti radical composant le reste du cabinet [125]. Le conflit se focalise sur le type d'administration à instaurer dans les nouveaux territoires. Le gouvernement Pašić veut instaurer un système provisoire d'administration par décrets, dirigé par des civils. L'armée, au contraire, est favorable à la poursuite de l'administration par l'armée. Galvanisés par leurs récents succès, les chefs militaires refusent de céder le contrôle de la zone annexée. Ce n'est pas seulement une question de pouvoir, mais également une question de stratégie politique, car les jusqu'au-boutistes considèrent que seul un mode d'administration ferme et autoritaire permettra de consolider le contrôle par les Serbes de ces zones de population diversifiées sur le plan ethnique. En avril 1914, le ministre de l'Intérieur, le radical Stojan Protić, promulgue un décret plaçant officiellement l'armée sous le contrôle des autorités civiles. Cette décision déclenche une crise ouverte. Dans les nouveaux territoires, les officiers refusent de l'appliquer. À la Skupština, le parti militaire fait alliance avec l'opposition radicale indépendante, tout comme l'avaient fait les conjurés après 1903. La rumeur qu'un coup d'État coordonné par Apis est imminent se répand : ce dernier est censé se mettre à la tête de la garnison de Belgrade, marcher sur le palais royal, forcer le roi Petar à abdiquer en faveur de son fils le prince Alexandar, et assassiner les ministres radicaux [126].

Fin mai 1914, la situation à Belgrade est devenue si tendue qu'il faut l'intervention des puissances étrangères pour empêcher l'effondrement du gouvernement. De façon tout à fait inhabituelle, l'ambassadeur russe déclare publiquement que les intérêts de son pays dans les Balkans nécessitent le maintien de Pašić au pouvoir. Les Français le soutiennent également, laissant entendre qu'un gouvernement sans Pašić (et dominé par les indépendants et des membres du parti militaire) ne recevrait plus la manne financière dont avait bénéficié le budget de l'État serbe depuis 1905. C'est une reprise imparfaite de la pièce jouée en 1899, quand l'intervention de l'ambassadeur autrichien avait permis à Pašić d'échapper à l'exécution. Ses plans ayant été déjoués, Apis se retire de la mêlée [127]. Ayant temporairement échappé à la menace d'un coup d'État, le Premier ministre prépare les élections de juin 1914, espérant qu'elles consolideront sa position.

Rien dans ces luttes politiques opaques n'est de nature à rassurer les observateurs viennois. Comme le fait remarquer Dayrell Crackanthorpe en mars 1914, « les factions les plus prudentes et modérées de l'opinion publique » représentées au gouvernement tout comme « le parti militaire » influencé par la Main noire, tous sont convaincus que l'Autriche-Hongrie va se désintégrer à plus ou moins long terme et que la Serbie lui succédera dans ces vastes territoires qui attendent toujours d'être réunis à la Grande Serbie. Il n'y a de divergence entre eux que sur la méthode : les militaires préconisent une guerre offensive « quand le moment sera

venu et que le pays sera prêt », alors que les modérés sont convaincus que
« l'événement déclencheur de l'effondrement de l'Empire austro-hongrois
viendra non de l'extérieur mais de l'intérieur » et qu'il faut donc se préparer à toute éventualité. De plus, sur le plan institutionnel, les modérés
de l'administration serbe et les extrémistes des réseaux irrédentistes sont
inextricablement liés les uns aux autres. Les échelons supérieurs de l'armée
et des services de renseignements, leurs réseaux d'espions en Bosnie-
Herzégovine, les douanes, des pans entiers du ministère de l'Intérieur
ainsi que d'autres organes du gouvernement, tous sont infiltrés par les
organisations clandestines, de même que ces organisations clandestines
sont infiltrées par l'État.

Le complot

Il est difficile de reconstruire en détail le complot qui a conduit à
l'assassinat de l'archiduc François-Ferdinand à Sarajevo. Les assassins eux-
mêmes ont tout fait pour effacer les traces qui ramenaient à Belgrade. De
nombreux survivants ont refusé de parler de leur rôle, d'autres ont exagéré
ou minimisé le leur, ou brouillé les pistes en entretenant le flou, produi-
sant un maquis de témoignages contradictoires. La mise en place du complot lui-même s'est faite sans aucun document écrit : pratiquement tous
ceux qui y ont pris part avaient l'habitude d'évoluer dans un milieu
obsédé par le secret. La collusion entre l'État serbe et les réseaux impliqués
dans le complot était à dessein furtive et informelle : il n'y a donc pas
d'indices. Les historiens doivent se contenter d'une combinaison peu
fiable de souvenirs datant de l'après-guerre, de dépositions et de déclarations sous serment obtenues sous la contrainte, d'affirmations soi-disant
fondées sur des sources détruites depuis lors, et de fragments de documents dont la plupart n'ont qu'une relation indirecte avec la préparation
et l'exécution du complot. Mais les enjeux sont si lourds que les historiens
ont examiné le moindre détail avec la plus grande rigueur scientifique. Il
est donc possible de retracer l'enchaînement des faits le plus probable, à
travers le chaos des sources primaires et les distorsions tendancieuses de
la plupart des sources secondaires.

Si Apis en est l'architecte principal, l'idée du complot a probablement
germé dans l'esprit de son associé Rade Malobabić, un Serbe né en
Autriche-Hongrie, qui a travaillé quelque temps comme espion pour le
compte de Narodna Odbrana. Il collectait des informations sur les fortifications ou les mouvements de troupes autrichiennes pour les donner à

des gardes-frontières serbes, membres de la Main noire, qui les transmet-
taient à leur tour au renseignement militaire [128]. C'est un as de l'espionnage, un homme entièrement dévoué à la cause, d'une ruse hors du
commun, connaissant bien la zone frontalière, qui à maintes reprises a
échappé aux autorités autrichiennes. On raconte qu'il a traversé la Drina
à la nage, un jour où elle était pratiquement gelée, et qu'il en est ressorti,
les vêtements recouverts d'échardes de glace, pour rendre compte auprès
de ses officiers traitants du côté serbe de la frontière [129]. Il est sans doute
le premier à informer Apis de la visite de François-Ferdinand à Sarajevo
en juin 1914 [130].

Savoir précisément pourquoi Apis fait alors pression et réclame l'assassinat de l'archiduc n'est pas facile à établir, car il n'a laissé aucune justification directe de ses motifs. Au début de 1914, la haine des activistes
bosniaques se concentre principalement sur la personne d'Oskar Potiorek,
le gouverneur autrichien de Bosnie, successeur de Varešanin – celui qui
avait échappé à la tentative d'assassinat de Žerajić en 1910. En s'attaquant
à l'archiduc François-Ferdinand, Apis fait monter les enjeux politiques.
L'assassinat d'un gouverneur aurait certes provoqué des remous, mais pouvait facilement être perçu comme un problème local ou être motivé par
des questions de gouvernance régionale. Alors qu'un attentat contre l'héritier du trône des Habsbourg, au moment où l'empereur est âgé de plus de
quatre-vingt-trois ans, sera nécessairement interprété comme une attaque
contre l'Empire lui-même.

Il est important de noter que l'archiduc n'a pas été visé sous prétexte
d'une quelconque hostilité aux minorités slaves de l'Empire austro-
hongrois mais parce que, à l'inverse, comme le disait son assassin, « en
tant que futur souverain, il aurait empêché notre union en mettant en
œuvre certaines réformes [131] ». Gavrilo Princip faisait allusion au soutien
que l'archiduc apportait à des réformes institutionnelles de la monarchie,
visant à donner plus d'autonomie aux territoires slaves. De nombreux
militants irrédentistes serbes considéraient qu'elles menaçaient dangereusement leur projet de réunification : si la monarchie Habsbourg parvenait
à se transformer avec succès en une entité tripartite gouvernée par Vienne
sur un mode fédéral (Zagreb devenant capitale au même titre que Budapest, par exemple), la Serbie courait le danger de perdre son rôle de
porte-drapeau du « Piémont » des Slaves du Sud [132]. Prendre pour cible
l'archiduc était donc la mise en application d'un principe récurrent de la
logique des mouvements terroristes : les réformateurs et les modérés sont
plus à craindre que les ennemis déclarés ou les extrémistes.

Les hommes choisis pour assassiner l'archiduc ont tous passé leurs
années de formation dans l'univers des réseaux irrédentistes. Les trois
jeunes Serbes bosniaques, noyau du groupe de terroristes qui seront

envoyé à Sarajevo, ont été recrutés par l'ancien *comitadji* Voja Tankosić. Trifko Grabež, Nedeljko Čabrinović et Gavrilo Princip sont alors âgés de dix-neuf ans. Ils sont tous amis et passent la majeure partie de leur temps ensemble. Grabež, qui est allé poursuivre ses études secondaires à Belgrade, est le fils d'un pope orthodoxe de Pale, ville située à quelque vingt kilomètres à l'est de Sarajevo. Čabrinović a quitté l'école à l'âge de quatorze ans, puis s'est retrouvé à Belgrade où il a été typographe chez un éditeur spécialisé dans la littérature anarchiste. Comme Grabež, Princip a quitté Sarajevo pour finir ses années de lycée à Belgrade. Tous trois viennent de familles pauvres et ont eu une enfance malheureuse. Tout jeunes, Grabež et Čabrinović ont souffert de l'autorité de figures masculines et se sont rebellés. Pendant son procès, Čabrinović déclare à la cour que son père le battait parce qu'il ne faisait guère de progrès à l'école à Sarajevo. Le garçon avait fini par être renvoyé pour avoir giflé un de ses professeurs. Les tensions au sein de la famille étaient exacerbées par le fait que Čabrinović le père travaillait comme informateur pour les Autrichiens honnis – tare que le fils espérait effacer en s'engageant dans la cause de la nation serbe. Grabež lui aussi a été renvoyé du lycée de Tuzla pour avoir donné un coup de poing à un professeur [133]. Tous trois ont fort peu d'argent – seul Princip dispose d'un revenu régulier, une très modeste pension payée par ses parents, qu'il partage habituellement avec ses amis ou prête à des connaissances dans le besoin [134]. Čabrinović racontera plus tard qu'à son arrivée à Belgrade, tout ce qu'il possédait tenait dans une petite valise dont il ne s'était pas séparé pendant plusieurs jours, sans doute parce qu'il n'avait nulle part où loger [135]. Il n'est donc guère étonnant que ces jeunes hommes ne soient pas en bonne santé, en particulier Princip, maigre et chétif, sans doute déjà atteint de tuberculose, ce qui l'avait forcé à interrompre ses études à Sarajevo. Le procès-verbal de son procès le décrit comme « un jeune homme fluet et fragile [136] ».

Ces garçons n'ont guère de mauvaises habitudes. Ils sont de l'étoffe dont sont faits les mouvements terroristes modernes : taciturnes, juvéniles, riches d'idéaux mais pauvres en expérience. L'alcool n'est pas à leur goût ; bien qu'hétérosexuels par inclination romantique, ils ne recherchent pas la compagnie des femmes. Ils lisent de la poésie nationaliste, des journaux et des pamphlets irrédentistes. Ils ressassent indéfiniment les souffrances de la nation serbe dont ils rendent responsable le monde entier – excepté les Serbes – et ressentent les humiliations et les affronts infligés au plus petit de leurs compatriotes comme les leurs. L'un de leurs griefs récurrents est le déclin économique imposé par les Autrichiens aux paysans bosniaques – négligeant le fait qu'en termes de revenu par habitant, la Bosnie est en réalité bien plus prospère (et bien plus industrialisée) que la plupart des régions centrales de Serbie [137]. Dans

Gavrilo Princip   Nedeljko Čabrinović

leurs conversations, l'idée de sacrifice tourne à l'obsession : Princip trouve le temps d'apprendre par cœur *La Couronne de montagne*, émouvante fresque épique composée par Petar II Petrović-Njegos à la gloire de Miloš Obilić, tyrannicide et martyr [138]. Au cours de son procès, il déclarera que pendant les jours précédant l'attentat, il avait pris l'habitude de se rendre sur la tombe du terroriste martyr Bogdan Žerajić : « J'y ai souvent passé des nuits entières à réfléchir à notre situation, à nos conditions de vie misérables, à penser à Žerajić, et c'est ainsi que j'ai décidé de commettre l'attentat [139]. » Čabrinović racontera que lui aussi s'était rendu sur la tombe de Žerajić dès son arrivée à Sarajevo. Comme elle n'était pas entretenue, il y avait déposé des fleurs (une note ajoutée à la transcription du procès indique d'un ton narquois que ces fleurs avaient été volées sur d'autres tombes). Au cours de ces visites au cimetière, il avait formé le dessein de mourir comme Žerajić : « Je savais que, quoi qu'il arrive, je ne vivrais pas longtemps. La pensée du suicide me hantait. Tout m'était indifférent [140]. »

Ces longs moments passés sur le tombeau d'un suicidé sont intéressants et riches d'enseignement parce qu'ils témoignent de la fascination pour cette figure de l'assassin martyr, qui est au cœur du mythe du Kosovo et, plus généralement, de la perception qu'en avaient les activistes panserbes. Leurs Mémoires, journaux intimes et lettres sont parcourus de métaphores sacrificielles. L'attentat lui-même était censé faire référence de manière codée à l'acte de Žerajić, car Princip avait initialement prévu de se poster à l'endroit exact où Žerajić s'était tenu, sur le pont de l'Empereur : « Je voulais tirer de l'endroit précis où Žerajić avait lui-même fait feu [141]. »

Le creuset où les idées politiques des assassins se radicalisent et où ils se rallient à la cause de l'unification de la Serbie, c'est Belgrade. Dans un passage révélateur du procès-verbal de son procès, Čabrinović rappelle comment, en 1912, trop malade pour continuer à travailler en Serbie et résolu à repartir chez lui, il se rend au bureau belgradois de la Narodna Odbrana. Là, il apprend qu'un Serbe bosniaque obtiendra toujours de l'argent pour retourner à Sarajevo. Il y rencontre un certain major Vasić, secrétaire de l'association locale de la Narodna Odbrana. Celui-ci lui donne de l'argent et des pamphlets patriotiques, mais lui confisque son recueil de nouvelles de Maupassant – au prétexte que ces lectures sont indignes d'un jeune patriote serbe – avant de l'exhorter à demeurer toujours « un bon Serbe [142] ». De telles rencontres sont cruciales dans la formation de ces jeunes gens, dont les relations avec des figures d'autorité masculine ont toujours été tendues. Au sein des réseaux nationalistes, ils trouvent des hommes plus âgés non seulement prêts à les aider en leur donnant argent et conseils, mais également à leur témoigner de l'affection et du respect, à leur offrir le sentiment (qui leur a si cruellement manqué jusque-là) que leur existence a un sens, qu'ils vivent un moment historique et appartiennent à une grande organisation florissante.

La mise en condition de ces jeunes gens par des hommes d'âge mûr en vue de les intégrer aux réseaux est un facteur crucial du succès du mouvement irrédentiste. Quand il revient à Sarajevo après son séjour à Belgrade, Čabrinović ne parvient pas à retrouver sa place au sein de son ancien milieu socialiste. Sentant que sa vision du monde a changé, ses camarades le dénoncent comme agitateur et espion serbe, et il est exclu du parti. Quand il revient à nouveau dans la capitale serbe en 1913, Čabrinović n'est plus un révolutionnaire de gauche, mais « un anarchiste mâtiné de nationaliste [143] ». Princip lui aussi fait l'expérience de cet environnement survolté. Ayant quitté Sarajevo en mai 1912 pour finir ses études secondaires à Belgrade, il croise la route de l'infatigable major Vasić. Quand la première guerre des Balkans éclate, Vasić l'aide à rejoindre la frontière turque pour qu'il s'engage comme combattant volontaire mais, une fois sur place, le commandant, qui se trouve être Voja Tankosić, refuse de l'incorporer car il est « trop faible et trop petit ».

Le milieu social des cafés, en procurant un sentiment d'appartenance aux jeunes Serbes bosniaques qui traînent alors dans Belgrade, est au moins aussi important que le contact avec des activistes comme Vasić ou la lecture de la propagande de la Narodna Odbrana. Čabrinović fréquente la Couronne du chêne, la Couronne verte et le Petit Poisson rouge où, racontera-t-il plus tard, il entend « toutes sortes de discours » et rencontre « des étudiants, des typographes » et des « partisans », mais surtout des Serbes bosniaques. Ces jeunes hommes dînent, s'attardent pour fumer, parler de politique ou discuter du contenu des journaux [144] dans ces lieux où règne une atmosphère ultranationaliste et anti-autrichienne. C'est à la Couronne du chêne et à la Couronne verte que Čabrinović et Princip évoquent pour la première fois la possibilité d'assassiner l'héritier du trône d'Autriche. L'espion chevronné, membre de la Main noire, qui leur fournit leurs pistolets Browning et leurs boîtes de munitions est lui aussi « une figure familière des cafés de Belgrade [145] ». Dans un passage révélateur de la transcription de son procès, le juge demande à Princip où Grabež a acquis ses opinions ultranationalistes. Princip répond ingénument : « Après son arrivée à Belgrade, [Grabež] lui aussi adopta les mêmes principes. » Saisissant les implications de cette réponse, le juge le pousse dans ses retranchements : « Donc, en d'autres termes, venir à Belgrade suffit à inculquer à quelqu'un les mêmes idées que les vôtres [146] ? » Mais Princip, sentant que le juge cherche à le débusquer, refuse de répondre.

Quand les préparatifs de l'attentat commencent pour de bon, ses instigateurs mettent le plus grand soin à empêcher qu'aucun lien ostensible ne puisse être établi entre la cellule terroriste et les autorités de Belgrade. Le contact des assassins est un certain Milan Ciganović, un Serbe bosniaque, membre de la Main noire, un partisan qui a combattu les Bulgares sous les ordres de Tankosić et qui est désormais employé des Chemins de fer serbes. Ciganović prend ses ordres auprès de Tankosić, qui prend les siens auprès d'Apis. Toutes les instructions se transmettent par oral.

L'entraînement des assassins se déroule dans la capitale serbe. Princip, qui a déjà reçu une instruction militaire à l'Académie des partisans, est le meilleur tireur des trois. Le 27 mai, ils reçoivent les armes qu'ils utiliseront : quatre revolvers et six petites bombes pesant moins de 1,5 kg chacune, provenant de l'arsenal serbe de Kragujevac. Ils obtiennent également du poison, de petites fioles de cyanure enveloppées dans du coton. Ils ont ordre de se suicider par balle juste après l'attentat ou, à défaut, d'avaler le poison : précaution supplémentaire pour éviter que Belgrade ne soit incriminée par une indiscrétion ou une confession forcée. Cela convient parfaitement aux trois jeunes gens, exaltés à l'idée de sacrifier leur vie, qui voient dans leur action un martyre.

Les trois assassins pénètrent en Bosnie avec l'aide du réseau de la Main noire et de ses contacts au sein des douanes serbes. Le 30 mai, Čabrinović traverse la frontière au poste de Mali Zvornik, aidé par des membres des filières clandestine de la Main noire – des instituteurs, un garde-frontière, un secrétaire de mairie, etc. – puis gagne Tuzla, où il attend l'arrivée de ses amis. Des gardes-frontières serbes guident Princip et Grabež jusqu'à leur point de passage à Ljesnica. Le 31 mai, ils les emmènent sur une île boisée de la rivière Drina, qui coule à cet endroit entre les territoires serbe

Milan Ciganović

et bosniaque. Cette cachette, souvent utilisée par les contrebandiers, leur permet d'échapper à la surveillance des gardes-frontières autrichiens. Le lendemain soir, un contrebandier travaillant pour les filières clandestines les fait passer en territoire autrichien.

Autant les trois assassins prennent grand soin d'éviter de se faire repérer par la police ou les fonctionnaires autrichiens, autant ils sont extrêmement peu discrets dans leurs contacts avec d'autres Serbes. Princip et Grabež, notamment, sont emmenés chez un fermier, un Serbe bosniaque du nom de Mitar Kerović, par un instituteur qui travaille pour les filières clandestines. Ayant bu quelques verres d'eau-de-vie de trop, l'instituteur essaie d'impressionner les paysans : « Savez-vous qui sont ces jeunes gens ? Ils vont à Sarajevo jeter des bombes et tuer l'archiduc qui vient en visite[147]. » Par bravade puérile (ils ont désormais franchi la Drina et sont sur leur terre natale), Princip renchérit, brandissant son revolver et montrant à ses hôtes comment on active les bombes. La famille Kerović – des paysans analphabètes, n'entendant rien à la politique ni à ce que fomentent les jeunes gens – va payer très cher cette folie. Nedjo Kerović, qui emmène les trois jeunes garçons à Tuzla dans sa charrette, est condamné à mort pour haute trahison et complicité de meurtre (sa peine sera commuée en vingt années de prison). Son père est condamné à la prison à vie. Leur audition devant la cour constitue l'un des rares moments d'humour noir dans le procès des assassins. Quand le président demande à Nedjo Kerović, lui-même père de cinq enfants, quel est son âge, celui-ci répond qu'il ne le sait pas précisément et qu'il faut le demander à son propre père. Questionné sur le nombre de verres qu'il a bu le soir où les jeunes gens sont arrivés, Kerović le père répond : « Quand je bois, je ne compte pas. Je bois jusqu'à plus soif[148]. »

À Sarajevo, les trois garçons reçoivent le renfort d'une seconde cellule de quatre hommes recrutés par Danilo Ilić, un Serbe bosniaque membre de la Main noire. À vingt-trois ans, Ilić est le plus âgé d'entre eux. Devenu instituteur après avoir obtenu une bourse du gouvernement autrichien, il est tombé malade et a démissionné. Membre de Jeune Bosnie, c'est un ami personnel de Gačinović, le chantre de Žerajić. Comme tous les autres, Ilić s'est rendu à Belgrade en 1913 où il a fréquenté les mêmes cafés. Recruté par la Main noire, il a gagné la confiance d'Apis avant de revenir à Sarajevo en mars 1914, où il est correcteur et rédacteur pour un journal local.

La première personne qu'Ilić recrute est Muhamed Mehmedbašić, un charpentier musulman, révolutionnaire de gauche, né en Herzégovine. Les deux hommes se connaissent bien. En janvier 1914, ils s'étaient rendus en France pour y rencontrer Voja Tankosić et préparer un attentat contre Potiorek. Le plan avait échoué. Dans le train du retour, pris de panique à la vue de policiers en uniforme, Mehmedbašić avait vidé sa fiole de poison dans les toilettes et jeté par la fenêtre son poignard. Les deux autres recrues, originaires de Sarajevo, sont Cvijetko Popović, brillant lycéen de dix-huit ans, et Vaso Čubrilović, frère du jeune instituteur qui a conduit les trois jeunes gens chez la famille Kerović. Âgé de dix-sept ans, Čubrilović, lui aussi lycéen rebelle, est le plus jeune de l'équipe. Il n'a jamais rencontré Ilić avant la constitution du groupe, et ce n'est qu'après l'attentat que les deux jeunes lycéens verront Princip, Mehmedbašić, Čabrinović et Grabež pour la première fois[149].

La façon dont Ilić a choisi ses acolytes – un homme qui a fait preuve d'une incompétence flagrante lors d'une précédente mission à haut risque, et deux lycéens totalement inexpérimentés – peut sembler bizarre à première vue, mais il y a une forme de logique dans cette incohérence. La raison d'être de la seconde cellule était de brouiller les pistes. En ce sens, Mehmedbašić était un choix inspiré car, bien qu'incompétent, il était volontaire pour participer à l'attentat, et pouvait donc venir en renfort de la cellule belgradoise, sans être serbe lui-même. On pouvait compter sur le fait qu'Ilić et Princip, membres de la Main noire, se suicideraient, ou du moins garderaient le silence après les événements. Les deux jeunes garçons de Sarajevo seraient incapables de témoigner, pour la simple et bonne raison qu'ils ignoraient tout des ramifications du complot. L'attentat aurait toutes les apparences d'une initiative purement locale, sans aucun lien avec Belgrade.

La réaction de Nikola Pašić

Que savait Nikola Pašić du complot contre François-Ferdinand, et quelles décisions a-t-il pris pour en empêcher la réalisation ? Il est pratiquement certain qu'il a été tenu informé des projets d'attentat. Il existe plusieurs indices en ce sens, mais le témoignage le plus éloquent est celui de Ljuba Jovanović, ministre de l'Éducation du gouvernement Pašić. Dans un petit passage de ses Mémoires publiés en 1924 – mais probablement rédigé bien plus tôt –, Jovanović raconte que Pašić avait informé le cabinet « fin mai ou début juin » que « des personnes se préparaient à aller à Sarajevo pour y assassiner François-Ferdinand ». L'ensemble du cabinet, y compris Pašić, tombe d'accord pour que le Premier ministre donne des instructions aux gardes-frontières de la Drina afin d'empêcher leur passage [150]. D'autres documents et des bribes de témoignages, corroborés par le comportement étrange et les faux-fuyants de Pašić lui-même après 1918, confortent la thèse qu'il est au courant [151]. Mais *comment* a-t-il été mis dans le secret ? Bien que cette hypothèse ne repose que sur des présomptions, son informateur est probablement le fameux Milan Ciganović, employé des Chemins de fer serbe et agent de la Main noire, qui est également à la solde de Pašić, chargé de surveiller les activités de la société secrète. Si c'est bien le cas, alors non seulement Pašić est en possession des détails et des étapes du complot, mais il connaît également l'identité des personnes impliquées et sait quelle organisation les soutient [152].

Les trois assassins qui pénètrent en Bosnie pour se rendre à Sarajevo fin mai n'ont laissé aucune trace dans les archives officielles serbes. Quoi qu'il en soit, pendant cet été 1914, ils ne sont pas les seuls à faire passer des armes clandestinement. Des rapports établis par les gardes-frontières serbes pour la première moitié du mois de juin notent un regain d'activités illégales des deux côtés de la frontière. Le 4 juin, le chef du district de Podrinje à Sabac avertit Protić, le ministre de l'Intérieur, que des officiers des gardes-frontières préparent une opération « pour transférer une certaine quantité d'armes et de bombes, avec l'aide de nos agents en Bosnie ». Le chef du district envisage de saisir les armes mais comme elles se trouvent dans une valise déjà transportée de l'autre côté de la frontière, il craint qu'une tentative de les récupérer ne mette en danger les gardes-frontières ou ne dévoile leurs opérations. Des enquêtes ultérieures révéleront que l'agent censé récupérer les armes du côté bosniaque n'était autre que Rade Malobabić [153].

Ce qu'ont d'alarmant ces opérations, se plaint un fonctionnaire local, c'est que non seulement elles sont conduites à l'insu des autorités civiles concernées, mais qu'en plus elles se font « en plein jour, au vu et au su de tous ». Et comme leurs auteurs sont des « fonctionnaires d'État », cela peut facilement donner l'impression « que nous approuvons de telles actions ». Pašić et le ministre de l'Intérieur voient tout de suite le danger. S'il est exact que Pašić soit déjà au courant de l'existence du complot, on peut s'attendre à ce qu'il ait fait tout son possible pour mettre fin à toute activité risquant d'incriminer le gouvernement de Belgrade. De fait, le 10 juin, ordre est donné aux autorités civiles des districts frontaliers « de mettre fin à toute activité de ce type [154] ».

Que les autorités *civiles* des zones concernées aient eu l'autorité suffisante pour interdire les opérations des gardes-frontières est une autre question. Le sergent Raiko Stepanović, qui a fait passer une valise remplie d'armes et de bombes de l'autre côté de la frontière, est convoqué par le chef de district pour rendre compte de ses activités, mais refuse tout simplement de répondre à cette convocation [155]. À l'issue d'une réunion du cabinet ministériel, mi-juin, les autorités civiles reçoivent l'ordre d'enquêter sur les passages illégaux d'armes et de personnes en Bosnie ; une note très sèche est envoyée au capitaine du 4e bataillon de gardes-frontières lui « recommandant » de « faire cesser ce trafic d'armes, de munitions et autres explosifs entre la Serbie et la Bosnie ». Cette note reste sans réponse. Il apparaîtra plus tard que les commandants militaires avaient reçu l'ordre formel de transmettre les convocations des autorités civiles à leurs officiers supérieurs sans y répondre [156].

En d'autres termes, la frontière serbe n'est plus désormais sous le contrôle du gouvernement de Belgrade. Quand Stepanović, ministre de la Guerre, écrit au chef d'état-major pour lui demander de clarifier la position officielle de l'armée sur les opérations clandestines en Bosnie, sa demande est d'abord transmise au commandant des opérations, qui prétend n'être au courant de rien, puis au chef du renseignement militaire, Apis lui-même. Apis rédige alors une longue réponse impudemment mensongère, défend les états de service et la réputation de l'agent Malobabić, affirmant avec assurance que les armes reçues sont uniquement destinées à permettre aux agents travaillant en Bosnie d'assurer leur propre sécurité. Pour ce qui est des bombes, il déclare tout ignorer (trois ans plus tard, il déclarera sous serment avoir personnellement confié à Malobabić la mission de coordonner l'attentat contre François-Ferdinand et de fournir les armes nécessaires [157]). Si la sécurité de la frontière est menacée, déclare-t-il encore, cela n'est pas dû aux indispensables opérations clandestines des militaires, mais à l'insolence de fonctionnaires civils qui revendiquent le droit de la contrôler. En bref, la responsabilité de la situation incombe aux civils, qui tentent de s'immiscer dans des opérations militaires sensibles auxquelles ils ne comprennent rien et pour lesquelles ils sont notoirement incompétents [158]. Cette réponse est transmise à Putnik, chef d'état-major, qui la résume et la reprend à son compte dans une lettre envoyée au ministre de la Guerre le 23 juin. Le fossé qui sépare les autorités civiles et le commandement militaire largement infiltré par la Main noire court désormais des berges de la Drina jusqu'au quartier des ministères à Belgrade.

Ébranlé par l'assurance d'Apis et du chef d'état-major, Pašić prend la décision d'ordonner une enquête approfondie sur les activités des gardes-frontières. Il a appris « de plusieurs sources », écrit-il dans une lettre secrète au ministre de la Guerre, que des officiers sont engagés dans une entreprise non seulement dangereuse, mais qui relève également de la trahison, « parce que le but est de créer un conflit entre la Serbie et l'Autriche-Hongrie » :

> S'ils savaient ce que trament nos officiers et nos sergents, tous les amis et alliés de la Serbie nous abandonneraient ; pire encore, ils seraient aux côtés de l'Autriche-Hongrie, et la laisseraient punir ce voisin, indocile et déloyal, qui fomente révoltes et assassinats sur son territoire. Les intérêts vitaux de la Serbie lui imposent d'être consciente de tout ce qui pourrait provoquer un conflit armé avec l'Autriche-Hongrie, à un moment où la paix nous est indispensable pour nous permettre de récupérer et de nous préparer à toute éventualité [159].

Il conclut en donnant l'ordre de lancer une investigation rigoureuse afin de savoir exactement combien d'officiers se sont rendus coupables d'activités aussi risquées, et d'extirper et de supprimer les réseaux responsables.

Ceci, en un sens, revient à fermer la cage après que les oiseaux se sont envolés, puisque les trois jeunes gens ont franchi la frontière fin mai. Presque deux semaines se sont écoulées avant que Pašić ne prenne la décision de fermer la frontière, et presque quatre semaines avant qu'il ne soit disposé à lancer une enquête pour rechercher les instigateurs du complot. Il est difficile de savoir avec certitude pourquoi le Premier ministre a été si lent à réagir. Il ne pouvait ignorer que les instructions données aux gardes-frontières resteraient lettre morte, puisqu'ils étaient si nombreux à être affiliés à Ujedinjenje ili smrt ! Peut-être craignait-il de se mettre à dos Apis, un ennemi puissant. Il est frappant de remarquer qu'en dépit d'appels à une « enquête rigoureuse », Apis conservera son poste de chef du renseignement militaire serbe pendant toute la crise. Il ne sera ni démis de ses fonctions ni même suspendu en attendant les résultats de l'enquête. Il ne faut pas oublier, à cet effet, la gravité de la crise politique qui avait paralysé la Serbie pendant le mois de mai 1914. Pašić avait remporté ce bras de fer, mais de justesse, et uniquement avec l'aide des ambassadeurs des deux grandes puissances ayant le plus d'influence dans les affaires serbes. Il n'est donc pas certain qu'il ait eu les moyens de mettre fin aux activités d'Apis, même s'il en avait l'intention. Peut-être craignait-il qu'une confrontation ouverte n'entraîne son propre assassinat par la Main noire, bien que cela semble peu probable, étant donné qu'il était déjà sorti indemne de la crise de mai. D'un autre côté, il faut rappeler que le Premier ministre serbe demeurait, malgré tout, la personnalité la plus puissante du pays, un homme d'État d'une habileté sans égale, à la tête d'un parti de masse dont les élus dominaient la législature. Il est donc plus vraisemblable qu'au cours de ces semaines, Pašić retrouve les réflexes acquis au cours de longues années passées au cœur des turbulences de la vie politique serbe : baisser la tête, ne pas faire de vagues, laisser les conflits se résoudre d'eux-mêmes, faire le dos rond.

Cependant, Pašić conservait une carte importante dans son jeu : il aurait pu faire échouer le complot, sans grand risque pour sa propre sécurité, en alertant Vienne, dans le plus grand secret, de ce qui se tramait contre l'archiduc. La question de savoir si un tel message d'avertissement a été transmis reste le sujet d'une vive controverse. Il est particulièrement difficile de retrouver des éléments de preuve. Aucun des protagonistes n'avait intérêt à reconnaître rétrospectivement qu'un avertissement formel avait été envoyé ou reçu. Dans un entretien accordé au journal hongrois *Az Est* le 7 juillet 1914, Pašić lui-même nie formellement avoir tenté de mettre en garde Vienne [160]. Il ne pouvait guère dire autre chose, car s'il avait alors reconnu qu'il était au courant, il aurait ouvert la voie à des accusations de complicité, contre lui-même et contre ses collègues. Après la guerre, les défenseurs de la Serbie ne pourront que suivre la même ligne de conduite, car démontrer que la Serbie n'avait aucune coresponsabilité dans le déclenchement de la guerre reposait sur l'argument que le gouvernement serbe ignorait tout du complot. Il était également peu probable que les autorités autrichiennes reconnaissent avoir été averties, car alors la question de savoir pourquoi elles n'avaient pas pris de mesures plus efficaces pour protéger la vie de l'héritier présomptif se serait posée : le 2 juillet, le journal viennois *Fremdenblatt*, organe de presse semi-officiel, publie un communiqué démentant la rumeur selon laquelle le ministre des Affaires étrangères autrichien aurait été averti de l'imminence d'un attentat [161].

Il y a cependant des éléments solides pour affirmer qu'une certaine forme de mise en garde a bien été transmise. La source la plus fiable est

Abel Ferry, sous-secrétaire aux Affaires étrangères français : le 1er juillet, il note dans son agenda professionnel qu'il vient de recevoir la visite de Milenko Vesnić, ambassadeur serbe à Paris et ami de longue date. Au cours de la conversation, Vesnić lui affirme entre autres que le gouvernement serbe avait « averti le gouvernement autrichien du complot dont il avait eu vent [162] ». Parmi ceux qui confirment cette information se trouve l'attaché militaire serbe à Vienne : en 1915, il déclare à Magrini, l'historien italien, que Pašić avait envoyé un télégramme à la légation serbe à Vienne, déclarant qu'« à la suite de fuites, le gouvernement serbe a des raisons de penser qu'un complot se prépare pour assassiner l'archiduc à l'occasion de sa visite en Bosnie » et que le gouvernement austro-hongrois serait bien avisé de reporter cette visite [163].

À partir des souvenirs et des témoignages de tierces personnes, il est possible de reconstruire ce qu'a fait Jovan Jovanović, l'ambassadeur serbe à Vienne. Il est reçu en audience le 21 juin à midi par Leon Biliński, ministre des Finances austro-hongrois, afin de transmettre au gouvernement autrichien une mise en garde contre les conséquences possibles d'une éventuelle visite de l'archiduc en Bosnie. Mais il formule cet avertissement de façon extrêmement détournée, laissant entendre qu'une visite de l'héritier présomptif le jour anniversaire de la défaite de Kosovo serait certainement considérée comme une provocation. Parmi les jeunes Serbes servant dans les forces austro-hongroises, « il se pourrait qu'il y en ait un qui remplace, dans son fusil ou dans son pistolet, une cartouche à blanc par une balle réelle... » Peu impressionné par ces mauvais augures, Biliński « ne sembl[e] pas attacher la moindre importance à cette information » et se contente de répondre : « Espérons qu'il ne se passera rien [164]. » Il refusera plus tard de commenter cet épisode avec des journalistes ou des historiens, protestant de la nécessité de laisser tomber dans l'oubli ces moments sombres de l'histoire récente. Il est clair que sur le moment, Biliński a été peu enclin à prendre l'avertissement au sérieux : le message était formulé dans des termes si généraux qu'on aurait même pu l'interpréter comme un geste de pure intimidation, une tentative de l'ambassadeur serbe pour intervenir dans les affaires intérieures de la monarchie austro-hongroise, en sous-entendant que de vagues menaces pesaient sur les plus hauts personnages de l'Empire. Biliński n'a donc vu aucune raison de transmettre cette information au ministre des Affaires étrangères autrichien, le comte Berchtold.

En résumé, un avertissement a bien été envoyé, mais pas de façon adéquate au vu de la situation. Rétrospectivement, cela ressemble à une manœuvre de couverture. Jovanović aurait pu transmettre un message plus direct et plus spécifique, en donnant aux Autrichiens les informations détaillées dont disposait Belgrade. Pašić lui aussi aurait pu mettre en garde

les Autrichiens directement, sans passer par son ambassadeur. Il aurait pu
lancer une véritable enquête contre les conspirateurs, quitte à mettre en
jeu son pouvoir, plutôt que la paix et la sécurité de sa nation. Mais il y
avait, comme toujours, des contraintes et des complications. En premier
lieu, Jovanović n'était pas seulement membre des services diplomatiques
serbes, mais également un activiste panserbe de longue date, ayant le
profil typique de l'ultranationaliste. Ancien *comitadji* impliqué dans les
troubles fomentés en Bosnie après l'annexion de 1908, on disait même
qu'il y avait commandé des groupes de partisans. Pendant l'été 1914, il
était pressenti par la Main noire pour devenir ministre des Affaires étrangères, en cas de chute du gouvernement Pašić [165]. Ses opinions panserbes
étaient connues de tous, au point que Vienne avait fait savoir à Belgrade
que son remplacement par une personnalité moins hostile ne serait pas
vu d'un mauvais œil. C'est une des raisons pour lesquelles il avait choisi
d'approcher Biliński plutôt que le comte Berchtold, qui ne le tenait pas
en grande estime [166].

Les motivations de Pašić étaient elles aussi complexes. D'un côté, il
s'inquiétait de la façon dont les réseaux affiliés à Ujedinjenje ili smrt !
réagiraient à ce qu'ils percevraient comme une trahison majeure – et les
chefs des radicaux partageaient ses craintes [167]. Peut-être espérait-il que
l'attentat échouerait. Plus fondamentalement encore, il savait combien les
institutions de l'État serbe – la logique même de son développement
historique – et les réseaux irrédentistes étaient étroitement imbriqués.
Pašić avait beau regretter les excès commis, il ne pouvait les désavouer
ouvertement. Il y avait même danger à reconnaître publiquement être au
courant de leurs activités. Il ne s'agissait pas seulement de protéger les
acquis de la construction de la nation serbe, qui avait toujours dépendu
de la collaboration des institutions de l'État avec des réseaux d'activistes
capables d'infiltrer les États voisins, mais de garantir l'avenir : la Serbie
s'était appuyée sur les réseaux nationalistes dans le passé, et quand viendrait le moment de réintégrer la Bosnie-Herzégovine dans le sein de la
nation serbe, elle aurait encore besoin d'eux.

Tout ce que l'on sait de cette personnalité subtile et fascinante suggère
qu'il avait compris que par-dessus tout, la Serbie avait besoin de paix
pour refaire ses forces après le bain de sang des guerres balkaniques.
L'intégration des nouveaux territoires – processus violent et traumatique
– ne faisait que commencer. Des élections anticipées se profilaient à
l'horizon [168]. Mais ce qui distingue les hommes politiques les plus habiles,
c'est leur capacité à raisonner simultanément sur des scénarios différents.
Pašić voulait la paix, mais il était également convaincu – et il ne s'en était
jamais caché – que la phase finale de l'expansion historique de la Serbie
ne se ferait pas sans une guerre, en toute probabilité. Seul un conflit

européen de grande ampleur, où les grandes puissances seraient engagées, permettrait de déloger les obstacles formidables qui empêchaient la « réunification » des Serbes.

Peut-être Pašić avait-il en mémoire l'avertissement donné par Charles Hardinge, sous-secrétaire d'État permanent au Foreign Office britannique, à Grujic, l'ambassadeur serbe à Londres pendant la crise de l'annexion en 1908-1909. En janvier 1909, Hardinge avait mis en garde l'ambassadeur : le soutien de la Russie et des puissances de l'Entente ne serait acquis à la Serbie que si l'Autriche-Hongrie attaquait la première. Si la Serbie elle-même prenait l'initiative, il serait hors de question de lui venir en aide [169]. Que Pašić ait poursuivi cette ligne de réflexion, c'est ce que suggère un échange entre le Premier ministre serbe et le tsar de Russie au début du printemps 1914 : Pašić y demandait instamment l'aide des Russes en cas d'attaque austro-hongroise [170]. Tout serait tombé à l'eau bien sûr si le complot était interprété comme un acte d'agression de la Serbie. Mais Pašić était certain que les Autrichiens seraient incapables d'établir le lien entre l'assassinat – s'il réussissait – et le gouvernement serbe, parce que dans son esprit, ce lien n'existait pas [171]. Une agression austro-hongroise entraînerait donc l'intervention de la Russie et de ses alliés aux côtés de la Serbie, qui ne resterait pas isolée [172]. Ce scénario, dans l'esprit de Pašić, ne reposait pas sur l'attachement de la Russie à la Serbie ; il découlait logiquement des impératifs qui orientaient la politique russe dans les Balkans [173]. Pašić avait une confiance si grande en ce mécanisme que même *Pijemont* se moquait à l'occasion « de sa foi illimitée en la Russie [174] ». De plus, des rapports envoyés mi-juin à Pašić par l'ambassadeur serbe à Saint-Pétersbourg, l'informant que la Russie avait restructuré sa frontière orientale afin de pouvoir déployer des forces beaucoup plus importantes en prévision « d'une offensive à l'ouest », avaient sans doute conforté ce raisonnement [175].

Ce qui ne signifie pas que Pašić ait sciemment cherché à provoquer un conflit généralisé, ou que l'idée de provoquer une attaque autrichienne ait directement influé sur son comportement. Mais peut-être l'intuition que la guerre était une étape historiquement nécessaire de la construction de la nation serbe avait-elle émoussé le sentiment qu'il fallait agir d'urgence pour arrêter le bras des assassins avant qu'il ne soit trop tard. Toutes ces considérations et ces scénarios l'obsédaient certainement tandis qu'il réfléchissait, avec lenteur et pondération, à la façon de traiter la situation créée par la nouvelle du complot de Sarajevo.

L'héritage de l'histoire serbe, et tout particulièrement du développement du royaume depuis 1903, pèse de tout son poids sur Belgrade en cet été 1914. La Serbie est encore une démocratie fragile et immature, où les leaders civils sont sur la défensive. L'issue de la lutte pour le pouvoir entre les réseaux de conjurés prétoriens issus du régicide de 1903 et les chefs du Parti radical qui contrôlent le Parlement est encore indécise. Le milieu irrédentiste est sorti vainqueur des deux guerres des Balkans, plus déterminé que jamais à poursuivre son combat. L'interpénétration entre les associations irrédentistes officielles et clandestines, en Serbie même comme au-delà des frontières, rend illusoire toute tentative de contrôler leurs activités. Ces caractéristiques de la culture politique serbe entravent les hommes qui gouvernent le pays et représentent un fardeau considérable dans leurs relations avec l'Empire austro-hongrois. Miloš Bogičević, qui est alors ambassadeur serbe à Berlin, fera observer plus tard que « pour tous ceux qui ne sont pas serbes, il est difficile de s'y retrouver parmi les différentes organisations nationales qui travaillent à la réalisation de l'idéal de la Grande Serbie [176] ». Ces mouvements et leurs relations avec les institutions de l'État sont si opaques qu'il est impossible de distinguer les politiques irrédentistes officielles des politiques clandestines, même pour un observateur étranger expérimenté. Cela aussi sera lourd de dangers en 1914.

Pour Pašić, la pression augmente tout au long de l'été 1914 : épuisement militaire et financier après deux guerres âprement disputées, menace d'un putsch militaire dans les nouveaux territoires, échec de la tentative de déjouer un attentat contre un voisin puissant et sans pitié. Tout cela doit paraître intolérable. Mais l'homme qui est à la barre de ce pays complexe et instable pour lui faire traverser la tempête déclenchée par les événements du 28 juin 1914 est lui-même un pur produit de cette culture politique : secret, voire furtif, d'une prudence exaspérante. Telles sont les qualités que Pašić a acquises au cours de plus de trente années de vie publique. Elles lui ont certes permis de survivre dans le microcosme agité de Belgrade. Mais elles ne sont plus adaptées à la crise qui va submerger la Serbie après que les terroristes auront accompli leur mission à Sarajevo.

2

L'EMPIRE SANS QUALITÉS

Conflit et équilibre

Deux désastres militaires déterminent la trajectoire de l'Empire des Habsbourg au cours du dernier demi-siècle de son existence. En 1859 à Solférino, les forces françaises et piémontaises l'emportent contre une armée autrichienne de plus de cent mille soldats, ouvrant par cette victoire la voie à la création du nouvel État-nation italien. En 1866 à Königgrätz, les Prussiens anéantissent une armée autrichienne forte de deux cent quarante mille hommes, expulsant ainsi l'Empire hors de l'État-nation allemand qui est en train de se former. L'impact cumulé de ces deux chocs transforme le destin des territoires autrichiens.

Ébranlé par ces défaites militaires, l'Empire autrichien néo-absolutiste se métamorphose en un Empire austro-hongrois. Le Compromis élaboré en 1867 partage le pouvoir entre les deux nationalités dominantes, les Allemands à l'ouest et les Hongrois à l'est. Se dessine alors une structure politique singulière, sorte d'ellipse à deux foyers, dans laquelle le royaume de Hongrie et un territoire centré sur les possessions autrichiennes, souvent appelé Cisleithanie (« les terres de ce côté-ci de la rivière Leithe ») vivent côte à côte à l'intérieur d'un même cocon : la Double Monarchie Habsbourg. Chacune des deux entités garde son propre Parlement, mais il n'y a ni Premier ministre ni cabinet commun. Seules les Affaires étrangères, la Défense et les questions financières liées à la Défense sont gérées par trois ministres « impériaux et royaux » qui rendent compte directement à l'empereur. Les questions relatives à l'Empire dans sa globalité ne peuvent être débattues au cours de sessions parlementaires communes, ce qui impliquerait que le royaume de Hongrie ne soit qu'une partie vassale d'une entité impériale plus large. Tout échange de vues doit donc avoir lieu entre des « délégations », groupes de trente députés issus de chacun des deux parlements, qui se rencontrent tour à tour à Vienne et à Budapest.

Nombreux sont ceux qui combattent le compromis dualiste à l'époque, et ceux qui le critiquent encore de nos jours. Aux yeux des ultranationalistes magyars, il constitue une trahison privant les Hongrois de l'indépendance nationale complète qui leur est due. L'Autriche, affirment certains, continue à traiter le royaume de Hongrie comme une colonie agraire. Autre motif de contentieux : Vienne refuse de céder le contrôle de l'armée et de créer une armée hongroise séparée et égale. En 1905, cette question déclenche une crise constitutionnelle qui paralyse la vie politique de l'Empire [1]. De leur côté, les Autrichiens allemands affirment que les Hongrois vivent aux dépens de l'économie plus développée des territoires autrichiens, sans contribuer suffisamment au budget de l'Empire. Dans sa structure même, ce système politique semble avoir été conçu pour créer des conflits, car il impose aux deux parties de renégocier leur union douanière et le partage des revenus et des taxes tous les dix ans. Or, à chaque révision de l'union douanière, les exigences des Hongrois se font plus grandes [2]. De plus, le Compromis n'a rien pour séduire les élites politiques des autres minorités nationales, de fait placées sous la tutelle des deux « races maîtresses ». Ce que résume le premier Premier ministre hongrois à gouverner après l'entrée en vigueur du Compromis, Gyula Andrássy, lorsqu'il lance à son homologue autrichien : « Occupez-vous de vos Slaves, nous nous occuperons des nôtres [3]. » Les décennies qui précèdent le déclenchement de la Première Guerre mondiale sont donc dominées par des tensions croissantes entre les onze nationalités officielles de l'Empire – allemande, hongroise, tchèque, slovaque, slovène, croate, serbe, roumaine, ruthène, polonaise et italienne –, luttant chacune pour la reconnaissance de ses droits nationaux.

Chacune des deux parties de l'Empire donne une réponse différente à ces défis. Les Hongrois, par exemple, traitent la question des nationalités en faisant mine de l'ignorer. À l'époque, le droit de vote ne s'étend qu'à 6 % de la population et n'est accordé qu'aux propriétaires (terriens), favorisant ainsi les Magyars, qui composent la majeure partie des classes les plus aisées de la population. De fait, les députés d'origine magyare, qui ne représentent que 48,1 % de la population, contrôlent plus de 90 % des sièges au Parlement alors qu'il n'y a que cinq députés sur quatre cents environ pour représenter les trois millions de Roumains de Transylvanie, la plus importante minorité nationale du royaume (soit 15,4 % de la population) [4]. De plus, à partir de la fin des années 1870, le gouvernement hongrois met en œuvre une politique de « magyarisation » agressive : des lois sur l'éducation imposent l'usage de la langue magyare dans toutes les écoles, laïques et confessionnelles, y compris au jardin d'enfants ; les enseignants, qui doivent parler hongrois couramment, peuvent être destitués s'ils se montrent « hostiles à l'État hongrois ». Cette dégradation des libertés linguistiques s'accompagne de mesures strictes contre les activistes issus des minorités ethniques [5]. Les Serbes de Voïvodine au sud du royaume, les Slovaques des comtés du nord et les Roumains du grand-duché de Transylvanie s'allient parfois pour défendre les droits des minorités, mais sans grand succès puisqu'ils ne représentent qu'un tout petit nombre de députés.

En Cisleithanie à l'inverse, les gouvernements successifs ne cessent de remanier le système politique afin de satisfaire aux exigences des minorités. Les réformes électorales de 1882 et 1907 (introduisant le suffrage quasi universel pour les hommes) mettent, dans une certaine mesure, les différentes nationalités sur un pied d'égalité. Mais ces mesures de démocratisation ne font qu'augmenter les conflits entre nationalités, tout particulièrement sur la question sensible de la langue utilisée dans les institutions publiques telles que l'école, les tribunaux et l'administration.

C'est au parlement de Cisleithanie, qui siège dans un superbe bâtiment néo-classique de la Ringstraße à Vienne depuis 1883, que les frictions générées par les décisions prises pour accommoder les nationalités sont les plus visibles. Dans cette assemblée de 516 sièges, la plus grande d'Europe, le spectre politique familier créé par la diversité idéologique est redécoupé par l'appartenance nationale, ce qui produit toute un éventail de groupuscules et de dissidents. Parmi les quelque trente partis qui obtiennent des sièges après les élections de 1907 se trouvent par exemple trente-huit Tchèques du parti agraire, dix-huit Jeunes-Tchèques (des nationalistes radicaux), dix-sept Tchèques conservateurs, sept Vieux-Tchèques (des nationalistes modérés), deux Tchèques progressistes (d'obédience réaliste), un Tchèque « indépendant » et neuf Tchèques socialistes. Les Polonais, les Allemands, les Italiens, voire les Slovènes et les Ruthènes, se subdivisent de la même manière, selon leur affiliation idéologique.

Comme il n'y a pas de langue officielle en Cisleithanie (contrairement au royaume de Hongrie), il n'y a pas non plus de langue unique en vigueur au Parlement. L'allemand, le tchèque, le polonais, le ruthène, le croate, le serbe, le slovène, l'italien, le roumain et le russe y sont tous autorisés. Mais il n'y a ni traducteurs ni aucun moyen d'enregistrer ou de contrôler le contenu des discours qui ne sont pas prononcés en allemand, sauf si le député en question ne décide de lui-même de fournir à la Chambre la traduction de son texte. Les députés des plus minuscules factions peuvent donc bloquer les propositions de leurs adversaires par de longues interventions dans une langue que seule une poignée de leurs collègues maîtrisent : il est en effet bien difficile de savoir avec certitude

s'ils traitent de l'ordre du jour ou s'ils se contentent de réciter d'interminables poèmes dans leur propre idiome national. Les Tchèques en particulier s'illustrent par l'extravagance baroque de leurs manœuvres
d'obstruction parlementaire [6]. Le parlement de Cisleithanie devient une
attraction touristique majeure, spécialement en hiver où les promeneurs
viennois se pressent dans la galerie des visiteurs, un lieu bien chauffé où
contrairement au théâtre et aux opéras de la ville, fait observer un journaliste berlinois avec ironie, le spectacle est gratuit *.

Le conflit des nationalités devient si intense qu'en 1912-1914, les crises
parlementaires qui se multiplient paralysent le travail législatif de la
monarchie. En 1913, l'indiscipline de la Diète de Bohême pousse le Premier ministre autrichien, le comte Karl von Stürgkh, à la dissoudre et la
remplacer par une commission impériale chargée de gouverner la province. En mars 1914, les députés tchèques, qui protestent contre cette
décision, mettent le Parlement de Cisleithanie à genoux. Le 16 mars,
Stürgkh le révoque – il est encore suspendu au moment où l'Autriche-
Hongrie déclare la guerre à la Serbie en juillet, de sorte que c'est une
forme de gouvernement administratif absolu qui est en vigueur quand le
pays entre en guerre. Les choses ne vont guère mieux en Hongrie où, en
1912, des manifestations contre un gouvernement impopulaire agitent
Zagreb et d'autres villes slaves au sud du royaume : la Diète croate et la
Constitution sont donc suspendues. À Budapest même, les dernières
années d'avant-guerre sont marquées par la mise en place d'une forme
d'absolutisme parlementaire dont le but est de protéger l'hégémonie
magyare contre l'opposition issue des minorités nationales qui exigent
une réforme électorale [7].

Ces spectaculaires symptômes de dysfonctionnement semblent
confirmer l'idée que l'Empire austro-hongrois est un régime moribond,
condamné à disparaître tôt ou tard de la carte politique : l'argument est
d'ailleurs utilisé par ses ennemis pour insinuer que les initiatives de
l'Empire pour préserver son intégrité sont dénuées de légitimité [8]. En
réalité, les soubresauts politiques qui agitent alors l'Autriche-Hongrie ont
des origines moins profondes qu'il n'y paraît. Indéniablement, des conflits
ethniques surviennent par intermittence : en 1908 par exemple, des
émeutes éclatent à Ljubljana ; des échauffourées se produisent régulièrement à Prague entre Tchèques et Allemands – mais rien de comparable
à l'intensité des violences qui déchirent l'Empire russe à la même époque,

---

* Parmi les spectateurs venus assister aux bouffonneries des députés se trouve un jeune
homme désœuvré nommé Adolf Hitler. Entre février 1908 et l'été 1909, où l'obstruc-
tionnisme tchèque atteint des sommets, il fréquente assidûment la galerie des visiteurs.
Il déclarera plus tard que cette expérience l'avait « guéri » de son admiration de jeunesse
pour le système parlementaire ; voir Hitler, *Mein Kampf,* p. 100.

ou le Belfast du XXe siècle. Quant à l'agitation qui règne au parlement de Cisleithanie, il s'agit d'un mal chronique, pas d'une maladie mortelle : en effet, le gouvernement peut continuer à expédier les affaires courantes pour un temps, en invoquant les pouvoirs spéciaux prévus à l'article 14 de la Constitution de 1867. De plus, dans une certaine mesure, les rivalités politiques étant de nature différente, elles se neutralisent les unes les autres. À partir de 1907, le conflit entre socialistes, libéraux, conservateurs cléricaux et autres groupes politiques est une aubaine pour les autorités de Cisleithanie, car il transcende les clivages nationaux, ce qui émousse la virulence du nationalisme utilisé comme principe politique. Certes, il faut bien du doigté, de la flexibilité et de l'imagination stratégique pour maintenir en équilibre cet ensemble complexe de forces, mais la carrière des trois derniers Premiers ministres autrichiens d'avant 1914 – Beck, Bienerth et Stürgkh – prouve qu'en dépit des pannes fréquentes affectant le système, cela n'est pas impossible [9].

Au cours de la dernière décennie qui précède la guerre, les territoires des Habsbourg connaissent une phase de forte croissance économique qui coïncide avec une prospérité généralisée – une situation totalement différente de celle de l'Empire ottoman à la même époque, ou d'autres exemples d'effondrement politique comme celui de l'URSS dans les années 1980. La libéralisation des marchés et la concurrence au sein de la vaste union douanière que constitue l'Empire stimulent le progrès technique et l'introduction de nouveaux produits. De par l'étendue et la diversité des régions de la Double Monarchie, les nouvelles implantations industrielles bénéficient d'un réseau sophistiqué d'industries sous-traitantes, soutenues par des réseaux de transport efficaces ainsi que des services hautement qualifiés. Les effets bénéfiques de ce développement économique sont tout particulièrement visibles en Hongrie. Dans les années 1840, la Hongrie était le grenier de l'Empire autrichien, 90 % de ses exportations consistant en produits agricoles. Mais dans les années 1910-1913, la part des exportations industrielles atteint 44 % tandis que la demande persistante en produits agricoles bon marché pour la région industrielle de Bohême assure à l'agriculture hongroise de demeurer en excellente santé, protégée de la concurrence roumaine, russe et américaine par le marché commun des Habsbourg [10]. La plupart des historiens de l'économie s'accordent à dire que pendant la période 1887-1913, la Double Monarchie connaît « une révolution industrielle » et voit la croissance décoller et se maintenir durablement, ce que manifestent les indices habituels d'une telle expansion : la consommation de fonte est multipliée par quatre entre 1881 et 1911, ainsi que le nombre de kilomètres de voies ferrées entre 1870 et 1900. La mortalité infantile diminue tandis que le taux de scolarisation à l'école primaire dépasse les chiffres allemands, français, italiens et russes [11]. Au cours des dernières années de l'avant-guerre, le développement économique de l'Autriche-Hongrie, et plus particulièrement de la Hongrie (avec une croissance moyenne de 4,8 % par an), est l'un des plus rapides d'Europe [12].

Même un observateur critique comme Henry Wickham Steed, correspondant du *Times* qui réside à Vienne depuis de nombreuses années, reconnaît en 1913 que les « rivalités raciales » en Autriche portent essentiellement sur le partage des postes de responsabilité au sein du système existant :

> Le conflit linguistique est essentiellement une lutte d'influence au sein de la bureaucratie. Par exemple, lorsque les Tchèques, les Ruthènes, les Slovènes et les Italiens exigent la création de nouvelles universités ou de nouveaux lycées, contre la volonté des Allemands, des Polonais ou des autres races suivant le cas, ils ne font qu'exiger la création de nouvelles machines à produire de futurs fonctionnaires que le poids politique des différents partis parlementaires permettra de faire nommer à des postes dans l'administration [13].

De plus, on peut constater des progrès lents mais incontestables vers une politique plus accommodante quant aux droits des nationalités – au moins en Cisleithanie. Dans cette partie de l'Empire, l'égalité de toutes les nationalités et langues est formellement reconnue par la Loi fondamentale de 1867 ; se développe alors toute une jurisprudence pour trouver des solutions aux problèmes que les rédacteurs du Compromis n'ont pas anticipés, telles des mesures linguistiques particulières pour les minorités tchèques des zones de peuplement allemand en Bohême. Pendant les dernières années de paix, les autorités de Cisleithanie continuent donc à adapter le système aux exigences des nationalités minoritaires. Le 28 janvier 1914 à Lemberg (aujourd'hui Lviv), elles concluent le Compromis galicien qui assure aux Ruthènes – les Ukrainiens – jusque-là sous-représentés un quota de sièges dans une Diète de Galicie plus nombreuse ; elles promettent également de fonder rapidement une université ukrainienne [14]. Au début de cette année 1914, alors que le climat international s'assombrit, l'administration hongroise montre des signes d'un changement d'attitude. Elle promet aux Slaves du Sud habitant en Croatie-Slavonie d'abolir les pouvoirs spéciaux et de garantir la liberté de la presse, tandis qu'un message est envoyé en Transylvanie : le gouvernement de Budapest a l'intention de répondre favorablement aux nombreuses revendications de la majorité roumaine dans cette région. Craignant que ces mesures ne parviennent à consolider le pouvoir des Habsbourg dans les territoires roumains, le ministre russe des Affaires étrangères Sergueï Sazonov suggère alors au tsar Nicolas II d'accorder des concessions similaires aux millions de Polonais vivant dans l'ouest de la Russie [15].

Ces ajustements, cas par cas, à des exigences spécifiques laissent à penser que le système aurait pu finir par produire un ensemble exhaustif de garanties pour les droits des nationalités, à l'intérieur d'un cadre consensuel[16]. Des signes positifs démontrent en effet que l'administration répond de plus en plus efficacement aux demandes financières des différentes régions[17]. Bien évidemment c'est l'État Habsbourg qui agit là, non les parlements locaux affaiblis. Mais la multiplication des conseils d'administration dans les écoles, des conseils municipaux, des commissions de comtés, des élections municipales, etc. signifie que l'action de l'État influence le cours de la vie citoyenne de façon bien plus directe et cohérente que l'action des partis politiques ou des assemblées législatives[18]. L'État n'est pas considéré (ou du moins, pas en tout premier lieu) comme un appareil de répression, mais comme une institution dynamique qui suscite de forts attachements, un intermédiaire qui arbitre entre de multiples intérêts – sociaux, économiques et culturels[19]. Certes, la bureaucratie Habsbourg coûte cher : le budget de l'administration augmente de 366 % entre 1890 et 1911[20]. Mais la plupart des habitants de l'Empire associent l'État Habsbourg avec les bénéfices du bon gouvernement : éducation et assistance publiques, système sanitaire, maintien de la loi, entretien d'infrastructures sophistiquées[21]. Ces caractéristiques du régime des Habsbourg resteront gravées dans les mémoires bien après l'extinction de la monarchie. Quand, à la fin des années 1920, l'écrivain et ingénieur Robert Musil se remémore la dernière année de paix de l'Empire austro-hongrois, il revoit en imagination « ses routes larges, blanches, prospères [...] qui le sillonnaient en tous sens, fleuves d'ordre, clairs rubans de coutil militaire, bras administratifs, couleur de papier timbré, étreignant les provinces[22]... »

Finalement, même la plupart des activistes des minorités nationales reconnaissent l'importance du *commonwealth* des Habsbourg, un système qui assure la sécurité collective. L'âpreté des conflits *entre* nationalités minoritaires – Serbes contre Croates en Croatie-Slavonie par exemple, ou Polonais contre Ruthènes en Galicie – ainsi que l'existence de nombreuses zones de peuplement hétérogènes sur le plan ethnique laissent craindre que la création d'entités nationales nouvelles et entièrement séparées ne cause bien plus de problèmes qu'elle n'en résolve[23]. De plus, comment ces États-nations novices pourraient-ils survivre hors du cocon protecteur de l'Empire ? En 1848, l'historien nationaliste tchèque František Palacky avertissait ses compatriotes que l'anéantissement de l'Empire des Habsbourg, loin de les libérer, ne ferait qu'ouvrir la voie à « une monarchie russe universelle » : « Des causes naturelles autant qu'historiques me poussent à rechercher auprès de Vienne le centre appelé à assurer et protéger la paix, la liberté et la justice pour mon peuple[24]. » En 1891, le prince Charles Schwarzenberg avance le même argument en posant cette question à Edward Grégr, Jeune-Tchèque nationaliste : « Si vous et les vôtres détestez cet État, [...] que ferez-vous de votre pays, qui est trop petit pour se défendre tout seul ? Le donnerez-vous à l'Allemagne ? À la Russie ? Car vous n'aurez pas d'autre choix, si vous abandonnez l'union avec l'Autriche [25]. » À la veille de 1914, les nationalistes radicaux qui militent pour une séparation complète d'avec l'Empire demeurent une petite minorité. Et dans beaucoup de régions, leur influence est contrebalancée par celle de réseaux d'associations – clubs d'anciens combattants, œuvres de bienfaisance ou associations confessionnelles, associations de *bersaglieri* – qui nourrissent, sous diverses formes, un fort attachement patriotique aux Habsbourg [26].

Le caractère vénérable et la permanence de la monarchie sont incarnés par l'imperturbable visage barbu de l'empereur François-Joseph. L'empereur a vécu de multiples tragédies personnelles. Son fils Rodolphe et sa maîtresse, Maria Vetsera, se sont donné la mort dans le pavillon de chasse familial. Sa femme Elisabeth (« Sissi ») est morte, poignardée par un anarchiste italien sur les rives du lac de Genève. Son frère Maximilien a été exécuté par des insurgés mexicains à Queretaro, et sa nièce favorite a péri brûlée vive après qu'une cigarette a mis le feu à sa robe. L'empereur a supporté ces coups du sort avec un stoïcisme glacial. En public, il donne de lui-même une image « d'impersonnalité diabolique », selon les termes du satiriste Karl Kraus. Le commentaire laconique qu'il laisse tomber à la fin de toutes les cérémonies officielles – « C'était très bien, nous sommes tout à fait satisfait » – est devenu proverbial dans toutes les provinces de l'Empire [27]. Il fait preuve d'une habileté considérable dans l'administration de son État : contrebalançant les forces opposées afin de les maintenir en équilibre et d'éviter les mécontentements de mauvais aloi, il s'implique personnellement dans toutes les étapes des réformes constitutionnelles [28]. Mais, en 1914, il est devenu une force d'inertie. Pendant les deux années précédentes, il a soutenu le Premier ministre hongrois, l'autoritaire István Tisza, qui refuse d'étendre le droit de vote aux minorités. Tant que le royaume de Hongrie continuait à livrer les fonds et les votes dont Vienne avait besoin, François-Joseph était tout disposé à accepter l'hégémonie des élites magyares, malgré le peu de cas qu'elles faisaient des intérêts des nationalités minoritaires dans le royaume [29]. À certains signes cependant, il était clair qu'il perdait peu à peu contact avec la vie contemporaine. « Le déferlement vigoureux de la vie de notre temps ne parvient plus aux oreilles de l'empereur que comme un bruissement lointain », écrit Joseph Maria Baernreither, homme politique austro-allemand, en 1913. « Il ne participe plus véritablement à cette vie. Il ne comprend plus le temps présent, mais le temps présent s'écoule quand même [30]. »

Néanmoins, la personne de l'empereur suscite encore de puissants attachements, politiques et émotionnels. Beaucoup reconnaissent que sa
popularité s'enracine non pas dans son rôle constitutionnel, mais dans
des émotions populaires largement partagées [31]. En 1914, la plupart de
ses sujets n'ont pas connu d'autre monarque que lui. Joseph Roth le décrit
dans son chef-d'œuvre, *La Marche de Radetzky*, « enfermé dans sa sénilité
glacée, éternelle et effrayante, comme une cuirasse de cristal qui imposait
le respect [32] ». Il fait de fréquentes apparitions dans les rêves de ses sujets,
qui vivent sous le regard bleu clair qui regarde fixement dans les dizaines
de milliers de tavernes, salles de classe, bureaux, salles d'attente de gare
où son portrait est accroché, tandis que les quotidiens décrivent avec
admiration la démarche souple et élastique qu'a conservée le vieil homme
descendant à grandes enjambées de son carrosse pendant les cérémonies
officielles. Prospère et relativement bien administré, l'Empire, tout
comme son souverain âgé, fait preuve d'une stabilité étonnante dans la
tourmente. Les crises vont et viennent, sans apparemment menacer l'existence du système. Selon le bon mot du journaliste viennois Karl Kraus,
la situation est « toujours désespérée, mais jamais grave ».

La Bosnie-Herzégovine représente cependant un cas spécial, une ano-
malie. Par le traité de Berlin en 1878, les Autrichiens sont autorisés à
l'« occuper » alors qu'elle demeure sous suzeraineté ottomane – trente
ans plus tard, ils l'annexent officiellement. La Bosnie est un territoire
montagneux couvert de forêts, fermé au sud par des sommets de plus de
deux mille mètres d'altitude et au nord par la vallée de la Save. L'Herzégovine consiste principalement en un haut plateau karstique traversé de
torrents et cerné de chaînes de montagnes – un pays de terres austères,
pratiquement dénué d'infrastructures encore en cette fin de XIXᵉ siècle.
Les conditions de vie dans ces deux provinces balkaniques pendant la
domination des Habsbourg ont toujours fait l'objet de controverse. Les
jeunes terroristes serbes bosniaques qui se rendent à Sarajevo pendant
l'été 1914 pour y assassiner l'héritier du trône autrichien justifient leur
action en faisant référence à l'oppression de leurs frères en Bosnie et en
Herzégovine, et certains historiens ont parfois suggéré que les Autrichiens
eux-mêmes étaient responsables d'avoir poussé les Serbes de Bosnie dans
les bras de Belgrade, par un mélange d'oppression et de mauvaise gouvernance.

Qu'en est-il exactement ? Au début de l'occupation éclatent de multiples manifestations, en particulier contre la conscription. Mais cela n'a
rien de nouveau : ces provinces ont toujours été agitées, même sous le
joug ottoman. Ce qui est exceptionnel au contraire, c'est la sérénité relative qui règne du milieu des années 1880 jusqu'en 1914 [33]. Certes, les

2. La Bosnie-Herzégovine en 1914

conditions de vie des paysans après 1878 restent un sujet délicat. Les Autrichiens décident de ne pas abolir l'*agalik*, ce système de grandes propriétés agraires hérités des Ottomans, sur lesquels travaillaient encore quelque quatre-vingt dix mille *kmets* (serfs bosniaques) en 1914. Certains historiens ont interprété cette décision comme la preuve de l'existence d'une politique visant délibérément à « diviser pour régner », à opprimer la paysannerie majoritairement serbe tout en cherchant à gagner la faveur des citadins, Croates et musulmans. Mais ceci est une interprétation *a posteriori* : la gouvernance autrichienne dans ces nouvelles provinces est fondée sur un conservatisme culturel et institutionnel, non sur une idéologie de domination coloniale. « Continuité et gradualisme » caractérisent la politique autrichienne dans toutes les régions de Bosnie-Herzégovine où subsistent des institutions traditionnelles[34]. Quand cela est possible, les lois et les institutions héritées de la période ottomane sont harmonisées et clarifiées, plutôt qu'abolies d'emblée. L'administration Habsbourg facilite cependant l'émancipation des serfs, en rachetant les terres au cas par cas. Plus de quarante mille *kmets* bosniaques recouvrent ainsi la liberté entre le début de l'occupation et le déclenchement de la guerre en 1914. Quoi qu'il en soit, comparée à la situation des paysans en Europe au début du XXᵉ siècle, la situation des *kmets* restés soumis à l'ancien système de l'*agalik* à la veille de la Première Guerre mondiale n'est pas si défavorable – voire sans doute meilleure que celle des paysans de Dalmatie ou du sud de l'Italie.

L'administration autrichienne prend également de nombreuses mesures pour augmenter la productivité de l'agriculture et de l'industrie en Bosnie-Herzégovine. Elle crée des fermes modèles (y compris un vignoble et une ferme piscicole), impose une formation agricole de base aux instituteurs ruraux et crée même un lycée agricole à Ilidze, à une époque où il n'en existe pas en Serbie. L'adoption des nouvelles techniques est certes relativement lente, mais cela est dû davantage aux réticences des paysans, qui se méfient des innovations, qu'au désintérêt des Autrichiens. De plus, les capitaux affluent, et se développe un réseau ferroviaire et routier qui comprend certaines des plus belles routes de montagne d'Europe. Assurément, ces projets d'infrastructure répondent en partie à des besoins stratégiques et militaires, mais les investissements sont également très importants dans de nombreux secteurs : les mines, la métallurgie, l'exploitation forestière et l'industrie chimique. Le rythme de l'industrialisation atteint son maximum sous l'administration du comte Benjamin Kállay (1882-1903), et il en résulte un bond de la production industrielle sans précédent dans tous les Balkans (+ 12,4 % en moyenne par an entre 1881 et 1913)[35]. En résumé, l'administration Habsbourg veut faire de ces provinces des vitrines démontrant « l'humanité et l'efficacité de la domination des Habsbourg ». En 1914, la Bosnie-Herzégovine atteint un niveau de développement comparable à celui du reste de la Double Monarchie[36].

Le point le plus négatif du bilan de l'administration autrichienne en Bosnie-Herzégovine reste le taux terriblement faible d'alphabétisation et de scolarisation, pire encore que celui de Serbie[37]. Mais ceci ne résulte pas d'une politique délibérée d'abrutissement de masse. Les Autrichiens ont construit près de deux cents écoles primaires, sans compter trois lycées, une école normale d'instituteurs et un institut technique, ce qui ne représente ni un effort massif, ni un désintérêt total. Une partie du problème consiste plutôt à convaincre les paysans d'envoyer leurs enfants à l'école[38]. Or l'instruction primaire ne deviendra obligatoire qu'à partir de 1909, après l'annexion officielle des deux provinces.

Bien sûr, tout ne va pas pour le mieux dans le meilleur des mondes en Bosnie-Herzégovine. L'administration Habsbourg réprime d'une main de fer, parfois sans grand discernement, tout ce qui s'apparente à une mobilisation nationaliste contre l'Empire. En 1913, Oskar Potiorek, gouverneur militaire de Bosnie-Herzégovine, suspend la plupart des articles de la Constitution bosniaque de 1910, renforce le contrôle du gouvernement sur le système éducatif, interdit la distribution des journaux importés de

Serbie et ferme de nombreuses associations culturelles serbes bosniaques, même s'il faut noter que ces mesures sont prises pour lutter contre une intensification du militantisme ultranationaliste serbe [39]. Demeure un sujet délicat : les frustrations politiques des Serbes et des Croates vivant juste de l'autre côté de la frontière, à l'ouest et au nord en Croatie-Slavonie, et à l'est en Voïvodine, deux régions gouvernées par Budapest et soumises au code électoral hongrois extrêmement restrictif. Mais tout bien considéré, l'administration autrichienne dans ces provinces, guidée par un pragmatisme respectueux des traditions de leurs différentes nationalités, est assez équitable et efficace. Theodore Roosevelt n'est pas loin de la vérité quand, en juin 1904, il déclare à deux hommes politiques autrichiens en visite à la Maison Blanche que la monarchie Habsbourg « a compris comment traiter les différentes nations et les différentes religions du pays sur un pied d'égalité, et comment parvenir ainsi à de si grands succès ». Il ajoute, de façon peut-être malheureuse, que l'administration américaine aux Philippines aurait beaucoup à apprendre de cet exemple [40]. Les visiteurs étrangers sont, eux aussi, frappés par l'équité du régime Habsbourg : en 1902, un journaliste américain note « le ton de respect et de tolérance mutuels » entre les différents groupes ethno-religieux. Les tribunaux sont administrés « avec sagesse et impartialité », et « justice est rendue à tout citoyen, indépendamment de sa religion ou de sa position sociale [41] ».

Évaluer l'état dans lequel se trouve l'Empire austro-hongrois à la veille de la Première Guerre mondiale ainsi que ses perspectives d'avenir nous confronte de manière aiguë au problème de la perspective temporelle. L'effondrement de l'Empire au cours de la guerre et la défaite de 1918 influencent le tableau que nous dressons rétrospectivement des territoires Habsbourg, un tableau assombri par l'ombre portée d'un déclin annoncé comme immédiat et inéluctable. L'activiste nationaliste tchèque Edvard Beneš en est un exemple typique. Pendant la Première Guerre mondiale, Beneš fonde une organisation secrète pro-indépendantiste tchèque. En 1918, il devient l'un des pères fondateurs du nouvel État-nation tchécoslovaque. Or dans une étude publiée en 1908 portant sur « Le problème autrichien et la question tchèque », il a exprimé sa confiance dans l'avenir du *commonwealth* autrichien : « Certains ont parlé de la dissolution de l'Autriche. Je n'y crois pas un instant. Les liens historiques et économiques qui unissent entre elles les nations autrichiennes sont trop forts pour que cela n'arrive [42]. » Henry Wickham Steed, correspondant du *Times* à Vienne (et futur rédacteur en chef) offre un autre exemple particulièrement frappant de ces revirements d'opinion. En 1954, dans une lettre au *Times Literary Supplement*, Steed déclare que lorsqu'il a quitté l'Empire austro-hongrois en 1913, « c'était avec le sentiment de s'échapper d'un bâtiment condamné ». Ces mots confirmaient l'opinion la plus répandue dans les années 1950. En 1913 cependant, il avait vu les choses bien différemment. Bien qu'il ait critiqué ouvertement maints traits de la gouvernance des Habsbourg, il écrit alors qu'en dix ans « d'observations et d'expériences constantes », il n'est toujours pas parvenu à percevoir « des raisons suffisantes de penser que la monarchie Habsbourg ne garderait pas la place qui lui revient de droit dans le concert des nations européennes ». « Ces crises internes sont des crises de croissance plutôt que de décadence [43] » – telle était sa conclusion. Ce n'est qu'au cours de la Première Guerre mondiale que Steed adopte l'idée qu'il faut démembrer l'État austro-hongrois, devenant un ardent défenseur des accords d'après-guerre en Europe centrale. En 1927, à l'occasion de la parution en anglais des Mémoires du nationaliste tchèque Thomáš Masaryk, *The Making of a State* (« Naissance d'un État »), Steed rédige un avant-propos dans lequel il déclare que le nom « Autriche » symbolise « tous les moyens de tuer l'âme d'un peuple, de la corrompre en lui offrant un minimum de prospérité matérielle, de la priver de sa liberté de conscience et de penser, d'affaiblir sa vigueur, de saper sa résolution et de la détourner de la poursuite de son idéal [44] ».

De tels renversements de polarité peuvent également survenir dans l'autre direction. L'universitaire hongrois Oszkár Jászi, l'un des plus fins observateurs de l'Empire des Habsbourg, s'est montré un critique incisif de la Double Monarchie. En 1929, il conclut une étude de grande ampleur sur la dissolution de la monarchie en observant que « la guerre mondiale n'a pas été la cause, mais la conséquence ultime des haines et de la méfiance profondément enracinées qui existaient entre les différentes nations [45] ». En 1949 cependant, après une nouvelle guerre mondiale, après une désastreuse période de dictature et de génocide dans son pays natal, Jászi, exilé aux États-Unis depuis 1919, ne tient plus du tout le même discours : « Sous l'ancienne monarchie des Habsbourg, le règne de la loi était assuré correctement, les libertés individuelles plus ou moins reconnues, les droits politiques continuellement étendus, le principe d'autonomie nationale de mieux en mieux respecté. La libre circulation des biens et des personnes apportait ses bienfaits jusque dans les régions les plus reculés de la monarchie [46]. » Dans l'euphorie suscitée par les indépendances nationales, certains de ceux qui avaient été de loyaux sujets des Habsbourg ont été poussés à attaquer l'ancienne Double Monarchie alors que d'autres, vigoureux dissidents avant 1914, ont été frappés de nostalgie. En 1939, méditant sur l'effondrement de la monarchie, l'écrivain hongrois Mihály Babits écrivait : « Nous regrettons la perte de ce qu'autrefois nous détestions, et espérons son retour dans les larmes. Nous sommes devenus indépendants, mais au lieu de nous réjouir, nous ne pouvons que trembler [47]. »

Les joueurs d'échecs

Jetée hors d'Italie en 1859 et hors d'Allemagne en 1866, l'Autriche tourne donc ses regards vers la région des Balkans qui devient, par défaut, le point de mire de sa politique étrangère. Par une malheureuse coïncidence, ce rétrécissement du champ d'action de l'Autriche-Hongrie survient au moment même où l'instabilité s'accroît dans toute la péninsule balkanique. Le problème sous-jacent est le déclin de l'autorité ottomane au sud-est de l'Europe, ce qui crée une zone de tension entre les deux grandes puissances – Russie et Autriche-Hongrie – ayant des intérêts stratégiques dans cette région [48]. Toutes deux pensent avoir un droit historique à exercer leur hégémonie dans ces zones d'où se retirent les Ottomans. De fait, de tous temps, la maison de Habsbourg a toujours défendu la porte orientale de l'Europe contre les Turcs. Dans le même temps, l'idéologie panslave affirme qu'il existe une communauté d'intérêts entre les nations slaves (tout particulièrement orthodoxes) émergeant dans la péninsule balkanique et la Russie, leur puissance protectrice. De plus, le reflux des Ottomans pose la question du contrôle futur des détroits du Bosphore, sujet d'importance stratégique majeure aux yeux des décideurs russes. Simultanément émergent de nouveaux États balkaniques, ambitieux, ayant chacun leurs propres objectifs et des intérêts divergents. Sur ce terrain instable, l'Autriche et la Russie manœuvrent comme deux joueurs d'échecs, espérant annuler ou amoindrir l'avantage de leur opposant à chaque coup joué.

Jusqu'en 1908, la coopération, la retenue et la délimitation de sphères d'influence informelles limitent les dangers inhérents à cet état de fait [49]. Par la révision de la Ligue des trois empereurs en 1881 entre la Russie, l'Autriche-Hongrie et l'Allemagne, la Russie s'engage à respecter l'occupation de la Bosnie-Herzégovine par l'Autriche-Hongrie, autorisée par le traité de Berlin ; les trois signataires acceptent également « de prendre en compte leurs intérêts mutuels dans la péninsule balkanique [50] ». Des accords ultérieurs conclus entre l'Autriche et la Russie en 1897 et 1903 réaffirment leur engagement réciproque à maintenir le statu quo dans les Balkans.

Mais la politique dans cette région est d'une telle complexité qu'il ne suffit pas de maintenir de bonnes relations entre grandes puissances rivales pour assurer la tranquillité. De plus petits prédateurs doivent également être satisfaits et apprivoisés. Et parmi eux, le plus gros, du point de vue viennois, c'est le royaume de Serbie. Pendant le long règne de Milan Obrenović, monarque austrophile, la Serbie demeure un partenaire docile aux visées autrichiennes, acceptant que l'Empire revendique son hégémonie sur la région. En échange, Vienne soutient la demande faite par Belgrade en 1882 d'accéder au statut de royaume, et promet l'assistance de sa diplomatie au cas où la Serbie chercherait à s'étendre vers le sud, en Macédoine ottomane. Comme le ministre austro-hongrois des Affaires étrangères, le comte Gustav Kálnoky von Köröspatak, le dit à son homologue russe à l'été 1883, maintenir de bonnes relations avec la Serbie est la pierre angulaire de la politique autrichienne dans les Balkans[51].

Bien qu'amical, le roi Milan de Serbie pouvait parfois être un partenaire exaspérant. En 1885, il met Vienne en émoi en proposant d'abdiquer, d'envoyer son fils faire ses études en Autriche et d'offrir à l'Empire d'annexer son royaume. Les Autrichiens refusent d'écouter ces absurdités. Au cours d'une réunion à Vienne, le monarque démoralisé est fermement rappelé à ses devoirs royaux puis renvoyé à Belgrade. Köröspatak explique alors à son Premier ministre qu'une Serbie florissante et indépendante « convient mieux à nos intentions que la possession d'une province indisciplinée[52] ». Le 14 novembre cependant, quatre mois à peine après avoir semblé vouloir abdiquer, Milan prend la décision soudaine et inattendue d'envahir la Bulgarie voisine, pays satellite de la Russie. Le conflit ne dure guère, car l'armée serbe est facilement repoussée par les Bulgares, mais il faut déployer de grands moyens diplomatiques pour éviter que cette initiative malvenue ne mette à mal la détente entre l'Autriche et la Russie.

Le fils se révèle encore plus erratique que le père : Alexandar, qui se vante sans aucune retenue du soutien austro-hongrois à son royaume, déclare publiquement en 1899 que « les ennemis de la Serbie sont les ennemis de l'Autriche-Hongrie » – un faux-pas qui laisse Saint-Pétersbourg perplexe et plonge Vienne dans un très grand embarras. Mais il est également tenté par les avantages d'une politique russophile. Dès 1902, après la mort du roi père Milan, il se met à courtiser les Russes avec assiduité, allant jusqu'à déclarer à un journaliste de Saint-Pétersbourg que la monarchie Habsbourg est « l'ennemi ancestral de la Serbie[53] ». La nouvelle de sa mort prématurée cause donc peu de regrets à Vienne, même si comme dans d'autres capitales les hommes politiques sont choqués de la barbarie avec laquelle lui-même et sa lignée ont été exterminés.

Or le régicide de 1903 marque une rupture radicale, ce dont les Autrichiens vont progressivement prendre conscience. Dans un premier temps, le ministre des Affaires étrangères viennois se hâte d'établir de bonnes relations avec l'usurpateur Petar Karadjordjević, considéré, de façon bien optimiste, comme un austrophile. L'Autriche-Hongrie est donc le premier

État à reconnaître officiellement le nouveau régime serbe. Mais il devient vite évident que les fondations nécessaires à l'établissement de relations harmonieuses entre les deux voisins n'existent plus. La conduite de la politique serbe passe aux mains d'hommes ouvertement hostiles à la Double Monarchie et les décideurs viennois observent avec une inquiétude croissante les expectorations nationalistes de la presse belgradoise, désormais libérée de la censure gouvernementale. En septembre 1903, l'ambassadeur autrichien à Belgrade, Konstantin Dumba, rapporte que les relations entre les deux pays « ne pourraient être plus mauvaises ». Vienne exhume donc l'indignation morale ressentie au moment du régicide et, emboîtant le pas aux Britanniques, impose des sanctions à la cour de Karadjordjević. Espérant profiter de ce relâchement des liens entre Serbes et Autrichiens, les Russes avancent alors leurs pions : ils convainquent le gouvernement de Belgrade que l'avenir de la Serbie se joue à l'ouest, vers la côte adriatique, et l'incitent fortement à ne pas renouveler le traité commercial qui le lie à Vienne depuis fort longtemps [54].

À la fin de 1905, ces tensions se transforment en conflit ouvert : Vienne découvre que la Serbie et la Bulgarie ont conclu une union douanière « secrète ». Début 1906, Vienne exige que Belgrade répudie cette union, mais cette démarche se révèle contre-productive. L'union bulgare, à laquelle la majorité des Serbes est restée jusque-là indifférente, devient pour les nationalistes un symbole à défendre à tout prix, au moins pour un temps [55]. Les grandes lignes de la crise de 1906 sont décrites dans le premier chapitre, mais il faut garder en mémoire le point suivant : ce que Vienne redoute par-dessus tout, ce sont moins les conséquences commerciales (somme toute négligeables) de cette union avec la Bulgarie que la logique politique qui la sous-tend. Et si cette union douanière serbo-bulgare n'était que la première étape de la formation d'une « ligue des États balkaniques » hostile à l'Autriche-Hongrie et prête à prendre ses ordres auprès de Saint-Pétersbourg ?

Il est aujourd'hui aisé de mettre cette crainte sur le compte de la paranoïa autrichienne, mais en réalité, les décideurs viennois ne sont pas loin de la vérité : l'Accord douanier serbo-bulgare est en fait le troisième d'une série de trois, dont les deux premiers – un traité d'amitié et un traité d'alliance d'orientation clairement anti-autrichienne – ont déjà été signés à Belgrade le 12 mai 1904, dans le plus grand secret. L'ambassadeur autrichien a fait tout son possible pour découvrir ce qui se tramait entre les délégués bulgares en visite à Belgrade et leurs interlocuteurs serbes, mais malgré ses soupçons il n'a pas réussi à percer le secret des négociations. Vienne craint que les Russes ne soient impliqués, ce qui s'avère exact. Malgré la détente austro-russe et l'effort colossal que représente la guerre désastreuse contre le Japon, Saint-Pétersbourg travaille effective-

ment à la création d'une alliance balkanique. Le diplomate bulgare Dimitar Rizov, ancien agent du département Asie de la diplomatie russe, est
une figure clé des négociations. Le 15 septembre 1904 à 11 heures du
matin, les ambassadeurs russes à Belgrade et à Sofia reçoivent simultanément (et en secret) des copies du Traité d'alliance serbo-bulgare, que leur
remettent les ministres respectifs des Affaires étrangères de ces deux
pays [56].

Une autre difficulté rencontrée par les Autrichiens dans les Balkans
naît de l'enchevêtrement croissant des questions de politique étrangère et
de politique intérieure [57]. Pour des raisons évidentes, les politiques étrangère et intérieure ont davantage de raisons de s'entremêler dans certaines
régions : celles où vivent des minorités dont la « mère patrie » existe en
tant qu'État indépendant hors des frontières de l'Empire. Dans le cas des
Tchèques, des Slovènes, des Polonais, des Slovaques et des Croates vivant
dans les territoires des Habsbourg, un tel État-nation souverain n'existe
pas. Ce qui n'est pas le cas des trois millions de Roumains du duché de
Transylvanie. Or, la complexité du système dualiste prive Vienne des
moyens de s'opposer à la politique de magyarisation forcée menée par
Budapest – une politique qui offense la Roumanie, partenaire stratégique
majeur de Vienne. Malgré tout, jusqu'en 1910 environ, les relations
austro-roumaines ne souffrent pas des conséquences des tensions internes
à la Hongrie, principalement parce que le gouvernement roumain, allié
de l'Autriche et de l'Allemagne, s'abstient de fomenter des troubles ou
d'exploiter les tensions ethniques en Transylvanie.

On ne peut en dire autant des Serbes et du royaume de Serbie après
1903. Un peu plus de 40 % de la population de Bosnie-Herzégovine est
serbe, et il existe de larges zones de peuplement serbe en Voïvodine, au
sud de la Hongrie, et de plus petites en Croatie-Slavonie. Après le régicide
de 1903, Belgrade intensifie les activités irrédentistes dans l'Empire, se
concentrant principalement sur la Bosnie-Herzégovine. En février 1906,
l'attaché militaire autrichien à Belgrade, Pomiankowski, résume les données du problème dans une lettre adressée au chef d'état-major. En cas
de conflit militaire, déclare-t-il, il est certain que la Serbie sera au nombre
des ennemis de l'Empire. Le problème réside moins dans l'attitude du
gouvernement serbe lui-même que dans l'orientation ultranationaliste de
la culture politique dans son ensemble : même si un gouvernement
« censé » était à la barre, il ne serait absolument pas en mesure d'empêcher
« des chauvinistes radicaux tout-puissants » de se lancer dans « une aventure ». Il y avait plus dangereux cependant que « cette hostilité non dissimulée de la Serbie et sa pitoyable armée » : « La cinquième colonne que
constituent les radicaux en temps de paix contamine systématiquement

l'attitude de notre population serbe du sud et, si le pire devait arriver, elle pourrait créer des difficultés très sérieuses pour notre armée [58]. »

L'irrédentisme « chauvin » de l'État serbe, ou plus précisément, des forces politiques les plus influentes en son sein, finit par occuper une place centrale dans l'analyse que Vienne fait de ses relations avec Belgrade. Les instructions officielles rédigées au cours de l'été 1907 par le ministre des Affaires étrangères, le comte Alois von Aehrenthal, à l'intention du nouvel ambassadeur autrichien en Serbie permettent de mesurer combien les relations se sont détériorées depuis le régicide. Pendant le règne du roi Milan, rappelle Aehrenthal, la Couronne serbe a été suffisamment forte pour contrecarrer toute « agitation publique en Bosnie », mais depuis les événements de juillet 1903, tout a changé. Ce n'est pas simplement dû au fait que le roi Petar est politiquement trop faible pour s'opposer aux forces nationalistes chauvines, mais plutôt que lui-même s'est mis à exploiter le mouvement nationaliste pour consolider sa position. L'une des « missions prioritaires » du nouvel ambassadeur autrichien sera donc de surveiller et d'analyser l'activité nationaliste en Serbie. Quand l'occasion se présentera, l'ambassadeur devra informer le roi Petar et le Premier ministre Pašić qu'il a pleinement connaissance de l'étendue et de la nature des activités nationalistes panserbes. Il ne faut pas que les leaders belgradois puissent douter du fait que l'Autriche-Hongrie considère l'occupation de la Bosnie-Herzégovine comme définitive. Par-dessus tout, l'ambassadeur ne devra pas se laisser impressionner par les démentis officiels d'usage :

> Il faut s'attendre à ce qu'ils réagissent à vos mises en garde bien intentionnées en débitant le cliché éculé auquel les hommes politiques serbes ont toujours recours quand on leur reproche leur machinations occultes vis-à-vis des provinces occupées : « Le gouvernement serbe s'efforce de maintenir des relations correctes et irréprochables, mais n'est pas en mesure de contenir le sentiment national, qui exige des mesures etc. [59]. »

Les instructions officielles d'Aehrenthal révèlent les trois fondements de l'attitude de Vienne face à Belgrade : la conviction que le nationalisme serbe est une force primordiale, une méfiance viscérale envers les hommes d'État serbes et une anxiété croissante quant à l'avenir de la Bosnie, le tout dissimulé sous un orgueilleux sentiment de supériorité et d'invincibilité.

Le décor est donc planté pour l'annexion de la Bosnie-Herzégovine en 1908. En Autriche comme dans les chancelleries des autres grandes puissances, personne ne doute que Vienne considère l'occupation de 1878 comme permanente. Dans l'un des articles secrets de la Ligue des trois empereurs renouvelée en 1881, l'Autriche-Hongrie a explicitement affirmé son droit d'annexer ces provinces quand elle le jugera opportun, et cette revendication a été reprise dans les accords diplomatiques austro-russes. La Russie ne le conteste d'ailleurs pas, même si Saint-Pétersbourg se réserve le droit d'imposer des conditions le moment venu. Une annexion officielle présente d'indéniables avantages pour l'Autriche-Hongrie. Elle lève tous les doutes quant à l'avenir des provinces, question à régler d'urgence puisque le statut d'occupation accepté au congrès de Berlin doit expirer en 1908. Elle permet à la Bosnie-Herzégovine d'être mieux intégrée au tissu politique de l'Empire grâce à l'établissement, notamment, d'un parlement provincial. Mais surtout, elle indique à Belgrade et aux Serbes de Bosnie-Herzégovine que la possession par les Habsbourg sera permanente, ce qui supprime, en théorie du moins, un motif de poursuivre l'agitation irrédentiste.

Aehrenthal, nommé ministre des Affaires étrangères en novembre 1906, a également d'autres raisons de faire accélérer le processus. Jusqu'au tournant du siècle, il a vigoureusement défendu le système dualiste. Mais, en 1905, sa foi dans le Compromis est ébranlée par les luttes intestines entre élites politiques autrichiennes et hongroises au sujet de l'administration des forces armées communes. En 1907, il en vient à préférer une solution tripartite : les deux principaux centres de pouvoir au sein de la Double Monarchie seraient rejoints par une troisième entité qui rassemblerait les Slaves du Sud (en tout premier lieu les Croates, les Slovènes et les Serbes). Son programme est très bien accueilli par les élites slaves, tout particulièrement les Croates, qui souffrent d'être divisés entre la Cisleithanie, le royaume de Hongrie et la province de Croatie-Slavonie gouvernée par Budapest. L'annexion officielle de la Bosnie-Herzégovine semble la seule solution permettant d'incorporer à terme cette région dans la structure d'une monarchie trialiste réformée. Et cette solution — tel est le souhait le plus ardent d'Aehrenthal — permettrait de lutter contre les activités irrédentistes au sein de l'Empire. Loin d'incarner le « Piémont » des Serbes du Sud dans les Balkans, la Serbie se retrouverait isolée, rejetée, maintenue à l'écart d'une vaste entité slave incluse dans l'Empire et dominée par les Croates [60].

La révolution des Jeunes-Turcs qui éclate en Macédoine ottomane à l'été 1908 constitue l'événement déclencheur de l'annexion. À Constantinople, les Jeunes-Turcs forcent le sultan à proclamer une constitution et établir un parlement. Ils projettent de soumettre le système impérial ottoman à une réforme radicale. Des rumeurs circulent : le nouveau pouvoir turc aurait l'intention d'organiser rapidement des élections dans tout l'Empire ottoman, y compris dans les zones occupées par l'Autriche-Hongrie, qui ne possèdent à l'époque aucun organe représentatif. Que se passerait-il si le nouveau gouvernement turc, sa légitimité et sa confiance restaurées par la révolution, demandait la restitution de ses provinces les plus occidentales, ou promettait une réforme constitutionnelle à leurs habitants pour se les rallier[61] ? Apparaît alors en Bosnie une coalition serbo-musulmane de circonstance qui espère tirer parti de cette situation incertaine pour obtenir l'autonomie de la région sous suzeraineté turque[62]. Le danger qu'une alliance entre les différentes ethnies de la province ne se liguent avec les Turcs pour expulser les Autrichiens ne fait que croître.

Réagissant avec rapidité afin de prévenir toute complication, Aehrenthal prépare le terrain pour l'annexion. Les Ottomans reçoivent une indemnité substantielle en échange de la souveraineté symbolique qu'ils ont conservée sur le territoire. Mais de façon plus cruciale encore, le projet dépend de l'accord des Russes. Aehrenthal est convaincu de la nécessité d'entretenir de bonnes relations avec la Russie : il a été ambassadeur à Saint-Pétersbourg entre 1899 et 1906 et a contribué au rapprochement austro-russe. Obtenir l'accord de leur ministre des Affaires étrangères, Alexandre Izvolski, est chose facile. Les Russes n'ont aucune objection à ce que l'Autriche formalise son statut en Bosnie-Herzégovine, à condition que Saint-Pétersbourg reçoive une contrepartie. De fait, c'est Izvolski lui-même, soutenu par le tsar Nicolas II, qui propose que l'annexion de la Bosnie-Herzégovine se fasse en échange du soutien de l'Autriche à la demande russe d'obtenir un accès plus facile aux détroits du Bosphore. Le 16 septembre 1908, Izvolski et Aehrenthal mettent au clair les termes de leur accord à Schloss Buchlau, en Moravie, dans le domaine que possède Leopold von Berchtold, ambassadeur autrichien à Saint-Pétersbourg. En un sens, l'annexion de 1908 est le fruit de la détente austro-russe dans les Balkans. Les négociations se déroulent de façon parfaitement symétrique puisque Izvolski et Aehrenthal ont tous deux le même but : obtenir des avantages par des négociations secrètes, aux dépens de l'Empire ottoman, et en contrevenant au traité de Berlin[63].

Malgré tous ces préparatifs, l'annonce par l'Autriche de l'annexion le 5 octobre 1908 déclenche une crise majeure en Europe. Izvolski nie avoir conclu le moindre accord avec Aehrenthal ; il nie même par la suite avoir été prévenu de ses intentions et exige la réunion d'une conférence internationale pour clarifier le statut de la Bosnie-Herzégovine[64]. La crise traîne pendant des mois : la Serbie, la Russie et l'Autriche mobilisent tour à tour leurs troupes, et Aehrenthal continue d'éluder la demande russe d'une conférence que l'accord signé à Buchlau n'a pas prévue. Le problème n'est résolu qu'en mars 1909 par la « note de Saint-Pétersbourg » dans laquelle les Allemands exigent que les Russes reconnaissent enfin l'annexion et exhortent vivement les Serbes à faire de même. Dans le cas contraire, menace le chancelier Bülow, les événements « suivraient leur cours ». Cette formulation suggérait non seulement la possibilité que l'Autriche déclare la guerre à la Serbie mais, de manière plus inquiétante encore, que les Allemands rendent publics les documents prouvant la complicité d'Izvolski dans l'accord initial. Celui-ci cède sur-le-champ.

C'est Aehrenthal qui a traditionnellement été considéré comme le principal responsable de la crise de l'annexion. Mais est-ce juste ? Assurément, ses manœuvres diplomatiques manquent de transparence : il a privilégié rencontres confidentielles, échanges de promesses et accords secrets plutôt que de tenter de résoudre le problème en organisant une conférence internationale entre tous les signataires du traité de Berlin. Cette prédilection pour les arrangements secrets facilite la tâche d'Izvolski qui prétend avoir été berné – et avec lui toute la Russie – par cet Autrichien retors. Cependant, les documents suggèrent que la tournure prise par les événements résulte des mensonges éhontés d'Izvolski, tentant de sauver son poste et sa réputation. Le ministre russe commet deux erreurs de jugement majeures : tout d'abord, il présume que Londres soutiendra sa demande d'ouverture des Détroits aux navires de guerre russes ; il sous-estime également très largement l'impact de l'annexion sur une opinion publique russe très nationaliste. D'après un témoin, quand la nouvelle de l'annexion lui parvient à Paris le 8 octobre 1908, il demeure parfaitement serein. Ce n'est que pendant son séjour à Londres, quelques jours plus tard, alors que les Britanniques se montrent peu coopératifs et qu'il a vent de la réaction des journaux russes, qu'il se rend compte de son erreur et, pris de panique, veut faire croire qu'Aehrenthal l'a dupé [65].

Quels que soient les torts ou les raisons de la politique d'Aehrenthal, la crise de l'annexion marque un tournant dans la géopolitique des Balkans. Elle détruit tout vestige de collaboration et de bonne volonté entre Russes et Autrichiens pour résoudre ensemble les problèmes de la région. À partir de ce moment, il sera bien plus difficile de limiter les conséquences néfastes des conflits entre États balkaniques. L'Autriche s'aliène également son voisin et allié, le royaume d'Italie. Il existe depuis longtemps des tensions latentes entre les deux États : les deux principales pommes de discorde sont les droits des minorités italiennes en Dalmatie et en Croatie-Slavonie et leur rivalité en mer Adriatique. Mais la crise de l'annexion exacerbe le ressentiment italien et suscite des demandes de compensations. Au cours des années qui précèdent la guerre, les intérêts italiens et autrichiens le long de la côte adriatique sont de plus en plus difficiles à concilier [66]. Quant aux Allemands, leur première réaction est de ne pas prendre parti dans cette crise, mais très rapidement ils se rallient aux Austro-Hongrois avec énergie, et ce changement d'attitude a des conséquences ambivalentes : d'un côté, le ralliement a l'effet escompté de dissuader le gouvernement russe d'exploiter la crise pour obtenir davantage de compensations ; mais à plus long terme, il renforce le sentiment, à Saint-Pétersbourg comme à Londres, que l'Autriche est un pays satellite de l'Allemagne – une perception qui jouera un rôle dangereux dans la crise de 1914.

En Russie, l'impact de la crise est particulièrement profond et durable. La défaite contre le Japon en 1904-1905 a fermé la porte à toute perspective d'expansion vers l'Extrême-Orient, au moins pour un temps. La Convention anglo-russe signée le 31 août 1907 par Izvolski et Sir Arthur Nicolson, l'ambassadeur britannique, a tracé les limites de la zone d'influence russe en Perse, en Afghanistan et au Tibet. Les Balkans demeurent donc la seule arène dans laquelle la Russie puisse encore faire une démonstration de pouvoir[67]. L'image d'une Russie protectrice des petits peuples slaves suscite une intense émotion populaire, tandis que la question de l'accès aux Détroits préoccupe de plus en plus les principaux décideurs. Abusés par Izvolski et aveuglés par leur chauvinisme, le gouvernement comme l'opinion publique russes interprètent l'annexion comme la trahison brutale d'un accord passé avec l'Autriche, une humiliation impardonnable et une provocation inacceptable contre leurs intérêts vitaux. Au cours des années suivantes, les Russes lancent un programme d'investissement militaire si important qu'il déclenche une course aux armements dans toute l'Europe[68]. Leur engagement politique en Serbie se renforce également : à l'automne 1909 Nikolaï Hartwig, « un fanatique dans la plus pure tradition slavophile », est nommé ambassadeur à Belgrade. Une fois en poste, cet homme énergique et intelligent convainc Belgrade d'adopter une position plus déterminée contre Vienne, avec tant de force qu'il en outrepasse parfois les instructions de Saint-Pétersbourg[69].

Menteurs et faussaires

La crise de l'annexion empoisonne encore davantage les relations entre Vienne et Belgrade. Comme à maintes reprises, la situation politique au sein de la Double Monarchie exacerbe les tensions. Tout commence à Agram (aujourd'hui Zagreb), capitale d'une Croatie-Slavonie alors gouvernée par les Hongrois. Depuis plusieurs années, les autorités austro-hongroises y surveillent les activités de la coalition serbo-croate, une faction politique qui émerge en 1905 à la Diète croate. Après les élections de 1906, elle prend le contrôle de l'administration, adopte un programme « yougoslave » prônant une union plus intime de tous les Slaves du Sud au sein de l'Empire, et bataille longuement contre les autorités hongroises sur des questions aussi épineuses que l'obligation faite à tous les employés des Chemins de fer de parler magyar. Cette coalition, qui n'a rien de particulièrement inhabituel, inquiète les Autrichiens car ils soupçonnent certains députés, voire toute la coalition, d'appartenir à une cinquième colonne œuvrant pour Belgrade [70].

Pendant la crise de 1908-1909, ces appréhensions tournent à la paranoïa. En mars 1909, au moment même où la Russie cède et où s'éloigne le spectre d'un conflit militaire, l'administration Habsbourg lance contre la coalition serbo-croate un assaut judiciaire d'une ineptie confondante, accusant cinquante-trois activistes, serbes pour la plupart, de trahison et de complot visant à préparer la sécession des territoires slaves de l'Empire et leur rattachement à la Serbie. Simultanément, le professeur Heinrich Friedjung, écrivain et historien viennois, publie un article dans le *Neue freie Presse* accusant trois chefs de la coalition d'avoir reçu des subsides de Belgrade pour financer leurs activités au service du royaume de Serbie. Il affirme avoir eu accès à des documents officiels confidentiels qui prouvent de manière irréfutable la véracité de ses accusations.

Le procès pour haute trahison, qui se tient à Agram, traîne en longueur du 3 mars au 5 novembre 1909 et tourne rapidement au désastre pour le gouvernement autrichien. La cour entend les deux cent soixante-seize témoins de l'accusation, mais aucun des témoins cités par la défense ; les trente et une condamnations sont toutes rejetées en appel à Vienne. Au même moment, une série de procès en diffamation contre Friedjung et contre le rédacteur du *Reichspost*, qui a repris les accusations, mettent au jour d'embarrassantes manipulations. Les documents secrets sur lesquels le digne professeur a fondé ses accusations se révèlent être des faux transmis à la légation autrichienne par un Serbe, un agent double véreux, puis fournis à Friedjung par le ministère des Affaires étrangères de Vienne. Le malheureux Friedjung, dont l'excellente réputation d'historien a été honteusement abusée, présente ses excuses et retire ses accusations. Mais Thomáš Masaryk, nationaliste tchécoslovaque et infatigable défenseur des accusés, continue les poursuites au plus haut niveau et cherche de tous côtés de nouvelles preuves (y compris à Belgrade), répétant en public que l'ambassadeur autrichien à Belgrade a transmis les faux en toute connaissance de cause, sur ordre du comte Aehrenthal [71].

Il est fort peu probable qu'au début de l'affaire, les autorités viennoises aient su que les documents n'étaient pas authentiques. Leur paranoïa explique sans doute leur crédulité : les Autrichiens étaient prêts à croire ce qu'ils craignaient de découvrir. Mais le procès d'Agram comme celui contre Friedjung dégradent encore davantage les relations entre Vienne et Belgrade. Le scandale, qui se concentre sur l'ambassadeur autrichien à Belgrade, le comte Johann Forgách von Ghymes und Gács, entraîne des conséquences durables sur les relations diplomatiques entre les deux pays.

Tout au long des années 1910 et 1911, Masaryk continue à mettre au jour de nouvelles preuves fort embarrassantes (quoique pas toutes authentiques) de la soi-disant perfidie des Autrichiens. La presse serbe, qui exulte, réclame à grands cris le rappel de Forgách à Vienne [72]. Mais bien qu'il ne trouve plus aucune satisfaction à rester en poste, l'ambassadeur autrichien nie en bloc toutes ces accusations, probablement avec sincérité, tandis qu'Aehrenthal, lui-même mis en cause, se trouve dans l'incapacité de le rappeler tant que cette décision pourra être interprétée comme un aveu. « La situation n'est guère plaisante », écrit Forgách dans une lettre privée adressée au sous-secrétaire d'État aux Affaires étrangères à Vienne en octobre 1910, « mais je survivrai à la tempête soulevée par les journaux de Belgrade, comme j'ai survécu à beaucoup d'autres choses, à condition que le gouvernement ici se comporte avec un minimum de correction [73] ».

Ce qui exaspère le plus Forgách, c'est le fait que de hauts fonctionnaires serbes – en particulier Miroslav Spalajković, sous-secrétaire d'État aux Affaires étrangères – participent à la campagne de dénigrement. Spalajković a fourni à Masaryk des documents à charge contre le gouvernement autrichien ; il est même appelé à témoigner, en tant qu'expert, en faveur de la coalition serbo-croate pendant le procès de Friedjung. Ayant contribué à anéantir l'authenticité des faux documents, Spalajković va plus loin en affirmant que Forgách se les est délibérément procurés dans l'espoir de renforcer les charges pesant sur la coalition serbo-croate. Dans le courant de l'hiver 1910-1911, Vredenburch, l'ambassadeur néerlandais à Belgrade, rapporte que le haut fonctionnaire serbe continue à colporter des rumeurs contre l'ambassadeur autrichien dans toute la communauté diplomatique [74]. Pire encore, Spalajković et sa femme fréquentent assidûment Hartwig, le nouvel ambassadeur russe. On dit même que le couple réside quasiment en permanence à l'ambassade de Russie [75]. Spalajković finit par devenir l'obsession de Forgách, qui l'appelle « notre ennemi mortel ». Un échange de lettres des plus sèches entre les deux hommes envenime davantage encore leurs relations au point qu'en avril 1911, Forgách ordonne au personnel de l'ambassade d'éviter tout contact avec lui. « Cet homme, constamment sur les nerfs, n'a pas toute sa raison. Depuis l'annexion, sa haine de la monarchie austro-hongroise est devenue une sorte de maladie mentale [76]. » La position de Forgách étant clairement devenue intenable, il est rappelé à Vienne pendant l'été 1911.

Il faut garder en mémoire ces scandales suscités par les procès – et leurs conséquences à Belgrade – car ils impliquent des individus qui joueront un rôle important dans les événements de 1914. Spalajković, un des diplomates serbes les plus importants, porte à la Bosnie un intérêt très ancien : sa femme est bosniaque et, en 1897, il a soutenu une thèse à l'université de Paris démontrant que l'annexion de la Bosnie-Herzégovine ne serait jamais légitime, les deux provinces demeurant des entités légales autonomes, sous suzeraineté ottomane [77]. Par la suite, il est nommé ambassadeur à Sofia où il joue un rôle majeur – en étroite collaboration avec les Russes – dans la création de l'alliance serbo-bulgare, colonne vertébrale de la ligue des Balkans qui lancera la première guerre balkanique en 1912. En poste à Sofia, il reste très proche de Nikolaï Hartwig, à qui il rend visite à Belgrade « peut-être vingt fois par mois [78] ». Il est ensuite nommé à l'ambassade de Saint-Pétersbourg. En juillet 1914, sa mission sera d'interpréter les intentions du tsar et de ses ministres pour les transmettre à Belgrade. Quant à Forgách, il quitte Belgrade en serbophobe convaincu, mais demeure en scène : il devient l'une des figures majeures de la cohorte de hauts fonctionnaires qui mènent la politique étrangère autrichienne après le décès soudain d'Aehrenthal, emporté par une leucémie en 1912 [79]. Il faut également rappeler que l'animosité personnelle entre Izvolski et Aehrenthal représente elle aussi un obstacle majeur à l'amélioration des relations entre l'Autriche et la Russie après la débâcle de la crise bosniaque – un facteur que la presse viennoise a identifié avec justesse [80]. C'est une caractéristique toute particulière de la crise de juillet 1914 que beaucoup des acteurs clés se soient connus depuis si longtemps ; de nombreuses transactions cruciales sont influencées, sans que cela soit nécessairement visible, par des antipathies personnelles et des blessures d'orgueil longuement ressassées.

Le problème serbe n'était pas une question que les Autrichiens pouvaient traiter de manière isolée car il était imbriqué dans toute une série de problèmes interdépendants. En premier lieu se trouvait la question des relations entre la Serbie et la Russie, devenue encore plus cruciale après la crise de l'annexion. Vienne se méfie de Hartwig, l'ambassadeur russe : son austrophobie, ses convictions panslaves et l'influence croissante qu'il exerce à Belgrade augurent mal de l'avenir. L'ambassadeur français à Belgrade écrit que Hartwig est le « type du vieux mouzhik », partisan de la « vieille politique russe de foncer sur la Turquie, sacrifiant l'Extrême-Orient pour les Balkans [81] ». Hartwig devient l'intime du Premier ministre Nikola Pašić. Les deux hommes se voient presque tous les jours : « Notre barbu est en consultation avec le vôtre », ont coutume de dire les fonctionnaires des Affaires étrangères serbes aux jeunes diplomates russes. « Personne ne croyait un instant qu'il puisse y avoir de secrets entre eux dans la poursuite de leurs objectifs politiques communs [82]. » Partout à Belgrade, l'ambassadeur est reçu en héros victorieux : « Dès que les gens apercevaient son visage si reconnaissable, ils se levaient pour l'acclamer [83]. »

En théorie, Vienne pourrait contrebalancer l'hostilité serbe en cultivant de meilleures relations avec Sofia. Mais cette option n'est pas sans risque car un conflit frontalier continue d'opposer Bulgares et Roumains : se rapprocher de Sofia risquerait d'aliéner Bucarest, une situation extrêmement indésirable du fait de la présence d'une forte minorité roumaine en Transylvanie hongroise. Si la Roumanie tournait le dos à Vienne et se rapprochait de Saint-Pétersbourg, la question de cette minorité deviendrait un problème de sécurité régionale. Les diplomates et hommes politiques hongrois considèrent qu'une « Grande Roumanie » constituerait une menace aussi sérieuse pour la Double Monarchie qu'une « Grande Serbie ».

La petite principauté du Monténégro, sur la côte adriatique, est un autre sujet de préoccupation. Pittoresque mais pauvre, ce petit royaume a fourni à Franz Lehár le décor de son opérette *La Veuve joyeuse*, où il figure, à peine déguisé, sous le nom de « Grand-Duché de Pontévédro » (le librettiste allemand a lui-même vendu la mèche en mentionnant de manière explicite que les chanteurs doivent porter « le costume national du Monténégro [84] »). Ce pays est le plus petit des États balkaniques : 250 000 habitants disséminés sur un territoire superbe mais extrêmement chaotique, de pics austères et de ravins escarpés. C'est un pays où, au crépuscule, on peut apercevoir le roi, revêtu de son splendide uniforme rouge et bleu brodé d'or et d'argent, fumant sur le pas de son palais, attendant qu'un passant vienne lui faire la conversation. Pendant l'été 1913, le journaliste praguois Egon Erwin Kisch parcourt à pied la route qui mène de Cetinje, alors capitale du Monténégro, jusqu'à Rijeka, une très belle ville portuaire (désormais en Croatie). Surpris d'entendre des coups de feu résonner dans les vallées, il se demande tout d'abord si une nouvelle guerre balkanique n'a pas éclaté. Son guide le rassure : ce ne sont que de jeunes Monténégrins, tirant les poissons dans les torrents avec leurs fusils russes [85].

Bien que pauvre et minuscule, le Monténégro n'en est pas moins un pays important. Son artillerie de montagne déployée sur les hauteurs de Lovćen surplombe les installations portuaires autrichiennes de Cattaro et les rend indéfendables, au grand dam des ingénieurs militaires des Habsbourg. Le prince Nikola, sur le trône depuis 1861 (seuls la reine Victoria et l'empereur François-Joseph règnent alors depuis plus longtemps que lui) est extraordinairement ambitieux. Au congrès de Berlin en 1878, il a réussi à doubler la superficie de son royaume ; de nouveau, il l'a agrandi pendant la crise de l'annexion en 1908, et il a des vues sur un morceau du nord de l'Albanie. En 1910, il se confère le titre de roi. Il est également parvenu à marier ses filles avec une redoutable habileté : il est le beau-père de Petar Karadjordjević, roi de Serbie (même si sa fille, princesse du

Monténégro, est morte avant son accession au trône). Sa deuxième fille, Elena, épouse Victor-Emmanuel III, roi d'Italie à partir de 1900 ; deux autres, qui ont épousé des archiducs russes, deviennent des personnalités très en vue de la haute aristocratie pétersbourgeoise. Nikola exploite sa position stratégique pour soutirer des fonds à ses puissants parents étrangers, principalement la Russie. En 1904, il déclara solennellement la guerre au Japon afin de démontrer sa solidarité avec son grand allié slave. Les Russes lui rendent la politesse, en lui octroyant des subsides et en envoyant une délégation militaire avec mission de « réorganiser l'armée du Monténégro [86] ».

L'Italie, dont la famille royale est alliée à celle du Monténégro, est un sujet de complications supplémentaires pour l'Autriche-Hongrie. Depuis mai 1882, l'Italie, l'Allemagne et l'Autriche forment la Triple-Alliance, vis-à-vis de laquelle l'Italie a renouvelé ses engagements en 1891, 1902 et 1912. Mais la question de ses relations avec l'Autriche divise l'opinion publique. Pour simplifier, il existe alors une Italie libérale, laïque et nationaliste, qui prône de s'opposer aux Autrichiens, tout particulièrement en Adriatique, qu'elle considère comme son pré carré. À l'inverse, l'Italie catholique, cléricale et conservatrice souhaite se rapprocher de Vienne et collaborer avec les Autrichiens. En conséquence, Rome mène une diplomatie complexe, à plusieurs niveaux, souvent contradictoire, qui reflète ces conflits de loyauté. En 1900 et 1902, le gouvernement italien signe avec la France des accords secrets qui annulent la quasi-totalité de ses obligations envers Vienne et Berlin. De plus, à partir de 1904, les Italiens indiquent de plus en plus clairement qu'ils considèrent que la politique austro-hongroise dans les Balkans empiète sur leurs intérêts dans la région : ils souhaitent étendre leur influence culturelle et commerciale au Monténégro, et le ministre italien des Affaires étrangères Tomaso Tittoni entretient de très cordiales relations avec Belgrade et Sofia [87].

En 1908, les Italiens réagissent vivement à l'annexion de la Bosnie, moins pour une question de principe, mais parce que Aehrenthal refuse de leur accorder en compensation la fondation d'une université italienne à Trieste, ville portuaire italophone sous domination des Habsbourg [88]. En octobre 1909, le roi Victor-Emmanuel III se désolidarise de la Triple-Alliance en signant un accord secret avec le tsar Nicolas II, le « compromis de Racconigi » (comme on l'appellera plus tard) qui stipule que ni l'Italie ni la Russie ne concluront d'accord sur « l'est de l'Europe » sans le consentement de l'autre partie. De plus, les deux puissances s'engagent à considérer favorablement, « l'une, les intérêts de la Russie dans la question des Détroits, l'autre, les intérêts italiens à Tripoli et en Cyrénaïque [89] ». Moins déterminant qu'il n'y paraît – les Italiens signeront peu après un accord avec Vienne annulant en grande partie les engagements pris vis-à-vis des

Russes –, le compromis de Racconigi prouve néanmoins que Rome est déterminée à poursuivre une politique plus agressive et indépendante.

En fin de compte, c'est l'Albanie – toujours aux mains de l'Empire ottoman – qui demeure la pomme de discorde la plus probable, l'Italie et l'Autriche considérant chacune qu'elle appartient à leur sphère d'influence. Depuis les années 1850, par l'intermédiaire de son vice-consul à Skutari, l'Autriche a exercé une sorte de protectorat sur les catholiques habitant le nord de l'Albanie. Mais les Italiens s'intéressent également de près à ce pays et à sa longue côte adriatique. Au tournant du siècle, Rome et Vienne sont tombés d'accord pour soutenir l'indépendance de l'Albanie si le pouvoir ottoman venait à s'effondrer dans la région. Mais comment ces deux puissances adverses se partageraient-elles la zone d'influence par la suite, la question n'était pas résolue.

Un calme trompeur

En mars 1909, la Serbie s'engage officiellement à cesser toute opération clandestine dans les territoires autrichiens et à maintenir des relations de bon voisinage avec l'Empire. En 1910, après de multiples tractations, Vienne et Belgrade concluent même un traité commercial pour mettre fin à leur conflit douanier. Signe d'une amélioration de la situation économique, les importations serbes augmentent de 24 % l'année suivante, les produits austro-hongrois réapparaissent sur les étals à Belgrade et, en 1912, la Double Monarchie redevient le principal partenaire commercial de la Serbie [90]. À chacune de leurs rencontres, Pašić et l'ambassadeur autrichien s'assurent mutuellement de leur bonne volonté. Mais un malaise profond, apparemment impossible à dissiper, s'est installé entre les deux États. L'éventualité d'un voyage officiel du roi Petar à Vienne est évoquée, mais il ne sera jamais organisé. Invoquant la mauvaise santé du roi – ce qui est exact –, le gouvernement serbe déplace le voyage de Vienne à Budapest, puis le reporte pour finalement, en avril 1911, le remettre à une date indéterminée. Cependant, au grand dam des Autrichiens, le roi se rend quand même en voyage officiel à Paris pendant l'hiver 1911. Cette visite mémorable revêt une si grande importance que l'ambassadeur serbe à Paris revient à Belgrade pour aider à la préparer. Petar, qui arrive à Paris le 16 novembre, est logé au Quai d'Orsay, où il est accueilli par le président de la République. Ce dernier lui offre une médaille en or, gravée tout exprès pour l'occasion, en commémoration des services rendus pendant la guerre de 1870 par le roi, alors jeune exilé serbe engagé dans l'armée française. Le soir même, au cours du dîner d'État, le président Fallières entame son discours en saluant « le roi de tous les Serbes » – incluant implicitement tous les Serbes de l'Empire austro-hongrois – et « l'homme qui va mener son pays et son peuple à la liberté ». Les Autrichiens en seront vivement contrariés. « Visiblement exalté », Petar répond que lui-même et ses compatriotes compteront sur l'aide de la France dans ce combat pour la liberté[91].

En coulisses, les Serbes poursuivent leur lutte pour réintégrer la Bosnie-Herzégovine au sein de la nation serbe. Bien qu'officiellement transformée en association purement culturelle, Narodna Odbrana reprend vite ses activités clandestines et, après 1909, prolifère et se ramifie en Bosnie-Herzégovine. Dans la mesure de leurs possibilités, les Autrichiens surveillent l'activité des espions serbes qui traversent la frontière. Le cas d'un certain Dragomir Djordjević, lieutenant de réserve de l'armée serbe, est exemplaire : cumulant une carrière de « comédien » en Bosnie et la responsabilité d'un réseau clandestin d'informateurs serbes, il est repéré alors qu'il retourne en Serbie, en octobre 1910, pour y suivre un entraînement au maniement des armes[92]. Les diplomates autrichiens en poste à Belgrade sont au courant de l'existence de la Main noire dès sa naissance, même si, dans un premier temps, ils ont du mal à comprendre la nature et les objectifs de ce mystérieux nouveau venu. Dans un rapport archivé le 12 novembre 1911, l'ambassadeur autrichien Stephan von Ugron zu Abránfalva, successeur de Forgách, informe Vienne de l'existence « d'une association apparemment active dans le corps des officiers » qui fait l'objet de commentaires dans la presse serbe. À ce stade, on ne sait rien de précis, sinon que ce groupe s'appelle la Main noire, et que son but principal est de reconquérir l'influence politique que l'armée a perdue depuis la fin de la dynastie Obrenović.

D'autres rapports rédigés par Ugron et l'attaché militaire Otto Gellinek permettent d'affiner le tableau. Apis est désormais identifié comme la figure majeure de ce nouveau réseau, dont les buts apparaissent plus clairement : « Le programme de ce mouvement consiste à éliminer toutes les personnalités serbes qui s'opposent à l'idée de Grande Serbie » et à couronner un chef « prêt à combattre pour l'unification de tous les Serbes[93] ». La presse fait état de rumeurs : la Main noire aurait dressé une liste d'hommes politiques à assassiner au cours d'un éventuel coup d'État contre le gouvernement radical. Ces rumeurs, qui se révèlent fausses, sont alimentées à l'automne 1911 par le meurtre mystérieux de deux politiciens de l'opposition. Le 22 novembre 1911, Gellinek rapporte que les conspirateurs ont l'intention d'user de moyens légaux pour éliminer « leurs ennemis de l'intérieur » afin de présenter, par la suite, « un front uni » et de se « retourner contre les ennemis de l'extérieur[94] ».

Au début, les Autrichiens observent ces développements avec une sérénité surprenante. Gellinek fait remarquer qu'en Serbie, il est pratiquement impossible de garder quoi que ce soit de secret, car « sur cinq conjurés, il y a toujours un informateur ». Après tout, les conjurations n'ont rien de nouveau en Serbie, et l'affaire n'a donc pas d'importance [95]. Mais les Autrichiens changent d'attitude lorsqu'ils prennent conscience que la Main noire exerce une influence croissante sur l'appareil d'État. En décembre 1911, l'attaché militaire rapporte que le ministre serbe de la Guerre a interrompu une enquête sur la Main noire, car « elle aurait entraîné des embarras sans fin ». Dans les premiers jours de février 1912, il observe que le réseau a acquis un statut semi-officiel. Apparemment, le gouvernement serbe est parfaitement informé « de l'identité des membres de la Main noire et de leurs activités ». Que le ministre de la Guerre, Stepa Stepanović, soit resté en poste et l'ait protégée révèle l'influence croissante de cette organisation [96].

De tout cela émerge une image complexe qui influencera le comportement des Autrichiens pendant l'été 1914. D'un côté, il est clair que la Main noire est un réseau subversif réellement hostile aux autorités civiles du royaume de Serbie, qui le redoutent. Mais il est tout aussi vrai que ces mêmes autorités civiles, comme l'opinion publique, sont largement acquises à la cause de la Grande Serbie et la soutiennent. Plus grave encore, la Main noire et l'administration semblent, en certaines occasions, opérer en tandem. En février 1912, Ugron avertit Vienne que les autorités serbes risquent d'entamer une collaboration avec « un mouvement militaire patriotique extrêmement virulent » pour faire en sorte que ses moyens d'action soient bien utilisés contre les ennemis de l'extérieur, et éviter qu'il se livre à des activités subversives en Serbie même [97]. Comme le journal irrédentiste *Pijemont* a ouvertement épousé les objectifs des ultranationalistes anti-Habsbourg dont la Main noire se fait le champion, Ugron en conclut qu'il est très difficile pour les autorités civiles serbes de lutter contre elle [98]. En résumé, les Autrichiens ont saisi à la fois l'étendue de l'influence de la Main noire et la complexité des raisons qui empêchent le gouvernement Pašić de la combattre.

Jusqu'à l'été 1914, les grandes lignes de cette analyse restent inchangées. Les Autrichiens surveillent d'aussi près que possible la croissance spectaculaire de la Main noire au cours des guerres balkaniques de 1912 et 1913. En janvier 1914, leur attention se concentre sur le procès d'un officier régicide du nom de Vemić, qui s'est rendu célèbre en 1903 pour s'être promené avec une valise dans laquelle il conservait un morceau de peau desséchée, macabre trophée prélevé sur la poitrine de la reine Draga dans la nuit du 11 juin. En octobre 1913, pendant la seconde guerre des Balkans, Vemić a abattu une jeune recrue serbe trop lente à obéir à un ordre. Il comparaît devant une cour martiale – où ne siègent que des officiers supérieurs – qui l'acquitte. Une partie de la presse belgradoise s'insurge et Vemić est rejugé devant la Cour suprême. Mais, fin décembre, sa peine – dix mois de prison seulement – est abrégée par une grâce du roi obtenue sous la pression du haut commandement militaire[99]. Le corps des officiers est devenu « un facteur politique décisif », note Gellinek en mai 1914. Cette montée de « la faction prétorienne » dans la vie politique serbe représente une menace accrue pour l'Autriche-Hongrie, puisque « le corps des officiers est également le bastion de la tendance austrophobe extrémiste, partisan de la Grande Serbie[100] ».

Nikola Pašić, « roi sans couronne de la Serbie », demeure l'élément le plus énigmatique de la situation. Il reste à l'écart de l'agitation politique des années 1913-1914, refusant de céder aux provocations qui l'auraient contraint à affronter le corps des officiers. Gellinek observe que le Premier ministre élude les questions des députés hostiles avec « son agilité coutumière », répétant que le gouvernement serbe et le corps des officiers sont « en parfait accord » sur tous les sujets d'importance[101]. Dans un rapport daté du 21 juin, soit une semaine avant l'attentat de Sarajevo, Gellinek résume la situation en quatre points : la Couronne serbe, largement impuissante, est tombée aux mains des conspirateurs ; l'armée poursuit ses objectifs, en politique intérieure comme à l'extérieur ; l'ambassadeur russe Nikolaï Hartwig demeure une personnalité extrêmement influente à Belgrade ; mais rien de tout cela ne signifie que Pašić soit devenu quantité négligeable dans la vie politique serbe. Au contraire, fondateur d'un Parti radical « ultra-russophile » qu'il dirige depuis trois décennies, il occupe, envers et contre tous, « une position omnipotente[102] ».

Pourtant, il est extraordinairement difficile d'établir avec lui des relations directes, ce qu'illustre un curieux épisode de l'automne 1913, où la tension est grande entre les deux capitales en raison de l'occupation par les Serbes d'une partie de l'Albanie du Nord. Le 1er octobre, Vienne demande officiellement à Belgrade d'évacuer ces zones mais n'obtient qu'une réponse vague. Or le 3 octobre, Pašić arrive à Vienne pour une visite prévue de longue date, mais fort opportune. Accompagné de son ambassadeur, il rencontre plusieurs ministres autrichiens et déjeune avec le ministre des Affaires étrangères Berchtold, le Premier ministre hongrois István Tisza, Biliński et quelques autres. À aucun moment ces hommes n'ont de conversation approfondie sur le problème d'actualité. Biliński, ministre des Finances de la Double Monarchie en charge de la Bosnie-Herzégovine, raconte dans ses Mémoires que Pašić était un interlocuteur extraordinairement évasif, qui parait les questions des Autrichiens à grands coups de déclarations enflammées, répétant que « tout irait bien ». Biliński reproche également à Berchtold de n'avoir pas pressé le Serbe de plus près. Mais pour ce dernier, Pašić est une énigme : « Pas très grand, une barbe de patriarche, des yeux brillant de fanatisme et d'allure modeste », il offre un curieux mélange de politesse joviale et de faux-fuyants rusés [103]. Lors d'un premier entretien, avant ce déjeuner, l'Autrichien est donc désarmé par la chaleureuse entrée en matière du Serbe, au point d'en oublier, quand ils abordent la question albanaise, de formuler de façon explicite les objections catégoriques de Vienne. Il ne s'en souvient que plus tard, dans l'après-midi. Il est donc convenu qu'il abordera la question avec le leader serbe le soir même, les deux hommes devant se retrouver à l'opéra. Mais arrivant quelque peu en retard dans la loge royale, Berchtold découvre que Pašić est déjà reparti à son hôtel où, selon toute probabilité, il est déjà couché et dort à poings fermés. Il retourne à son bureau et passe le petit matin à rédiger une lettre qui est envoyée à l'hôtel par messager de sorte que Pašić la reçoit au moment où il s'apprête à partir. Mais comme elle est écrite en gothique (et que Berchtold est notoirement indéchiffrable), Pašić ne peut la lire. Même après que la lettre a été décryptée à Belgrade, Pašić ne comprend pas – ou fait mine de ne pas comprendre – où Berchtold veut en venir [104]. Les fonctionnaires des Affaires étrangères autrichiennes non plus, car leur ministre n'a pas songé à en garder un brouillon. Cette « comédie des méprises » – si tant est que l'on puisse se fier aux souvenirs que Biliński rédige dix ans plus tard – confirme sans aucun doute le désarroi des Autrichiens, peut-être aussi le manque d'assurance et la courtoisie exacerbés de Berchtold, plus certainement la nature insaisissable de Pašić [105]. Par-dessus tout, elle permet de ressentir ce malaise paralysant qui avait envahi les relations austro-serbes à la veille de la Première Guerre mondiale.

Les Autrichiens, qui vont consacrer toutes ces années, ces mois, ces semaines à surveiller l'évolution de la situation en Serbie avant l'attentat de Sarajevo, finissent par obtenir un tableau assez nuancé des forces qui déstabilisent leur voisin. Certes, ils en ont une vision hostile et par conséquent tendancieuse et partiale. Leurs observations restent prises dans une gangue d'attitudes négatives (en partie héritées de l'expérience, en partie conditionnées par des préjugés de longue date) vis-à-vis de la culture politique serbe et de ses acteurs. Mauvaise foi, duplicité, manque de fiabilité, manières évasives, violence et excitabilité, tels sont les thèmes récurrents des rapports envoyés de Belgrade par les ambassadeurs autrichiens. Ces mêmes rapports manquent cruellement d'une analyse approfondie des relations opérationnelles existant entre les groupes austrophobes en Serbie et le terrorisme irrédentiste dans les territoires Habsbourg. Il est possible qu'après 1909, le fiasco du procès d'Agram ainsi que l'affaire Friedjung aient porté un coup d'arrêt aux activités d'espionnage du renseignement autrichien – tout comme dans les années 1980, sous la présidence de Ronald Reagan, le scandale des ventes d'armes à l'Iran a entraîné une réduction temporaire des activités clandestines des agences de renseignement américaines [106]. Les Autrichiens ont correctement identifié le but poursuivi par Narodna Odbrana : rejeter leur pouvoir en Bosnie et organiser des réseaux d'activistes dans les territoires Habsbourg. Ils soupçonnent que l'ensemble des activités irrédentistes menées par les Serbes dans l'Empire s'enracinent dans les réseaux nationalistes belgradois et se nourrissent de propagande panserbe. Mais ils ont mal appréhendé la nature des liens qui unissent Narodna Odbrana et la Main noire. Quoi qu'il en soit, au printemps 1914, les références clés qui influenceront les raisonnements et les décisions des Autrichiens après les événements de Sarajevo sont en place.

Colombes et faucons

Les guerres des Balkans ont détruit la position de sécurité de l'Autriche dans la péninsule. La Serbie, dont le territoire s'accroît de plus de 80 % pendant la seconde guerre balkanique, en ressort agrandie et renforcée. Les forces armées serbes sous le commandement du général Putnik ont fait preuve d'une discipline et d'un esprit d'initiative impressionnants. Le gouvernement Habsbourg avait souvent adopté un ton supérieur quand il s'agissait de discuter de la menace militaire que représentait Belgrade. Aehrenthal avait même usé d'une métaphore révélatrice, décrivant la Serbie comme un « vaurien » qui volerait des pommes dans le verger autrichien. Une telle légèreté de ton n'est désormais plus de mise. Un rapport de l'état-major daté du 9 novembre 1912 s'étonne de l'augmentation spectaculaire de la puissance militaire serbe : amélioration des chemins de fer en cours depuis le début de l'année, modernisation de l'armement et augmentation importante du nombre d'unités combattantes. Tout cela, financé par les prêts français, a transformé la Serbie en un formidable combattant [107]. De plus, on peut s'attendre à ce que cette puissance militaire augmente encore dans les années à venir : en effet, les territoires conquis pendant les deux guerres des Balkans représentent 1,6 million d'habitants supplémentaires. Dans un rapport d'octobre 1913, Gellinek, l'attaché militaire autrichien à Belgrade, note que, bien qu'il n'y ait pas de quoi s'inquiéter dans l'immédiat, il ne faut pas sous-estimer les prouesses militaires du royaume de Serbie. Pour estimer les besoins défensifs de la Double Monarchie, il faut désormais prévoir un nombre d'unités combattantes équivalent à celui qu'alignent les Serbes [108].

Comment répondre à la détérioration de leur position de sécurité dans les Balkans, telle est alors la question qui divise les décideurs viennois :

l'Autriche-Hongrie doit-elle parvenir à un compromis avec la Serbie, ou la contenir par des moyens diplomatiques ? Doit-elle tenter de restaurer l'entente détruite avec la Russie ? Ou la solution passe-t-elle par un conflit militaire ? Il est difficile d'obtenir des réponses univoques de la part des multiples institutions de l'État austro-hongrois : en effet, la politique étrangère de l'Empire n'émane pas d'une cellule exécutive aux contours clairement définis, qui serait située au sommet de l'appareil d'État, mais d'une constellation de centres de pouvoir entretenant des relations plus ou moins formelles, et constamment fluctuantes. Parmi eux figurent l'état-major et la Chancellerie militaire de l'héritier du trône. Les Affaires étrangères (sur la prestigieuse Ballhausplatz) jouent certes un rôle majeur, même si ce ne sont véritablement qu'une arène où les différents acteurs politiques s'affrontent pour faire valoir leur opinion. La Constitution dualiste de l'Empire exige également que le Premier ministre hongrois soit consulté sur les questions de politique étrangère impériale. Qui plus est, les questions de politique étrangère et de politique intérieure étant étroitement imbriquées, divers ministres et hauts fonctionnaires prétendent également jouer un rôle, tel Leon Biliński, ministre des Finances de la Double Monarchie chargé de l'administration de la Bosnie, voire le gouverneur Potiorek, *Landeschef* de Bosnie, en théorie le subordonné de Biliński, mais qui n'a pas toujours les mêmes vues que son chef. Ce système est si ouvert que des acteurs relativement subalternes – diplomates, chefs de section au ministère des Affaires étrangères – peuvent chercher à influencer la politique de l'Empire en rédigeant, de leur propre initiative, des mémorandums qui jouent parfois un rôle important en focalisant l'attention de l'élite des décideurs sur telle ou telle question. Trônant au-dessus de cette nébuleuse peu structurée, l'empereur conserve le pouvoir sans partage d'approuver ou de bloquer les initiatives de ses ministres et de ses conseillers. Mais son rôle est plus passif que proactif : il se contente de réagir aux initiatives, ou d'arbitrer entre elles [109].

Trois figures majeures se détachent de cet arrière-plan étonnamment polycratique : le maréchal Franz Conrad von Hötzendorf, chef d'état-major général, l'archiduc François-Ferdinand d'Autriche-Este, héritier du trône, et le comte Leopold von Berchtold, ministre des Affaires étrangères de la Double Monarchie à partir de 1912.

Conrad von Hötzendorf est l'une des personnalités les plus surprenantes à avoir occupé un poste de haut commandement dans l'Europe du début du XXe siècle. Il a cinquante-quatre ans lorsqu'il est nommé chef d'état-major en 1906 et, tout au long de sa carrière, il demeure un partisan inébranlable de la guerre contre les ennemis de la monarchie autrichienne. Ses opinions en matière de relations extérieures sont toujours empreintes d'agressivité. Dans le même temps, doutant profondé-

Conrad von Hötzendorf

ment et sincèrement de sa capacité à remplir ses responsabilités, ce qu'accentuent des accès de dépression (surtout après le décès de sa femme en 1905), il songe plusieurs fois à démissionner. Timide en société, il aime les marches solitaires en montagne, pendant lesquelles il dessine des paysages de pentes escarpées recouvertes de sombres sapins. Il cherche à échapper à ses tourments en se réfugiant dans sa liaison avec Gina von Reininghaus, l'épouse d'un industriel viennois.

La façon dont Conrad mène cette liaison éclaire sa personnalité. Tout commence en 1907, au cours d'un dîner à Vienne où il se retrouve assis à côté de Gina. Une semaine plus tard, il se présente à la villa des Reininghaus sur Operngasse et annonce à son hôtesse : « Je suis follement amoureux de vous, et n'ai qu'une idée : que vous deveniez ma femme. » Gina lui répond que cela est impossible : elle est liée par un « septuple engagement » envers son mari et leurs six enfants. « Peu importe », réplique Conrad, « je n'abandonnerai jamais, ce désir sera l'étoile qui me guidera [110]. » Un ou deux jours après survient un aide de camp qui confie à Gina qu'étant donné la fragilité mentale du chef d'état-major, elle doit y réfléchir à deux fois avant de le priver de tout espoir. Une semaine plus tard, c'est Conrad lui-même qui revient déclarer à Gina que si elle doit le rejeter définitivement, il démissionnera de son poste de chef d'état-major et se retirera de la vie publique. Ils parviennent à un accord : Gina restera pour le moment vivre avec son mari et ses enfants et au cas où il deviendrait opportun qu'elle se sépare de son mari, elle se souviendrait de Conrad. Le gambit risqué du chef d'état-major – appliquer une doctrine offensive à l'art de faire la cour à une femme – a été gagnant.

Gina ne quittera pas son mari avant huit ans et l'on ne sait exactement quand débute cette liaison. Quoi qu'il en soit, Hans von Reininghaus est un mari trompé complaisant : ce riche homme d'affaires poursuit d'autres conquêtes, et le lien avec Conrad lui facilite l'accès à des contrats d'approvisionnements militaires particulièrement lucratifs et bienvenus. Pendant ce temps, Conrad rend visite à sa bien-aimée aussi souvent qu'il le peut. Il lui écrit des lettres d'amour, parfois plusieurs fois par jour. Comme il ne peut les envoyer par la poste par crainte du scandale, il les conserve dans un album intitulé « Journal de mes souffrances ». À part quelques bribes de nouvelles, les thèmes en sont toujours les mêmes : elle est son unique joie, penser à elle est la seule chose qui peut le tirer de l'abîme de désespoir où il est plongé, son destin est entre ses mains, etc. En tout, entre 1907 et 1915, il accumule plus de trois mille lettres, dont certaines font plus de soixante pages. Gina n'en découvrira l'existence qu'après le décès de Conrad [111].

Il ne faut pas sous-estimer l'importance de cette relation obsessionnelle qui est au cœur de la vie de Conrad, de 1907 à la déclaration de guerre, éclipsant toute autre préoccupation, y compris les questions militaires et politiques qu'il doit traiter. Elle explique certains comportements caractéristiques : le fait que Conrad soit prêt à risquer son poste en se ralliant à des positions extrémistes, ou qu'il ne craigne pas le scandale ou le discrédit. Il en vient même à considérer la guerre comme l'unique moyen d'obtenir la main de Gina : seul un héros victorieux, pense-t-il, sera capable de balayer les obstacles sociaux et le scandale que suscitera son mariage avec une célèbre divorcée. Dans une de ses lettres, il laisse libre cours à son fantasme, s'imagine revenant d'une « guerre balkanique », couronné des lauriers du vainqueur, jetant son bonnet par-dessus les moulins et faisant d'elle son épouse [112]. Les photographies de cette époque nous montrent un homme prenant un soin méticuleux à paraître viril, élégant et jeune. Parmi ses papiers personnels, désormais conservés à Vienne aux Haus-, Hof- et Staatsarchiv, se trouvent des réclames pour des crèmes antirides découpées dans des journaux. Pour résumer, Conrad incarne cette masculinité fragile et parfois ostentatoire qui caractérise, à certains égards, cette *fin de siècle* européenne.

Conrad aborde les problèmes géopolitiques de la monarchie Habsbourg avec la même détermination monomaniaque que sa vie sentimentale. Même dans le contexte de l'Europe d'avant-guerre, il se distingue des autres commandants militaires par une agressivité inhabituelle. Il n'a qu'une réponse aux défis diplomatiques qui se posent : « la guerre ». Constant de 1906 à 1914, il ne cesse de préconiser le recours à une guerre préventive contre la Serbie, le Monténégro, la Russie, la Roumanie ou même l'Italie, cet allié déloyal, rival de l'Autriche dans les Balkans[113]. Il ne fait pas mystère de ses convictions : bien au contraire, il les exprime publiquement dans des journaux comme *Militärische Rundschau*, connu pour être proche de l'état-major[114]. Il est fier de l'immobilisme de ses opinions, qu'il considère comme un signe de fermeté virile. « Je défends ici la position que j'ai toujours tenue » : telle est la formule favorite dont il ponctue lettres et rapports adressés à ses collègues et aux ministres. De plus, il privilégie un ton caustique, chicanier et moralisateur qui les irrite. En 1912, alors que leur liaison est un fait établi, Gina lui suggère qu'il s'entendrait mieux avec l'empereur s'il adoptait un ton plus aimable avec le vieil homme et évitait « d'utiliser la trique[115] ».

De nombreux ennemis potentiels barrent l'horizon de Conrad, mais c'est la Serbie qui devient sa préoccupation majeure. Dans un mémorandum rédigé fin 1907, il recommande d'envahir et d'annexer ce pays, qu'il décrit comme « le terreau où germent les aspirations et les machinations de ceux qui veulent pousser les régions peuplées de Slaves du Sud à se séparer de l'Empire[116] ». Pendant les années 1908-1909, au paroxysme de la crise de l'annexion, il préconise à de multiples reprises une guerre préventive contre Belgrade. « C'est un crime que de ne rien faire », dit-il à Gina von Reininghaus au printemps 1909. « La guerre contre la Serbie aurait pu sauver la monarchie. Dans quelques années, nous paierons très cher cette inaction, et c'est moi qui serai le bouc émissaire, qui boirai le calice jusqu'à la lie[117]. » À nouveau, il appelle à la guerre contre la Serbie pendant les conflits balkaniques de 1912-1913. Entre le 1er janvier 1913 et le 1er janvier 1914, il trouve vingt-cinq fois l'occasion de revenir à la charge[118]. Rechercher systématiquement le conflit : cette stratégie repose sur une forme de darwinisme social faisant de la lutte pour la première place une donnée inévitable et nécessaire des relations politiques entre États. La conception de Conrad n'est pas encore empreinte de racisme (bien que, parmi les officiers de la jeune génération, beaucoup aient envisagé un conflit à venir entre les peuples germaniques et les peuples slaves). Il s'agit plutôt de la sombre vision hobbesienne d'un conflit sans fin entre États voués à rechercher leur propre sécurité au prix de tout le reste[119].

Jusqu'à ce que les guerres balkaniques n'éclatent, les interventions de Conrad sont plus bruyantes que véritablement efficaces. Répéter invariablement la même opinion affaiblit son crédit auprès des autorités civiles. En 1908, l'empereur François-Joseph oppose un refus catégorique à ses appels à une guerre préventive contre la Serbie. Aehrenthal, également imperméable à tous ses arguments, finit par s'impatienter de ses tentatives d'interférer dans le processus politique. En octobre 1911, alors que Conrad exige de déclarer la guerre à l'Italie, Aehrenthal, exaspéré, en appelle officiellement à l'empereur. Conrad, dit-il, a créé « un parti belliciste » au sein de l'état-major. Si rien n'est fait, ce parti « paralysera la capacité d'action politique de la monarchie [120] ». Le 15 novembre, au cours d'une audience houleuse avec l'empereur, le conflit éclate au grand jour. Lassé de l'indiscipline du chef d'état-major, l'empereur François-Joseph le convoque à Schönbrunn pour une mise au point. « Ces attaques incessantes contre Aehrenthal, ces piqûres d'épingle, je vous les interdis », dit-il à Conrad. « Ces reproches sans fin au sujet de l'Italie et des Balkans sont en fait dirigées contre *moi*. Mais la politique, c'est *moi* qui en décide ! Ma politique est une politique de paix. Chacun doit l'accepter [121]. » Cet accrochage verbal entre l'empereur et son chef d'état-major doit être souligné : un tel conflit aurait été impensable avec les prédécesseurs de Conrad [122]. Il est le signe que les différents rouages de la structure de commandement sont en train de s'éloigner les uns des autres, d'acquérir une autonomie qui compliquera grandement le processus de décision. Nullement démonté par les reproches de l'empereur, Conrad s'applique alors à préparer une réponse virulente qu'il n'aura pas l'occasion de lui présenter avant que François-Joseph ne le démette de ses fonctions. Son renvoi est officiellement annoncé le 2 décembre 1911 [123].

L'opposant le plus constant et le plus influent de Conrad et de sa politique belliqueuse se trouve être François-Ferdinand, l'héritier du trône des Habsbourg, l'homme dont la mort à Sarajevo précipitera la crise de juillet 1914. Dans l'organigramme du pouvoir, François-Ferdinand occupe une position délicate, mais cruciale. À la cour, il est isolé : ses relations avec l'empereur ne sont pas chaleureuses. Il n'a été désigné héritier du trône qu'en raison du suicide du fils de l'empereur, Rodolphe. Le souvenir de ce fils, si doué mais dépressif, hante les relations de l'empereur avec l'homme acerbe et lunatique qui a pris sa place. Après la mort de Rodolphe, l'empereur laisse s'écouler cinq ans avant de nommer François-Ferdinand héritier présomptif, puis deux années encore avant de confirmer son choix. Mais même par la suite, les audiences que l'empereur accorde à son neveu se déroulent dans un climat de condescendance blessante, et l'on dit que l'archiduc s'y rend en tremblant comme un écolier convoqué par le directeur. En juillet 1900, le scandale suscité par le mariage de François-Ferdinand avec une aristocrate tchèque, Sophie Chotek, alourdit encore davantage l'atmosphère. Ce mariage d'amour est contracté contre les vœux de l'empereur et de la famille royale des Habsbourg car, bien que descendant d'une grande famille de Bohême, la comtesse Sophie Chotek von Chotkova und Wognin ne remplit pas les critères généalogiques extrêmement exigeants de la maison de Habsbourg. François-Ferdinand doit batailler ferme, s'assurer du soutien de nombreux archevêques, ministres, et finalement du Kaiser Guillaume II d'Allemagne ainsi que du pape Léon XIII pour arracher son autorisation à l'empereur. François-Joseph finit par céder mais, jusqu'à l'assassinat du couple en 1914, il refusera d'accepter ce mariage [124]. François-Ferdinand est obligé de reconnaître sous serment que ses futurs enfants seront exclus de la succession au trône. Après leur mariage, le couple doit subir les affronts infligés par l'application rigoureuse du protocole en vigueur à la cour, qui régit pratiquement tous les aspects de la vie publique des membres de la famille royale : désignée tout d'abord sous le titre de princesse puis de duchesse de Hohenberg, Sophie n'aura jamais droit à celui d'archiduchesse. Il ne lui est pas permis de rejoindre son époux dans la loge royale à l'opéra, de s'asseoir à ses côtés dans les dîners officiels, ou de paraître dans le splendide carrosse royal aux roues dorées. Son principal tortionnaire est le Grand chambellan de l'Empire, le prince de Montenuovo – lui-même petit-fils de Marie-Louise d'Autriche, d'un mariage morganatique contracté après sa séparation d'avec Napoléon Ier –, qui applique en toute occasion les règles de l'étiquette dans ses moindres détails.

L'archiduc François-Ferdinand d'Autriche-Este

En 1906, l'empereur nomme son neveu inspecteur général de l'armée, ce qui permet à François-Ferdinand de rattraper ces longues années d'isolement à la cour en se construisant une base de pouvoir au sein de l'édifice chancelant de la Double Monarchie. L'archiduc obtient un certain nombre de nominations importantes (dont celles d'Aehrenthal et de Conrad) et étend les activités de sa Chancellerie militaire, installée non loin de sa résidence, le Belvédère inférieur. Sous l'impulsion de son chef d'état-major particulier, le major Alexander Brosch von Aarenau, un homme doué et énergique, la Chancellerie militaire est réorganisée sur le modèle du cabinet ministériel. Ses canaux d'information au sein de l'armée servent de couverture à des activités politiques ; tout un réseau de journalistes sympathisants dirigé depuis le Belvédère popularise les idées de l'archiduc, attaque ses opposants et tente de peser sur le débat public. La Chancellerie, qui analyse plus de dix mille documents par an, se développe et devient un conseil d'experts au service de l'archiduc, un centre de pouvoir à l'intérieur du système, voire selon certains un « cabinet fantôme [125] ». Comme tous les conseils d'experts, il a des objectifs à défendre, dont le principal – défini à la suite d'une enquête interne – est de prévenir « tout accident » pouvant accélérer « la fragmentation politique de l'Empire des Habsbourg [126] ».

Cet objectif premier s'explique par la profonde hostilité de l'archiduc et de ses conseillers envers les élites hongroises qui contrôlent la moitié orientale de l'Empire [127]. L'archiduc et ses conseillers critiquent ouvertement le système politique dualiste forgé en 1866 au lendemain de la défaite contre la Prusse. À leurs yeux, il a le défaut majeur de concentrer le pouvoir entre les mains d'une élite magyare arrogante et politiquement déloyale, tout en marginalisant et aliénant les neuf autres nationalités officielles de l'Empire des Habsbourg. Une fois installé avec ses collaborateurs au Belvédère, Brosch von Aarenau met sur pied un réseau d'intellectuels et d'experts, dont aucun n'est hongrois, mais dont le point commun est de partager la même insatisfaction. La Chancellerie militaire devient alors le point de ralliement des opposants à la politique autoritaire menée dans le royaume de Hongrie contre les minorités slaves et roumaines [128].

L'archiduc ne cache pas son intention de restructurer le système impérial quand il accédera au trône. Son objectif majeur est de briser ou d'affaiblir l'hégémonie des Hongrois à l'est. Dans un premier temps, François-Ferdinand avance l'idée de renforcer l'élément slave en créant une « Yougoslavie » dominée par les Croates (donc catholique) au sein de l'Empire. C'est précisément cette position qui exacerbe la haine de ses ennemis serbes orthodoxes. En 1914 cependant, il semble avoir abandonné ce projet au profit d'une réforme de plus grande ampleur : transformer l'Empire en « États-Unis de la Grande Autriche », un ensemble de quinze États-membres, dont beaucoup à majorité slave [129].

En affaiblissant la position des Hongrois, l'archiduc et ses conseillers espèrent renforcer la dynastie des Habsbourg et ranimer la loyauté des autres nationalités moins nombreuses. Quoi qu'on ait pu penser de ce projet – et de toute évidence les Hongrois n'en pensaient que du mal – il donnait de l'archiduc l'image d'un réformiste radical dont l'accession au trône mettrait fin au fonctionnement chaotique des institutions qui paralysait la vie politique des dernières décennies d'avant 1914. Ce projet faisait également de l'héritier l'opposant politique du souverain régnant : de fait, l'empereur refusait d'envisager la moindre modification du Compromis dualiste de 1867, qu'il considérait comme l'accomplissement le plus durable de ses premières années de règne.

Le programme de réformes de François-Ferdinand a également des implications majeures en politique étrangère. Convaincu que la faiblesse structurelle de la Double Monarchie et la nécessité de réformes radicales excluent catégoriquement toute politique étrangère basée sur la confrontation, François-Ferdinand s'oppose farouchement à l'aventurisme belliqueux de Conrad. Ironie du sort, c'est lui qui, en tant qu'inspecteur général de l'armée, l'a nommé au poste de chef d'état-major, passant par-dessus un certain nombre d'officiers plus compétents. Peut-être cette nomination explique-t-elle le fait que, pour beaucoup, l'archiduc passait pour le chef du « parti belliciste ». Les deux hommes sont certes d'accord sur certains points : traiter à égalité les différentes nationalités, par exemple, ou mettre à la retraite quelques officiers supérieurs d'un certain âge qui risquent de ne plus être à la hauteur en cas de conflit [130]. Sur le plan personnel, François-Ferdinand a également de la sympathie pour Conrad, qui a adopté une attitude respectueuse et aimable envers son épouse Sophie. L'héritier du trône a tendance à juger les gens sur la façon dont ils traitent la situation délicate créée par son mariage et Conrad, pour des raisons évidentes, est tout prêt à accepter ce mariage d'amour peu orthodoxe. Mais en matière de sécurité et de diplomatie, leurs opinions sont diamétralement opposées.

François-Ferdinand considère l'armée comme un élément de stabilité intérieure : il est partisan de renforcer la marine et veut assurer la domination autrichienne en mer Adriatique en construisant une escadre de cuirassiers. Conrad au contraire, pour qui l'armée n'est qu'une machine de guerre, a un seul objectif : la moderniser et la préparer à affronter les conditions réelles d'un éventuel conflit majeur. Conrad considère que la marine ponctionne des lignes de crédit qui seraient mieux employées par l'armée de terre : « La plus belle des batailles navales ne compensera jamais une défaite terrestre », déclare-t-il à l'archiduc en 1908 [131].

Contrairement au chef d'état-major, l'archiduc s'oppose à l'annexion de la Bosnie, ce qu'il confirme à Aehrenthal : « Au vu de notre situation intérieure qui est affligeante, je suis par principe opposé à toute démonstration de force [132]. » Mi-octobre, inquiet de la réaction de colère de la Serbie après l'annexion, il met en garde Aehrenthal de ne pas laisser la crise dégénérer en conflit armé : « Nous n'y gagnerions rien, et j'ai au contraire l'impression que ces crapauds des Balkans, poussés par l'Angleterre et peut-être l'Italie, cherchent à nous provoquer et nous entraîner dans une guerre [133]. » Une chose est d'infliger une raclée aux Serbes et aux Monténégrins, confie-t-il à Brosch, mais à quoi serviraient « ces lauriers dérisoires » si l'Empire se retrouvait avec un conflit généralisé sur les bras, et deux ou trois fronts qu'il ne pourrait défendre ? Il est très clair : il faut empêcher Conrad d'agir. La rupture entre les deux hommes se produit en décembre 1911 lorsque Conrad exige que l'Autriche-Hongrie se saisisse de l'occasion créée par la guerre en Libye pour attaquer l'Italie. François-Ferdinand lui retire son soutien, et c'est en grande partie la raison pour laquelle l'empereur le démet de ses fonctions en décembre 1911 [134].

L'allié le plus influent de François-Ferdinand est désormais le nouveau ministre des Affaires étrangères, le comte Leopold von Berchtold von und zu Ungarschitz, Fratting und Pullitz. C'est un aristocrate d'une immense fortune, un esthète raffiné, un patricien de cette grande aristocratie terrienne qui domine encore les plus hauts échelons de l'administration austro-hongroise. De tempérament prudent, voire craintif, Berchtold n'est pas un politicien-né. Ses véritables passions sont l'art, la littérature et les courses hippiques, auxquelles il s'adonne avec autant de vigueur que le lui permet sa santé. Ni la soif du pouvoir ni la soif de renommée ne l'ont poussé dans la carrière diplomatique mais plutôt un sentiment de loyauté personnelle à l'égard de l'empereur et de son ministre des Affaires étrangères, Aehrenthal. La réticence qu'il manifeste à accepter des postes de responsabilité croissante n'est absolument pas feinte.

Après un passage dans l'administration, Berchtold entre aux Affaires étrangères, puis est envoyé à Paris et à Londres avant d'être nommé à Saint-Pétersbourg en 1903. Là, il devient l'ami proche et l'allié d'Aehrenthal, alors ambassadeur en Russie depuis 1899. Berchtold est un partisan enthousiaste de l'entente austro-russe, convaincu que de bonnes relations fondées sur une coopération dans les zones de conflit potentiel comme les Balkans sont fondamentales pour la sécurité de l'Empire et la paix en Europe. Jouer un rôle, en collaboration avec Aehrenthal, pour consolider ces relations lui donne de grandes satisfactions professionnelles. Quand ce dernier repart pour Vienne, Berchtold accepte avec empressement le poste d'ambassadeur, certain que ses convictions sont partagées par le nouveau ministre des Affaires étrangères [135].

Le comte Leopold von Berchtold

C'est donc un choc pour lui de se retrouver en première ligne quand les relations austro-russes se détériorent en 1908. Ses dix-huit premiers mois comme ambassadeur ont été relativement paisibles, même si à certains signes on sentait qu'Izvolski prenait ses distances avec l'Autriche pour élaborer une nouvelle stratégie continentale fondée sur la récente Convention anglo-russe de 1907 [136]. Mais l'annexion de la Bosnie, qui met brutalement fin à toute perspective de collaboration avec le ministère des Affaires étrangères russe, ébranle la politique de détente au nom de laquelle Berchtold a accepté ce poste d'ambassadeur. Il déplore qu'Aehrenthal ait sacrifié l'amitié des Russes sur l'autel du prestige austro-hongrois. Le 19 novembre 1908, il lui écrit une lettre dans laquelle il critique implicitement les choix politiques de son ancien mentor : au vu de « l'exacerbation pathologique du sentiment ultranationaliste russe, influencé par le panslavisme », la poursuite de « ces initiatives politiques que nous avons inaugurées dans les Balkans » aura inévitablement « un impact négatif sur nos relations avec la Russie ». Les événements récents ont rendu son travail à Saint-Pétersbourg « extrêmement difficile ». Un autre que lui aurait sans doute le charisme et l'énergie nécessaires pour restaurer de bonnes relations, mais « pour mes modestes aptitudes, cela s'apparente à la quadrature du cercle ». Il conclut en demandant à être rappelé de son poste dès que la situation reviendra à la normale [137].

Berchtold restera à Saint-Pétersbourg jusqu'en avril 1911 mais son poste lui est devenu un fardeau : il se lasse de la vie mondaine des oligarques pétersbourgeois en ce début de XXᵉ siècle et de l'étalage ostentatoire de leur fortune. En janvier 1910, il se rend à un bal donné par la comtesse Thekla Orlov-Davidov dans le palais que Boulanger lui a dessiné sur le modèle de Versailles. Une fortune a été dépensée pour décorer les salles et les galeries de milliers de fleurs fraîches transportées par train spécial depuis les serres de la Côte d'Azur jusqu'au cœur de l'hiver russe. Même cet amateur d'art et de chevaux, d'une immense fortune, est choqué d'une telle débauche de moyens [138]. Il est profondément soulagé de quitter Saint-Pétersbourg et de revenir sur ses terres à Buchlau. Mais ce répit ne dure que dix mois : le 19 février 1912, l'empereur le rappelle à Vienne et le nomme ministre des Affaires étrangères pour succéder à Aehrenthal.

Berchtold prend ses nouvelles fonctions avec le désir sincère de restaurer de bonnes relations avec la Russie et c'est parce qu'il l'en croit capable que l'empereur l'a nommé [139]. Cette politique de détente est également soutenue par le nouvel ambassadeur à Saint-Pétersbourg, le comte Duglas Thurn, et Berchtold ne tarde pas à découvrir qu'il a un allié de poids en la personne de François-Ferdinand, qui le prend sous son aile, l'abreuve de conseils, l'assurant qu'il s'en tirera bien mieux que « ses horribles prédécesseurs, Goluchowski et Aehrenthal », et soutient sa politique de détente dans les Balkans [140]. Pour le moment cependant, personne ne voit très bien comment améliorer les relations avec la Russie : à Belgrade, Nikolaï Hartwig, qui attise l'ultranationalisme serbe, encourage l'agitation irrédentiste dans les territoires des Habsbourg. Plus grave encore, à l'insu des Autrichiens, des agents russes sont déjà à l'œuvre pour mettre sur pied une ligue des Balkans hostile à la Turquie et à l'Autriche. Cependant, la nouvelle administration des Affaires étrangères est prête à s'engager dans un échange de vues : dans un discours à la délégation hongroise, le 30 avril 1912, Berchtold annonce qu'il mènera « une politique de stabilité et de paix afin de préserver ce qui existe et d'éviter tout imbroglio et tout heurt [141] ».

Les guerres des Balkans mettent cet engagement à rude épreuve. Le principal point de désaccord est l'Albanie. Vienne souhaite la création d'un État albanais indépendant, dans l'espoir qu'il devienne un satellite de l'Autriche. À l'inverse, Belgrade est déterminée à prendre le contrôle de territoires lui permettant d'obtenir un accès à la mer Adriatique. Tout au long des conflits balkaniques de 1912 et 1913, une succession d'attaques serbes contre le nord de l'Albanie va déclencher une série de crises internationales, et les relations austro-serbes se dégradent fortement. L'Autriche est de moins en moins disposée à accepter les exigences serbes (voire à les prendre au sérieux) et la Serbie, dont l'assurance augmente à chaque nouvelle conquête territoriale au sud et au sud-est, se fait de plus en plus menaçante.

À l'automne 1913, l'hostilité des Autrichiens est renforcée par des informations inquiétantes en provenance des territoires conquis par les Serbes. En octobre 1913, le consul général d'Autriche à Skopje, Jehlitschka, fait état d'atrocités commises contre les habitants : dix petits villages ont été détruits, leur population entièrement exterminée. Les hommes ont été contraints de quitter le village et de s'aligner pour être fusillés. Les maisons ont été incendiées, les femmes et les enfants qui cherchaient à échapper aux flammes massacrés à la baïonnette. En général, précise le consul, ce sont les officiers qui tuent les hommes ; ils laissent les soldats massacrer les femmes et les enfants. Une autre source décrit le comportement des troupes serbes après la prise de Gostivar, ville située dans une zone où les Albanais se sont rebellés contre leurs envahisseurs : par groupes d'une vingtaine, quelque trois cents habitants musulmans (qui n'ont joué aucun rôle dans l'insurrection) sont arrêtés en pleine nuit et emmenées hors de la ville où ils sont mis à mort à coups de crosse et de baïonnette, pour éviter des coups de feu qui auraient alerté les habitants de la petite ville endormie. Puis leurs corps sont jetés dans une fosse commune creusée auparavant. Jehlitschka conclut qu'il ne s'agit donc pas d'actes de brutalité spontanée mais « d'une opération d'annihilation ou d'élimination systématique qui semble avoir été menée de sang-froid sur ordre de la hiérarchie [142] ».

Ces rapports, corroborés par ceux des diplomates britanniques en poste dans la région, comme nous l'avons vu précédemment, influencent inévitablement l'état d'esprit et l'attitude des leaders politiques viennois. En mai 1914, Jovanović, l'ambassadeur serbe à Vienne, rapporte que même l'ambassadeur français s'est plaint auprès de lui du comportement des Serbes dans les nouvelles provinces. Des démarches similaires sont effectuées par les ambassadeurs grec, turc, bulgare et albanais, faisant craindre que cette dégradation de l'image de la Serbie « n'ait de graves conséquences [143] ». Les démentis désinvoltes de Pašić et de ses ministres renforcent le sentiment que le gouvernement serbe est lui-même l'instigateur de ces atrocités, ou du moins peu désireux d'y mettre fin, voire de lancer une enquête. L'ambassadeur austro-hongrois à Belgrade note avec une certaine satisfaction que les journaux viennois publient des éditoriaux conseillant au gouvernement serbe de ménager les minorités et de gagner leur confiance par des mesures de conciliation – des conseils, écrit-il à Berchtold, dont bien des « pays civilisés » pourraient s'inspirer. Mais la

Serbie est un état où « meurtres et massacres ont été érigés en sys-tème [144] ». Au final, l'impact de ces rapports diplomatiques sur la poli-tique autrichienne est difficile à mesurer : ils ne surprennent guère ceux qui ont déjà une vision terriblement stéréotypée de la Serbie et de ses citoyens. Au minimum, ils les confirment dans l'idée que l'expansion territoriale de la Serbie n'a aucune légitimité politique.

Quoi qu'il en soit, au printemps et à l'été 1914, une guerre entre l'Autriche et la Serbie n'est pas considérée comme probable. L'instabilité qui règne dans les nouveaux territoires serbes et la crise entre civils et militaires qui déchire Belgrade au mois de mai laissent à penser que le gouvernement serbe va se consacrer à rétablir la stabilité intérieure, au moins pendant les mois à venir. Dans un rapport envoyé le 24 mai 1914, l'ambassadeur autri-chien à Belgrade, le baron Giesl, fait observer que malgré la forte concentra-tion de troupes serbes stationnées à la frontière albanaise, il n'y a pas de raisons de craindre de nouvelles incursions [145]. Même placidité, le 16 juin, dans une dépêche de Gellinek. Certes, des officiers en permission ont été rappelés, les réservistes ont dû donner leur adresse et l'armée est maintenue en état d'alerte. Mais il n'y a pas de signes d'intention agressive ni envers l'Autriche-Hongrie, ni envers l'Albanie [146]. Au sud, rien de nouveau.

Il n'y a pas non plus la moindre indication que les Autrichiens songent à la guerre : début juin, Berchtold demande à un chef de bureau des Affaires étrangères, le baron Franz Matscheko, de préparer une note de synthèse pour identifier les principaux problèmes dans les Balkans et pro-poser des solutions. Rédigé en concertation avec Forgách et Berchtold, puis transmis au ministre des Affaires étrangères le 24 juin, le mémoran-dum Matscheko est l'instantané le plus net que nous ayons de la position de Vienne à l'été 1914 – et ce n'est pas un document optimiste. Mat-scheko ne note que deux développements positifs. D'une part, des signes de rapprochement entre l'Autriche-Hongrie et la Bulgarie, qui semble enfin sortie de l'emprise hypnotique dans laquelle la Russie l'avait plon-gée. D'autre part, la création d'une Albanie indépendante [147], bien que ce nouvel État en gestation ne soit pas exactement un modèle : la situa-tion intérieure demeure chaotique, l'état de droit n'est pas respecté et, de l'opinion même des Albanais, l'ordre ne sera rétabli qu'avec une aide étrangère [148]. À part ces deux lueurs d'espoir, le reste du mémorandum est sombre. La Serbie, renforcée et agrandie à l'issue des deux guerres balkaniques, représente un danger plus menaçant que jamais. L'opinion publique roumaine est devenue prorusse, ce qui pose la question de savoir quand la Roumanie rompra officiellement avec la Triple-Alliance pour s'allier avec Saint-Pétersbourg. L'Autriche doit constamment lutter contre une politique russe – soutenue par Paris – fondamentalement « agressive et dirigée contre le statu quo ». Car maintenant que la Turquie a perdu ses territoires européens, la raison d'être d'une ligue balkanique soutenue par la Russie ne peut être que le démantèlement de l'Empire austro-hongrois, que les Russes donneront en pâture à leurs alliés affamés.

Quelles peuvent être les solutions ? Le mémorandum formule quatre objectifs diplomatiques majeurs. Premièrement, il faut amener l'Allemagne à s'aligner sur les positions de l'Autriche au sujet des Balkans et à les soutenir, en faisant comprendre à Berlin la gravité des défis que Vienne rencontre dans cette région. Deuxièmement, il faut presser la Roumanie de déclarer à qui elle fait allégeance. En effet, les Russes la courtisent dans l'espoir d'obtenir un nouvel allié contre l'Autriche. Or si l'intention des Roumains est de rejoindre la Triple-Entente, Vienne doit le savoir au plus vite afin de prendre des dispositions pour défendre la Transylvanie et l'est de la Hongrie. Troisièmement, il faut accélérer la conclusion d'une alliance avec la Bulgarie pour contrer les conséquences d'une relation de plus en plus étroite entre la Russie et la Serbie. Enfin, il faut tenter de dissuader la Serbie de s'engager dans un conflit armé, en usant de concessions commerciales – Matscheko n'est cependant pas convaincu que cela suffira à désarmer l'hostilité de Belgrade.

On décèle une note de nervosité paranoïaque dans ce mémorandum, une étrange combinaison d'hystérie et de fatalisme, que de nombreux contemporains auraient reconnu comme étant caractéristique de l'atmosphère et de la culture viennoise en ce début de XXe siècle. Mais on n'y trouve pas la moindre indication que Vienne considère à cet instant la guerre – qu'il s'agisse d'un conflit limité ou d'un conflit plus généralisé – comme un développement imminent, nécessaire ou souhaitable. Au contraire, Matscheko préconise de se concentrer sur des objectifs et des méthodes diplomatiques en parfaite cohérence avec l'image que Vienne veut donner d'elle-même : le champion « d'une politique de maintien de la paix [149] ».

Conrad, rappelé au poste de chef d'état-major en décembre 1912, n'a en revanche pas évolué et demeure un farouche partisan de la guerre, mais son autorité est sur le déclin. En mai 1913, on découvre que le colonel Alfred Redl, ancien chef du contre-espionnage militaire et chef d'état-major du 8e corps d'armée à Prague, a régulièrement transmis aux Russes des documents militaires ultrasecrets, y compris l'intégralité des procédures de mobilisation, dont les Russes ont à leur tour transmis les grandes lignes à Belgrade. Le scandale révèle les piètres talents d'administrateur de Conrad, responsable des nominations des officiers supérieurs. Personnage haut en couleur, Redl était homosexuel, et ses fréquentations imprudentes et ruineuses faisaient de lui une proie facile que les services secrets russes n'ont eu aucun mal à faire chanter. Comment tout ceci a-t-il pu échapper à Conrad, qui avait la responsabilité de contrôler la carrière de Redl depuis 1906 ? Il était de notoriété publique que Conrad s'intéressait peu à cet aspect-là de son travail, et que souvent il connaissait mal les officiers supérieurs qu'il nommait à des postes de responsabilité. Il aggrave son erreur en poussant le colonel au suicide : dans une chambre d'hôtel, Redl retourne contre lui le pistolet qui lui a été remis. Ce dénouement sordide choque François-Ferdinand, catholique convaincu. Plus grave encore, il prive le chef d'état-major de la possibilité d'apprendre de Redl lui-même quelles informations ont été transmises à Saint-Pétersbourg, et comment.

Peut-être est-ce d'ailleurs l'intention de Conrad, car on a appris que parmi ceux qui ont trempé dans ce trafic d'informations militaires sensibles se trouve un officier d'état-major d'origine slave du nom de Čedomil Jandrić, ami intime de Kurt von Hötzendorf, le fils de Conrad. Les deux jeunes gens se sont connus à l'Académie militaire, où ils ont partagé soirées bien arrosées et frasques diverses. Certains éléments suggèrent que Jandrić, ainsi que la maîtresse italienne du jeune Kurt et d'autres amis du même cercle, ont trempé dans la vente de secrets militaires aux Italiens, qui les ont par la suite transmis aux Russes. Il se peut que Kurt lui-même ait été directement impliqué dans une affaire d'espionnage au profit des Russes, si l'on en croit les déclarations du colonel Mikhaïl Alexeïevitch Svechine, alors chef du renseignement militaire du district de Saint-Pétersbourg. Svechine déclarera plus tard que parmi les agents autrichiens qui fournissaient des renseignements militaires sensibles à la Russie se trouvait le propre fils du chef d'état-major, qui se serait introduit dans le bureau de son père pour y subtiliser des documents stratégiques et les recopier. Il est aisé d'imaginer l'impact de cet imbroglio sur Conrad. La nature exacte de la culpabilité de Kurt n'est pas dévoilée à l'époque (si tant est qu'il ait été un espion) mais, à l'issue d'une réunion présidée par Conrad lui-même à Vienne en mai 1913, le jeune homme est déclaré coupable de dissimulation pour n'avoir pas transmis des informations importantes sur les suspects. Conrad ordonne au conseil d'infliger la peine la plus sévère puis, pris de malaise, doit quitter la salle brièvement [150]. Malgré son arrogance, le chef d'état-major est profondément atteint par l'affaire Redl, au point d'adopter pendant les mois de l'été 1913 une réserve qui ne lui ressemble pas [151].

François-Ferdinand demeure le plus actif des opposants à la politique belliqueuse de Conrad, pesant de tout son poids pour neutraliser les effets de ses interventions auprès des autres décideurs viennois. Au début de février 1913, six semaines à peine après le retour aux affaires de Conrad, François-Ferdinand lui rappelle « que le devoir du gouvernement est de maintenir la paix ». Conrad lui rétorque, avec son franc-parler habituel : « Mais certainement pas à n'importe quel prix [152]. » À plusieurs reprises, François-Ferdinand avertit Berchtold de ne pas céder aux arguments du chef d'état-major ; et par l'intermédiaire de son aide de camp, le colonel

Carl Bardolff, il adresse une mise en garde très sèche à Conrad pour qu'il cesse de « pousser » le ministre des Affaires étrangères « à l'action ». Bardolff prévient le chef d'état-major que l'archiduc n'approuvera jamais « une guerre avec la Russie, sous aucun prétexte ». Il n'a aucune intention de s'emparer de quoi que ce soit en Serbie, « pas le moindre prunier, pas le moindre mouton, rien n'était plus éloigné de sa pensée [153] ». Les relations entre les deux hommes deviennent de plus en plus hargneuses. À l'automne, leur hostilité ne peut plus rester cachée : devant un parterre d'officiers supérieurs, François-Ferdinand le réprimande vertement pour avoir modifié le déroulement de grandes manœuvres sans l'avoir consulté. Seule la médiation de l'ancien chef d'état-major particulier de François-Ferdinand, Brosch von Aarenau, dissuade Conrad de démissionner, mais son départ n'est plus qu'une question de temps. « Depuis l'affaire Redl », raconte l'un des aides de camp de l'archiduc, « le chef d'état-major était politiquement mort. Restait à fixer la date de ses funérailles [154]. » Après de nouveaux accrochages verbaux au cours de manœuvres en Bosnie au printemps 1914, François-Ferdinand décide de se débarrasser de Conrad. Si l'archiduc avait survécu à l'attentat de Sarajevo, Conrad aurait été renvoyé et les faucons auraient perdu leur porte-parole le plus déterminé et le plus inflexible.

Dans l'intervalle, on peut, au moins en apparence, déceler des signes d'amélioration dans les relations diplomatiques avec Belgrade. Le gouvernement austro-hongrois détient 51 % de la Compagnie orientale des chemins de fer, consortium multinational exploitant une concession ferroviaire (turque à l'origine) en Macédoine. Maintenant que la plupart de la ligne est passée sous contrôle serbe, Vienne et Belgrade doivent trouver un accord : à qui appartiennent les voies ? Qui financera les réparations des dommages causés par la guerre ? Comment la ligne sera-t-elle exploitée ? Belgrade exigeant de rester seul propriétaire, des discussions s'engagent au printemps 1914 pour négocier le prix et les conditions de la cession. Elles sont complexes, parfois houleuses, tout particulièrement quand Pašić les interrompt par des interventions arbitraires sur des points de détail, mais le processus est suivi favorablement par les journaux serbes et autrichiens, et elles sont toujours en cours lorsque l'archiduc arrive à Sarajevo [155]. Autre développement encourageant : le 5 mai 1914, après des mois de négociations officielles, un accord est trouvé pour permettre un échange de prisonniers soupçonnés d'espionnage et détenus par les deux États. Tout ceci constituait des signes modestes mais encourageants, permettant d'espérer qu'à terme, l'Autriche-Hongrie et la Serbie puissent apprendre à vivre en bon voisinage.

Deuxième partie

UN CONTINENT DIVISÉ

3

LA POLARISATION DE L'EUROPE, 1887-1907

Si l'on compare la carte des alliances entre grandes puissances européennes en 1887 avec la même carte pour l'année 1907, on voit se dessiner une transformation. La première carte révèle un système multipolaire dans lequel de multiples forces s'équilibrent, bien que de façon précaire. La Grande-Bretagne et la France sont rivales en Afrique et en Asie du Sud-Est. La Grande-Bretagne s'oppose à la Russie en Perse et en Asie centrale. La France est déterminée à renverser le verdict de la victoire allemande de 1870. Dans les Balkans, des conflits d'intérêts font naître des tensions entre la Russie et l'Autriche-Hongrie. L'Italie et l'Autriche s'opposent en mer Adriatique. Des querelles sporadiques éclatent sur le statut des communautés italophones de l'Empire austro-hongrois tandis qu'entre l'Italie et la France, le climat reste tendu à cause de la politique coloniale française en Afrique du Nord.

Le système de 1887, bien que disparate, évite que ces tensions ne dégénèrent : la Triple-Alliance conclue le 20 mai 1882 entre l'Allemagne, l'Autriche et l'Italie empêche que les tensions entre Rome et Vienne ne tournent au conflit ouvert. Le Traité de réassurance défensive entre l'Allemagne et la Russie contient des articles qui dissuadent chacune de ces deux puissances de tenter sa chance en se lançant dans une guerre avec un autre État du continent. Il protège également les relations germano-russes des retombées négatives des tensions entre l'Autriche et la Russie. Le lien germano-russe assure également que la France ne puisse pas bâtir une coalition anti-allemande avec la Russie. Même la Grande-Bretagne est liée, bien que de manière moins étroite, à ce système continental par l'intermédiaire de l'Accord méditerranéen de 1887 conclu avec l'Italie et l'Autriche – un échange de notes plutôt qu'un véritable traité – dont le but est de contrecarrer les Français en Méditerranée et les Russes dans les Balkans ainsi que dans les Détroits.

Si l'on fait un bond de vingt ans et que l'on regarde la carte des alliances européennes en 1907, le tableau a changé du tout au tout. On

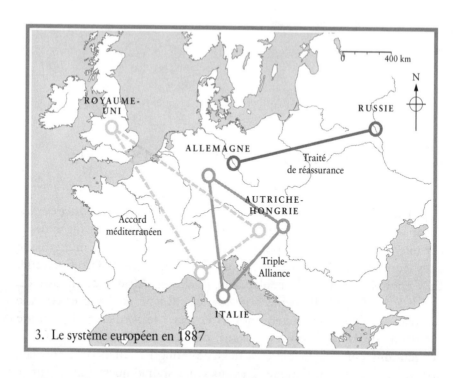

3. Le système européen en 1887

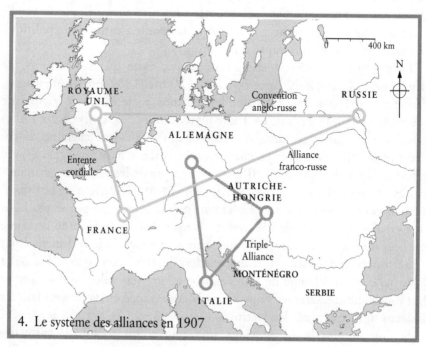

4. Le système des alliances en 1907

découvre une Europe bipolaire organisée autour de deux systèmes d'alliance. La Triple-Alliance est toujours en place (bien que la loyauté des Italiens soit de plus en plus discutable). La France et la Russie sont liées par l'Alliance franco-russe (élaborée en 1892 et ratifiée en 1894) qui stipule qu'en cas de mobilisation dans l'un des pays de la Triple-Alliance, « à la première annonce et sans qu'il soit besoin d'un concert préalable, [les deux signataires] mobiliseront immédiatement et simultanément la totalité de leurs forces et les porteront le plus près possible de leurs frontières, [...] de manière que l'Allemagne ait à lutter, à la fois, à l'est et à l'ouest [1] ».

La Grande-Bretagne est liée à l'Alliance franco-russe par l'Entente cordiale conclue avec la France en 1904 d'une part, et par la Convention anglo-russe de 1907 d'autre part. Il faudra quelques années supplémentaires pour que ces alignements, encore assez souples, se solidifient et produisent les coalitions qui entreront en guerre en 1914, mais les contours des deux camps sont déjà clairement esquissés.

La polarisation du système géopolitique européen est une condition préalable de la guerre qui éclate en 1914 : sans elle, il est virtuellement impossible de comprendre qu'une crise serbo-autrichienne ait pu entraîner l'Europe de 1887 dans une guerre impliquant tous les pays du continent. Ce n'est cependant pas cette séparation en deux blocs d'alliance qui a causé la guerre. Dans les faits, la bipolarisation a autant joué pour atténuer les conflits que pour les aggraver, mais il est vrai que sans l'existence de ces deux blocs la guerre n'aurait pas éclaté de la même manière. Le système bipolaire a structuré l'environnement dans lequel les décisions cruciales ont été prises. Afin de comprendre comment s'est produite cette bipolarisation, il est nécessaire de répondre à quatre questions : pourquoi la Russie et la France ont-elles formé une alliance contre l'Allemagne dans les années 1890 ? Pourquoi la Grande-Bretagne a-t-elle choisi de s'y associer ? Quel rôle l'Allemagne a-t-elle joué pour contribuer à son propre encerclement par cette coalition hostile ? Et dans quelle mesure la transformation structurelle du système d'alliances explique-t-elle les événements qui ont entraîné l'Europe et le monde dans la guerre en 1914 ?

Les liaisons dangereuses : l'Alliance franco-russe

Les racines de l'Alliance franco-russe plongent dans la situation créée en Europe par la formation de l'Empire allemand en 1870. Pendant des siècles, les territoires germaniques situés au cœur de l'Europe ont été fragmentés et affaiblis ; ils sont désormais réunis et puissants. La guerre de 1870 rend les relations entre la France et l'Allemagne extrêmement difficiles. La victoire écrasante de l'Allemagne – que la plupart des contemporains n'avaient pas envisagée – traumatise les élites françaises et déclenche une crise qui affecte profondément la culture du pays vaincu, tandis que l'annexion de l'Alsace-Lorraine, réclamée à grands cris par les militaires allemands mais acceptée à contrecœur par le chancelier Otto von Bismarck, pèse de tout son poids sur les relations franco-allemandes [2]. L'Alsace-Lorraine devient le Graal du culte français de la revanche, qui suscite des vagues successives de chauvinisme. Récupérer les provinces perdues : ce n'est certes pas la seule justification de la politique française mais, à intervalles réguliers, le sujet enflamme l'opinion publique, ne cessant de peser insidieusement dans l'esprit des hommes politiques. Cependant, même sans l'annexion, le simple fait qu'un nouvel Empire allemand se constitue aurait transformé les relations avec la France, dont la sécurité avait toujours reposé sur la fragmentation politique de l'Europe germanique [3]. Après 1871, la France doit saisir toute opportunité de contenir cette puissance formidable qui s'étend désormais au-delà de sa frontière orientale ; l'inimitié durable entre la France et l'Allemagne est donc, dans une certaine mesure, inscrite au cœur même du système européen [4]. Il faut insister sur l'impact de ces transformations sur l'histoire mondiale : à partir de 1870, les relations entre États européens seront mues par une dynamique nouvelle et totalement inédite.

Étant donné la taille et la puissance de l'armée allemande, le principal objectif des Français ne peut être que de contenir le nouvel Empire en formant des alliances contre lui. Pour un tel partenariat, le candidat le plus attractif est la Russie, bien que son régime politique soit radicalement différent. J. B. Eustis, ancien ambassadeur américain à Paris, observe en 1897 que la France « n'a que deux options : rester indépendante et ne compter que sur elle-même, en faisant appel à ses propres ressources pour braver tous les dangers [...] ou alors chercher à conclure une alliance avec la Russie, seule autre puissance dont elle puisse se rapprocher [5] ». Si un tel accord est conclu, l'Allemagne devra faire face à la menace d'une alliance potentiellement hostile, capable de l'attaquer sur deux fronts [6].

Berlin ne peut contrer cette menace qu'en intégrant la Russie dans son propre système d'alliances. Telle est la raison d'être de la Ligue des trois empereurs signée par l'Allemagne avec l'Autriche et la Russie en 1873. Mais tout système d'alliance incorporant à la fois la Russie et l'Autriche-Hongrie est foncièrement instable, étant donné les intérêts conflictuels de ces deux pays dans les Balkans. Au cas où il serait impossible de contenir ces tensions, l'Allemagne serait contrainte de choisir entre l'Autriche-Hongrie et la Russie. Si elle choisissait l'Autriche-Hongrie, alors il n'y aurait plus d'obstacle à une alliance franco-russe. Le chancelier

Bismarck, architecte en chef de l'Empire allemand et principal initiateur de sa politique étrangère jusqu'à sa retraite en 1890, en est parfaitement conscient : il fait donc des choix politiques *ad hoc*. Son objectif, déclare-t-il pendant l'été 1877, est de créer « une situation politique globale dans laquelle toutes les puissances hormis la France auront besoin de nous et seront, autant que possible, empêchées de se coaliser contre nous par leur relations mutuelles [7] ». Bismarck poursuit donc un double but : éviter tout conflit entre l'Allemagne et une autre grande puissance, et exploiter les dissensions entre pays à son profit.

Il y parvient de façon remarquable. Il minimise les risques de s'aliéner la Grande-Bretagne en choisissant de ne pas participer à la course aux colonies en Afrique et dans le Pacifique. Il se montre totalement indifférent aux affaires qui secouent les Balkans et, devant le Reichstag, en décembre 1876, déclare dans un discours resté célèbre que la question des Balkans « ne vaut pas que l'on risque le moindre cheveu d'un de nos vaillants mousquetaires poméraniens [8] ». Quand la Russie déclare la guerre à l'Empire ottoman en 1877-1878, ce qui déclenche une crise internationale de grande ampleur, Bismarck utilise le congrès de Berlin pour persuader les autres puissances que l'Allemagne peut être le gardien désintéressé de la paix en Europe. En proposant sa médiation dans le règlement territorial qui suit la guerre, sans rechercher d'avantages directs pour l'Allemagne, le chancelier veut démontrer que la paix en Europe et la sécurité de l'Allemagne sont une seule et même chose [9]. En 1887, à l'apogée de ce système d'alliances bismarckien, l'Allemagne est liée, par des accords de nature diverse, à toutes les puissances européennes ou presque : à l'Autriche-Hongrie et l'Italie par la Triple-Alliance ; à la Russie par le Traité de réassurance ; et même indirectement à la Grande-Bretagne, par l'intermédiaire de l'Accord méditerranéen conclu entre cette dernière, l'Italie et l'Autriche sous la médiation de Bismarck. Ce système d'alliances isole donc totalement la France, impuissante à former une coalition anti-allemande.

La diplomatie bismarckienne a cependant ses limites, en particulier vis-à-vis de la Russie, dont l'engagement dans les Balkans met à rude épreuve les liens fragiles tissés par la Ligue des trois empereurs. Au milieu des années 1880, la crise bulgare en fournit le parfait exemple. En 1885, un mouvement irrédentiste bulgare prend le contrôle de la Roumélie orientale, région voisine sous domination ottomane, et annonce la création d'une Grande Bulgarie [10]. Le gouvernement russe s'oppose à cette annexion, qui rapproche dangereusement les Bulgares du Bosphore et de Constantinople auxquels les stratèges russes tiennent comme à la prunelle de leurs yeux. À l'inverse, le gouvernement britannique, irrité par de récentes provocations russes en Asie centrale, ordonne à ses consuls de reconnaître le nouveau régime bulgare. Là-dessus, en novembre 1885, le roi Milan de Serbie envenime la situation en envahissant la Bulgarie. Les Serbes sont facilement repoussés, et l'Autriche doit même intervenir pour empêcher les Bulgares d'occuper Belgrade. Dans le compromis de paix qui est alors signé, les Russes parviennent à faire obstacle à la reconnaissance de cette Grande Bulgarie, mais sont obligés d'accepter une forme d'union entre le nord et le sud (anciennement ottoman) du pays. S'ensuivent d'autres tentatives de pression, dont l'enlèvement, l'intimidation et l'abdication forcée du prince bulgare, mais le gouvernement bulgare persiste dans son refus de faire allégeance à Saint-Pétersbourg. Au printemps 1887, l'éventualité que la Russie envahisse la Bulgarie et impose un gouvernement fantoche se précise, ce que n'auraient jamais accepté l'Autriche-Hongrie et la Grande-Bretagne. En fin de compte, les Russes renoncent à se lancer dans un conflit dont les risques sont incalculables, mais une vague d'antigermanisme virulent s'empare de la presse et de l'opinion publique russes : les journaux panslaves considèrent désormais que l'Allemagne défend les intérêts autrichiens dans les Balkans, qu'elle est devenue un obstacle majeur à cette sorte de protectorat que la Russie veut exercer sur les populations slaves des Balkans.

Berlin tire la leçon de tous ces événements : la crise bulgare a mis en lumière que l'instabilité des Balkans demeure extrêmement dangereuse et que les décisions de petits pays peuvent un jour entraîner de grandes puissances dans une escalade menant à la guerre. Pour répondre à ce défi, Bismarck cherche à rétablir de bonnes relations avec la Russie afin de désamorcer les conflits d'intérêts, d'éloigner Saint-Pétersbourg de Paris et de jouer un rôle modérateur dans les Balkans. En 1887, le chancelier scelle ce rapprochement avec la Russie en acceptant de signer le Traité de réassurance avec Nikolaï von Giers, le ministre russe des Affaires étrangères, un modéré pro-allemand. Aux termes de cet accord, Berlin s'engage à soutenir les objectifs russes dans les Détroits et à rester neutre en cas de guerre entre la Russie et un pays tiers, sauf bien évidemment en cas d'attaque surprise de la Russie contre l'Autriche-Hongrie, auquel cas l'Allemagne respectera les obligations contractées envers la Double Monarchie en 1879 par le traité de la Duplice.

À Berlin, tous ne sont pas convaincus de la sagesse de cette politique. Étant donné l'agressivité de la presse russe et les tensions croissantes entre les deux pays, beaucoup doutent de la valeur du Traité de réassurance, y compris le propre fils de Bismarck, Herbert, alors secrétaire d'État aux Affaires étrangères. « Si le pire doit arriver », confie-t-il à son frère, le Traité de réassurance « nous donnera sans doute six à huit semaines de répit avant que les Russes ne nous tombent dessus [11] ». D'autres décideurs, au sein de l'armée en particulier, succombent à la paranoïa et réclament une guerre préventive contre la Russie. Une faction antibismarckienne se forme au sein de la haute administration, exaspérée par la complexité et les contradictions de la diplomatie du chancelier. Pourquoi donc l'Allemagne devrait-elle s'engager à protéger l'Autriche-Hongrie contre la Russie et la Russie contre l'Autriche-Hongrie ? Aucune autre puissance ne se comporte de la sorte. Pourquoi faut-il que l'Allemagne soit sans cesse en train de défendre et de maintenir l'équilibre des forces en présence ? Pourquoi devrait-elle être la seule grande puissance à ne pas avoir le droit de mener une politique indépendante fondée sur la défense de ses intérêts propres ? Aux yeux des frondeurs antibismarckiens, le formidable réseau d'engagements réciproques dont le chancelier a recouvert l'ensemble du continent européen n'a rien d'un système : il ressemble plutôt à un engin brinquebalant, « rafistolé de bric et de broc », destiné à éviter les choix de plus en plus cruciaux auxquels est confronté l'Empire allemand dans un monde de plus en plus dangereux[12]. C'est pour répondre à ces critiques que le chancelier Leo von Caprivi, successeur de Bismarck, ne renouvellera pas le Traité de réassurance avec la Russie quand celui-ci devient caduc au printemps 1890.

Le non-renouvellement du Traité de réassurance ouvre la porte à un rapprochement franco-russe malgré les nombreux obstacles. Le tsar Alexandre III est un autocrate, que l'élite politique française, républicaine, ne considère pas comme un partenaire politique acceptable – et la réciproque est également vraie. Il n'est d'ailleurs pas certain que la Russie ait le moindre intérêt à s'engager dans une alliance avec la France. Après tout, en cas de conflit majeur avec l'Allemagne, les Russes pourraient probablement compter sur le soutien de la France, puisqu'il était pratiquement inconcevable à l'époque que dans un tel scénario le gouvernement français se contente de rester spectateur. Pourquoi dans ces conditions sacrifier leur liberté d'action pour s'assurer d'un soutien acquis d'avance ? Au minimum, les Allemands seraient obligés de maintenir des forces défensives substantielles sur leur frontière occidentale, ce qui réduirait la pression sur le front russe. Et tous ces avantages, la Russie peut les obtenir sans les inconvénients d'un traité officiel. De même, vis-à-vis de la Grande-Bretagne, la France et la Russie ont un intérêt commun à s'opposer à ses desseins impérialistes, mais leurs sphères d'influence sont trop éloignées l'une de l'autre pour permettre une collaboration soutenue : les Français ne sont pas en mesure de soutenir les objectifs russes dans les Balkans, et il semble peu probable que la Russie ait quoi que ce soit à gagner à soutenir les objectifs français en Afrique du Nord par exemple. De plus, sur certains points, leurs intérêts sont diamétralement opposés : la France s'oppose aux visées russes sur les Détroits, qui pourraient à terme compromettre son influence à l'est de la Méditerranée où elle a tout à gagner d'un rapprochement avec la Grande-Bretagne [13].

Il est tout aussi difficile de voir ce qui aurait incité les Russes à compromettre leurs bonnes relations avec l'Allemagne. Certes il arrive que les deux pays aient un contentieux – par exemple la question des droits de douane imposés par les Allemands sur les importations de blé russe – mais ils n'ont pas de motifs de conflit direct. Seule la rivalité entre la Russie et l'Autriche dans les Balkans peut devenir une véritable pomme de discorde entre Russes et Allemands. Or la puissance de l'Allemagne est, tout au contraire, un argument de poids pour lier le sort des deux voisins, car la bonne entente entre Saint-Pétersbourg et Berlin peut inciter Vienne à réfréner ses appétits dans les Balkans.

Telle est d'ailleurs la formule qui a fonctionné par intermittence du temps de la Ligue des trois empereurs. Pour la Russie, la neutralité allemande est donc bien plus précieuse que le soutien de la France. Les Russes en sont parfaitement conscients et c'est pourquoi ils ont décidé de fonder leur politique de sécurité sur des pactes conclus avec l'Allemagne. Bien qu'il n'ait aucune sympathie personnelle pour l'Allemagne ou pour les Allemands, le tsar Alexandre III fait donc la sourde oreille aux vitupérations germanophobes de la presse russe et signe le Traité de réassurance en 1887.

Dans ces conditions, pourquoi donc les Russes accueillent-ils favorablement les ouvertures de la France au début des années 1890 ? Les Allemands facilitent certainement le réalignement de la politique russe en refusant de renouveler le Traité de réassurance, malgré la proposition faite par Nikolaï von Giers, le ministre russe des Affaires étrangères, de le leur rendre plus favorable. D'autres facteurs jouent également. Tout d'abord, en juin 1890, l'Allemagne promulgue une loi militaire prévoyant d'augmenter de 18 574 le nombre de soldats en temps de paix ; quoique modeste, cette loi est votée dans la foulée du non-renouvellement du Traité, ce qui suscite des craintes à Saint-Pétersbourg. De plus, le départ de Bismarck et la présence de plus en plus affirmée sur la scène politique du Kaiser Guillaume II – un homme excitable que le tsar décrit comme « un jeune dandy effronté » – soulèvent des inquiétudes quant à l'orientation à venir de la politique étrangère allemande [14]. Enfin la perspective d'obtenir des prêts français à des conditions avantageuses s'avère séduisante. Cependant le catalyseur est encore ailleurs : les Russes craignent que l'Angleterre ne soit sur le point de rejoindre la Triple-Alliance.

En effet le début des années 1890 marque l'apogée du rapprochement germano-britannique. Le 1ᵉʳ juillet 1890, par le traité de Heligoland-Zanzibar, Britanniques et Allemands s'échangent divers territoires africains et l'Allemagne acquiert l'île minuscule de Heligoland, en mer du Nord : cela déclenche le signal d'alarme à Saint-Pétersbourg. L'anxiété augmente encore à l'été 1891, où le renouvellement de la Triple-Alliance et la visite du Kaiser à Londres donnent lieu à des effusions de sentiments germanophiles dans la presse britannique. La Grande-Bretagne, proclame le *Morning Post,* « a de fait rejoint la Triple ou plutôt la Quadruple-Alliance ». L'Angleterre et l'Allemagne, observe le *Standard* le 11 juillet 1891, sont « amies et alliées de fort longue date » ; à toute menace future contre la paix en Europe répondrait « l'union de la puissance navale anglaise et de la force militaire allemande [15] ». De très nombreuses coupures de presse du même acabit viennent grossir les dépêches diplomatiques des ambassadeurs français et russe à Londres. Rivale de la Russie en Extrême-Orient et en Asie centrale, la Grande-Bretagne semble sur le point de joindre ses forces à celles de son puissant voisin européen et, par extension, à celles de l'Autriche, grande rivale de la Russie dans les Balkans. Et le résultat de tout cela, prévient l'ambassadeur français à Saint-Pétersbourg, serait « un rapprochement des cabinets de Londres et de Berlin » potentiellement désastreux pour la Russie [16].

L'intimité apparemment croissante entre la Grande-Bretagne et l'Allemagne menace d'additionner les difficultés que la Russie rencontre dans les Balkans et les tensions que génère sa rivalité avec la Grande-Bretagne en de multiples points du globe : Afghanistan, Perse, Chine et détroits du Bosphore. Pour contrebalancer cette menace, les Russes font taire leurs réserves et recherchent ouvertement un accord avec la France. Le 19 août 1891, Giers, qui a échoué à faire renouveler le Traité de réassurance germano-russe, envoie une lettre à son ambassadeur à Paris pour lui expliquer ses raisons de rechercher un arrangement avec la France : le renouvellement de la Triple-Alliance et le « ralliement plus ou moins probable de la Grande-Bretagne aux buts politiques qu'elle poursuit », voilà ce qui pousse la France et la Russie à rechercher « un échange de vues permettant de définir l'attitude [...] de nos gouvernements respectifs [17] ». L'échange de lettres à l'été 1891 entre les deux ministres des Affaires étrangères inclut en bonne et due forme l'allusion de Giers à la menace que représente une éventuelle adhésion de la Grande-Bretagne à la Triple-Alliance. S'ensuivront une Convention militaire franco-russe signée le 18 août 1892 et, deux ans plus tard, l'Alliance franco-russe à proprement parler.

Dans cet enchaînement d'événements, deux aspects méritent d'être soulignés. Alors que la motivation principale de Paris est de contenir l'Allemagne, celle de Saint-Pétersbourg est de neutraliser les Autrichiens dans les Balkans. Mais les deux capitales sont préoccupées de ce qu'elles considèrent comme un rapprochement de la Grande-Bretagne avec la

Triple-Alliance. Le souci majeur des Russes, dont la politique étrangère est modérément germanophile, c'est la rivalité avec la Grande-Bretagne, et non une quelconque hostilité à Berlin. Certes, l'attitude de certains leaders russes est empreinte d'une germanophobie vivace : horrifié, Nikolaï von Giers s'entend dire un jour par le tsar Alexandre III que si une guerre éclatait entre la Russie et l'Autriche, le but de l'Alliance franco-russe sera « de détruire » l'Allemagne telle qu'elle existe et de la remplacer par « toute une série de petits États peu puissants [18] ». Mais dans l'ensemble, le degré d'hostilité ressenti par les Russes à l'encontre des Allemands est fonction des relations de l'Allemagne avec l'Autriche et de son lien grandissant avec la Grande-Bretagne. En 1900, des articles supplémentaires sont ajoutés au Traité franco-russe stipulant qu'en cas de conflit anglo-russe, la France mobilisera cent mille hommes sur les côtes de la Manche, tandis qu'en cas de conflit anglo-français, la Russie massera des troupes à la frontière indienne, le long de voies de chemin de fer qu'elle promet de moderniser avec l'aide financière des Français [19].

En deuxième lieu, il faut noter le caractère inédit de l'Alliance franco-russe conclue en 1894. À la différence des alliances précédentes, telles que la Double et la Triple-Alliance ou encore la Ligue des trois empereurs, elle voit le jour en tant que convention militaire, dont les termes prévoient le déploiement simultané de forces terrestres contre un ennemi commun (s'y ajoute en 1912 une Convention navale) [20]. Le but n'est plus de modérer des relations conflictuelles *entre* partenaires d'une même alliance, mais de répondre à la menace que représente une coalition adverse. En ce sens, l'Alliance franco-russe marque « un tournant dans le prélude de la Grande Guerre [21] ».

Mais ce n'est pas la formation de l'Alliance franco-russe qui rend inévitable, ni même probable, un conflit avec l'Allemagne. Certes, l'alliance est vite adoptée par l'opinion publique : festivités, visites officielles, cartes postales, menus, dessins de presse et produits dérivés la rendent populaire en Russie comme en France [22]. Mais les divergences entre les intérêts russes et français empêchent toute collaboration étroite. Dans les années 1890, les ministres qui se succèdent au Quai d'Orsay considèrent que, puisque les Russes ne sont pas prêts à se battre pour le retour de l'Alsace-Lorraine, alors l'alliance avec Saint-Pétersbourg ne doit imposer que des obligations minimales à la France [23]. De leur côté, les Russes n'ont pas l'intention de se brouiller avec les Allemands à cause de l'alliance ; au contraire, ils considèrent qu'elle les met en meilleure posture pour garder de bonnes relations avec Berlin. Telle est l'opinion de Vladimir Lamsdorf, principal collaborateur du ministre russe des Affaires étrangères en 1895, pour qui le but de l'alliance est de consolider l'indépendance d'action de la Russie et de garantir la survie de la France, tout en bridant les ambitions antigermaniques de cette dernière [24]. De fait, les hommes politiques russes, au premier rang desquels le tsar, ne se préoccupent pas alors de l'Europe centrale ni des Balkans, mais veulent prendre le contrôle de la Mandchourie. Leurs ambitions économiques et politiques se heurtent à la politique chinoise de la Grande-Bretagne, et les relations avec Londres sont alors bien plus tendues qu'avec Berlin. C'est donc fondamentalement la méfiance que Russes et Français éprouvent à l'égard de la Grande-Bretagne qui a contribué à façonner l'Alliance franco-russe puis l'a empêchée d'acquérir une orientation exclusivement anti-allemande, pendant la première décennie de son existence.

Le jugement de Paris

Les Français eux aussi ont des décisions délicates à prendre pour concilier les impératifs générés par leur rivalité avec la Grande-Bretagne et ceux qui découlent de leurs relations avec l'Allemagne. Pendant les quatre années qui suivent la signature de l'Alliance franco-russe, le ministre français des Affaires étrangères, Gabriel Hanotaux, adopte une position fermement hostile à la Grande-Bretagne. Poussé par les éditoriaux de la presse colonialiste française, Hanotaux décide de contester ouvertement la présence britannique en Égypte, décision qui culmine avec la crise surréaliste de Fachoda : en 1898, un corps expéditionnaire français se lance dans une traversée héroïque du continent africain pour aller revendiquer un territoire de la région du Haut-Nil, tandis que les troupes britanniques, stationnées en Égypte, descendent à marche forcée vers le sud, où elles rencontrent les Français retranchés à Fachoda, un avantposte égyptien tombé en ruine dans les marais du Soudan. Pendant l'été 1898, la crise politique née de cet incident manque de mener les deux pays à la guerre, avant que le danger ne s'éloigne lorsque les Français cèdent.

La politique française vis-à-vis de l'Allemagne doit tenir compte des priorités imposées par sa rivalité coloniale avec la Grande-Bretagne. Dans un mémorandum confidentiel daté de juin 1892, Hanotaux note que la politique menée alors par la France n'autorise qu'une collaboration très limitée avec Berlin et qu'elle laisse donc la porte ouverte à un éventuel accord entre la Grande-Bretagne et l'Allemagne. C'est précisément cette crainte qui a contribué à forger l'Alliance franco-russe. Une façon d'éviter toute collusion germano-britannique, imagine-t-il alors, est de rechercher un accord plus large entre l'Allemagne, la Russie et la France. Ceci permettrait ensuite à la France de bénéficier du soutien de l'Allemagne contre la Grande-Bretagne et de détruire ainsi « l'harmonie qui existe depuis si longtemps » entre ces deux pays (ici encore, on retrouve un exemple de la paranoïa suscitée chez les Français par le rapprochement de deux nations « teutonnes »). Le lien envisagé entre la France et l'Allemagne ne serait bien évidemment que temporaire et de circonstance : Hanotaux précise que toute réconciliation durable avec l'Allemagne nécessiterait que Berlin accepte définitivement de renoncer à l'Alsace et à la Lorraine annexées en 1870 [25].

Lorsqu'il succède à Hanotaux à l'été 1898, Théophile Delcassé se trouve confronté aux mêmes choix. Comme la plupart des hommes politiques français, Delcassé nourrit une profonde méfiance à l'égard de l'Allemagne, thème récurrent de ses écrits et déclarations politiques. Il ressent si intensément la perte de l'Alsace et de la Lorraine que sa propre famille n'ose prononcer le nom de ces régions en sa présence ; « nous avions le sentiment confus que le sujet était trop délicat pour que nous l'abordions », se souviendra sa fille [26]. Mais la France étant un empire colonial résolu à étendre son influence sur de multiples fronts, il peut arriver que d'autres difficultés fassent passer la confrontation avec l'Allemagne au second plan. En 1893, Delcassé, alors sous-secrétaire d'État aux colonies, a fait pression pour que les forces coloniales françaises se déploient et aillent défier les Britanniques dans la région du Haut-Nil [27]. Quand il devient ministre, en pleine crise de Fachoda, sa première décision est de céder, dans l'espoir d'obtenir des concessions de Londres dans le Sud-Soudan. Mais Londres restant inébranlable, Delcassé reprend une posture antibritannique et tente, comme l'avait fait Hanotaux, de contester la présence britannique en Égypte. Son but ultime, c'est le Maroc, dont il veut que la France s'empare [28].

Pour augmenter encore davantage la pression sur Londres, Delcassé tente de convaincre les Allemands de se rapprocher de la France et de la Russie (reprenant ainsi le scénario envisagé par Hanotaux). Pendant l'automne, l'hiver et le printemps 1899-1900, le climat politique semble propice à une telle entreprise : au cours de conversations avec l'ambassadeur français à Berlin, le nouveau chancelier allemand Bernhard von Bülow fait allusion aux intérêts que les deux nations ont en commun en dehors d'Europe. Paris sait que la presse allemande, tout comme la presse française, est hostile à la guerre menée par les Anglais contre la république des Boers. On raconte que le Kaiser allemand se laisse aller à des accès de fureur antibritannique à ce sujet, ce qui augmente l'optimisme de Paris. En janvier 1900, des éditoriaux dictés par le bureau de presse de Delcassé invitent les Allemands à rejoindre la France sur la question égyptienne : les Allemands aussi auraient tout à gagner d'un retour à la neutralité du canal de Suez, et la puissance combinée des

Théophile Delcassé

flottes des nations continentales suffirait à imposer à la Grande-Bretagne le respect d'un accord international sur la question. Dans les milieux diplomatiques, on sait pertinemment que ces articles, qui proviennent du bureau de Delcassé, reflètent sa position officielle [29].

Tandis qu'il attend la réponse des Allemands, Delcassé, avec son impétuosité caractéristique, prépare ses collègues à l'idée d'une guerre contre l'Angleterre qui sera peut-être de grande ampleur. « Certains suggèrent un débarquement en Angleterre », annonce-t-il au cabinet le 28 février 1900, « d'autres une expédition en Égypte ; d'autres encore préconisent une attaque contre la Birmanie en utilisant nos forces stationnées en Indochine, et qui coïnciderait avec une expédition russe en Inde [30] ». Une réunion du Conseil supérieur de la guerre est programmée pour examiner le choix de l'endroit où la France devra partir à l'assaut de l'Empire britannique. « La Grande-Bretagne représente une menace pour la paix du monde », déclare Delcassé ; il est temps, fait-il remarquer à un journaliste en mars 1900, de s'ériger en défenseur du « bien de la civilisation [31] ». Les Britanniques, prétend-il, travaillent sur tous les fronts à séparer l'Italie et l'Espagne de la France ; ils regardent le Maroc avec convoitise (plus tard, Delcassé sera obsédé par des ambitions *américaines* dans cette région du monde) [32]. La méfiance viscérale habituellement ressentie à l'égard de Berlin se reporte, pour un temps, sur Londres.

Ces délibérations extravagantes ne mènent à rien, car les Allemands refusent d'entrer dans le jeu d'une ligue continentale antibritannique. De manière fort contrariante pour Delcassé, Berlin propose que le gouvernement britannique soit consulté avant que toute exigence ne lui soit imposée. Il semble y avoir un fossé béant entre les explosions de colère antibritannique du Kaiser et les hésitations de sa politique étrangère. « Il dit "je déteste les Anglais", se plaint Delcassé, mais il paralyse tout [33]. » Finalement, les négociations achoppent sur les exigences de Berlin. Le 15 mars 1900, l'ambassadeur français rapporte que les Allemands ne poursuivront les négociations sur la formation d'une coalition antibritannique qu'à la condition que la France, la Russie et l'Allemagne s'engagent à « garantir le statu quo en ce qui concerne leurs possessions territoriales en Europe ». Il ne s'agit ni plus ni moins que de demander à la France, de manière détournée, de reconnaître la souveraineté allemande sur l'Alsace-Lorraine [34].

La réponse de Berlin force Delcassé à revoir en profondeur sa réflexion. À partir de ce moment, il renonce à toute idée de collaboration franco-germanique. Le projet d'initiative commune en Égypte est abandonné sans plus de cérémonie [35]. Et Delcassé se laisse entraîner, par étapes successives, à considérer que les objectifs français peuvent être atteints en *collaborant* avec la Grande-Bretagne, au moyen d'un marchandage colonial : la Grande-Bretagne consoliderait son emprise en Égypte et, en échange, accepterait la présence française au Maroc. Cet arrangement aurait l'avantage d'empêcher une initiative anglo-allemande au Maroc, ce que redoute Delcassé (bien qu'en réalité ses craintes soient infondées) [36]. Dès 1903, le ministre des Affaires étrangères français en vient à se persuader que l'échange « Maroc contre Égypte » doit servir de fondation à une entente beaucoup plus globale avec la Grande-Bretagne.

Cette réorientation a de profondes répercussions sur les relations franco-allemandes, car le choix d'une politique d'apaisement avec la Grande-Bretagne permet à la politique étrangère française de se montrer beaucoup plus agressive à l'encontre de l'Allemagne, ce qui se voit très clairement dans la façon dont Delcassé va aborder la question marocaine. Initialement, il envisageait de faire pression sur la Grande-Bretagne en Égypte pour la forcer à faire des concessions sur le Maroc et d'acheter les autres puissances concernées par diverses compensations : l'Italie aurait bénéficié du soutien de la France en Libye, l'Espagne obtenu des territoires dans le nord du Maroc et l'Allemagne en Afrique centrale. La nouvelle politique marocaine de Delcassé diffère sur deux points d'importance : tout d'abord, elle sera mise en œuvre de conserve avec la Grande-Bretagne. Mais, plus important encore, Delcassé a désormais l'intention de s'emparer du Maroc, dont l'indépendance est garantie par un traité international, sans accorder de compensation au gouvernement allemand ni même le consulter. En adoptant cette politique provocatrice et en s'y tenant malgré les protestations de ses collègues, Delcassé met en place une bombe à retardement qui explosera au cours de la crise marocaine de 1905.

La fin de la neutralité britannique

Dans un discours prononcé devant la Chambre des communes le 9 février 1871, à peine trois semaines après la proclamation de l'Empire allemand dans la Galerie des glaces à Versailles, le Premier ministre conservateur Benjamin Disraeli analyse la portée historique de la guerre franco-prussienne. Cette guerre, proclame-t-il aux membres du Parlement, n'est pas « une guerre comme les autres », comme la guerre de 1866 entre la Prusse et l'Autriche, ou les guerres françaises en Italie, ou même la guerre de Crimée. « Cette guerre, c'est la Révolution allemande, un événement politique encore plus important que la Révolution française du siècle dernier. » Pas une seule tradition diplomatique, ajoute-t-il, n'en est sortie indemne. « L'équilibre des pouvoirs a été entièrement détruit, et le pays qui en souffre le plus aujourd'hui et en sera le plus affecté dans l'avenir, c'est l'Angleterre [37]. »

Ces mots de Disraeli ont souvent été cités comme une prémonition des conflits à venir avec l'Allemagne. Mais lire son discours à la lumière des événements de 1914 et de 1939, c'est se méprendre sur ses intentions. Ce qui lui importe le plus au lendemain de la guerre franco-prussienne, ce n'est pas la montée en puissance de l'Allemagne, mais le fait que la Russie, vieille ennemie de la Grande-Bretagne, se soit libérée des liens qui lui ont été imposés à l'issue de la guerre de Crimée (1853-1856). Aux termes du traité de Paris dicté par les gouvernements français et britannique en 1856, les eaux de la mer Noire sont « formellement et définitivement interdites aux navires de guerre des puissances riveraines ou d'autres puissances [38] ». Le but du Traité est d'empêcher la Russie de menacer l'est de la Méditerranée ou de couper les routes terrestres et maritimes qui relient la Grande-Bretagne à l'Inde. Mais les fondations politiques du Traité de 1856 sont détruites par la défaite de la France en 1870. La nouvelle République française rompt avec l'accord sur la Crimée et renonce à s'opposer à la remilitarisation de la mer Noire par les Russes. Sachant que la Grande-Bretagne ne peut, à elle seule, faire respecter ces clauses, la Russie s'engage alors dans un programme de construction d'une flotte de guerre en mer Noire. Le 12 décembre 1870, Londres apprend que la Russie a répudié la paix de 1856 et a commencé à bâtir un nouveau Sébastopol – un arsenal et une rade pouvant abriter des navires de guerre – dans la ville de Poti, sur la côte est de la mer Noire, à quelques kilomètres seulement de la frontière turque [39].

Une nouvelle ère d'expansionnisme russe semble poindre, sur laquelle Disraeli attire l'attention dans son discours du 9 février 1871. Il observe que, depuis deux siècles, la Russie poursuit une politique d'expansion « légitime » qui l'a amenée à s'étendre jusqu'à la mer. Mais la militarisation de la mer Noire semble annoncer une phase nouvelle et inquiétante d'agressivité russe, centrée sur le désir de s'emparer de Constantinople et de contrôler les détroits du Bosphore. Comme la Russie n'a « aucun droit moral sur Constantinople », et « aucune nécessité politique d'en prendre le contrôle », déclare Disraeli, « cette politique n'est pas légitime, elle est dangereuse ». La Russie n'est pas la seule menace à assombrir l'horizon – il s'inquiète également du pouvoir et de la belligérance croissants des États-Unis – mais il est important de voir que lorsqu'il évoque la « Révolution allemande », il ne fait pas allusion à la menace que représente le nouvel Empire allemand, mais plutôt aux conséquences que la guerre franco-allemande provoque à l'échelle du monde entier et des empires impérialistes, une guerre qui a « disloqué » tous les « mécanismes des États [40] ».

Le discours de Disraeli annonçait un thème central dans la politique étrangère de la Grande-Bretagne jusqu'en 1914. Pendant les années 1894-1905, c'est la Russie, et non l'Allemagne, qui présente la menace la plus grande à long terme pour les intérêts britanniques [41]. La question chinoise, qui mobilise les décideurs britanniques tout au long de ces années, en est le meilleur exemple [42]. En Chine comme dans les Balkans, le déclin d'un empire ancien entraîne de multiples bouleversements. Au début des années 1890, la pénétration russe en Chine du Nord va déclencher une cascade de conflits locaux et régionaux qui culminent avec la guerre sino-japonaise de 1894-1895 [43]. Le Japon en sort victorieux et se pose désormais en rival de la Russie dans le nord de la Chine. Les autres grandes puissances se lancent également dans une course aux concessions, espérant exploiter le déclin annoncé de l'Empire chinois. Les énergies négatives générées par ces rivalités en Chine augmentent les tensions en Europe [44].

Du point de vue britannique, le cœur du problème réside dans l'accroissement du pouvoir et de l'influence russes. Le potentiel de développement commercial étant infiniment plus important en Chine qu'en Afrique, la Russie y menace directement les intérêts des Britanniques. Le problème devient encore plus aigu après l'intervention des Occidentaux pour réprimer la rébellion des Boxers (1898-1901) car les Russes en profitent pour renforcer leurs positions dans le nord de la Chine [45] : compte tenu de l'avantage que leur donnent la géographie et l'écrasante supériorité numérique de leur armée, il est difficile de voir comment s'opposer à leur pénétration en Extrême-Orient. Un tout nouveau *Grand Jeu* se met donc en place, que les Russes semblent prêts à remporter [46]. D'autre part, en Asie centrale, les Britanniques observent avec inquiétude l'extension continue du réseau ferroviaire russe, ce qui fragilise la frontière de l'Inde, l'armée russe ayant désormais « un meilleur accès stratégique au sous-continent indien » que les Britanniques eux-mêmes [47].

Puisque les Russes semblent poursuivre une politique anti-anglaise en Asie centrale et en Extrême-Orient, et que la France défie la Grande-Bretagne en Afrique, l'Alliance franco-russe apparaît aux yeux de Londres comme un mécanisme principalement antibritannique. Le problème devient particulièrement crucial pendant la guerre des Boers, quand l'important déploiement de troupes britanniques en Afrique du Sud laisse le nord de l'Inde à découvert. En août 1901, un rapport des renseignements militaires du War Office évaluant « les besoins militaires de l'Empire en cas de guerre contre la France et la Russie » conclut que l'armée des Indes n'est pas en mesure de défendre ses positions clés en cas d'attaque russe [48]. Pour noircir encore le tableau, les diplomates russes ne sont pas seulement – aux yeux des Britanniques – hostiles, agressifs et impitoyables, mais également enclins à la duplicité et à la dissimulation. « Même dans les annales de la diplomatie russe, on ne retrouve trace d'autant de mensonges », rapporte Lord George Hamilton, secrétaire d'État aux Affaires indiennes, au cours de négociations sur la Chine. « La diplomatie russe, comme vous le savez, n'est qu'un tissu de mensonges », déclare George Curzon, vice-roi des Indes, au comte de Selborne, Premier lord de l'Amirauté, en 1903 [49].

Pour contrer la menace, les décideurs britanniques poursuivent un double objectif : tout d'abord se rapprocher du Japon et de la France, ensuite rechercher un accord de partage du pouvoir avec la Russie qui permette d'alléger la pression sur les régions périphériques de l'Empire britannique. Au lendemain de la guerre sino-japonaise de 1894-1895, la Grande-Bretagne et le Japon ont un intérêt commun à s'opposer à l'expansionnisme russe : le Japon est « l'allié naturel de la Grande-Bretagne » en Extrême-Orient, écrit Kimberley, le secrétaire au Foreign Office, à l'ambassadeur britannique à Tokyo en mai 1895 [50]. La puissante armée japonaise – 200 000 soldats japonais ont pénétré en Mandchourie fin 1895 – contrebalancera la vulnérabilité de la frontière britannique au nord de l'Inde. La marine de guerre japonaise, en pleine expansion, serait

un contrepoids de plus et permettrait à la marine britannique de se redéployer[51]. Après une longue période de rapprochements prudents, des
négociations commencent en 1901 ; elles aboutissent à une alliance officielle sous la forme d'un pacte de défense navale dans un premier temps,
puis d'un accord plus large signé à Londres le 30 janvier 1902. Renouvelée avec des clauses additionnelles en 1905 et 1911, l'Alliance anglo-
japonaise devient partie intégrante du système de relations internationales
de l'avant-guerre.

La même logique d'opposition à la Russie est à l'œuvre dans la volonté
de rechercher un accord avec la France. Dès 1896, Lord Salisbury constate
que des concessions faites aux Français le long de la vallée du Mékong,
entre la Birmanie britannique et l'Indochine française, ont produit l'effet
escompté : amadouer les Français et affaiblir pour un temps la cohésion
de l'Alliance franco-russe[52]. De manière similaire, pour les Britanniques,
l'Entente cordiale de 1904 n'est pas essentiellement un accord anti-allemand, mais un accord destiné à réduire les tensions coloniales tout en
exerçant une pression indirecte sur la Russie. Delcassé a encouragé cette
interprétation : il a suggéré que si l'Entente voyait le jour, Paris inciterait
les Russes à la retenue en leur faisant clairement savoir qu'ils ne pourraient
pas compter sur le soutien français s'ils démarraient une querelle avec la
Grande-Bretagne[53]. L'on pouvait donc espérer, d'après Lord Lansdowne,
qu'il ne soit « pas improbable qu'une bonne entente avec la France ne
soit le signe avant-coureur d'une meilleure entente avec la Russie[54] ».

Ce dernier point est important. Au moment même où ils cherchent à
jouer le Japon contre la Russie, les décideurs britanniques s'efforcent de
ligoter Saint-Pétersbourg par un accord de partage du pouvoir. Il n'y a là
aucune contradiction : comme le fait remarquer le sous-secrétaire au
Foreign Office, Sir Thomas Sanderson, à l'ambassadeur britannique à
Saint-Pétersbourg, l'alliance japonaise est utile précisément parce que
« tant que les Russes n'auront pas réalisé que nous pouvons nous passer
d'eux, nous avons peu de chances de les mettre au pas ». L'accord anglo-
japonais sert donc « à augmenter plutôt qu'à diminuer les chances de la
Grande-Bretagne de parvenir à un accord définitif » avec les Russes[55]. Pendant ce temps, les rapports stratégiques continuent à envisager des scénarios
catastrophes en Asie centrale. En décembre 1901, le cabinet apprend que
deux cent mille soldats russes peuvent désormais déferler sur la Transcaspie
et le Herat. Pour l'emporter, il faudrait que les forces britanniques stationnées en Inde puissent compter sur le renfort de cinquante à cent mille soldats – dépense exorbitante à un moment où le gouvernement doit faire des
coupes budgétaires draconiennes[56]. La construction de voies ferrées russes
se poursuivant à un rythme effréné le long de la frontière afghane, la situation des Anglais se détériore à toute vitesse[57].

La guerre entre la Russie et le Japon, qui éclate en février 1904, et les piètres performances de l'armée et de la marine russe décuplent l'inquiétude des Britanniques : et si, comme le craint Lord Kitchener, les Russes tentaient de compenser les pertes subies contre le Japon en attaquant l'Inde ? Pour parer à cette éventualité, l'Inde aurait besoin de l'envoi de renforts massifs : en février 1905, le gouvernement de l'Inde estime ses besoins à 211 824 hommes [58]. Le coût serait exorbitant : Lord Kitchener considère que, « pour contrer la menace des Russes », il faudrait « investir 20 millions de livres sterling, auxquelles viendrait s'ajouter 1,5 million de dépenses de fonctionnement annuel [59] ». Cela n'est pas sans conséquence pour le gouvernement libéral, qui est arrivé au pouvoir en 1905 en promettant de réduire les dépenses militaires et d'augmenter le budget des politiques sociales. Si la Grande-Bretagne n'a plus les moyens de défendre la frontière nord-est de l'Inde, il faut nécessairement trouver d'autres moyens.

La victoire du Japon sur la Russie en 1905 fait pencher la balance en faveur d'une solution négociée. L'ampleur de la défaite et la vague d'agitation qui paralyse la Russie ne permettent plus de justifier de tels investissements militaires en Inde en agitant le spectre d'un prétendu péril russe [60]. Le nouveau secrétaire d'État au Foreign Office, Edward Grey, qui prend ses fonctions en décembre 1905, est bien décidé à « voir la Russie reprendre sa place dans le concert des nations européennes » et espère qu'elle sera « en meilleurs termes avec la Grande-Bretagne qu'elle ne l'a jamais été [61] ». En mai 1906, il parvient à faire abandonner le projet d'envoyer des renforts en Inde.

Il faut insister sur un aspect de tous ces réajustements complexes de l'épopée coloniale : ni l'Entente cordiale avec la France ni la Convention avec la Russie n'ont été conçues par les décideurs britanniques comme des alliances hostiles à l'Allemagne. Londres ne se préoccupe de Berlin qu'en période de tensions avec Paris ou Saint-Pétersbourg : chaque fois que l'Allemagne semble faire cause commune avec les Russes ou les Français, elle suscite ressentiment et colère à Londres. C'est par exemple le cas au printemps 1895, quand l'Allemagne se joint à la France et à la Russie pour forcer Tokyo à rendre à la Chine des territoires conquis pendant la guerre sino-japonaise. En 1897, les Allemands s'emparent à l'improviste d'une tête de pont chinoise à Kiao-Tchéou, dans la péninsule du Shantung : les Britanniques soupçonnent à juste titre que cette action militaire a été secrètement approuvée et encouragée par les Russes. Dans les deux cas, les Britanniques relient ces initiatives allemandes aux desseins hostiles de la France et de la Russie. Sur le théâtre d'opérations chinois comme ailleurs, l'Allemagne suscite l'irritation des diplomates mais ne présente pas une menace existentielle. En d'autres termes, l'antagonisme anglo-germanique n'est pas le facteur déterminant de la politique britannique. Au contraire, jusqu'à environ 1904-1905, il n'est qu'un aspect mineur de préoccupations plus graves [62].

L'Empire allemand, le dernier venu

Sous l'ère Bismarck, le but principal de la politique étrangère allemande est d'éviter l'émergence d'une coalition de grandes puissances hostiles à l'Allemagne. Tant qu'elle existe, la rivalité entre les empires européens rend cet objectif relativement facile à atteindre. La rivalité entre la France et la Grande-Bretagne fait oublier à Paris son hostilité envers l'Allemagne ; l'inimité de la Russie à l'égard de la Grande-Bretagne accapare l'attention de Saint-Pétersbourg et contribue à éviter tout conflit austro-russe dans les Balkans. Par conséquent, tant que l'Allemagne, empire essentiellement continental, n'aspire pas à fonder un empire colonial, elle peut rester à l'écart des conflits qui se jouent en Afrique, en Asie centrale ou en Chine entre la Grande-Bretagne, la France et la Russie. Cette situation augmente sa sécurité et donne une certaine marge de manœuvre à ses décideurs.

Mais la stratégie de Bismarck a un coût : elle nécessite que l'Allemagne boxe toujours dans une catégorie inférieure, s'abstienne de succomber à l'appétit de conquête coloniale en Afrique, en Asie ou ailleurs, et reste sur le banc de touche tandis que les autres puissances se querellent et se partagent le pouvoir. Elle exige également que Bismarck noue des alliances contradictoires avec les puissances voisines. D'où un sentiment de paralysie nationale qui passe mal auprès des électeurs, dont dépend la composition du parlement. Posséder des colonies – ces eldorados où abondent main-d'œuvre bon marché, ressources naturelles, populations autochtones ou immigrées en plein essor et toutes prêtes à absorber les exportations de la nation –, cette idée fascine tout autant la classe moyenne allemande que celle des empires européens déjà bien établis.

Il faut noter que chaque fois que l'Allemagne tente, même modestement, de franchir les obstacles mis à son expansion coloniale, elle se heurte à la résistance farouche des puissances établies. Il existe une différence évidente mais fondamentale entre l'Empire allemand, nouveau venu sur la scène internationale, et ses rivaux. Comme la Grande-Bretagne, la France et la Russie possèdent de vastes portions de la surface habitée de la planète et contrôlent militairement les régions périphériques de leurs empires respectifs, elles disposent de territoires ou d'avantages à marchander ou échanger à moindre frais pour la métropole. Par exemple, la

Grande-Bretagne a la possibilité de faire des concessions à la France dans la région du Mékong ; la Russie, celle d'offrir à la Grande-Bretagne de délimiter des zones d'influence en Perse ; la France, celle de proposer à l'Italie l'accès à des territoires convoités en Afrique du Nord. L'Allemagne, en revanche, ne peut entrer dans ce jeu de négociations, parce qu'elle est continuellement dans la position du parvenu qui n'a rien à offrir et lutte pour se faire une place au soleil. Quand elle tente de s'emparer d'une part des maigres portions encore disponibles, elle se heurte à la résistance du club des habitués.

En 1884-1885, le gouvernement allemand tente de calmer les appétits impérialistes de son opinion publique en approuvant l'acquisition d'un modeste chapelet de possessions coloniales, une initiative qui suscite la réaction dédaigneuse de Londres. En 1883, un négociant originaire de Brême, Heinrich Vogelsang, acquiert la baie d'Angra Pequena, sur la côte de l'actuelle Namibie. L'année suivante, Bismarck demande officiellement au gouvernement britannique s'il a l'intention de revendiquer ce territoire. Il reçoit de Londres cette réponse lapidaire : la Grande-Bretagne refuse que tout autre pays revendique le moindre territoire dans la région qui s'étend de l'Angola portugais à la colonie britannique du Cap. Berlin réagit en posant des questions pertinentes : sur quoi la Grande-Bretagne fonde-t-elle cette prétention ? Et quelles mesures envisage-t-elle de prendre pour protéger les colons allemands dans cette région [63] ? Londres laisse passer des mois avant de daigner répondre, Bismarck s'irrite de cette attitude condescendante, qui n'a pourtant rien de personnel : Londres agira avec la même brusquerie hautaine à l'encontre des Américains tentant d'arbitrer un conflit frontalier entre la Guyane britannique et le Venezuela en 1895-1896 [64]. Les Allemands passent donc outre ce silence et annoncent l'annexion officielle de ces territoires, sur quoi Londres réagit en faisant également valoir ses droits. À Berlin, les esprits s'échauffent ; il est intolérable, fulmine Bismarck, que la Grande-Bretagne exige de bénéficier du privilège d'une « doctrine Monroe à l'africaine [65] ». Le chancelier augmente la pression politique et envoie son propre fils Herbert mener les négociations à Londres. Les Britanniques, préoccupés par des menaces plus sérieuses (ambitions russes en Afghanistan et tensions avec la France en Afrique) finissent par céder, la crise se dissipe mais elle aura révélé de façon salutaire qu'il ne reste que fort peu de place au nouveau venu à la table des grandes puissances européennes.

C'est en partie pour échapper au carcan que s'impose volontairement la politique bismarckienne que l'Allemagne abandonne le Traité de réassurance avec la Russie en 1890. Cette année-là, le changement de la garde – le départ du chancelier Bismarck et son remplacement par Leo von Caprivi ainsi que le rôle croissant du Kaiser dans la politique impériale – inaugure une nouvelle phase dans les relations extérieures allemandes. Initialement, le « nouveau cap » suivi au début des années 1890 résulte moins d'une intention concertée que d'une série d'irrésolutions et d'hésitations. En effet, le vide créé par le départ soudain de Bismarck est difficile à combler. L'initiative passe aux mains de Friedrich von Holstein, chef du département politique du ministère des Affaires étrangères. Il souhaite renforcer les liens avec l'Autriche-Hongrie et contrebalancer les dangers dans les Balkans en recherchant un accord avec Londres, bien qu'il ne soit pas favorable à une alliance en bonne et due forme avec la Grande-Bretagne. Son raisonnement repose sur l'idée que l'Allemagne doit être indépendante, pour éviter d'être le dindon de la farce : le souvenir de la guerre de Sept Ans, où Frédéric de Prusse, alors allié de la Grande-Bretagne, s'était retrouvé cerné par une puissante coalition continentale pèse encore dans les mémoires. Comme le fait remarquer Bernhard von Bülow, un proche de Holstein, en mars 1890, « il est crucial que l'Allemagne ne devienne pas dépendante d'une puissance étrangère [66] ». Un accord avec la Grande-Bretagne nécessiterait certes de renoncer à des acquisitions coloniales, mais Caprivi est prêt à en payer le prix.

Garder les mains libres : à première vue, cette option politique semble inoffensive, mais elle comporte de grands dangers. À l'été 1891, l'Allemagne apprend que son allié italien a engagé des négociations secrètes avec la France dans l'espoir d'obtenir le soutien français à de futures acquisitions italiennes en Afrique du Nord. Dans le même temps parvient la nouvelle d'une visite officielle de la flotte française dans le port russe de Kronstadt : les officiers français y reçoivent un accueil enthousiaste tant de la presse que de la population. La Convention militaire franco-russe de 1892 révèle que tout semblant de collaboration germano-britannique augmente les risques pour l'Allemagne sur le continent. Plus inquiétant encore, l'intimité croissante entre la France et la Russie ne semble pas pousser la Grande-Bretagne à se rapprocher de l'Allemagne ; bien au contraire, elle incite les décideurs britanniques à considérer les mérites d'un rapprochement d'abord avec la France, puis avec la Russie. De retour de Kronstadt, la flotte française fait une escale symbolique à Portsmouth : cette visite dessille les yeux des Allemands [67].

L'Allemagne est-elle assez forte pour se passer d'alliés puissants ? La réponse de Caprivi est d'augmenter les capacités défensives de l'Empire. Une loi militaire votée en 1893 porte les effectifs de l'armée à 552 000 hommes (soit 150 000 de plus que dix ans auparavant) et double le budget de l'armée par rapport à 1886. Mais ces augmentations ne font pas partie d'une stratégie politique plus globale : elles n'ont qu'un but dissuasif.

Les implications diplomatiques de cette course à l'autonomie militaire sont un sujet de désaccord entre les décideurs clés à Berlin. Étant donné la quasi-impossibilité d'améliorer les relations avec la France, l'Allemagne doit-elle persister à rechercher un accord avec la Grande-Bretagne, ou le salut réside-t-il dans de meilleures relations avec la Russie ? Courir ces deux lièvres à la fois ne produit que des résultats frustrants. Les diplomates allemands placent de grands espoirs dans le Traité commercial germano-russe conclu au printemps 1894. Ratifié par le Reichstag en dépit des protestations véhémentes du lobby agricole allemand, le Traité marque un tournant dans les relations commerciales entre les deux pays, qui en retirent des bénéfices majeurs. Mais il ne contribue en rien à distendre les liens franco-russes ; bien au contraire, les Russes considèrent que sa ratification justifie leur stratégie car elle démontre ce qu'ils peuvent obtenir lorsque les Allemands sont maintenus dans une situation diplomatique délicate[68].

Il n'est pas plus facile aux Allemands de jouer la carte britannique car « garder les mains libres », comme le préconise Caprivi, favorise bien davantage Londres que Berlin. La conclusion de l'Alliance franco-russe permet à la Grande-Bretagne de balancer entre les deux camps, et réduit l'intérêt que présente pour elle un accord ferme avec Berlin. Londres ne courtise Berlin qu'en cas de crise menaçant son empire colonial, mais ces rapprochements de circonstances ne peuvent s'apparenter à la proposition d'une véritable alliance, formulée en des termes que Berlin puisse raisonnablement être susceptible d'accepter. En 1901 par exemple, alors que les forces britanniques sont engagées en Afrique du Sud et que les Russes augmentent la pression en Chine, Lansdowne, le secrétaire d'État au Foreign Office, communique à ses collègues du cabinet britannique un projet d'alliance secrète avec l'Allemagne qui, sous certaines conditions, aurait engagé la Grande-Bretagne et l'Allemagne à déclarer la guerre à la Russie pour aider le Japon. Londres tâte le terrain, mais les Allemands répugnent à l'idée d'être entraînés dans une quelconque alliance hostile aux Russes : ils craignent de se retrouver dans une situation délicate en cas de conflit sur le sol européen, où la marine britannique ne leur sera d'aucun secours[69]. Une question obsède Bülow : les Britanniques ont-ils quelque chose à offrir aux Allemands qui puisse contrebalancer l'hostilité franco-russe, hostilité qui sera inévitablement accrue si l'Allemagne s'allie à la Grande-Bretagne ? Telle est la question de fond qui plombe toutes les tentatives de rapprochement officiel entre l'Allemagne et la Grande-Bretagne.

Un autre problème apparaît de façon encore plus évidente : chaque fois que Berlin veut défendre les intérêts allemands hors d'Europe, elle se heurte inévitablement aux protestations des Britanniques. Lorsque le sultan turc Abdul Hamid confit à la Deutsche Bahn-Gesellschaft la construction d'une bifurcation ferroviaire du chemin de fer d'Anatolie afin de desservir Konya, en direction de Bagdad, le gouvernement britannique proteste. Il considère le projet financé par les Allemands comme une ingérence non autorisée dans sa sphère d'influence, parce que la nouvelle voie nuirait à la rentabilité des chemins de fer de Smyrne financés par les Britanniques. Comme dans nombre de conflits, ils partent du principe que les intérêts impériaux de la Grande-Bretagne sont « vitaux » et « essentiels », alors que ceux de l'Allemagne ne sont qu'un « luxe » superflu. Si les Allemands s'acharnent à les défendre, les autres puissances doivent considérer cela comme une provocation[70]. Autre exemple significatif : le conflit sur le Traité anglo-congolais du 12 mai 1894, par lequel la Grande-Bretagne acquiert un corridor de vingt-cinq kilomètres de large entre l'Ouganda et la Rhodésie. Destiné à contrecarrer les ambitions des Français dans la région du Haut-Nil, ce Traité a pour autre conséquence d'encercler les colonies allemandes du sud-est de l'Afrique par un cordon de territoires britanniques. La diplomatie allemande doit peser de tout son poids pour faire renoncer Londres. Cette reculade, accueillie avec jubilation par une presse allemande à l'affût du moindre signe d'affirmation nationale, confirme le sentiment des décideurs berlinois : résister à la Grande-Bretagne est le seul moyen de défendre les intérêts allemands[71].

Les tensions entre la Grande-Bretagne et l'Allemagne atteignent leur maximum pendant la crise du Transvaal en 1894-1895. Depuis longtemps, il existe des frictions entre la colonie du Cap – sous domination britannique – et la République sud-africaine des Boers également connue sous le nom de Transvaal. Bien que l'indépendance du Transvaal soit reconnue par la communauté internationale (y compris par la Grande-Bretagne), Cecil Rhodes, l'homme fort du Cap, réclame son annexion, appâté par les riches filons aurifères découverts dans les années 1880. Mais Berlin est attaché à l'indépendance de la république où les colons allemands jouent un rôle économique majeur – les capitaux allemands y représentent un cinquième des investissements. En 1894, les Allemands s'engagent dans le projet de construction d'une ligne ferroviaire destinée à désenclaver le Transvaal en le reliant à la baie de Delagoa au Mozambique portugais. Londres proteste. Tandis que les Britanniques envisagent de prendre le contrôle de la ligne ferroviaire en annexant la baie de Delagoa, et rejettent tout arrangement qui affaiblirait leur domination politique et économique dans cette région, les Allemands exigent le maintien de l'indépendance du Transvaal[72]. La tension monte encore d'un cran à l'automne 1895 : l'ambassadeur britannique à Berlin, Sir Edward Malet, qualifie le Transvaal de « point névralgique » des relations anglo-germaniques et laisse entendre que les deux pays pourraient en venir à la guerre si les Allemands refusent de céder.

Le gouvernement allemand est donc de fort méchante humeur lorsqu'en décembre 1895, les Britanniques tentent d'envahir le Transvaal. Le gouvernement britannique n'a certes pas autorisé officiellement le raid du docteur Leander Starr Jameson sur la république, bien qu'au moins un ministre (Joseph Chamberlain) ait été au courant. Le raid lui-même tourne au fiasco : les hommes de Jameson, rapidement vaincus, sont faits prisonniers par les troupes de la république du Transvaal. À Berlin comme à Paris et Saint-Pétersbourg, on est unanimement convaincu que Londres se cache derrière cette invasion avortée, en dépit des dénégations officielles. Déterminé à faire part de son indignation, le gouvernement allemand transmet à Paul Kruger, président de la république du Transvaal, un télégramme personnel du Kaiser. Le « télégramme Kruger », comme il est désormais connu, transmet au président des vœux de bonne et heureuse année et le félicite d'avoir défendu « l'indépendance de son pays contre une attaque venue de l'extérieur » sans avoir fait appel « à l'aide de puissances amies [73] ».

Ce message à la formulation pourtant modérée déclenche un déferlement d'indignation dans la presse britannique et une vague de jubilation en Allemagne, où il est accueilli comme le signe qu'enfin le gouvernement défend les intérêts allemands dans le monde. Mais le télégramme Kruger n'est guère plus qu'une gesticulation politique : l'Allemagne se retire vite de la confrontation. Elle n'a pas les moyens d'imposer sa volonté, ni même d'être traitée d'égale à égale dans un tel conflit d'intérêt. Berlin finira par accepter un accord de compromis : en échange de concessions insignifiantes lâchées par les Britanniques, elle n'aura désormais plus son mot à dire dans l'avenir politique de l'Afrique du Sud [74]. Au grand dégoût de la presse nationaliste allemande, Berlin refusera d'intervenir en faveur du Transvaal avant et pendant la guerre des Boers de 1899-1902, qui se terminera par la défaite du Transvaal et son annexion comme colonie britannique.

Les années 1890 sont donc marquées par l'isolement croissant de l'Allemagne : l'accord souhaité avec la Grande-Bretagne semble toujours vouloir lui échapper tandis que l'Alliance franco-russe réduit considérablement sa marge de manœuvre sur le continent. Cependant, les hommes d'État allemands vont mettre un temps considérable à prendre conscience de l'ampleur du problème, convaincus qu'ils sont que les rivalités entre grands empires suffisent à protéger l'Allemagne d'une coalition hostile. Au lieu de combattre leur isolement par une politique de rapprochement, ils font de l'autonomie leur principe de base [75]. La conséquence la plus manifeste de ce choix est leur décision de se doter d'une marine de guerre puissante.

Au milieu des années 1890, après une longue période de stagnation et de déclin relatif, la construction navale et les stratégies maritimes redeviennent le pivot de la sécurité et de la diplomatie allemandes[76]. L'influence de l'opinion publique se fait ici sentir : en Allemagne comme en Grande-Bretagne, les grands navires fascinent la presse de qualité et ses lecteurs éduqués de la classe moyenne[77]. Le navalisme extrêmement populaire de l'écrivain américain Alfred Thayer Mahan joue aussi un rôle. Dans son livre *L'Influence de la puissance maritime dans l'Histoire* (*The Influence of Sea Power upon History*) publié en 1890, Mahan prédit que la lutte pour le pouvoir se jouera en mer, entre d'immenses flottes de cuirassés et de croiseurs. Le Kaiser Guillaume II, partisan du programme naval et navigateur amateur passionné, dévore son livre (les carnets de dessin du jeune Guillaume regorgeaient déjà de cuirassés hérissés d'énormes canons, de forteresses flottantes dessinées avec un soin minutieux). Mais dans la décision de se doter d'une marine plus formidable, la dimension internationale – la série de conflits coloniaux avec la Grande-Bretagne – est cruciale : après l'épisode du Transvaal, le Kaiser, obsédé par la nécessité de construire davantage de navires de guerre, en vient à considérer toute crise internationale comme une leçon prouvant la primauté de la puissance navale[78].

Au moment même où le Kaiser s'intéresse de plus en plus près à ces questions, un âpre conflit divise le sommet de la hiérarchie de la marine allemande : d'un côté le chef de l'Amirauté impériale, l'amiral Gustav von Senden Bibran, et son ambitieux protégé Alfred von Tirpitz réclament la construction de plusieurs cuirassés. De l'autre se trouve l'amiral Friedrich von Hollmann, secrétaire d'État à la Marine, homme circonspect chargé de rédiger le projet de loi navale présenté au Reichstag. Hollmann propose de construire une flotte de croiseurs rapides, sur le modèle préconisé par la *jeune école* française encore très influente. Alors que pour Tirpitz, le but de la stratégie navale allemande est d'arriver à parité avec la Grande-Bretagne sur des mers proches, Hollmann envisage une marine plus flexible, capable de se projeter plus loin pour défendre les revendications allemandes et de protéger ses intérêts dans des régions éloignées. Entre 1893 et 1896, Tirpitz et ses alliés vont mener une guérilla contre Hollmann, remettant ouvertement en question ses compétences, bombardant le Kaiser de mémorandums où ils détaillent leurs propositions stratégiques. Après avoir balancé longtemps entre les deux camps, Guillaume II finit par retirer son soutien à Hollmann et le remplacer par Tirpitz en 1897[79]. Le 26 mars 1898, après une intense campagne de propagande, le Reichstag vote une nouvelle loi navale. À la place des propositions éclectiques et mal coordonnées des années précédentes, le ministère impérial de la Marine de l'amiral von Tirpitz met sur pied un colossal programme de construction navale à long terme qui dominera les dépenses militaires allemandes jusqu'en 1912. Son objectif ultime est de permettre à l'Allemagne de faire jeu égal avec la Grande-Bretagne [80].

La décision allemande de s'engager dans un programme naval ambitieux occupe une place considérable dans la littérature sur les origines de la Première Guerre mondiale. Avec le recul, cette décision peut sembler annoncer, peut-être même expliquer, le conflit qui éclate en 1914. Défier l'hégémonie britannique sur les mers : cette décision ne fut-elle pas une provocation inutile, une source d'irritation permanente entre ces deux États, qui augmenta la polarisation du système européen ?

On peut formuler de multiples critiques à l'encontre de la stratégie navale allemande, la plus grave étant qu'elle n'est pas incluse dans une politique globale qui dépasse la simple recherche d'indépendance. Mais en soi, elle n'est ni choquante, ni dénuée de tout fondement. Les Allemands ont de bonnes raisons de croire qu'on ne les prendra pas au sérieux tant qu'ils ne disposeront pas d'une flotte puissante et crédible. Il faut se souvenir que les Britanniques avaient coutume d'employer un ton assez condescendant envers eux. En mars 1897 par exemple se déroule une entrevue entre Sir Francis Bertie – surnommé « le Taureau » en raison de ses manières agressives – et l'ambassadeur allemand à Londres, le baron Hermann von Eckardstein. Au cours de la discussion, Eckardstein, un anglophile notoire qui s'habille comme Édouard VII et fréquente assidûment les clubs londoniens, fait allusion à la question des intérêts de son pays dans le sud de l'Afrique. La réponse de Bertie est cinglante : si les Allemands s'avisent de lever le petit doigt au Transvaal, le gouvernement britannique ne s'arrêtera à aucune décision, y compris « la décision ultime » – une référence claire à la guerre – « pour repousser toute intervention allemande ». « Si la guerre devait éclater avec l'Allemagne, poursuit-il, l'ensemble de la nation anglaise serait derrière le gouvernement. Le blocus de Hambourg et de Brême, ainsi que la destruction de la flotte de commerce allemande en haute mer, serait un jeu d'enfant pour la marine anglaise [81]. »

Il faut replacer le programme naval allemand dans le contexte de ces heurts et de ces menaces. Il n'y a aucun doute quant à l'orientation antibritannique de cette nouvelle stratégie : Tirpitz lui-même s'exprime longuement sur le sujet. Le mémorandum de juin 1897 dans lequel il expose au Kaiser ses projets s'ouvre sur cette observation lapidaire : « Sur les mers, l'ennemi le plus dangereux de l'Allemagne est l'Angleterre. » La même affirmation revient, sous diverses formes, dans les propositions et mémorandums des années ultérieures [82], ce qui n'a rien de surprenant :

tout programme d'armement est généralement dimensionné pour répondre à l'adversaire potentiel le plus puissant. Jusqu'à la signature de l'Entente cordiale en 1904, les documents stratégiques de la *jeune école* navale française envisagent également d'avoir systématiquement recours – en cas de conflit – à des croiseurs rapides et fortement armés pour attaquer les navires de commerce, affamer les îles Britanniques et ainsi les diminuer. En 1898, ce scénario semble encore suffisamment crédible à la marine britannique pour qu'elle réclame de toute urgence la construction de nouveaux croiseurs et le renforcement des approvisionnements en denrées alimentaires de base [83].

En tout état de cause, ce n'est pas la construction de nouveaux navires de guerre allemands après 1898 qui pousse la Grande-Bretagne à se rapprocher de la France et de la Russie. L'Entente cordiale et l'accord avec la Russie sont, en tout premier lieu, la conséquence de tensions existant à la périphérie de l'Empire britannique. À l'époque, les décideurs britanniques se sentent moins menacés par le renforcement de la flotte allemande qu'on ne le suppose souvent [84]. La stratégie navale britannique n'a jamais été centrée sur l'Allemagne exclusivement, mais sur la nécessité de conserver une position dominante parmi les grandes puissances navales, dont la France, la Russie et les États-Unis. La stratégie allemande n'a pas non plus, comme on l'a dit parfois, paralysé les stratèges britanniques [85]. En 1905, le chef du renseignement naval britannique qualifie d'« écrasante » la prépondérance navale de la Grande-Bretagne sur l'Allemagne [86]. En octobre 1906, Charles Hardinge, sous-secrétaire d'État permanent au Foreign Office, reconnaît que l'Allemagne ne menace pas directement les Anglais sur les mers. L'année suivante, dans un rapport sur la stratégie de l'Amirauté, l'amiral A. K. Wilson note qu'un conflit anglo-germanique est fort peu probable, aucune des deux puissances n'étant en mesure d'infliger à l'autre « un coup fatal », ajoutant même qu'il est « difficile de voir ce qui pourrait faire naître un conflit ». Edward Grey, le secrétaire d'État au Foreign Office, fait lui aussi preuve d'optimisme : « Nous mettrons à l'eau sept cuirassés avant qu'ils n'en aient un seul », observe-t-il en novembre 1907. « En 1910, ils en auront de quatre à sept, mais d'ici là nous avons largement le temps d'en lancer de nouveaux si nécessaire [87]. » Même le Premier lord de l'Amirauté, Sir John (« Jackie ») Fisher, écrit en 1907 au roi Édouard VII, vantant la supériorité des Anglais sur les Allemands : « L'Angleterre a sept cuirassés et trois croiseurs, alors que l'Allemagne n'en a toujours aucun en chantier. » Une telle assurance est amplement justifiée : le nombre de vaisseaux de guerre allemands passe de treize à seize de 1898 à 1905 alors que dans le même temps, la flotte britannique passe de vingt-neuf à quarante bâtiments. Tirpitz s'est fixé comme objectif un ratio de deux navires allemands pour trois navires britanniques, mais il n'y parviendra jamais. En 1914, l'avance britannique se creuse à nouveau. Les accès de psychose qui périodiquement s'emparent de la presse britannique et des milieux politiques sont bien réels, mais résultent en grande partie de campagnes lancées par les navalistes qui veulent repousser des demandes de crédits faites par une armée de terre frappée par les restrictions budgétaires [88].

Il y a donc un immense décalage entre la tempête rhétorique provoquée par Tirpitz et ses alliés pour justifier les dépenses navales et des résultats relativement modestes. La construction navale allemande a pour but de soutenir ce que l'on désigne à partir de 1900 sous le terme de *Weltpolitik* – littéralement, « politique mondiale ». Ce terme désignait une politique étrangère dont l'objectif était d'étendre l'influence de l'Allemagne en tant que grande puissance mondiale et de lui faire rejoindre les rangs des autres acteurs majeurs sur la scène internationale. « Dans les décennies à venir, des surfaces phénoménales de territoires vont être redécoupées et redistribuées aux quatre coins de la planète », écrit Hans Delbrück, historien et spécialiste de droit public international, dans un essai important de 1897. « Et la nation qui restera les mains vides sera exclue, pour une génération, du rang de ces grands peuples qui définissent les contours de l'esprit humain [89]. » Dans un discours prononcé le 6 décembre 1897 et qui a un retentissement majeur dans l'opinion publique, le secrétaire d'État aux Affaires étrangères Bernhard von Bülow exprime ce nouvel état d'esprit conquérant : « Le temps où les Allemands laissaient la terre à l'un de leurs voisins, la mer à un autre, et ne gardaient pour eux-mêmes que les cieux où règne la philosophie pure, ce temps est révolu », annonce-t-il. « Nous ne souhaitons faire d'ombre à personne, mais nous aussi nous exigeons d'avoir notre place au soleil [90]. »

Pendant quelque temps, le mot même de *Weltpolitik* semble s'emparer de l'humeur de la classe moyenne et de la presse nationaliste de qualité, où il trouve un écho car il synthétise de nombreuses aspirations. Il signifie la recherche de nouveaux marchés à l'exportation (à un moment où la croissance du commerce ralentit). Il signifie aussi que l'Allemagne doit se libérer des contraintes imposées par un système d'alliances continentales pour se projeter dans une arène beaucoup plus vaste. Il exprime le désir d'avoir des projets véritablement nationaux contribuant à souder les régions disparates de l'Empire allemand. Enfin, il reflète la conviction partagée par tous, ou presque, que l'Allemagne, dernière invitée au banquet colonial, doit rattraper son retard pour gagner le respect des autres grandes puissances. Cependant, même s'il désigne tout cela, le mot n'a jamais acquis de sens précis ou stable [91]. Même Bernhard von Bülow, qui fait de ce concept le fil directeur de la politique étrangère allemande, n'en fournira jamais la définition. Ses déclarations contradictoires sur le sujet laissent à penser qu'il ne s'agit que de l'ancienne politique de « la main libre » réaffirmée sur un ton plus assuré et renforcée par l'existence d'une marine plus puissante. Comme le note avec humeur le général Alfred von Waldersee dans son journal intime en janvier 1900 : « Nous sommes censés appliquer la *Weltpolitik*. Si seulement je savais ce que cela veut dire [92]. »

Les résultats de cette politique après 1897 sont en conséquence modestes, tout spécialement si nous les comparons aux acquisitions faites par les États-Unis au cours des mêmes années : tandis que l'Allemagne rachète aux Espagnols les îles Mariannes et les îles Carolines, récupère une partie des Samoa et une petite tête de pont à Kiao-Tchéou sur la côte chinoise, les États-Unis affrontent l'Espagne à Cuba, puis s'emparent des Philippines, de Puerto Rico et de Guam en 1898. Ils entrent officiellement en possession d'Hawaï et, la même année, mènent une guerre coloniale atroce aux Philippines, faisant entre cinq cent mille et sept cent cinquante mille victimes parmi la population civile. Ils acquièrent certaines îles des Samoa en 1899 et creusent le canal de Panamá qui coupe l'isthme d'Amérique centrale. La zone du canal est placée sous contrôle américain, conformément à la position explicitement formulée par le secrétaire d'État américain que les États-Unis sont « pratiquement souverains » en Amérique du Sud [93]. Dans le même temps, lorsque Bülow écrit triomphalement au Kaiser que « cette acquisition stimulera l'ardeur du peuple et de la Marine à suivre Votre Majesté sur la voie qui mène au pouvoir, à la grandeur, et à la gloire éternelle », il ne parle que des îles Carolines, totalement dénuées du moindre intérêt économique ou stratégique pour l'Allemagne, qui vient d'en prendre le contrôle [94] ! Rien d'étonnant alors à ce que certains historiens en aient conclu que la *Weltpolitik* n'était qu'un slogan destiné en priorité à l'opinion publique allemande : un moyen de renforcer la solidarité nationale, d'imposer au Reichstag de s'engager dans des financements à long terme, de faire taire les credo politiques dissidents comme la social-démocratie et, ainsi, de consolider la domination des élites industrielles et politiques en place [95].

Peut-être la défaillance majeure des élites politiques allemandes au tournant du siècle a-t-elle été leur incapacité à saisir la rapidité avec laquelle la situation internationale était en train de tourner au désavantage de l'Allemagne. À l'aube du XXᵉ siècle, les décideurs berlinois restent convaincus que les tensions entre la Russie et la Grande-Bretagne continueront à leur donner une certaine marge de manœuvre. À court terme, ils s'efforcent de maintenir de bonnes relations avec Saint-Pétersbourg. À long terme, ils sont convaincus que la Grande-Bretagne, prise entre deux feux – la nécessité de s'opposer à la Russie et la pression croissante de la flotte allemande –, sera contrainte de se rapprocher d'eux.

Le grand tournant ?

Dans la nuit du 8 au 9 février 1904, la flotte de l'amiral Togo Heia-
chiro attaque et coule les navires russes à l'ancre devant Port-Arthur sur
la côte chinoise : ainsi éclate la guerre russo-japonaise. Si les Japonais
entament les hostilités, ce sont les Russes qui les ont provoquées. Pendant
toute la décennie précédente, le tsar et ses conseillers les plus puissants
n'ont eu qu'une idée : se tailler un vaste empire en Extrême-Orient. Les
Russes n'ont cessé de progresser dans le nord de la Chine et de la Corée,
ainsi que dans la péninsule du Liaodong, empiétant sur la sphère d'influence japonaise. Ils ont pris prétexte de la révolte des Boxers de 1898 à
1900 – en grande partie causée par leurs incursions – pour envoyer
177 000 soldats en Mandchourie, soi-disant pour protéger leurs voies
ferrées. En 1903, il est clair qu'ils ont l'intention d'occuper la Mandchourie de façon définitive. Les Japonais demandent à de multiples reprises
la délimitation officielle des zones d'influence russe en Mandchourie et
japonaise en Corée sans que Saint-Pétersbourg ne daigne leur répondre.
Confortés par l'alliance signée en 1902 avec la Grande-Bretagne, les Japonais se sentent suffisamment assurés pour prendre l'affaire en mains. La
guerre qui s'ensuit se solde par une défaite russe dont personne n'avait
prévu l'ampleur. Deux des trois flottes russes sont détruites (la flotte de
la mer Noire n'échappe au désastre que parce qu'elle n'avait pas le droit
de franchir les Détroits et de quitter la mer Noire). En 1904, les Japonais
écrasent les Russes en Mandchourie, assiègent Port-Arthur, où les renforts
russes doivent battre en retraite et quitter la zone. En janvier 1905, après
des mois de combats acharnés, Port-Arthur tombe. Deux mois plus tard,
270 000 soldats japonais mettent en déroute une armée russe légèrement
supérieure en nombre près de Mukden en Mandchourie. Pendant que se
déroulent ces désastres militaires, une vague de violences interethniques,
de grèves massives, d'agitation politique et d'émeutes balaie l'Empire
russe, mettant à nu la fragilité du régime tsariste autoritaire. Il est même
contraint d'envoyer près de 300 000 soldats rétablir l'ordre en Pologne,
soit une armée plus importante que celle qui combat les Japonais en
Mandchourie.

L'impact du conflit russo-japonais est à la fois profond et ambivalent.
À court terme, le conflit semble offrir à l'Allemagne des opportunités
inattendues de s'affranchir des contraintes que font peser sur elle
l'Alliance franco-russe et l'Entente cordiale franco-britannique. À long
terme cependant, il a l'effet inverse : le conflit renforce le système
d'alliances et transfère des tensions qui affectaient la périphérie sur le
continent européen, réduisant ainsi drastiquement la marge de manœuvre

de l'Allemagne. Ces deux aspects jouant sur les événements de 1914, il faut nous y arrêter un moment.

À l'été 1904, la position diplomatique de l'Allemagne est nettement moins favorable que lorsque Bismarck quitte le pouvoir en 1890. Les hommes politiques allemands n'ont pas pris la mesure des évolutions en cours, principalement parce qu'ils sont convaincus que les tensions entre la Grande-Bretagne et les puissances continentales laisseront toujours la porte ouverte à un rapprochement germano-anglais. C'est pourquoi l'annonce de la signature de l'Entente cordiale fait l'effet d'une douche froide. Dans une lettre d'avril 1904, le Kaiser écrit au chancelier Bülow que l'Entente « lui a donné beaucoup à réfléchir » car maintenant que la France et l'Angleterre n'ont plus rien à craindre l'une de l'autre, elles ont « encore moins besoin de prendre en compte notre position[96] ».

Comment l'Allemagne peut-elle se tirer de ce mauvais pas ? Deux options se présentent à elle : soit elle s'engage dans un accord avec la Russie, et par là affaiblit voire neutralise l'Alliance franco-russe ; soit elle trouve un moyen d'affaiblir la nouvelle entente entre la France et la Grande-Bretagne. La guerre russo-japonaise fournit l'occasion de tester les deux options. Cela fait déjà un certain temps que le Kaiser souhaite un rapprochement diplomatique avec les Russes, et il comprend vite comment tirer parti de la situation délicate dans laquelle ils se trouvent. En février 1904, il écrit à Nicolas II pour l'informer que les Français fournissent des matières premières aux Japonais et ne se comportent guère en alliés fiables[97]. En juin, il lui fait part de sa conviction que l'Entente cordiale liant la France à la Grande-Bretagne, elle-même alliée du Japon, « empêche les Français de vous venir en aide ! » D'autres lettres expriment la sympathie des Allemands en ces temps difficiles et leur confiance en l'avenir[98]. Les Allemands fournissent également une aide plus concrète, telle que la possibilité pour les navires russes en route vers l'Asie de charbonner dans les stations allemandes. Ces préliminaires culminent par deux propositions officielles d'alliance. La première, présentée le 30 octobre 1904, stipule que chacune des deux parties s'engage à venir en aide à l'autre en cas d'attaque en Europe ou ailleurs. Mais le tsar est réticent à l'idée de signer un engagement officiel sans en référer à son allié français. Comme il est inconcevable que les Français acceptent, cela revient à rejeter la proposition.

À l'été 1905 cependant, la situation intérieure et militaire de la Russie s'est détériorée de façon spectaculaire. Le Kaiser renouvelle ses avances auprès du tsar, désormais beaucoup plus disposé à les accepter. Pendant l'été 1905, son yacht, le *Hohenzollern*, met le cap sur Björkö, petit village de pêcheurs du golfe de Finlande où il doit retrouver l'*Étoile polaire*, le yacht du tsar. Le 23 juillet, les deux bateaux sont amarrés côte à côte et le tsar vient dîner à bord du *Hohenzollern*. S'ensuivent des discussions confidentielles pendant lesquelles Guillaume II joue avec succès sur les inquiétudes du tsar : les desseins britanniques contre la Russie, le manque de loyauté des Français qui ont désormais lié leur sort à celui des Anglais. À bout de nerfs, Nicolas II éclate en sanglots, tombe dans les bras de son cousin et donne son consentement. Cependant, de retour à Saint-Pétersbourg, le projet de traité ne survit pas à l'examen scrupuleux des conseillers du tsar : d'après eux, il est impossible de concilier un engagement vis-à-vis de Berlin avec une Alliance franco-russe qui constitue toujours le fondement de la sécurité de la Russie. Des rapports en provenance de Paris confirment que les Français ne toléreraient pas le moindre changement des termes de l'Alliance franco-russe pour permettre un rapprochement germano-russe. Le tsar demeure favorable à un accord avec l'Allemagne mais, sous la pression de ses conseillers politiques et économiques, il en abandonne peu à peu l'idée. Pour l'Allemagne, la route de l'Est reste fermée, du moins pour un avenir proche.

Simultanément, les leaders allemands cherchent le moyen de forcer la porte qui s'est refermée avec la signature de l'Entente cordiale. Toute une série de disputes coloniales ont été réglées au moment de sa signature, et les Britanniques ont accepté de reconnaître que le Maroc appartenait à la sphère d'influence française en échange de la reconnaissance par la France de leurs intérêts en Égypte. En janvier 1905, déterminé à tirer parti de cet arrangement rapidement, le gouvernement français envoie une délégation diplomatique à Fès pour consolider la mise sous tutelle du Maroc.

Étant donné les termes de l'accord franco-britannique, cette initiative française n'a rien de surprenant. Mais en 1905 le ministre des Affaires étrangères français décide de lui donner une orientation clairement hostile à l'Allemagne. L'affaire a été soigneusement préparée : un éventuel désaccord avec l'Espagne a été désamorcé par un échange de territoires ; l'accord sur l'Afrique du Nord, conclu en 1902 avec l'Italie, garantit le soutien de Rome ; celui de la Grande-Bretagne est une des clauses de l'Entente cordiale. Seule l'Allemagne ne se voit rien proposer ; Berlin n'est même pas mis au courant des intentions françaises. Delcassé rompt ici avec la stratégie précédemment définie, qui prévoyait de négocier l'accord des Allemands en échange de compensations territoriales « en d'autres régions d'Afrique où l'Allemagne a des ambitions [99] ». Mais en choisissant de laisser les Allemands à l'écart, Delcassé inclut un élément de provocation totalement gratuite dans sa politique nord-africaine qui l'expose aux critiques de ses collègues français. Même Paul Revoil, son plus proche collaborateur sur la question marocaine, est atterré par l'intransigeance du ministre : « Le grand malheur, déplore-t-il, c'est qu'il lui répugne de causer avec l'Allemagne. "Les Allemands sont des fourbes", dit-il. Mais, sacrebleu ! Je ne vous demande pas d'échanger avec eux des paroles d'amour, des bagues, des anneaux, mais de causer d'affaires [100]. » Même Eugène Étienne, chef du Parti colonial français, considère que le refus de Delcassé de négocier avec les Allemands sur le Maroc est « de la plus haute imprudence [101] ».

De son côté, le ministère des Affaires étrangères allemand, qui regarde depuis longtemps les initiatives françaises au Maroc d'un œil soupçonneux, est déterminé à ne pas permettre au gouvernement français d'agir de manière unilatérale au détriment des intérêts allemands dans la région. Du point de vue du droit international, la position des Allemands est tout à fait fondée : un accord international de 1881 a officiellement reconnu que le statut du Maroc ne peut être modifié de façon unilatérale, mais uniquement par un traité international. Cependant, le but véritable des Allemands n'est pas de défendre le droit international mais de mettre à l'épreuve la solidité de l'Entente cordiale. Des rapports en provenance de Londres leur ont donné des raisons de penser que le gouvernement britannique ne se sentirait pas tenu d'intervenir en cas de conflit entre la France et une tierce puissance au sujet du Maroc [102]. À Berlin, on espère donc rappeler aux Français qu'« une marine n'a pas de roues », pour reprendre la pittoresque expression du Kaiser, et les amener à se montrer plus conciliants à l'égard de l'Allemagne [103]. Dans un sens, l'initiative allemande au Maroc peut être considérée comme une sorte de version occidentale des démarches faites auprès des Russes en 1904-1905.

Début janvier 1905, une délégation française arrive à Fès, au centre du Maroc, pour prendre le contrôle de l'armée et de la police marocaine, ce que le sultan refuse. Le 31 mars 1905, le Kaiser débarque à Tanger pour une visite surprise. Les Marocains lui réservent un accueil enthousiaste, espérant qu'il fera contrepoids aux Français. Guillaume II se rend à la légation allemande, n'accorde pas un regard au troisième secrétaire d'ambassade français, qui l'accueille au Maroc « au nom de Monsieur Delcassé », et prononce un discours où il affirme que les intérêts commerciaux et économiques de l'Allemagne ainsi que l'indépendance et l'intégrité du Maroc doivent être défendus [104]. Deux heures plus tard, il est de retour à bord de son bateau et lève l'ancre.

À court terme, ce geste spectaculaire semble porter ses fruits : la visite suscite l'indignation de la France, mais la Grande-Bretagne ne semble pas pressée d'intervenir. Après un échange de menaces qui amène Paris et Berlin au bord du gouffre, le gouvernement français opte pour une résolution pacifique de la crise. Théophile Delcassé est renvoyé, sa politique de provocation désavouée ; ses fonctions sont assumées par Maurice Rouvier, nouveau président du Conseil peu expérimenté, qui propose l'ouverture de négociations bilatérales sur l'avenir du Maroc. Cependant les Allemands, voulant profiter de leur avantage, refusent imprudemment la proposition de Rouvier : ils demandent que le conflit soit réglé par une conférence internationale, comme le prévoit le Traité de 1881. Leurs exigences sont finalement acceptées, mais leur triomphe est de courte durée. La conférence qui se réunit dans le port espagnol d'Algésiras en janvier 1906 confirme la quasi-indépendance du Maroc en termes très généraux, mais les négociateurs allemands ne parviennent pas à rallier les autres grandes puissances (à l'exception de l'Autriche) pour défendre leurs propositions d'internationaliser la police et les institutions financières marocaines. La Grande-Bretagne, l'Italie et l'Espagne (dont le soutien a déjà été acheté par des accords préalables) et la Russie (à qui Paris promet un nouveau prêt financier) restent fermement du côté de la France. Les instructions officielles de la délégation russe sont de soutenir « avec énergie » toute proposition française [105]. L'impuissance de la Triple-Alliance éclate alors au grand jour. Rechercher une solution multilatérale à un problème que la France a déjà résolu, à son profit, par des négociations bilatérales avec les parties intéressées, cela est voué à l'échec. Les décideurs allemands ont commis une grave erreur de jugement. Le 5 avril 1906, le chancelier Bülow, principal architecte de la politique allemande au Maroc, s'effondre en plein Reichstag juste après son discours sur les résultats de la conférence d'Algésiras. Il restera en convalescence jusqu'en octobre [106].

Les efforts du gouvernement allemand pour tester les différentes options – vers l'est et vers l'ouest – et mettre ainsi fin à son isolement se sont donc soldés par deux échecs retentissants. Le défi lancé à la France au Maroc n'a pas affaibli l'Entente cordiale, au contraire [107]. Les opportunités offertes par la guerre russo-japonaise se sont révélées illusoires. L'option extrême-orientale s'éloigne encore davantage à l'été 1907, alors que la Grande-Bretagne et la Russie signent un traité mettant fin à leur conflit en Perse, en Afghanistan et au Tibet. Cette Convention de 1907 ne découle ni d'une quelconque hostilité à l'encontre de l'Allemagne, ni de craintes qu'elle inspirerait. Au contraire, pour la Grande-Bretagne, c'est la Russie qui présente la menace la plus tangible dans plusieurs régions vulnérables, c'est donc elle – et non l'Allemagne – que les Britanniques cherchent à amadouer.

Telle a été la logique du raisonnement britannique pour justifier un rapprochement avec la Russie depuis le début du siècle, et après 1907. En mars 1909, Sir Charles Hardinge résume ainsi la situation pour Sir Arthur Nicolson, qui lui succédera peu après : « Nous n'avons pas de contentieux avec l'Allemagne, mis à part la question de la marine de guerre, tandis que notre avenir en Asie dépend entièrement de notre capacité à maintenir les meilleures relations possibles avec la Russie. Nous ne pouvons nous permettre de sacrifier notre bonne entente avec elle pour quelque raison que ce soit, pas même pour obtenir la réduction de ce programme de construction navale allemand [108]. » Le même argument vaut pour les Russes : signer la Convention n'est pas un geste hostile à l'Allemagne, mais une initiative défensive destinée à leur donner une plus grande marge de manœuvre en politique intérieure ou plus de liberté d'action en politique étrangère (suivant l'interlocuteur que l'on interroge à ce propos). Ce qui les intéresse au premier chef, c'est le lien entre cet accord sur la Perse et la perspective que les Britanniques soutiennent leurs revendications sur les détroits du Bosphore. Izvolski et son ambassadeur à Londres, le comte Benckendorff, considèrent que la question des Détroits est « au cœur de la Convention » et que la Convention elle-même est la clé pour obtenir une révision favorable de leurs droits d'accès aux Détroits « au moment opportun » dans un avenir proche [109].

En d'autres termes, bien que le système international qui émerge à partir de 1907 soit en grande partie défavorable à l'Allemagne, nous ne devons pas conclure que cela résulte de choix délibérés. La France est le seul pays où l'on puisse parler d'une politique qui se donne comme objectif prioritaire de contenir l'Allemagne. Il est beaucoup plus logique d'analyser cette série d'accords comme étant la conséquence en Europe de transitions historiques majeures à l'échelle de la planète : la guerre sinojaponaise et l'émergence du Japon comme grande puissance régionale ; le fardeau fiscal qu'imposent les conflits coloniaux en Afrique et la poursuite du Grand Jeu (*Great Game*) en Asie centrale ; le déclin du pouvoir ottoman en Afrique du Nord et dans le sud de l'Europe ; enfin l'émergence de la question chinoise (non seulement la compétition que se livrent en Chine les grandes puissances, mais également l'anarchie qui en résulte). La « nervosité » de l'Allemagne et son comportement de parvenu importun figurent certes dans le tableau d'ensemble, mais ils sont perçus dans un champ de vision qui englobe des préoccupations plus larges. L'opinion autrefois répandue que l'Allemagne a causé son propre isolement par un comportement diplomatique incohérent ne résiste pas à l'analyse plus complète de la façon dont se sont faits les réalignements stratégiques de cette période [110].

En fait, le lien de causalité entre la montée du sentiment anti-allemand et le nouveau système d'alliances doit dans une certaine mesure être inversé : ce n'est pas l'antagonisme anti-allemand qui a causé l'isolement de l'Allemagne, mais plutôt le nouveau système lui-même qui a canalisé et intensifié l'hostilité à son encontre. Dans le cas de la Russie, la défaite contre le Japon en Extrême-Orient et la fin du conflit colonial avec la Grande-Bretagne en Asie centrale ont inévitablement reporté ses initiatives sur le seul théâtre d'opérations où la Russie peut encore poursuivre son rêve impérial : les Balkans, région du monde où il est difficile de ne pas se heurter à l'Autriche-Hongrie et par extension à l'Allemagne. Au sein de la communauté diplomatique russe, le vieil antagonisme entre les « asianistes » et les « européanistes » a été tranché en faveur de ces derniers. Sous l'autorité d'Izvolski et de Sazonov, qui se méfiaient de l'Allemagne et préconisaient de maintenir de bonnes relations avec la France et la Grande-Bretagne, les « européanistes » occupent toujours des postes clés [111]. Parallèlement, l'Entente cordiale neutralise le sentiment antibritannique qui, avant 1904, avait parfois atténué la germanophobie des hommes d'État français.

Quand on parle du loup

Le cas de la Grande-Bretagne est particulièrement frappant. Bon nombre de décideurs réagissent avec une agressivité surprenante au défi marocain que les Allemands lancent contre les Français. Le 22 avril 1905, le secrétaire d'État au Foreign Office, Lord Lansdowne, informe son ambassadeur à Paris que les Allemands vont peut-être chercher à obtenir un port sur la côte ouest de l'Afrique en compensation de la mainmise française sur le Maroc, et que l'Angleterre s'apprête à soutenir la France et « opposer une forte résistance à ce projet [112] ». Cet ambassadeur n'est autre que Sir Francis Bertie, vicomte de Thame, le « Taureau », celui-là même qui a fait battre en retraite Eckardstein, le chargé d'affaires allemand, en proférant des menaces de guerre pendant l'affaire du Transvaal. Bertie transmet le message de Lansdowne à Delcassé – qui, pour sa part, n'a jamais entendu parler du moindre projet allemand de revendiquer un port en Mauritanie – en utilisant un langage bien plus énergique qui laisse entendre que le soutien de la Grande-Bretagne sera catégorique et inconditionnel : « Le gouvernement de Sa Majesté britannique considère que la conduite de l'Allemagne sur la question marocaine est tout à fait déraisonnable au regard de l'attitude de M. Delcassé, et il désire accorder à Son Excellence tout le soutien qu'il est en son pouvoir d'apporter [113]. » Au cours d'une conversation privée avec Delcassé, Bertie renforce la détermination du ministre français par son discours belliqueux. Un ou deux jours après, Delcassé informe l'un de ses collaborateurs que la position de la France est désormais inexpugnable, utilisant lui-même un vocabulaire qui rappelle les menaces de Bertie à l'encontre d'Eckardstein :

> L'Allemagne sait qu'elle aurait l'Angleterre contre elle. Je vous répète que l'Angleterre nous soutiendrait quoi qu'il arrive et ne signerait pas la paix sans nous. Pensez-vous vraiment que l'empereur Guillaume puisse de sang-froid envisager la perspective de voir sa flotte détruite, sa marine marchande ruinée et ses ports bombardés par la marine britannique [114] ?

D'autres factions de l'establishment politique anglais envoient également des signaux belliqueux. En mars 1905, le général Grierson, chef des opérations militaires, accompagné de son adjoint, vient en personne inspecter le littoral franco-belge afin d'évaluer les conditions dans lesquelles un corps expéditionnaire anglais pourrait y débarquer. En avril, le Premier lord de l'Amirauté, Sir John « Jackie » Fisher, qui « rêve d'en découdre » avec les Allemands depuis le début de la crise marocaine, va jusqu'à proposer que la marine britannique se déploie jusqu'au canal de Kiel et débarque un corps expéditionnaire sur les côtes du Schleswig-Holstein [115]. Ces réactions extraordinairement agressives n'ont rien à voir avec la légalité ou l'illégalité de la position allemande vis-à-vis de la pénétration française au Maroc. Elles résultent de la conviction que l'Allemagne est en train de mettre à l'épreuve la force de la nouvelle Entente fondée précisément sur l'échange suivant : les Britanniques acceptent la domination française au Maroc et les Français celle des Britanniques en Égypte.

En décembre 1905, Sir Edward Grey accède à la tête du Foreign Office, où sa nomination va renforcer l'influence de la faction antigermanique. Ses collaborateurs et subordonnés lui fournissent un flot ininterrompu de mémorandums et de minutes décrivant la menace représentée par Berlin [116]. Les voix dissidentes sont marginalisées : les marges des dépêches qui contredisent l'opinion dominante, telles que celles rédigées de Berlin par Lascelles, De Salis et Goschen, se couvrent d'annotations sceptiques à leur arrivée à Londres. À l'inverse, les rapports de Sir Fairfax Cartwright, en poste à Munich puis à Vienne, s'agrémentent de commentaires flatteurs : « excellent rapport à tout point de vue », « très intéressant et instructif », « une dépêche intéressante et riche », « tout à fait remarquable », « M. Cartwright est un fin observateur », « une analyse approfondie de la situation » [117], etc.

« L'opinion collective » des diplomates britanniques réinterprète alors l'histoire des relations anglo-germanique, elle réécrit le livre noir des provocations allemandes. G. S. Spicer, assistant au Foreign Office, en vient à se convaincre que, depuis l'ère bismarckienne, l'Allemagne a poursuivi « une politique systématiquement hostile aux intérêts de la Grande-Bretagne [118] ». Examinant rétrospectivement les deux décennies qui s'écoulent de 1884 à sa propre arrivée au Foreign Office, Grey considère que cette période a été marquée par toute une série de concessions mal avisées faites à un ennemi implacable [119]. On prête aux leaders allemands « des projets vagues et mal définis d'expansionnisme teutonique [120] ». Ils sont accusés de chercher à établir une dictature sur le continent européen et à imposer leur domination sur le monde, de vouloir « nous pousser dans l'eau, puis nous voler nos vêtements », comme le dit Bertie, retrouvant là le langage imagé de ses années de collège [121]. En novembre 1909, Sir Charles Hardinge décrit l'Allemagne comme « la seule puissance européenne qui fasse preuve d'agressivité [122] ». De telles affirmations, répétées de façon incantatoire à chaque opportunité – dépêches, lettres, minutes de réunions ministérielles –, finissent par créer une sorte de réalité virtuelle, un principe d'explication du monde.

Pourquoi tous ces personnages sont-ils devenus si hostiles à l'Allemagne ? L'Allemagne se comportait-elle « plus mal » que les autres puissances, maniant l'intimidation et la menace là où d'autres nations opéraient de manière plus conciliante et accommodante ? Dans un environnement où les impressions subjectives comptent autant, où définir ce qu'est un comportement acceptable est si variable, il est extrêmement difficile de déterminer avec exactitude à quel degré de provocation se situe telle attitude ou telle initiative. Le télégramme Kruger était-il plus provocateur que le message abrupt envoyé par Grover Cleveland aux Britanniques pour les dissuader de se livrer à des incursions au Venezuela ? S'emparer de Kiao-Tchéou était-il plus provocateur que, pour les Américains, d'acquérir la zone du canal de Panamá, ou pour les Russes d'imposer un protectorat à la Mongolie ? L'offensive diplomatique malheureuse menée par les Allemands à Agadir était-elle plus provocatrice que les décisions unilatérales par lesquelles les Français avaient rompu l'accord franco-allemand sur le Maroc en 1911 (voir le chapitre 4) ? Peut-être ces questions ne sont-elles pas les bonnes. Les germanophobes ne précisaient que très rarement leurs arguments : ils parlaient en termes généraux de l'ambition démesurée et du comportement menaçant de l'Allemagne, du caractère imprévisible du Kaiser et de la menace que la puissance militaire allemande faisait peser sur l'équilibre des pouvoirs en Europe. Mais ils restaient très évasifs quand il s'agissait d'identifier avec précision des situations où l'Allemagne aurait enfreint les bonnes pratiques internationales.

L'exposé le plus exhaustif des griefs britanniques se trouve dans le fameux « Mémorandum sur l'état présent des relations de la Grande-Bretagne avec la France et l'Allemagne » rédigé par Eyre Crowe, chef du département occidental du Foreign Office, en janvier 1907. Crowe est l'une des personnalités les plus extraordinaires du monde diplomatique britannique. Son père a travaillé pour les services consulaires britanniques, mais sa mère et sa femme sont toutes deux allemandes. Crowe lui-même est né à Leipzig. Il a déjà dix-sept ans mais ne parle pas encore anglais couramment lorsqu'il met pour la première fois le pied en Angleterre, afin de préparer le concours d'entrée au Foreign Office. Toute sa vie durant, il gardera un accent que ses contemporains qualifient de « guttural ». L'un de ses subordonnés se souviendra de cette volée de bois vert : « Ce que vous avez écrrrit dans ce rrrapport est de la purrre bêtise ! » Par son comportement et son attitude, Crowe donnera toujours l'impression irrémédiable d'être germanique et, malgré sa remarquable efficacité et son travail assidu, il ne fera jamais la carrière prestigieuse à laquelle son talent le prédestine. En dépit de son idiosyncrasie, ou peut-être à cause d'elle, Crowe devient l'un des opposants les plus implacables à tout rapprochement anglo-germanique.

Le mémorandum du 1er janvier 1907 s'ouvre sur le rappel de la récente crise marocaine. Crowe y insuffle le ton moralisateur qui règne à l'époque dans la littérature pour la jeunesse : la brute allemande a menacé la France dans l'espoir de « tuer dans l'œuf » la « toute jeune amitié » franco-anglaise, mais elle a sous-estimé le cran et la loyauté des camarades britanniques de la France. Elle s'est « trompée sur la force de leurs sentiments et sur le caractère des ministres de Sa Majesté ». Comme la plupart des brutes, elle est peureuse et la perspective d'une « coalition armée franco-anglaise » suffira à la faire battre en retraite. Mais avant cela, elle se sera déshonorée encore davantage en faisant une cour grossière à l'ami britannique, « lui dépeignant sous de belles couleurs les bénéfices d'une coopération avec l'Allemagne ». Comment la Grande-Bretagne doit-elle réagir à ce comportement déplaisant ? Étant une puissance mondiale prééminente, explique Crowe, la Grande-Bretagne est tenue de respecter une sorte de « loi naturelle » et de résister à tout État voulant bâtir une coalition opposée à son hégémonie – ce qui est exactement ce que l'Allemagne a l'intention de faire : l'objectif ultime de sa politique serait d'« imposer son hégémonie sur l'Europe tout d'abord puis dans le reste du monde ». Mais alors que tous accueillent favorablement l'hégémonie britannique et en bénéficient, et que personne ne la jalouse ni ne la craint (car elle apporterait libéralisme politique et économique), les vociférations du Kaiser et de la presse pangermanique prouvent que l'hégémonie allemande serait « une dictature politique » qui détruirait « les libertés en Europe ».

Bien entendu, Crowe dit ne pas s'opposer par principe à l'accroissement du pouvoir et de l'influence allemande – il n'en a d'ailleurs pas les moyens. Le problème résiderait dans la manière acerbe et provocatrice dont l'Allemagne use pour atteindre ses objectifs. Mais en quoi ces provocations allemandes consistent-elles précisément ? Elles incluent des crimes aussi intolérables que des « manœuvres douteuses » à Zanzibar ou la prise de contrôle du Cameroun après que Londres a annoncé son intention d'accorder un protectorat britannique aux habitants de ce pays. Quel que soit l'endroit où les Britanniques posent leurs regards – du moins c'est l'opinion de Crowe – ils tombent sur les Allemands. La liste des scandales s'allonge : soutien financier au Transvaal, critiques de la manière dont Londres mène la guerre en Afrique du Sud, interférences et tracasseries le long du Yang Tsé « considéré à l'époque comme chasse gardée britannique ». Et pour envenimer encore les choses, il y a « la sale affaire » des pressions allemandes sur la presse internationale, de New York à Saint-Pétersbourg en passant par Vienne, Madrid, Lisbonne, Rome, le Caire et même Londres, où, dit-il, « l'ambassade allemande entretient des relations confidentielles et insoupçonnées avec un certain nombre de grands journaux respectables [123] ».

Il y aurait encore beaucoup à dire au sujet de ce document fascinant dont Grey recommande la lecture au Premier ministre Sir Henry Campbell-Bannerman ainsi qu'à d'autres membres du cabinet britannique. Tout d'abord, Crowe a une tendance presque comique à décrire les guerres, protectorats, occupations et annexions de l'Empire britannique comme un état de fait naturel et désirable, alors qu'il considère les manœuvres comparativement inefficaces des Allemands comme des atteintes à l'ordre public gratuites et scandaleuses. Il trouve intolérable que les Allemands pestent contre les Britanniques sur la question des Samoa, au moment même où Londres s'apprête à « soumettre » son conflit avec le Transvaal « à l'arbitrage de la guerre » ! Crowe semble voir la main de Berlin derrière tout conflit colonial : ce seraient les Allemands qui fomenteraient les troubles entre la Grande-Bretagne et la Russie en Asie centrale et encourageraient subrepticement les Européens à s'opposer à l'occupation britannique de l'Égypte. Chaque fois que des tensions surgissent entre la Grande-Bretagne et des empires coloniaux rivaux, il suppose que les Allemands tirent les ficelles en coulisses. Quant aux manipulations de la presse, du Caire à Londres, il entre une bonne dose de paranoïa dans son analyse : la propagande allemande fait en réalité bien pâle figure à côté des campagnes orchestrées et financées par Saint-Pétersbourg et Paris.

Peut-être tous ces incidents qui l'irritent tant n'ont-ils qu'une importance secondaire. Le cœur de son propos, c'est le portrait psychologique cauchemardesque que Crowe dresse de l'État-nation allemand : il le dépeint comme un personnage protéiforme qui manigance et veut obtenir des concessions par « des rodomontades et des demandes incessantes », un « maître-chanteur professionnel », une « brute insultante » qui « piétine avec insouciance toutes les susceptibilités ». Peu importe qu'il y ait un plan dissimulé derrière toutes ces fanfaronnades, ou rien d'autre au contraire qu'« une gouvernance vague, confuse, désordonnée, ne maîtrisant pas véritablement le cours des événements ». Une conclusion s'impose à lui : seule la discipline la plus stricte peut inculquer de bonnes manières aux Allemands. Les Français aussi, rappelle Crowe, s'étaient montrés exaspérants, toujours prêts à défier les Britanniques pour un rien. Mais le refus catégorique de leur céder le moindre pouce de terrain en Égypte et au Soudan, suivi de la menace d'une guerre au sujet de Fachoda, y avait mis bon ordre. Désormais, la France et la Grande-Bretagne étaient les meilleurs amies du monde. Il en découlait que seule « la détermination la plus inflexible » à défendre « les droits et les intérêts de la Grande-Bretagne dans chaque partie du monde » permettrait de gagner « le respect du gouvernement et de la nation allemande ». Ce qui n'était pas un scénario de nature à laisser beaucoup de champ au pouvoir grandissant du plus jeune des empires européens.

Ce que dissimulent ces appréhensions, bien que Crowe n'y fasse pas directement allusion, c'est le spectacle de la croissance économique titanesque de l'Allemagne. Quand Bismarck devient ministre-président de la Prusse en 1862, les régions industrielles des États allemands ne représentent que 4,9 % de la production industrielle mondiale, et occupent la cinquième place. La Grande-Bretagne, avec 19,9 %, est en tête du classement. De 1880 à 1900, l'Allemagne se hisse à la troisième place, après les États-Unis et la Grande-Bretagne. En 1913, elle est deuxième derrière les États-Unis et devant la Grande-Bretagne. En d'autres termes, de 1860 à 1913, la part de l'Allemagne dans la production industrielle mondiale a été multipliée par quatre, tandis que la part de la Grande-Bretagne a baissé d'un tiers. Encore plus impressionnante est la croissance de la part allemande dans le commerce mondial. En 1880, la Grande-Bretagne en contrôle 22,4 %. L'Allemagne, quoique deuxième, est loin derrière avec 10,3 %. En 1913 cependant, à 12, 3 %, elle talonne la Grande-Bretagne, qui ne représente plus que 14,2 %. De tous côtés se dessine un miracle économique allemand : entre 1895 et 1913, la production industrielle a augmenté de 150 %, la production d'acier de 300 % et celle de charbon de 200 %. En 1913, l'Allemagne produit et consomme 20 % de plus d'électricité que la Grande-Bretagne, la France et l'Italie réunies [124]. En Grande-Bretagne, les mots « Made in Germany » se chargent de menace, non que les pratiques industrielles ou commerciales de l'Allemagne soient plus agressives ou expansionnistes que celles des autres, mais parce qu'ils indiquent que la prépondérance britannique a ses limites [125].

Le pouvoir économique de l'Allemagne révélait l'anxiété des dirigeants des autres grandes puissances, comme de nos jours le pouvoir économique de la Chine. Cependant l'ascendant que les attitudes germanophobes exerçaient sur la politique étrangère britannique n'avait rien d'inéluctable [126]. Ces attitudes n'étaient pas universellement partagées, même au sommet de la hiérarchie diplomatique, et encore moins dans le reste de l'élite politique. Beaucoup d'efforts en coulisses et de favoritisme ont été nécessaires pour hisser Bertie, Nicolson et Hardinge aux postes de responsabilité d'où il leur sera possible d'infléchir le ton et le cours de la politique britannique. Après avoir végété des années à des postes subalternes, Bertie n'a dû son ascension rapide qu'à l'énergie avec laquelle il a entrepris

le secrétaire privé du roi Édouard VII. Hardinge était également un courtisan chevronné, un intrigant qui avait soutenu la candidature de Bertie
au poste d'ambassadeur à Paris en 1905, faisant intervenir ses relations à
la cour pour passer outre « une certaine obstruction au sommet du
Foreign Office [127] ». À leur tour, Bertie et Hardinge se sont alliés pour
aider Arthur Nicolson à obtenir des postes de responsabilité en ambassade, malgré la réputation qu'avait son épouse de fuir la bonne société et
de « s'habiller comme une femme de chambre [128] ». La politique britannique aurait pu suivre un tout autre cours : si Grey et ses acolytes
n'avaient pas réussi à s'emparer d'autant de postes clés, des voix moins
intransigeantes comme celle de Goschen ou de Lascelles, ou encore du
sous-secrétaire d'État parlementaire Edmond Fitzmaurice – qui déplorait
qu'un virus anti-allemand ait contaminé ses collègues – auraient pu se
faire entendre. Mais Grey et sa coterie resserraient leur emprise sur la
politique britannique, imposant le cadre dans lequel les relations avec
l'Allemagne étaient perçues et comprises.

« L'invention » de l'Allemagne, selon la formule de Keith Wilson [129],
comme principal ennemi de la Grande-Bretagne reflète et cristallise un
changement de structure bien plus global. Le monde multipolaire dans
lequel se jouent les « grands jeux » de l'Afrique, de la Chine, de la Perse,
du Tibet ou de l'Afghanistan, ce monde où les décideurs ont souvent
l'impression de progresser par grandes embardées d'une crise à une autre
et de réagir à des défis lointains plutôt que de donner le ton, ce monde
est en train de céder la place à un univers beaucoup plus simple dans
lequel un ennemi unique occupera le devant de la scène. Ce changement
n'est pas la *cause* du rapprochement de la Grande-Bretagne avec la France
et la Russie, mais plutôt sa conséquence. En effet, la restructuration du
système d'alliance facilite – ou plus exactement rend nécessaire – une
évolution majeure : la Grande-Bretagne doit se trouver un nouvel objet
sur lequel reporter ses peurs et sa paranoïa (qui ont atteint un très haut
degré aux alentours de la guerre des Boers [130]). La politique étrangère
britannique – comme celle des États-Unis au XXe siècle [131] – a toujours
dépendu de scénarios de menaces et d'invasions pour se donner une ligne
directrice. Dans le courant du XIXe siècle, c'était la psychose d'une invasion française qui avait périodiquement poussé les élites politiques à
l'action ; en 1890, la France a été remplacée dans l'imaginaire public par
la Russie, dont les hordes de cosaques déferleraient bientôt en Inde et
dans l'Essex [132]. Maintenant, c'est au tour de l'Allemagne. La cible est
nouvelle, mais les mécanismes familiers.

Rétrospectivement, on est tenté de discerner dans les turbulences des
années 1904-1907 la naissance de la Triple-Entente qui entrera en guerre

en 1914. Telle est certainement l'analyse du diplomate français Maurice Paléologue qui, trente ans plus tard, publie le journal qu'il a tenu pendant ces années-là sous le titre *Le Grand Tournant*. Réécrit avec la clairvoyance que donne le recul du temps, le journal de Paléologue confère aux hommes politiques français (et tout particulièrement à son auteur) une prescience quasi surnaturelle de la guerre à venir [133]. À cet égard, ce livre est typique d'une distorsion de perception commune à bien des Mémoires rédigés après la guerre. L'immense événement de 1914 semble dominer tout l'horizon de la décennie précédente, mais la vérité est qu'il n'en est ainsi qu'à nos yeux, c'est-à-dire *a posteriori*.

En 1907, il est encore loin d'être évident que ces nouvelles alliances mèneront nécessairement l'Europe à la guerre. Après la défaite de 1905, la faiblesse de la Russie oblige les décideurs de Saint-Pétersbourg à se rapprocher de l'Allemagne, convaincus que la fragilité de la Russie leur interdit de se lancer dans la moindre aventure à l'extérieur, au moins pour un temps [134]. On ne peut guère imaginer de circonstances dans lesquelles la France serait prête à s'engager aux côtés de la Russie dans les Balkans, et encore moins imaginer les Russes marcher sur Berlin pour reconquérir l'Alsace-Lorraine. De son côté, en 1909, Paris fait la démonstration de son indépendance en signant avec l'Allemagne un accord sur le Maroc, « exemple frappant de collaboration [135] » avec un membre de l'alliance opposée. Puis, en novembre 1910, les leaders russes et allemands se rencontrent à Potsdam et à Berlin pour tenter de concilier leurs intérêts en Turquie et en Perse. Il ne s'agit pas là de distendre le lien franco-russe, assurément, mais cela constitue un geste de détente significatif [136]. Quant à la Convention anglo-russe de 1907, elle a pour effet d'atténuer les tensions entre les deux pays mais n'en supprime pas les causes et, jusqu'en 1914, certains au Foreign Office s'inquiéteront du fait que la Russie menace toujours les régions périphériques de l'Empire britannique.

En résumé, rien n'était écrit d'avance. La Triple-Entente qui entre en guerre en 1914 n'est pas encore visible dans l'esprit de la plupart des hommes d'État. Le grand tournant des années 1904-1907 explique l'émergence des *structures* à l'intérieur desquelles une guerre continentale devient possible, mais il ne peut expliquer les raisons précises de son déclenchement. À cet égard, nous devons examiner la façon dont les processus de décision ont conditionné les décisions elles-mêmes, et comprendre comment les différentes alliances continentales, assez souples, se sont retrouvées étroitement imbriquées avec les conflits qui déchiraient la péninsule balkanique.

4

LES VOIX MULTIPLES DE LA
POLITIQUE ÉTRANGÈRE EUROPÉENNE

À la fin des années 1890, un dessinateur français publie une caricature représentant la crise qui couve en Chine à la veille de la révolte des Boxers. Sous l'œil inquiet de la Grande-Bretagne et de la Russie, l'Allemagne se taille une large part appelée « Kiao-Tchéou » dans un gâteau qui représente la Chine, tandis que la France réconforte son allié russe et que le Japon regarde la scène en silence. Derrière tous ces personnages se tient un mandarin de la dynastie Qing, impuissant, les bras levés en signe de désespoir. Comme souvent dans les dessins de presse, les pays sont personnifiés : la Grande-Bretagne, l'Allemagne et la Russie sont représentées par une caricature de leurs souverains respectifs, la France sous les traits de « Marianne », l'allégorie de la République, et le Japon et la Chine par des personnages exotiques stéréotypés. La personnification fait certes partie des codes de la caricature politique européenne mais elle reflète aussi une habitude de pensée bien ancrée : la tendance à se représenter les États comme des individus composites gouvernés par un exécutif clairement défini qu'anime une volonté une et indivisible.

Or, lorsque l'on étudie les gouvernements européens du début du XXᵉ siècle, on s'aperçoit tout de suite que les structures exécutives qui définissent les politiques sont loin d'être unifiées. Élaborer une stratégie politique n'est pas la prérogative d'individus souverains : les initiatives influant sur le cours de la politique peuvent émaner et effectivement émanent parfois de lieux périphériques dans l'appareil institutionnel. Factions diverses, frictions entre les différents rouages de l'État, contraintes économiques et financières, alchimie volatile de l'opinion publique : tous ces facteurs exercent des pressions constamment variables sur le processus de décision. Que le pouvoir qui influe sur les décisions se déplace d'un endroit à un autre de la structure exécutive et cela modifie également le

« En Chine : le gâteau des Rois et… des Empereurs », caricature d'Henri Meyer,
Le Petit Journal, 1898.

ton et l'orientation des politiques. La cacophonie née de ces voix multiples rivalisant pour se faire entendre explique l'agitation qui affecte périodiquement le système européen au cours des dernières années d'avant-
guerre. Elle permet également de comprendre pourquoi la crise de juillet
1914 est devenue la crise politique la plus complexe et la plus opaque
des temps modernes.

Les souverains

Au début du XXe siècle, la monarchie demeure le système politique le plus répandu en Europe, où cinq des six grandes puissances sont des monarchies. Seule la France est une république. Les États-nations relativement plus récents de la péninsule balkanique – Grèce, Serbie, Monténégro, Bulgarie, Roumanie et Albanie – sont tous également des monarchies. Cette Europe des croiseurs rapides, de la radiotélégraphie et des allume-cigares électriques abrite encore cette somptueuse institution antique, qui lie le destin de grands États complexes aux vicissitudes de la biologie humaine. Au centre des institutions exécutives européennes se trouve encore le trône, et l'homme ou la femme qui y siège. En Allemagne, en Autriche-Hongrie et en Russie, les ministres sont directement nommés par le souverain. Dans ces trois pays, les empereurs ont accès à tous les documents officiels et exercent une autorité formelle sur leurs forces armées respectives. Les institutions et les réseaux dynastiques structurent également les communications entre États : c'est au souverain en personne que les ambassadeurs présentent leurs lettres de créance, ce qui n'empêche pas rencontres et échanges directs entre monarques. Ces contacts vont même prendre une importance accrue, créant un niveau d'interaction supplémentaire qui entretient avec la diplomatie officielle des relations parfois difficiles à cerner.

Les monarques jouent un rôle symbolique autant que politique, ce qui leur permet de focaliser et concentrer le sentiment populaire. En 1903, les badauds parisiens, ébahis de voir Édouard VII devant son hôtel, affalé sur une chaise en train de fumer un cigare, ont le sentiment de contempler l'Angleterre sous les traits de cet homme élégant, corpulent et plein d'assurance. Sa popularité croissante auprès de l'opinion publique française aplanit les difficultés et prépare la signature de l'Entente cordiale l'année suivante. Même Nicolas II, despote aux manières affables, est accueilli en héros triomphal par les Français au cours de sa visite en 1896, malgré son autoritarisme et son manque de charisme, car il incarne à leurs yeux l'Alliance franco-russe [1]. Et que dire du Kaiser, cet homme fébrile et cassant, peu maître de ses nerfs et dominateur, qui va jusqu'à donner des conseils à Edvard Grieg sur la façon de diriger *Peer Gynt* ? Qui mieux que lui peut incarner les aspects les plus énigmatiques de la politique étrangère allemande, ses indécisions, ses changements de cap et ses ambitions avortées [2] ? Que le Kaiser définisse ou pas la politique allemande, il en est indubitablement le symbole pour ses adversaires.

Le noyau de ce club de monarques qui règnent en Europe à la veille de la guerre est un trio de cousins : le tsar Nicolas II, le Kaiser

Guillaume II et Nicolas II ayant échangé les uniformes de leurs pays respectifs

Guillaume II et George V. Au tournant du siècle, l'arbre généalogique des familles royales européennes s'est étoffé au point que ses branches se confondent les unes avec les autres : le Kaiser Guillaume II et le roi George V sont tous deux petits-fils de la reine Victoria. La femme du tsar Nicolas II, Alexandra de Hesse-Darmstadt, est une petite-fille de Victoria. La mère de George V et celle de Nicolas II sont sœurs et princesses du Danemark. Le Kaiser et le tsar Nicolas sont arrière-arrière-petits-fils du tsar Paul Ier. La grand-tante du Kaiser, Charlotte de Prusse, est la grand-mère du tsar. Sous cet angle, la guerre de 1914 ressemble à l'ultime épisode d'une querelle de famille.

Il est difficile d'évaluer l'influence que les souverains exercent sur leurs exécutifs respectifs et au sein des institutions. La Grande-Bretagne, l'Allemagne et la Russie sont trois monarchies de types extrêmement différents. La Russie, en théorie du moins, est un régime autoritaire où le pouvoir du souverain n'est guère limité par des dispositions parlementaires ou constitutionnelles. À l'inverse, Édouard VII et George V, monarques constitutionnels d'un régime parlementaire, n'ont pas accès directement aux leviers du pouvoir. Le Kaiser se situe entre les deux : en Allemagne,

Guillaume II

un système constitutionnel parlementaire a été greffé sur les éléments, hérités de l'ancienne monarchie militaire prussienne, qui ont survécu au processus d'unification nationale. Mais dans tous les cas, le facteur le plus déterminant ne s'avère pas nécessairement être la structure des institutions : l'influence du monarque dépend d'autres variables importantes, dont la force de caractère, la compétence et les capacités intellectuelles du souverain lui-même, la capacité des ministres à s'opposer à des initiatives indésirables, ou la cohérence de vues entre le souverain et son gouvernement.

Il est frappant de constater que l'influence exercée par un monarque sur la politique étrangère peut varier considérablement. Édouard VII, qui préside au réalignement diplomatique des années 1904-1907, a des vues très arrêtées en politique étrangère et s'enorgueillit d'être bien informé sur la question. Ses réactions sont à la fois impérialistes et chauvines ; exaspéré par l'opposition du Parti libéral à la guerre menée en Afghanistan en 1878-1879 par exemple, il déclare à l'administrateur colonial Sir Henry Bartle Frere : « Si c'était moi qui menais la politique, je n'aurais de cesse de m'emparer de tout l'Afghanistan, et de ne plus le lâcher[3]. » Il se félicite du raid contre le Transvaal en 1895, défend le rôle que Cecil

Édouard VII portant l'uniforme de colonel du 12ᵉ régiment de hussards autrichiens

Rhodes y a joué et s'insurge du télégramme Kruger envoyé par le Kaiser. Pendant toute sa vie d'adulte, il demeure fermement hostile à l'Allemagne ; cette inimitié s'enracine d'une part dans son opposition à sa mère, la reine Victoria, qu'il juge trop amicale vis-à-vis de la Prusse, et d'autre part dans la crainte et l'antipathie inspirées par le baron Stockmar, l'austère précepteur germanique que Victoria et Albert lui ont choisi dans son enfance et qui l'a soumis à un impitoyable programme d'études. La guerre de 1864 entre la Prusse et le Danemark est également un épisode formateur de ses débuts en politique – sa jeune épouse étant danoise, les sympathies d'Édouard VII sont tout naturellement allées à ce pays[4]. Après son accession au trône, il apporte son soutien au groupe de décideurs germanophobes dont fait partie Sir Francis Bertie[5].

L'influence du roi atteint son apogée en 1903, au cours de son voyage officiel à Paris : ce que l'on a décrit comme « la visite royale la plus importante de toute l'histoire moderne » prépare la voie de la détente entre ces deux empires rivaux, dont les relations demeurent aigries par l'indignation suscitée en France par la guerre des Boers. La visite, organisée à l'initiative d'Édouard VII, est une triomphale opération de relations publiques et contribue grandement à éclaircir l'atmosphère[6]. Après la signature de l'Entente cordiale, il poursuit ses efforts pour se rapprocher de la Russie, bien qu'à l'instar de beaucoup de ses contemporains il déteste le système politique tsariste et se méfie des desseins que la Russie nourrit en Perse, en Afghanistan et dans le nord de l'Inde. En 1906, apprenant qu'Izvolski, le ministre russe des Affaires étrangères, est à Paris, il quitte précipitamment l'Écosse pour Londres dans l'espoir qu'une rencontre puisse être organisée. Izvolski accède à ce souhait en se rendant à Londres : les deux hommes se rencontrent et leurs entretiens – d'après le témoignage de Charles Hardinge – « vont faciliter les négociations en cours en vue d'un accord avec la Russie [7] ». Dans ces deux situations, le roi n'exerce pas ses prérogatives, mais fait office d'ambassadeur surnuméraire. C'est un rôle qu'il peut tenir dans la mesure où ses priorités sont en phase avec celles de la faction impérialiste qui tient le Foreign Office, faction dont il a lui-même renforcé la mainmise sur la politique étrangère.

George V se situe aux antipodes de son père. Avant son accession au trône en 1910, il ne s'intéresse guère à la politique étrangère et n'a qu'une idée fort sommaire des relations que la Grande-Bretagne entretient avec les autres puissances. L'ambassadeur autrichien, le comte Mensdorff, se félicite d'avoir à traiter avec un nouveau souverain qui, à la différence de son père, semble n'exprimer d'*a priori* envers aucune nation étrangère [8]. Mais si Mensdorff espère que l'avènement du nouveau roi atténuera l'inflexion antigermanique de la politique étrangère britannique, il va vite déchanter : en la matière, la neutralité du nouveau souverain signifie seulement que la politique restera entre les mains des impérialistes de l'entourage de Grey. George V ne se dotera jamais d'un réseau politique qui puisse rivaliser avec celui de son défunt père, s'abstient d'intriguer en coulisses et évite soigneusement de formuler une quelconque prise de position sans la permission explicite de ses ministres [9]. Il reste en lien constant avec Grey, à qui il accorde de fréquentes audiences lorsqu'il séjourne à Londres. Il met un point d'honneur à obtenir son aval avant toute discussion politique avec des représentants étrangers, tout particulièrement quand il s'agit de ses cousins germaniques [10]. Son accession au trône est donc suivie d'un rapide déclin de l'influence de la Couronne sur l'orientation générale de la politique étrangère, même si George V bénéficie de pouvoirs constitutionnels strictement identiques à ceux de son père.

Même en Russie, dans le cadre extrêmement rigide de l'autocratie tsariste, l'influence que le tsar peut exercer en politique étrangère est soumise à des contraintes très importantes et peut varier considérablement. Tout comme George V, le tsar Nicolas II, à son accession au trône en 1894, est un néophyte absolu. Il ne s'est pas constitué de réseaux et, par déférence pour son père, s'est toujours abstenu d'exprimer la moindre opinion sur la politique du gouvernement. Adolescent, il n'a guère montré d'aptitude à l'étude de la chose publique. Constantin Pobiedonostsev, le juriste conservateur qui avait été appelé à donner au jeune Nicky un cours magistral sur les institutions de l'État tsariste, racontera plus tard que la seule chose qu'il avait pu observer, c'était un « jeune homme absorbé par la tâche de se curer le nez [11] ». Même après son arrivée au pouvoir, paralysé par la timidité et terrorisé à l'idée de devoir exercer son autorité pour de bon, le tsar ne parvient pas à imposer ses choix politiques – si tant est qu'il en ait. Il n'a pas les relais qui lui permettraient d'exercer une influence constante et cohérente, ni de secrétariat personnel, pas même le moindre secrétaire particulier. Certes, il exige et obtient d'être mis au courant de la moindre décision ministérielle mais, dans un État aussi vaste que la Russie, cela signifie seulement qu'il est noyé sous des masses de problèmes secondaires tandis que les questions d'importance sont laissées de côté [12].

Cependant, à partir de 1900, le tsar se révèle capable d'infléchir la politique étrangère de son pays dans une certaine direction. À la fin des années 1890, la Russie s'est engagée dans une offensive économique en Chine. La politique menée en Extrême-Orient ne fait pas l'unanimité au sein de l'administration : certains s'offusquent de son coût exorbitant, autant dans le domaine militaire que pour construire les infrastructures nécessaires. D'autres, tel le ministre de la Guerre, le général Alekseï A. Kouropatkine, considèrent que l'Extrême-Orient détourne la Russie de problèmes plus urgents qu'il faut régler à la périphérie occidentale de l'Empire – tout particulièrement la question des Balkans et des détroits du Bosphore. Mais au cours de cette décennie, Nicolas II, qui reste fermement convaincu que l'avenir de la Russie se joue à l'est, en Sibérie et en Extrême-Orient, fait en sorte que les adversaires de cette politique ne puissent l'emporter. Malgré quelques appréhensions, il approuve en 1898 la décision de s'emparer de Port-Arthur, se donnant ainsi une tête de pont sur la péninsule de Liaodong. Il choisit également de soutenir la décision de pénétrer en Corée, ce qui met ainsi Saint-Pétersbourg en compétition directe avec Tokyo.

Les interventions de Nicolas II prennent la forme de rapprochements informels plutôt que de décisions officielles. Il est proche par exemple de ces entrepreneurs aristocrates qui gèrent les vastes concessions forestières du fleuve Yalu en Corée. Le magnat Alexandre M. Biezobrazov, ancien officier du régiment d'élite des Chevaliers-Gardes, use de ses relations personnelles avec le tsar pour faire du Yalu une base arrière de la colonisation informelle de la péninsule coréenne. En 1901, le ministre russe des Finances Sergueï Witte rapporte que Biezobrazov rencontre régulièrement le tsar, « au moins deux fois par semaine, parfois pendant des heures », le conseillant sur les décisions à prendre en Extrême-Orient [13]. Les ministres sont excédés de la présence à la cour de ces outsiders dont ils ne peuvent guère contrecarrer l'influence. Peu à peu, ces liens officieux amènent le tsar à adopter une politique de plus en plus agressive dans la région : « Je ne cherche pas à m'emparer de la Corée, déclare Nicolas II au prince Henri de Prusse en 1901, mais en aucune circonstance je ne permettrai que le Japon s'y établisse. Ce serait un *casus belli* [14]. »

Nicolas II renforce encore sa mainmise en créant un poste de vice-roi de l'Extrême-Orient, doté des pleins pouvoirs civils, militaires, mais également diplomatiques vis-à-vis du Japon. Il y nomme l'amiral Ievgueni Ivanovitch Alekseïev, qui est directement responsable auprès de lui et n'est pas soumis à l'autorité des ministres. Cette nouvelle fonction a été imaginée par Biezobrazov et sa clique, qui voient là un moyen de court-circuiter la politique relativement prudente du ministère des Affaires étrangères. Ce sont donc par conséquent deux politiques coloniales parallèles que mène la Russie, l'une officielle et l'autre officieuse, ce qui permet ainsi à Nicolas II de choisir ses options et monter les différentes factions les unes contre les autres [15]. Or l'amiral Alekseïev n'étant pas un diplomate, ni par expérience ni par tempérament, son style cassant et intransigeant ne peut qu'irriter les Japonais, dont il se fait des ennemis. Même s'il n'est pas certain que Nicolas II ait consciemment cherché à provoquer un conflit avec le Japon, il porte certainement une lourde part de responsabilité dans le déclenchement du conflit en 1904 et dans le désastre qui s'ensuit [16].

À la veille de la guerre russo-japonaise, on peut donc dire que l'influence du tsar va croissant alors que celle des ministres s'affaiblit. Mais cette situation ne va pas durer, car les conséquences catastrophiques des choix politiques opérés par le tsar vont brutalement affaiblir sa capacité à fixer l'ordre du jour. Au fur et à mesure que, défaite après défaite, on prend la mesure de la situation en Extrême-Orient et que l'agitation sociale engloutit la Russie, un groupe de ministres emmené par Sergueï Witte fait passer une série de réformes pour unifier le gouvernement. Le pouvoir est concentré aux mains d'un Conseil des ministres présidé pour la première fois par un « président » ou Premier ministre. Sous le gouvernement de Witte puis de son successeur Piotr Arkadievitch Stolypine (1906-1911), l'exécutif reste relativement protégé des interventions arbitraires du monarque. Intelligent et déterminé, charismatique et énergique, Stolypine parvient à asseoir son autorité personnelle sur la plupart des ministères et à imposer une nouvelle cohérence au gouvernement. Durant son ministère, Nicolas II semble « curieusement absent de la vie politique [17] ».

Cependant le tsar ne supporte pas longtemps cette situation : même pendant les années où Stolypine est au pouvoir, il trouve le moyen de saper son autorité en passant des accords avec les ministres sans le consulter. Et parmi ces ministres se trouve Izvolski, dont les erreurs dans les négociations avec son homologue autrichien déclenchent la crise de l'annexion bosniaque en 1908-1909. Izvolski a obtenu des Autrichiens qu'ils soutiennent les revendications russes dans les Détroits, en échange du soutien des Russes à l'annexion de la Bosnie par l'Autriche-Hongrie. Mais ni le Premier ministre Stolypine ni les autres ministres n'ont été informés par avance de cette entreprise risquée, directement autorisée par le tsar. Jusqu'à l'automne 1911, où Stolypine est assassiné, Nicolas II ne cesse d'attaquer directement son autorité en soutenant ses adversaires politiques. Confronté à un bloc ministériel qui menace de limiter sa liberté d'action, Nicolas II retire son soutien aux hommes qu'il a lui-même nommés et intrigue contre eux. Witte a déjà été la victime de ce comportement autoritaire en 1906, comme l'aurait été Stolypine s'il n'avait été assassiné. Son successeur Vladimir Kokovtsov perdra lui aussi son poste en février 1914, au moment où il voudra défendre l'idée d'un gouvernement unifié. Nous reviendrons sur les conséquences de ces manœuvres politiques sur le cours de la politique étrangère russe ; pour le moment, il importe de noter que les années 1911-1914 voient le pouvoir du gouvernement décliner et l'autoritarisme du tsar reprendre le dessus [18].

Cependant cet autoritarisme n'est pas mis au service d'une vision cohérente. Il est utilisé de façon négative, pour sauvegarder l'autonomie et le pouvoir du monarque en éliminant tous ceux qui semblent vouloir prendre l'initiative. La conséquence de ces interventions autoritaires n'est donc pas tant d'imposer la volonté du tsar, mais plutôt de créer un sentiment d'incertitude tenace : qui détient véritablement le pouvoir ? Qui prend les décisions ? Dans quels domaines ? Cette situation confuse, qui entretient les luttes entre factions, dégrade de façon critique la capacité de la Russie à prendre des décisions cohérentes.

De ce trio d'empereurs et de cousins, Guillaume II est à l'époque et demeure encore aujourd'hui le plus controversé. La réalité de son pouvoir au sein de l'exécutif allemand fait encore l'objet de discussions acharnées [19]. Il est certain que, lorsqu'il monte sur le trône, il a la ferme intention d'être l'auteur de la politique étrangère de son pays. « Le ministre des Affaires étrangères ? Mais je suis le ministre des Affaires étrangères [20] ! » s'exclame-t-il un jour. « Je suis le seul maître de la politique allemande, écrit-il au prince de Galles (le futur Édouard VII), et mon pays doit me suivre là où je veux aller [21]. » Guillaume II s'intéresse personnellement à la nomination des ambassadeurs, soutenant à l'occasion ses favoris contre l'avis du chancelier ou du ministre des Affaires étrangères. Bien plus que ses deux cousins, il considère les rencontres et la correspondance entre souverains – moyens pour les monarchies de rester liées les unes aux autres – comme des ressources diplomatiques irremplaçables qu'il faut exploiter dans l'intérêt de son pays [22]. Comme le tsar, Guillaume II, surtout au début de son règne, se passe de l'avis de ses ministres et consulte plutôt ses favoris. Encourageant les rivalités politiques afin de saper l'unité du gouvernement, il exprime des opinions qui n'ont pas été sanctionnées par les ministres concernés, voire qui contredisent la politique officielle.

Cette façon d'exprimer des opinions personnelles non officielles, voilà ce qui va faire l'objet des remarques les plus hostiles, à la fois chez ses contemporains et parmi les historiens [23]. Il est indéniable que de multiples déclarations personnelles du Kaiser – dans des télégrammes, lettres, commentaires en marge d'autres documents, conversations, entretiens et discours sur des thèmes de politique intérieure ou extérieure – sont surprenantes, tant par leur contenu que par leur tonalité. Leur volume en est tout à fait conséquent : pendant les trente années de son règne, le Kaiser ne cesse de s'exprimer, d'écrire, d'envoyer des télégrammes, de gribouiller et de fulminer, et une part très importante de ces déclarations ont été notées et conservées pour la postérité. À titre d'exemple, on peut citer deux anecdotes qui ont trait à ses relations avec les États-Unis. Le 4 avril 1906, Guillaume II participe à un dîner officiel à l'ambassade des États-Unis à Berlin. Au cours d'une conversation à bâtons rompus avec ses hôtes, il évoque la nécessité de trouver de nouveaux territoires pour une population allemande en rapide expansion : à son accession au trône, il avait quarante millions de sujets, ils sont désormais soixante millions. C'est une bonne chose en soi, d'après lui, mais la question des ressources alimentaires risque de se poser de manière aiguë dans les années à venir. Or de nombreuses régions françaises lui semblent largement sous-peuplées et sous-développées : ne pourrait-on demander au gouvernement français s'il accepterait de repousser un peu sa frontière vers l'ouest afin de faire de la place à ce surcroît de population allemande ? Ce commentaire inepte (dont on ose penser qu'il a été prononcé sur le ton de la plaisanterie) est scrupuleusement pris en note par l'un de ses interlocuteurs et transmis à Washington par la valise diplomatique [24]. Un autre exemple se produit en novembre 1908, à un moment où la presse agite la possibilité d'une guerre entre les États-Unis et le Japon. Inquiet de cette perspective et désireux de donner des gages aux Américains, le Kaiser envoie une lettre au président Roosevelt pour lui proposer – et cette fois-ci tout à fait sérieusement – de faire stationner un corps expéditionnaire prussien en Californie [25].

Quel était le lien entre de telles prises de position et le monde de la politique réelle ? Dans une démocratie moderne, le ministre des Affaires étrangères ou l'ambassadeur qui se permettrait de dire des choses aussi inappropriées serait démis de ses fonctions sur-le-champ. Mais quelle importance les gaffes du souverain allemand pouvaient-elles avoir dans le grand ordre de l'univers ? Il est très difficile d'évaluer l'impact de ces déclarations inconséquentes : si Guillaume II avait fait preuve d'une vision politique claire et cohérente, nous pourrions comparer ses intentions et les résultats. Or ses intentions sont toujours équivoques, et son attention change constamment d'objet. À la fin des années 1890, le Kaiser s'enthousiasme d'un projet de fonder une « Nouvelle Allemagne » (*Neudeutschland*) au Brésil et « exige ardemment » que l'émigration vers cette région soit encouragée et augmentée aussi rapidement que possible ; inutile de dire que rien ne sortira de ce projet. En 1899, il informe Cecil Rhodes de son intention de s'emparer de la Mésopotamie pour en faire une colonie allemande. En 1900, en pleine révolte des Boxers, il propose d'envoyer tout un corps d'armée effectuer la partition de la Chine. En 1903, il déclare à nouveau : « Notre objectif, c'est l'Amérique du Sud. » Il pousse donc l'état-major de la Marine, qui n'a sans doute rien de mieux à faire, à préparer des plans d'invasions de Cuba, Puerto Rico et New York – en pure perte, parce que entre autres objections l'état-major n'acceptera jamais de fournir les troupes nécessaires [26].

Le Kaiser adopte des idées, s'en entiche, s'en lasse ou se décourage, puis les abandonne. Pendant une semaine le tsar l'irrite, la semaine suivante, il s'en engoue [27]. Il n'arrête pas de concevoir des projets d'alliance : une alliance *avec* la Russie et la France *contre* le Japon et la Grande-Bretagne ; *avec* la Russie, la Grande-Bretagne et la France *contre* les États-Unis ; *avec* la Chine et les États-Unis *contre* le Japon et la Triple-Entente, ou *avec* le Japon et les États-Unis *contre* l'Entente… et ainsi de suite [28]. À l'automne 1896, où l'Allemagne et la Grande-Bretagne sont en froid au sujet du Transvaal, le Kaiser propose une alliance continentale de son Empire avec la France et la Russie afin d'organiser la défense conjointe de leurs colonies contre la Grande-Bretagne. Presque au même moment cependant, il flirte avec l'idée d'éliminer toute cause de conflit avec les Anglais en se débarrassant purement et simplement de toutes les colonies allemandes, à l'exception de celles de l'Est africain. Mais au printemps 1897, renonçant à cette idée, Guillaume II propose que l'Allemagne se rapproche de la France [29].

Le Kaiser ne se contente pas d'envoyer des instructions à ses ministres ou d'annoter leurs documents, il expose ses idées directement aux représentants des puissances étrangères. Parfois ses interventions sont aux antipodes de la politique officielle, parfois elles suivent la même direction. Parfois encore, dépassant le but recherché, elles présentent une caricature grossière du point de vue officiel. En 1890, alors que le ministère des Affaires étrangères cherche à prendre ses distances d'avec la France,

Guillaume II se montre nettement plus engageant. Le même scénario se reproduit pendant la crise marocaine de 1905 : tandis que le ministère augmente la pression sur Paris, Guillaume II assure divers généraux et journalistes étrangers, et même un ancien président du Conseil français, qu'il cherche à se réconcilier avec la France et qu'il n'a pas l'intention d'entrer en guerre au sujet du Maroc. En mars, à la veille de son départ pour Tanger, il prononce un discours à Brême dans lequel il annonce avoir retenu les leçons de l'histoire : « Ne jamais être tenté de conquérir le pouvoir futile sur le monde. » Il ajoute que l'Empire allemand doit gagner « la confiance absolue des autres nations en se montrant un voisin posé, honnête et pacifique ». Un certain nombre d'hommes politiques de premier rang, et tout particulièrement les faucons au sein de l'armée, sont convaincus que ce discours nuit à la politique allemande au Maroc [30].

En janvier 1904, au cours d'un dîner de gala organisé pour son anniversaire, le Kaiser se retrouve assis à côté du roi des Belges, Léopold, qui a fait le déplacement jusqu'à Berlin. Il saisit l'occasion pour l'informer qu'il attend de la Belgique qu'elle se range aux côtés des Allemands en cas de guerre avec la France. Si le roi des Belges décide de soutenir l'Allemagne, Guillaume lui promet de nouveaux territoires dans le nord de la France et le récompensera personnellement en lui offrant « la Couronne de l'ancienne Bourgogne ». Décontenancé, Léopold lui répond que ni ses ministres ni son Parlement n'accepteront jamais un plan aussi fantaisiste et audacieux, sur quoi Guillaume II rétorque qu'il ne peut avoir de respect pour un monarque qui se sent responsable devant des ministres et des députés plutôt que devant le Seigneur Dieu. Si le roi des Belges ne se montre pas plus accommodant, le Kaiser sera obligée d'agir « selon des principes purement stratégiques », en d'autres termes, il envahira et occupera la Belgique. La contrariété de Léopold est si grande qu'il en a, raconte-t-on, remis son casque à l'envers au moment de se lever de table [31].

C'est précisément à cause d'épisodes de ce genre que les ministres de Guillaume II s'efforcent de le maintenir à l'écart du processus de décision. La décision la plus importante de son règne en matière de politique étrangère, à savoir le non-renouvellement du Traité de réassurance avec la Russie en 1890, s'élabore sans qu'il ne soit consulté, ni même informé [32]. À l'été 1905, le chancelier Bernhard von Bülow charge le Kaiser de transmettre une proposition d'alliance au tsar Nicolas II, au cours de la fameuse rencontre de Björkö, au large des côtes finlandaises ; mais au retour du Kaiser, il s'aperçoit que ce dernier n'a pas hésité à introduire une modification dans le projet de traité. Le chancelier présente donc sa démission. Terrifié à l'idée de perdre le soutien de son ministre le plus puissant, le Kaiser fait machine arrière. Bülow accepte de rester en poste, et la modification est supprimée [33].

Le Kaiser se plaint constamment d'être tenu à l'écart et de ne pas avoir accès aux documents diplomatiques importants. Il est tout particulièrement contrarié quand des fonctionnaires insistent pour vérifier le contenu de sa correspondance personnelle avec des chefs d'État étrangers. Le scandale éclate, par exemple, lorsque l'ambassadeur allemand à Washington, Speck von Sternburg, refuse de transmettre au président Roosevelt une lettre dans laquelle le Kaiser lui exprime sa profonde admiration. Ce n'est pas tant le contenu politique de la lettre qui inquiète alors les diplomates, mais plutôt l'enthousiasme débordant du ton et l'immaturité qu'il révèle. Il est inconcevable, fait remarquer l'un d'entre eux, que le souverain de l'Empire allemand s'adresse au président des États-Unis « comme un lycéen fou amoureux d'une jolie grisette [34] ».

Dans un environnement où les gouvernements ne cessent de décrypter les intentions des uns et des autres, ces déclarations ne sont pas seulement troublantes, elles sont même dangereuses. Cependant, il faut garder à l'esprit trois éléments : tout d'abord, quand il s'exprime lors de rencontres avec des dirigeants étrangers, le Kaiser est en représentation, jouant le rôle de leader et de commandement qu'il est incapable d'assumer en pratique. Deuxièmement, ses menaces rhétoriques sont toujours associées à des scénarios imaginaires dans lesquels l'Allemagne figure le pays *attaqué*. La proposition indécente faite à Léopold de Belgique n'est pas une agression : c'est un élément de la réaction allemande à une attaque française. Évoquer l'impossibilité de respecter la neutralité de la Belgique en cas de conflit n'est d'ailleurs pas en soi une idée étrange : l'invasion de la Belgique est un scénario sur lequel travaillent également les états-majors français et britannique. Ce qui est bizarre, c'est le contexte dans lequel la proposition a été faite et l'identité des interlocuteurs. L'une des particularités du Kaiser est son incapacité à ajuster son attitude aux contextes dans lesquels sa fonction le place. Trop souvent, il ne s'exprime pas comme un monarque mais comme un jeune adolescent surexcité se laissant déborder par ses préoccupations du moment. Il incarne en fait un personnage tout à fait typique de la Belle Époque, l'importun, qui à tout bout de champ impose aux autres membres de son club d'interminables conversations sur sa lubie du moment. Rien d'étonnant alors à ce que la perspective de se retrouver coincé à table avec le Kaiser pour voisin, sans possibilité de s'échapper, ait fait peur à la plupart des monarques européens.

Les interventions de Guillaume II sont une source de préoccupation constante pour les diplomates mais elles n'ont guère d'influence sur la politique allemande. À l'inverse, peut-être est-ce le sentiment de son impuissance, le fait de ne pas être directement aux commandes, qui lui inspire ces fantasmes récurrents de guerres mondiales à venir contre le Japon ou les États-Unis, d'invasions de Puerto Rico, de croisades contre l'Empire britannique, de protectorat allemand sur la Chine, etc. Tels sont les scénarios idéalisés qui foisonnent dans l'esprit de ce géopoliticien invétéré mais irréaliste, mais il ne s'agit pas de projets politiques. D'ailleurs, chaque fois qu'un conflit réel semble imminent, Guillaume fait le dos rond, trouvant de multiples raisons pour justifier que l'Allemagne ne puisse entrer en guerre. À la fin de 1905, les tensions avec la France sont au plus haut quand Guillaume II prend peur et informe le chancelier Bülow que l'agitation socialiste en Allemagne exclut catégoriquement toute action offensive extérieure. L'année suivante, ébranlé d'apprendre que le roi Édouard VII vient de rencontrer le ministre français des Affaires étrangères déchu, Théophile Delcassé, il prévient le chancelier qu'en cas de conflit, ni la marine ni l'artillerie allemandes ne seront en mesure de tenir leurs positions [35]. Guillaume II a beau menacer, quand le danger approche, il a tendance à faire machine arrière et à se mettre à couvert. C'est ainsi qu'il agira à nouveau pendant la crise de juillet 1914. Comme le fait observer Jules Cambon, ambassadeur de France à Berlin, dans une lettre adressée à un haut fonctionnaire du Quai d'Orsay : « C'est une chose singulière de voir combien cet homme, si imprévu, si primesautier et si impulsif en paroles, est plein de cautèle et de patience dans l'action [36]. »

Cette étude d'ensemble des monarques du début du XXe siècle montre que leur influence sur les décisions politiques effectivement prises a été variable et au final, relativement modeste. L'empereur François-Joseph d'Autriche-Hongrie lit une masse de dépêches et reçoit régulièrement ses ministres des Affaires étrangères en audience. Mais en dépit du travail gigantesque qu'abat « ce premier bureaucrate » de l'Empire austro-hongrois, il est, tout comme Nicolas II, incapable de maîtriser les torrents d'information qui envahissent son bureau. Rien n'est fait pour qu'il répartisse son temps en fonction de l'importance des problèmes qui se présentent [37]. La politique étrangère de l'Autriche-Hongrie ne dépend donc pas du bon vouloir de l'empereur mais de l'interaction de factions et de groupes de pression à l'intérieur comme à l'extérieur du ministère. De son côté, Victor-Emmanuel III, roi d'Italie de 1900 à 1946, travaille bien moins que François-Joseph. Résidant la plupart du temps dans le Piémont ou dans son domaine de Castelporziano, il s'efforce de lire un certain nombre de dépêches mais passe également trois heures par jour à éplucher les journaux pour y relever toutes les erreurs. Il cultive ses relations avec ses ministres des Affaires étrangères et soutient la décision historique de s'emparer de la Libye en 1911, mais ses interventions directes sont fort rares [38]. Quant à Nicolas II, même s'il favorise telle faction ou tel ministère, ce qui sape la cohésion du gouvernement, il est incapable de fixer une ligne politique, tout particulièrement après le fiasco de la guerre russo-japonaise. Guillaume II a plus d'énergie que Nicolas II mais de leur côté, ses ministres sont davantage capables de protéger le processus de décision politique de ses interventions intempestives. De toute façon, les initiatives du Kaiser sont trop disparates et trop peu coordonnées pour constituer un programme d'action alternatif.

Qu'ils soient donc intervenus massivement ou pas dans le processus politique, les souverains européens n'en demeurent pas moins, du simple fait de leur existence, facteurs de déstabilisation des relations internationales. La présence d'un souverain au cœur d'un système non encore totalement démocratique, d'un monarque supposé être au sommet de l'exécutif, ayant accès à tous les documents de l'État comme à chacun des acteurs de la vie politique, et portant la responsabilité ultime de toute décision, cette présence même est source d'ambiguïté. Des relations diplomatiques purement dynastiques, où des monarques se rencontrent pour résoudre les grandes affaires de l'État, ne sont évidemment plus de mise – le rendez-vous futile de Björkö le prouve. Mais parmi les diplomates, les hommes d'État et les monarques eux-mêmes, la tentation reste grande de considérer que le monarque est à la barre et personnifie son gouvernement. Par sa simple présence, il empêche de localiser avec certitude le centre névralgique où s'élaborent les décisions. C'est en ce sens que rois et empereurs deviennent une source d'obstruction diplomatique. Le manque de clarté rend vains tous les efforts pour établir des relations sûres et transparentes entre États.

Les structures monarchiques dissimulent également les relations de pouvoir au sein de chaque exécutif. En Italie par exemple, on ne sait pas clairement qui dirige l'armée : le roi ? le ministre de la Guerre ? le chef d'état-major ? Ce dernier fait tout son possible pour que les civils soient exclus des discussions qu'il mène avec ses homologues autrichiens et allemands. De leur côté, les autorités civiles se vengent en maintenant les officiers de l'état-major à l'écart du jeu politique. D'où il résulte que le chef d'état-major n'est même pas informé des articles de la Triple-Alliance définissant les conditions dans lesquelles l'Italie pourra être amenée à entrer en guerre aux côtés de ses alliés [39].

Dans de telles situations, que l'on retrouve dans chacune des monarchies européennes, le roi ou l'empereur est l'unique point de convergence de toutes les chaînes de commandement. S'il ne joue pas son rôle d'intégration, si la Couronne ne parvient pas à compenser les insuffisances de la Constitution, le système reste déséquilibré et potentiellement incohérent. De fait, les monarques échoueront souvent, ou plutôt ils refuseront de jouer ce rôle, dans l'espoir qu'en continuant à traiter séparément avec chacun des acteurs majeurs de l'exécutif ils parviendront à sauvegarder ce qui leur reste de prérogatives et de prééminence à l'intérieur du système. Cette attitude, à son tour, a des conséquences négatives sur le processus de décision. Dans un environnement où les décisions d'un ministre peuvent être sapées ou renversées par un collègue ou un rival, les ministres ont souvent du mal à voir « comment leur action s'intégrait dans l'ensemble du tableau [40] ». La confusion généralisée encourage tous les acteurs politiques – ministres, fonctionnaires, hauts gradés et experts – à se croire autorisés à faire entendre leur voix dans le débat, mais sans se sentir personnellement responsables des décisions qui seront prises. Dans le même temps, la nécessité de s'attirer la faveur du monarque suscite une atmosphère de compétition et de flagornerie qui décourage toute consultation interministérielle pouvant conduire à des décisions plus équilibrées. Rivalités de factions et excès rhétoriques : cette culture politique portera des fruits empoisonnés en 1914.

Qui gouverne à Saint-Pétersbourg ?

Si ce n'est pas le monarque, qui alors détermine le cours de la politique étrangère ? La réponse semble évidente : le ministre des Affaires étrangères. Il supervise les activités du corps diplomatique et de son ministère, lit les dépêches les plus importantes et y répond, et doit expliquer et justifier sa politique devant le Parlement et l'opinion publique. En réalité cependant, partout en Europe, la capacité du ministre des Affaires étrangères à définir la politique est aussi fluctuante et variée que celle de son souverain en la matière. Son influence dépend de toute une série de facteurs : le pouvoir et la faveur d'autres ministres, tout particulièrement le Premier ministre, l'attitude et le comportement du monarque, la bonne volonté des hauts diplomates et des ambassadeurs à suivre ou non la ligne édictée par le ministre, et le niveau d'instabilité créé par les différentes factions à l'intérieur du système.

En Russie, le ministre des Affaires étrangères et sa famille occupent un logement de fonction dans le grand bâtiment rouge brique qui abrite le ministère, en face du Palais d'hiver : la vie sociale du ministre tout comme celle de son épouse et de ses enfants sont donc étroitement liées à la vie du ministère [41]. Mais ce qui détermine la capacité du ministre à définir la politique étrangère, c'est la dynamique d'un système politique dont les paramètres ont été redéfinis après l'issue catastrophique de la guerre russo-japonaise et la révolution de 1905. Un groupe de puissants ministres avait alors décidé de mettre en place une structure de décision plus concentrée afin d'arbitrer entre impératifs de politiques intérieure et extérieure, et d'imposer une certaine discipline aux hauts fonctionnaires. Mais la façon d'y arriver faisait débat. Le réformateur le plus talentueux et le plus énergique, Sergueï Witte, un économiste distingué, voulait créer un « cabinet » présidé par un « Premier ministre » qui ait le pouvoir non seulement d'imposer une discipline aux ministres, mais également de contrôler leurs rapports avec le tsar. Il avait démissionné du gouvernement en 1903 car il était opposé à la politique de colonisation agressive menée en Corée. Mais le ministre des Finances, le plus conservateur Vladimir Kokovtsov *, considérait que ces propositions menaçaient le principe d'autorité qui fondait le régime tsariste, seule forme de gouvernement adaptée aux conditions de la Russie selon lui. Finalement, un compromis avait été trouvé : la création d'une sorte de cabinet sous la forme d'un Conseil des ministres, dont le président ou Premier ministre avait le pouvoir de renvoyer un ministre s'il se montrait peu coopératif. Cependant le droit des ministres à en référer directement au tsar, indépendamment de l'avis du président du Conseil, était maintenu.

Il en résulte un arrangement bancal dans lequel tout dépend de la capacité d'initiative du Premier ministre président du Conseil, de ses ministres et du tsar. Si le président du Conseil a une forte autorité, il peut espérer imposer sa volonté aux autres ministres. Mais si un ministre a suffisamment d'assurance pour obtenir le soutien du tsar, il peut s'affranchir de ses collègues et faire cavalier seul. Avec la nomination de Piotr Stolypine à la tête du Conseil pendant l'été 1906, le nouveau système est dirigé par un leader charismatique qui sait s'imposer. Le nouveau ministre des Affaires étrangères, Alexandre Izvolski, semble lui aussi être capable de faire fonctionner ce nouvel arrangement : il se considère comme un homme de la « nouvelle politique » et s'empresse de créer des postes de conseillers diplomatiques chargés de faire la liaison avec la Douma. Dans ses rapports avec le tsar, il fait preuve de respect mais de moins de déférence que ses prédécesseurs. Il s'engage dans la réforme et la modernisation de son ministère, défendant avec enthousiasme le concept de « gouvernement unifié [42] ». Plus important encore, il partage l'avis de la majorité des autres ministres sur la nécessité de rechercher un accord avec la Grande-Bretagne.

Cependant, il devient vite évident qu'en matière de politique étrangère, Izvolski a une vision radicalement différente de celle de ses collègues.

---

* Kokovtsov démissionne de son poste de ministre des Finances en février 1905, mais y revient en novembre de la même année et y reste jusqu'en février 1914. À partir de 1911, il est également Premier ministre.

Piotr Stolypine

Pour Stolypine et Kokovtsov, la Convention anglo-russe est le moyen de renoncer à la politique aventureuse d'avant 1905 pour se concentrer sur la consolidation de la situation intérieure et les réformes économiques. À l'inverse, pour Izvolski, l'accord avec l'Angleterre signifie l'autorisation de poursuivre une politique plus pugnace, en particulier sur la question de l'accès des navires russes aux détroits du Bosphore, auquel les Britanniques se sont toujours opposés. Izvolski pense que de meilleures relations inaugurées par la Convention lui permettront d'obtenir de la Grande-Bretagne un accès libre aux Détroits. Il ne prend d'ailleurs pas là ses désirs pour des réalités car le secrétaire d'État au Foreign Office, Sir Edward Grey lui-même, l'a explicitement incité à entretenir de tels espoirs. Lors d'une conversation avec l'ambassadeur russe à Londres en mars 1907, Grey a déclaré que « si de bonnes relations s'établissaient de façon durable » entre les deux pays, « l'Angleterre ne considérerait plus comme intangible le principe de maintenir le statu quo » sur les Détroits [43].

C'est dans ce contexte qu'Izvolski, au cours de ses négociations avec Aehrenthal, lui promet que la Russie soutiendra l'annexion de la Bosnie par l'Autriche-Hongrie, en échange du soutien autrichien à une révision du statu quo sur les Détroits. L'accord avec Aehrenthal est censé être la première étape d'une révision plus globale du statu quo. Cette démarche est entreprise avec le soutien du tsar. Peut-être même est-ce Nicolas II qui a poussé Izvolski à proposer cet échange aux Autrichiens : après avoir été un ardent défenseur de l'expansion en Extrême-Orient, le tsar a désormais reporté son attention sur les Détroits. « L'idée de s'emparer des Détroits et de Constantinople l'obsède [44] », se rappellera un homme politique russe. Plutôt que d'essuyer un refus de la part de Stolypine, de Kokovtsov et des autres ministres, Izvolski fait usage de ce droit d'en référer directement au tsar. Il est à l'apogée de son indépendance, une indépendance acquise en jouant sur les marges de manœuvre subsistant entre les différents centres de pouvoir à l'intérieur du système. Mais son triomphe est de courte durée. Puisqu'il n'y a aucun soutien à attendre de Londres, la négociation sur les Détroits échoue : Izvolski tombe en disgrâce aux yeux de l'opinion publique russe et revient à Saint-Pétersbourg affronter la colère de Stolypine et de Kokovtsov.

À court terme, la déroute de cette crise diplomatique (comme celle de la défaite contre le Japon) mène à un renforcement de l'autorité collective du Conseil des ministres. Le tsar perd l'initiative, au moins provisoirement. Izvolski, obligé de faire machine arrière, doit se soumettre à la discipline du gouvernement unifié. De son côté, Stolypine est au sommet de son pouvoir. Les conservateurs, défenseurs de l'autocratie traditionnelle, craignent même qu'il ne soit devenu tout-puissant, sorte de « grand vizir » ayant usurpé l'autorité de son maître impérial. En 1910, Stolypine choisit de remplacer Izvolski par Sazonov, ce qui semble renforcer encore sa domination. En effet Sazonov n'est pas encore parvenu aux plus hauts échelons de la hiérarchie diplomatique, il a peu d'expérience à des postes importants dans les chancelleries et n'a pas de connexions dans l'aristocratie ni à la cour. Il n'a pas non plus une grande expérience des mœurs politiciennes pétersbourgeoises, et aucune influence dans les cercles proches du gouvernement. Ses principales qualités, selon ses détracteurs, sont sa réputation de médiocrité et de docilité et le fait d'être le beau-frère de Stolypine [45].

Après l'échec d'Izvolski et son départ, la politique étrangère russe porte donc l'empreinte non pas du ministre des Affaires étrangères mais du Premier ministre Stolypine, convaincu que la Russie a besoin de paix à tout prix et doit donc mener une politique de conciliation sur tous les fronts. S'ouvre alors une période de rapprochement marqué avec l'Allemagne, en dépit des tensions récentes créées par l'épisode bosniaque. En 1910, Nicolas II et Sazonov se rendent à Potsdam pour initier des discussions et aboutir à un accord, marquant ainsi l'apogée de la détente russo-germanique [46].

L'assassinat de Stolypine ne change guère l'orientation de la politique étrangère. Dans les jours et semaines qui suivent, Sazonov multiplie les efforts pour faire entendre sa voix, mais sa faiblesse politique ajoutée à la disparition de son mentor amplifie à son tour l'instabilité latente du système. Les diplomates les plus aguerris en poste à l'étranger sont donc libres de jouer un rôle plus indépendant. Deux ambassadeurs en particulier, Nikolaï Valerievitch Tcharykov à Constantinople et Nikolaï Hartwig à Belgrade, sentant que le contrôle exercé par Saint-Pétersbourg se relâche, se lancent dans des initiatives personnelles risquées afin de profiter de la dégradation de la situation dans les Balkans[47]. Entre-temps, l'ambassadeur russe en France, qui n'est autre que l'ancien ministre Izvolski, reste plus déterminé que jamais à peser sur la politique étrangère, tout particulièrement dans les Balkans. Il mène donc ses propres intrigues à Paris, tout en « harcelant Sazonov de messages impérieux envoyés par la valise diplomatique[48] ».

L'éclipse de Sazonov ne dure qu'un temps ; au bout d'un moment, il parvient à imposer ses vues sur les Balkans en exploitant la faiblesse politique de Kokovtsov, successeur de Stolypine à la tête du Conseil des ministres. Il est donc crucial de noter qu'en Russie, les influences qui modèlent la politique ne cessent de changer. Il faut y concevoir le pouvoir comme un fluide qui circule d'un point à un autre selon un vaste système de vases communicants : monarque, Premier ministre, ministre des Affaires étrangères, ambassadeurs... Lorsqu'il s'accumule en un lieu quelconque, il diminue en un autre. De plus, ce qui augmente encore les contraintes au sein du système, c'est la tension entre deux options politiques radicalement opposées. D'un côté, les nationalistes libéraux panslaves, qui veulent favoriser une politique volontariste sur la question des Détroits, défendent l'idée d'une solidarité avec les petits frères « slaves » des Balkans. De l'autre, les conservateurs, qui ont une conscience aiguë de la faiblesse politique et financière de la Russie, voient le danger qu'il y a à « mener une politique étrangère active au détriment de l'estomac des paysans ». Ils défendent par conséquent l'idée de la paix à tout prix[49].

Quand la crise de l'annexion bosniaque est débattue à la Douma pendant l'été 1909 par exemple, les conservateurs, représentés par le Conseil de la noblesse unie, défendent le point de vue suivant : l'annexion n'a nui ni aux intérêts ni à la sécurité de la Russie, qui doit adopter une politique de non-ingérence absolue dans les États balkaniques tout en cherchant à se réconcilier avec Berlin. Le véritable ennemi, selon eux, reste la Grande-Bretagne qui essaie de pousser la Russie à la guerre avec l'Allemagne pour consolider sa domination des marchés mondiaux. À l'inverse, les libéraux profrançais et probritanniques du Parti constitutionnel démocrate (parti des Cadets) en appellent à une transformation de la Triple-Entente en une Triple-Alliance, qui permettrait à la Russie d'intervenir dans les Balkans et restaurerait son statut de grande puissance [50]. Tel est alors le problème central posé à tous les diplomates (et à ceux qui aujourd'hui tentent de les comprendre) : l'intérêt national n'est pas un impératif objectif imposé par le monde extérieur ; il reflète les intérêts particuliers de certaines factions de l'élite politique [51].

Qui gouverne à Paris ?

À Paris, la dynamique du pouvoir présente bien des aspects similaires malgré les différences. Le ministère des Affaires étrangères y a un pouvoir et une autonomie bien plus considérables qu'en Russie. Les fonctionnaires qui y travaillent sont tous peu ou prou issus du même milieu socioculturel, y font très souvent la totalité de leur carrière et ont une très haute idée de leur mission. Tout un réseau de liens familiaux étroits renforce encore *l'esprit de corps* du Quai d'Orsay : les frères Jules et Paul Cambon sont respectivement ambassadeurs à Berlin et à Londres. Michel Paléologue, ambassadeur à Saint-Pétersbourg, est le beau-frère de Jules. Il existe encore bien d'autres dynasties de diplomates tels les Herbette, Margerie ou Courcel, entre autres. C'est en cultivant le secret que le ministère des Affaires étrangères protège son indépendance : les informations sensibles ne sont que rarement transmises aux autres ministres, aux hommes politiques en général, voire au président de la République. En janvier 1895, le président Casimir-Perier démissionne au bout de six mois seulement, protestant que Gabriel Hanotaux, alors ministre des Affaires étrangères, ne l'a pas tenu informé de développements de la plus haute importance. Certains documents de politique sont traités comme des informations secrètes : Raymond Poincaré ne sera informé des détails de l'Alliance franco-russe que lorsqu'il deviendra président du Conseil et ministre des Affaires étrangères en 1912 [52].

Cependant, l'indépendance relative du Quai d'Orsay ne donne pas nécessairement plus d'autonomie au ministre des Affaires étrangères. Il a généralement peu de pouvoir, voire moins que ses propres fonctionnaires. En effet, les turbulences incessantes qui agitent la vie politique française avant la guerre font que les ministres ne restent pas longtemps en poste. Entre le 1er janvier 1913 et le déclenchement de la guerre, par exemple, pas moins de six ministres des Affaires étrangères vont se succéder. Être ministre est une étape relativement plus courte et moins importante dans la carrière d'un homme politique en France qu'elle ne l'est en Grande-Bretagne, en Allemagne ou en Autriche-Hongrie. De plus, en l'absence de toute règle de solidarité au sein du gouvernement, les ministres ont

Joseph Caillaux

tendance à dépenser leur énergie et leur ambition dans des luttes intestines qui sont le lot quotidien de la Troisième République.

Bien évidemment, certains font exception à la règle : un ministre suffisamment déterminé et habile, restant à son poste suffisamment longtemps, peut imprimer sa marque sur le fonctionnement du ministère. C'est le cas de Théophile Delcassé, ministre pendant sept ans, de juin 1898 à juin 1905, une durée remarquable qui lui permet d'asseoir son autorité. Travaillant sans relâche et ignorant les hauts fonctionnaires du Quai d'Orsay désignés sous le terme collectif de « la Centrale », il se bâtit tout un réseau d'ambassadeurs et de fonctionnaires d'ambassade qui partagent les mêmes opinions que lui. Le noyau de ce cabinet interne se compose des principaux ambassadeurs, les frères Cambon à Londres et à Berlin, et Camille Barrère à Rome. Ils se rencontrent régulièrement à Paris pour définir les politiques et faire pression sur les décideurs, communiquant avec le ministre par lettres privées, sans passer par les fonctionnaires de la Centrale. En France comme ailleurs en Europe, l'ascension ou le déclin de certains départements au sein du ministère produit des réajustements dans la répartition du pouvoir. Sous l'autorité de ministres puissants tels que Delcassé, le pouvoir des hauts fonctionnaires tend à diminuer tandis que, libérés des contraintes imposées par Paris, les ambassadeurs voient leur influence augmenter (tout comme Izvolski et Hartwig durant la faiblesse relative de Sazonov).

Les ambassadeurs d'alors développaient un sentiment tout à fait exacerbé de leur propre importance, tout particulièrement si nous le mesurons à l'aune de l'éthique professionnelle des ambassadeurs d'aujourd'hui. Paul Cambon en est le parfait exemple : en 1901, il écrit dans une lettre que toute l'histoire diplomatique française se résume à une longue liste de tentatives faites par des ambassadeurs en poste à l'étranger pour parvenir à des résultats, en dépit de la résistance que Paris oppose à tous leurs efforts. Lorsqu'il est en désaccord avec les instructions du Quai d'Orsay, il lui arrive souvent de les brûler, de même qu'il n'hésite pas, lors d'un entretien tendu avec Justin de Selves, ministre de juin 1911 à janvier 1912, à lui déclarer qu'il se considère comme son égal [53]. Cette attitude est moins choquante qu'il n'y paraît si l'on se souvient que Cambon voit défiler neuf ministres au Quai d'Orsay entre sa nomination à Londres en 1898 et l'été 1914. Il ne se considère pas comme un subalterne du gouvernement, mais comme un grand serviteur de l'État, un homme à qui l'expérience et le mérite donnent le droit de jouer un rôle majeur dans l'élaboration des politiques.

Ce qui sous-tend cette très haute opinion que Cambon et d'autres grands ambassadeurs ont de leur fonction, c'est qu'ils ne se contentent pas de représenter la France, ils l'incarnent. En poste à Londres de 1898 à 1920, Cambon ne parle pas un mot d'anglais. Quand il rencontre Edward Grey qui, lui, ne parle pas un mot de français, il exige que la moindre déclaration soit traduite, y compris des mots facilement identifiables tels que « yes » [54]. Convaincu (comme une grande partie des élites françaises) que seule sa langue maternelle permet d'exprimer une pensée rationnelle, il s'oppose à la fondation d'écoles françaises en Grande-Bretagne au motif, tout à fait excentrique, que les jeunes Français éduqués en Grande-Bretagne auraient tendance à souffrir de retard mental [55].

La signature de l'Entente cordiale en 1904 est le fruit de cette étroite collaboration entre Delcassé et Cambon. Ce dernier en est le principal artisan, travaillant dès 1901 à convaincre ses interlocuteurs britanniques de trouver un accord sur le Maroc, tout en poussant Delcassé à renoncer aux revendications françaises en Égypte [56]. Mais la situation change après le départ de Delcassé, au plus fort de la première crise marocaine, car ses successeurs sont des personnalités moins affirmées et moins autoritaires. Maurice Rouvier et Léon Bourgeois ne restent respectivement en fonction que dix et sept mois. Stephen Pichon demeure plus longtemps au Quai d'Orsay, d'octobre 1906 à mars 1911, mais n'aimant guère s'astreindre à un travail soutenu il n'est pas souvent à son bureau. La Centrale exerce

Paul Cambon

donc à nouveau une influence croissante[57]. En 1911, deux factions rivales se sont constituées : d'un côté les ambassadeurs les plus chevronnés et leurs alliés au sein du ministère, qui prônent une politique de détente vis-à-vis de l'Allemagne et une approche pragmatique et ouverte dans les relations diplomatiques. De l'autre, les « Jeunes Turcs » de la Centrale, comme les appelle Jules Cambon.

Les ambassadeurs ont certes l'autorité conférée par l'ancienneté et une longue expérience sur le terrain. Mais les hommes de la Centrale ont l'immense avantage d'être au cœur de l'institution et de pouvoir en exploiter tous les leviers : publication de communiqués de presse, transmission des documents officiels et, plus crucial encore, accès au *cabinet noir* du bureau du ministre. Ce service, modeste mais capital, ouvre les dépêches et déchiffre les messages diplomatiques interceptés. Et tout comme en Russie, ces oppositions de factions au sein de l'appareil coïncident avec des opinions divergentes quant aux décisions à prendre. Les luttes d'influence intestines suscitent donc des remous qui peuvent avoir un impact direct sur l'orientation de la politique.

La politique française au Maroc en est l'illustration parfaite. Après l'affrontement franco-allemand de 1905 et le fiasco allemand à Algésiras l'année suivante, Paris et Berlin s'efforcent de trouver un accord pour régler définitivement la question. Mais, à Paris, il n'y a pas de consensus sur la réponse à apporter aux demandes allemandes : doit-on essayer de satisfaire les revendications allemandes ou bien agir comme si les droits des Allemands au Maroc n'existaient tout simplement pas ? Jules Cambon, frère de Paul et ambassadeur à Berlin, défend ouvertement la première option. Il y a, d'après lui, plusieurs motifs de rechercher la détente avec les Allemands. Il reconnaît aux Allemands le droit de défendre leurs industriels et leurs investisseurs à l'étranger. Il pense également que les personnages politiques allemands les plus importants – le Kaiser et son ami proche le comte Philipp zu Eulenburg, le chancelier Bernhard von Bülow, le secrétaire d'État aux Affaires étrangères Heinrich von Tschirschky et son successeur Wilhelm von Schoen – ont un désir sincère de rétablir de meilleures relations avec Paris. Cambon rend le système politique français, dominé par les rivalités de factions et le nationalisme virulent de la presse, responsable des incompréhensions qui surviennent entre les deux pays. Ses efforts aboutissent néanmoins à la signature de l'Accord franco-germanique du 9 février 1909 qui, certes, exclut Berlin de toute initiative au Maroc mais réaffirme la valeur de la coopération franco-germanique dans le domaine économique [58].

Contre lui se dressent les hommes de la Centrale, opposés à toute concession, qui agissent en coulisses, et en particulier Maurice Herbette. Ce germanophobe convaincu, chef des communications au Quai d'Orsay de 1907 à 1911, utilise ses nombreux contacts dans la presse pour saboter les négociations en cours : il organise des fuites sur des propositions de conciliation potentiellement controversées, avant même leur transmission aux Allemands. Il va jusqu'à fomenter des campagnes de presse contre Jules Cambon lui-même [59]. Herbette est l'exemple type du haut fonctionnaire qui parvient à imprimer sa marque sur les processus de décision. En 1908, il rédige un mémorandum qui rappelle celui écrit par Eyre Crowe pour le Foreign Office l'année précédente – à cette différence près que là où Crowe s'en est tenu à vingt-cinq pages imprimées, Herbette, lui, s'épanche sur trois cents pages d'un manuscrit chaotique. Il y dépeint l'histoire récente des relations franco-allemandes sous les couleurs les plus sombres, énumérant toutes les ruses, insinuations et menaces des Allemands qui, écrit-il, seraient menteurs, soupçonneux, déloyaux et fourbes. Leurs prétendus efforts de conciliation ne seraient que stratagèmes destinés à tromper et isoler la France, leurs revendications de pures provocations et leur politique étrangère une alternance abjecte de « menaces et de promesses ». La France, conclut-il, n'aurait aucune responsabilité dans les relations difficiles entre les deux États, elle qui aurait toujours traité l'Allemagne de façon « impeccablement conciliante et respectueuse » : « L'examen impartial des documents diplomatiques prouve que la France et ses gouvernements successifs ne peuvent en aucun cas être tenus responsables de la situation. » Comme Crowe un an auparavant, Herbette se livre à des procès d'intention plutôt que d'identifier des exemples factuels de transgressions allemandes[60]. Aucun signe ne montre qu'il ait jamais changé d'opinion et cette intransigeance, partagée par bien d'autres fonctionnaires de la Centrale, est un obstacle majeur à toute détente avec l'Allemagne.

Au début du mois de mars 1911, la chute du gouvernement entraînant celle de Pichon, l'influence de la Centrale atteint son apogée. Le nouveau ministre des Affaires étrangères, Jean Cruppi, ancien magistrat, consciencieux mais totalement inexpérimenté en la matière, ne doit son poste qu'à la défection d'hommes politiques plus expérimentés – ce qui en dit long sur le peu de prestige qui s'attache alors à la fonction de ministre. Durant son bref passage au Quai d'Orsay, du 2 mars au 27 juin 1911, c'est la Centrale qui prend les décisions politiques. Sous la pression du directeur des affaires politiques et économiques du Quai d'Orsay, Cuppri accepte de rompre tous les liens économiques avec l'Allemagne au Maroc, ce qui revient à répudier unilatéralement l'accord de 1909. S'ensuivent toute une série de décisions unilatérales : interruption brutale des négociations sur la gestion partagée de la ligne ferroviaire de Fès à Tanger, rédaction d'un nouvel accord financier avec le Maroc dans lequel il n'est fait aucune mention de l'Allemagne. Cambon, atterré, dénonce « l'esprit de chicane » avec lequel les Français conduisent leurs relations avec l'Allemagne[61].

Finalement, au printemps 1911, Paris décide de déployer dans la ville de Fès un important contingent de soldats venus de métropole, sous le prétexte de réprimer une insurrection locale et de protéger les colons français. Ce faisant sont rompus à la fois l'accord d'Algésiras et l'accord franco-germanique de 1909. Or le prétexte de cette intervention est fallacieux, car la rébellion qui se déroule dans des régions reculées du Maroc ne met pas en danger les Européens. Rédigé par le consul français, l'appel à l'aide du sultan a été transmis à ce dernier pour qu'il le signe alors que Paris a déjà pris la décision d'intervenir[62]. Nous reviendrons sur la crise d'Agadir qui suivra ces événements. Il faut noter pour l'instant que ce n'est pas le gouvernement français dans son ensemble qui formule cette politique agressive au Maroc, mais des faucons du Quai d'Orsay dont l'influence en ce printemps et début d'été 1911 n'est bridée par aucun obstacle[63]. À Paris comme à Saint-Pétersbourg, le pouvoir circule et se concentre tantôt en un lieu, tantôt en un autre de l'appareil exécutif, ce qui produit de rapides changements dans le ton et les objectifs de la politique étrangère.

Qui gouverne à Berlin ?

En Allemagne comme en France, la politique étrangère est soumise à l'interaction de différents centres de pouvoir au sein du système. Mais il existe également des différences de fond, dont la principale est que, au sein de la structure fédérale complexe créée en 1871 pour abriter l'Empire allemand, le rôle de ministre des Affaires étrangères est très largement assumé par le chancelier. En effet, il n'y a pas de ministre impérial des Affaires étrangères mais un simple secrétaire d'État impérial aux Affaires étrangères, placé sous l'autorité directe du chancelier. De plus, ce dernier cumule plusieurs responsabilités : il est généralement aussi ministre-président et ministre des Affaires étrangères de la Prusse, l'État qui représente environ les trois cinquièmes du territoire et des habitants du nouvel Empire. Ceci lui donne un rôle central. Que le chancelier soit étroitement associé à la définition de la politique étrangère se manifeste enfin par le fait que son logement de fonction est situé dans le palais exigu qu'occupe également le ministère des Affaires étrangères allemand, au 76 de la Wilhelmstraße.

Tel est le système qui a permis à Otto von Bismarck de dominer la structure constitutionnelle inédite qu'il a lui-même contribué à créer après les guerres d'unification allemande, puis de gérer seul les relations extérieures de l'Allemagne. Son départ, au début du printemps 1890, laisse un vide que personne ne peut remplir [64]. Leo von Caprivi, son successeur aux postes de chancelier et de ministre des Affaires étrangères de la Prusse, n'a aucune expérience en matière diplomatique. Sa décision historique de ne pas renouveler le Traité de réassurance a en fait été prise sous l'influence d'une faction qui, au sein du ministère des Affaires étrangères, s'opposait secrètement à la politique de Bismarck depuis quelque temps. Cette faction est emmenée par Friedrich von Holstein, homme d'une intelligence hors du commun s'exprimant merveilleusement bien, misanthrope admiré mais guère aimé de ses contemporains. Tout comme en France, la faiblesse du ministre (ici, du chancelier) signifie donc que l'initiative lui échappe et revient aux fonctionnaires de la Wilhelmstraße, l'équivalent berlinois du Quai d'Orsay. Cette situation perdure après le départ de Caprivi, sous le gouvernement du prince Chlodwig von Hohenlohe-Schillingsfürst, de 1894 à 1899. Du début au milieu des années 1890, c'est donc Holstein qui définit l'orientation de la politique étrangère, et non le chancelier ou le secrétaire d'État impérial.

Holstein doit en partie son influence aux excellentes relations qu'il entretient avec les hommes politiques au pouvoir, tout comme avec la coterie de conseillers qui entourent le Kaiser [65]. Pendant cette période, le Kaiser tente de peser de tout son poids sur les décisions, déterminé qu'il est à devenir « son propre Bismarck » et à établir son « pouvoir personnel » sur le complexe appareil politique, mais sans y parvenir. Au contraire, ses fanfaronnades vont paradoxalement provoquer une concentration du pouvoir, car les hommes politiques et les hauts fonctionnaires vont se liguer pour repousser les interventions du monarque qui menacent l'intégrité du processus de décision. Friedrich von Holstein, le comte Philipp zu Eulenburg, ami intime et conseiller influent du Kaiser, et même le chancelier Hohenlohe, personnage un peu falot, vont devenir experts dans la manière de « contrôler le Kaiser [66] ». Leur technique principale consiste à ne pas le prendre trop au sérieux. Dans une lettre datée de février 1897, Holstein fait remarquer à Eulenburg qu'ils en sont au troisième programme politique envoyé par le souverain en trois mois. Ce dernier lui répond de ne pas s'inquiéter : les projets du Kaiser ne sont pas des programmes, mais des « notes insignifiantes » et saugrenues qui n'ont qu'une influence limitée sur la conduite des affaires. Le chancelier, lui aussi, reste impassible : « Il semble que Sa Majesté recommande de nouvelles actions, écrit-il, mais je ne prends pas les choses trop au sérieux. J'ai vu de si nombreux projets surgir puis disparaître [67]. »

Ce sont Eulenburg et Holstein qui vont propulser Bernhard von Bülow, diplomate de carrière, à la chancellerie. Secrétaire d'État impérial aux Affaires étrangères dans le gouvernement du chancelier Hohenlohe de 1897 à 1900, Bülow a déjà pris le contrôle de la politique étrangère avec l'aide de ses amis. Sur les conseils d'Eulenburg, le Kaiser le nomme chancelier en 1900, ce qui renforce encore sa position. Il déploie à ce poste tous ses talents de courtisan chevronné et gagne la confiance du souverain. Malgré rivalités et méfiance réciproque, la troïka Bülow-Holstein-Eulenburg contrôle de manière remarquablement efficace la politique étrangère [68]. Mais ce système ne peut fonctionner qu'à trois conditions : que les partenaires soient d'accord sur les objectifs à atteindre, que leurs politiques soient couronnées de succès, que le Kaiser s'abstienne d'intervenir.

Pendant la crise marocaine de 1905-1906, chacune de ces conditions disparaît. Tout d'abord, Holstein et Bülow ne sont pas d'accord sur les objectifs de la politique marocaine de l'Allemagne (Bülow voudrait obtenir des compensations alors que Holstein espère, de manière irréaliste, torpiller l'Entente cordiale). À la conférence d'Algésiras en 1906, il devient clair que la politique marocaine a été menée de façon désastreuse, l'Allemagne se retrouvant isolée et débordée par les manœuvres de la France. La conséquence de ce fiasco est que le Kaiser, qui avait toujours émis des doutes sur cette politique marocaine, se désolidarise de son chancelier : la menace de le voir intervenir à nouveau dans le processus de décision refait surface [69].

Ce qui se passe alors en Allemagne est l'inverse de ce que la Russie vit au même moment : le fiasco de la politique extrême-orientale du tsar affaiblit la position du souverain, permettant aux ministres de reprendre l'initiative politique. En Allemagne au contraire, l'échec des ministres restaure pour un temps la liberté de manœuvre du Kaiser. En janvier 1906, quand le poste de secrétaire d'État aux Affaires étrangères devient vacant après le décès de son titulaire, qui s'est épuisé à la tâche, Guillaume impose son remplaçant, au mépris des conseils de Bülow. Il est généralement admis que Heinrich von Tschirschky, proche du Kaiser qu'il a souvent accompagné dans ses voyages, a été nommé pour remplacer la politique menée par le tandem Bülow-Holstein par une ligne plus conciliante. Dès le début de 1907 se répandent des rumeurs de rivalités entre le camp de Bülow et le cercle de Tschirschky.

Au cours des dernières années de sa chancellerie, Bülow mène une lutte sans merci pour recouvrer sa suprématie perdue. Comme Bismarck l'avait fait dans les années 1880, il essaie de construire un nouveau bloc parlementaire, loyal à sa personne, dans l'espoir de se rendre indispensable au Kaiser. Il trempe dans la manipulation dévastatrice de l'affaire du *Daily Telegraph* (novembre 1908) – la publication par ce journal anglais de déclarations intempestives de Guillaume II qui va déclencher une vague de protestations dans l'opinion allemande, lassée des indiscrétions publiques de son souverain. Il est même directement impliqué dans la série de campagnes de presse qui, en 1907-1908, révèle l'homosexualité de plusieurs personnalités de l'entourage proche du Kaiser, dont Eulenburg, son ancien ami et allié désormais honni, que Bülow – qui aurait été lui-même homosexuel – considère comme un rival potentiel auprès du Kaiser [70]. Malgré ces manœuvres extravagantes, Bülow ne retrouvera jamais son influence sur la politique étrangère [71]. La nomination de Theobald von Bethmann-Hollweg à la chancellerie en juillet 1909 rétablira la stabilité de l'appareil politique. Bethmann a certes moins d'expérience en matière de relations internationales, mais c'est un personnage sérieux, modéré et imposant, qui affirme sans tarder son autorité sur les ministres et secrétaires d'État impériaux [72]. Ce qui lui facilitera la tâche, c'est qu'après le choc et l'humiliation des scandales précédents le Kaiser sera moins enclin à défier publiquement l'autorité de ses ministres.

La suprématie contestée de Sir Edward Grey

La Grande-Bretagne présente un cas bien différent. Contrairement à Stolypine et Kokovtsov, ou leurs homologues allemands Bülow et

Sir Edward Grey

Bethmann-Hollweg, le secrétaire d'État au Foreign Office Sir Edward Grey n'a aucune raison de craindre les interventions intempestives de son souverain. De fait, George V n'est que trop content de se laisser guider par lui en matière de relations internationales. De plus, Grey bénéficie du soutien sans faille du Premier ministre, Herbert Asquith. À la différence de ses homologues français, il n'a pas non plus maille à partir avec des fonctionnaires tout-puissants au sein de son propre ministère. Et le simple fait qu'il soit resté aussi longtemps à son poste, de décembre 1905 à décembre 1916, lui assure une influence que n'ont jamais eue la plupart de ses collègues français. Pendant cette même période, la France voit défiler quinze ministres des Affaires étrangères. Enfin, son arrivée au Foreign Office renforce l'influence d'un réseau de décideurs qui partagent ses opinions en matière de politique étrangère. Indubitablement, Sir Edward Grey est le ministre des Affaires étrangères le plus puissant de toute l'Europe d'avant-guerre.

Comme la plupart de ses prédécesseurs du XIXᵉ siècle, Grey est issu de la plus haute caste de la société britannique. Il descend d'une illustre lignée de grands aristocrates whigs : son arrière-grand-oncle n'est autre que le fameux Earl Grey de la réforme électorale de 1832, celui aussi qui a légué son nom au thé à la bergamote. De tous les hommes politiques qui arpentent la scène avant 1914, Grey demeure le plus énigmatique. Son attitude dédaigneuse et supérieure passe mal auprès de la base du Parti libéral. Membre du Parlement pendant de longues années, il n'en est pas moins convaincu que les questions de politique étrangère sont trop sensibles pour être soumises aux aléas du débat parlementaire. Secrétaire d'État au Foreign Office, il ne connaît guère le monde en dehors de la Grande-Bretagne, n'a jamais beaucoup aimé voyager, ne parle que l'anglais et n'est pas à l'aise en présence d'étrangers. C'est un politicien libéral dont la vision politique heurte bien des membres de son propre parti mais qui reçoit le soutien de la plupart des conservateurs. Il devient le plus puissant des libéraux impérialistes, mais ne semble guère se soucier de l'Empire britannique – ses préoccupations en matière de politique étrangère et de sécurité restant centrées sur le continent européen.

Il y a un curieux hiatus entre le personnage – public et privé – et son mode opératoire en politique. Jeune homme, Grey n'a guère manifesté de curiosité intellectuelle, d'ambitions politiques ni d'énergie. Il a poursuivi de nonchalantes études au Balliol College d'Oxford, passant le plus clair de son temps à devenir champion de tennis de l'université avant d'obtenir, de justesse, un diplôme en droit jurisprudentiel, matière qu'il a choisie car elle est réputée peu ardue. Le patronage de membres de sa famille lui a obtenu un premier poste – non rémunéré. À l'âge adulte, Grey cultivera toujours l'image d'un homme pour qui la politique est un devoir pénible plutôt qu'une vocation.

En 1895, alors que le Parlement est dissous après la mise en minorité des libéraux sur une question cruciale, Grey, alors membre du Parlement et sous-secrétaire d'État parlementaire aux Affaires étrangères, déclare qu'il n'en éprouve aucun regret : « Je n'occuperai plus jamais de telles fonctions et mes jours au Parlement sont probablement comptés. Nous en sommes tous deux [moi-même et ma femme Dorothy] extrêmement soulagés [73]. » Il a d'autres passions : la nature, l'ornithologie et la pêche. Au tournant du siècle, il a rédigé un manuel sur la technique de la pêche à la mouche qui lui a valu une notoriété tout à fait justifiée. Même après sa nomination au Foreign Office, il s'absente fréquemment de Londres, détestant interrompre ses séjours à la campagne si cela n'est pas absolument indispensable. Certains de ses collaborateurs, tel Cecil Spring-Rice, pensent que ces escapades prennent bien trop d'importance et que le secrétaire d'État « ferait mieux de consacrer un peu moins de temps à ses canards et un peu plus à apprendre le français [74] ». Ses collègues ont du mal à discerner quelles sont ses motivations politiques : ils sont frappés par « son manque d'ambition personnelle, son caractère hautain et distant [75] ».

Et cependant, Grey finit par acquérir un profond appétit pour le pouvoir, allant jusqu'à employer des méthodes de conspirateur pour s'en emparer puis le conserver. Son accession au poste de secrétaire d'État au Foreign Office est le fruit d'une campagne méticuleusement planifiée avec ses amis de confiance, Herbert Asquith et R. B. Haldane, deux autres libéraux impérialistes. Tous trois concluent le « pacte de Relugas », un complot fomenté dans le petit village écossais du même nom où Grey possède un pavillon de pêche, et conviennent de pousser sur la touche le leader radical Sir Henry Campbell-Bannerman pour se partager les postes ministériels les plus importants. Le goût du secret, des transactions discrètes menées en coulisses, deviendra la marque de son style, la posture réservée du gentleman dissimulant en réalité une aptitude innée à utiliser toutes les méthodes et tactiques de l'affrontement politique.

Grey prend rapidement le contrôle du processus d'élaboration de la politique étrangère, s'assurant que la priorité restera la réponse à apporter à « la menace allemande ». Il serait bien évidemment exagéré d'attribuer cette réorientation de la politique britannique à l'influence d'un seul acteur. Grey n'est pas celui qui tire les ficelles : les partisans de cette nouvelle ligne politique – Bertie, Hardinge, Nicolson, Mallet, Tyrell, etc. – ne sont pas manipulés ou contrôlés par lui mais travaillent main dans la main comme les membres d'une coalition informelle animée par des opinions communes. De fait, Grey dépend de certains de ses collaborateurs. Nombres de ses décisions et mémorandums par exemple s'inspirent directement de rapports rédigés par Hardinge [76]. Paradoxalement, ce sont des réformes structurelles du Foreign Office (dont le but était de répartir l'influence plus largement entre toute une série de hauts fonctionnaires, plutôt que de renforcer l'autorité du secrétaire d'État) qui permettent aux proches de Grey d'accroître leur pouvoir [77]. Cependant l'énergie et la vigilance exercées par Grey pour maintenir son ascendant sont impressionnantes. Bien sûr, il est aidé en cela par le soutien sans faille de son ancien complice Herbert Asquith, Premier ministre de 1908 à 1916. Le soutien d'une large partie des conservateurs à la Chambre des communes est un autre atout majeur – Grey sachant toujours dépasser les clivages politiques.

Malgré tout, l'étendue de son pouvoir et la cohérence de ses opinions ne suffisent pas totalement à protéger le cours de la politique étrangère de l'agitation chronique qui caractérise les exécutifs européens pendant cette période. La position anti-allemande adoptée par le groupe de Grey ne suscite guère d'adhésion en dehors du Foreign Office. Elle n'a même pas le soutien de la majorité des membres du cabinet. Le gouvernement libéral, et plus largement le Parti libéral, est polarisé par l'opposition entre les « libéraux impériaux » et les éléments radicaux. De nombreux radicaux

influents – parmi eux certaines des personnalités les plus respectées du
parti – déplorent la politique d'alignement sur la Russie menée par le
Foreign Office. Ils accusent Grey et ses acolytes d'adopter une posture
anti-allemande inutilement provocante. Ils ne sont pas convaincus que
les avantages d'un apaisement avec la Russie vaillent qu'on y sacrifie les
fruits d'une amitié éventuelle avec l'Empire allemand. Craignant que la
création d'une Triple-Entente ne pousse Berlin à adopter une politique
encore plus agressive, ils réclament une politique de détente. Pour ajouter
à ces difficultés, au cours des dernières années de l'avant-guerre, l'opinion
publique britannique (en particulier l'élite politique et culturelle) semble
changer de visage et adopter des sentiments plus favorables à l'Allemagne,
en dépit des « guerres journalistiques » qui éclatent périodiquement entre
les deux pays [78]. Dans les élites britanniques, l'antagonisme envers l'Allemagne coexiste avec des liens culturels multiples et une profonde admiration pour les succès culturels, économiques et scientifiques de ce pays [79].

C'est en dissimulant le processus de décision aux regards de ceux qui
lui sont hostiles que Grey répond à ces défis. Les documents en provenance de son bureau portent souvent la mention « communication limitée ». Autre annotation typique de la main de son secrétaire : « Sir E. Grey
considère que ces destinataires sont suffisants. » Les consultations organisées pour prendre des décisions importantes, notamment sur le renforcement des engagements britanniques vis-à-vis de la France, ne rassemblent
que des contacts de confiance au sein de l'administration. En décembre
1905 et mars 1906 par exemple, le cabinet n'est pas informé des discussions qui ont lieu entre les représentants militaires des deux pays afin de
trouver un accord de principe sur la forme d'une éventuelle intervention
militaire britannique aux côtés de la France, en cas de guerre. Cette
méthode est parfaitement accordée à la conception élitiste que Grey se
fait de la vie politique et à la vision qu'il a de l'Entente cordiale : il
considère qu'elle doit être cultivée dans un esprit de loyauté et de générosité, que les difficultés ne feront que renforcer l'Entente et non l'inverse,
et que l'approfondissement graduel des engagements réciproques doit
toujours être protégé des « controverses partisanes [80] ». En d'autres
termes, Grey mène une double politique. En public, il réfute l'idée que
la Grande-Bretagne ait la moindre obligation de venir en aide à la France,
répétant que Londres garde les mains libres. Pressé de questions par des
ministres adverses, il peut toujours affirmer que les scénarios de mobilisation simultanée échafaudés par les militaires des deux pays ne sont que
des plans d'urgence. Toutes ces manœuvres complexes lui permettent de
mener la politique étrangère britannique d'une manière remarquablement cohérente.

Cependant on voit facilement comment cet état de fait – rendu nécessaire par l'équilibre du pouvoir toujours changeant entre les différentes factions du gouvernement et de l'élite politique – donne lieu à une grave confusion. Les Français, qui traitent directement avec le secrétaire d'État et ses associés, sont convaincus que « Sir Grey » – comme l'appellent curieusement certains d'entre eux – soutiendra la France en cas de guerre, nonobstant ses déclarations officielles sur le caractère non exécutoire de l'Entente. Mais les Allemands, qui n'ont pas connaissance du contenu des consultations, ont le sentiment que la Grande-Bretagne s'abstiendra d'intervenir, en particulier si c'est l'Alliance franco-russe qui attaque l'Allemagne plutôt que l'inverse.

1911 : la crise d'Agadir

Les oscillations du pouvoir d'un point à un autre des structures de décision rendent encore plus complexes et imprévisibles les interactions au sein du système international, tout particulièrement en temps de crise, quand deux exécutifs (ou plus) interagissent dans un climat de pression et de menaces accrues. C'est ce que met en lumière tout particulièrement la querelle qui éclate entre la France et l'Allemagne au sujet du Maroc à l'été 1911. L'accord franco-allemand de 1909, nous l'avons vu, s'est effondré à la suite d'une série de décisions prises par le Quai d'Orsay culminant avec l'envoi d'un important corps expéditionnaire en avril 1911. Le 5 juin 1911, le gouvernement espagnol, qui s'alarme de la perspective de voir la France s'emparer du Maroc unilatéralement, déploie des troupes pour occuper Larache et Ksar-el-Kebir (respectivement au nord et au nord-ouest du pays). L'intervention allemande devient inévitable : la canonnière le *Panther*, un navire de taille fort modeste qui aurait dû être envoyé à la casse deux ans auparavant, jette donc l'ancre au large d'Agadir le 1er juillet.

La crise d'Agadir a quelque chose de surréaliste : elle se développe sans qu'aucune tentative ne soit faite pour arrêter une escalade qui semble à tout moment vouloir déboucher sur une guerre européenne, alors que les positions des parties adverses ne sont pas irréconciliables et fourniront même à terme la base d'un règlement durable. Comment expliquer cette escalade ? L'intransigeance du Quai d'Orsay en est partiellement responsable, car en effet c'est la Centrale qui s'empare de l'initiative et la conserve pendant toute la première phase de la crise. La position des fonctionnaires est renforcée par le départ de leur ministre Jean Cruppi le 27 juin, quelques jours avant l'arrivée du *Panther* au large d'Agadir. Son successeur, Justin de Selves – autre candidat par défaut – tombe donc sur-le-champ sous la coupe de Maurice Herbette, le chef de cabinet. Également chef du service de presse depuis 1907, ce dernier peut s'appuyer sur un vaste réseau de journalistes pour discréditer toute tentative de négociation avec l'Allemagne. C'est en partie à cause de l'intransigeance d'Herbette, partagée par d'autres hauts fonctionnaires du Quai d'Orsay, que l'ambassadeur à Berlin doit attendre jusqu'à la fin du mois de juillet pour recevoir l'instruction d'ouvrir des négociations avec l'Allemagne sur d'éventuelles compensations en échange de la reconnaissance d'une domination exclusive du Maroc par la France.

Ce geste de conciliation n'est rendu possible que parce que Jules Cambon, ambassadeur de France à Berlin, en a appelé directement au président du Conseil Joseph Caillaux, sans passer par le ministre des Affaires étrangères. Entré en fonction le 27 juin, quelques jours avant le début de la crise, Joseph Caillaux est le fils d'Eugène Caillaux, ancien ministre des Finances qui s'est illustré en payant si rapidement les indemnités de guerre réclamées par l'Allemagne en 1870. Économiste libéral et réformateur fiscal, il porte sur la politique étrangère le regard d'un homme d'affaires pragmatique qui ne voit pas pourquoi les intérêts commerciaux de l'Allemagne au Maroc ne seraient pas traités rigoureusement de la même manière que ceux des autres nations et qui critique les stratégies mercantiles devenues caractéristiques de l'impérialisme européen[81]. À Paris, le cabinet se divise donc entre partisans de Caillaux, favorables à une politique de conciliation avec l'Allemagne au Maroc, et partisans de Justin de Selves, simple porte-parole des fonctionnaires germanophobes du Quai d'Orsay. Ces derniers font pression sur Selves pour qu'il envoie des croiseurs à Agadir, décision qui aurait déclenché une escalade dramatique. Caillaux s'y oppose. Le Quai d'Orsay tente alors de le discréditer, ainsi que Jules Cambon, autre partisan de la conciliation, à coup de communiqués de presse. Exaspéré par cette tentative de sabotage, Caillaux convoque Herbette et, joignant le geste à la parole, lui lance : « Je vous briserai comme je brise ce crayon[82]. » Caillaux parviendra à un accord avec l'Allemagne en recourant à des discussions confidentielles et informelles menées par l'entremise de l'ambassadeur allemand à Paris, de Jules Cambon à Berlin ainsi que d'un homme d'affaires nommé Fondère[83]. Début août, Caillaux a donc secrètement accepté un accord de compensation avec Berlin, négocié à l'insu de son propre ministre des Affaires étrangères et de hauts fonctionnaires qui y sont farouchement opposés[84].

Cette diplomatie clandestine, qui permet au président du Conseil d'éviter le blocage, n'est cependant pas sans risques. Durant la première semaine du mois d'août, une interruption accidentelle des communications entraîne une escalade qui aurait pu être évitée : la France et la Grande-

Bretagne menacent d'envoyer des vaisseaux de guerre à Agadir au moment même où Caillaux et ses homologues allemands tombent d'accord pour rechercher un compromis[85]. Caillaux rendra son négociateur Fondère responsable du malentendu, mais le fait est que si les fonctionnaires du Quai d'Orsay n'avaient pas conspiré pour le pousser à la démission et faire échouer les négociations avec l'Allemagne, il ne lui aurait pas été nécessaire d'avoir recours à un intermédiaire ou à des manœuvres diplomatiques occultes. Cette situation a inévitablement d'autres conséquences : Caillaux doit parfois revenir sur des engagements que ses collègues refusent d'entériner, et ces manœuvres complexes augmentent le sentiment d'incertitude à Berlin, où l'on ne sait comment les interpréter. Les Allemands sont contraints de mettre en balance des positions contradictoires, comme le fait ce jeune diplomate qui rapporte que « malgré les cris d'orfraie de la presse et le chauvinisme de l'armée, la politique de Caillaux finira sans doute par l'emporter[86] ».

Quant à la stratégie politique allemande pendant la crise d'Agadir, elle n'est pas élaborée par le chancelier Bethmann-Hollweg, encore moins par le Kaiser qui se désintéresse totalement du Maroc, mais par le secrétaire d'État impérial aux Affaires étrangères, l'énergique Alfred von Kiderlen-Wächter, originaire de Souabe. Kiderlen a participé à l'élaboration de l'accord franco-allemand sur le Maroc en février 1909 ; il est ainsi tout naturel qu'il joue un rôle majeur dans les décisions politiques prises pour répondre au déploiement de troupes françaises en 1911. Il prend donc personnellement le contrôle de la situation, d'une manière tout à fait typique des hauts fonctionnaires allemands, gérant toutes les communications avec Paris sans en référer au chancelier, qui est tenu à distance des développements de la crise[87]. Le but de Kiderlen n'est pas de prendre le contrôle de certaines régions du Maroc, mais de ne pas laisser la France s'imposer là-bas de façon unilatérale comme la seule nation dominante. En choisissant de riposter de manière graduelle à chaque initiative française, il espère obtenir la reconnaissance des revendications allemandes, ainsi que des compensations territoriales au Congo français. Il a de bonnes raisons de penser que cet objectif pourra être atteint sans recourir à une confrontation armée car, en mai 1911, Joseph Caillaux (qui n'est alors que ministre des Finances) a assuré à des diplomates allemands en poste à Paris que « la France était prête à faire des concessions aux Allemands dans d'autres régions du monde, si ceux-ci reconnaissaient ses intérêts vitaux au Maroc[88] ». Caillaux devenu président du Conseil, Kiderlen présume donc que telle sera la position de la France. Il rejette l'idée d'envoyer deux navires de guerre à Agadir, persuadé que la présence du *Panther*, qui n'est pas armé pour permettre un débarquement effectif et n'a pas d'instruction à cet effet, suffira à cette démonstration de force symbolique [89].

L'évolution de la crise révèle que Kiderlen a gravement mésestimé la réaction française et très mal géré l'opinion publique allemande. Les relations personnelles de Kiderlen avec Guillaume II ne sont pas vraiment cordiales. Tout comme en 1905, la politique marocaine de l'administration allemande laisse le Kaiser sceptique [90]. Afin de se prémunir de toute opposition en provenance de ce côté-là, Kiderlen enrôle le soutien de la presse et des publicistes ultranationalistes, mais il est incapable, une fois la campagne de presse lancée, d'en contrôler ni le contenu ni la tonalité. Par conséquent, sa stratégie consistant à ne jamais franchir le seuil de la confrontation armée se déroulera sur fond d'agitation tumultueuse entretenue par la presse nationaliste qui alarme Paris et Londres. Les gros titres des journaux ultranationalistes clament : « Le Maroc oriental doit revenir à l'Allemagne », ce qui renforce les convictions germanophobes des faucons du Quai d'Orsay. Ils inquiètent également le Kaiser, qui émet des critiques si vives contre la politique menée par le secrétaire d'État que ce dernier présente sa démission le 17 juillet. Il faut l'intervention du chancelier Bethmann-Hollweg pour maintenir Kiderlen à son poste et assurer la poursuite de sa politique [91].

Finalement, le 4 novembre 1911, un Traité franco-allemand permet de fixer les termes d'un accord. Le Maroc devient protectorat exclusivement français, les intérêts économiques allemands seront respectés, certaines portions du Congo français sont cédées à l'Allemagne. Mais la crise d'Agadir a mis en lumière la dangereuse incohérence de la diplomatie française. Une commission disciplinaire interne réunie le 18 novembre pour enquêter sur les initiatives de Maurice Herbette révèle les machinations ourdies par les hauts fonctionnaires à Paris. Caillaux et l'ensemble du cabinet sont également discrédités, coupables aux yeux de l'opinion publique, influencée par les nationalistes, d'avoir signé un traité qui fait trop de concessions aux Allemands – une condamnation bien surprenante si l'on compare ce Traité aux propositions encore plus généreuses que Delcassé était prêt à faire à la fin des années 1890. Le sort de Caillaux est définitivement scellé après la révélation des négociations secrètes qu'il a menées avec les Allemands (la Centrale ayant opportunément transmis à la presse les messages interceptés et décryptés par le cabinet noir). Le 21 janvier 1912, sept mois seulement après son arrivée à la tête du gouvernement, il doit démissionner.

Le Traité de novembre 1911 est également dénoncé en Allemagne où les compensations obtenues sont jugées insuffisantes. Kiderlen en est en partie responsable : il y a un fossé béant entre ce que l'Allemagne pouvait raisonnablement s'attendre à obtenir en défiant les Français au Maroc et les récompenses mirobolantes – « L'ouest marocain sous domination allemande » – que la presse ultranationaliste, encouragée fort imprudemment par Kiderlen lui-même, a fait miroiter aux yeux du public. Par cette manœuvre, le secrétaire d'État s'est aliéné ceux qui, tout à droite de l'échiquier politique, se considéraient comme les « soutiens naturels » du gouvernement. Or le pacte faustien conclu avec la presse nationaliste était nécessaire car Kiderlen n'avait pas d'autre moyen pour éviter que le souverain n'interfère dans le processus de définition de la politique étrangère.

La conséquence la plus grave des atermoiements allemands pendant la crise est de conforter chez les Français la tendance à interpréter les décisions allemandes comme des coups de bluff. Début 1912, à la lecture des notes du Quai d'Orsay, le nouveau président du Conseil et ministre des Affaires étrangères Raymond Poincaré est frappé de voir combien les Allemands ont soufflé le chaud et le froid, alternant concessions et exigences. « Chaque fois que nous avons voulu nous montrer conciliants avec l'Allemagne, elle en a abusé ; chaque fois, au contraire, que nous nous sommes montrés fermes, elle a cédé », observe-t-il. Il en tire la conclusion dangereuse que l'Allemagne « ne comprend que l'attitude de la force [92] ».

En Grande-Bretagne aussi, la gestion de la crise est très fortement marquée par les divisions profondes existant au sein de l'exécutif. Dans un premier temps, le cabinet libéral réagit avec prudence, car l'opinion selon laquelle la France est en grande partie responsable de la crise et doit être appelée à la retenue est largement partagée. Le 19 juillet, le cabinet autorise même Grey à informer Paris des conditions dans lesquelles la Grande-Bretagne serait prête à tolérer la présence allemande au Maroc. Le gouvernement français, mécontent, répond que le soutien de la Grande-Bretagne à une telle décision équivaudrait à une violation de l'Accord anglo-français de 1904 [93]. Dans le même temps, l'entourage anti-allemand de Grey adopte une position vigoureusement profrançaise. Nicolson, Buchanan, Haldane et Grey lui-même insistent sur la menace que représente l'Allemagne et ravivent la conviction que ce qui est en jeu n'est rien moins que la survie de l'Entente cordiale. Le 19 juillet, le secrétaire d'État à la Guerre Richard Haldane demande au directeur des opérations militaires Sir Henry Wilson de différer son départ pour le continent afin de passer une matinée de travail à évaluer les forces en présence en prévision d'un éventuel conflit à la frontière franco-allemande [94]. Lorsque Justin de Selves exprime sa surprise devant l'ampleur des compensations exigées par l'Allemagne au Congo, Sir Francis Bertie, alors à Paris, écrit à Grey que « les Allemands formulent des demandes délibérément excessives pour que les Français les rejettent, mais acceptent en échange l'idée d'une présence allemande permanente sur la côte marocaine [95] ». Il s'agit là d'une interprétation fallacieuse mais délibérée des intentions allemandes, destinée à faire peur aux navalistes britanniques pour qui l'établissement de bastions allemands sur l'Atlantique aurait été inacceptable.

C'est la crainte de voir les Allemands ériger un port sur la côte marocaine qui permet à Grey d'obtenir l'accord du cabinet pour adresser un avertissement officieux à l'ambassadeur allemand le 21 juillet : si les Allemands débarquent à Agadir, la Grande-Bretagne sera obligée de défendre ses intérêts, en d'autres termes, de déployer des navires de guerre[96]. Le même jour, l'entourage de Grey fait monter la pression. Le soir du 21 juillet, le chancelier de l'Échiquier David Lloyd George prononce un discours à Mansion House dans lequel il formule une mise en garde explicite à l'égard de l'Allemagne : il est impératif, dit-il, que la Grande-Bretagne défende « sa place et son prestige parmi les grandes puissances du monde ». Plus d'une fois la puissance britannique avait « sauvé » des nations continentales « d'un désastre de grande ampleur, voire d'une disparition nationale ». Si la Grande-Bretagne était contrainte de choisir entre la paix et l'abandon de sa prééminence internationale, « alors je déclare, avec la plus grande solennité, que la paix achetée à ce prix serait une humiliation qu'une grande nation comme la nôtre ne pourrait supporter[97] ». Les jours suivants, Grey attise la psychose dans les milieux de la marine à Londres, avertissant Lloyd George et Winston Churchill d'une attaque imminente contre la flotte britannique, et informant Reginald McKenna, Premier lord de l'Amirauté, que la flotte allemande est mobilisée et prête à frapper – en réalité, la flotte de haute mer est dispersée et les Allemands n'ont aucune intention de la concentrer nulle part[98].

Le discours de Mansion House n'a rien d'un emportement spontané : c'est un gambit soigneusement calculé par Grey, Asquith et Lloyd George. De même que Caillaux a dû contourner son ministre des Affaires étrangères pour imposer son propre programme d'apaisement et de négociation avec Berlin, de même les germanophobes qui entourent Grey ont-ils contourné les radicaux modérés du cabinet libéral pour envoyer aux Allemands un message de fermeté potentiellement provocateur. Lloyd George n'a pas soumis les passages les plus sensibles de son discours à l'ensemble du cabinet, mais uniquement à Asquith, le Premier ministre, et à Grey, secrétaire d'État au Foreign Office[99]. Ce discours est d'autant plus important qu'il marquait la défection de Lloyd George abandonnant le camp des radicaux – les colombes – pour se rallier aux libéraux impérialistes. Ses paroles jettent la consternation à Berlin, où l'on a le sentiment que le gouvernement britannique perturbe inutilement le bon déroulement des négociations franco-allemandes. « Qui donc est Lloyd George pour se permettre de dicter sa loi à l'Allemagne et empêcher la conclusion rapide d'un accord avec la France ? » demande Arthur Zimmermann, sous-secrétaire d'État aux Affaires étrangères à l'ambassadeur britannique à Berlin [100].

Le discours de Lloyd George choque également les ministres britanniques non interventionnistes qui ne souscrivent pas à la politique de Grey. Le vicomte Morley, secrétaire d'État au ministère de l'Inde, dénonce cette « provocation malheureuse et injustifiée », ainsi que l'attitude de Grey qui en a repris les termes au cours d'un entretien avec l'ambassadeur allemand. Le lord chancelier, Lord Loreburn, est atterré de voir la Grande-Bretagne soutenir la France avec autant d'agressivité dans un conflit où, d'après lui, Paris n'est pas exempt de responsabilité. Il presse Grey de désavouer ce discours et de faire savoir clairement que la Grande-Bretagne n'a aucunement l'intention d'interférer dans les négociations entre la France et l'Allemagne [101].

Cependant, ce sont Grey et son entourage qui finissent par l'emporter. Au cours d'une réunion du Conseil impérial de défense, le 23 août 1911, il est décidé qu'en cas de guerre entre l'Allemagne et la France, la Grande-Bretagne interviendra au plus vite sur le continent en y envoyant un corps expéditionnaire. Asquith, Grey, Haldane, Lloyd George ainsi que les chefs d'état-major sont présents à cette réunion, mais les principaux leaders radicaux, y compris Morley, Crewe, Harcourt et Esher, n'ont pas été conviés, ni même informés de sa tenue. Les semaines suivantes, sous les yeux horrifiés des radicaux, sont consacrées à l'élaboration de plans de campagne. Même Asquith finit pas prendre ses distances, en septembre 1911, devant ces « consultations militaires » interminables destinées à coordonner les plans de mobilisation et la stratégie avec les Français. Mais Grey refuse de les interrompre [102]. La Grande-Bretagne semble bien plus encline à envisager la possibilité d'une escalade dramatique que les deux protagonistes par qui le conflit marocain est arrivé [103]. Tandis que les Français ne font aucun préparatif de guerre, même au plus fort de la crise, Bethmann écrit à l'ambassadeur allemand à Londres que « la Grande-Bretagne semble avoir été prête à frapper à tout instant [104] ». Le ministre autrichien des Affaires étrangères, le comte Aehrenthal, en arrive à la même conclusion, notant le 3 août que la Grande-Bretagne est prête à se saisir de la querelle marocaine comme d'un prétexte pour « régler ses comptes » avec sa rivale allemande [105]. Le contraste avec l'attitude relativement réservée et conciliatrice de la Russie n'en est que plus frappant [106]. Et c'est bien la réaction britannique qui fait abandonner à Vienne sa position relativement neutre sur la question marocaine [107].

En Grande-Bretagne cependant, la bataille entre les colombes et les faucons n'est pas terminée. De même que les hauts fonctionnaires du Quai d'Orsay prennent leur revanche sur Caillaux et l'infortuné Justin de Selves en renversant le gouvernement en janvier 1912, de même en

Grande-Bretagne les radicaux libéraux non interventionnistes reprennent leurs assauts contre la politique menée par Grey. Parmi les ministres, certains n'ont pas mesuré l'importance des engagements pris par Grey vis-à-vis de la France avant la crise d'Agadir. En décembre 1911, les députés de base mènent la fronde contre Grey. Leur ressentiment est en partie dû à la frustration suscitée par ses manœuvres diplomatiques occultes. Pourquoi le gouvernement n'a-t-il informé personne d'initiatives prises soi-disant au nom du peuple britannique ? Les libéraux Arthur Ponsonby et Noel Buxton, adversaires notoires de Grey, exigent la création d'un comité chargé d'améliorer les relations anglo-allemandes. Cette réaction brutale contre le secrétaire d'État balaie presque toute la presse libérale. Mais à la différence des extrémistes germanophobes du Quai d'Orsay, qui parviennent à discréditer Caillaux et sa politique de conciliation, le lobby germanophile ne parvient pas à déloger Grey ni à infléchir sa politique.

Il y a trois raisons à cela : tout d'abord, grâce à la stabilité de la vie politique parlementaire britannique, les ministres en Grande-Bretagne sont beaucoup moins exposés à ce genre de campagne de déstabilisation que leurs homologues français. Ensuite, si la politique de Grey était totalement désavouée, il serait peut-être amené à démissionner, entraînant dans sa chute Lloyd George, Haldane voire Winston Churchill – ce qui signerait la fin de la présence de ministres radicaux au gouvernement, une perspective qui donne à réfléchir aux non-interventionnistes. Enfin, Grey peut compter sur le soutien des parlementaires conservateurs, favorables à sa politique de collaboration militaire avec la France. C'est en effet l'assurance confidentielle d'avoir le soutien d'Arthur Balfour (chef du Parti conservateur jusqu'en novembre 1911) qui permet au secrétaire d'État de surmonter la crise [108]. Mais le fait de dépendre de l'opposition parlementaire deviendra un handicap pendant l'été 1914, quand l'imminence d'un affrontement au Parlement entre libéraux et conservateurs sur la question d'Irlande remettra en question le soutien des conservateurs.

L'essentiel de la politique *ententiste* de Grey est donc restée en place, mais avoir dû la défendre contre une opposition aussi puissante et véhémente va l'empêcher de formuler ses engagements aussi clairement qu'il l'aurait souhaité. Après Agadir, Grey doit marcher sur la corde raide : d'un côté, les Français exigent qu'il prenne des engagements plus clairs ; de l'autre, les anti-interventionnistes, la majorité du cabinet, refusent qu'il le fasse. En novembre 1911, quinze d'entre eux prennent une motion de rappel à l'ordre, exigeant que Grey cesse d'organiser des négociations militaires franco-britannique au plus haut niveau sans l'accord préalable du cabinet. En janvier 1912, à l'initiative de Loreburn, les anti-interventionnistes agitent l'idée de faire voter une motion par le gouvernement précisant que « la Grande-Bretagne n'a aucune obligation, ni directe ni indirecte, ni explicite ni implicite, de soutenir la France contre l'Allemagne par une intervention armée ». Seul le retrait de Loreburn, atteint par la maladie, épargnera cette humiliation à Grey et à son groupe [109].

La nécessité de composer avec une opposition aussi organisée au sein de son propre gouvernement, tout en poursuivant une politique qui fait de l'Entente cordiale le gage de la sécurité de la Grande-Bretagne, produit une irrésolution qui va brouiller les signaux envoyés par la diplomatie britannique. D'un côté, les commandants britanniques ont toujours bénéficié d'une certaine liberté de manœuvre dans leurs rapports avec leurs homologues français, donnant à ces derniers l'assurance que la Grande-Bretagne soutiendra militairement la France en cas de conflit avec l'Allemagne, ce qui a contribué à durcir la position française [110]. Mais ces initiatives n'ont pas reçu l'aval du cabinet, encore moins celui du Parlement britannique. Pendant la crise d'Agadir, le nouveau directeur des opérations militaires, le major-général Henry Wilson, rencontre à Paris le général Auguste Dubail, chef d'état-major français. Ils élaborent un calendrier de mobilisation franco-britannique, le mémorandum Wilson-Dubail du 29 juillet 1911, qui stipule qu'au quinzième jour de la mobilisation les Britanniques auront déployé six divisions d'infanterie, une division de cavalerie et deux brigades montées (soit 150 000 hommes et 67 000 chevaux) sur le flanc gauche du front français [111]. Début 1912, la décision de neutraliser l'expansion navale allemande en mettant sur pied une stratégie navale anglo-française commune renforce l'idée qu'une sorte d'alliance défensive est en train de se constituer.

Mais d'un autre côté, les fameuses lettres Grey-Cambon du 22 et 23 novembre 1912, extorquées – comme le dira plus tard Morley – à Grey par ses opposants anti-interventionnistes, disent clairement que l'Entente n'est pas une alliance, car elles affirment que chacun des deux partenaires est libre d'agir de façon indépendante, même en cas d'attaque de l'un d'entre eux par une tierce partie. Y a-t-il donc, oui ou non, obligation pour la Grande-Bretagne d'aider la France ? Grey déclare en public qu'il n'existe que des plans d'urgence, sans aucun caractère d'obligation. En privé, il reconnaît que les consultations militaires anglo-françaises constituent « un engagement de la Grande-Bretagne à coopérer avec la France », à condition que cette dernière agisse « avec retenue et sans provocation ». Début 1914, Sir Arthur Nicolson, sous-secrétaire d'État permanent au Foreign Office, le lui rappellera : « Vous n'avez cessé de promettre à M. Cambon que si l'Allemagne était l'agresseur, la Grande-Bretagne se tiendrait aux côtés de la France. » Ce à quoi Grey se contentera de répondre : « Certes, mais il n'en a aucune trace écrite [112]. »

Au plus haut niveau du gouvernement britannique, les relations franco-britanniques sont donc marquées par une sorte de double langage. Il est acquis que Grey doit adapter ses déclarations publiques, voire ses communications officielles, aux exigences des ministres anti-interventionnistes du cabinet et de l'opinion publique. Cependant, lorsque Paul Cambon écoute ses amis germanophobes à Londres, ou discute avec Bertie à Paris, il entend ce qu'il veut entendre – ce qui est une situation fort inconfortable pour les Français, pour ne pas dire plus. Au paroxysme de la crise de juillet 1914, cette situation plongera les décideurs français, l'ambassadeur de France à Londres et Grey lui-même dans un climat d'anxiété maximale. Plus fondamentalement encore, cette incertitude sur l'engagement britannique obligea les stratèges français à compenser cette faiblesse potentielle en renforçant et en militarisant l'alliance avec la Russie[113]. Comme le note l'ambassadeur belge à Paris, le baron Guillaume, le gouvernement français est obligé de « resserrer l'alliance avec la Russie car il est conscient que l'amitié franco-britannique est de moins en moins solide et efficace[114] ». L'irrésolution britannique est également source de confusion et d'irritation pour les Allemands. D'un côté, Grey est obligé de prétendre que la porte reste ouverte à un rapprochement anglo-allemand afin de calmer les anti-interventionnistes. Mais de temps à autre, il se sent également obligé de formuler de sévères mises en garde afin que les Allemands n'en arrivent pas à la conclusion que la France a été abandonnée à son sort et peut donc être attaquée sans risques de voir la Grande-Bretagne réagir. Le résultat de ce double langage, qui lui-même découle de la mutabilité des relations de pouvoir au sein des exécutifs européens, est de maintenir le flou quant aux intentions britanniques, une incertitude qui déstabilisera les décideurs berlinois tout au long de la crise de juillet 1914.

Civils et militaires

À son retour d'Europe en mai 1914, le colonel Edward House fait part au président américain Woodrow Wilson de son analyse : « La situation en Europe est à peine croyable : le militarisme y vire à la folie[115]. » Le jugement de House tient sans doute à son expérience personnelle : c'est un « colonel politique » à la mode américaine, nommé à ce grade dans la milice du Texas en remerciement de son action politique. Mais lors de son séjour à Berlin, les Allemands, qui le prennent pour un soldat de métier, le placent systématiquement à dîner à côté de généraux. Il est possible que cette malencontreuse méprise lui ait fait surestimer le militarisme ambiant [116]. Il n'en demeure pas moins que vue d'outre-Atlantique l'Europe d'avant-guerre présente un curieux spectacle : hommes d'État, empereurs et rois y président les cérémonies officielles en grand uniforme. De somptueux défilés militaires font partie intégrante du cérémonial du pouvoir, ainsi que d'immenses parades navales attirant des foules gigantesques et remplissant les pages des journaux illustrés. La conscription augmente les effectifs des armées, qui deviennent des microcosmes masculins de la nation. Le culte de la chose militaire envahit la vie publique et la vie privée, jusque dans les plus petites communautés. Comment ce militarisme influence-t-il les décisions qui mènent l'Europe à la guerre en 1914 ? Les racines de la crise de juillet 1914 sont-elles à rechercher, comme l'ont affirmé certains historiens, dans l'abdication des autorités civiles et l'usurpation du pouvoir politique par les généraux ?

Sans aucun doute, civils et militaires s'affrontent au sein des appareils exécutifs sur un enjeu majeur qui n'est autre que l'argent. Le budget militaire représente à l'époque une part importante des dépenses d'un État. Les militaires qui souhaitent améliorer l'armement, l'instruction et les infrastructures doivent lutter (comme aujourd'hui) contre les hommes politiques civils pour avoir accès aux financements publics. À l'inverse, les ministres des Finances et leurs alliés politiques se battent pour limiter les dépenses au nom de la rigueur budgétaire ou de la consolidation nationale. L'issue de cette confrontation dépend de la structure institutionnelle du pays et de la conjonction de facteurs internationaux et domestiques.

En Russie, jusqu'en 1908, la structure chaotique du haut commandement militaire empêche les généraux de former un lobby efficace auprès du gouvernement. En 1908, la réforme de l'administration militaire modifie les équilibres en créant une structure exécutive plus concentrée qui place le ministre de la Guerre, interlocuteur exclusif du tsar pour les questions militaires, au sommet de la hiérarchie de la Défense [117]. À partir de 1909, une rivalité épique oppose le nouveau ministre de la Guerre Vladimir Soukhomlinov (toujours en poste en juillet 1914) au ministre des Finances, le très déterminé conservateur Vladimir Kokovtsov. Avec le soutien du puissant Premier ministre Piotr Stolypine, Kokovtsov défend la rigueur fiscale et le développement économique en s'opposant ou en diminuant systématiquement les projets de budgets présentés par Soukhomlinov. Ce conflit professionnel dégénère rapidement en une violente antipathie personnelle [118]. Soukhomlinov accuse Kokovtsov d'être « borné, pompeux et ambitieux ». De son côté (et de manière plus justifiée) le ministre des Finances taxe Soukhomlinov d'incompétence, d'irresponsabilité et de corruption [119].

En Allemagne, Adolf Wermuth, ministre du Trésor de 1909 à 1911, bénéficiant du soutien du chancelier Bethmann-Hollweg, fait des efforts considérables pour équilibrer le budget du Reich et réduire la dette publique, avec pour devise : « Pas de dépense sans recette [120]. » Wermuth se montre très critique des dépenses excessives engagées à l'initiative de l'amiral Tirpitz, et se plaint régulièrement de l'irresponsabilité du secrétaire d'État à la Marine (tout comme Kokovtsov, son homologue russe, déplore la façon dispendieuse dont Soukhomlinov gère le budget militaire [121]). Les relations sont également tendues entre le chef d'état-major Alfred von Schlieffen et le ministre de la Guerre, le second rejetant souvent les demandes de rallonge budgétaire du premier [122]. Une étude récente suggère même que le célèbre mémorandum de 1905 dans lequel Schlieffen définit les grandes lignes d'une offensive massive à l'ouest n'est pas un plan stratégique mais un plaidoyer pour une augmentation des crédits militaires – ce plan prévoyant notamment le déploiement de quatre-vingt-une divisions, un nombre supérieur à ce que l'armée allemande pouvait mobiliser à l'époque [123]. Le fait que la Constitution fédérale a dévolu la fiscalité directe aux États, et non au gouvernement du Reich, complique encore davantage la question du budget de l'armée. Ce principe de dévolution fixe d'emblée une limite aux dépenses militaires du Reich, ce qui n'existe pas en Grande-Bretagne, en France ou en Russie [124].

Les conflits financiers sont par ailleurs atténués par le système du *quinquennat* : les budgets militaires ne sont soumis au Parlement que tous les cinq ans. Comme la hiérarchie militaire tient au quinquennat comme moyen de protéger l'armée de l'interférence des parlementaires, elle hésite à le mettre en péril en réclamant des lignes budgétaires trop importantes. Le système incite donc fortement à la retenue. Comme le fait observer en juin 1906 le ministre de la Guerre, le Prussien Karl von Einem, le quinquennat est certes un arrangement bien malcommode, mais il n'en n'est pas moins utile, car « l'agitation brutale contre l'existence même de l'armée qui se manifeste à chaque augmentation du budget militaire deviendrait bien plus dangereuse si le débat avait lieu chaque année [125] ». Même en 1911 où le quinquennat vient à échéance et où le chef d'état-major Moltke et le ministre de la Guerre Heeringen joignent leurs forces pour réclamer une hausse substantielle des crédits militaires, l'opposition du ministre du Trésor et du chancelier parviendra à limiter l'augmentation de la capacité de l'armée en temps de paix à un très modeste surcroît de dix mille hommes [126].

Des tensions similaires se manifestent au sein de tous les exécutifs européens. En 1906, en Grande-Bretagne, les libéraux font campagne au cri de « la paix, la réduction des dépenses et la réforme », promettant de réduire drastiquement des dépenses militaires qui ont atteint des sommets au moment de la guerre des Boers : ils remportent les élections avec une très forte majorité. Les contraintes budgétaires seront d'ailleurs un facteur significatif dans la décision britannique de se rapprocher de la France et de la Russie. Mais de manière plus directe, elles pèsent sur le budget de l'armée de terre, qui demeure inchangé pendant toutes les années d'avant-guerre (à la différence du budget de la Marine, en forte augmentation, qui est trois fois plus élevé que celui de l'Allemagne en 1904 et représente encore plus du double en 1913). Le ministre de la Guerre Haldane est donc forcé de concentrer ses efforts sur des gains d'efficacité et une réorganisation de l'armée plutôt que sur une augmentation des effectifs [127]. Quant à l'Autriche-Hongrie, l'agitation politique engendrée par le Compromis dualiste a fini par y paralyser le développement militaire au tournant du siècle, alors qu'au Parlement hongrois, des groupes de députés autonomistes tentent de priver l'armée de la Double Monarchie de ressources fiscales et de nouvelle recrues hongroises. Dans cet environnement, chaque proposition d'augmentation des dépenses militaires est combattue par d'interminables débats parlementaires, et les militaires des Habsbourg se morfondent dans un état de « perpétuelle stagnation », selon les mots du chef d'état-major autrichien. Ceci explique pourquoi, en 1912, l'Autriche ne consacre que 2,6 % de son PIB à la défense – un pourcentage bien inférieur à ce que son développement économique pourrait lui permettre de supporter (et bien en deçà des 4,5 % de la Russie, 4 % de la France et 3,8 % de l'Allemagne) [128].

En France, l'affaire Dreyfus des années 1890 a détruit le consensus entre civils et militaires qui caractérisait les débuts de la Troisième République. Considéré comme un bastion du cléricalisme réactionnaire, le haut commandement est en butte aux soupçons de l'opinion publique, tout particulièrement de la gauche républicaine anticléricale. À la suite de l'affaire, trois gouvernements radicaux successifs vont entreprendre un programme de réforme militaire énergique visant à « républicaniser » l'armée, tout particulièrement sous les ministères d'Émile Combes (1903-1905) et de Georges Clemenceau (1906-1909). Le gouvernement civil renforce son contrôle sur la hiérarchie militaire, le ministre de la Guerre réaffirme son autorité sur les officiers commandants, la durée du service militaire est réduite de trois à deux ans en mars 1905. Cette dernière réforme, imposée contre l'avis des experts militaires, est destinée à transformer « la garde prétorienne » devenue politiquement suspecte depuis l'affaire Dreyfus en une « armée de citoyens » composée de réservistes civils appelés à défendre la nation en temps de guerre.

Il faut attendre les dernières années avant la guerre pour que le vent tourne en faveur des militaires français. Comme quelques années plus tôt en Russie, le haut commandement français est rationalisé en 1911. Le chef d'état-major Joseph Joffre est désigné responsable de la planification militaire en temps de paix et commandant en chef en temps de guerre. « L'histoire longue et pénible » de la lutte constante pour obtenir davantage de crédits militaires se poursuit mais, en 1912-1914, l'attitude militariste du ministère puis de la présidence Poincaré, renforcée par des réalignements complexes au sein des partis politiques et de l'opinion publique, crée un environnement plus favorable au réarmement [129]. En 1913, il devient politiquement possible de réclamer le retour à un service militaire de trois ans, malgré les protestations du ministre des Finances Louis-Lucien Klotz, qui affirme que renforcer les fortifications aux frontières serait moins coûteux et plus efficace [130]. En Allemagne également, l'atmosphère assombrie par la crise d'Agadir encourage le ministre de la Guerre Josias von Heeringen et le chef d'état-major Helmuth von Moltke à réclamer un renforcement de l'armée. Retranché sur ses positions, le ministre du Trésor mène un combat d'arrière-garde contre l'augmentation des dépenses militaires, mais doit démissionner en mars 1912 quand il devient clair qu'il n'a plus le soutien de la majorité du gouvernement. La rigueur fiscale de l'ère Wermuth est abandonnée et les partisans de l'armée de terre regagnent le terrain perdu contre leurs rivaux de la Marine. Après une longue période de stagnation relative, la loi militaire du 3 juillet 1903 augmente le budget de l'armée à un niveau jamais atteint [131].

En Russie, Vladimir Kokovtsov, qui demeure ministre des Finances tout en succédant à Piotr Stolypine comme Premier ministre après l'assassinat de ce dernier, doit mener un combat de plus en plus dur contre le lobbying acharné et les manœuvres occultes du ministre de la Guerre Soukhomlinov. Le conflit entre les deux hommes éclate au grand jour pendant une réunion du cabinet au printemps 1913 : Soukhomlinov tend une embuscade au Premier ministre en mettant sur la table une proposition d'augmentation budgétaire qu'il a déjà transmise à tous les présents, sauf à Kokovtsov lui-même. Comme toujours en Russie, le soutien du souverain pèse d'un poids crucial dans la balance du pouvoir. « Vous avez toujours raison de vous opposer à Soukhomlinov », concède Nicolas II au Premier ministre. « Mais je veux que vous me compreniez bien : je le soutiens non pas parce que je n'ai pas confiance en vous, mais parce que je ne peux pas refuser mon accord à des dotations militaires [132]. »

Le transfert massif de ressources financières au profit de l'armée entraîne-t-il un transfert de pouvoir, ou du moins d'influence politique ? Pour répondre à cette question, il faut examiner les conditions différentes dans lequel le pouvoir s'exerce dans les différents États. C'est en France que le contrôle du pouvoir civil sur l'armée est sans conteste le plus serré. En décembre 1911, quand Joffre dévoile son nouveau plan stratégique centré sur un déploiement massif de troupes offensives sur l'ensemble de la frontière franco-germanique, le président du Conseil radical Joseph Caillaux l'informe sèchement que la décision finale est du ressort des autorités civiles [133]. La mission du chef d'état-major, comme Caillaux aime à le répéter, se borne à conseiller ses supérieurs civils sur des questions qui ressortent de sa compétence. Le changement de politique des années 1912-1914 – augmentation des dépenses militaires et décision d'endosser la stratégie offensive de Joffre – n'émane pas des autorités militaires mais d'hommes politiques sous la direction de Raymond Poincaré, certes un faucon en politique étrangère mais bel et bien un civil de par sa fonction constitutionnelle.

En Russie, la situation est très différente. La présence du tsar, point de focalisation du système autocratique, permet paradoxalement à certains ministres de se tailler une relative autonomie. Tel est le cas de Vladimir Soukhomlinov, ministre de la Guerre. Au moment où il entre en fonction en 1909, la polémique fait rage à Saint-Pétersbourg : un groupe de députés influents tentent d'imposer le droit pour la Douma de superviser la politique de défense. Soukhomlinov est précisément nommé pour mettre au pas la Douma, empêcher la contamination des processus de décision militaires par « des attitudes de civils » et protéger les prérogatives du tsar, rôle qui le rend extrêmement impopulaire mais lui assure le soutien sans faille du trône [134]. Ce soutien va lui permettre de formuler une politique de sécurité qui ne concorde absolument pas avec les engagements officiels pris par la Russie envers la France dans le cadre de l'Alliance franco-russe.

Au lieu de satisfaire les Français, dont la stratégie exige une attaque rapide contre l'Allemagne dès les premiers jours de la mobilisation, la réorganisation de 1910 déplace le centre de gravité du dispositif russe vers l'est, loin des zones frontalières du territoire polonais, pour le ramener vers l'intérieur du territoire russe. Le but est de créer un meilleur équilibre entre le nombre d'unités militaires et la densité de population, et de constituer une force qui puisse être déployée, si nécessaire, sur un théâtre d'opérations oriental. Dans la première phase des hostilités, l'extrême ouest devait être abandonné à l'ennemi, en attendant une contre-offensive massive lancée par les armées russes [135]. Il ne semble pas que Soukhomlinov ait soumis son nouveau plan à l'approbation de son propre ministre des Affaires étrangères. Les experts militaires français, eux, sont horrifiés : ce plan prive l'Alliance franco-russe de la possibilité de prendre l'initiative contre l'Allemagne. Les Russes finiront par répondre aux inquiétudes françaises, mais il faut noter que Soukhomlinov a suffisamment d'indépendance pour pouvoir concevoir et mettre en œuvre une stratégie qui semble aller contre la logique de l'Alliance franco-russe, pourtant clé de voûte de la politique étrangère russe [136].

Fort du soutien du tsar, Soukhomlinov peut également saper l'autorité du Premier ministre Kokovtsov, non seulement en s'opposant à lui sur les questions de budget militaire, mais également en constituant un bloc hostile au sein du Conseil des ministres, ce qui lui fournit une plate-forme d'où exposer sa propre conception de la sécurité de la Russie. À la fin du mois de novembre 1912, au cours d'une série de réunions importantes, Soukhomlinov développe l'idée que la guerre est inévitable, que « le plus tôt sera le mieux pour la Russie » et que cela ne pourra être que bénéfique. Ces aberrations consternent Kokovtsov [137]. Ce qui donne au ministre de la Guerre la possibilité d'agir ainsi, c'est le soutien d'autres ministres civils tels que Roukhlov, Maklakov, Chtcheglovitov, et plus encore Alexandre Vassilievitch Krivocheïne, puissant ministre de l'Agriculture et confident du tsar. En 1912 émerge donc au Conseil des ministres un « parti belliciste » mené par Soukhomlinov et Krivocheïne [138].

En Allemagne également, le caractère prétorien du système assure aux militaires une certaine marge de manœuvre. Des figures centrales, tel le chef d'état-major, peuvent nettement faire pression sur le processus de décision, tout particulièrement en temps de crise [139]. Établir ce que disent les commandants militaires n'est pas difficile. Mesurer le poids de leurs conseils dans le processus de décision gouvernemental est beaucoup plus compliqué, tout particulièrement dans un environnement où l'absence d'une instance collégiale – similaire au Conseil des ministres en Russie – rend inexistant tout conflit ouvert entre militaires et décisionnaires civils.

Une façon de comprendre l'interaction entre processus de décision civils et militaires consiste à examiner les relations entre l'appareil diplomatique officiel – ambassadeurs, ministres plénipotentiaires et secrétaires d'ambassade – et le réseau parallèle des attachés navals et militaires, géré par l'état-major et l'Amirauté, réseau dont les perspectives sur les événements diffèrent parfois de celles des réseaux diplomatiques officiels. Pour ne prendre qu'un exemple : en octobre 1911, Wilhelm Widenmann, l'attaché naval allemand à Londres, envoie un rapport alarmant à Berlin. Des officiers de marine britanniques, écrit-il, reconnaissent désormais ouvertement que Londres a mobilisé l'ensemble de sa flotte pendant les mois d'été de la crise d'Agadir. Il apparaît que l'Angleterre « n'attendait qu'un signal de la France pour attaquer l'Allemagne ». Pire encore, Winston Churchill, le nouveau Premier lord de l'Amirauté, serait un démagogue dénué de tout scrupule, ambitieux et peu fiable. L'Allemagne doit donc se préparer à la possibilité d'une attaque non provoquée, semblable à la destruction de la flotte danoise à Copenhague en 1807. Poursuivre le réarmement naval est essentiel, car « il n'y a qu'une seule chose qui impressionne l'Angleterre : un objectif clair et une volonté sans faille de l'atteindre [140] ». Ces dépêches sont transmises à Guillaume II qui les annote avec enthousiasme : « exact », « exact », « excellent », etc. Rien de remarquable en cela – Widenmann réagit en partie à ce qu'il a observé à Londres, mais son but sous-jacent est d'empêcher l'état-major à Berlin d'utiliser la crise d'Agadir pour remettre en cause la prépondérance financière de la Marine [141].

L'importance des dépêches de Widenmann réside moins dans leur contenu ou dans les annotations du Kaiser que dans la réaction du chancelier et du secrétaire d'État aux Affaires étrangères. Irrité par l'activité paradiplomatique de ce fauteur de psychose, Bethmann-Hollweg demande à l'ambassadeur allemand à Londres, le comte Metternich, de lui envoyer un contre-rapport. Ce dernier s'exécute et nuance les affirmations de Widenmann. Même s'il est vrai que « toute l'Angleterre » s'était « préparée à la guerre » pendant l'été 1911, cela ne signifie pas qu'elle était prête à passer à l'action. Certes, on trouvait de nombreux jeunes officiers de Marine à qui la guerre « n'aurait pas été pour déplaire », mais cette attitude était partagée par de nombreux militaires dans d'autres pays. Quoi qu'il en soit, fait-il observer – et c'est là l'estocade – en Angleterre, ce ne sont ni les amiraux ni les généraux qui prennent de telles décisions, ni même le ministre de la Guerre ou le Premier lord de l'Amirauté, mais un cabinet composé de ministres responsables devant le Parlement. « Ici, la flotte et l'armée sont considérées comme les plus puissants outils de la politique, comme des moyens au service d'une fin, mais ils ne déterminent pas le cours de la politique. » Dans tous les cas, les Anglais sont désormais désireux d'oublier les tensions de l'été. Metternich conseille donc au gouvernement allemand de ne pas mettre tous ses œufs dans le même panier – celui de la course aux armements – mais de rechercher une amélioration de ses relations avec Londres [142].

Cette fois-ci, le Kaiser est mécontent et griffonne rageusement en marge : « faux », « inepte », « d'une insondable bêtise », « Je ne suis pas d'accord avec ce jugement de l'ambassadeur ! C'est l'attaché naval qui a raison [143] ». Le plus étrange, c'est que les deux séries de dépêches contradictoires ont chacune joué un rôle : le Kaiser utilise le rapport Widenmann pour exiger une loi navale supplémentaire, tandis que Bethmann-Hollweg poursuit la politique de détente recommandée par Metternich. En Allemagne, conclura plus tard un haut gradé, « le Kaiser mène une politique, le chancelier une autre, et le chef d'état-major propose ses propres solutions [144] ».

Au premier regard, il semble que l'on puisse distinguer d'une part la France et la Grande-Bretagne, deux démocraties parlementaires où le pouvoir de décision est aux mains des autorités civiles, et d'autre part des pays plus autoritaires, tels que la Russie, l'Allemagne et l'Autriche-Hongrie où, malgré un degré de parlementarisation plus ou moins grand de la vie politique, l'influence des militaires peut rivaliser voire surpasser celle des civils, grâce aux liens privilégiés qu'ils entretiennent avec le monarque. Mais la réalité est plus complexe que ne le laisse croire cette dichotomie. En France, la restructuration des forces militaires après 1911 produit une extraordinaire concentration de pouvoirs entre les mains du chef d'état-major, le général Joffre, au point qu'il a plus de pouvoir sur les forces armées de son pays que son homologue allemand, l'aristocrate belliciste Helmuth von Moltke. De plus, les nouvelles dispositions font quasiment de l'armée française un État dans l'État – bien que son autonomie dépende, à la différence de l'armée allemande, de la coopération et du soutien des ministres civils [145].

En Grande-Bretagne également, l'approfondissement de l'Entente avec la France se fait par des négociations et des accords conclus par les militaires plutôt que par les civils. Nous avons déjà vu avec quel enthousiasme les principaux commandants britanniques ont offert leur soutien à la France pendant la première crise marocaine de 1905-1906. Et il est loin d'être clair que ces mêmes militaires se soient considérés comme les subordonnés dociles du gouvernement. Le directeur des opérations militaires, Wilson, n'agit pas seulement sur instructions ; il a sa propre opinion sur le rôle que la Grande-Bretagne doit jouer en cas de guerre sur le continent et ne cesse de prôner la confrontation armée. Comme beaucoup de ses collègues du continent, Wilson méprise les hommes politiques, incapables d'après lui de comprendre la chose militaire. Sir Edward Grey, écrit-il dans son journal intime, est « un homme vaniteux, un ignare et un faible, tout juste bon à être le ministre des Affaires étrangères d'un petit pays comme le Portugal ». Quant au reste du cabinet, ce ne sont que des « malotrus grossiers et ignorants ». L'idée même d'un gouvernement civil de l'armée est pour lui une notion « fallacieuse en théorie et irréaliste en pratique [146] ». Conservateur par nature, il intrigue sans relâche contre les leaders du Parti libéral. Par l'intermédiaire de l'un de ses proches, le sous-secrétaire d'État permanent Sir Arthur Nicolson, il détourne les informations dont dispose le Foreign Office pour les transmettre à ses alliés du Parti conservateur. Le major-général Henry Wilson est donc en quelque sorte l'avatar britannique d'un Conrad autrichien ou d'un Apis serbe [147]. L'importance des discussions stratégiques qu'il mène avec ses homologues français ne réside pas seulement dans la pression qu'elles exercent sur le gouvernement civil ; le simple fait que ces discussions aient lieu crée une obligation morale de combattre aux côtés de la France en cas de guerre avec l'Allemagne. La militarisation de l'Entente révèle le décalage grandissant entre les préparatifs menés par les militaires et la position diplomatique officielle dans laquelle le mot « alliance » ainsi que les engagements qui y sont associés demeurent tabous.

Quelque chose d'analogue se produit dans le contexte de l'Alliance franco-russe. Les efforts des militaires français pour annuler les effets du plan de déploiement remanié par Soukhomlinov en 1910 produisent une interdépendance croissante de la coopération militaire entre les deux États alliés – une évolution gérée par les militaires mais approuvée par les décideurs civils. Cependant, au moment même où les civils donnent leur approbation à ce processus, ils ne peuvent l'empêcher de modifier les paramètres en fonction desquels se prennent les décisions politiques. Au cours des réunions annuelles entre états-majors français et russe, les Français insistent pour qu'une part importante des prêts financiers reçus par les Russes soit consacrée à l'amélioration des voies ferrées stratégiques à l'ouest de la Russie. Ce faisant, les Français modifient l'équilibre du pouvoir à Saint-Pétersbourg, affaiblissant Kokovtsov et renforçant ses adversaires au sein du haut commandement militaire russe. Kokovtsov avait sans doute raison d'accuser les militaires d'exploiter les liens entre états-majors des deux pays pour renforcer leur propre influence au sein du système politique russe [148].

De façon symétrique, les exigences russes vis-à-vis de leurs alliés français ont des conséquences potentiellement très importantes en politique intérieure française. En 1914, les Russes déclarent que toute réduction de la durée du service militaire ferait de la France un allié de moindre valeur, obligeant de ce fait les principaux dirigeants français à défendre la loi des Trois Ans, mesure récemment adoptée mais qui passe mal auprès de l'électorat. Le moindre détail technique de la planification des opérations peut se révéler politiquement explosif [149]. En France, un petit groupe de décideurs clés va donc s'employer à dissimuler l'étendue et la nature des engagements stratégiques de l'Alliance franco-russe à ceux qui pourraient s'y opposer par convictions politiques – principalement les radicaux et les radicaux-socialistes. La nécessité de garder le secret devient impérative au début de 1914, où Poincaré s'entend avec les militaires pour dissimuler le caractère offensif de la stratégie française à un cabinet, une Chambre et une opinion publique de plus en plus favorables à une approche *défensiste*. Poincaré est si discret sur le sujet qu'avec le soutien de Joffre, il s'abstient de communiquer les détails des nouveaux plans de déploiement français au ministre de la Guerre, Adolphe Messimy [150]. Au printemps 1914, l'engagement français de mener une stratégie militaire commune avec la Russie est devenu un sujet politique extrêmement sensible, parce qu'il oblige la France à s'engager dans des préparatifs et des options stratégiques dont la légitimité politique est devenue douteuse. Nous ne saurons jamais combien de temps Poincaré aurait pu continuer ce numéro d'équilibriste, car le déclenchement de la guerre pendant l'été rendra la question caduque.

Nous pouvons donc définir deux situations réciproques. Dans la première, une hiérarchie militaire constitutionnellement subordonnée au pouvoir civil jouit d'une certaine autonomie. Dans l'autre, un appareil militaire de type prétorien, doté d'une relative indépendance sur le plan constitutionnel, est contenu, manœuvré ou détourné par les hommes d'État. Quand Moltke en Allemagne ou Conrad en Autriche préconisent une guerre préventive, ils se heurtent à l'opposition du Kaiser et des leaders civils pour le premier, à celle de l'empereur, de l'archiduc François-Ferdinand et de Leopold von Berchtold dans le cas du second[151]. En Russie, Kokovtsov, Premier ministre et ministre des Finances, parvient à bloquer les initiatives les plus ambitieuses du ministre de la Guerre, au moins pendant un temps. À la fin de l'année 1913, au moment où Soukhomlinov tente d'exclure complètement Kokovtsov des délibérations sur le budget militaire, le Conseil des ministres reconnaît que le ministre de la Guerre est allé trop loin et rejette sa demande[152]. En Russie, en Allemagne, en Autriche, en Grande-Bretagne comme en France, la politique militaire reste en dernier ressort subordonnée aux objectifs stratégiques et politiques des décideurs civils[153].

Il n'en demeure pas moins que des questions non résolues sur l'équilibre des pouvoirs entre factions civiles et militaires, sur leur influence respective dans les processus de décision, continuent à obscurcir les relations entre les exécutifs des grandes puissances. Chaque gouvernement présuppose l'existence d'une faction militaire belliciste au sein du gouvernement de ses adversaires potentiels et chacun tente d'en apprécier le degré d'influence. Début février 1913, alors que les tensions entre Russes et Autrichiens au sujet des Balkans sont très fortes, le ministre des Affaires étrangères Sazonov, qui rencontre l'ambassadeur allemand à Saint-Pétersbourg, le comte Pourtalès, reconnaît que le ministre des Affaires étrangères austro-hongrois, Berchtold – qu'il a connu lorsque celui-ci était ambassadeur à Saint-Pétersbourg – est un homme dont les intentions sont pacifiques. Mais a-t-il assez de pouvoir, se demande-t-il, pour résister à la pression du chef d'état-major, le général Conrad, dont les plans belliqueux sont bien connus des services secrets russes ? Et même si Berchtold semble conserver le contrôle la situation pour le moment, le pouvoir ne risque-t-il pas de passer aux mains des militaires, au moment où la Double Monarchie s'affaiblit et recherche des solutions de plus en plus radicales[154] ? Sazonov, témoin privilégié de l'affrontement entre Soukhomlinov et Kokovtsov, a récemment vu le chef d'état-major pousser la Russie au bord de la guerre avec l'Autriche-Hongrie ; il sait donc mieux que quiconque combien les relations entre décideurs civils et militaires peuvent être instables. En mars 1914, dans une analyse subtile de l'ambiance qui règne alors à Saint-Pétersbourg, Pourtalès discerne une sorte d'équilibre entre les éléments bellicistes et pacifistes : « De même qu'il n'y a pas de personnalités dont on puisse dire qu'elles ont *à la fois* le désir et le pouvoir de plonger la Russie dans une aventure militaire, de même il n'y a pas d'hommes dont la position et l'influence soient assez fortes pour faire naître la conviction qu'ils seront capables de maintenir un cap pacifique en Russie au cours des années à venir [155]... » L'analyse de Kokovtsov est moins optimiste : il lui semble que le tsar passe de plus en plus de temps en compagnie de « coteries militaires » dont les « vues simplistes » ont « de plus en plus d'influence [156] ».

Les difficultés intrinsèques rencontrées par un observateur extérieur pour interpréter ces relations sont renforcées par le fait que les hommes politiques civils ne répugnent pas à exploiter – voir à inventer – l'existence de partis bellicistes afin de renforcer leur propre arguments. C'est ainsi que pendant la mission Haldane en 1912, les Allemands font croire aux Britanniques que le gouvernement de Berlin est divisé entre colombes et faucons et que des concessions britanniques renforceront la position du chancelier Bethmann-Hollweg contre ses adversaires bellicistes à Berlin. Ils adopteront la même tactique en 1914, prétendant dans toute une série d'articles « inspirés » que la poursuite des négociations navales entre la Grande-Bretagne et la Russie ne servira qu'à renforcer la faction militariste opposée aux leaders civils plus modérés [157]. Ici comme dans d'autres domaines où s'effectuent des échanges d'informations entre gouvernements, la volatilité des relations entre civils et militaires au sein des différents appareils politiques est amplifiée par des perceptions fallacieuses et des interprétations erronées.

La presse et l'opinion publique

« La plupart des conflits que le monde a connus au cours de la dernière décennie n'ont pas été causés par l'ambition des princes ou les conspirations des ministres, mais par les passions de l'opinion publique qui, par l'entremise de la presse et du Parlement, ont emporté les gouvernements [158]. » Quelle est la part de vérité de cette déclaration du chancelier allemand Bernhard von Bülow devant le Reichstag en mars 1909 ? Le pouvoir d'influencer la politique étrangère réside-t-il ailleurs que dans les chancelleries et les ministères, dans le monde des groupes de pression et de la presse populaire ?

Une chose est certaine : les dernières décennies précédant le déclenchement de la guerre voient l'expansion spectaculaire de la sphère politique publique et l'apparition de controverses de plus en plus larges liées aux relations internationales. En Allemagne, toute une série de lobbies se créent dans le but de canaliser le sentiment populaire et de faire pression sur le gouvernement. Il en résulte une transformation de la substance et du style de la critique politique, qui devient plus démagogique, plus diffuse et extrême dans ses objectifs, de sorte que le gouvernement se trouve souvent contraint de devoir répondre à l'accusation de ne pas avoir été suffisamment ferme dans la poursuite des objectifs nationaux [159]. En Italie aussi, on peut discerner la naissance d'une opinion publique plus exigeante et plus affirmée : le premier parti nationaliste italien, l'Associazione nazionalista italiana, est fondé en 1910 sous l'égide de l'ultranationaliste Enrico Corradini et du politicien démagogue Giovanni Papini. Par l'intermédiaire de ses députés au Parlement et de son journal *L'Idea nazionale*, ce parti exige le rattachement immédiat des régions de la côte adriatique peuplées d'Italiens qui appartiennent à l'époque à l'Empire austro-hongrois, et se déclare prêt à la guerre si cela est nécessaire. En 1911, même des journaux plus modérés tels que *La Tribuna* de Rome et *La Stampa* de Milan emploient des journalistes nationalistes [160]. En Italie (encore plus qu'en Allemagne), les causes de friction entre l'opinion publique et un gouvernement obligé d'arbitrer entre des priorités contradictoires se multiplient [161]. Quant à la Russie, les dernières décennies du XIXe siècle y voient l'apparition de la presse de grande diffusion. En 1913, *Rouskoïe Slovo*, le plus gros tirage de la presse quotidienne moscovite, se vend à plus de huit cent mille exemplaires. Bien que la censure existe toujours, les autorités permettent que les questions de politique étrangère soient librement discutées (à condition qu'il n'y ait pas de critiques à l'encontre du tsar ou des ministres). D'ailleurs, de nombreux quotidiens importants engagent des diplomates à la retraite pour traiter ces sujets [162]. Après la crise de l'annexion bosniaque, l'opinion publique russe se fait de plus en plus déterminée – tout particulièrement sur les questions balkaniques – et de plus en plus critique vis-à-vis du gouvernement [163]. Dernier exemple, en Grande-Bretagne, les lecteurs des journaux de grande diffusion, également en plein essor, sont abreuvés d'articles chauvins et xénophobes, attisant les psychoses d'invasion et le bellicisme. Pendant la guerre des Boers, le *Daily Mail* tire à un million d'exemplaires par jour. En 1907, son tirage moyen oscille encore entre huit cent cinquante et neuf cent mille exemplaires.

Monarques, ministres et hauts fonctionnaires ont donc de bonnes raisons de prendre la presse au sérieux. Dans les systèmes parlementaires, la publicité positive peut se traduire par des votes, alors que la publicité négative apporte de l'eau au moulin de l'opposition. Dans les régimes plus autoritaires, le soutien de l'opinion publique est un ersatz indispensable de légitimité démocratique. Certains monarques ou hommes d'État sont tout simplement obsédés par les journaux au point de passer des heures chaque jour à éplucher des coupures de presse. Guillaume II est un exemple extrême, mais sa sensibilité à la critique de l'opinion publique n'est pas en soi un cas isolé [164]. « Si nous perdons la confiance de l'opinion publique en matière de politique étrangère, confie le tsar Alexandre III à son ministre des Affaires étrangères Lamsdorf, alors tout est perdu [165]. » Quasiment tous les acteurs de la vie politique européenne du début du XXe siècle reconnaissent que la presse joue un rôle important dans l'élaboration de la politique étrangère. Mais cela les prive-t-il nécessairement de leur liberté d'action ?

Les préoccupations suscitées par la presse sont ambivalentes. D'un côté, ministres, hauts fonctionnaires et monarques sont convaincus que la presse reflète et exprime le sentiment et les attitudes de l'opinion publique. D'où le fait qu'ils la craignent. Chaque ministre des Affaires étrangères sait ce que signifie d'être exposé à une campagne de presse hostile sur laquelle il n'a aucun contrôle : en 1911, Grey est en butte aux critiques de la presse libérale, Kiderlen-Wächter attaqué par les journaux nationalistes après la crise d'Agadir, le Kaiser lui-même ridiculisé pour de multiples raisons (parmi lesquelles sa prétendue timidité et son irrésolution en matière de politique étrangère). En France, les hommes politiques soupçonnés de faiblesse coupable vis-à-vis de l'Allemagne peuvent être chassés de leur poste, comme Caillaux en fait l'expérience. En janvier 1914, c'est au tour de Sazonov et de son ministère d'être attaqués par la presse nationaliste russe qui dénonce leur « pusillanimité [166] ». C'est donc par crainte de la publicité négative et d'articles hostiles que de nombreux ministres des Affaires étrangères entourent leur action de secret. Comme Charles Hardinge le fait observer en 1908 dans une lettre à Nicolson, alors ambassadeur britannique à Saint-Pétersbourg, la politique de rapprochement avec la Russie menée par Grey est difficile à vendre à l'opinion publique britannique : « Parfois, pour affronter une opinion publique hostile, nous avons dû taire la vérité ou avoir recours à des subterfuges [167]. » À Saint-Pétersbourg, dans ces années d'avant-guerre, personne n'a oublié la tempête médiatique qui a emporté Izvolski [168].

La plupart des hommes politiques font une analyse pertinente et nuancée du rôle de la presse. Ils ont compris que la presse est volatile, sujette à des turbulences de courte durée et à des accès de frénésie soudaine. Ils voient que l'opinion publique est mue par des impulsions contradictoires, que ce qu'elle exige du gouvernement est rarement réaliste, qu'elle est, pour paraphraser Theodore Roosevelt, « toujours prête à s'exprimer sans être prête à agir [169] ». Frénétique, l'opinion publique cède facilement à la panique, mais elle est également extrêmement inconstante. Il n'y a qu'à voir la façon dont l'anglophobie profondément ancrée de la presse française a fondu comme neige au soleil pendant la visite d'Édouard VII à Paris en 1903. Après être arrivés à la gare de la porte Dauphine, le souverain et sa suite descendent les Champs-Élysées sous les hués des Parisiens criant « Vive Fachoda ! », « Vivent les Boers ! », « Vive Jeanne d'Arc ! » Les manchettes des journaux sont hostiles, les caricatures insultantes. Cependant, en l'espace de quelques jours, le roi va gagner la sympathie de ses hôtes par des discours engageants et des remarques charmantes, aussitôt repris par les principaux journaux [170]. De même en Serbie en 1906, la vague de colère qui s'empare de la nation à la suite du veto opposé par l'Autriche-Hongrie à une union douanière avec la Bulgarie retombe bien vite, quand les Serbes prennent conscience que le traité commercial proposé par l'Autriche-Hongrie leur est bien plus favorable qu'une union douanière avec la Bulgarie [171]. L'Allemagne connaît également de soudaines fluctuations du sentiment public pendant la crise d'Agadir de 1911. Début septembre, une manifestation pacifique rassemble cent mille personnes à Berlin. Cependant, à peine quelques semaines plus tard, l'atmosphère n'est plus à la conciliation : au congrès d'Iéna, le Parti social-démocrate rejette l'appel à la grève générale en cas de guerre [172]. L'inconstance de l'opinion publique se manifeste encore au printemps et à l'été 1914 : l'ambassade de France à Berlin note de soudains revirements dans la façon dont la presse serbe couvre les relations avec l'Autriche-Hongrie. Alors qu'en mars et avril, il y a eu de vigoureuses campagnes de presse contre Vienne, la première semaine de juin semble marquée par une atmosphère de détente et de conciliation assez inattendue des deux côtés de la frontière [173].

Quant aux organisations ultranationalistes belliqueuses qui donnent de la voix dans toutes les capitales européennes, la plupart d'entre elles ne représentent que de petits groupes d'extrémistes. Elles partagent également une caractéristique frappante : leurs leaders ne cessent de se diviser et de faire sécession. En Allemagne, la Ligue pangermaniste est déchirée par les luttes entre factions. Même la Ligue navale, association beaucoup plus importante et modérée, n'échappe pas, entre 1905 et 1908, à des luttes intestines entre les groupes progouvernementaux et ceux de l'opposition. En Russie, l'Union du peuple de Russie, autre organisation ultranationaliste, chauvine et antisémite, fondée en août 1906, va compter jusqu'à neuf cents bureaux répartis dans tout le pays, avant de s'effondrer en 1908-1909 et de se fragmenter en une multitude de groupuscules qui s'opposent les uns aux autres [174].

Il demeure très difficile d'établir le lien qui existe entre l'opinion publique, constituée des élites éduquées ayant directement accès à la presse, et l'attitude qui prévaut dans les masses plus populaires. Les psychoses de guerre et le chauvinisme fournissent certes de bons articles, mais touchent-ils vraiment toutes les couches de la société ? D'où la mise en garde du consul général d'Allemagne à Moscou en 1912 : présupposer que la germanophobie agressive du parti belliciste russe et de la presse slavophile reflète l'état d'esprit de l'ensemble de la population serait une grave erreur, car les milieux politiques et journalistiques n'ont que « des liens très ténus avec les réalités de la vie en Russie ». Il ajoute que les articles traitant de ces questions dans les journaux allemands sont le plus souvent écrits par des journalistes qui ne connaissent guère la Russie et n'ont que fort peu de contacts en dehors d'une toute petite élite sociale [175]. En mai 1913, le baron Guillaume, ambassadeur de Belgique à Paris, reconnaît qu'« un certain chauvinisme » fait florès en France : on l'observe non seulement dans les journaux nationalistes mais dans les théâtres et les cabarets qui proposent de nombreuses pièces « de nature à surexciter les esprits ». Mais, ajoute-t-il, « le vrai peuple français n'approuve pas ces manifestations [176] ».

Tous les gouvernements, à l'exception de la Grande-Bretagne, ont des bureaux de presse dont la mission est de surveiller et d'influencer – là où cela est possible – la façon dont les journaux traitent des questions de sécurité nationale et de politique étrangère. En Grande-Bretagne, où le secrétaire d'État au Foreign Office ne semble pas éprouver le besoin de convaincre le public ni même de l'informer des mérites de ses décisions, il n'existe pas de tentatives officielles d'influencer la presse. De nombreux grands journaux y reçoivent certes de substantielles sommes d'argent, mais elles proviennent de personnalités privées ou de partis politiques plutôt que du gouvernement. Ce qui bien entendu n'empêche pas le développement d'un réseau très dense de relations informelles entre les ministères et les journalistes les plus influents [177]. La situation est assez différente en Italie où Giovanni Giolitti, Premier ministre de 1911 à 1914, fait des versements réguliers à une trentaine de journalistes pour qu'ils soutiennent sa politique [178]. En 1906, le ministère des Affaires étrangères russe se dote d'un office de presse et, à partir de 1910, Sazonov organise régulièrement des réunions à l'heure du thé où sont conviés les rédacteurs en chef les plus influents et les leaders de la Douma [179]. Les relations entre les diplomates russes et certains journaux triés sur le volet sont si étroites qu'en 1911 un journaliste ira jusqu'à qualifier le ministère des Affaires étrangères de « simple annexe du *Novoïe Vremia* ». Jegorov, son rédacteur en chef, est souvent aperçu dans le bureau de presse du ministre et Nelidov, chef du bureau de presse et ancien journaliste, fréquente assidûment les bureaux du journal [180]. En France, les relations entre diplomates et journalistes sont tout particulièrement intimes. La moitié ou presque des ministres des Affaires étrangères de la Troisième

République étant d'anciens écrivains ou d'anciens journalistes, « les lignes de communication » entre ministres et journalistes « sont pratiquement toujours ouvertes [181] ». En décembre 1912, alors qu'il est président du Conseil, Raymond Poincaré lance même son propre journal, *La Politique étrangère*, pour promouvoir ses idées auprès de l'élite politique française.

Il existe d'autres instruments familiers de la diplomatie continentale tels les journaux semi-officiels, ou les articles « inspirés » insérés dans les journaux afin de tester les réactions de l'opinion publique. Les articles « inspirés » se présentent comme l'expression d'opinions indépendantes rédigées par des journalistes indépendants, mais leur efficacité dépend précisément de ce que les lecteurs soupçonnent qu'ils émanent du pouvoir. Par exemple, il est de notoriété publique qu'en Serbie, le journal *Samouprava* exprime les positions gouvernementales. En Allemagne, le *Norddeutsche Allgemeine Zeitung* est considéré comme l'organe officiel de la Wilhelmstraße. En Russie, le gouvernement fait connaître son opinion par le biais de *Rossia*, journal semi-officiel, tout en lançant des campagnes de presse dans d'autres journaux plus populaires tels que *Novoïe Vremia* [182]. Le Quai d'Orsay, comme son homologue allemand, rémunère des journalistes sur fonds secrets et cultive des liens étroits avec *Le Temps* et l'agence Havas, tout en utilisant *Le Matin*, journal réputé moins austère, pour lancer des « ballons d'essai » [183].

De telles interventions sont risquées et peuvent déraper. Une fois que l'opinion publique sait que tel journal publie régulièrement des articles « inspirés », il peut arriver qu'un papier irréfléchi, tendancieux ou erroné soit pris pour le signal intentionnel d'un gouvernement. C'est ce qui arrive en février 1913 lorsque *Le Temps* publie un article basé sur des fuites *non autorisées* transmises par une source anonyme, révélant certains détails des délibérations du gouvernement sur le réarmement français – article qui suscite de furieux démentis officiels [184]. En 1908, Izvolski, alors ministre des Affaires étrangères, a beau tenter de préparer l'opinion publique et la presse à la nouvelle que la Russie a approuvé l'annexion de la Bosnie par l'Autriche-Hongrie, ses efforts se révèlent totalement insuffisants pour contrer la violence de leur réaction [185]. En Russie toujours, *Novoïe Vremia* se retournera contre Sazonov, en dépit des relations étroites que ce dernier a longtemps entretenues avec la rédaction, lorsque, tombant sous l'influence du ministre de la Guerre, le journal l'accusera de faire preuve de timidité excessive dans la défense des intérêts de la Russie [186]. En Autriche, le scandale Friedjung éclate en 1909 lorsqu'on apprend que le ministre des Affaires étrangères Aehrenthal a pesé de tout son poids dans une campagne de presse menée contre des hommes politiques serbes et basée sur de fausses accusations de trahison. Le gouvernement est contraint de faire tomber la tête du chef du bureau de presse du ministère, avant de devoir à nouveau renvoyer son successeur à la suite du « scandale Prochaska » – à l'hiver 1912, des allégations de mauvais traitements infligés par des Serbes à un employé consulaire autrichien se révèlent également fausses[187].

Ce genre de manipulations officielles de la presse par les autorités politiques a également lieu d'un pays à l'autre. Début 1905, les Russes distribuent environ l'équivalent de huit mille livres sterling par mois à la presse parisienne dans l'espoir de stimuler le soutien de l'opinion publique en faveur d'un prêt financier important. Le gouvernement français subventionne des journaux en Italie (et en Espagne pendant la conférence d'Algésiras). Au cours de la guerre russo-japonaise et des guerres des Balkans, les autorités russes font parvenir des pots-de-vin très élevés à des journalistes français[188]. Les Allemands disposent d'un modeste fonds pour soutenir des journalistes à Saint-Pétersbourg, et subventionnent régulièrement et grassement des rédacteurs en chef londoniens dans l'espoir, le plus souvent déçu, d'obtenir un traitement journalistique plus bienveillant[189].

Des éditoriaux « inspirés » peuvent également être publiés à destination de gouvernements étrangers. Afin d'intimider les Allemands pendant la crise marocaine de 1905 par exemple, Théophile Delcassé utilise des communiqués de presse maquillés en articles pour divulguer les détails des préparatifs militaires britanniques. Ici, la presse fonctionne comme une sorte de canal d'information infradiplomatique, que l'on peut démentir si nécessaire, utilisé à des fins de dissuasion ou au contraire de persuasion, sans obliger irrévocablement quiconque à tenir ses engagements. Si la menace avait été formulée par Delcassé lui-même et de manière explicite, le Foreign Office aurait été mis dans une position intenable. En février 1912, l'ambassadeur de France à Saint-Pétersbourg, Georges Louis, envoie à Paris la traduction d'un article paru dans *Novoïe Vremia* accompagné d'une lettre expliquant que l'article reflète « très exactement les opinions des milieux militaires russes[190] ». Dans ce cas, un article « inspiré » permet à un organe particulier de l'administration – ici le ministère de la Guerre – de faire connaître son opinion sans compromettre officiellement le gouvernement. Mais il arrive parfois que des ministres différents transmettent à la presse des informations diamétralement opposées : en mars 1914, *Birjevaïa Viedomosti* (« Les Nouvelles de la Bourse ») publie un éditorial considéré par beaucoup comme « inspiré » par Soukhomlinov, qui annonce que la Russie est « prête à la guerre » et a « abandonné » l'idée d'une stratégie purement défensive. Sazonov réagit en faisant paraître dans le semi-officiel *Rossia* un article plus conciliant. Il s'agit là d'envoyer des signaux parallèles : Soukhomlinov rassure les Français sur l'état de préparation de l'armée et sur la détermination des Russes à remplir leurs obligations, tandis que la réponse de Sazonov est destinée au ministère des Affaires étrangères allemand (et éventuellement britannique).

À peu près au même moment un article publié par le *Kölnische Zeitung* prête à Saint-Pétersbourg des intentions agressives : il a certainement été « inséré » par le ministère allemand des Affaires étrangères pour provoquer une mise au point de la part des Russes, à un moment où ces derniers augmentent leurs dépenses militaires [191]. Dans les régions où des puissances européennes rivales tentent d'asseoir leur influence, il est courant de subventionner des organes de presse pour s'attirer des soutiens et discréditer les machinations adverses. Les Allemands s'inquiètent de l'influence immense que « l'argent des Anglais » exerce sur les journaux russes, tandis que les ambassadeurs allemands à Constantinople se plaignent régulièrement de l'hégémonie de la presse francophone et de ses éditorialistes stipendiés par Paris « qui par tous les moyens possibles incitent leurs lecteurs à nous être hostiles [192] ».

Quel que soit le contexte, la presse n'est qu'un instrument de la politique étrangère, elle ne la détermine pas. Mais cela n'empêche pas les décideurs politiques de la considérer comme un indicateur très sérieux de l'état de l'opinion publique. Au printemps 1912, Jules Cambon s'inquiète du fait que le chauvinisme de la presse française augmente les risques de conflit : « Je voudrais bien que les Français dont la profession est de créer ou de représenter l'opinion voulussent bien observer la même discipline […] et qu'on ne s'amusât pas à jouer avec le feu en parlant de guerre inévitable. Il n'y a rien d'inévitable en ce monde [193]. » Six mois plus tard, alors que la première guerre des Balkans est sur le point d'éclater et que le sentiment panslaviste domine la plupart des rédactions de la presse russe, l'ambassadeur de Russie à Berlin est préoccupé – ou feint de l'être – « de l'état d'esprit de la population de son pays qui, dit-il, peut dominer la conduite de son gouvernement [194] ».

Ministres et diplomates se montrent tout à fait confiants dans la capacité de leur propre gouvernement à mettre les processus de décision politique à l'abri des vicissitudes de l'opinion publique et de la presse, mais ils doutent paradoxalement que les gouvernements étrangers soient capables d'en faire autant chez eux. Après la débâcle de la crise d'Agadir en 1911, le haut commandement allemand craint que l'agitation nationaliste et le regain de confiance des Français ne poussent un gouvernement, par ailleurs pacifique, à lancer une attaque surprise contre l'Allemagne [195]. Et réciproquement, la crainte que des décideurs allemands essentiellement pacifiques ne soient entraînés dans la guerre par le chauvinisme de certains leaders d'opinion est un thème récurrent du débat politique en France [196]. Quant au gouvernement russe, il est largement considéré dans les autres capitales européennes comme le plus susceptible de céder à la pression de son opinion publique – spécialement en cas de tension dans les Balkans. De fait, les événements de juillet 1914 montreront que cette analyse n'était pas dénuée de justesse. Mais à l'inverse, les Russes considèrent que les gouvernements parlementaires occidentaux sont tout particulièrement vulnérables à la pression de leur opinion publique, précisément parce qu'ils reposent sur une constitution démocratique ; les Britanniques encouragent d'ailleurs ce raisonnement, suggérant comme Grey a coutume de le faire que « le cap du gouvernement anglais en temps de crise ne doit dépendre que du jugement de l'opinion publique anglaise [197] ». Les hommes d'État s'abritent souvent derrière l'affirmation qu'ils sont contraints d'agir dans des limites fixées par leur opinion publique. En 1908-1909 par exemple, les Français mettent en garde les Russes contre la tentation de déclencher une guerre au sujet des Balkans, prétextant que l'opinion publique française n'accorde que peu d'importance à ces problèmes. Izvolski leur rend la monnaie de leur pièce en 1911 : il les pousse à négocier avec les Allemands – non sans leur avoir rappelé les conseils qu'eux-mêmes lui ont donnés en 1908 – sous prétexte que « la Russie aurait du mal à faire accepter à sa population une guerre au sujet du Maroc [198] ». C'est à nouveau le même argument qu'emploie l'ambassadeur serbe à Vienne lorsqu'il affirme en novembre 1912 que son Premier ministre Nikola Pašić n'a pas d'autre choix que de poursuivre une politique irrédentiste car, s'il se montrait conciliant avec l'Autriche, le « parti belliciste » à Belgrade le chasserait du pouvoir pour le remplacer par l'un de ses partisans. Sazonov lui-même explique la posture belliqueuse adoptée par le leader serbe en public par la nature « extrêmement nerveuse » de l'opinion publique serbe [199].

Lorsque Sazonov déclare à Pourtalès, l'ambassadeur allemand, que par égard pour son opinion publique il est obligé de défendre les intérêts de la Serbie contre l'Autriche-Hongrie, il agit de façon tout à fait caractéristique. Il use du même argument pour convaincre les Roumains de ne pas entrer en conflit avec la Bulgarie en janvier 1913 : « Prenez garde ! Si vous déclarez la guerre à la Bulgarie, je ne pourrai contenir la surexcitation de l'opinion publique [200]. » En réalité, Sazonov n'a que peu de respect pour les rédacteurs en chef et les éditorialistes, convaincu qu'il est de comprendre l'opinion publique russe bien mieux que la presse. Il est tout prêt, si nécessaire, à faire fi des commentaires des journaux, tout en exploitant leurs campagnes de chauvinisme pour persuader les représentants des autres puissances qu'il n'a pas les mains libres [201]. Les destinataires des dépêches diplomatiques parviennent souvent à percer ces faux-fuyants : quand Guillaume II reçoit des rapports l'informant que l'opinion publique proslaviste risque de pousser le gouvernement russe à s'engager dans un conflit au sujet de la Bosnie-Herzégovine, il note en marge : « C'est un coup de bluff[202]. » Il n'en reste pas moins que le présupposé, largement partagé, selon lequel les gouvernements *étrangers* sont contraints de s'aligner sur les convictions de leurs propres opinions publiques fait des revues de presse le lot quotidien des dépêches diplomatiques. D'épaisses liasses de coupures de presse, accompagnées de leur traduction, viennent grossir les dossiers que chaque légation envoie à son ministère des Affaires étrangères.

Tous les gouvernements tentent donc d'influencer d'une manière ou d'une autre le contenu des journaux, ce qui rend nécessaire de surveiller étroitement ce qui est publié, parce que cette surveillance peut être un moyen de décrypter, sinon l'état de l'opinion publique, du moins l'opinion et les intentions d'un gouvernement donné. Ainsi Grey voit-il dans les campagnes antibritanniques qui se déchaînent au moment de la crise d'Agadir une manœuvre tactique du gouvernement allemand destinée à mobiliser les électeurs en faveur de nouvelles lois navales juste avant des élections au Reichstag. Un autre exemple nous est fourni par l'ambassadeur autrichien accusant le ministère des Affaires étrangères russe d'encourager une couverture négative des efforts de détente austro-russes après la crise bosniaque[203]. Les diplomates ne cessent d'éplucher la presse, à la recherche d'articles « inspirés » qui permettraient de comprendre la logique de pensée de tel ou tel ministère. Mais comme la plupart des gouvernements ont recours à plusieurs organes de presse, il est souvent difficile de savoir avec certitude si tel article est « inspiré » ou pas. En mai 1910 par exemple, *Le Temps* publie une critique acerbe du récent plan de mobilisation et de déploiement russe. Saint-Pétersbourg croit y lire un article « inspiré » (à tort, en fait, dans ce cas) et transmet une lettre de protestation à Paris[204]. Or, comme le note l'ambassadeur allemand à Paris, c'est une erreur de considérer que les opinions exprimées par *Le Temps* sont systématiquement celles du ministère des Affaires étrangères ou du gouvernement français. En effet, son rédacteur en chef André Tardieu a parfois maille à partir avec les autorités à cause de ses déclarations hétérodoxes sur des questions d'intérêt national[205]. En janvier 1914, l'ambassadeur belge à Paris fait une analyse encore différente : il informe son gouvernement que si les grands éditoriaux politiques du *Temps* sont généralement de la main de Tardieu, ils sont souvent « inspirés » par Izvolski, alors ambassadeur à Paris[206]. Ce climat d'incertitude contraint les diplomates à se montrer extrêmement vigilants lorsqu'ils épluchent la presse ; il explique également pourquoi des articles critiques peuvent déclencher des escarmouches où deux ministres des Affaires étrangères se battent à coups d'articles « inspirés », excitant par là l'opinion publique dont les réactions passionnées sont parfois difficiles à contrôler. À cet égard, on peut noter que ce sont les ministères des Affaires étrangères britannique et allemand qui ont chacun tendance à systématiquement surestimer le contrôle que l'autre gouvernement exerce sur son opinion publique [207].

Les controverses se déclenchent parfois spontanément sans implications de la part des gouvernements, qui savent pertinemment que les échanges d'insultes entre rédacteurs en chef ultranationalistes peuvent dégénérer au point d'empoisonner l'atmosphère des relations internationales. Lors d'une rencontre à Reval en juin 1908 entre le tsar Nicolas II, le roi Édouard VII et Charles Hardinge, le tsar confie à ce dernier que la « liberté » de la presse russe l'a plongé « dans une situation extrêmement embarrassante » : « Le plus petit incident survenant dans la région la plus reculée de l'Empire russe, le moindre tremblement de terre, la moindre tempête, tout est systématiquement mis au compte des Allemands, et le gouvernement russe et nous-mêmes avons récemment reçu de véhémentes protestations contre cette agressivité des journaux russes. » Le tsar reconnaît qu'il ne voit pas comment remédier à cet état de fait autrement que par « des communiqués officiels, qui restent le plus souvent lettre morte », ajoutant qu'il préférerait que la presse s'occupe « davantage des affaires intérieures de la Russie que de ses affaires extérieures [208] ».

En 1896, la presse britannique réagit avec indignation au télégramme Kruger envoyé par le Kaiser au président du Transvaal ; en 1911, les journaux britanniques et allemands s'affrontent sur la question du Maroc. Entre ces deux dates, des guerres journalistiques éclatent à intervalles réguliers, auxquelles les deux gouvernements tentent de mettre fin en organisant des rencontres entre journalistes influents en 1906 et en 1907, mais sans grand résultat [209]. En effet, dans chaque pays, la presse nationale a coutume de rapporter les opinions que les journaux étrangers formulent sur des questions d'intérêt national : il arrive fréquemment que des articles entiers de la presse étrangère soient cités ou paraphrasés dans les journaux d'un autre pays. Ainsi en février 1913, Tatichtchev, ministre plénipotentiaire russe en poste à Berlin, rapporte à Nicolas II que les articles panslavistes de *Novoïe Vremia* ont un « effet déplorable » en Allemagne [210]. Les relations entre la presse autrichienne et la presse serbe sont tout particulièrement tendues : chacun des grands journaux, de chaque côté de la frontière, surveille son homologue d'un œil attentif (quand il n'est pas directement fourni en coupures de presse et traductions par son ministre des Affaires étrangères) et ne cesse de déplorer la façon dont l'information est traitée dans l'autre capitale. Ces attitudes joueront un rôle crucial dans le déroulement de la crise de juillet 1914.

Il n'est cependant pas avéré que la presse européenne soit devenue plus belliqueuse au cours des dernières années de l'avant-guerre. La situation est plus complexe, comme le suggère une étude récente de la façon dont les journaux allemands ont couvert les crises successives de l'avant-guerre (Maroc, Bosnie, Agadir, Balkans). Certes, il apparaît que la presse manifeste une vision de plus en plus polarisée des questions internationales ainsi qu'une méfiance croissante quant à l'efficacité des solutions diplomatiques. Mais entre les crises, il existe également des périodes d'apaisement, et les guerres journalistiques anglo-allemandes s'interrompent en 1912 – les deux dernières années d'avant-guerre étant paradoxalement une « période d'harmonie et de paix inhabituelle[211] ». Même Friedrich von Bernhardi, dont le livre *L'Allemagne et la prochaine guerre* (1911) est souvent cité comme preuve de la montée du bellicisme dans l'opinion publique allemande, introduit ce pamphlet outrageusement agressif par un long passage où il déplore le « pacifisme » de ses compatriotes[212]. D'ailleurs, le chauvinisme ne s'exprime pas de façon unanime. En Grande-Bretagne, l'hostilité contre la Russie garde toute sa force dans les dernières années qui précèdent la guerre, malgré la signature de la Convention anglo-russe de 1907. À l'hiver 1911-1912, la base du Parti libéral accuse Grey de vouloir se rapprocher des Russes au détriment d'une coopération plus approfondie avec l'Allemagne. Les réunions publiques organisées dans toute la Grande-Bretagne fin janvier 1912 pour exiger un accord anglo-allemand sont motivées en partie par ce sentiment d'hostilité envers la Russie dont les manœuvres semblent menacer les intérêts britanniques en de nombreuses régions de la périphérie de l'Empire[213].

Les hommes politiques décrivent souvent l'opinion publique comme une force extérieure qui fait pression sur le gouvernement – ce que, tout aussi souvent, ils déplorent. De ce fait, ils impliquent que l'opinion – celle de la population ou celle des journalistes – est un phénomène qui demeure extérieur au gouvernement, comme le brouillard qu'arrêtent les vitres des ministères, un élément que les décideurs peuvent maintenir à distance de leur sphère d'activité. De plus, ce qu'ils entendent le plus souvent par « opinion publique », c'est le soutien ou le rejet de leurs propres décisions et de leur propre personne. Mais il existe quelque chose de plus profond que l'opinion, que nous désignerions sous le terme de « mentalité » : tout un réseau de « présupposés non dits » selon la définition de James Joll, qui modèle tout à la fois les attitudes et le comportement des hommes d'État, des parlementaires et des publicistes[214]. À cet égard, ce que nous pouvons sans doute discerner partout en Europe, en particulier parmi les élites instruites, c'est une acceptation croissante de la guerre. Ce sentiment ne s'exprime par sous la forme d'appels sanguinaires à la violence contre un autre État, mais sous la forme d'un « patriotisme défensif[215] » qui envisage la possibilité de la guerre sans l'appeler de ses vœux, convaincu que les conflits sont une caractéristique « naturelle » de la politique internationale. « L'idée même d'une paix prolongée est un vain rêve », écrit le vicomte Esher, artisan de l'Entente cordiale, ami proche et conseiller du roi Édouard VII en 1910. Deux ans plus tard, devant un parterre d'étudiants de l'université de Cambridge, il appelle à ne pas sous-estimer les aspects poétiques et romantiques du fracas des armes, sous peine de faire preuve « d'un affaiblissement de l'esprit et d'un appauvrissement de l'imagination [216] ». Henry Spenser Wilkinson, titulaire de la chaire d'histoire militaire à Oxford, affirme dans sa leçon inaugurale que la guerre est « un mode parmi d'autres des relations humaines ». Un échafaudage plus ou moins solide d'arguments et d'attitudes divers étaie cette acceptation fataliste du caractère inéluctable de la guerre. Certains se basent sur des principes hérités de Darwin ou de Huxley pour expliquer qu'étant donné leur énergie et leur ambition, l'Angleterre et l'Allemagne sont condamnées à en venir aux mains, quelles que soient leurs « affinités raciales » ; d'autres affirment que le conflit est une caractéristique naturelle des civilisations avancées dotées d'armements sophistiqués ; d'autres encore vantent les vertus cathartiques de la guerre, « bénéfique à la société et moteur du progrès social [217] ».

Ce qui sous-tend l'adoption de telles opinions en Grande-Bretagne comme en Allemagne, c'est une « idéologie sacrificielle » qui se nourrit des descriptions mélioratives du conflit militaire que l'on trouve dans les journaux et les romans pour la jeunesse [218]. C'est ainsi que l'on peut lire, sous la plume d'un pasteur belliciste néo-zélandais, un vibrant plaidoyer publié par la Ligue pour le service national appelant tous les jeunes garçons à ne jamais oublier qu'ils doivent « protéger leur mère et leurs sœurs, leur fiancée, leurs amies, et toutes les femmes qu'ils connaissent de l'inconcevable infamie d'une invasion étrangère [219] ». Même le scoutisme, fondé en 1908, porte dès ses débuts – malgré la valorisation de la vie dans les bois, de l'aventure, et la célébration des amitiés scellées autour des feux de camps – une « identité militaire très forte qui s'accentue encore pendant les années d'avant-guerre [220] ». Quant à la Russie, après la guerre russo-japonaise, on y observe une « renaissance militaire » mue par le désir de réformer l'armée : en 1910, ce sont 572 nouveaux ouvrages traitant de sujets militaires qui sont publiés. La plupart ne sont pas des pamphlets bellicistes mais des contributions politiques au débat : comment faire le lien entre la réforme de l'armée et des changements sociaux de plus grande ampleur permettant à la société d'accepter les sacrifices exigés par un effort de guerre massif [221] ?

Tous ces développements que l'on peut observer dans l'ensemble des États européens expliquent que les assemblées parlementaires aient accepté de financer l'accroissement des dépenses d'armement pendant cette période. En 1913, en France, après une controverse houleuse, la Chambre des députés accepte de voter la nouvelle loi qui porte la durée

du service militaire de deux à trois ans. Ce soutien reflète le regain du
« prestige de la guerre » dans une opinion publique qui, depuis l'affaire
Dreyfus, avait adopté un credo antimilitariste – même s'il ne faut pas
oublier que si les députés radicaux votent cette loi, c'est en partie parce
que, pour la première fois, une dépense va être financée par un impôt
foncier progressif[222]. En Allemagne, Bethmann-Hollweg parvient lui
aussi à faire adopter une loi militaire très ambitieuse en 1913, en constituant une coalition de centre droit ; puis pour faire voter la loi de finances
nécessaire à sa mise en œuvre, il parvient à mettre sur pied une coalition
de centre gauche, en s'engageant à financer une partie des dépenses par
un impôt nouveau taxant les propriétaires. Dans ces deux exemples, les
arguments en faveur de l'augmentation des capacités militaires ont dû
être renforcés par d'autres incitations, de nature sociale et politique, afin
de pouvoir mobiliser suffisamment de parlementaires pour faire adopter
des lois aussi coûteuses. À l'inverse, en Russie, les élites politiques prônent
la course aux armements avec tant d'énergie qu'après 1908, la Douma
vote des crédits avant même que les militaires ne sachent comment les
dépenser. Ici, c'est le bloc des députés octobristes à la Douma, et non les
ministres, qui sont à l'origine de la campagne de réarmement[223]. En
Grande-Bretagne également, le patriotisme défensif imprime sa marque
sur le Parlement : en 1902, seuls deux membres du Parlement soutiennent
la Ligue pour le service national. En 1912, ils sont cent quatre-vingts[224].

Il y a donc de multiples façons d'intégrer le facteur que représente la
presse dans les calculs politiques. La presse n'a jamais été sous le contrôle
des décideurs politiques, pas plus qu'ils n'ont été sous son contrôle. Il faut
plutôt se figurer des relations de réciprocité entre l'opinion publique et la
vie politique, un processus d'interaction constante dans lequel les décideurs
cherchent par moments à orienter l'opinion dans une direction qui leur soit
favorable, tout en prenant grand soin de conserver leur autonomie et de
protéger le processus de prise de décision de toute pression externe. De plus,
les hommes d'État continuent de considérer la presse d'un pays étranger
non seulement comme un indicateur de l'état de l'opinion publique dans
ce pays, mais également des intentions et des opinions officielles de son gouvernement. Or l'impossibilité de savoir avec certitude quels articles ont été
« inspirés », ou quelle personnalité publique a donné sa sanction à leur
publication, rend la communication entre États encore plus difficile. De
façon plus fondamentale encore – mais plus difficile à mesurer – il faut tenir
compte des changements de mentalité qui ne se manifestent pas nécessairement par les appels à la guerre des chauvinistes, mais par une conviction
largement partagée et profondément ancrée : la guerre est une certitude, un
épisode inéluctable imposé par la nature même des relations internationales. Le poids de cette conviction se manifestera pendant la crise de 1914

non pas sous la forme de déclarations d'intentions agressives, mais par le silence éloquent de ces leaders civils dont on aurait pu attendre, dans un monde meilleur, qu'ils disent haut et fort qu'une guerre entre grandes puissances serait la pire des catastrophes.

La fluidité du pouvoir

Même si nous partions du principe que les politiques étrangères des puissances européennes d'avant la Première Guerre mondiale ont été définies et mises en œuvre par des exécutifs bien délimités, animés par un but commun et une volonté unanime, ce serait une tâche titanesque que de reconstruire l'histoire de leurs relations, étant donné que l'on ne peut comprendre pleinement les relations entre deux pays sans faire référence aux relations qu'ils entretiennent également avec tous les autres. Mais dans l'Europe des années 1903-1914, la réalité est encore plus complexe que ce que le modèle « international » laisse à penser. Interventions intempestives des souverains, relations ambiguës entre civils et militaires, rivalités entre politiciens au sein de systèmes caractérisés par l'absence de solidarité interministérielle ou intergouvernementale, sans compter l'agitation entretenue des journaux critiques sur fond de crises et de tensions suscitées par les questions de sécurité nationale : ces années sont une période d'incertitude sans précédent dans toute l'histoire des relations internationales. Pour les hommes d'État d'alors comme pour les historiens d'aujourd'hui, les multiples changements de politiques et les signaux contradictoires qui en résultent rendent l'environnement international extrêmement difficile à déchiffrer.

Ce serait une erreur que de pousser ce raisonnement trop loin. Tous les exécutifs politiques complexes, y compris dans des régimes autoritaires, sont soumis à des tensions internes et à des mouvements de balancier [225]. La littérature sur la politique étrangère américaine du XXe siècle consacre de très nombreuses pages à analyser les conflits d'autorité et les intrigues qui ont agité les administrations successives. Dans une étude brillante, Andrew Preston analyse l'intervention des États-Unis au Vietnam : alors que les présidents Lyndon Johnson et John Kennedy sont extrêmement réticents à l'idée d'une intervention armée et que le Département d'État y est en majorité opposé, le Conseil de la sécurité nationale (*National Security Council*), institution beaucoup moins pléthorique et plus agile, non soumise à la supervision du Congrès, restreint le nombre d'options jusqu'à rendre quasiment inéluctable la décision d'intervenir militairement [226].

La situation en Europe avant 1914 est non seulement différente mais encore moins favorable sur un point important. Quelles que soient les tensions qui peuvent apparaître en son sein, l'exécutif américain – sur le plan constitutionnel – est une organisation extrêmement compacte où la responsabilité ultime des décisions exécutives revient sans aucune ambiguïté au Président. Ce qui n'est pas le cas des gouvernements européens d'avant-guerre. Grey a-t-il le droit de s'engager vis-à-vis de la France comme il le fait, sans consulter ni le cabinet ni le Parlement ? Ces doutes n'ont jamais été levés, et ils étaient si grands qu'ils l'ont empêché de formuler de manière claire et univoque la nature de ses intentions. La situation est encore plus confuse en France, où l'on ne sait pas clairement de quel lieu – ministère des Affaires étrangères, cabinet ou présidence – émanent les initiatives. Son autorité naturelle et sa détermination n'ont pas évité à Poincaré de devoir repousser des tentatives de l'exclure du processus de décision au printemps 1914. En Autriche-Hongrie, et dans une moindre mesure en Russie, le pouvoir de décision en matière de politique étrangère circule au sein de l'appareil politique, se concentrant en différents points du système en fonction des personnalités qui parviennent à former autour d'eux les coalitions les plus efficaces et les plus déterminées. Dans ces deux empires tout comme en Allemagne, la présence d'un souverain au sommet de la hiérarchie, loin de clarifier la situation, ne fait que rendre plus indéchiffrables les relations de pouvoir au sein du système.

Il ne s'agit pas ici, à l'inverse de la crise des missiles de Cuba en 1962, de reconstruire les ratiocinations de deux superpuissances passant en revue toutes leurs options, mais de comprendre un feu roulant d'interactions entre des structures exécutives qui déchiffrent relativement mal les intentions de leurs adversaires, et qui n'opèrent pas dans un climat de confiance mais d'hostilité et de paranoïa, y compris entre partenaires d'une même alliance. La volatilité inhérente d'une telle configuration est renforcée par la fluidité avec laquelle le pouvoir peut se déplacer d'un point à l'autre des appareils de pouvoir. Peut-être les voix discordantes et les tensions au sein des services diplomatiques ont-elles des effets salutaires, dans la mesure où elles font entendre des questions et des objections qui seraient sans doute resté muettes dans un environnement plus discipliné [227], mais les risques d'une telle situation en annulent les bénéfices : si les faucons des deux camps ont la mainmise sur les communications diplomatiques dans une situation potentiellement conflictuelle – comme c'est le cas pendant la crise d'Agadir et comme cela se reproduira en 1914 –, cela peut mener à une escalade rapide et catastrophique.

5

L'IMBROGLIO DES BALKANS

Avant de devenir la Première Guerre mondiale, le conflit qui éclate en 1914 n'est que la troisième guerre des Balkans. Comment expliquer que l'on passe de l'une à l'autre ? Les conflits et les crises à la périphérie sud-est de l'Europe, où l'Empire ottoman vient buter sur l'Europe chrétienne, n'ont rien de nouveau. Le système européen s'en est toujours accommodé sans mettre en danger la paix de l'ensemble du continent. Mais les années qui précèdent 1914 connaissent des changements majeurs. À l'automne 1911, l'Italie se lance dans la conquête d'une province ottomane en Afrique du Nord, ce qui va déclencher toute une série d'agressions opportunistes sur les territoires ottomans des Balkans et balayer le système d'équilibre géopolitique qui avait permis de contenir les conflits locaux. Au lendemain des deux guerres balkaniques de 1912 et 1913, l'Autriche-Hongrie de la Triple-Alliance doit répondre à une situation nouvelle qui la menace sur sa frontière sud-est tandis que la Russie de la Triple-Entente ne peut plus ignorer les questions stratégiques que le déclin ottoman a fait surgir. Les deux blocs d'alliance continentaux se retrouvent donc impliqués de plus en plus étroitement dans les conflits d'une région dont l'instabilité n'a jamais été aussi grande. Ce faisant, les Balkans se retrouvent au cœur de la géopolitique du système européen, où se met en place toute une série de mécanismes d'amplification qui vont permettre à un conflit d'origine purement locale d'engloutir le continent en moins de cinq semaines à l'été 1914.

Frappes aériennes en Libye

Au petit matin du 5 janvier 1912, des cris et des coups de feu réveillent brutalement George Frederick Abbott, qui dort sous sa tente en plein désert libyen. Se levant précipitamment, il découvre les soldats arabes et turcs du campement, le regard fixé vers le ciel où un monoplace italien les survole à quelque sept cents mètres d'altitude, les ailes éclairées par les rayons du soleil levant. Indifférent aux coups de feu, l'avion s'éloigne avec grâce vers le sud-ouest. L'invasion de la Libye par les Italiens en est alors à son quatrième mois. Le turcophile Abbott a rejoint les troupes ottomanes en tant qu'observateur britannique, dans l'intention d'écrire la chronique de cette campagne militaire. Il note que les Arabes, qui ont déchargé leurs fusils dans sa direction, n'ont cependant pas l'air de s'émouvoir de l'apparition de cette machine volante et font preuve « d'une capacité apparemment sans limite d'accepter la nouveauté comme quelque chose de tout naturel ». Le lendemain, l'avion est de retour et lâche au-dessus du campement des liasses de tracts qui volettent dans la lumière « comme des flocons de neige artificielle ». Les Arabes « cessèrent de tirer et se précipitèrent sur les bouts de papier, dans l'espoir qu'il s'agisse de billets de banque [1] ».

Les compagnons ottomans d'Abbott ont la chance de n'être bombardés que de propagande de guerre italienne, rédigée dans un arabe archaïque et ampoulé. Ailleurs, l'écrasante supériorité technologique de l'armée italienne sur les troupes ottomanes qui défendent la province a des effets beaucoup plus dévastateurs. Avant nombre d'engagements majeurs au cours de cette guerre de Libye, les avions mènent des reconnaissances, repérant les positions de l'ennemi et leur puissance de feu, de sorte que les Italiens peuvent pilonner les canons turcs depuis leurs positions terrestres ou de leurs cuirassés ancrés au large. C'est la première guerre où sont expérimentés les bombardements aériens : en février 1912, le dirigeable italien P3 lâche des bombes sur les troupes ottomanes qui se retirent de l'oasis de Zanzur vers Gargaresch au sud-est de Tripoli, transformant leur retraite en déroute [2]. Les dirigeables peuvent embarquer deux cent cinquante bombes remplies d'un explosif extrêmement puissant. Les avions peuvent également larguer quelques bombes, mais il s'agit encore d'une manœuvre périlleuse car le pilote doit se débrouiller pour piloter d'une main tout en insérant de l'autre le détonateur dans l'obus qu'il tient, coincé entre les genoux, avant de le lancer à la main sur les troupes au sol [3].

Bien que moins récents, les projecteurs électriques – que la Royal Navy britannique a déjà utilisés contre les forces égyptiennes à Alexandrie dès 1882 – constituent une autre arme de haute technologie fréquemment mentionnée dans les récits contemporains. Au plan tactique, les projecteurs s'avèrent bien plus efficaces que les avions ou les dirigeables, car ils empêchent les forces ottomanes de monter des attaques nocturnes, ou du moins ils leur occasionnent de lourdes pertes. Un autre observateur anglais, Ernest Bennett, se rappellera une nuit où un petit groupe de combattants arabes, rentrant à leur bivouac de Bir Terin par le sentier qui longe la côte, se retrouve pris dans le faisceau du projecteur d'un croiseur italien : « Le spectacle de ces malheureux soldats arabes pris dans la lumière électrique me remplit de tristesse : projecteurs, mitrailleuses Maxim, batteries, navires de guerre, aéroplanes – ils avaient si peu de chances de s'en sortir [4] ! »

La série de conflits qui dévastent les Balkans commence en Afrique du Nord, dans les trois *vilayets* que possède encore l'Empire ottoman en terre africaine, qui s'étendent entre l'Égypte (désormais britannique) et les territoires contrôlés par les Français. C'est l'attaque italienne sur la Libye en 1911 qui, « brisant la glace », selon les termes d'un observateur britannique, donne le signal de cet assaut général des États balkaniques sur l'Empire ottoman [5]. Depuis quelques années, les États balkaniques nourrissent l'idée d'une campagne militaire commune pour chasser les Turcs des Balkans, mais sans qu'aucune décision concrète ne soit jamais prise. Il faut attendre l'attaque italienne pour qu'ils s'enhardissent et prennent les armes. En 1924, Miroslav Spalajković, ancien chef de cabinet au ministère des Affaires étrangères serbe, se rappellera que c'est l'attaque italienne sur Tripoli qui a lancé le processus qui va mener à la guerre : « Les événements qui ont suivi n'ont été que la suite logique de cette première agression [6]. »

Depuis la fin du siècle précédent, la diplomatie italienne tente d'établir une sphère d'intérêt en Afrique du Nord. À l'été 1902, par l'accord Prinetti-Barrère, Rome et Paris se sont secrètement mis d'accord : en cas de redistribution majeure de territoires, la France prendra le contrôle du Maroc, tandis que l'Italie aura les mains libres en Libye. Cet accord scelle l'aboutissement d'un processus de rapprochement en cours depuis 1898 entre les deux grandes nations rivales en Afrique du Nord [7]. De plus, en mars 1902, Londres s'est obligeamment engagé à garantir « que toute modification du statut de la Libye se fera conformément aux intérêts italiens ». Ces accords font partie d'une politique de concessions destinées à affaiblir l'emprise de la Triple-Alliance sur l'Italie, qui en est sa composante la moins solide. Et c'est en cohérence avec ces manœuvres que le tsar Nicolas II a accepté le « pacte de Racconigi » conclu avec Victor-Emmanuel III en 1909, dans lequel la Russie reconnaît les intérêts spéciaux des Italiens en Libye, en échange de leur soutien aux revendications russes sur les détroits du Bosphore [8].

Il n'est pas difficile non plus de faire accepter à l'opinion publique italienne une politique d'invasion et d'annexion : le colonialisme a progressé en Italie comme partout ailleurs en Europe, et le « souvenir » de l'Afrique romaine, du temps où la Libye était le grenier à blé de l'Empire romain, assure à la Tripolitaine une place centrale sur l'horizon colonial du royaume. En 1908, le modeste Ufficio coloniale de Rome rebaptisé Direzione centrale degli Affari coloniali voit ses prérogatives étendues, signe de la préoccupation croissante du gouvernement pour les affaires africaines[9]. À partir de 1909, soutenu par le journal *L'Idea nazionale*, le nationaliste Enrico Corradini fait campagne pour l'organisation d'une expédition impérialiste en Libye[10]. Au printemps 1911, il réclame ouvertement une politique d'agression et d'annexion. L'élite politique partage la conviction que l'Italie doit acquérir des territoires « fertiles » où transporter tous les candidats à l'émigration. Même les socialistes sont sensibles à ces arguments, malgré leur tentative de les dissimuler sous la rhétorique de la nécessité économique[11].

Jusqu'à l'été 1911 cependant, les principaux hommes d'État italiens demeurent fidèles à leur ancien axiome : l'Italie ne doit pas provoquer l'éclatement de l'Empire ottoman. Le Premier ministre Giovanni Giolitti continue à rejeter fermement toute tentative de lui faire adopter une position plus agressive vis-à-vis de Constantinople sur un certain nombre de problèmes relatifs à la gouvernance ottomane en Albanie[12]. Mais l'intervention française au Maroc va tout changer. Le ministère des Affaires étrangères considère que l'Italie a désormais d'excellentes raisons de formuler des revendications similaires sur la Libye. Étant donné que la France vient de « modifier radicalement la situation » en Méditerranée, il est désormais impossible de continuer à justifier une politique d'inaction « aux yeux de l'opinion publique[13] », fait remarquer un haut diplomate italien.

Ce sont la Grande-Bretagne, la France et la Russie – les puissances de l'Entente – qui vont encourager Rome à passer à l'action, bien plus que les alliés de l'Italie au sein de la Triple-Alliance. Début juin 1911, les Italiens informent le gouvernement britannique des « mesures vexatoires » que les autorités ottomanes font soi-disant subir aux sujets italiens résidant à Tripoli. C'est une pratique courante des puissances européennes que de justifier leurs prédations coloniales en invoquant la nécessité de protéger leurs ressortissants. Le 28 juin, la question d'une intervention italienne en Libye est discutée au cours d'une rencontre entre Grey, le secrétaire d'État au Foreign Office, et le marquis Guglielmo Imperiali, l'ambassadeur italien à Londres. La réaction de Grey est étonnamment favorable : « Étant donné les excellentes relations entre la Grande-Bretagne et l'Italie », il souhaite assurer l'ambassadeur « de toute sa sympathie ». Si les ressortissants italiens n'étaient pas traités équitablement à Tripoli, et « si l'Italie était contrainte d'intervenir », il s'engageait à « informer les Turcs qu'au vu des mauvais traitements infligés aux Italiens, le gouvernement turc ne devait pas espérer autre chose[14] ». Comme on peut s'y attendre, les Italiens considèrent que ces remarques alambiquées leur donnent le feu vert pour attaquer la Libye[15]. De plus, Grey va tenir parole : le 19 septembre, il informe Sir Arthur Nicolson, le sous-secrétaire d'État permanent, qu'il est de la plus haute importance que ni l'Angleterre ni la France ne s'opposent aux desseins de l'Italie[16]. Les démarches italiennes auprès de Saint-Pétersbourg produisent des réponses encore plus accommodantes : l'ambassadeur italien est informé que non seulement la Russie ne s'opposera pas à l'acquisition de la Libye par l'Italie, mais qu'au contraire elle l'incite à agir « avec promptitude et détermination[17] ».

D'intenses consultations préalables ont donc lieu entre l'Italie et les pays de l'Entente, alors qu'à l'inverse l'Italie traite ses partenaires de la Triple-Alliance de façon très cavalière. Le 14 septembre, le Premier ministre Giolitti et le marquis di San Giuliano, ministre des Affaires étrangères, se rencontrent à Rome pour décider de lancer une expédition militaire le plus rapidement possible, afin qu'elle soit déjà en cours « avant que les gouvernements allemand et autrichien ne soient au courant[18] ». Leur méfiance est justifiée car les Allemands, n'ayant aucun désir de voir leurs alliés italiens déclarer la guerre à leurs amis ottomans, sont déjà à la manœuvre pour trouver une issue pacifique aux questions qui divisent Rome et Constantinople. L'ambassadeur allemand à Constantinople met en garde son collègue italien : l'occupation de la Libye par l'Italie pourrait faire chuter le régime des Jeunes-Turcs et déclencher une réaction en chaîne qui rouvrirait toute la question d'Orient[19]. Le comte Aehrenthal, ministre autrichien des Affaires étrangères, multiplie ses appels au calme, rappelant aux Italiens qu'une action précipitée sur la Libye pourrait avoir des conséquences négatives dans les Balkans, alors même que Rome a toujours prétendu que la stabilité et l'intégrité de l'Empire ottoman étaient dans l'intérêt de l'Italie[20].

San Giuliano est tout à fait conscient des contradictions de la politique italienne, tout comme des « conséquences indésirables » qui inquiètent les Autrichiens. Dans un long rapport daté du 28 juin 1911 destiné au roi et au Premier ministre, il pèse le pour et le contre d'une invasion de la Libye. Il admet « la probabilité » que le coup porté au prestige de l'Empire ottoman puisse « inciter les peuples des Balkans à se lever contre lui, et précipiter ainsi une crise qui forcerait presque à coup sûr l'Autriche à intervenir dans cette région[21] ». Ces commentaires prémonitoires ne reflètent pas de préoccupations particulières à l'égard de la sécurité de l'Empire austro-hongrois, mais plutôt la crainte que l'Autriche ne profite des bouleversements pour renforcer ses intérêts dans les Balkans au détriment de l'Italie – tout particulièrement en Albanie, que certains envisagent déjà comme une future colonie italienne[22]. Cependant, dans l'esprit de San Giuliano, il faut mettre en balance ces risques dans les Balkans avec l'idée que le temps qui passe joue en défaveur des Italiens :

> Si des facteurs politiques n'affaiblissent pas l'Empire ottoman ou ne causent pas sa disparition, ce dernier aura, d'ici deux à trois ans, une flotte puissante qui rendra plus difficile voire peut-être impossible toute entreprise de notre part pour nous emparer de Tripoli [23]…

L'aspect le plus frappant de cet argument, c'est qu'il n'est absolument pas fondé. Le gouvernement ottoman tente certes de moderniser sa flotte obsolète ; un navire de guerre moderne a été commandé en Grande-Bretagne, un autre est sur le point d'être acheté au Brésil. Mais ces efforts modestes n'ont rien de comparable avec les plans italiens de construction navale ; ils n'auraient même pas permis aux Ottomans de faire jeu égal avec la flotte italienne déjà existante. Il n'y a donc aucune raison de supposer que la confortable supériorité des Italiens puisse être menacée dans l'est de la Méditerranée [24]. Les arguments de San Giuliano reposent donc moins sur la réalité des forces navales en présence que sur une forme de claustrophobie temporelle qui affecte de nombreux hommes d'État européens à cette époque : le sentiment que le temps imparti s'écoule, que, dans un environnement où les atouts perdent de leur valeur et où les menaces ne cessent d'augmenter, tout retard dans la réalisation d'un projet se paie au prix fort.

Et c'est ainsi qu'après toute une série de petites escarmouches navales, le branle-bas de combat résonne enfin le 3 octobre 1911, dans tous les navires de l'escadre italienne au mouillage devant le port de Tripoli. Un officier se souviendra « des servants se ruant sur les canons, les canonniers vers les soutes à munitions et les signaleurs vers les porte-voix ». Les monte-charges élèvent jusqu'aux batteries des obus blancs dont le bout de l'ogive est peint en rouge, que les servants alignent soigneusement derrière chaque canon. À 15 h 13 très précisément, le *Benedetto Brin* tire un premier obus sur le Château rouge, qui s'élève au bout du promontoire fermant l'entrée de la rade de Tripoli. C'est le signal d'une salve gigantesque « qui tonne sur la mer en déchirant des volutes de fumée blanche [25] ». Après une résistance symbolique, Tripoli tombe rapidement et, quarante-huit heures à peine après le début des hostilités, la ville est occupée par mille sept cents marins italiens. Au cours des semaines suivantes, les Italiens s'emparent de Tobrouk, Derna, Benghazi et Homs, et c'est un corps expéditionnaire de vingt mille puis de cent mille hommes qui submerge les faibles défenses du *vilayet* de la Tripolitaine.

Cependant « la liquidation rapide » espérée par San Giuliano ne se produit pas. Pendant les six premiers mois de la guerre, les Italiens ont du mal à s'enfoncer dans l'intérieur du territoire et restent bloqués dans leurs têtes de pont sur la côte. Le décret du 5 novembre 1911 annonçant officiellement « l'annexion » de la Tripolitaine et de la Cyrénaïque n'est qu'un geste destiné à éviter toute médiation prématurée de la part d'autres puissances, et non le reflet fidèle de la situation militaire. En janvier et février 1912, au cours d'une série d'engagements au large des côtes libanaises, les Italiens détruisent les forces navales ottomanes stationnées à Beyrouth, éliminant ainsi la seule menace résiduelle contre la marine italienne dans le sud de la Méditerranée. Mais en Libye, sur terre, la guerre qui se prolonge s'accompagne de récits effroyables d'atrocités commises par les Italiens contre les populations arabes. En dépit de leur infériorité technologique, les défenseurs ottomans et leurs auxiliaires infligent de cuisantes défaites aux envahisseurs. Au cours du premier mois de la guerre, une série d'attaques concentriques sur le périmètre italien qui protège Tripoli permettent aux troupes arabo-turques de percer les lignes italiennes en différents endroits, anéantissant certaines unités ou leur infligeant de lourdes pertes, tandis que des « rebelles » armés, restés cachés à l'intérieur du périmètre, harcèlent les défenseurs italiens par-derrière [26]. Tout au long du conflit, embuscades, escarmouches et épisodes de guérilla vont ralentir les mouvements entre les principaux bastions du littoral, ou vers l'intérieur. Il faudra vingt ans aux Italiens pour « pacifier » l'arrière-pays.

San Giuliano avait bien entrevu que l'invasion et la conquête de la Libye pourraient avoir un effet désinhibant sur les États chrétiens de la péninsule balkanique. Si cette évolution n'est encore qu'une probabilité après l'invasion initiale, elle devient inéluctable à partir du moment où l'Italie tente de briser le blocage qu'elle rencontre sur terre en portant le conflit dans les eaux territoriales ottomanes. Le 18 avril 1912, des canonnières italiennes bombardent les deux forts qui gardent l'entrée des Détroits. De leur mouillage à quelque sept milles au large, elles tirent 346 obus, tuant un soldat et un cheval et endommageant une caserne. Il s'agit d'une démonstration de force symbolique plutôt que d'un coup véritable porté à la puissance militaire de l'ennemi mais, comme on pouvait s'y attendre, les Turcs réagissent en fermant les Détroits aux navires de commerce des pays neutres.

Dix jours plus tard, une nouvelle attaque navale a lieu sur les îles du Dodécanèse, dans le sud de la mer Égée. Entre le 28 avril et le 21 mai, les Italiens s'emparent de treize îles où ils sont reçus en héroïques libérateurs par les habitants grecs. Après une accalmie, ils font à nouveau monter la pression en juillet en envoyant huit sous-marins dans les Détroits. Les Turcs envisagent alors de les fermer au trafic, avant d'accepter, sous la pression de Moscou, de se contenter de réduire la largeur du chenal en posant des mines. En octobre 1912, le gouvernement italien menace de lancer une offensive navale de grande ampleur en mer Égée si le gouvernement turc se refuse à conclure la paix. Sous la pression des grandes puissances – tout particulièrement la Russie et l'Autriche, respectivement concernées par l'interruption du commerce maritime et les risques grandissants de complications dans les Balkans – les Turcs finissent par céder et, le 15 octobre, ils signent un traité de paix secret confirmant l'autonomie de la Tripolitaine et de la Cyrénaïque. Un *firman* (décret) impérial daté du même jour annonce la fin de l'administration directe de ces provinces par les Ottomans. Trois jours plus tard, cet arrangement est publiquement confirmé par le traité de Lausanne [27].

Largement oubliée de nos jours, la guerre italo-turque perturbe le système européen et international de manière significative. D'une part, la lutte de la Libye contre l'occupation italienne est l'une des premières étapes de la naissance d'un nationalisme arabe moderne [28]. D'autre part, les interventions des différentes puissances mettent en lumière la faiblesse, pire encore, l'incohérence de la Triple-Alliance. Car ce sont les puissances de l'Entente qui encouragent l'Italie à se lancer dans cette guerre de conquête totalement injustifiée, tandis que les partenaires italiens de la Triple-Alliance n'y consentent que du bout des lèvres [29]. Berlin et Vienne ont eu beau répéter que l'initiative italienne déstabilisera l'ensemble de la péninsule balkanique de manière dangereuse et imprévisible, leurs avertissements restent lettre morte. L'Italie, semble-t-il, n'est plus leur alliée que sur le papier.

Il n'y a cependant encore aucun indice clair permettant de dire que l'Italie va faire défection et basculer dans le camp de l'Entente. La politique étrangère italienne joue encore un jeu complexe et ambigu, maintenant en équilibre précaire des engagements contradictoires. Des incidents spectaculaires, tels que l'arraisonnement par des navires de guerre italiens de paquebots français soupçonnés de transporter des armes et des renforts militaires turcs, ont pour conséquence d'attiser le ressentiment et la paranoïa entre l'Italie et sa *sorellastra,* cette demi-sœur française si longtemps jalousée [30]. Cependant la guerre confirmera l'intuition partagée par les diplomates français et britanniques que, pour le moment, l'Italie est un atout plus important pour l'Entente si elle reste membre de la Triple-Alliance que si elle la quitte. Dans une lettre de janvier 1912 adressée au président du Conseil Raymond Poincaré, Paul Cambon note que l'Italie serait « une alliée plus encombrante que véritablement utile et efficace » :

> Elle nourrit contre l'Autriche une hostilité latente que rien ne peut désarmer ; en ce qui concerne la France, nous avons des raisons de penser qu'en cas de conflit, elle resterait neutre, ou plus sûrement, qu'elle attendrait de voir

la tournure des événements avant de prendre parti. Il est donc inutile que nous nous l'attachions davantage [31]...

Ce qui sous-tend le désarroi de la Triple-Alliance, c'est une évolution encore plus fondamentale. Pour monter son attaque contre la Libye, l'Italie s'est assurée du soutien plus ou moins réticent de la plupart des pays européens. Cette unanimité mérite d'être soulignée, car elle révèle l'état de déliquescence avancée de la coalition européenne pro-ottomane qui avait émergé dans les années 1850 pour protéger l'Empire ottoman des prédations de l'Empire russe – avec, comme résultat, la guerre de Crimée. Cette coalition s'est reformée au congrès de Berlin en 1878 à l'issue de la guerre russo-turque, puis à nouveau pendant les crises bulgares du milieu des années 1880. En 1912 cependant, elle semble s'être volatilisée. Au début du conflit contre l'Italie, l'Empire ottoman cherche à se rapprocher de Londres mais, peu désireux de s'aliéner les Italiens, les Anglais ne répondent pas. Les deux guerres des Balkans achèveront de détruire cette ancienne coalition [32].

Une transition extrêmement importante est donc en train de se produire car la Grande-Bretagne abandonne progressivement son double engagement séculaire : d'une part, empêcher les Russes de s'étendre au-delà des rivages de la mer Noire et d'autre part, défendre l'intégrité de l'Empire ottoman. De toute évidence, la Grande-Bretagne se méfie encore trop de la Russie pour relâcher totalement sa vigilance sur les Détroits. En 1908, Grey refuse d'accéder à la requête d'Izvolski et d'assouplir les contraintes qui restreignent l'accès des Russes aux Détroits, malgré la signature de la Convention anglo-russe en 1907. Et jusqu'en 1914 la flotte ottomane dans le Bosphore sera commandée par un amiral britannique, Sir Arthur Henry Limpus. Mais le relâchement graduel de l'engagement britannique aux côtés de l'Empire ottoman finit par créer un vide géopolitique dans lequel l'Allemagne, tout aussi progressivement, va se glisser [33]. En 1887, Bismarck avait assuré l'ambassadeur russe à Berlin que l'Allemagne n'avait aucune objection à voir les Russes se rendre « maîtres des Détroits, de l'entrée du Bosphore et même de Constantinople [34] ». Mais, après son départ en 1890 et l'affaiblissement du lien traditionnel avec la Russie, les leaders germaniques vont chercher à tisser des liens plus étroits avec Constantinople. Guillaume II effectue plusieurs voyages en Turquie qui reçoivent une large publicité, en octobre 1889, puis à nouveau en octobre 1898 ; à partir des années 1890, les banques allemandes s'impliquent dans la construction du chemin de fer d'Anatolie puis, à partir de 1903, de la fameuse ligne Berlin-Bagdad devant à terme relier les deux capitales en passant par Constantinople.

La question des Détroits – ou comment contrôler le pouvoir russe à l'est de la Méditerranée – reste une donnée constante du système européen moderne (à l'exception du bref interlude de 1915-1917 pendant lequel la France et la Grande-Bretagne tentent de lier la Russie à la coalition alliée en lui promettant Constantinople et les Détroits). Cette constante est toujours à l'œuvre en 1945 quand les États-Unis offrent de protéger la Turquie contre une éventuelle agression soviétique : cet engagement stratégique crucial explique que la Turquie, bien que ne faisant pas partie de l'Union européenne, est membre de l'OTAN depuis 1952. Cette continuité structurelle sous-jacente n'est pas abolie par le remplacement graduel de la Grande-Bretagne par l'Allemagne dans le rôle de gardien des Détroits ; mais ce changement de la garde a lieu *au moment précis* où l'Europe se scinde en deux blocs d'alliance. La question des Détroits, qui contribuait auparavant à unifier le concert des nations européennes, est maintenant plus que jamais au cœur des antagonismes d'un système bipolaire.

Chaos dans les Balkans

Au moment où les Ottomans cherchent à conclure la paix avec l'Italie à l'automne 1912, les préparatifs d'un conflit majeur dans les Balkans sont déjà bien entamés. Le 28 septembre 1911, le jour même où l'Italie transmet son ultimatum à Constantinople, le ministre serbe des Affaires étrangères avertit que si la guerre italo-turque devait se prolonger, elle entraînerait inévitablement des répercussions dans les Balkans [35]. Aussitôt la déclaration de guerre italienne connue, en octobre 1911, une réunion s'organise entre représentants des gouvernements serbe et bulgare afin de discuter d'une opération militaire conjointe [36]. Dès novembre 1911, les Serbes préparent un projet de traité avec la Bulgarie détaillant les conditions d'engagement dans une guerre offensive contre la Turquie. L'alliance défensive serbo-bulgare, signée en mars 1912, est complétée par une alliance ouvertement offensive en mai, au moment même où l'Italie s'empare du Dodécanèse. Les accords serbo-bulgares se concentrent principalement sur la définition des objectifs militaires à atteindre dans les régions du sud-est de l'Europe encore sous autorité ottomane, mais ils prévoient déjà la possibilité d'une action conjointe contre l'Autriche-Hongrie [37]. Autour de ce noyau serbo-bulgare se constitue alors une ligue balkanique secrète, dont le but est d'expulser les Turcs de la péninsule. Les négociations de paix entre l'Italie et l'Empire ottoman se poursuivent toujours lorsque les États de la ligue commencent à mobiliser leurs forces en vue d'une guerre balkanique généralisée. Les hostilités débutent le 8 octobre 1912 par une attaque des Monténégrins sur des positions ottomanes et, le 18 octobre, le jour même où la paix de Lausanne est signée, le roi Petar Ier promulgue une déclaration royale dans laquelle il annonce qu'il a « par la grâce de Dieu donné l'ordre à [sa] courageuse armée de se joindre à la Guerre Sainte qui va libérer nos frères et leur assurer un avenir meilleur [38] ».

Pratiquement tous les observateurs ont prévu cette guerre qui éclate en octobre 1912, mais ils sont surpris de la rapidité et de l'ampleur des victoires remportées par les États de la ligue balkanique. Les batailles se déclenchent partout dans la péninsule alors que les armées serbe, bulgare, grecque et monténégrine s'avancent sur les bastions ottomans. Les impératifs de la géographie imposent aux Bulgares de combattre principalement en Thrace occidentale, dont les plaines ondulées se rétrécissent jusqu'à former l'isthme sur lequel s'élève Constantinople. Dans cette région, les Bulgares concentrent près de trois cent mille soldats, soit à peu près 15 % de la population masculine du pays (au total 30 % des Bulgares seront mobilisés au cours de la Première Guerre mondiale) [39]. À Kirk-Kilissé (Lozengrad), la bataille fait rage pendant trois jours tout le long d'un front de près de cinquante kilomètres qui s'étend vers l'est depuis la forteresse ottomane d'Edirne (Andrinople). Sous la conduite de Dimitriev, officier d'une énergie exceptionnelle surnommé « Napoléon » à cause de sa petite taille et de l'habitude qu'il a de se jeter lui-même dans le feu de l'action, l'infanterie bulgare attaque avec une détermination féroce. Lorsque les Ottomans battent en retraite, les Bulgares se lancent à leur poursuite, malgré la boue et une pluie battante, mais doivent s'arrêter, n'ayant ni cartes ni moyens d'effectuer des reconnaissances – leurs commandants n'avaient jamais imaginé qu'ils progresseraient si loin. L'offensive bulgare est enfin arrêtée sur la ligne de fortifications de Chataldja, à trente kilomètres seulement de Constantinople. Là, le 17 novembre 1912, acculés aux murs de leur capitale, les Ottomans parviennent à tenir leurs positions, leur artillerie pilonnant avec précision les lignes d'infanterie qui s'avancent, leur infligeant des pertes catastrophiques, repoussant une à une toutes les vagues d'assauts successifs. Plus jamais les Bulgares ne s'approcheront aussi près de Constantinople.

Tandis que les Bulgares attaquent en Thrace, la première armée serbe, forte d'environ cent trente-deux mille hommes, marche vers le sud et pénètre en Macédoine du Nord. Le 22 octobre, alors qu'ils ne s'attendent pas à les rencontrer si vite, les Serbes se heurtent aux Ottomans retranchés autour de la ville de Kumanovo. Le lendemain, sous une pluie glaciale, la bataille se déclenche sur un front de quinze kilomètres, et après deux

5. Les Balkans en 1912

6. Les Balkans : lignes de cessez-le-feu à l'issue de la première guerre des Balkans

7. Les Balkans à l'issue de la seconde guerre des Balkans

jours de combats, les Serbes infligent une cuisante défaite à leurs adversaires. Ils ne pressent pas leur avantage immédiatement, mais poursuivent leur progression vers le sud où, après trois jours de combats sporadiques mais violents autour de la ville de Prilep, ils réussissent une fois de plus à chasser les Ottomans de leurs positions. À la demande de leurs alliés bulgares qui souhaitent s'emparer de Salonique avant les Grecs, mais n'ont plus de renforts, le haut commandement serbe ordonne à sa première armée de marcher sur Bitola, petite ville pittoresque située sur la rivière Dragor, au sud-ouest de la Macédoine. C'est là que les Ottomans se sont arrêtés pour consolider leurs positions, installant leur artillerie sur les hauteurs d'Oblakov qui surplombent la principale voie d'accès par le nord. Dans un premier temps, leurs bombardements stoppent l'avancée des Serbes, les obligeant à donner l'assaut et à prendre la crête d'Oblakov, le 17 novembre, pour pouvoir inverser le cours de la bataille. L'artillerie serbe va pilonner avec une précision impressionnante les batteries ottomanes qui défendent la ville et préparer ainsi le terrain à une attaque de l'infanterie qui prendra les Ottomans à revers. Ce sera le dernier combat des Ottomans en Macédoine. Pendant ce temps-là, la troisième armée serbe a progressé vers l'ouest pour pénétrer dans le nord de l'Albanie et apporter son soutien aux Monténégrins qui assiègent la ville fortifiée de Scutari.

Dès le début du conflit, les Grecs se sont concentrés sur un seul objectif : prendre Salonique, plus grande ville de Macédoine et port stratégique de la région. Laissant aux Serbes et aux Bulgares le soin d'attaquer les bastions macédoniens sur son flanc gauche, l'armée de Thessalie a fait route vers le nord-est, bousculant les positions ottomanes du col de Sarantaporos le 22 octobre et de Yannitsa le 2 novembre. La route de Salonique est désormais ouverte. Mais là va se dérouler un interlude presque comique. Durant la première semaine de novembre, les unités grecques commencent à encercler la ville. Les Bulgares, réalisant que les Grecs sont sur le point de rafler la mise, donnent à leur 7e division l'ordre de foncer vers le sud dans l'espoir d'occuper la ville avant les Grecs – ce redéploiement les forçant à abandonner Bitola aux Serbes. Alors qu'ils approchent de Thessalonique, les Bulgares envoient des messagers aux autorités ottomanes, les pressant de se rendre à l'armée bulgare en échange de termes très favorables. Du gouverneur leur parvient cette réponse navrée : « Je n'ai qu'une seule Thessalonique, et elle a déjà capitulé. » Les Grecs sont arrivés les premiers. Après avoir refusé que les Bulgares entrent dans la ville, ils acceptent une occupation conjointe de Thessalonique par quinze mille soldats bulgares et vingt-cinq mille soldats grecs. Les Grecs mènent également une campagne dans la région de l'Épire, au sud de l'Albanie, où ils assiègent – sans parvenir à les prendre – des positions ottomanes très bien fortifiées autour de la ville de Yanina. Malgré des combats qui se poursuivent dans quelques régions, les succès des alliés sont impressionnants : en six semaines à peine, ils se sont emparés de la moitié de la Turquie européenne. Le jour de la signature de l'armistice, le 3 décembre 1912, les seules poches de résistance ottomanes à l'ouest de la ligne Chataldja sont Andrinople, Yanina et Scutari, encore assiégées.

Comme le laisse entrevoir la dispute au sujet de Thessalonique, la première guerre des Balkans contient déjà les germes d'un second conflit au sujet du partage des dépouilles. Par le traité de mars 1912 qui a scellé leur alliance, la Bulgarie et la Serbie se sont mises d'accord sur un plan de partition précis : la Bulgarie doit récupérer la Macédoine du Sud, y compris les villes d'Ohrid, Prilep et Bitola. La Serbie obtient le Kosovo – cœur de la Serbie mythique – et le sandjak de Novi Pazar. Le nord de la Macédoine et la ville importante de Skopje constituent une « zone disputée » : si les deux parties n'arrivent pas à trouver un accord, elles s'engagent à accepter l'arbitrage du tsar de Russie. Le compromis a tout pour plaire aux Bulgares, qui s'attendent à ce que les Russes tranchent en leur faveur [40].

À l'inverse, de nombreux décideurs serbes considèrent que l'alliance de mars 1912, négociée par Milovan Milovanović, le Premier ministre modéré, les a contraints à de trop nombreux renoncements. C'est l'avis du général Radomir Putnik, le chef d'état-major, ainsi que du leader radical Nikola Pašić qui déclarera plus tard : « De mon point de vue, nous avions fait trop de concessions, ou plus exactement, nous avions abandonné des territoires serbes, ce que nous n'aurions jamais dû faire, quitte à ne pas signer cet accord [41]. » Mais en juin 1912 Milovan Milovanović décède brutalement, et avec lui disparaît l'une des voix modérées de la politique étrangère serbe. Six semaines plus tard, le nationaliste convaincu Pašić revient au pouvoir comme Premier ministre et ministre des Affaires étrangères.

Le premier signe clair que le gouvernement serbe n'avait pas l'intention de respecter le traité signé avec la Bulgarie s'était produit avant même que la première guerre des Balkans n'éclate. Le 15 septembre 1912, Pašić avait adressé une circulaire confidentielle à l'ensemble des ambassades serbes des différentes capitales européennes, où il faisait référence à la « vieille Serbie » : selon sa définition, elle incluait Prilep, Kicevo et Ohrid, des zones promises à la Bulgarie. Quand la guerre s'engage, l'avancée de l'armée serbe en Albanie du Nord et la perspective alléchante d'obtenir un port sur l'Adriatique éclipsent temporairement les objectifs macédoniens. Tel est bien le problème récurrent de la politique d'unification de la Serbie : potentiellement, elle peut se faire dans des directions différentes, obligeant les décideurs serbes à arbitrer constamment entre différentes options. Or, dès qu'il devient clair que l'Autriche-Hongrie ne laissera pas les Serbes s'emparer d'une partie de l'Albanie et d'un port sur l'Adriatique, les leaders belgradois évoquent ouvertement l'idée de réviser les termes du Traité serbo-bulgare. La ville de Monastir, conquise « à la baïonnette » après plusieurs charges, au prix de pertes très lourdes, devient le symbole des revendications serbes [42]. Inquiets, les Bulgares demandent des explications, auxquelles Pašić répond de manière évasive, comme à son habitude : « Tous ces différends pourraient être résolus facilement, et ils le seraient. » Dans le même temps, il discute en coulisses avec les autres leaders serbes de l'annexion de Prilep et de Bitola, situées en « zone bulgare », ainsi que de la ville de Skopje, objet de toutes les convoitises, mais située dans la « zone disputée » [43]. La tension augmente encore lorsque la presse fait état de mauvais traitements infligés par les Serbes aux habitants bulgares des « territoires libérés ». Pour ne rien arranger, le prince héritier Alexandar, en visite dans des villes macédoniennes au cours d'une tournée d'inspection dans les territoires nouvellement conquis, insulte des habitants bulgares en répétant ce dialogue stéréotypé :

« De quelle nationalité es-tu ?
— Bulgare.
— Non, tu n'es pas bulgare, espèce d'enculé [44]. »

Pendant quelques mois cependant, le conflit semble pouvoir être évité. Le 5 avril 1913, Belgrade et Sofia acceptent de soumettre leur dispute à l'arbitrage russe. Désireux d'en finir, le gouvernement bulgare envoie à Belgrade Dimitar Rizov – le diplomate qui avait présidé à la naissance du Traité d'alliance serbo-bulgare de 1904 (voir chapitre 2) – pour poser les bases d'un accord à l'amiable[45]. Partisan d'une entente entre les deux pays, Rizov semble être l'homme de la situation mais, au cours de ses entretiens avec le gouvernement serbe, il acquiert la conviction que Belgrade n'a aucune intention de renoncer aux territoires et aux places fortes qu'elle occupe dans la « zone bulgare ». Il est tout particulièrement choqué de voir l'influence que Hartwig, l'ambassadeur russe, exerce sur les affaires serbes, « au point que ses collègues [diplomates] l'appellent en privé "le régent" parce qu'en réalité, c'est lui qui remplit les fonctions du roi serbe malade[46] ». Le 28 mai, au lendemain même du jour où Rizov repart à Sofia, Pašić rend enfin publique sa politique d'annexion, déclarant devant la Skupština que la Serbie conservera tous les territoires conquis de haute lutte.

Un nouveau conflit semble désormais inévitable. À la fin du mois de mai 1913, de nombreuses forces serbes sont positionnées le long de la frontière avec la Bulgarie et les chemins de fer temporairement fermés au trafic civil[47]. Le 30 juin, Pašić retourne devant la Skupština pour y défendre sa politique macédonienne contre des députés ultranationalistes qui affirment que la Serbie aurait dû annexer les provinces conquises dès le début. Alors que les esprits s'échauffent, un messager arrive pour informer le Premier ministre qu'à 2 heures du matin, les forces bulgares ont attaqué des positions serbes dans les zones contestées, sans déclaration de guerre préalable. Les députés se déchaînent et Pašić doit quitter la séance pour aller coordonner les préparatifs d'une contre-offensive.

Dans la guerre qui déchire les anciens alliés, la Serbie, la Grèce et la Turquie vont joindre leurs forces pour arracher à la Bulgarie des morceaux de territoire. Les forces bulgares qui pénètrent en Macédoine sont arrêtées par les Serbes sur la rivière Bregalnica au début du mois de juin. Celles qui se sont retranchées autour de Kalimantsi dans le nord-est de la Macédoine vont repousser une contre-offensive serbe et l'empêcher d'envahir l'ouest de la Bulgarie. Tandis que le front serbe se stabilise, les Grecs attaquent par le sud et mènent une campagne qui va culminer à la bataille meurtrière mais indécise des gorges de Kresna. Simultanément à l'est, l'armée roumaine parvient à sept kilomètres de Sofia, forçant le gouvernement bulgare à réclamer un armistice. Le 10 avril 1913, la paix de Bucarest dépouille la Bulgarie, sortie épuisée de ce bain de sang, de presque tous les territoires qu'elle a acquis à la fin de la première guerre des Balkans.

Atermoiements russes

L'ombre de l'annexion bosniaque plane sur la politique que la Russie mène dans les Balkans. Les Russes n'ont pas tiré les leçons de l'échec d'Izvolski, qui avait proposé la Bosnie-Herzégovine aux Autrichiens contre leur soutien sur la question des Détroits. Ils ont également occulté le contexte international plus large – tel le refus britannique de les soutenir sur cette même question. Dépouillée de toutes ces perspectives connexes par la propagande panslaviste et nationaliste, l'annexion de la Bosnie-Herzégovine n'est plus que le cuisant souvenir de la perfidie des Autrichiens, rendu plus douloureux encore par l'intervention de leurs alliés allemands en mars 1909. C'était une « humiliation » que plus jamais la Russie ne devait revivre. Mais la débâcle bosniaque a également révélé l'isolement des Russes dans les Balkans, car ni la France ni la Grande-Bretagne n'ont fait grand-chose pour aider Saint-Pétersbourg à s'extirper de la pagaille créée par Izvolski. Il était clair qu'à l'avenir, la Russie devrait trouver le moyen de peser dans les Balkans sans s'aliéner ses partenaires occidentaux.

Le trait le plus marquant de la politique russe entre 1911 et 1912, c'est le manque de contrôle et de coordination exercés par Saint-Pétersbourg. Le 10 septembre 1911, l'assassinat de Stolypine plonge tout l'appareil politique russe dans la confusion. Dix jours après cet attentat, alors que l'Italie envoie son ultimatum au gouvernement ottoman, le nouveau Premier ministre Vladimir Kokovtsov n'a toujours pas trouvé ses marques. De mars à décembre 1911, le ministre des Affaires étrangères Sazonov est à l'étranger, en convalescence après une grave maladie. En son absence, le ministre par intérim Neratov a du mal à faire face à tous les événements. Les rênes du pouvoir se relâchant, la diplomatie russe se fracture en de multiples initiatives parallèles et mutuellement incompatibles. D'un côté, l'ambassadeur russe à Constantinople, Nikolaï Valerievitch Tcharykov, tente d'exploiter la crise libyenne pour négocier des droits de passage plus favorables aux navires russes qui franchissent les Détroits[48]. Il propose au gouvernement ottoman que la Russie lui garantisse la possession de Constantinople et d'un arrière-pays facile à défendre en Thrace ; en retour, le gouvernement ottoman autoriserait le libre passage des navires de guerre russes dans les Dardanelles et le Bosphore[49].

Mais au même moment Nikolaï Hartwig, l'ambassadeur russe arrivé à Belgrade à l'automne 1909, poursuit un projet tout différent. Il se fait le champion d'une politique russe active dans la péninsule balkanique, sans chercher à cacher ses opinions panslavistes et austrophobes – ayant fait carrière au sein du département asiatique des Affaires étrangères, il en a acquis la culture : positionnement agressif et méthodes impitoyables[50]. L'ambassadeur de Bulgarie à Belgrade, Andreï Tochev, exagère sans doute un peu en affirmant que « pas à pas, Hartwig a pris en main la gestion du royaume de Serbie », mais indubitablement Hartwig occupe une position extrêmement influente dans la vie politique serbe[51]. Sa popularité à la cour du tsar Nicolas II et l'absence de tout contrôle ou de tout droit de regard des autorités de Saint-Pétersbourg signifient qu'il est relativement libre d'élaborer ses propres options radicales, même lorsqu'elles sont en contradiction avec les instructions du ministère des Affaires étrangères – ce que déplore même le chargé d'affaires russe à Belgrade : « Hartwig avait acquis une telle stature qu'il pouvait donner aux Serbes sa propre version des décisions que la Russie allait prendre[52]. »

Pendant que Tcharykov explore la possibilité d'un rapprochement durable avec Constantinople, Hartwig pousse les Serbes à former une alliance offensive avec la Bulgarie contre l'Empire ottoman. Il est en excellente position pour coordonner cette initiative car son vieil ami Miroslav Spalajković – qui avait trouvé refuge à l'ambassade de Russie pendant toute la durée du scandale Friedjung – a été nommé ambassadeur de Serbie à Sofia, où il peut préparer le terrain à ce futur traité serbo-bulgare. Hartwig ne se contente pas de faire pression sur le gouvernement serbe ; il multiplie les lettres au ministre par intérim Neratov, répétant que la formation d'une ligue balkanique contre les Ottomans (et par conséquent contre les Autrichiens) est le seul moyen de défendre les intérêts russes dans la région. « La situation présente est si grave », écrit-il à Neratov le 6 octobre 1911, trois jours après le bombardement de Tripoli par les Italiens, « que les deux États [Serbie et Bulgarie] commettraient une faute

Sergueï Sazonov

contre la Russie et l'ensemble des Slaves s'ils faisaient preuve de la moindre hésitation [53]. »

À son retour de convalescence fin 1911, Sazonov se retrouve ainsi confronté à un choix entre deux options irréconciliables et prend la décision de désavouer Tcharykov. Les Ottomans sont informés de ne pas tenir compte des ouvertures faites par l'ambassadeur, qui est rappelé quelques mois plus tard [54]. Sazonov assure qu'il le sanctionne pour avoir ignoré ses instructions, franchi « toutes les limites fixées » par Saint-Pétersbourg et « semé la pagaille [55] ». Mais ce n'est qu'un écran de fumée : avant de faire ses propositions aux Ottomans, Tcharykov avait obtenu l'accord de Neratov et il n'est certainement pas le seul ambassadeur russe à prendre des initiatives de façon cavalière – à cet égard, Hartwig est bien plus coupable que lui. La véritable raison de ce désaveu, c'est que Sazonov pense qu'il est encore trop tôt pour reprendre l'initiative dans les Détroits [56]. De fait, en décembre 1911, Izvolski et l'ambassadeur russe à Londres, le comte Benckendorff, l'ont mis en garde : reposer la question des Détroits de manière directe créerait des tensions entre la Russie et ses alliés de l'Entente, la France et la Grande-Bretagne. Or l'attitude des Britanniques inquiète les Russes parce qu'à l'hiver 1911-1912, des tensions réapparaissent au sujet de l'accord anglo-russe en Perse. Plus elles augmenteront, moins la Grande-Bretagne sera disposée à envisager favorablement les revendications russes. Entre-temps, le soutien un peu tiède que la Russie a apporté à la France au cours de la crise marocaine au printemps et à l'été 1911 a distendu les liens avec Paris. Et quoi qu'il en soit, le gouvernement français n'a guère envie que les Russes puissent avoir plus facilement accès à l'est de la Méditerranée, considéré comme une sphère d'intérêt française. Plus fondamentalement encore, les investissements français dans l'Empire ottoman étant extrêmement importants, Paris regarderait avec suspicion toute initiative russe risquant de menacer sa santé financière. À un moment où les liens entre les pays de l'Entente semblent relativement fragiles, il paraît inopportun de lancer des initiatives controversées sur une région aussi stratégiquement importante que le sont les Détroits. En d'autres termes, Sazonov est provisoirement contraint de faire passer la cohésion de l'Entente avant les intérêts russes.

Tout en désavouant l'initiative de Tcharykov, Sazonov soutient la politique proserbe et prérusse de Hartwig, à la fois pour contrer les visées des Autrichiens et faire pression indirectement sur les Ottomans. Mais le ministre russe évite soigneusement de défier les Ottomans d'une manière qui puisse déplaire à ses partenaires de l'Entente. Le désir d'exploiter les opportunités qui s'ouvrent dans le Bosphore doit être contrebalancé par le risque qu'il y a à faire cavalier seul. Sazonov encourage les Italiens à mener leurs raids éclairs sur les Dardanelles, au risque d'entraîner la fermeture des Détroits, ce qui serait un coup très dur porté au trafic commercial russe. Il informe les Britanniques et les Français qu'il souhaite impliquer l'Italie dans un partenariat sur les Balkans, confiant à Sir George Buchanan, l'ambassadeur anglais à Saint-Pétersbourg, qu'il considère l'Italie comme « un contrepoids bien utile à l'Autriche ». En réalité, il espère secrètement que les raids italiens offriront aux Russes un prétexte pour exiger que leurs propres navires de guerre aient accès aux Détroits [57]. Mais il est essentiel, confie-t-il à Izvolski début octobre 1912, que « la Russie ne donne pas l'impression de rallier et d'unifier tous les opposants à la Turquie [58] ».

Sazonov apporte également son soutien à la création de la ligue des Balkans, dont il a défendu l'idée depuis son arrivée au ministère, déclarant trouver son inspiration dans la vision d'un demi-million de baïonnettes formant un rempart entre les empires centraux et les États balkaniques [59]. Il parraine donc l'alliance serbo-bulgare pour des raisons à la fois anti-autrichiennes et antiturques. Le traité stipule que les signataires « se porteront mutuellement secours en engageant toutes leurs forces au cas où une grande puissance tenterait d'annexer, d'occuper ou d'envahir temporairement tout territoire balkanique anciennement sous domination ottomane » – une référence implicite, mais claire, à l'Autriche-Hongrie, soupçonnée de nourrir des desseins à l'égard du sandjak de Novi Pazar [60].

Sazonov sait pertinemment que la péninsule balkanique risque de devenir très instable à l'issue de la guerre de Libye. Il est convaincu de la nécessité pour la Russie de contrôler tout conflit éventuel. Le Traité serbo-bulgare assigne donc à la Russie un rôle de coordination et d'arbitrage dans le règlement de tout conflit éventuel. Un protocole secret stipule que les signataires devront informer la Russie à l'avance de leur intention d'entrer en guerre. Si la Serbie et la Bulgarie ne sont pas d'accord sur l'opportunité d'attaquer la Turquie, ou sur la date d'entrée en guerre, un veto russe sera exécutoire. Si les deux États ne parviennent pas à conclure un accord sur le partage des territoires conquis, la question sera soumise à l'arbitrage de la Russie, et sa décision s'imposera aux deux signataires [61].

L'alliance serbo-bulgare apparaît donc comme un outil très utile pour défendre les intérêts russes [62], même si certains en doutent. L'expérience passée suggère que la ligue des Balkans, dont la Russie a favorisé la création, pourrait bien se montrer rétive aux ordres de Saint-Pétersbourg. En octobre et novembre 1911, une querelle violente avait éclaté à ce sujet entre Hartwig, favorable à la ligue et à une politique agressive, et Anatoli Vassilievitch Neklioudov, l'ambassadeur russe à Sofia, qui craignait que l'alliance n'échappe au contrôle des Russes, ce en quoi il n'avait pas tort. Que se passerait-il si les deux signataires se mettaient d'accord sur la faisabilité et le calendrier d'une offensive contre la Turquie ? Le veto russe serait alors inopérant – c'est précisément ce qui est arrivé. Et si les deux signataires recrutaient d'autres États voisins, le Monténégro ou la Grèce par exemple, sans consulter Saint-Pétersbourg ? C'est également ce qui s'est produit. La Russie est seulement informée de l'existence d'articles militaires secrets annexés à l'alliance, mais pas consultée, et ses objections contre l'inclusion du Monténégro et de la Grèce ne sont pas prises en compte. La ligue menace d'échapper à son contrôle avant même qu'elle ne soit complètement formée [63].

Quand le fauve des Balkans s'échappe de sa cage en octobre 1912, Sazonov affecte de faire tout ce qu'il peut pour tenter de le capturer. D'un côté, il donne à l'ambassadeur russe à Londres l'instruction de refuser toute proposition qui impliquerait la collaboration des Russes avec l'Autriche [64]. Dans le même temps, il avertit les États de la ligue qu'ils ne pourront pas compter sur l'assistance de la Russie, ce qui doit paraître étranges aux oreilles des Serbes et des Bulgares étant donné les encouragements qu'ils ont reçus de la Russie à faire cause commune contre les Turcs [65]. Milenko Vesnić, l'ambassadeur de Serbie en France, se souviendra d'une rencontre avec Sazonov à Paris en octobre 1912, au moment du déclenchement de la guerre. Au Quai d'Orsay, devant tout un groupe de diplomates, Sazonov déclare à Vesnić qu'il considère la mobilisation serbe comme une « démarche mal avisée » et qu'il est crucial que la guerre soit contenue et se termine rapidement. Irrité, mais refusant de se laisser impressionner, Vesnić rappelle à Sazonov que le ministère des Affaires étrangères russe avait « pleinement connaissance de l'accord passé entre la Serbie et la Bulgarie ». Très embarrassé d'être mis en cause en présence de diplomates français, Sazonov admet que cela est exact, mais prétend que cela ne s'applique qu'au premier traité, qui n'est qu'un traité défensif – affirmation douteuse, s'il en est [66]. La diplomatie russe joue un double jeu, se faisant tour à tour instigatrice et conciliatrice, comme lorsque Sazonov informe Sofia qu'il ne s'oppose pas à une guerre dans les Balkans mais qu'il s'inquiète du calendrier, un conflit dans les Balkans pouvant avoir de plus larges conséquences et la Russie n'étant pas encore prête au plan militaire à se lancer dans une conflagration généralisée [67]. La confusion créée par les messages ambivalents de Sazonov est renforcée par l'enthousiasme que Hartwig et l'attaché militaire russe à Sofia mettent à pousser les deux pays à entrer en guerre, leur laissant croire que si les choses tournent mal, la Russie n'abandonnera pas ses « petits frères des Balkans ». On raconte que le jour où les Serbes et les Bulgares annoncent la mobilisation générale, Neklioudov, l'ambassadeur russe à Sofia, en pleure de joie [68].

Mais que se passera-t-il si la politique de la Russie dans les Balkans, au lieu de lui permettre d'atteindre ses objectifs dans les Détroits, les met en danger ? Les leaders politiques russes sont prêts à accepter que les Ottomans, affaiblis, conservent leur souveraineté sur les Détroits, mais l'idée qu'une autre puissance puisse prendre pied sur les rives du Bosphore leur est absolument inacceptable. En octobre 1912, Sazonov et ses collègues s'alarment de la percée rapide et inattendue des Bulgares vers la ligne Chataldja en Thrace occidentale – dernière grande ligne de défense avant la capitale ottomane. Comment la Russie devra-t-elle réagir si les Bulgares, dont on sait que le roi a toujours rêvé de s'emparer de l'antique couronne de Byzance, prennent et occupent Constantinople ? Dans ce cas, comme Sazonov le dit à Buchanan, « la Russie serait contrainte de les en dissuader » car, ajoute-t-il avec un certain manque de sincérité, « bien que la Russie elle-même n'ait aucun désir de s'établir à Constantinople, elle ne peut autoriser une autre puissance en prendre possession [69] ». Dans une lettre adressée à Neklioudov (dont copie est envoyée aux ambassadeurs de Paris, Londres, Constantinople et Belgrade), Sazonov reprend l'argument traditionnel selon lequel la prise de Constantinople par les Bulgares retournerait l'opinion publique russe contre Sofia [70]. L'ambassadeur bulgare à Saint-Pétersbourg reçoit donc un avertissement en forme de menace : « N'entrez pas dans Constantinople, quelles que soient les circonstances, ou vous compliqueriez vos affaires de façon gravissime [71]. » Seul l'effondrement dans un bain de sang de la percée bulgare sur les fortifications de la ligne Chataldja épargnera à Sazonov la nécessité d'une intervention qui aurait déstabilisé les puissances alliées de la Russie.

Toutes ces manœuvres se déroulent sur fond d'agitation grandissante de la presse russe, dont les rédacteurs sont galvanisés par les nouvelles de ce conflit entre les États balkaniques et leur ennemi ancestral sur le Bosphore. Nul autre sujet ne pouvait à ce point susciter l'excitation, la solidarité, l'indignation et la colère de l'opinion publique russe. « Si les Slaves et les Grecs remportent cette guerre », se demande *Novoïe Vremia* fin octobre 1912, « quelle sera la main de fer qui osera leur arracher les fruits d'une victoire payée de leur sang [72] ? » Il est difficile d'évaluer l'impact de ces articles sur Sazonov. Le ministre, qui n'apprécie pas que la presse passe ses décisions au crible, affecte de mépriser les journalistes et leurs opinions. Mais dans le même temps, il semble être extrêmement sensible à leurs critiques. En une occasion, il convoque une conférence de presse pour se plaindre du traitement hostile que lui ont fait subir les journalistes. Dans une circulaire envoyée le 31 octobre 1912 à tous les ambassadeurs russes auprès des grandes puissances, Sazonov déclare qu'il n'a pas l'intention de permettre aux nationalistes dont la voix s'élève dans la presse d'influencer sa politique. Mais il poursuit en suggérant aux ambassadeurs d'utiliser l'agitation de la presse nationaliste pour inciter les « cabinets [étrangers] à prendre en compte la difficulté de notre position [73] ». En d'autres termes, tout en niant que la presse joue un rôle dans la façon dont il prend ses décisions, il voit très bien comment exploiter à l'étranger des articles hostiles pour récupérer une certaine marge de manœuvre dans les négociations diplomatiques. Peu de documents évoquent de manière aussi claire la complexité des relations entre les décideurs clés et la presse.

Improvisations et changements de cap frénétiques vont caractériser la politique de Sazonov pendant la première guerre des Balkans. Fin octobre, il annonce solennellement qu'il soutient la décision autrichienne de maintenir le statu quo territorial dans les Balkans. Mais le 8 novembre, il informe le gouvernement italien qu'il est absolument nécessaire que les Serbes obtiennent un accès à la mer Adriatique, ajoutant avec gravité : « Il est dangereux d'ignorer les faits. » Cependant, à peine trois jours plus tard, il dit à Hartwig que la création d'un État albanais indépendant le long de la côte adriatique est « une nécessité inévitable », ajoutant là encore qu'« ignorer les faits est une attitude dangereuse [74] ». Il lui donne donc l'ordre d'informer Pašić que si les Serbes se montrent trop gourmands, les Russes seront contraints de se retirer et de les laisser livrés à eux-mêmes – tâche dont l'ambassadeur s'acquitte de fort mauvaise grâce et avec un dégoût non dissimulé. Sazonov transmet des copies de ce message à Londres et à Paris [75]. Cependant, le 17 novembre, il se prononce à nouveau en faveur de la création d'un corridor pour relier la Serbie à la côte [76] et envoie des notes à Paris et à Londres, déclarant que la Russie sera contrainte d'intervenir militairement contre l'Autriche-Hongrie si cette dernière attaque la Serbie. Il demande donc aux deux gouvernements alliés d'exprimer leur position [77]. « Sazonov change si souvent d'avis », note alors George Buchanan, l'ambassadeur britannique en Russie, « qu'il n'est pas facile de suivre les phases de pessimisme et d'optimisme par lesquelles il passe successivement [78]. » « Je lui ai plus d'une fois reproché son inconstance et ses changements de pied perpétuels. » Mais pour être tout à fait juste, poursuit-il, le ministre russe n'est « pas libre de ses décisions » – il est obligé, par-dessus tout, de tenir compte de l'opinion du tsar qui est récemment tombé sous l'influence du parti belliciste à Saint-Pétersbourg [79]. C'est Robert Vansittart, ancien troisième secrétaire d'ambassade à Paris et à Téhéran, à l'époque en poste au Foreign Office à Londres, qui résumera le problème d'une formule lapidaire : « M. Sazonov est un pauvre indécis [80]. »

Hiver 1912-1913 : crise dans les Balkans

Tandis que Sazonov hésite, les leaders russes semblent durcir leur position sur les Balkans. La décision d'annoncer un exercice de mobilisation, le 20 septembre 1912, au moment précis où les États balkaniques mobilisent pour de bon, suggère que la Russie a l'intention de renforcer sa diplomatie par des actions militaires destinées à intimider l'Autriche. D'après l'état-major autrichien, quelque cinquante à soixante mille réservistes russes ont été rappelés dans le district de Varsovie (qui jouxte la Galicie autrichienne) tandis que dix-sept mille rappels supplémentaires sont prévus, créant ainsi une concentration massive de troupes russes le long de la frontière autrichienne. Sommé de s'expliquer, Sazonov prétend ne rien savoir. Soukhomlinov, au contraire, maintient que le ministre des Affaires étrangères a été informé de toutes les décisions [81]. Que Sazonov ait ou non participé à ces décisions (les deux scénarios sont également plausibles), l'exercice de mobilisation et la décision de le maintenir en dépit du déclenchement de la guerre des Balkans marquent le fait que la Russie abandonne la prudence qui l'avait précédemment retenue. La philosophie diplomatique russe se rallie à la stratégie du « pouvoir réel » selon laquelle les efforts diplomatiques doivent être appuyés sur la menace de la force militaire. « Nous ne pourrons sans doute compter sur le soutien réel de la France et de la Grande-Bretagne », commente Sazonov dans une lettre à Kokovtsov, « que dans la mesure où ces deux États reconnaissent que nous sommes prêts à prendre tous les risques possibles [82]. » Dans une autre formulation tout aussi alambiquée et caractéristique de sa ligne politique, il explique à Izvolski que seuls les préparatifs militaires les plus approfondis permettront à la Russie d'exercer « une pression pacifique » pour obtenir ce qu'elle recherche [83].

Le fait de promouvoir une politique plus agressive dans les Balkans marque également un déplacement dans l'équilibre du pouvoir entre Kokovtsov et Soukhomlinov. Pendant les négociations sur le budget militaire en octobre et novembre 1912, il devient clair que le tsar n'a plus l'intention de soutenir Kokovtsov et ses appels à modérer les dépenses militaires. Au cours d'une série de réunions qui se tiennent du 31 octobre au 2 novembre, le Conseil des ministres accepte d'augmenter les crédits militaires de 66,8 millions de roubles. À l'origine de cette décision se trouve non pas Soukhomlinov, mais Sazonov, qui a écrit à Kokovtsov le 23 octobre pour lui faire part de son intention d'augmenter le niveau de préparation de l'armée en vue d'une confrontation avec l'Autriche-Hongrie ou la Turquie. Kokovtsov n'a pas eu d'autre choix que de transmettre la demande à Soukhomlinov, lequel a alors officiellement demandé

ces crédits supplémentaires. Il s'agit d'une étape cruciale dans l'affaiblissement politique de Kokovtsov, le Premier ministre se révélant impuissant
à contrer une initiative soutenue à la fois par le ministre des Affaires
étrangères et le ministre de la Guerre et approuvée en coulisses par le
tsar [84]. Après le 5 novembre, date à laquelle le tsar autorise un décret qui
prolonge la durée du service militaire de toute une classe de conscrits, le
nombre de réservistes maintenus en activité s'élève à environ quatre cent
mille [85]. Selon des informations transmises par Saint-Pétersbourg à Paris,
les forces aux frontières sont presque au niveau prévu en temps de guerre.
Ces décisions sont renforcées par d'autres mesures : le déploiement de
certaines unités sur des positions avancées le long de la frontière galicienne ainsi que des réquisitions d'armes et de matériel ferroviaire. Le
chef d'état-major russe Jilinski informe l'attaché militaire français que le
but des Russes est de « pouvoir parer à toute éventualité [86] ».

Dans cette escalade survient une étape décisive au cours de la quatrième semaine de novembre : le ministre de la Guerre et des membres
du haut commandement manquent de persuader le tsar de donner l'ordre
de mobilisation partielle contre l'Autriche-Hongrie. Le 22 novembre,
Kokovtsov apprend que le tsar souhaite le voir ainsi que Sazonov, le lendemain matin. À leur arrivée, ils découvrent avec horreur qu'une conférence
militaire a déjà résolu de promulguer des ordres de mobilisation pour les
districts de Kiev et Varsovie, qui jouxtent l'Autriche-Hongrie. Soukhomlinov, semble-t-il, aurait voulu mobiliser les troupes la veille, mais le tsar
aurait retardé l'ordre afin de pouvoir au préalable consulter les ministres
concernés.

Scandalisé de l'autoritarisme du haut commandement, Kokovtsov
démontre la folie d'une telle mesure. Tout d'abord, une mobilisation partielle contre l'Autriche serait une mesure totalement absurde, car l'Allemagne serait obligée d'aider l'Autriche en cas d'attaque. Et la France ?
Puisqu'il n'y aurait eu aucune consultation avec Paris, la Russie risquerait
de se retrouver seule pour affronter les conséquences de cette décision
insensée. Sans compter le problème constitutionnel : Kokovtsov fait
remarquer que Soukhomlinov n'a strictement pas le droit d'évoquer ce
type de décision avec le tsar sans avoir auparavant consulté le ministre
des Affaires étrangères. Nicolas II va faire machine arrière et accepter
d'annuler les ordres du ministre de la Guerre [87]. En cette occasion,
Sazonov aura fait cause commune avec le Premier ministre pour dénoncer
une proposition politiquement absurde, stratégiquement indéfendable et
extrêmement dangereuse. Mais dans l'histoire de la Russie impériale, cet
épisode sera de fait l'une des dernières décisions d'un « gouvernement
unifié » moribond.

Il n'en demeure pas moins que pendant la crise de l'hiver 1912-1913, Sazonov défend une politique de confrontation avec l'Autriche, une politique qui maintient la frontière austro-russe au « cœur de la tempête diplomatique [88] ». Après l'impasse du 23 novembre et l'affrontement entre civils et militaires sur la question de la mobilisation, on note un certain revirement, même si l'ambiance à Saint-Pétersbourg demeure belliciste. Mi-décembre, le ministre de la Guerre propose au Conseil des ministres toute une série de mesures : renforcement des unités de cavalerie dans les districts militaires de Kiev et de Varsovie, rappel de réservistes pour des périodes d'instruction afin de mettre les unités frontalières sur le pied de guerre, renforcement des patrouilles, transport de chevaux vers les frontières et interdiction d'en exporter. Si toutes ces mesures avaient été mises en œuvre, elles auraient pu faire dégénérer la crise de cet hiver jusqu'à la guerre – une escalade paneuropéenne se serait certainement déclenchée, étant donné que Paris poussait les Russes à renforcer leurs mesures contre l'Autriche et avait promis son soutien en cas de conflit militaire impliquant l'Allemagne. Mais tout ceci va trop loin pour Sazonov qui, une fois de plus, fait cause commune avec Kokovtsov pour rejeter les propositions de Soukhomlinov. Cette fois-ci, les partisans de la paix ne remportent qu'une demi-victoire : le rappel de réservistes de l'infanterie et l'interdiction d'exporter des chevaux sont rejetés comme étant des mesures trop provocatrices, mais les autres décisions sont adoptées avec pour conséquence prévisible d'assombrir l'atmosphère à Vienne [89].

Fin décembre, Sazonov propose de retirer une partie des renforts russes massés le long de la frontière galicienne à la condition que Vienne retire ses forces la première, mais à la lumière des événements précédents, cette proposition ressemble davantage à une manœuvre d'intimidation supplémentaire qu'à un effort véritable de désescalade et de désengagement [90] : les Autrichiens la refusent donc. Alors une fois de plus Saint-Pétersbourg intensifie la menace, laissant entendre qu'un nouveau rappel de réservistes pourrait être fait publiquement, ce qui aurait déclenché une psychose de guerre généralisée. Début janvier 1913, Sazonov informe même l'ambassadeur britannique George Buchanan de « son projet de mobilisation à la frontière autrichienne » où il veut concentrer davantage de troupes. L'on reparle à Saint-Pétersbourg (et cette fois-ci pas seulement Soukhomlinov mais Sazonov également) de mobiliser le district militaire de Kiev et d'adresser un ultimatum à l'Autriche [91].

L'impasse entre les deux pays a de graves conséquences financières et politiques pour chacun d'entre eux. À Vienne, la confrontation armée impose un fardeau désastreux aux finances déjà fragiles de la monarchie. Se pose également le problème de la loyauté des réservistes des minorités nationales – Tchèques, Slaves du Sud et autres – dont beaucoup risquent de perdre leur emploi dans la vie civile si l'état d'alerte se poursuit. Les Russes, eux aussi, doutent de la fiabilité politique des unités basées sur la frontière : l'insubordination des réservistes menace de se communiquer à l'armée régulière et les officiers stationnés en Galicie exigent une déclaration de guerre immédiate ou la démobilisation de la réserve. Le ministre des Finances et Premier ministre Vladimir Kokovtsov se plaint également du poids financier que représente la mobilisation de la réserve, même si globalement les soucis financiers ne semblent pas avoir joué un rôle aussi important à Saint-Pétersbourg, où les crédits militaires coulent à flots, qu'à Vienne, où les ministres craignent un effondrement total du budget [92]. Kokovtsov va parvenir à faire pencher la balance en faveur d'une désescalade en persuadant le tsar de renoncer à poursuivre cette politique de provocation.

En l'occurrence, ce sont les Autrichiens qui vont reculer les premiers, réduisant progressivement leurs effectifs à la frontière à partir de la fin du mois de janvier 1913. En février et en mars, Berchtold propose des concessions à Belgrade. Le 21 février, François-Joseph offre de réduire significativement le nombre de compagnies stationnées en Galicie, ce à quoi Nicolas II répond en acceptant la libération de la classe de conscrits les plus âgés qui avait été maintenue en service actif. La désescalade devient officielle dans la seconde semaine de mars avec l'annonce publique d'une réduction massive des troupes stationnées des deux côtés de la frontière [93].

Au soulagement général, la crise des Balkans de l'hiver 1912-1913 s'est dissipée. Mais elle aura des conséquences durables sur les politiques étrangères autrichienne et russe. Vienne va adopter un style de diplomatie plus militarisé tandis que Saint-Pétersbourg a vu l'émergence d'un parti belliciste [94]. Parmi ses membres les plus intransigeants se trouvent les grands-ducs Nikolaï Nikolaïevitch et Piotr Nikolaïevitch, tous deux commandants militaires, tous deux mariés à des princesses monténégrines. « Tout le pacifisme de l'empereur », écrit alors l'ambassadeur belge à Saint-Pétersbourg au début 1913, « ne peut imposer silence à ceux qui proclament l'impossibilité de reculer une fois de plus devant l'Autriche [95]. » Les opinions bellicistes gagnent du terrain, non seulement parce que le tsar (par intermittence) ou les plus hautes autorités de l'armée et de la Marine les défendent, mais parce qu'elles sont également soutenues par une coterie influente de ministres civils dont le plus puissant est le ministre de l'Agriculture, Alexandre Krivocheïne.

Krivocheïne est alors l'une des figures les plus intéressantes et les plus actives de la scène politique russe. Par-dessus tout, c'est un homme de réseau : intelligent, sophistiqué, habile, incroyablement doué pour se faire

Alexandre Krivocheïne

des relations dans les milieux influents[96]. Jeune homme, il s'illustre en devenant l'ami de fils de ministres puissants qui l'aideront ensuite à obtenir des postes intéressants. En 1905, il se fait adopter par le petit cercle qui gravite autour de D. Trepov, secrétaire de Nicolas II (le tsar n'aura de secrétaire particulier que pendant cette courte période de l'automne 1905). En 1906, alors qu'il ne détient encore aucune responsabilité officielle, Krivocheïne est déjà reçu par le souverain[97]. Il possède une immense fortune, ayant épousé une héritière Morozov dont la famille contrôle un vaste empire dans l'industrie textile – ce qui lui assure également des liens privilégiés avec les élites industrielles moscovites.

Krivocheïne est né et a grandi à Varsovie, et c'est donc en Pologne qu'il fait ses premières armes en politique. Nombre de politiciens russes développent leurs convictions nationalistes en Pologne car, comme le note à l'époque un haut fonctionnaire russe, les bureaucrates russes en poste dans les *gubernias* de la Pologne occidentale « ont le sentiment de vivre en état de siège et leurs pensées reviennent toujours à l'idée d'autorité nationale[98] ». À partir de 1905, cette région, la plus occidentale de l'Empire russe, devient donc l'un des bastions des députés nationalistes à la Douma. Cependant, au début de sa carrière, Krivocheïne est un agrairien et un réformiste dans la lignée de Stolypine, non un spécialiste de politique étrangère. Il a du mal à communiquer avec les étrangers car, à la différence de la plupart de ses contemporains de la haute société russe, il ne parle couramment ni l'allemand ni le français. Mais, au fur et à mesure que monte son étoile en politique, grandit également son appétit d'influence dans ce domaine de l'activité gouvernementale considéré comme le plus prestigieux. De plus, le poste de ministre de l'Agriculture et de la Propriété foncière qu'il obtient en mai 1908 va lui permettre d'exercer des responsabilités géopolitiques beaucoup plus importantes que ce que l'intitulé du ministère ne laisse croire. En effet, ce ministère étant impliqué dans la colonisation des régions extrême-orientales de l'Empire, Krivocheïne s'intéresse de près aux questions de sécurité à la frontière entre la Sibérie extrême-orientale et la Mandchourie chinoise [99]. Comme beaucoup de politiciens « asianistes » favorables au maintien de bonnes relations avec l'Allemagne, il ne partage pas la vision apocalyptique d'Izvolski sur l'annexion de la Bosnie-Herzégovine par l'Autriche et s'oppose aux appels à la « vengeance » que le ministre des Affaires étrangères lance contre la Triple-Alliance [100].

Cependant, au cours des dernières années de l'avant-guerre, les positions de Krivocheïne vont progressivement évoluer. Stolypine, qui était son mentor, est mort. Le « gouvernement unifié » est une institution moribonde. Krivocheïne se met à cultiver plus assidûment les cercles nationalistes de la Douma et de la sphère publique. Pendant la crise balkanique de l'hiver 1912-1913, il soutient la politique volontariste de Soukhomlinov, expliquant qu'il faut « cesser de s'humilier devant les Allemands » et placer toute sa confiance dans le peuple russe et son amour ancestral de la patrie [101]. Au printemps 1913, il mène une vigoureuse campagne pour la révision du traité douanier russo-allemand négocié avec les Allemands par Sergueï Witte et Kokovtsov en 1904. En 1913, la majeure partie de la classe politique russe considère que le traité permet « aux industriels allemands rusés et cyniques » de prélever leur « tribut » sur le « candide paysan russe [102] ». La campagne, désaveu directe de la politique agraire de Kokovtsov, suscite une controverse houleuse entre les journaux russes et allemands. Le fils de Krivocheïne se rappellerait plus tard qu'au fur et à mesure que la polémique enflait et que les relations avec l'Allemagne se refroidissaient, son père était accueilli de plus en plus chaleureusement à l'ambassade de France où on le trouvait régulièrement entouré de son nouveau cercle d'amis français [103].

L'enthousiasme croissant de Krivocheïne pour une politique étrangère de fermeté reflète le souhait (partagé par Izvolski et Sazonov) de trouver des sujets qui créeront des liens entre la société et le gouvernement. Au

sein du gouvernement et des milieux officiels, Krivocheïne et son ministère se distinguent car ils collaborent étroitement avec les *zemstvos* (assemblées élues participant au gouvernement local) et d'autres organisations
issues de la société civile. En 1913, inaugurant une exposition agricole à
Kiev, Krivocheïne prononce une courte allocution qui deviendra célèbre
comme le « discours du "nous" et du "eux" ». Il y déclare que la Russie
ne deviendra prospère que lorsque sera abolie cette division nuisible entre
« nous », le gouvernement, et « eux », la société. Pour résumer, Krivocheïne est un personnage extrêmement complexe, tout à la fois techno-
crate moderne, populiste, défenseur du monde agricole et parlementaire
populaire, de plus en plus belliqueux en matière de relations internationales. Dès 1913, il est sans nul doute le ministre civil le plus puissant,
certainement celui qui a les relations les plus influentes. Rien d'étonnant
alors à ce que Kokovtsov se désespère de son propre « isolement » et de
sa « complète impuissance » face à une faction de ministres déterminés à
le chasser du pouvoir [104].

Bulgarie ou Serbie ?

Tôt ou tard, Sazonov et ses collègues auront un choix stratégique à
faire : la Russie devra-t-elle soutenir la Bulgarie ou la Serbie ? Des deux
pays, la Bulgarie est sans conteste le plus important au plan stratégique.
Sa position sur la mer Noire et sur la côte du Bosphore en fait un partenaire majeur. La défaite des Ottomans à l'issue de la guerre russo-turque
de 1877-1878 a créé les conditions de l'émergence, sous la protection de
la Russie, d'une Bulgarie indépendante bien que restant symboliquement
sous la souveraineté des autorités ottomanes. Historiquement parlant, la
Bulgarie est donc un État-client de Saint-Pétersbourg, mais n'est jamais
devenue le satellite docile dont les Russes rêvaient. Les factions politiques
russophiles ou pro-occidentales s'y disputent le contrôle de la politique
étrangère (tout comme elles le font encore de nos jours) et les leaders
bulgares exploitent la position stratégique sensible de leur pays pour
transférer leur allégeance d'une puissance à une autre.

Avec l'accession au trône de Ferdinand de Saxe-Cobourg et Gotha-
Koháry, qui règne sur la Bulgarie successivement comme prince (*knaz*)
puis comme roi (*tsar*) de 1885 à 1918, ces oscillations deviennent de
plus en plus fréquentes. Ferdinand louvoie entre factions russophiles et
germanophiles de son gouvernement [105]. Le monarque bulgare « se donne
pour règle de ne jamais s'engager dans une ligne d'action bien définie »,
rapporte Sir George Buchanan. « C'est un opportuniste qui n'agit que

par intérêt personnel et qui préfère flirter avec une puissance, puis avec l'autre [106]. » La crise de l'annexion bosniaque en 1908-1909 refroidit ses relations avec Saint-Pétersbourg, parce que Ferdinand s'aligne pour un temps sur Vienne, tirant profit des tensions du moment pour rejeter le traité de Berlin (qui a défini la Bulgarie comme principauté autonome de l'Empire ottoman), déclarer l'indépendance et l'unité de la Bulgarie et se proclamer tsar des Bulgares au cours d'une somptueuse cérémonie organisée dans l'ancienne capitale de Turnovo. Révolté par une telle déloyauté, Izvolski prévient que les Bulgares paieront le prix de leur trahison. Mais son irritation ne sera que passagère : après l'échec des négociations entre Sofia et Constantinople sur la reconnaissance de l'indépendance de la Bulgarie, lorsque les Ottomans commenceront à masser des troupes à la frontière, Sofia appellera Saint-Pétersbourg à la rescousse et tout sera pardonné. Les Russes négocient un accord d'indépendance avec Constantinople, et la Bulgarie redevient, pour un temps, un partenaire loyal de l'Entente dans la région [107].

Cependant même les décideurs les plus bulgarophiles à Saint-Pétersbourg reconnaissent que Sofia doit prendre en compte les intérêts serbes, tout particulièrement après que la crise bosniaque a suscité un fort sentiment proserbe dans l'opinion publique russe. En décembre 1909, désireux de reprendre une politique volontariste dans les Balkans, le ministère russe de la Guerre prépare une convention secrète qui, d'une part, envisage des opérations russo-bulgares conjointes contre l'Empire des Habsbourg, la Roumanie ou la Turquie et, d'autre part, promet à la Bulgarie l'ensemble de la Macédoine ainsi que la Dobrudja – zone contestée le long de la frontière avec la Roumanie. Mais sur ordre d'Izvolski, le projet est mis en suspens, car jugé trop préjudiciable aux intérêts serbes. Alors que Hartwig à Belgrade aiguillonne les Serbes contre l'Autriche-Hongrie et attise l'agitation proserbe à Saint-Pétersbourg, l'incompatibilité entre l'option bulgare et l'option serbe devient de plus en plus flagrante.

En mars 1910, une délégation bulgare puis une délégation serbe se succèdent à Saint-Pétersbourg à deux semaines d'intervalle, pour des consultations de haut niveau. Les Bulgares pressent leurs interlocuteurs russes d'abandonner la Serbie et de s'engager clairement aux côtés de Sofia – seule base possible, d'après eux, pour créer une coalition stable d'États balkaniques. Il était impossible, affirme le Premier ministre bulgare Malinov à Izvolski, de créer à la fois une Grande Bulgarie et une Grande Serbie :

> Si vous décidez de vous rallier à nous, dans votre propre intérêt, nous réglerons facilement la question de la Macédoine avec les Serbes. Dès que ce ralliement sera compris à Belgrade – et vous devez le leur dire de manière extrêmement claire pour qu'ils le comprennent – les Serbes se montreront beaucoup plus conciliants [108].

À peine les Bulgares ont-ils quitté Saint-Pétersbourg qu'arrive le roi Petar, bien décidé à défendre la cause de la Serbie – et beaucoup plus populaire à la cour du tsar que ne le sont Ferdinand et ses intrigues. Il reçoit des assurances cruciales : la Russie n'a plus l'intention d'accorder à la Bulgarie le statut d'État-client privilégié. Elle poursuivra officiellement son engagement de longue date à soutenir les revendications bulgares sur la Macédoine, mais en coulisses Izvolski lui promet qu'il trouvera le moyen de « satisfaire les intérêts et les droits de la Serbie ». La nouvelle la plus importante, celle qui galvanise le ministère des Affaires étrangères à Belgrade, c'est que la Russie accepte désormais qu'une partie de la Macédoine revienne à la Serbie [109].

L'un des avantages que Saint-Pétersbourg trouve à favoriser la naissance de la ligue des Balkans consiste précisément en ce qu'elle permet de concilier, au moins pour un temps, les deux options incompatibles. Une fois que l'alliance serbo-bulgare de mars 1912 aura trouvé une solution mutuellement acceptable au problème de la Macédoine, on peut imaginer que la ligue devienne un instrument durable de la politique russe dans la péninsule. La clause prévoyant l'arbitrage de la Russie dans la « zone disputée » semble protéger le rôle spécial qu'elle entend mener dans les Balkans, tout en créant un mécanisme par lequel la grande puissance slave peut canaliser la rivalité entre ses deux satellites.

La rapidité inattendue de la percée bulgare vers Constantinople sème la panique à Saint-Pétersbourg. Sazonov avait instamment demandé aux Bulgares de faire preuve de « sagesse » et de suffisamment de prudence « pour s'arrêter au bon moment ». Son inquiétude est augmentée du fait qu'il soupçonne les Français, bizarrement, de pousser les Bulgares à s'emparer de la capitale ottomane [110]. L'atmosphère se détend donc après l'effondrement de l'offensive bulgare et au lendemain de la guerre, Saint-Pétersbourg se concentre sur la mise en œuvre d'un accord entre les deux États vainqueurs, selon les termes du traité de mars 1912. Mais la Serbie refuse d'évacuer les territoires conquis tandis que la Bulgarie refuse de renoncer à ses revendications sur ces mêmes territoires : la médiation devient donc quasiment impossible, d'autant plus que les Bulgares réclament qu'elle se fasse selon les clauses du traité de mars 1912, alors que le gouvernement serbe considère que la situation sur le terrain a rendu ce traité nul et non avenu. Les États balkaniques se conduisent, selon les mots du tsar Nicolas II, « comme des jeunes garçons bien élevés qui, en grandissant, sont devenus des voyous [111] ».

Dans un premier temps, Sazonov se rapproche de Sofia et accuse la Serbie, non sans raison, de refuser d'évacuer les zones conquises. Mais, fin mars 1913, le ministre des Affaires étrangères russe revient vers Belgrade et pousse désormais Sofia à faire des concessions. Quand il apprend que les Bulgares sont sur le point de rappeler Andreï Tochev, leur ambassadeur à Belgrade, Sazonov se met dans une violente colère, les accusant d'être aux ordres de Vienne : « Leur impertinence vis-à-vis de la Russie et de l'ensemble des Slaves » allait causer « leur perte [112] ». Les Bulgares renoncent à rappeler leur ambassadeur, la querelle est oubliée, mais la Russie va se détacher de Sofia de manière durable. Cette réorientation est facilitée par le fait que ce sont les Bulgares qui rouvrent les hostilités le 29 juin 1913. Sazonov avait en effet multiplié les avertissements : celui qui commencerait la guerre suivante en paierait le prix. (Cependant les Russes eux-mêmes ne sont pas exempts de toute responsabilité, puisque Hartwig a donné l'ordre à Nikola Pašić de ne prendre aucune initiative, quelles que soient les circonstances, mais d'attendre que les Bulgares attaquent les premiers.)

Dans le même temps, les Russes font évoluer leur position vis-à-vis de la Roumanie. Pendant la première guerre des Balkans, Sazonov avait instamment demandé à Bucarest de ne pas se saisir de l'occasion pour attaquer la Bulgarie. Il faisait référence à la région frontalière de la Dobrudja, revendiquée par les deux États. Au début de l'été 1913 à l'inverse, au moment où l'accord serbo-bulgare s'effondre, Sazonov laisse entendre à Bucarest que la Russie ne fera rien si la Roumanie intervient contre l'agresseur d'une guerre serbo-bulgare [113]. Les Russes n'ont jamais pris aussi clairement position contre Sofia.

L'adoption par Saint-Pétersbourg d'une position plus exclusivement proserbe est renforcée par des développements financiers. Au lendemain de la seconde guerre des Balkans, les États belligérants sont réduits « à la condition de mendiants [qui] cherchent à emprunter de l'argent pour payer leurs dettes et reconstruire leurs forces armées et leurs économies », comme le note le rapport de la fondation Carnegie sur les causes et la conduite des guerres balkaniques [114]. Le coût humain et économique de ce conflit a laissé la Bulgarie exsangue : il y a fait quatre-vingt-treize mille victimes, soit un chiffre plus élevé que l'ensemble des victimes des quatre autres pays coalisés contre elle [115]. Le nouveau gouvernement du Premier ministre libéral Vasil Radoslavov, arrivé au pouvoir à la tête d'une coalition le 17 juillet 1913, fait des demandes de prêts massifs. Vienne est la première capitale à répondre par une modeste avance de trente millions de francs qui ne permet même pas au gouvernement bulgare d'assurer le service de la dette. Malgré l'assurance que Sofia concédera les Dardanelles à perpétuité à la sphère d'influence russe, Saint-Pétersbourg ne semble pas désireux de l'aider. Sazonov est d'avis qu'il ne faut pas accorder d'aide financière à Sofia tant que le gouvernement Radoslavov, qu'il considère hostile à la Russie, restera en place. De toute façon, même si elle le voulait, la Russie ne serait pas capable d'accorder à Sofia les crédits si importants dont elle a besoin. Il est donc crucial pour Saint-Pétersbourg de faire pression sur la France, qui a toujours accès à de substantielles réserves de capitaux, pour qu'elle s'aligne sur la position russe et n'accorde pas son soutien financier à Sofia [116].

Les Français ne sont d'ailleurs pas difficiles à convaincre : depuis la « guerre des cochons » (1906-1909) entre la Serbie et l'Autriche, ils accordent des prêts à Belgrade, non sans arrière-pensées politiques. Car les prêts internationaux sont un instrument traditionnel extrêmement efficace de l'action diplomatique française. André de Panafieu, ambassadeur à Sofia, résume ainsi les relations qui existent entre l'argent et la politique étrangère dans une dépêche du 5 janvier 1914 : « Tant que Sofia restera en bons termes avec Vienne, il ne sera pas difficile de trouver des raisons de refuser de lui prêter de l'argent [117]. » Mais Sazonov voit clairement le danger qu'il y a à pousser trop loin cette politique. Lorsque le nouvel ambassadeur russe, Alexandre Savinsky, est envoyé à Sofia en janvier 1914, il a pour mission d'empêcher les Bulgares de se rapprocher des puissances germaniques [118]. Le chargé d'affaires russes à Sofia a effectivement envoyé des messages d'alerte : bloquer tout prêt signifiera simplement que les Bulgares finiront par utiliser des fonds allemands pour acheter des armes aux Autrichiens [119]. Sous la pression de ces arguments, relayés avec force par Izvolski, le Quai d'Orsay commence à envisager un prêt à la Bulgarie en février, mais assorti de conditions contraignantes, telles qu'employer ces sommes à acheter des armes et des munitions exclusivement aux industriels français [120].

Comme on pouvait s'y attendre, ce sont les Allemands qui viennent à la rescousse des Bulgares. Mi-mars, le gouvernement allemand accepte de leur consentir un prêt avec l'aide des banques allemandes. Cette décision ne fait pas partie d'un plan préparé de longue date pour attirer la Bulgarie dans les griffes de la Triple-Alliance. En effet, pendant l'été, les Allemands avaient également proposé des prêts généreux aux Serbes, mais ces derniers, ayant déjà accès à de substantielles lignes de crédit, n'avaient aucunement l'intention d'accepter une offre qui puisse faire douter de la force de leur engagement vis-à-vis de l'Entente [121]. Les Bulgares, eux, sont aux abois. Apprenant que des négociations ont lieu entre Berlin et Sofia, les gouvernements français et russe tentent des efforts de dernière minute pour empêcher la réalisation du prêt. Savinsky fait paraître des articles « inspirés » dans les journaux bulgares prorusses et demande instamment à Sazonov de relâcher la pression sur Sofia [122]. Au dernier moment, la banque française Périer & Cie, spécialiste des prêts à l'Amérique du Sud et à l'Asie, entre en scène avec une contre-proposition de cinq cents millions de francs à 5 %. L'offre de la banque Périer, certainement proposée à l'instigation des Russes par l'intermédiaire d'Izvolski à Paris, stipule que le prêt est garanti par une caution russe – en cas de défaut, la Russie s'engage à reprendre les obligations de la Bulgarie. Il s'agit de combiner l'octroi d'un crédit très important avec un élément de dépendance politique, afin de renforcer l'influence de l'Entente dans les Balkans. Le plan consiste à persuader les Bulgares d'accepter le prêt dans un premier temps, puis de les convaincre de changer de gouvernement[123]. Mais l'offre de la banque Périer ne sera finalisée que le 16 juin 1914, trop tard pour renverser la situation. La proposition allemande s'impose, après des négociations tortueuses au cours desquelles les Bulgares cherchent à obtenir de meilleures conditions[124]. Le 5 juillet 1914, le Parlement bulgare l'adopte lors d'une séance marquée par de multiples incidents. En fait, la loi n'a été ni examinée, ni discutée, ni même votée. À la fin de la séance, le gouvernement se contente d'annoncer qu'elle a été adoptée par la Chambre, provoquant la fureur des députés de l'opposition qui accusent le gouvernement de vendre le pays et « lancent livres et encriers à la tête des ministres ». Le Premier ministre Radoslavov sera obligé de brandir un revolver pour les rappeler à l'ordre[125]. Les prêts sont donc devenus de dangereux outils aux mains des blocs d'alliance rivaux. Certes, se servir des crédits internationaux comme d'une arme n'a alors rien de nouveau, mais cet emploi à ce moment précis enferme la Bulgarie dans le camp de la Triple-Alliance, tout comme précédemment la Serbie avait été intégrée au système politique de l'Entente.

Ce qui se déroule dans les Balkans n'est rien moins que le renversement des anciens schémas d'allégeance. Dans le passé, la Russie soutenait Sofia tandis que l'Autriche-Hongrie lorgnait en direction de Belgrade et de Bucarest. En 1914, ce schéma a été inversé. La Roumanie, elle aussi, est entrée dans le processus. Dès le début de l'été 1913, Sazonov avait invité le gouvernement de Bucarest à s'emparer d'un morceau de la Bulgarie en cas de guerre serbo-bulgare. Le temps d'une telle ouverture était venu, car les Roumains critiquaient ce qu'ils considéraient comme un flirt de Vienne avec Sofia. Le roi Carol de Roumanie s'offusquait également de l'opposition de Vienne au traité de Bucarest, qu'il considérait comme un succès diplomatique personnel[126]. Le rapprochement entre Saint-Pétersbourg et Bucarest est officialisé le 14 juin 1914, par la visite du tsar Nicolas II au roi Carol à Constanta sur la côte roumaine de la mer Noire. C'est une rencontre riche en symboles : le seul dignitaire étranger à recevoir une décoration de la main du tsar est l'ambassadeur français en Roumanie, Camille Blondel, qui a été récemment décoré par le roi Petar de Serbie. L'ambassadeur austro-hongrois Ottokar Czernin, également présent aux cérémonies, interprète cette journée comme la consommation publique du « réalignement de la Roumanie sur la Triple-Entente[127] ».

L'influence politique de l'Autriche-Hongrie dans la péninsule balkanique en est à nouveau dramatiquement diminuée. L'irrédentisme roumain va désormais se reporter de la Bessarabie, où il entre en conflit avec les intérêts russes, à la Transylvanie, où il menace l'intégrité de la monarchie Habsbourg. Bien sûr, il y a des limites à la coopération que la Roumanie est prête à mettre en œuvre avec la Russie. Quand Sazonov demande au Premier ministre et ministre des Affaires étrangères roumain Ion Brătianu quelle serait l'attitude de la Roumanie « en cas de conflit armé entre la Russie et l'Autriche-Hongrie *si la Russie se trouvait contrainte par les circonstances de déclencher les hostilités* », l'homme d'État roumain, visiblement choqué par la question, ne fait qu'une réponse évasive. Poussé dans ses retranchements, il concède que la Roumanie et la Russie ont un intérêt commun à empêcher « tout affaiblissement de la Serbie ». Il n'en faut pas plus à Sazonov. Le rapprochement entre les deux pays constitue donc « un nouveau moyen de pression de la Russie sur l'Autriche », selon un rapport diplomatique français [128]. Mais la caractéristique la plus frappante de cette restructuration de la géopolitique balkanique, c'est sans nul doute la rapidité avec laquelle elle se déroule. Il ne s'agit pas d'un phénomène de longue durée, dont la déconstruction aurait demandé des années, mais plutôt d'un ajustement de court terme à des changements rapides dans l'environnement géopolitique. En novembre 1913, Sazonov dirait à l'ambassadeur belge à Saint-Pétersbourg que le rapprochement austro-bulgare serait sans doute de courte durée, étant l'œuvre d'une faction particulière du Parlement soutenue par le roi Ferdinand, souverain versatile « pour qui nous n'avons pas un atome d'estime [129] ». Avec le temps, ce nouvel alignement dans les Balkans aurait aussi bien pu céder la place à d'autres ajustements et à de nouveaux systèmes. Ce qui importe ici, c'est que ce schéma particulier ait été en place à l'été 1914.

La Serbie est donc devenue le nouvel avant-poste de la Russie dans les Balkans. Cet état de fait n'est ni inéluctable ni naturel. En 1909, Aehrenthal avait vigoureusement protesté contre la « prétention insensée » de la Russie de s'ériger en protectrice de la Serbie, même dans des situations où ne se posait aucun problème touchant aux intérêts des grandes puissances. Il n'avait pas tort : la prétention de la Russie à agir en faveur de ses « enfants » orthodoxes des Balkans n'est rien d'autre que la justification populiste d'une politique destinée à affaiblir l'Autriche-Hongrie, à augmenter la popularité du gouvernement russe et à assurer son hégémonie sur l'arrière-pays balkanique et les détroits turcs. La doctrine du panslavisme est sans nul doute populaire auprès des journaux nationalistes russes, mais n'a pas plus de légitimité en tant que fondement programmatique de l'action politique que le concept hitlérien de *Lebensraum*. Il ne s'agit pas non plus d'un fondement cohérent, puisque les Bulgares, comme les Serbes, sont des Slaves orthodoxes alors que les Roumains, quoique orthodoxes, ne sont pas slaves. L'engagement des Russes envers la Serbie est dicté par la logique de l'affrontement entre puissances et non par les énergies diffuses du panslavisme. De plus, il crée une asymétrie dangereuse dans les relations entre les deux grandes puissances balkaniques, car l'Autriche ne possède pas d'avant-poste comparable à la périphérie de l'Empire russe.

Il est difficile de mesurer l'effet galvanisant que le soutien de la Russie a sur le royaume serbe, mais il est indéniable. En février 1914, Pašić revient d'une visite en Russie « transporté d'enthousiasme et touché au plus profond de son âme par la faveur que lui a témoignée le tsar » :

> Dans chaque parole de votre tsar [déclare-t-il à Hartwig], j'ai ressenti la bienveillance particulière de Sa Majesté Impériale envers la Serbie. C'est la récompense précieuse de notre vénération immuable de la Russie, dont nous avons toujours suivi les conseils en matière de politique étrangère. La magnanimité du tsar est également la garantie d'un avenir brillant pour la Serbie qui, sans le soutien moral sans faille de la Russie, serait incapable de surmonter les difficultés que lui crée à chaque pas une monarchie voisine toujours hostile [130].

Les dépêches que Spalajković envoie de Saint-Pétersbourg expriment la même confiance débordante dans le soutien déterminé des Russes. « Le tsar déclare sa sympathie pour la Serbie », rapporte-t-il après un entretien avec le souverain le 21 janvier 1914, « et il m'a assuré que cette sympathie était partagée par toute la nation russe, en particulier par ceux qui ont le pouvoir de prendre des décisions [131]. » L'ensemble de « la presse russe est proserbe », annonce-t-il le 27 mars, ajoutant que les critiques de la presse bulgare sont reçues avec une extrême hostilité par les journaux russes. « Autrefois, c'étaient les Bulgares qui avaient de l'influence sur les journaux russes, désormais ce sont nos journaux », déclare-t-il. Seule une publication, *Rech*, se montre moins amicale : au cours des derniers mois, elle a publié des reportages critiquant le comportement du gouvernement serbe dans les zones nouvellement conquises de Macédoine [132]. Mais cela ne semble pas avoir de conséquences sur l'opinion que les autorités russes se font de l'administration des nouvelles provinces, ce qui est tout à fait rassurant. Pour Spalajković, qui s'est entretenu avec Neratov, l'adjoint de Sazonov, le ministère des Affaires étrangères russe est très impressionné par la façon dont les Serbes administrent les territoires annexés, parlant avec enthousiasme de la construction de routes et de la réparation des bâtiments, « de telle sorte que, très bientôt, ces provinces seront méconnaissables » – sans aucune mention des expulsions et des massacres [133].

M. Descos, l'ambassadeur français à Belgrade, remarque également ce nouveau sentiment d'assurance qui règne en Serbie. Dans un rapport sur un discours prononcé par Pašić devant la Skupština, il note que le cœur de « la politique de paix actuellement menée par le gouvernement serbe » est de saisir l'occasion « de renforcer son armée, de cultiver ses alliances et de chercher à tirer le meilleur profit des nouveaux développements au fur et à mesure qu'ils se produisaient ». Il est notable que « M. Pašić, d'habitude si modeste, semble vouloir s'arroger une certaine autorité sur les affaires balkaniques – peut-être pense-t-il que le moment est venu pour la Serbie de jouer un rôle de meneur ». D'un autre côté, ajoute-t-il, Pašić vit « en contact si étroit avec l'ambassadeur russe qu'il est difficile de distinguer l'action de ce dernier de celle des hommes d'État serbes dont les idées dominent la question [134] ». Assurés du fait que les intérêts serbes et russes coïncident, les leaders belgradois sont de plus en plus enclins à accepter les orientations de la Russie. Fin 1912 par exemple, l'ambassadeur russe à Vienne se plaint auprès de Saint-Pétersbourg de ce que l'ambassadeur serbe semble excessivement accommodant dans ses relations avec les Autrichiens. En résulte une note du ministère des Affaires étrangères russe envoyée à Pašić demandant aux Serbes d'éviter « toute discussion trop ouverte » avec les Autrichiens, afin d'éviter de faire naître « la rumeur d'un accord spécial entre la Serbie et l'Autriche ». Pašić réagit par un télégramme à son ambassadeur, rédigé en présence de Hartwig, consistant en ces simples mots : « Faites attention [135]. » De son côté Hartwig rassure Sazonov, dans sa lettre du nouvel an, en janvier 1914 : « Ils suivront toutes nos instructions, bien évidemment [136]. »

Les problèmes de l'Autriche

« Le déclenchement de la grande guerre des Balkans est ressenti ici comme un événement historique d'importance majeure », écrit Wickham Steed, correspondant du *Times* à Vienne, le 17 octobre 1912. « Quelle qu'en soit l'issue, ce conflit changera radicalement la situation [137]. » C'est à l'Autriche-Hongrie en effet que ce conflit pose les problèmes les plus urgents et les plus cruciaux. Les victoires rapides et inattendues des États de la ligue placent Vienne face à un enchevêtrement de difficultés. Tout d'abord, la politique autrichienne dans les Balkans est irrémédiablement détruite puisque son principe fondateur – toujours maintenir la Turquie comme puissance garante de l'équilibre de la région – est désormais caduc. Il faut improviser et abandonner « la politique de défense du statu quo » prônée à l'été 1912. À la place, les Autrichiens élaborent un nouveau programme centré sur la nécessité de gérer les changements dans les Balkans de façon à en minimiser les conséquences sur les intérêts austro-hongrois. Les conquêtes territoriales des Serbes peuvent être acceptées, mais elles doivent s'accompagner de l'assurance que la Serbie se comportera correctement à l'avenir. Cette assurance devra si possible prendre la forme d'une coopération économique officielle. (Vienne est prête à trouver un accord sur une base bien plus généreuse que l'ancienne union douanière et une mission est envoyée à Belgrade pour faire des propositions [138].) Mais quelles que soient les circonstances, en revanche, la Serbie ne devra pas être autorisée à repousser ses frontières jusqu'à la côte adriatique. La raison en est qu'un port serbe pourrait un jour tomber sous le contrôle d'une puissance étrangère (en l'occurrence la Russie). Cette crainte peut sembler exagérée mais elle est rendue plausible par l'influence de Hartwig, le « roi sans couronne » de Belgrade, et sa réputation de virulente austrophobie.

Vienne insiste également – conformément à sa position de toujours – pour que soit fondée une Albanie indépendante et que cette indépendance soit garantie. Rendue publique sous le slogan « Les Balkans aux peuples des Balkans », cette politique renforce le refus de toute spoliation serbe sur la côte adriatique, puisque tout port dont Belgrade voudrait s'emparer serait nécessairement situé en territoire albanais [139]. L'annonce de cette position suscite de vives protestations dans les provinces serbes de la Double Monarchie. En novembre 1912, à la Diète bosniaque réunie à Sarajevo, les députés serbes adoptent une résolution affirmant que « les sacrifices et les victoires » de l'armée serbe « justifient la "restauration" de l'Albanie à la Serbie » ; ils expriment leur amertume face au refus de la monarchie austro-hongroise de reconnaître « le droit à l'autonomie » de ses populations slaves du Sud alors même qu'elle défend la cause des « Albanais incultes [140] ». Aux yeux des puissances européennes au contraire, le programme de Berchtold semble une réponse modérée aux changements spectaculaires qui surviennent dans les Balkans. Sazonov lui-même finit par se rallier au consensus en faveur d'une Albanie indépendante.

La Serbie reste l'élément incontrôlable de la situation. Fin octobre 1912, alors que les armées serbes sont en pleine progression vers la côte, anéantissant sur leur passage toute résistance albanaise avec une sauvagerie sans égale, une série de provocations vont encore davantage envenimer les relations entre l'Autriche et la Serbie. Les Serbes interceptent le courrier diplomatique autrichien et perturbent les communications consulaires ; on fait état de l'arrestation ou de l'enlèvement de plusieurs consuls. Est-ce pour sa propre protection que le consul austro-hongrois de Mitrovitza a été assigné à résidence pendant quatre jours, comme l'affirment les autorités serbes, ou « pour qu'il ne puisse être témoin de "l'élimination" de la population albanaise », comme lui-même l'affirme ? En pleine panique, le ministère des Affaires étrangères austro-hongrois tente de manipuler l'information en sa faveur. Lorsqu'il devient impossible d'entrer en contact avec Oskar Prochaska, consul à Prinzen, la rumeur circule dans Vienne qu'il a été enlevé et castré par ses ravisseurs serbes. Le ministère mène une enquête et découvre que, s'il a bien été détenu illégalement (pour avoir soi-disant encouragé la résistance turque), en revanche la rumeur de sa castration est fausse. Mais au lieu de la démentir, le ministère la laisse circuler pendant encore une semaine ou deux, afin de profiter au maximum de son effet sur l'opinion publique. Lorsque Prochaska refait surface quelques semaines plus tard, tout d'une pièce, le stratagème se retourne contre ceux qui l'ont monté, suscitant la réprobation générale. L'affaire Prochaska n'aura été qu'un exemple de manipulation modeste, mais inepte, des médias ; toutefois il apporte de l'eau au moulin de ceux qui prétendent que l'Autriche utilise toujours de faux documents et de faux témoignages [141].

Pendant quelque temps, la question albanaise semble sur le point de déclencher un conflit européen de plus grande ampleur. Mi-novembre 1912, les forces serbes et monténégrines occupent une grande partie du nord de l'Albanie, dont les villes d'Alessio (Lezhë) et les ports de San Giovanni di Medua (Medva) et Durazzo (Durrës). Des forces en majorité monténégrines assiègent la ville de Scutari (Shkodër), où habitent trente mille Albanais. L'invasion menace de créer des *faits accomplis* qui réduiraient à néant la politique de Vienne. Berchtold continue d'exiger la création d'une Albanie indépendante et le départ des forces d'occupation, mais Monténégrins et Serbes refusent d'abandonner leurs têtes de pont albanaises. Vienne est prête à recourir à la force en cas d'absolue nécessité pour chasser les envahisseurs. Mais l'exercice de mobilisation russe et l'augmentation du nombre de soldats le long de la frontière avec l'Autriche-Hongrie suggèrent que Saint-Pétersbourg pourrait également être prêt à soutenir ses protégés par la force. Le 22 novembre, le roi Nikola du Monténégro informe l'ambassadeur autrichien à Cetinje que « si la Monarchie essaie de me déloger de force, je me battrai jusqu'à la dernière chèvre et jusqu'à la dernière cartouche [142] ».

Pendant tout l'hiver et l'été 1912-1913, la question albanaise continue à déstabiliser la diplomatie européenne. Le 17 décembre 1912, elle est débattue au cours de la première réunion de la Conférence des ambassadeurs des grandes puissances, réunie à Londres sous la présidence d'Edward Grey pour résoudre les problèmes nés de la guerre des Balkans. Un accord est trouvé sur la création d'un État albanais neutre et indépendant, placé sous la protection conjointe des grandes puissances. Sazonov, après moult hésitations, accepte l'argument en faveur de l'autonomie. Mais tracer les frontières de ce nouvel État se révèle être une tâche difficile : les Russes exigent que les villes de Prizren, Peć, Dibra, Djakovica et Scutari reviennent à leurs protégés monténégrins, tandis que les Autrichiens veulent qu'elles appartiennent à la nouvelle Albanie. Vienne finit par amadouer Saint-Pétersbourg en acceptant de concéder à la Serbie la majeure partie de la zone frontalière contestée – décision qui n'émane pas de Berchtold mais de son ambassadeur à Londres, le comte Mensdorff, qui, avec son collègue russe le comte Benckendorff, a multiplié les efforts pour concilier les points de vue opposés [143]. En mars 1913, le problème de la frontière albano-serbe est en grande partie résolu, du moins en théorie.

Mais la situation reste tendue, car plus de cent mille soldats serbes stationnent toujours en Albanie. Ce n'est que le 11 avril que Belgrade annonce son retrait du pays. L'attention de la communauté internationale se reporte alors sur les Monténégrins, qui assiègent toujours Scutari. Le roi Nikola déclare être prêt à céder si les grandes puissances montent une offensive en territoire macédonien, lui offrant ainsi le prétexte d'une retraite honorable. Est-il sérieux ? Ou fait-il un pied de nez à la communauté internationale ? Il est impossible de le dire [144]. Dans la nuit du 22 au 23 avril, Essad Pacha Toptani, gouvernement albanais de Scutari, capitule et retire ses troupes de la ville. Le drapeau monténégrin est hissé sur la ville et la forteresse. Le Monténégro et la Serbie exultent. L'ambassadeur hollandais à Belgrade rapporte que la nouvelle de la chute de Scutari est accueillie avec une jubilation indescriptible dans la capitale serbe. La ville se couvre de drapeaux, les commerces ferment, et une foule de vingt mille habitants vient fêter l'événement en poussant des ovations sous les fenêtres de l'ambassade de Russie [145].

Les notes envoyées de Londres par la communauté internationale restant lettre morte, il est décidé de consacrer la réunion de la Conférence des ambassadeurs prévue pour le 5 mai à l'élaboration d'une réaction commune des grandes puissances. Dans l'intervalle, les Autrichiens se préparent à mener unilatéralement une action contre les envahisseurs monténégrins, en cas d'échec de la diplomatie. Personne ne sait comment les Russes réagiraient à une intervention armée des Autrichiens. Certes, fin janvier 1913, l'impétuosité du roi du Monténégro avait fini par lasser la cour du tsar et le ministère russe des Affaires étrangères. Le roi Nikola pensait sans doute agir dans l'intérêt des Slaves et mériter de ce fait le soutien sans faille des Russes mais en réalité, à Saint-Pétersbourg, on le considère comme un trublion dont le seul objectif est de redorer son blason dans son pays [146]. En avril 1913, le ministère des Affaires étrangères russe prend la décision tout à fait inhabituelle de publier une déclaration pour désavouer publiquement Nikola et ses desseins sur Scutari. Dans cette déclaration, Sazonov (qui n'est pas nommé, mais en assume la responsabilité) fustige l'ignorance dont la presse a fait preuve pour traiter du sujet et déclare que Nikola n'a aucun droit à revendiquer Scutari, une ville « purement albanaise [147] ». La Russie semble donc prête à accepter une initiative conjointe des grandes puissances. Mais, au moment où la crise de Scutari atteint son paroxysme, Sazonov les avertit également que l'opinion publique russe pourrait le contraindre à intervenir si les Autrichiens agissaient seuls. « Les perspectives politiques sont désormais plus sombres que jamais », écrit Buchanan depuis Saint-Pétersbourg [148].

Or après des mois d'indécision angoissante, le problème disparaît soudainement. Le 4 mai, veille de la réunion des ambassadeurs à Londres, le roi Nikola annonce qu'il remet le destin de Scutari entre les mains des grandes puissances. La ville revient ainsi à l'État albanais. Un traité de paix, signé le 30 mai 1913 à Londres, met officiellement fin à la première guerre des Balkans. Le 29 juillet, durant la 44e session de la Conférence, les ambassadeurs confirment que l'Albanie deviendra un État souverain indépendant, malgré le fait que la moitié des territoires peuplés d'Albanais – et notamment le Kosovo – se retrouve désormais à l'extérieur des frontières tracées à Londres [149].

À peine l'encre des signatures apposées sur le traité de Londres a-t-elle séché que la guerre éclate à nouveau, cette fois-ci à propos du partage des dépouilles du premier conflit. Le traité de Bucarest du 10 août 1913 concède de nouveaux territoires du sud-est de la Macédoine au royaume de Serbie, confirmant ainsi le doublement de sa superficie par rapport à la situation d'avant 1912, ainsi que l'accroissement de plus de 64 % de sa population. Vienne est plongé dans la confusion : comment répondre à cette nouvelle situation ? Berchtold n'a pas encore entièrement repris la main au milieu de la cacophonie créée par la multiplication des options politiques contradictoires quand lui parvient la nouvelle d'un regain de tension à la frontière albano-serbe. En dépit de multiples avertissements et rappels à l'ordre, Belgrade refuse toujours de retirer ses troupes de certaines zones situées à l'intérieur des frontières tracées à Londres. Ostensiblement, les Serbes déclarent vouloir protéger la Serbie du banditisme albanais. En réalité, ce sont les exactions des troupes serbes qui sont principalement à l'origine des troubles le long de la frontière. En juillet, Vienne exige leur retrait, en vain. Puis plusieurs grandes puissances, sous l'égide d'Edward Grey, présentent une demande collective d'évacuation qui, elle aussi, reste sans effet. Début septembre 1913, la France et la

Russie s'opposent à toute nouvelle initiative collective ; lorsque l'Autriche, l'Allemagne et la Grande-Bretagne présentent chacune une protestation, Miroslav Spalajković, le ministre serbe des Affaires étrangères, répond en niant qu'il y ait le moindre soldat serbe dans la zone contestée, avant de se contredire et de déclarer quelques jours plus tard que les troupes en question se sont retirées derrière la rivière Drin. Ce qui laisse quand même des troupes serbes bien à l'intérieur des frontières tracées à Londres. À Vienne, la consternation redouble lorsque l'on apprend le 17 septembre que Belgrade est sur le point d'établir des postes douaniers dans plusieurs zones envahies [150].

Engagés dans cette éprouvante série d'affrontements où Vienne et Belgrade jouent au chat et à la souris, les décideurs autrichiens vont progressivement perdre confiance en l'efficacité des méthodes diplomatiques traditionnelles à résoudre leur conflit d'intérêt avec la Serbie. Lorsque les Albanais relancent la guérilla dans les zones frontalières pour répondre aux provocations serbes – notamment l'interdiction de se rendre dans les villes albanaises désormais en territoire serbe, au mépris du traité de Londres –, les unités serbes poursuivent leur progression en territoire albanais. Le 26 septembre, Jovanović, l'ambassadeur serbe à Vienne, augmente les craintes en déclarant dans un entretien à un journal autrichien qu'au vu des difficultés à définir un corps constitué albanais qui puisse être tenu responsable des troubles à la frontière, la Serbie pourrait être « contrainte de prendre des mesures de sa propre initiative ». Pašić fait encore monter la pression d'un cran en annonçant, le 30 septembre, que la Serbie a l'intention d'occuper « des points stratégiques » à l'intérieur du territoire albanais « pour assurer sa propre sécurité [151] ». Une note du gouvernement autrichien lui demandant des éclaircissements ne suscite alors qu'une réponse évasive.

La brève visite de Pašić à Vienne le 3 octobre ne fait rien pour améliorer la situation. Désarmé par les manières chaleureuses et affables du leader serbe, Berchtold laisse passer l'occasion de lui faire comprendre à quel point les Autrichiens prennent au sérieux la situation albanaise. De son côté, Pašić assure les représentants de la presse viennoise de son optimisme « quant aux relations à venir entre la Serbie et la Double Monarchie », mais parle également de façon plus inquiétante de la nécessité de modifier le tracé de la frontière albanaise [152]. L'annonce par Belgrade que la Serbie n'a pas l'intention de « défier l'Europe » en s'emparant de portions du territoire albanais est certes rassurante, tout comme le message amical délivré par un haut fonctionnaire à Belgrade recevant le chargé d'affaires autrichien Ritter von Storck « aussi chaleureusement que si Pašić venait de signer une alliance défensive avec Vienne [153] ». Cependant, toutes les tentatives autrichiennes d'obtenir des réponses précises sur les intentions des Serbes en Albanie se heurtent à des réponses courtoises mais évasives. Et, dans le même temps, l'avancée des troupes serbes en Albanie se poursuit. Le 9 octobre, le chargé d'affaires autrichien insiste pour rencontrer Pašić et discuter de la question : le Premier ministre est d'humeur toujours aussi joviale mais continue à parler d'une « occupation provisoire » du territoire albanais par l'armée serbe [154]. Ce qui est suivi, le 15 octobre, par l'annonce dans le journal semi-officiel *Samouprava* que la Serbie a finalement l'intention d'occuper « des points stratégiques » en Albanie [155]. Après que de nouvelles mises en garde n'ont reçu que des réponses évasives, les Autrichiens envoient un ultimatum à Belgrade le 17 octobre. La Serbie a huit jours pour évacuer l'Albanie. Sinon l'Autriche-Hongrie « déploiera les moyens appropriés pour s'assurer que ses exigences soient respectées [156] ».

L'ultimatum est un succès. À l'automne 1913, il y a consensus parmi les grandes puissances pour dire que les revendications serbes sur une partie de l'Albanie sont illégitimes. Même le ministre des Affaires étrangères Sazonov à Saint-Pétersbourg finit par concéder que « la Serbie avait une responsabilité plus grande que ce que l'on pouvait généralement croire dans les événements successifs qui avaient mené au récent ultimatum » et pousse Belgrade à céder [157]. Deux jours après avoir reçu l'ultimatum, Pašić annonce le retrait des troupes serbes. Le 26 octobre, les zones contestées ont été évacuées.

Le face-à-face d'octobre 1913 entre l'Autriche et la Serbie crée plusieurs précédents qui vont influencer la manière dont l'Autriche réagira aux conséquences de l'attentat de Sarajevo. Le premier et le plus évident d'entre eux, c'est qu'octobre 1913 semble démontrer l'efficacité d'un ultimatum. La presse soutient très largement la note autrichienne du 17 octobre et la nouvelle du retrait des troupes serbes est accueillie avec euphorie à Vienne. Berchtold, dont la timidité avait été sévèrement critiquée pendant le siège de Scutari, est désormais le héros du jour. La façon dont Belgrade communique avec Vienne laisse également une impression de trouble : une politesse hypocrite frôlant la jovialité dissimule une politique de provocations soigneusement dosées et le refus d'obtempérer. Entre les deux capitales, il ne s'agit donc pas simplement de conflits d'intérêts mais également de styles de politique opposés. Belgrade, semblait-il, ne reculerait que dans la mesure où Vienne l'y contraindrait, acceptant alors sans broncher toutes les humiliations. Mais si les Autrichiens relâchaient la pression, provocations et défis reprendraient de plus belle. Ce qui confortait l'axiome selon lequel la Serbie ne comprenait que la force.

Pour l'Autriche-Hongrie, les guerres des Balkans modifient radicalement la donne. Par-dessus tout, elles révèlent que Vienne est isolée et que
les chancelleries étrangères ne comprennent guère l'interprétation que les
Autrichiens font des événements. On peut tenir pour acquis l'hostilité de
Saint-Pétersbourg envers Vienne et son absence totale de considération
pour les intérêts autrichiens dans la péninsule. Mais l'indifférence des
autres puissances est plus inquiétante. La communauté internationale est
réticente à reconnaître que de réels problèmes de sécurité se posent à la
périphérie méridionale de l'Empire austro-hongrois et que ce dernier a le
droit de réagir – ce qui reflète un changement d'attitude plus global. Les
puissances occidentales avaient traditionnellement considéré l'Autriche
comme le pivot de la stabilité de l'Europe centrale et orientale et, par
conséquent, comme une puissance devant être défendue à tout prix. Mais
en 1913, ce principe ne semble plus aussi catégorique. Il est miné par la
tendance – de plus en plus prégnante au sein de l'Entente à partir de
1907 – à envisager l'Europe en termes de blocs d'alliance plutôt que
comme un écosystème géopolitique dans lequel chaque puissance joue
son propre rôle. Le sentiment anti-autrichien qui colore une grande partie
du journalisme politique en Grande-Bretagne et en France dans les dernières années d'avant-guerre renforce cette tendance en répandant l'idée
que l'Empire austro-hongrois est une entité anachronique et condamnée
ou, comme l'écrivent les journalistes serbes, qu'il est « le deuxième
homme malade de l'Europe » (après l'Empire ottoman à qui ce qualificatif
est le plus souvent appliqué [158]).

La tiédeur du soutien allemand est tout particulièrement alarmante.
Certes, en octobre 1913, Berlin approuve fermement la stratégie autrichienne de confrontation avec la Serbie – à un moment où ce soutien
peut être offert sans grand risque de voir le conflit s'élargir. Mais sinon,
les exemples sont rares. En février 1913, quand les effectifs massés des
deux côtés de la frontière galicienne sont si importants que la guerre
semble imminente, même les militaires allemands prônent la prudence.
Moltke écrit à son homologue Conrad von Hötzendorf pour l'assurer que
l'Allemagne n'hésitera pas à soutenir l'Autriche-Hongrie contre une
attaque russe mais qu'en revanche, « il serait difficile de légitimer une
intervention allemande si c'était l'Autriche qui provoquait la guerre car
cela ne serait pas compris par le peuple allemand [159] ».

L'attitude du Kaiser Guillaume II constitue l'un des principaux sujets
d'inquiétude à Vienne. Loin de pousser son gouvernement à se montrer
solidaire des Autrichiens, le Kaiser interdit au ministère des Affaires étrangères de participer à la moindre initiative qui puisse « gêner la progression

victorieuse de l'alliance bulgaro-serbo-grecque [160] ». Les guerres balkaniques, démontre-t-il, faisaient partie d'une évolution de l'histoire mondiale par laquelle l'islam allait être chassé d'Europe. Si l'on permettait aux
États balkaniques de se renforcer aux dépens de la Turquie, toute une
série d'entités stables seraient fondées qui, à terme, pourraient former une
sorte de confédération, les « États-Unis des Balkans ». Rien ne pouvait
être plus propice à la préservation de la paix – par la création d'une zone
tampon entre l'Autriche et la Russie – et au développement de nouveaux
marchés pour les exportations allemandes [161]. Et Guillaume II de multi-
plier les arguments dans cette veine. Pendant la crise de novembre 1912
(causée par la tentative serbe de s'ouvrir un accès à l'Adriatique), il rejette
explicitement l'idée que le gouvernement allemand ait la moindre obligation de soutenir Vienne contre Belgrade. Assurément, les bouleversements
en cours dans la péninsule sont « inconfortables » pour les Autrichiens,
mais « en aucune circonstance il n'envisagerait de marcher sur Paris ou
sur Moscou pour défendre l'Albanie ou Durazzo ». Le 9 novembre, il
suggère même au ministère des Affaires étrangères de pousser Vienne à
placer l'Albanie sous la suzeraineté d'un prince serbe [162].

Pour les décideurs viennois harcelés sans répit, ces spéculations donqui-
chottesques ne sont guère d'un grand secours. Le 22 novembre 1912, au
cours d'une conférence secrète avec son ami l'archiduc François-Ferdinand, Guillaume affirme certes être prêt à soutenir l'opposition autrichienne à la présence de troupes serbes en Albanie, même au risque d'une
guerre avec la Russie, mais uniquement s'il est absolument certain que
ni la France ni la Grande-Bretagne n'interviendront. Il est extrêmement
improbable, ajoute-t-il, qu'une Russie isolée prenne le risque d'un tel
conflit [163]. Cependant, même ces signaux modérément encourageants
sont annulés trois jours plus tard par des messages officiels envoyés par
Bethmann-Hollweg et Kiderlen-Wächter exprimant le fait que l'Allemagne veut rechercher une solution multilatérale [164]. Au paroxysme de
la crise de l'hiver 1913, en février, Guillaume écrit à François-Ferdinand
pour le pousser à négocier une désescalade avec la Russie, sous prétexte
que les problèmes en cause ne sont pas suffisamment sérieux pour justifier
la poursuite de ce face-à-face armé [165]. Le 18 octobre, en pleine crise
albanaise, au cours d'une conversation avec Conrad, Guillaume concède
que la situation pourrait « finir par atteindre » le point « où une grande
puissance ne peut plus se contenter d'observer, mais doit porter la main
au fourreau ». Dix jours plus tard, cependant, il affirme à l'ambassadeur
autrichien à Berlin que Vienne devrait amadouer Belgrade en offrant
aux leaders serbes de généreux pots-de-vin (« Du roi jusqu'au dernier des
fonctionnaires, on peut tous les acheter »), des programmes de coopération militaire et de meilleures conditions douanières [166]. En décembre

1913, Guillaume II assure le chargé d'affaires autrichien à Munich que « quelques millions » suffiraient à Berchtold pour s'acheter de l'influence à Belgrade [167].

Dans une dépêche envoyée le 25 avril 1914, le comte Fritz Szapáry, diplomate de grande expérience et spécialiste des relations austro-allemandes, alors ambassadeur à Saint-Pétersbourg, dresse un sombre portrait de la politique balkanique récemment menée par l'Allemagne. Le soutien sans faille des Allemands, qui avait aidé à la conclusion de la crise de l'annexion bosniaque en mars 1909, appartient désormais au passé. Ce qui l'a remplacé – ici, Szapáry cite la langue de bois des décideurs berlinois – c'est « un dialogue non conflictuel visant à la consolidation de zones d'activité économico-culturelles ». L'Allemagne, qui a abandonné toute fermeté vis-à-vis de la Russie, ne prend plus aucune décision sans en référer tout d'abord à Saint-Pétersbourg. Pendant les guerres des Balkans, l'Allemagne a compromis la position autrichienne en rejoignant le chœur de ceux qui prônent le désintéressement, pressant Vienne d'accepter les conquêtes et les provocations serbes. Ce qui revenait à « sacrifier totalement les intérêts austro-hongrois dans les Balkans ». Il s'agit là d'une analyse délibérément spectaculaire de la question, influencée par les craintes croissantes que le soutien grandissant de la Russie à la Roumanie suscite chez ce diplomate d'origine hongroise ; mais elle exprime bien la frustration largement ressentie à Vienne devant l'absence de toute prise de position réellement influente de Berlin dans la péninsule balkanique. La hâte avec laquelle Berlin a entériné le traité de Bucarest a été tout particulièrement douloureuse, car elle a privé l'Autriche de l'occasion de renforcer la position des Bulgares qu'elle considère, à la différence des Allemands, comme un contre-pouvoir potentiel à la puissance serbe [168].

Ce sentiment d'isolement, ajouté aux provocations répétées des années 1912-1913, renforce à son tour la détermination des Autrichiens à avoir recours à des mesures unilatérales. L'on peut déceler des signes que la résistance à l'idée d'utiliser des solutions plus musclées est en train de s'affaiblir chez les principaux décideurs. Le plus visible consiste en une décision prise par l'empereur, au paroxysme de la crise suscitée par la mobilisation russe : au cours d'une audience, le 7 décembre 1912, il annonce avec lassitude au général Conrad que celui-ci « doit reprendre son poste de chef d'état-major [169] ». Après son retour en grâce, Conrad continue bien sûr de lancer des appels à la guerre, mais ceci n'a rien de nouveau. Plus inquiétante est l'évolution d'autres acteurs majeurs : au cours de l'automne 1912, presque tous (y compris le Premier ministre hongrois Tisza) se prononcent, à un moment ou à un autre, en faveur d'une politique de confrontation soutenue par la menace d'une intervention armée. À l'exception notable de François-Ferdinand qui, dans une lettre aux termes vigoureux, met en garde Berchtold : il faut refuser que la monarchie ne soit entraînée « dans l'antre de sorcière où Conrad prépare la guerre ». D'après lui, il fallait prendre en compte les réactions de la Russie et de la Bulgarie, sans compter celles des Allemands, qui n'accepteraient sans doute pas une démarche à haut risque. Quant à Belgrade, ajoute-t-il, les seuls qui cherchaient à provoquer un conflit appartenaient au parti belliciste des régicides – ceux-là mêmes qui, sans qu'il puisse alors le savoir, l'assassineraient huit mois plus tard. Il conclut qu'il ne croit absolument pas qu'il existe « la moindre nécessité » de faire la guerre. La pression venait exclusivement de ces serviteurs de la Couronne austro-hongroise qui « consciemment ou non, œuvraient à détruire la monarchie [170] ». Cependant, le 11 décembre 1912, au cours d'une réunion de hauts dignitaires avec l'empereur au palais de Schönbrunn, même lui, François-Ferdinand, renonce à ses convictions de toujours – défendre la paix à tout prix – pour préconiser une confrontation militaire avec la Serbie.

Ce moment de défaillance ne dure guère : dès qu'il entend les arguments contraires présentés par Berchtold et les ministres civils, l'héritier présomptif se rétracte immédiatement et soutient la solution diplomatique préconisée par Berchtold. Au cours d'une réunion du Conseil des ministres conjoint le 2 mai 1913, c'est au tour de Berchtold, exaspéré par les nouvelles attaques des Monténégrins sur Scutari, d'accepter pour la première fois l'idée d'une mobilisation contre le Monténégro. Ce qui bien sûr ne revient pas à déclencher un conflit européen, ni même régional, puisque le Monténégro est à cette date totalement isolé – même les Serbes lui ont retiré leur soutien [171]. Berchtold espère que mobiliser l'armée suffira à déloger les envahisseurs de l'Albanie et croit fort peu probable que la Russie intervienne. Dans les faits, la mobilisation se révélera inutile : Nikola retirera ses troupes avant même que l'ultimatum ne lui soit adressé [172]. Cependant, le ton résolu de cette réunion annonce qu'à Vienne les attitudes se font plus belliqueuses. En septembre et octobre 1913, après la deuxième agression par les Serbes du nord de l'Albanie, alors que Conrad exige à nouveau de déclarer la guerre, Berchtold approuve le principe d'une politique de confrontation, tout comme, de façon inhabituelle, François-Ferdinand. À ce moment, François-Ferdinand et Tisza (pour des raisons diamétralement opposées) demeurent les deux seuls modérés parmi les décideurs viennois. Et le succès de l'ultimatum forçant les Serbes à retirer leurs troupes d'Albanie est lui-même interprété comme la preuve de l'efficacité d'un style diplomatique plus musclé [173].

Ces attitudes plus martiales coïncident avec la prise de conscience croissante que les contraintes économiques commencent à limiter le nombre des options stratégiques dont dispose l'Autriche-Hongrie. Les mobilisations partielles entraînées par les guerres balkaniques ont représenté un fardeau financier extrêmement lourd. Les dépenses supplémentaires pour 1912-1913 s'élèvent à 390 millions de couronnes, soit l'équivalent du budget annuel de l'armée austro-hongroise – ce qui pose de sérieux problèmes financiers au moment où l'économie de la Double Monarchie entre en récession [174]. À cet égard, il faut rappeler que le budget de l'armée austro-hongroise est fort peu élevé : seule l'Italie, parmi les autres grandes puissances, dépense encore moins. L'Autriche-Hongrie n'appelle en service actif que 0,27 % de sa population par an, un pourcentage moins élevé qu'en France (0,63 %) ou qu'en Allemagne (0,46 %). De 1906 à 1912, l'Empire a connu une période d'expansion économique, mais seule une part très minime des ressources ainsi dégagées a été allouée aux budgets militaires. L'Empire aligne moins de bataillons d'infanterie en 1912 qu'en 1866, lorsque ses armées affrontaient les Prussiens à Königgrätz et les Italiens à Custoza, alors que sa population a doublé depuis cette date. Le dualisme du système politique est un facteur d'explication : les Hongrois rejettent systématiquement toute augmentation du budget de l'armée [175] ; et la nécessité de se concilier les minorités nationales par de vastes projets d'infrastructures limite également les investissements militaires. Ce qui aggrave encore la situation, ce sont les mobilisations en été et/ou au début de l'automne qui perturbent l'économie agraire en la privant d'une large part de sa main-d'œuvre rurale au moment des moissons [176]. En 1912-1913, comme le démontrent les opposants au gouvernement, les mobilisations en temps de paix ont entraîné des dépenses massives et perturbé l'économie, sans beaucoup augmenter la sécurité de l'Empire. Ces mobilisations tactiques sont donc devenues un instrument que la Monarchie n'a plus les moyens d'employer. Mais si c'est véritablement le cas, alors la souplesse d'action du gouvernement pour répondre à des crises dans la périphérie balkanique en est très largement diminuée. Sans la possibilité d'avoir recours à des mobilisations purement tactiques, le processus de décision deviendra inéluctablement moins nuancé. Il ne restera qu'un seul choix possible : la guerre ou la paix.

La balkanisation de l'Alliance franco-russe

Pendant l'été 1913, il reste loin d'être évident que la France soit prête à soutenir la Russie dans un conflit purement balkanique. Les termes de la Convention militaire franco-russe de 1893-1894 sont ambigus sur ce point. L'article 2 stipule qu'en cas de mobilisation générale dans l'un des pays de la Triple-Alliance, la France et la Russie mobiliseraient simultanément et immédiatement la totalité de leurs forces et les déploieraient aussi rapidement que possible à leurs frontières, sans qu'un accord préalable ne soit nécessaire [177]. Cela semble impliquer qu'une crise balkanique suffisamment sévère pour déclencher la mobilisation de l'Autriche peut, sous certaines circonstances, entrainer une contre-mobilisation conjointe en Russie et en France, ce qui provoquerait à coup sûr une contre-mobilisation de l'Allemagne, puisque les articles 1 et 2 de la Double-Alliance austro-allemande de 1879 exigent que les signataires s'assistent mutuellement au cas où l'un d'entre eux serait attaqué par la Russie, ou par un pays allié de la Russie. Tel est donc le mécanisme apparemment susceptible de faire dégénérer une crise dans les Balkans en guerre continentale, d'autant plus qu'il ne distingue pas entre mobilisation partielle ou mobilisation générale dans le cas de l'Autriche.

La confusion provient de l'article 1 de la Convention militaire franco-russe qui envisage une obligation d'intervention seulement dans les circonstances suivantes : a) si la France est attaquée par l'Allemagne ou b) si la Russie est attaquée par l'Allemagne, ou par l'Autriche-Hongrie avec le soutien de l'Allemagne. Ce qui place la barre pour une intervention militaire de la France plus haut que ne le fait l'article 2. Cette dissonance dans le texte provient du fait que les deux pays signataires avaient des exigences de sécurité différentes. Pour la France, l'Alliance franco-russe et la Convention militaire qui y était adossée étaient le moyen de contrer et de contenir l'Allemagne. Pour la Russie, le problème central était l'Autriche-Hongrie. Malgré tous leurs efforts, les négociateurs français n'avaient pas pu persuader leurs homologues russes de renoncer à lier, dans l'article 2, mobilisation autrichienne et mobilisation générale en France. Ce qui revenait à placer le détonateur dans les mains de la Russie : elle avait désormais – sur le papier du moins – la possibilité de déclencher à sa guise une guerre continentale pour soutenir ses objectifs dans les Balkans [178].

Mais on ne peut guère se fier à la lettre des traités ou des alliances – pas plus qu'aux constitutions d'ailleurs – pour comprendre les réalités politiques. Les décideurs parisiens, conscients des risques créés par l'article 2, ont été prompts à donner une interprétation restrictive des obligations françaises. En 1897 par exemple, pendant la guerre de Trente Jours entre la Grèce et l'Empire ottoman, le ministre des Affaires étrangères Gabriel Hanotaux a informé Saint-Pétersbourg que la France ne considérerait pas une intervention austro-hongroise comme un *casus fœderis* (un événement entraînant une obligation d'assistance) [179]. Et nous avons vu combien la France a été réticente à se laisser entraîner dans la crise de l'annexion bosniaque en 1908-1909, refusant de considérer qu'elle constituait une menace réelle contre les « intérêts vitaux » de la France ou de la Russie [180]. En 1911, à la demande des Français, les termes de la Convention militaire ont été modifiés. L'obligation d'assistance mutuelle ne demeure qu'en cas de mobilisation générale en Allemagne ; mais en cas de mobilisation générale ou partielle en Autriche, il est décidé que la France et la Russie devront se consulter avant d'engager une action commune [181].

Or, en 1912, la France adopte une position diamétralement opposée, ce qui constitue l'un des ajustements politiques les plus importants de l'avant-guerre. Après avoir cherché pendant des années à isoler la France des conséquences des soubresauts balkaniques, le gouvernement français va étendre les engagements de la France pour y inclure la possibilité d'une intervention armée dans une crise purement balkanique. Le principal responsable de ce changement est Raymond Poincaré, président du Conseil et ministre des Affaires étrangères du 14 janvier 1912 au 21 janvier 1913, puis président de la République. Au lendemain de sa nomination, Poincaré déclare publiquement qu'il « maintiendra avec la Russie les relations les plus loyales » et « conduira la politique étrangère de la France en complet accord avec son alliée [182]. » Or il est très inhabituel qu'un ministre des Affaires étrangères français inaugure son mandat par des déclarations programmatiques telles que celle-ci. Au cours d'une série de conversations avec Alexandre Izvolski à Paris, Poincaré réaffirme aux Russes qu'ils peuvent compter sur le soutien de la France en cas de guerre déclenchée par une querelle austro-serbe [183]. Le gouvernement russe, répète-t-il à Izvolski en novembre 1912, n'a aucune raison de craindre « que les Français ne le soutiennent pas [184] ».

Il n'est pas facile de retracer l'origine de cette évolution de pensée. L'un des principaux facteurs en est sans doute la menace allemande, préoccupation viscérale de Poincaré. Il avait dix ans lorsque les Allemands ont envahi sa Lorraine natale, forçant sa famille à fuir. Sa ville d'origine, Bar-le-Duc, a été occupée pendant trois ans avant d'être libérée à la suite du paiement des indemnités de guerre. Cela ne signifie pas que Poincaré soit un *revanchiste* du même acabit que Boulanger, mais il se méfie profondément des Allemands, ne voyant dans leurs tentatives d'établir un climat de détente avec la Russie ou la France que pièges et illusions. Poincaré est convaincu que le salut réside dans le renforcement de l'Alliance franco-russe, clé de voûte de la sécurité française [185]. Il veut également éviter de retomber dans le chaos de la crise d'Agadir, où des stratégies diplomatiques parallèles ont créé une grande confusion. Il faut également tenir compte de sa personnalité : Poincaré, qui aime les situations claires, agit

avec une cohérence remarquable. Ses adversaires voient dans la détermination avec laquelle il poursuit des objectifs précisément définis la preuve
d'un manque regrettable de flexibilité. La *raideur* de Poincaré, prétend
Paul Cambon, reflète « son inexpérience diplomatique et sa structure
intellectuelle d'homme de loi [186] ». Son frère Jules parle d'un esprit qui
« naturellement numérote, classe et enregistre tout comme dans un
dossier [187] ».

Mais Poincaré n'est pas le seul à vouloir donner une orientation plus
agressive à la politique de sécurité française. Son arrivée au pouvoir coïncide
avec un changement de tonalité dans la vie politique française à la suite de
la crise d'Agadir – ce que les historiens ont appelé le « renouveau nationaliste ». Après l'affaire Dreyfus, les hommes politiques républicains avaient
eu tendance à adopter une approche *défensiste* en matière de politique étrangère, donnant la priorité aux fortifications à la frontière, à l'artillerie lourde
et à de brèves périodes de formation militaire, l'armée étant considérée
comme « la nation en armes ». Par contraste, après la crise d'Agadir, la
France adopte une politique qui prend en compte les intérêts professionnels
des militaires, acceptant la nécessité de périodes de formation plus longues
et d'une structure de commandement plus concentrée et efficace, envisa-
geant explicitement une approche offensive de la prochaine guerre [188].
Dans le même temps, le sentiment populaire pacifiste et antimilitariste qui
avait dominé en 1905 cède la place à une attitude plus belliqueuse. Non
que la France tout entière soit balayée par cette vague de nationalisme : ce
sont surtout de jeunes Parisiens instruits qui embrassent ce nouveau bellicisme. Mais la restauration de la puissance militaire devient l'un des slogans
qui revitalise l'idéal politique républicain [189].

Ce sont probablement l'attaque de la Libye par l'Italie et le début de
l'effondrement du pouvoir ottoman qui poussent Raymond Poincaré à
incorporer les Balkans dans sa vision stratégique. Dès mars 1912, il a dit
à Izvolski que la distinction traditionnelle entre crise balkanique localisée
et problèmes de plus grande ampleur géopolitique « n'était plus pertinente ». Étant donné le système d'alliances européennes alors en place, il
était difficile d'imaginer « qu'un événement dans les Balkans reste sans
effet sur l'équilibre général de l'Europe ». « Toute confrontation armée
entre l'Autriche-Hongrie et la Russie découlant de problèmes dans les
Balkans constituerait un *casus fœderis* pour l'alliance austro-allemande, ce
qui à son tour activerait l'Alliance franco-russe [190]. »

Poincaré est-il conscient des risques qu'il y a à soutenir la stratégie des
Russes dans les Balkans ? Une conversation entre le président du Conseil
français et le ministre des Affaires étrangères russe au cours d'une visite à
Saint-Pétersbourg en août 1912 nous éclaire sur ce point. Poincaré sait
que les Serbes et les Bulgares ont signé un traité car Izvolski l'en a informé

en avril, mais n'a aucune idée de son contenu [191]. Il a demandé des clarifications à Saint-Pétersbourg sans obtenir la moindre réponse (Sazonov déclarera plus tard qu'il avait différé la transmission du texte à Poincaré de peur que certaines parties ne soient divulguées dans la presse française [192]). À Saint-Pétersbourg, en août, il pose donc à nouveau la question. Sazonov sort alors le texte en russe et le lui traduit. Le président du Conseil français est stupéfait de ce qu'il apprend, en particulier des articles stipulant des mobilisations simultanées serbo-bulgares contre la Turquie et, si nécessaire, contre l'Autriche, sans même parler de la référence à la partition de territoires encore profondément enclavés en Macédoine ottomane ni du rôle d'arbitre donné à la Russie dans toutes les disputes – ce dernier point, le plus perturbant, « apparaît, d'ailleurs, à chaque ligne de la convention » note Poincaré. Le compte rendu qu'il rédige à l'issue de cette réunion reflète sa déconfiture :

> Le Traité contient donc en germe, non seulement une guerre contre la Turquie, mais une guerre contre l'Autriche. Il établit, en outre, l'hégémonie de la Russie sur les deux royaumes slaves des Balkans, puisque la Russie est nommée comme arbitre dans toutes les questions. Je fais remarquer à M. Sazonoff que cette convention ne répond aucunement à la définition qui m'en avait été donné, qu'elle est, à vrai dire, une convention de guerre et que non seulement, elle révèle des arrière-pensées chez les Serbes et les Bulgares, mais qu'il est à craindre que leurs espérances ne paraissent encouragées par la Russie [193].

Poincaré n'est pas le seul à s'effrayer de l'ampleur des engagements russes dans les Balkans. Jean Doulcet, conseiller à l'ambassade française de Saint-Pétersbourg, note également à la même époque que les accords balkaniques sont en fait « des traités de partage ». Le soutien que Saint-Pétersbourg apporte au Traité serbo-bulgare suggère que « les Russes sont prêts à ne tenir aucun compte de l'Autriche, et à procéder à la liquidation de la Turquie sans se soucier des intérêts [autrichiens] [194] ».

À ce stade, on pourrait s'attendre à ce que Poincaré, découvrant à quel point les Russes sont impliqués dans les affaires balkaniques, ait des doutes quant à la sagesse de soutenir leur stratégie. Or cette découverte semble avoir l'effet inverse. Peut-être ne s'agit-il pour lui que de reconnaître que, dans le contexte général de la stratégie russe, la survenue d'un conflit dans les Balkans n'est plus seulement probable, mais quasiment certaine, et qu'il faut donc intégrer cette donnée dans les scénarios de l'Alliance franco-russe. Un autre facteur entre également en ligne de compte : le sentiment – partagé par une partie de l'armée française – qu'une guerre d'origine balkanique est le scénario le plus susceptible de pousser les Russes à participer pleinement à une campagne conjointe contre l'Allemagne. Comme le lui disent ses conseillers militaires, une

guerre austro-serbe engagerait la moitié ou les deux tiers des forces autrichiennes, permettant ainsi aux Russes de disposer de davantage de régiments contre l'Allemagne, forçant donc cette dernière à déployer plus
de troupes à l'est, relâchant de ce fait la pression sur l'armée française
à l'ouest [195].

Quelles que soient les raisons de ce changement de stratégie, à
l'automne 1912, Poincaré est désormais prêt à soutenir une éventuelle
intervention militaire russe dans les Balkans. Au cours d'une conversation
avec Izvolski pendant la deuxième semaine de septembre (alors que la
première guerre des Balkans se profile mais n'a pas encore éclaté), Poincaré informe l'ambassadeur que si la Turquie vainquait la Bulgarie, ou si
l'Autriche-Hongrie attaquait la Serbie, « la Russie pourrait être contrainte
d'abandonner sa passivité ». S'il devenait nécessaire que la Russie monte
une attaque contre l'Autriche-Hongrie et que cela déclenche l'intervention de l'Allemagne (conséquence inévitable, selon les termes de la
Double-Alliance), « alors le gouvernement français reconnaissait par
avance que cela constituait un *casus fœderis* et il n'hésiterait pas un instant
à remplir ses obligations vis-à-vis de la Russie [196] ». Six semaines plus tard,
alors que la guerre fait rage, Izvolski rapporte à Sazonov que Poincaré « ne
craint pas » l'idée qu'il puisse devenir nécessaire de « déclencher une
guerre sous certaines circonstances », certain qu'il est de la victoire des
États de la Triple-Entente. Cette confiance, ajoute l'ambassadeur russe,
se fonde sur une note de l'état-major français récemment transmise au
bureau du président du Conseil [197].

De fait, Poincaré devance ses obligations avec tant d'énergie qu'il
semble par moments brûler les étapes. Le 4 novembre 1912, un mois
après le début de la première guerre des Balkans, il écrit à Sazonov pour
lui proposer que la Russie se joigne à la France et à la Grande-Bretagne
afin de prévenir une intervention autrichienne dans le conflit [198]. Cette
ouverture est si inattendue qu'Izvolski doit écrire à son ministre pour la
lui expliquer : jusqu'à une période récente, le gouvernement français refusait de se laisser entraîner dans ce qu'il considérait comme des problèmes
purement balkaniques, mais il a depuis peu changé d'opinion. Paris
reconnaît désormais que « toute conquête territoriale effectuée par
l'Autriche-Hongrie romprait l'équilibre européen et *affecterait les intérêts
vitaux de la France* ». (Ceci constitue une inversion complète des arguments précédemment utilisés par les Français pour justifier leur manque
d'intérêt dans la crise de l'annexion bosniaque.) L'approche volontariste
de Poincaré, conclue Izvolski, signifie qu'« un nouvel état d'esprit » règne
au Quai d'Orsay. Il conseille donc à Sazonov d'en profiter sans tarder
pour obtenir le soutien de la France et de la Grande-Bretagne pour
l'avenir [199].

À la mi-novembre, Sazonov, qui s'attend à une possible attaque autrichienne sur la Serbie (ou du moins sur les troupes serbes stationnées en Albanie), désire savoir comment Paris et Londres réagiraient en cas d'intervention militaire russe. Sans surprise, Grey reste évasif : la question étant purement académique, « l'on ne pouvait se prononcer sur un cas de figure hypothétique qui ne se posait pas encore [200] ». À l'inverse, Poincaré réagit en demandant des précisions à Sazonov : quelles étaient les intentions précises du gouvernement russe ? Elles devaient être clairement formulées sinon « le gouvernement français risquait de rester en deçà ou au contraire d'aller au-delà des attentes de son allié ». Les Russes ne devaient pas un instant douter du soutien de la France en cas de crise dans les Balkans : « Si la Russie entre en guerre, la France fera de même, parce que nous savons que le cas échéant, l'Allemagne soutiendra l'Autriche [201]. » Au cours d'une conversation avec l'ambassadeur italien à Paris quelques jours plus tard, Poincaré confirme que « si la querelle austro-serbe devait dégénérer en conflit généralisé, la Russie pouvait compter sur le soutien militaire de la France [202] ».

Dans ses Mémoires, Poincaré nie vigoureusement avoir tenu de tels propos [203], et il faut reconnaître qu'Izvolski n'est pas un témoin totalement impartial – lui, dont la carrière à Saint-Pétersbourg a été brisée par sa mauvaise gestion de l'annexion bosniaque, diplomate tombé en disgrâce qui a dû quitter ses hautes responsabilités et demeurera toujours obsédé par la soi-disant perfidie d'Aehrenthal et de l'Autriche. Se peut-il qu'il ait menti afin de renforcer la résolution de son collègue (et ancien subordonné) Sazonov ? Ou qu'il ait exagéré les engagements du président du Conseil français – comme ce dernier lui-même le suggérera plus tard – afin de faire valoir son rôle dans la consolidation de l'Alliance ?

Ce sont des suppositions plausibles, mais les preuves semblent indiquer qu'elles ne sont pas exactes. Par exemple le 12 septembre, Izvolski écrit que, lors d'un entretien avec Poincaré, ce dernier lui a affirmé que les Français sont confiants de remporter la victoire en cas d'escalade continentale d'un conflit balkanique. Cet optimisme est corroboré par un mémorandum triomphaliste de l'état-major français, en date du 2 septembre, un document dont Izvolski ne peut pas avoir eu connaissance ; ce qui suggère, à tout le moins, que la conversation a bien eu lieu [204]. L'inquiétude de Poincaré quant au risque de brûler les étapes paraît authentique – il exprimera des doutes identiques dans son journal intime pendant la crise de juillet 1914. Et il y a d'autres témoins, tel l'ancien président du Conseil et ministre des Affaires étrangères Alexandre Ribot, juriste brillant et spécialiste de science politique, qui rencontre Poincaré plusieurs fois à l'automne 1912. Dans une note privée datée du 31 octobre 1912, Ribot écrit : « Poincaré ne pense pas que la Serbie évacuera Üsküb, et si l'Autriche intervient, la Russie ne pourra pas ne pas intervenir. L'Allemagne et la France seront obligées, par les traités qu'elles ont signés, d'entrer en scène. Le Conseil des ministres en a délibéré et a décidé que la France devait remplir ses engagements [205]. »

Le changement de stratégie de Poincaré suscite des réactions mitigées parmi les principaux hommes politiques et hauts fonctionnaires. Sa méfiance à l'égard de l'Allemagne et son interprétation élargie du *casus fœderis* trouvent un écho favorable chez ceux des fonctionnaires influents du Quai d'Orsay qui partagent la même culture acquise à Sciences-po et pour qui sympathie proslave et hostilité anti-allemande sont des principes de base. Il a également le soutien de la plupart du haut commandement de l'armée. Dans son mémorandum du 2 septembre 1912 (celui-là même que Poincaré cite dans ses conversations avec Izvolski), le colonel Vignal du deuxième bureau de l'état-major général démontre au président du Conseil qu'une guerre commencée dans les Balkans mettrait les pays de l'Entente dans les meilleures conditions pour l'emporter. Puisque les Autrichiens seraient engagé sur le théâtre balkanique, l'Allemagne serait obligée de redéployer une partie substantielle de ses forces pour défendre son front oriental contre la Russie, affaiblissant ainsi ses capacités offensives à l'ouest. Dans ces circonstances, « ce serait la Triple-Entente qui aurait les chances de succès les meilleures et pourrait parvenir à une victoire lui permettant de redessiner la carte de l'Europe, en dépit de quelques succès autrichiens dans les Balkans [206] ».

D'autres, en revanche, se montrent plus critiques. L'ambassadeur à Londres, Paul Cambon, est consterné par l'attitude de provocation adoptée par Poincaré contre l'Autriche-Hongrie au début de la première guerre des Balkans. Le 5 novembre 1912, au cours d'un séjour à Paris, Paul écrit à son frère Jules pour déplorer que *Le Temps* ait publié un article ostensiblement « inspiré » par Poincaré, qui défie ouvertement Vienne sans « aucune nuance, aucune patience, aucune précaution ». Il rapporte également une conversation avec Poincaré au soir du samedi 2 novembre. Cambon a osé suggérer que la France puisse envisager d'autoriser l'Autriche à s'emparer d'une partie du sandjak de Novi Pazar, « ce tas de cailloux », en échange de l'assurance que cette dernière renonce à tout autre territoire dans les Balkans. La réponse du président du Conseil l'a stupéfait : « Il était impossible de laisser une puissance [l'Autriche] qui n'avait pas fait la guerre, qui n'avait aucun droit, etc. obtenir un avantage ; cela soulèverait l'opinion en France et constituerait un échec pour la Triple-Entente ! » La France, avait poursuivi Poincaré, « qui avait tant fait depuis le commencement de la guerre » – ici Cambon insère un point d'exclamation entre parenthèse – « serait obligée de demander aussi des avantages, une île dans la mer Égée par exemple ». Le lendemain matin, dimanche 3 novembre, Cambon, qui n'en a visiblement pas dormi de la nuit, retourne voir Poincaré afin de lui faire part de ses objections. Le sandjak ne mérite pas un conflit armé, et une île en mer Égée causera plus de problèmes qu'elle n'en vaut la peine. Cambon ne croit pas non plus que Poincaré, comme il le prétend, ait agi sous la pression de « l'opinion ». Au contraire, l'opinion est « indifférente » à de telles questions – il est important que le gouvernement ne crée pas lui-même « un courant d'opinion qui rendrait la solution impossible », avertit Cambon. Mais Poincaré ne veut rien entendre et met fin à la discussion :

> « J'ai soumis mes vues au gouvernement en conseil, m'a-t-il dit sèchement, il les a approuvées, il y a une décision du cabinet, on ne peut y revenir.
> — Comment, on ne peut y revenir ? ai-je répondu, sauf deux ou trois ministres, les membres du cabinet ne connaissent rien de la politique étrangère, et la conversation peut toujours rester ouverte sur les questions de ce genre.
> — Il y a une décision du gouvernement, a-t-il répliqué très sèchement, il est inutile d'insister [207]. »

Ce qui est intéressant dans cet échange, ce n'est pas son sujet, puisque loin de s'emparer ou de réclamer une partie du sandjak l'Autriche retire ses troupes de la zone et l'abandonne aux États voisins, Serbie et Monténégro. L'affaire est réglée, puis oubliée. Ce qui est bien plus significatif, c'est le sentiment que la France est désormais directement et profondément concernée par les conflits balkaniques – ce que laissent entendre les remarques du président du Conseil, en particulier la notion étrange que l'abandon du sandjak aux Autrichiens obligerait Paris à réclamer « une île de la mer Égée » en échange. Plus inquiétant encore pour l'avenir, la lettre de Cambon – tout comme la note de Ribot – donne le sentiment que la politique française dans les Balkans ne consiste plus à improviser des réactions en fonction de situations nouvelles, mais qu'elle est désormais gravée dans le marbre, qu'elle consiste en une série de « décisions » sur lesquelles « on ne peut revenir ».

Paris force le pas

Dans une lettre du 19 décembre 1912, le colonel Ignatiev, attaché militaire russe à Paris, rapporte une longue et instructive conversation avec Alexandre Millerand, le ministre français de la Guerre. Millerand l'interroge au sujet des renforts autrichiens envoyés sur les frontières avec la Serbie et la Galicie :

MILLERAND. – D'après vous, quel est l'objectif de la mobilisation autrichienne ?

MOI [IGNATIEV]. – Il est difficile de faire des prédictions à ce sujet, mais sans aucun doute les préparatifs autrichiens vis-à-vis de la Russie n'ont eu, jusqu'à présent, qu'un caractère défensif.

MILLERAND. – Soit. Mais ne pensez-vous pas que l'occupation de la Serbie * était une sommation [*vyzov*] directe destinée à vous faire entrer en guerre ?

MOI. – Je ne peux répondre à cette question, mais je sais que nous ne souhaitons aucunement une guerre en Europe, ni prendre la moindre décision qui puisse provoquer un conflit européen.

MILLERAND. – Donc, vous abandonnerez la Serbie à son sort ? C'est, bien évidemment, votre affaire. Mais il faut qu'il soit clair que ce n'est en aucune manière de notre faute. Nous sommes prêts [*My gotovy*] [208].

Ignatiev note que Millerand semble « perturbé » voire « agacé » par ses réponses prudentes. Le ministre français insiste : il ne s'agit pas seulement de l'Albanie, des Serbes ou de Durazzo, mais de l'hégémonie autrichienne sur toute la péninsule balkanique – une question qui, assurément, ne peut laisser le gouvernement russe indifférent [209].

De la part du ministre français de la Guerre, socialiste respecté mais novice en matière de politique étrangère, un homme qui a consacré sa carrière aux questions sociales (retraite, éducation, conditions de travail) et non à la géopolitique, ces remarques ont quelque chose de surprenant. Certes, en 1912, ce proche de Poincaré – ils se sont connus au lycée – est devenu l'un des leaders du renouveau national français. Admiré de beaucoup pour sa ténacité, son zèle et son ardent patriotisme, il cherche non seulement à renforcer le moral des militaires et à consolider l'autonomie du haut commandement, mais également à instiller dans l'opinion publique un esprit martial [210]. Ses déclarations à Ignatiev reflètent une attitude largement répandue parmi les décideurs français pendant la crise balkanique de l'hiver 1912-1913. « Le général Castelnau, raconte Ignatiev, m'a dit à deux reprises qu'il est personnellement prêt à faire la guerre et même qu'il souhaiterait qu'elle se déclenche. » Bien entendu, l'ensemble du gouvernement français « est tout prêt à nous soutenir non seulement par la voie diplomatique, mais si nécessaire par la force des armes ». La raison, d'après lui, réside dans la certitude des Français qu'une guerre balkanique leur fournirait le point de départ le plus avantageux en cas de conflit généralisé, puisqu'elle forcerait l'Allemagne à concentrer ses moyens militaires contre la Russie, « laissant la France la prendre à

---

* Ce que veut dire Millerand ici n'est pas clair, puisqu'en 1912 la Serbie n'est pas « occupée » par l'Autriche. Il fait probablement référence à l'annexion de la Bosnie, auquel cas le terme rapporté ici est de la plume d'Ignatiev.

revers [211] ». De fait, les messages envoyés par Paris à Saint-Pétersbourg en novembre et décembre 1912 sont si enthousiastes que Sazonov en personne demande aux Français, de façon discrète, de modérer leur ardeur [212].

C'est Poincaré qui coordonne l'ensemble de cette politique. Alors qu'avant lui de nombreux ministres des Affaires étrangères et Premiers ministres se sont succédé sans imprimer leur marque sur la politique étrangère française, il fait exception. Il utilise sa double fonction de président du Conseil et de ministre des Affaires étrangères pour parer toute opposition gênante. Il arrive régulièrement tôt à son bureau du Quai d'Orsay, signalant ainsi clairement le sérieux de ses intentions à un ministère connu à l'époque pour sa nonchalance. Il tient à lire et annoter les dossiers lui-même, ainsi qu'à ouvrir son propre courrier. On dit que c'est lui qui rédige parfois certaines de ses dépêches. Il tolère mal la suffisance des ambassadeurs qui, fait-il remarquer avec humeur en janvier 1914, ont tendance à trop facilement adopter le point de vue du gouvernement auprès duquel ils sont accrédités [213]. Afin d'assurer sa mainmise sur le Quai d'Orsay, Poincaré – comme Delcassé au début du siècle – s'entoure d'un cabinet de conseillers fidèles et loyaux.

En janvier 1913, il est élu président de la République, devenant ainsi le premier homme politique à passer directement du poste de chef de gouvernement à celui de chef d'État. Paradoxalement, cela implique en théorie une diminution de sa capacité à définir la politique étrangère, car d'après la coutume et les précédents, et en dépit de prérogatives très étendues, la présidence n'est pas un lieu de pouvoir extrêmement important. On attend du président, élu par les deux chambres du Parlement, qu'il soit « un ramasseur de quilles dans un boulodrome » et remette sur pied les cabinets que la Chambre fait régulièrement tomber [214]. Mais l'ancien président du Conseil n'a nullement l'intention d'abandonner les rênes du pouvoir ; avant même son élection, Poincaré a clairement indiqué son intention d'exploiter au maximum les moyens constitutionnels dont dispose la présidence. Sa profonde connaissance du droit constitutionnel assure qu'il le fera avec un certain panache. En 1912, il a même publié un traité de sciences politiques dans lequel il affirme que les pouvoirs du président – dont le droit de dissoudre le Parlement – sont un facteur important d'équilibre des pouvoirs et que le président doit, à juste titre, jouer un rôle de première importance en matière de politique étrangère [215].

Après son élection à la présidence de la République, Poincaré utilise donc son influence pour peser sur le choix des ministres et s'assurer que son successeur au Quai d'Orsay soit un homme peu puissant, inexpérimenté ou qui partage sa vision diplomatique et stratégique – voire mieux encore, quelqu'un qui cumule ces trois caractéristiques. Charles Jonnart, qui lui succède jusqu'en mars 1913, en est le parfait exemple : ancien gouverneur général d'Algérie, il ne connaît pratiquement rien aux relations extérieures et doit donc s'appuyer sur le protégé de Poincaré, Michel Paléologue, chef du service politique du Quai d'Orsay, pour la gestion des affaires courantes [216]. « Je continue à superviser Jonnart », écrit Poincaré dans son journal intime le 26 janvier 1913. « Je vais au Quai d'Orsay chaque matin [217]. »

Tandis que les leaders français étendent le champ d'application de l'Alliance franco-russe pour couvrir la Russie en cas d'éventuels incidents dans les Balkans, les dispositions de la Convention militaire franco-russe subissent également d'importantes modifications. Le commandement français s'était inquiété du plan de déploiement présenté par Soukhomlinov en 1910, qui déplaçait le cœur du dispositif russe hors du saillant polonais pour le ramener en territoire russe, à plusieurs centaines de kilomètres plus à l'est. Ceci avait pour conséquence d'allonger les délais entre la mobilisation et le déclenchement d'une offensive vers l'ouest, rendant nulle la présomption de simultanéité garantie dans le texte de la Convention [218]. Au cours des consultations annuelles entre états-majors russe et français en 1911, les délégués français avaient pressé leurs homologues russes de questions sur ce point. La réponse du chef d'état-major Yakov Jilinski n'avait guère été rassurante : tout en promettant que les forces armées russes feraient les efforts nécessaires pour passer à l'offensive le plus rapidement possible à partir du quinzième jour de la mobilisation, il avait concédé que l'armée russe ne serait pas totalement équipée en artillerie de campagne et en mitrailleuses avant 1913 ou 1914 [219].

Plusieurs questions dominent donc les discussions entre états-majors russe et français à l'été 1912 et 1913 : combien d'hommes la Russie mobilisera-t-elle en cas de *casus fœderis* ? Dans quel délai ? Et dans quelle direction les déploiera-t-elle ? En juillet 1912, le chef d'état-major Joseph Joffre demande aux Russes de doubler leurs voies de chemin de fer menant aux frontières prussienne et galicienne. Certaines lignes stratégiques majeures doivent même être quadruplées pour permettre des transports de troupes plus rapides. La Convention navale franco-russe de juillet 1912, élaborée au cours de ces discussions, doit également permettre une coopération et une coordination plus grandes entre les deux marines. Progressivement, les engagements russes s'approfondissent : alors qu'en 1912, Jilinski promettait d'attaquer l'Allemagne avec huit cent mille soldats au quinzième jour de la mobilisation, en 1913, il peut s'engager à réduire cet intervalle de deux jours, une fois que les améliorations seront achevées [220]. Reste un motif d'inquiétude pour les Français : dans quelle direction la mobilisation russe se fera-t-elle ? Les minutes des négociations entre états-majors conservent la trace des tentatives répétées des officiers français de convaincre les Russes que l'ennemi principal, c'est l'Allemagne et non l'Autriche. Car si les Français sont prêts à reconnaître la légitimité d'un *casus fœderis* balkanique, l'alliance militaire ne sert à rien, selon eux, si les Russes déploient le gros de leurs forces contre l'Empire des Habsbourg et laissent les Français affronter seuls une offensive massive des Allemands à l'ouest. Quand la question est posée au cours de la réunion de 1912, Jilinski objecte que les Russes, eux aussi, doivent faire face à d'autres menaces : les Autrichiens ont amélioré leurs voies de chemin de fer stratégiques et il est hors de question, étant donné l'importance de cette région pour le moral de la nation, de prendre le risque d'une défaite dans les Balkans. La Suède représente une autre menace potentielle, sans compter la Turquie. Mais Joffre insiste : « *l'anéantissement des forces de l'Allemagne* » résoudra tous les problèmes auxquels l'Alliance franco-russe est confrontée. Il est essentiel de se concentrer sur cet objectif « à tout prix [221] ». Une note rédigée après coup par l'état-major français résume ainsi l'issue des négociations : « Le commandement russe considère l'armée allemande comme l'adversaire principal [222]. »

Pour sa part, Poincaré fait ce qu'il peut pour accélérer cette montée en puissance de la partie russe de l'Alliance. Avant sa visite à Saint-Pétersbourg en août 1912, il demande à Joffre quelles sont les questions qu'il doit aborder avec ses hôtes : le chef d'état-major lui recommande de « parler de l'amélioration des chemins de fer, sans rien mentionner d'autre [223] ». Une fois à Saint-Pétersbourg, le président du Conseil français revient à la charge sur cette question auprès de chacun de ses interlocuteurs, qu'il s'agisse du tsar (qu'il informe de « notre intérêt dans les améliorations réclamées par notre état-major ») ou de Sazonov (à qui il explique « la nécessité des doublements et quadruplements de voie ») ou d'autres interlocuteurs encore [224]. Les notes de Poincaré permettent également d'entrevoir la lutte pour le pouvoir qui oppose Kokovtsov et les militaires au sein du gouvernement russe. Le Premier ministre russe n'est pas convaincu par cette stratégie offensive dans les Balkans et, en tant que ministre des Finances, il n'est pas enthousiaste à l'idée d'emprunter massivement pour améliorer des lignes de chemin de fer au potentiel commercial limité. Quand il répond aux demandes de Poincaré en faisant observer que la question de l'amélioration des chemins de fer « était à l'étude », ce dernier insiste : « Cette étude est extrêmement urgente car il est probable que l'issue de la guerre se jouera à la frontière germano-russe. » On peut facilement imaginer ce que Kokovtsov pense de cette présomption que la guerre est imminente. Poincaré se contente de noter que son interlocuteur semble « piqué » à l'idée que le commandement russe utilise le soutien du gouvernement français pour se voir attribuer des crédits militaires sans avoir à consulter le ministre des Finances, c'est à dire lui-même, directement[225]. Au cours de son séjour, Poincaré saisit toutes les occasions de faire pression sur les Russes pour qu'ils accélèrent leur réarmement[226].

Les Français appliquent d'ailleurs chez eux ce qu'ils prêchent aux Russes. La nomination de Joseph Joffre comme chef d'état-major en juillet 1911, au plus fort de la crise d'Agadir, place la stratégie française dans les mains d'un partisan de la théorie de « l'école offensive ». Auparavant, les stratèges français considéraient généralement un éventuel conflit avec l'Allemagne dans une perspective défensive : les plans de campagne XV (1903) et XVI (1909) envisageaient tous deux des déploiements défensifs dans une première phase des opérations, suivis d'une contre-offensive décisive une fois les intentions de l'adversaire connues – à la manière du plan russe de déploiement présenté par Soukhomlinov en 1910. Mais Joffre, qui a modifié le plan XVI, prévoit d'attaquer le territoire allemand en passant par l'Alsace, persuadé que « seule l'offensive permet de briser la volonté de l'adversaire ». Il travaille de manière beaucoup plus active avec ses partenaires de l'Alliance et de l'Entente que ses prédécesseurs. C'est lui qui est au cœur des initiatives françaises pendant les réunions entre états-majors des années 1911, 1912 et 1913 ; son partenariat avec son homologue russe Jilinski est un facteur décisif de leur succès. D'intenses discussions ont également lieu avec les Britanniques, et tout particulièrement le major-général Henry Wilson. Joffre est le premier stratège français à intégrer le corps expéditionnaire britannique dans son dispositif – modifiant le plan XVI pour y inclure des clauses détaillées sur la concentration des forces britanniques le long de la frontière belge[227].

En Joffre, Poincaré a donc trouvé le partenaire idéal de sa stratégie. Bien évidemment subsistent des points de désaccord, dont le plus important concerne la question de la neutralité belge. Des documents allemands révélés par la presse ainsi que des renseignements militaires suggèrent qu'en cas de conflit, les Allemands attaqueraient la France en passant par la Belgique, pays neutre. Le 21 février 1912, Poincaré, tout juste nommé président du Conseil, convoque une réunion informelle au Quai d'Orsay pour passer en revue les dispositifs de défense. Joffre préconise de mener une offensive préemptive en traversant le territoire belge, seul moyen, explique-t-il, de contrebalancer l'infériorité numérique des Français par rapport aux Allemands. Les Belges comprendraient certainement la nécessité d'une telle mesure, et des signes récents de refroidissement dans les relations germano-belges suggéraient qu'un accord préalable pouvait être trouvé avec la Belgique. Mais Poincaré refuse catégoriquement de considérer les arguments de Joffre, au motif qu'une invasion de la Belgique risquerait d'aliéner l'opinion publique britannique, mettant ainsi Grey dans l'incapacité de tenir ses promesses vis-à-vis de Paris. C'était là une démonstration frappante de la primauté de l'autorité civile sur l'autorité militaire dans la République française, mais également de la clairvoyance et du génie de Poincaré, capable de combiner une interprétation extrêmement agressive du *casus fœderis* à l'est de l'Europe avec une stratégie défensive aux frontières de la France. C'est ainsi que Paris résolvait le dilemme auquel plusieurs des belligérants de 1914 étaient confrontés, à savoir « la nécessité paradoxale de débuter une guerre défensive en lançant une offensive [228] ».

Après que Poincaré est devenu président de la République, les engagements de la France se radicalisent encore davantage. La nomination de Théophile Delcassé au poste d'ambassadeur à Saint-Pétersbourg au printemps 1913 en est un signal parfaitement clair. Delcassé ne restera pas à ce poste très longtemps – lui-même avait déclaré dès le début qu'il n'avait pas l'intention de demeurer à Saint-Pétersbourg après les élections françaises de 1914. Néanmoins, le choix de cet ancien ministre des Affaires étrangères, personnalité éminente d'une grande expérience, qui avait dû quitter son poste au milieu de la première crise marocaine, ne laisse guère de doute quant à l'orientation de la politique française. Avec Delcassé à Saint-Pétersbourg et Izvolski à Paris, les deux partenaires de l'Alliance sont représentés par des ambassadeurs animés d'un fort ressentiment personnel contre l'Allemagne. Delcassé est devenu encore plus germanophobe au cours des dernières années : en route pour Saint-Pétersbourg, il croise Jules Cambon à Berlin, où l'on remarque qu'il refuse de descendre du train pour ne pas avoir à fouler le sol allemand [229]. Le nouvel ambassadeur est également réputé pour sa compétence dans le domaine des chemins de fer stratégiques (c'était lui qui, au Quai d'Orsay au tournant du siècle, avait incité l'Empire russe à construire des lignes ferroviaires en Asie centrale contre l'Empire britannique [230] !). Rien d'étonnant alors à ce que la presse russe salue favorablement la nouvelle de sa nomination, notant que son « tempérament combatif » sera un atout pour la Triple-Entente [231]. La lettre de créance auprès du tsar, rédigée par Poincaré, annonce que l'objectif du nouvel ambassadeur sera de « resserrer encore davantage les liens de l'Alliance franco-russe », avant de poursuivre par l'inévitable rappel de l'importance de renforcer aussi vite que possible les lignes ferroviaires stratégiques vers les frontières occidentales de l'Empire russe [232]. Ignatiev rapporte à ce propos que Delcassé avait reçu l'autorisation du gouvernement français « de nous accorder tous les prêts financiers dont nous aurions besoin pour atteindre cet objectif [233] ».

Pendant son bref séjour (du 23 mars 1913 au 30 janvier 1914), Delcassé travaille avec la même ardeur que toujours. Il est si occupé qu'on le voit rarement participer à la vie mondaine de Saint-Pétersbourg. Dès sa première audience avec le tsar, le lendemain de son arrivée, il insiste sur « la nécessité d'achever la construction du réseau ferré conformément au souhait du chef d'état-major français », puis prend l'initiative inhabituelle de réclamer directement que les fonds nécessaires soient fournis par Kokovtsov [234]. Pendant son séjour à Saint-Pétersbourg, Delcassé ne rencontre pratiquement personne à part Sazonov et Kokovtsov. Même l'ambassadeur britannique a du mal à obtenir un entretien avec lui. « C'est moi qui dirige la politique étrangère russe », se vante-t-il auprès de ses collègues français. « Les gens ici n'y connaissent rien [235]. » Delcassé supervise les négociations qui aboutiront à un nouveau prêt colossal de deux milliards cinq cents millions de francs, émis à la Bourse de Paris par des compagnies ferroviaires russes privées sur une période de cinq ans, à raison de cinq cents millions par an, à la condition que les voies ferrées menant au saillant polonais soient renforcées, comme prévu en 1913 au terme des discussions entre états-majors [236]. Maurice Paléologue, son successeur à partir de janvier 1914, sera un homme du même moule, qui aura l'intention de conjuguer renforcement stratégique et approche encore plus ferme de la politique étrangère.

Poincaré sous pression

Pendant les dix-huit premiers mois de sa présidence, avant que la guerre n'éclate, Poincaré renforce l'orientation offensive de la planification stratégique française. Il soutient la campagne pour la loi des Trois Ans, votée par la Chambre des députés et le Sénat à l'été 1913, qui porte les effectifs de l'armée d'active à environ sept cent mille hommes, réduisant ainsi l'écart entre les effectifs français et allemands à cinquante mille hommes, et démontrant aux Russes que les Français ont véritablement l'intention de prendre leur part de l'effort conjoint contre « leur principal adversaire [237] ». En choisissant des ministres accommodants, en prenant le contrôle du Conseil supérieur de la guerre et en utilisant le plus efficacement possible ses pouvoirs au sein du *domaine réservé* (le droit du président à prendre des décisions dans les domaines militaire et diplomatique) Poincaré devient l'un des présidents les plus puissants de toute l'histoire de la Troisième République [238].

Cet activisme prend également une dimension publique. Le chauvinisme de la propagande gouvernementale depuis la formation du ministère Poincaré-Millerand-Delcassé est un thème récurrent des dépêches de l'ambassadeur belge à Paris, le baron Guillaume. Ce dernier est particulièrement frappé de la véhémence de la campagne de soutien à la loi des Trois Ans qui, ayant aidé Poincaré à remporter l'élection présidentielle, se poursuit au même rythme, « sans souci des dangers qu'elle fait naître [239] ». « Ce sont MM. Poincaré, Delcassé et Millerand », observe-t-il en janvier 1914, « qui ont inventé et poursuivi la politique nationaliste, cocardière et chauvine » dont la renaissance caractérise alors la vie publique française. Il y voit « le plus grand péril qui menace aujourd'hui la paix de l'Europe [240] ». En mai 1914, il décrit Poincaré non seulement comme un grand personnage parisien, mais comme un politicien d'envergure nationale qui consolide sa base en province avec beaucoup de persévérance et d'habileté. Excellent orateur, il parcourt la France de long en large pour prononcer d'innombrables discours et reçoit partout un accueil enthousiaste [241].

Malgré ses succès provinciaux, la volatilité intrinsèque du système politique français fragilise la position de Poincaré à Paris. La « valse » des ministres se poursuit, et son protégé, Charles Jonnart, ne peut se maintenir au Quai d'Orsay plus de deux mois. Sous son successeur, l'indolent Stephen Pichon, les effets des mécanismes décrits au chapitre 4 se font à nouveau sentir. Pichon s'aligne sur les ambassadeurs les plus puissants et leurs alliés de la Centrale. Il en résulte un retour temporaire à une attitude plus conciliante – ou moins intransigeante – envers Berlin. Quand le gouvernement Barthou tombe, entraînant dans sa chute Pichon en décembre 1913, Poincaré cherche un homme de paille pour le remplacer. Le nouveau président du Conseil et ministre des Affaires étrangères, Gaston Doumergue, doit promettre avant d'entrer en fonction qu'il conservera la loi des Trois Ans et poursuivra sa politique étrangère. Le président espère que Doumergue, qui n'a aucune expérience en politique internationale, sera obligé d'en référer à lui pour toute question d'importance. Mais cette tactique se retourne contre lui, car si le nouveau président du Conseil est un ardent partisan de l'Alliance franco-russe, il travaille aussi contre Poincaré, installant Joseph Caillaux, son rival de toujours, au ministère des Finances et excluant progressivement le président de toutes les consultations sur la politique étrangère [242].

Poincaré conserve donc des ennemis puissants et peu scrupuleux. Il reste vulnérable à leurs machinations politiques, ce qui devient manifeste en mai 1913 lorsqu'une crise ministérielle éclate après que des télégrammes diplomatiques interceptés ont révélé l'existence de négociations secrètes entre le président et des dignitaires de l'Église catholique. Au printemps 1913, Poincaré et Pichon ont en effet entamé des discussions dans l'espoir d'obtenir l'élection d'un pape favorable à la France. Ceci pourrait sembler tout à fait anodin, étant donné que la France a intérêt à consolider son influence pour exercer son protectorat religieux dans les pays du Levant. Mais de tels contacts entre des hommes politiques de la Troisième République et l'Église catholique restent extrêmement sensibles dans la France d'avant 1914, où l'anticléricalisme est le paramètre de base de toute la culture politique. Ces discussions sont menées dans le plus grand secret, afin d'empêcher les radicaux et leurs alliés de lancer une campagne anticléricale. Mais en avril et en mai 1913, la Sûreté générale du ministère de l'Intérieur intercepte et déchiffre trois télégrammes de l'ambassadeur d'Italie en France faisant référence à des négociations entre Poincaré, Pichon et le Vatican. Le 6 mai, Louis-Lucien Klotz, le ministre de l'Intérieur, les produit au cours d'une réunion du cabinet. Pichon menace de démissionner si les interceptions et les fuites se poursuivent. Les interceptions sont stoppées, mais le mal est fait, car ces documents sensibles peuvent être exploités à l'avenir par des mains peu scrupuleuses afin de salir la réputation de Poincaré en le présentant comme un « cléri-cal » indigne d'exercer des responsabilités publiques.

Le problème prend un autre aspect, plus personnel. Poincaré avait épousé sa femme Henriette – deux fois divorcée – au cours d'une cérémonie stricte-ment civile, comme le devait un haut dirigeant de la Troisième République. Mais en 1913, apprenant que les deux précédents maris d'Henriette sont morts, et par respect pour la mémoire de sa mère récemment décédée et qu'il aimait beaucoup, il cède à l'insistance de sa femme et accepte une célé-bration religieuse, décision que l'opinion anticléricale pourrait dénoncer comme scandaleuse. La cérémonie se déroule dans le plus grand secret, mais Poincaré va désormais vivre sous la menace constante que ne se déclenche une campagne anticléricale qui ruinerait sa popularité. Il confie à un collè-gue qu'on l'espionne pour le dénoncer, jusque dans les murs de l'Élysée où « agents de police, domestiques, huissiers, visiteurs, plus de cent personnes, chaque jour, ont les yeux sur moi, épient tous mes gestes et les colportent plus ou moins exactement [243] ». Il est si inquiet que, pour acheter le silence des principaux radicaux, il prend les grands moyens : au grand dépit des frères Cambon, il offre même l'ambassade de Londres à son ennemi Georges Clemenceau, le leader radical anglophile (qui la refuse [244]). La crainte d'intrigues secrètes et de révélations hostiles continuera à le hanter jusqu'au déclenchement de la guerre.

En d'autres termes, Poincaré demeure vulnérable. Et il semble même qu'au début de l'année 1914 l'homme et sa politique aient fait leur temps : l'*élan* national qui les a portés au pouvoir après la crise d'Agadir commence déjà à refluer, laissant la place à un réalignement nouveau et complexe des forces en présence [245]. Poincaré est « de plus en plus détesté » des socialistes et des radicaux unifiés, et ses adversaires, Clemen-ceau et Caillaux, ne manquent jamais une occasion de l'attaquer et de le provoquer [246]. Mais le plus inquiétant reste la perspective qu'une nouvelle coalition de l'opposition puisse obtenir le retrait de la loi des Trois Ans et par là même affaiblir les liens de l'Alliance franco-russe [247]. Dans un pays marqué par de forts courants d'antimilitarisme – tout particulièrement après l'affaire Dreyfus –, l'extension de la durée du service militaire avait été une mesure extrêmement controversée. Les résultats des élections législatives tumultueuses des 26 avril et du 10 mai 1914 étaient difficiles à interpréter, mais semblaient indiquer que la majorité en faveur de la loi des Trois Ans ne tenait plus qu'un fil. Après la chute du gouvernement Doumergue le 2 juin 1914, Poincaré doit trouver une coalition pour sauver cette loi. Après plusieurs faux départs – dont la chute d'un gouvernement le jour même de sa première intervention à la Chambre, événement extrêmement rare [248] – Poincaré fait alliance avec l'ancien socialiste René Viviani, qui forme un nouveau cabinet le 12 juin, dans lequel dix des dix-sept ministres soutiennent le service militaire de trois ans. Lorsque le gouvernement obtient la confiance de la Chambre le 5 juin, la crise semble surmontée : la loi des Trois Ans a été préservée, du moins pour le moment. Mais qui peut dire combien de temps elle survivra ?

Les évolutions dans d'autres pays constituent autant de sujets d'inquiétude. En 1913 et 1914, les décideurs parisiens prennent de plus en plus conscience de la croissance de la puissance russe. Les observateurs militaires français rapportent les progrès gigantesques de l'armée russe depuis sa défaite contre les Japonais, notant que « le soldat russe est un excellent combattant, endurant, bien entraîné, discipliné et dévoué », et que l'on pouvait s'attendre à ce que l'armée russe l'emporte contre ses « éventuels ennemis [249] ». Les experts financiers français corroborent ces analyses. L'un de ceux qui s'intéressent le plus à l'économie russe est M. de Verneuil, syndic des agents de change à Paris, chargé de l'admission des valeurs mobilières à la Bourse. S'étant longtemps occupé d'entreprises commerciales franco-russes, il se rend à Saint-Pétersbourg pour négocier les conditions d'un nouveau prêt français avec le Premier ministre Kokovtsov. Dans une lettre du 7 juillet 1913, il rapporte ses impressions au ministre des Affaires étrangères Pichon. Verneuil s'était déjà fait une opinion très favorable des progrès de l'économie russe, mais sa récente visite dans la capitale l'a convaincu que la réalité est encore plus impressionnante :

> Il y a là quelque chose de véritablement formidable qui se prépare, dont les symptômes doivent frapper l'esprit des observateurs même les mieux informés. J'ai cette impression très nette que, dans les trente années qui vont suivre, nous allons assister en Russie à un prodigieux essor économique qui égalera, s'il ne le surpasse, le mouvement colossal qui s'est produit aux USA pendant le dernier quart du XIXe siècle [250].

Il n'est pas seul à penser ainsi : en 1914, les rapports du général de Laguiche, l'attaché militaire à Saint-Pétersbourg, évoquent le « colosse » russe, disposant de « ressources inépuisables » et d'une armée de « soldats admirables », doté d'un « pouvoir sans limite ». Après avoir assisté aux manœuvres de cette année-là, Laguiche ne tarit pas d'éloges : « Plus je vais, plus j'admire ce matériel... l'homme russe est supérieur à tout ce que je connais. Il y a là une origine de force et de puissance que je n'ai retrouvée dans aucune armée [251]. » Les articles de presse renforcent encore cette impression : en novembre 1913, *Le Temps* publie un article dans lequel Charles Rivet, correspondant du journal en Russie, déclare :

> On ne saurait trop admirer ce grand effort russe. Il se produit sans apporter le moindre trouble ni la moindre gêne à la prospérité du pays. [...] Alors qu'en France les dépenses militaires nouvelles posent un problème budgétaire, la Russie n'a pas besoin de se mettre en quête d'une source nouvelle de revenus. [...] Dans cette lutte des armements, la Russie est donc mieux préparée que personne à soutenir la concurrence. Le développement de sa population s'accompagne d'une augmentation de la richesse ; ces circonstances permettent de faire face – et pendant longtemps – à des augmentations constantes de contingents et de dépenses ; elle n'arrivera jamais à proposer à ralentir cet accroissement ; les chefs militaires russes n'y sont au reste nullement disposés.

Parmi les admirateurs de cette Russie se trouve Poincaré lui-même [252].

Tout ceci constitue, à première vue, de bonnes nouvelles pour l'Alliance franco-russe. Mais à Paris cette vision fait aussi naître des doutes persistants : et si la Russie devenait suffisamment riche et puissante pour pouvoir se passer de la France et assurer sa sécurité sans son aide ? À tout le moins, une croissance aussi rapide finirait par faire pencher la balance, au sein de l'Alliance, au détriment de Paris car, comme le fait remarquer le général de Laguiche en février 1914, « moins la Russie aura besoin des autres nations, plus elle s'affranchira par la suite de notre pression [253] ». Rétrospectivement, ce sentiment d'appréhension peut nous sembler risible : il est fondé sur une surestimation absurde des progrès économiques et de la puissance militaire russes [254]. Mais ces scénarios erronés sont bien réels pour ceux qui les perçoivent ; combinés à d'autres facteurs dans un environnement en rapide évolution, ils suggèrent que les moyens alors disponibles pour contenir l'Allemagne pourraient bien ne plus exister à plus ou moins court terme.

Au cours des dernières semaines de juin 1914, à sa grande surprise, Poincaré est toujours au pouvoir. Sa stratégie politique est sanctuarisée – du moins tant que le gouvernement se maintient. René Viviani, homme politique et parlementaire d'expérience, est un néophyte en matière de relations internationales : si une crise survenait, le président n'aurait aucun mal à mener la politique étrangère. La stratégie militaire offensive et l'engagement de soutenir un *casus fœderis* balkanique demeurent intacts. Mais à moyen et à long terme, l'avenir de Poincaré et celui de sa politique semblent incertains. Ce sentiment mêlé de puissance présente et de vulnérabilité future influencera la façon dont Poincaré fera face à la crise déclenchée par les coups de feu fatals que Gavrilo Princip tirera le 28 juin à Sarajevo. Et comme de nombreux décideurs pris dans la tourmente de ces événements, Poincaré aura le sentiment de mener une course contre la montre.

6

DERNIÈRES CHANCES : DÉTENTE ET DANGERS
1912-1914

« Depuis mon arrivée au Foreign Office [1], écrit Arthur Nicolson dans les premiers jours de mai 1914, la mer n'a jamais été aussi calme. » Ces remarques attirent notre attention sur l'un des traits les plus curieux des deux dernières années de l'avant-guerre : alors même que la course aux armements s'accélère et que certains leaders militaires et civils adoptent des attitudes de plus en plus martiales, le système international européen dans son ensemble fait preuve d'une capacité surprenante à gérer les crises et favoriser la détente. La perspective d'une guerre généralisée est-elle en train de s'éloigner au cours des dix-huit derniers mois qui précèdent le déclenchement de la Première Guerre mondiale ? Ou bien les phénomènes de détente ne servent-ils qu'à dissimuler l'approfondissement des antagonismes structurels entre les grands blocs d'alliance ? Si cette dernière hypothèse est exacte, comment les processus impliqués dans la détente ont-ils interférés avec les facteurs de causalité qui rendront possible un conflit généralisé en 1914 ?

Les limites de la détente

Durant l'été 1912, accompagnés de leurs plus hauts dignitaires, le Kaiser et le tsar se rencontrent pour des consultations informelles à Port Baltiski (Paldiski), port militaire russe sur la péninsule de Pakri, au nord-ouest de l'Estonie actuelle. L'événement, organisé pour rendre la visite que le tsar a effectué à Potsdam en 1910, se déroule extrêmement bien. Tandis que les deux monarques se promènent, dînent ensemble ou passent les troupes en revue, leurs ministres abordent toute une série de sujets au cours d'une série d'entretiens informels. C'est la première fois que Kokovstov et Bethmann-Hollweg se rencontrent : conservateurs modérés mais convaincus, ces deux hommes également réservés éprouvent une sympathie immédiate et réciproque. Lors de conversations franches et détendues, les deux Premiers ministres abordent la question du réarmement de leurs deux pays. S'assurant mutuellement de la nature fondamentalement défensive de leurs intentions, ils tombent d'accord pour dire que l'augmentation des dépenses militaires est profondément regrettable car elle perturbe l'opinion publique. Il faut espérer, remarque Bethmann, que « tous les pays aient tant d'intérêts communs qu'ils considèrent les armements uniquement comme une mesure de prévention, sans avoir l'intention de s'en servir [2] ».

Les conversations entre Bethmann et le ministre des Affaires étrangères Sazonov, qui portent sur des sujets encore plus divers, sont également marquées par le même désir de conciliation. Abordant l'instabilité croissante de la péninsule balkanique, Sazonov assure Bethmann que « la mission » de la Russie vis-à-vis des nations slaves chrétiennes ayant été historiquement accomplie, elle est devenue obsolète. La Russie, déclare-t-il, n'a aucune intention d'exploiter les difficultés actuelles de l'Empire ottoman. De son côté, Bethmann lui affirme que, bien que l'Allemagne soit parfois accusée de vouloir interférer dans les affaires internes de l'Entente, rien n'est plus étranger à ses souhaits. Au contraire, il ne voit rien qui empêche l'Allemagne de cultiver des relations amicales avec les pays de l'Entente. « Qu'en est-il de l'Autriche ? » s'enquiert Sazonov à la fin de la conversation. Bethmann le tranquillise : il ne saurait être question d'une politique autrichienne agressive dans les Balkans. « L'Autriche ne sera donc en aucun cas encouragée par l'Allemagne ? » demande alors Sazonov, ce à quoi Bethmann lui répond que Berlin n'a pas la moindre intention de soutenir une politique viennoise aventureuse. Les deux hommes tombent d'accord pour conclure qu'institutionnaliser la tenue de telles rencontres au sommet tous les deux ans serait une excellente idée [3].

De façon tout à fait surprenante, même le Kaiser se montre sous son meilleur jour à Port Baltiski. Le tsar, lui, appréhende toujours de rencontrer son cousin allemand si loquace – il n'aimait pas dire ce qu'il pensait car, selon Kokovtsov, « il craignait la volubilité de l'empereur d'Allemagne, si étrangère à sa propre nature [4] ». Dans une note rédigée avant la rencontre, l'ambassadeur allemand à Saint-Pétersbourg, le comte Pourtalès, a instamment demandé que l'on incite le Kaiser à s'abstenir d'aborder des sujets polémiques et à adopter une « attitude d'écoute », autant que possible, afin que le tsar puisse placer un mot [5]. Pendant la majeure partie de la visite, le Kaiser fait preuve d'une maîtrise de soi remarquable. Il n'y a que quelques impairs : à l'issue du premier déjeuner à bord du *Standart*, le yacht du tsar, Guillaume II prend Sazonov à part pour lui parler de ses relations avec ses parents, ou plus exactement lui en infliger

Le comte Vladimir Kokovtsov

le récit – des parents qui, affirme-t-il, ne l'ont jamais aimé. Sazonov considère cet épisode comme l'illustration choquante de « la tendance marquée de l'empereur d'Allemagne à dépasser les bornes imposées par la réserve et la dignité que devrait respecter une personnalité de si haut rang [6] ». Le deuxième jour, par une chaleur accablante, au cours de la visite des fortifications en ruine construites par Pierre le Grand, Guillaume II, oubliant à nouveau ses instructions, entreprend Kokovtsov sur l'une de ses dernières marottes : l'importance de créer un consortium pétrolier paneuropéen qui puisse rivaliser avec l'American Standard Oil. Kokovtsov se rappellera que la conversation « prit un tour extrêmement animé et se poursuivit bien au-delà des limites fixées par l'étiquette » :

> Le soleil était brûlant. Le tsar ne voulait pas interrompre notre conversation, mais me faisait des signes d'impatience dans le dos de l'empereur Guillaume. Finalement, le tsar sembla perdre patience et s'approchant de nous, se mit à écouter notre conversation. Sur quoi l'empereur Guillaume se retourna vers lui pour lui dire (en français) : « Votre président du Conseil refuse de prêter une oreille sympathique à mes idées, et je ne veux pas lui permettre de demeurer sceptique. Je veux que vous me permettiez de lui prouver que j'ai raison en lui communiquant des données collectées à Berlin, et quand je serai prêt, j'aimerais que vous m'autorisiez à reprendre cette conversation avec lui [7]. »

Il faut se représenter la scène : le soleil aveuglant sur les ruines du vieux fort, Kokovtsov en habit, mourant de chaleur, le Kaiser, visage rougi, moustaches tremblantes alors qu'il s'échauffe et gesticule dans sa démonstration, indifférent à l'inconfort de ses compagnons et dans son dos, le tsar qui tente désespérément de mettre fin à cette épreuve et de ramener l'ensemble du groupe à l'ombre. L'on ne sait si Guillaume a jamais envoyé à Kokovtsov ces fameuses « données collectées par Berlin » sur les consortiums pétroliers mais on peut en douter – ses accès d'enthousiasme sont aussi brefs qu'intenses. Rien d'étonnant à ce qu'il terrorise tous les monarques d'Europe.

Les impairs de Guillaume II n'entament en rien la bonne humeur des deux délégations et le sommet s'achève dans un climat d'euphorie inattendue. Le communiqué officiel transmis à la presse le 6 juillet déclare que la rencontre s'est déroulée « dans un climat tout particulièrement chaleureux », qu'elle constitue une nouvelle preuve de « l'amitié » qui règne entre les deux monarques et confirme « la ferme résolution » des deux puissances à maintenir « les traditions vénérables qu'elles partagent [8] ».

Port Baltiski marque l'apogée de la détente germano-russe au cours des dernières années avant le déclenchement de la guerre [9]. Cependant, ce qui a été obtenu s'inscrit dans des limites extrêmement étroites. Bien qu'amicales, les conversations n'ont produit aucune décision importante. Le communiqué officiel remis à la presse se contente de généralisations dénuées de contenu, et note explicitement que la rencontre n'a pas donné lieu à « de nouveaux engagements » ni effectué « le moindre changement dans les alliances entre puissances, dont la valeur pour maintenir l'équilibre et la paix avait été prouvée [10] ». Les assurances échangées par Bethmann et Sazonov sur la situation dans les Balkans dissimulent un dangereux déséquilibre : alors que les Allemands prêchent la retenue aux Autrichiens, au point de faire naître des doutes à Vienne sur la solidité de l'engagement de Berlin au sein de la Triple-Alliance, les Russes au contraire font l'inverse auprès de leurs clients balkaniques. Les affirmations de Sazonov à Bethmann – selon lesquelles la Russie n'a aucune intention d'exploiter les difficultés de l'Empire ottoman, « sa mission historique » dans la péninsule appartenant au passé – sont pour le moins trompeuses. S'il s'agit là des bases d'un accord russo-germanique, alors elles sont extrêmement fragiles. Sans compter le fait que les formulations circonspectes du communiqué de Port Baltiski ont suffi à plonger Paris et Londres dans les affres de la paranoïa. Avant comme après la rencontre, le ministère des Affaires étrangères de Saint-Pétersbourg doit redire très clairement à Londres et à Paris que l'engagement russe au sein de la Triple-Entente est tout aussi fort que jamais. En un sens, la tentative de rapprochement de Port Baltiski révèle combien la perspective d'une détente multilatérale est lointaine.

Entre la Grande-Bretagne et l'Allemagne, des contraintes politiques et structurelles analogues empêchent également d'instaurer la moindre détente durable. En février 1912, l'échec de la mission Haldane, qui recherche un accord entre les deux pays sur une limitation de l'armement naval, en apporte la preuve flagrante. À l'origine de cette mission se trouve Bethmann, qui souhaite parvenir à un accord avec la Grande-Bretagne permettant de résoudre les problèmes internationaux (et tout particulièrement coloniaux) par la concertation plutôt que par la compétition ou l'affrontement. D'après le chancelier, c'est l'ambitieux programme de construction navale de l'amiral Tirpitz qui constitue l'obstacle principal à un tel accord. Mais le soutien personnel du Kaiser à ce programme ainsi que la structure prétorienne et morcelée de l'exécutif allemand lui imposent d'avoir recours à des manœuvres détournées pour pouvoir modifier la stratégie en cours. Afin d'affaiblir la prépondérance de Tirpitz, Bethmann s'allie avec l'Amirauté dans le long combat qu'elle mène contre l'office du Reich à la Marine (*Reichsmarinenamt*) – l'Amirauté, en effet, critique la stratégie de Tirpitz qui privilégie le nombre de bâtiments de guerre au détriment de l'éducation et de la formation du personnel de la Marine. Bethmann encourage également l'armée de terre, dont les crédits ont été réduits à la portion congrue par l'augmentation massive du budget de la Marine, à réclamer son réarmement et son expansion [11]. Et bien entendu, il donne l'instruction à Metternich, l'ambassadeur allemand à Londres, de lui fournir les arguments dont il aura besoin pour convaincre le Kaiser que la réduction de la croissance de la flotte aurait un effet de persuasion bien plus grand sur Londres que la démonstration de force et le défi. En résumé, Bethmann joue sur tous les leviers du système pour tenter de rendre la politique de défense du Reich moins tributaire du programme naval.

Tel Caillaux pendant la crise d'Agadir, Bethmann a recours à un intermédiaire extérieur au gouvernement, le grand armateur hambourgeois Albert Ballin, qui va jouer un rôle crucial pour ouvrir un canal de communication. Comme beaucoup d'acteurs majeurs du secteur commercial et financier, Ballin est fermement convaincu des vertus civilisatrices du commerce international, tout comme de la stupidité criminelle qu'il y aurait à déclencher une guerre en Europe. Grâce à ses contacts avec le banquier anglais Sir Ernest Cassel, il peut transmettre à Berlin un message confirmant l'intérêt de principe que la Grande-Bretagne porte à la recherche d'un accord bilatéral sur les problèmes créés par la course aux armements navals et les questions coloniales. En février 1912, Lord Haldane, secrétaire d'État à la Guerre, se rend donc à Berlin pour sonder le terrain.

Pourquoi la mission Haldane est-elle un échec ? La raison n'est pas seulement l'intransigeance des Allemands refusant de réduire significativement leur programme de construction navale, parce que Bethmann comme le Kaiser – malgré ses réticences – sont prêts à des concessions sur ce point [12]. La pierre d'achoppement est bien l'exigence de Berlin d'obtenir une contrepartie tangible, à savoir que la Grande-Bretagne s'engage à rester neutre en cas de conflit entre l'Alliance et une autre puissance continentale. Pourquoi les Britanniques sont-ils si peu disposés à leur accorder cela ? Répondre qu'ils sont liés par les termes de leurs obligations envers la France serait erroné, car Bethmann est disposé à limiter l'accord de neutralité aux seules situations où « l'Allemagne ne pouvait être considérée comme l'agresseur » et à concéder explicitement que l'accord « ne serait applicable que dans la mesure où il ne serait pas inconciliable avec des accords préexistants déjà conclus par les hautes parties contractantes [13] ». La véritable raison des réticences britanniques, c'est le fait – bien compréhensible – que ces derniers n'ont guère envie de céder quoi que ce soit sans rien obtenir en échange : la Grande-Bretagne, qui est en train de gagner la course aux armements navals haut la main, jouit d'une supériorité incontestée dans ce domaine. Or Bethmann et Guillaume II veulent un accord de neutralité en échange de la simple reconnaissance que cette supériorité sera un état de fait permanent. Pourquoi donc la Grande-Bretagne s'engagerait-elle à rester neutre pour obtenir un avantage qu'elle possède déjà [14] ? En somme, ce ne sont pas les navires de guerre et leur nombre qui empêchent l'accord, mais le fait que les deux parties ont des intérêts inconciliables [15].

Haldane revient de Berlin interloqué par la confusion dont il a été le témoin : il est clair, même pour un étranger, que Bethmann n'a réussi à rallier à sa politique ni le Kaiser ni l'office du Reich à la Marine. En Grande-Bretagne également, de puissants intérêts se sont opposés au succès de la mission [16]. Dès le début, elle a été conçue comme une simple entreprise d'exploration. Haldane a été obligé de prétexter une enquête dans le domaine de l'éducation pour couvrir son séjour à Berlin (il présidait alors la Commission royale sur l'enseignement universitaire) et, selon les termes d'un projet de note britannique à destination du gouvernement allemand, il n'était investi « d'aucune autorité pour conclure un accord ni engager aucun de ses collègues [17] ». La mission, avait-il lui-même assuré à Jules Cambon, n'avait pour but que la *détente* et non une *entente* [18]. À Paris, Bertie se démène pour saboter un éventuel accord en communiquant des informations à Poincaré et en incitant le Quai d'Orsay à faire pression sur Londres [19]. Qui plus est, il est révélateur que le diplomate chargé de conseiller Haldane et de lui fournir les documents nécessaires pendant les discussions ait précisément été Sir Arthur Nicolson, qui avait toujours été convaincu que toute concession à l'Allemagne risquait de provoquer l'hostilité des Russes, dont la bienveillance était essentielle à la sécurité de la Grande-Bretagne. Nicolson ne se cachait pas d'être hostile à l'initiative Haldane : « Personnellement, je ne vois pas pourquoi nous devrions abandonner notre excellente position pour nous retrouver impliqués dans des tentatives de nous faire entrer dans je ne sais quels soi-disant "accords" qui fort probablement, voire même très certainement, nuiraient à nos relations avec la France et la Russie », déclare-t-il à Sir Francis Bertie, l'ambassadeur britannique à Paris en février 1912 [20]. Ce dernier l'approuve : la mission Haldane était une « initiative stupide » initiée uniquement pour faire taire les radicaux « qui exigent le départ de Grey [21] ». Elle était donc vouée à l'échec, avant même qu'elle n'ait commencé [22]. Au grand soulagement de Nicolson et de Bertie, Grey refuse d'envisager « une clause de neutralité », ce qui met fin aux consultations. L'ambassadeur britannique Goschen écrit de Berlin à Nicolson pour le féliciter : « Vous avez fait du bon travail [23]. »

Ce que suggère la remarque de Nicolson, c'est que la poursuite de la détente était entravée – du moins en Grande-Bretagne – par la logique des blocs d'alliance, toujours considérée comme le fondement indispensable de la sécurité du pays. La détente pouvait venir en complément de cette stratégie, mais ne pouvait s'y substituer. Sir Edward Grey l'exprime avec élégance devant la Chambre des communes en novembre 1911 : « L'on ne se crée pas de nouvelles amitiés en abandonnant d'anciens attachements. Faisons-nous de nouveaux amis, bien sûr, mais pas au détriment de ceux qui sont déjà nos amis [24]. »

L'échec de la mission Haldane est rapidement oublié, d'autant plus qu'elle n'avait guère suscité d'attentes, et la détente anglo-germanique des années de l'après-Agadir se poursuit. L'impossibilité de conclure un accord naval n'apparaît comme un événement d'importance significatif qu'à la lumière des développements ultérieurs. À l'automne 1912, quand la crise éclate dans les Balkans, le secrétaire d'État allemand aux Affaires étrangères Kiderlen-Wächter propose à Goschen, l'ambassadeur britannique à Berlin, que les deux pays coordonnent leurs réactions pour éviter que les puissances ne se séparent en deux camps hostiles. De son côté, Grey laisse entendre à Bethmann qu'il souhaiterait mener une coopération politique intime avec l'Allemagne [25]. Les deux puissances vont donc collaborer pour mettre sur pied la Conférence des ambassadeurs qui se réunit à Londres entre décembre 1912 et juin 1913, contribuant ainsi à faire accepter des solutions de compromis sur les questions les plus épineuses nées de la première guerre des Balkans, en demandant à leurs partenaires respectifs, la Russie et l'Autriche, de faire preuve de modération [26].

L'Allemagne, tout comme la Grande-Bretagne, a des arrière-pensées : le secrétaire d'État aux Affaires étrangères Jagow, qui poursuit la politique de Kiderlen-Wächter après le décès soudain de ce dernier en décembre 1912, espère que cette collaboration sur les questions balkaniques affaiblira la dépendance de la Grande-Bretagne vis-à-vis des puissances de l'Entente et ouvrira les yeux des Britanniques sur l'agressivité de la stratégie russe dans cette région. De son côté, Grey espère que les Allemands continueront à brider les Autrichiens, empêchant ainsi que des conflits régionaux dans les Balkans ne menacent la paix en Europe. Mais ni l'un ni l'autre ne sont prêts à modifier de façon substantielle leurs stratégies d'alliances respectives. La détente balkanique anglo-allemande n'est fructueuse que parce qu'elle reste étroitement liée à une région où aucune des deux nations n'a d'intérêts fondamentaux. Elle dépend aussi de la volonté des Autrichiens et des Russes de ne pas déclarer la guerre. Extrêmement fragile, dépourvue de contenu réel, elle ne peut survivre que tant que la paix n'est pas sérieusement menacée.

Nous pourrions donc en conclure que le développement de la détente était limité par la persistance des blocs d'alliance. Ce qui est vrai, mais uniquement dans la mesure où l'on considère ces blocs d'alliance comme des éléments indestructibles et immuables du système international. Or il faut noter que les décideurs clés, eux, estiment à l'inverse que le système d'alliance est extrêmement fragile et susceptible de se modifier. Régulièrement, les Autrichiens craignent que les Allemands ne soient sur le point de régler leur différend avec la Russie et n'abandonnent leurs alliés Habsbourg – des craintes en partie justifiées, car les documents suggèrent que la politique de retenue imposée à Vienne par Berlin en 1910-1913 ne fait qu'enhardir les Russes dans les Balkans, sans offrir en contrepartie le bénéfice d'une sécurité renforcée aux Autrichiens [27]. De son côté, Poincaré interprète la rencontre de Port Baltiski comme l'inquiétant prodrome d'un partenariat germano-russe dans les Balkans et les Détroits. Au printemps 1913, Paris s'irrite aussi du « flirtage » entre les cours de St. James et de Berlin, le roi George V étant soupçonné de chercher à établir des relations plus chaleureuses avec l'Allemagne [28]. Pour sa part, Sir George Buchanan, l'ambassadeur britannique à Saint-Pétersbourg, note que le moindre signe de dégel entre l'Autriche et la Russie suffit à faire surgir la perspective effrayante que la Russie abandonne l'Entente et joigne ses forces à celles de l'Allemagne et de l'Autriche, comme au temps de la Ligue des trois empereurs, dans les années 1870 et 1880.

Quant aux relations entre la Grande-Bretagne et la Russie, la crainte de perdre un ami puissant se conjugue avec celle de se faire un ennemi tout aussi puissant. Au cours des trois dernières années qui précèdent le déclenchement de la guerre, les anciennes tensions géopolitiques entre la Russie et la Grande-Bretagne reviennent sur le devant de la scène. Des problèmes surgissent tout au long de la frontière séparant les deux empires, de la Chine à l'Asie centrale, du Tibet et de la Mongolie-Extérieure jusqu'au Turkestan et à l'Afghanistan, le plus urgent d'entre eux se situant en Perse. À l'été 1912, des forces armées russes pénètrent dans le nord de la Perse, ce qui soulève la question de l'avenir de la Convention anglo-russe : peut-elle se perpétuer sous sa forme présente ? Dès novembre 1911, Grey a averti le comte Benckendorff, l'ambassadeur russe à Londres, qu'il pourrait sous peu se retrouver contraint de « désavouer » publiquement les agissements de la Russie en Perse, la Russie menaçant la pérennité de la Convention anglo-russe [29]. De plus, ce problème n'attirait pas seulement l'attention du Foreign Office, mais également celle du cabinet, du Parlement et des journaux. Lorsque Grey et Sazonov se rencontrent à Balmoral en septembre 1912 pour des discussions principalement consacrées à la question perse, des manifestations publiques sont organisées contre le ministre russe. Craintes pour l'avenir de l'Empire britannique et russophobie traditionnelle du mouvement libéral et de la presse britannique : le mélange est explosif. Le problème demeure aigu durant toute l'année 1913 et au début de 1914. En février et mars 1914, Grey écrit à l'ambassadeur britannique à Saint-Pétersbourg pour s'insurger contre des projets russes de construction d'un chemin de fer stratégique qui traverserait la Perse pour atteindre le front indien. Les Russes ne respectent plus les intérêts commerciaux britanniques en Perse, y compris dans la zone que la Convention a attribuée à la Grande-Bretagne. Le long de la frontière chinoise, la situation n'est guère plus encourageante : en 1912-1913, des agents britanniques ont rapporté que les Russes se livraient à des « activités militaires inhabituelles » entre la Mongolie et le Tibet. Ils ont repéré que des livraisons de fusils russes transitaient par Urga à destination de Lhassa, et que des « moines » bouriates entraînaient l'armée tibétaine au moment même où la Russie avançait dans l'intérieur du Turkestan chinois pour y établir des positions fortifiées à moins de deux cent cinquante kilomètres de Srinagar [30]. La Russie semble donc prête à envahir l'Inde à la prochaine occasion [31].

Ces menaces produisent quelques lézardes dans la stratégie menée par le Foreign Office. Aux yeux de Grey, le comportement exaspérant des Russes donne encore plus de valeur à la détente anglo-germanique dans les Balkans : force est de constater combien il est facile aux diplomates anglais et allemands de collaborer au moment même où Sazonov et ses revirements opportunistes exaspèrent les Britanniques. Grey est conforté dans cette analyse par son secrétaire particulier, William Tyrrell, un homme qui travaille à ses côtés depuis fort longtemps et le connaît mieux que quiconque. Tyrrell, qui auparavant défendait « la ligne anti-allemande », est désormais « un partisan convaincu d'un accord » entre les deux pays [32]. Indubitablement, cette option est devenue beaucoup plus attirante depuis que les Britanniques se sont rendu compte que les Allemands, ayant perdu la course aux armements navals, ne représentent plus qu'une menace « privée de son dard [33] ». Le retour à une politique plus flexible permettrait de faire taire les arguments russophobes de l'opposition radicale tout en désarmant la faction qui réclame le départ de Grey, considérant que son hostilité à l'écart de Berlin menace inutilement l'indépendance de la Grande-Bretagne et la paix en Europe.

Mais l'option allemande restera chimérique tant que les risques encourus à perdre l'allégeance des Russes ne seront pas contrebalancés par les bénéfices attendus d'une collaboration plus étroite avec l'Allemagne. Tant que ce point de bascule ne sera pas atteint – ce qui semble loin d'être imminent en 1913-1914 –, apaiser la Russie et s'opposer à l'Allemagne sera une politique qui conservera de solides arguments. La Russie apparaît comme un adversaire bien plus dangereux en 1913 qu'en 1900, tout particulièrement aux yeux des décideurs britanniques qui, à l'instar de leurs homologues français, surestiment de beaucoup sa puissance. Entre la guerre russo-japonaise et la crise de juillet 1914, malgré les nombreuses preuves tendant à prouver le contraire, attachés militaires et experts britanniques dressent un tableau des prouesses militaires russes qui, rétrospectivement, nous semble exagérément flatteur [34]. En septembre 1909, l'ancien attaché militaire auprès des forces japonaises en Mandchourie, le général Ian Hamilton, qui a pu y observer l'armée russe en action, remet un rapport reflétant parfaitement cette vision excessivement optimiste de la situation. Il y décrit les progrès immenses accomplis depuis la défaite contre le Japon par les soldats russes : grâce à l'amélioration de leurs manœuvres combinant tirs et mouvements, on peut désormais considérer qu'ils sont « de meilleurs combattants, mieux entraînés » que les Allemands. Comme Hamilton a également assisté aux manœuvres allemandes, ses conclusions sont traitées avec respect [35].

Dans l'esprit de certains décideurs clés à Londres, la menace russe éclipse alors encore la menace allemande. « Ce que craint notre population », reconnaît un haut fonctionnaire du Foreign Office au début de décembre 1912, au plus fort de la première crise albanaise, « c'est que les Allemands n'aillent à Saint-Pétersbourg proposer aux Russes que Berlin empêche une intervention autrichienne à condition que les Russes quittent la Triple-Entente. C'est là que réside le véritable danger de cette situation, et non dans un éventuel conflit entre puissances. Ce que nous craignons véritablement, c'est qu'à l'issue de la mêlée, la Russie ne se retrouve du côté de la Triple-Alliance [36] ». Selon Nicolson, la sécurité de la Grande-Bretagne et de son empire colonial repose encore sur la Convention anglo-russe qu'il souhaite voir se transformer (tout comme l'Entente cordiale avec la France) en véritable alliance car il est « bien plus désavantageux d'avoir comme ennemi la France et la Russie que l'Allemagne [37] ». Il l'écrit en mai 1914 : « Il est absolument essentiel que nous restions dans les meilleurs termes possibles avec la Russie, car si nous nous retrouvions face à une Russie hostile, voire même seulement indifférente, notre situation serait extrêmement difficile dans certaines régions où nous ne sommes malheureusement plus en position de nous défendre [38]. » Le moindre geste en direction de Berlin risquerait de compromettre la réputation de fiabilité de Londres, et une fois cette réputation détruite, le danger serait réel que la Russie abandonne la Grande-Bretagne, purement et simplement, pour reprendre son rôle de rival impérial. Ce qui sous-tend la conviction de Nicolson – largement partagée à Londres pendant les dernières années avant la guerre – c'est la certitude que le développement impressionnant des capacités économiques et militaires de la Russie placera bientôt ce pays dans une position de relative indépendance, rendant inutile le soutien de la Grande-Bretagne.

D'où il découle qu'il faut acheter la loyauté des Russes à n'importe quel prix. Nicolson est certes consterné par le rôle joué par Sazonov – qui fomente une alliance serbo-bulgare contre la Turquie – et plus généralement par l'influence que les Russes exercent sur le gouvernement serbe, mais il ne s'agissait là que d'inconvénients mineurs comparés à la catastrophe que constituerait une défection russe. Les diplomates britanniques préfèrent donc en quelque sorte s'accommoder d'une situation de tension contenue dans les Balkans plutôt que d'affronter la perspective d'un retour à l'alliance austro-russe d'avant 1903, ce qui faciliterait le retour à la situation d'avant 1907 : une rivalité globale russo-britannique. Car en 1913, ils se sentent bien moins armés pour faire face à un tel scénario qu'ils ne l'ont été au moment de la guerre des Boers [39]. À l'été 1912, Nicolson fait même circuler l'idée que l'expansion russe dans les Balkans étant inévitable, la Grande-Bretagne ne doit pas s'y opposer. « Maintenant que leur situation financière et militaire est excellente, explique-t-il à l'ambassadeur britannique à Vienne, les Russes sont déterminés à réaffirmer et rétablir leur prééminence dans les Balkans [40]. »

La détente interfère donc de manière complexe avec l'architecture mouvante des blocs d'alliance. Elle peut augmenter le niveau de risque en faisant perdre aux acteurs clés la conscience du danger. La Conférence des ambassadeurs à Londres, dont l'organisation est en grande partie portée au crédit de Grey, le convainc de pouvoir résoudre les crises et sauver la paix, une illusion qui l'empêchera de réagir à temps aux événements de juillet 1914. De la détente anglo-germanique dans les Balkans, Grey déduit que l'Allemagne continuera à brider son allié autrichien, quoi qu'il arrive. Pour leur part, Jagow et Bethmann tirent de la même situation d'autres conclusions, tout aussi problématiques : ils pensent que la Grande-Bretagne a enfin ouvert les yeux sur la vraie nature de la stratégie russe dans les Balkans et qu'elle restera probablement neutre si la Russie déclenche un conflit dans cette région. De plus, la détente dans une partie du système européen peut produire un durcissement des engagements dans une autre. Par exemple, les incertitudes quant à la position de Londres – alimentées par le spectacle de la collaboration anglo-germanique dans les Balkans – affectent les relations franco-russes. « Le gouvernement français, écrit l'ambassadeur belge à Paris en avril 1913, cherche à resserrer de plus en plus son alliance avec la Russie, car il a conscience que l'amitié de l'Angleterre est pour lui de moins en moins solide et efficace [41]. »

Ces réflexions peuvent faire croire que le système européen d'avant-guerre s'est enfermé dans une situation dont il ne pourra sortir que par la guerre – une des déductions possibles de l'observation que même la détente constitue une menace pour la paix. Mais n'oublions pas combien le système est encore dynamique, et l'avenir ouvert. Au cours des derniers mois avant le déclenchement de la guerre, certains décideurs britanniques les plus importants finissent par prendre conscience que la Convention anglo-russe ne survivra peut-être pas à son renouvellement prévu en 1915 [42]. Au printemps 1913, l'opinion de Tyrrell est que les Britanniques doivent tolérer les provocations russes en Asie centrale jusqu'à ce que la crise dans les Balkans soit réglée puis, en 1914 voire en 1915, durcir leur position sur la Perse, la Mongolie et la Chine. Un fossé s'ouvre entre Grey et Nicolson, ce dernier étant en 1914 de plus en plus isolé. Beaucoup de ses collègues du Foreign Office considèrent avec un scepticisme croissant son attachement inconditionnel à la Convention anglo-russe. Tyrrell, Grey ainsi que d'autres hauts fonctionnaires, profondément agacés par le non-respect des accords de 1907, commencent à penser qu'un arrangement avec l'Allemagne pourrait utilement remédier aux manquements de Saint-Pétersbourg. Au printemps 1914, même Nicolson finit par se ranger à leur opinion. Le 27 mars, il met en garde un de ses collègues contre l'illusion que la conjonction géopolitique des alliances alors en place puisse durer : « D'après moi, il est extrêmement probable que d'ici peu, nous verrons de nouveaux développements et de nouveaux regroupements dans la situation politique européenne [43]. »

« Maintenant ou jamais »

Que signifient toutes ces évolutions pour les Allemands ? Répondre à cette question nécessite de mettre en lumière l'ambivalence des développements internationaux au cours des deux dernières années qui précèdent la guerre. D'un côté, la période post-Agadir est marquée par un relâchement de la tension, tout particulièrement entre l'Allemagne et la Grande-Bretagne, et par des signes que les blocs d'alliance continentaux pourraient à terme perdre de leur cohésion et de leur efficacité. Il y a donc des raisons de penser que la détente n'est pas un simple répit dans des relations hostiles, mais une véritable évolution produite par le système international. De ce point de vue, une guerre générale n'a rien d'inéluctable[44]. D'un autre côté, la crise d'Agadir puis celle des Balkans entraînent une accélération spectaculaire des efforts de préparation militaire et poussent les Russes, soutenus par Paris, à mener une politique plus agressive dans la péninsule balkanique. De plus, la peur que les liens entre pays de l'Entente ne soient en train de se relâcher produit à court terme un renforcement des engagements mutuels, une évolution encore renforcée par l'influence grandissante, dans l'ensemble des pays européens, de factions politiques bellicistes.

La politique de l'Allemagne reflète les incohérences et les ambiguïtés qui caractérisent donc le cadre plus général en Europe. Tout d'abord, il faut noter que les Allemands sont tout aussi impressionnés que les autres par la croissance et la vitalité économique de la Russie. De retour de Russie où il se rend à l'été 1912, Bethmann s'entretient avec Jules Cambon, qui résume ainsi les impressions du chancelier :

> En premier lieu, le chancelier a rapporté de Russie un grand sentiment d'admiration et d'étonnement, si profond qu'il influence sa politique. La grandeur du pays, son étendue, la richesse agricole l'ont impressionné, ainsi que la vigueur de la population encore dénuée de toute intellectualité. Il a comparé la jeunesse de la Russie avec celle de l'Amérique et il lui a semblé que celle de le Russie était pleine d'avenir, tandis qu'il ne lui paraît pas que l'Amérique rapporte aucun élément nouveau au patrimoine commun de l'humanité[45].

Neuf mois plus tard, Verneuil utilisera des termes similaires dans le rapport qu'il rédigera à l'attention de Pichon. Du point de vue des commandants militaires les plus influents, une évidence s'impose : la situation géopolitique est en train de changer rapidement au détriment de l'Allemagne. Le successeur de Schlieffen à la tête de l'état-major à partir de janvier 1906, le belliciste Helmuth von Moltke, a une vision de plus en plus pessimiste de la place de l'Allemagne sur l'échiquier international.

Helmuth von Moltke en 1914

Son point de vue peut se résumer en deux axiomes inébranlables : premièrement, il était inévitable qu'à terme une guerre éclate entre les deux blocs et deuxièmement, le temps jouait contre l'Allemagne. Année après année, les ennemis potentiels de l'Allemagne – tout particulièrement la Russie, dont l'économie se développait rapidement et qui disposait d'une réserve de main-d'œuvre quasi illimitée – augmenteraient leurs capacités militaires jusqu'au moment où, jouissant d'une supériorité incontestable, ils seraient maîtres du calendrier et des conditions dans lesquelles déclencher un conflit.

Une différence de nature fondamentale distingue cependant ces deux axiomes : le premier est une construction psychologique invérifiable, née de la paranoïa et du pessimisme de Moltke[46]. Le deuxième en revanche, même s'il contient un élément de paranoïa, est du moins corroboré par la comparaison de la puissance militaire des différents pays européens. Suscitées par le déséquilibre croissant entre les deux blocs et l'érosion régulière de la capacité de l'Allemagne à l'emporter en cas de conflit, les inquiétudes de Moltke gagnent en crédibilité après 1910, lorsque les Russes s'engagent dans la première grande campagne de réarmement de leur armée de terre[47].

L'étape suivante de l'accélération des préparatifs de guerre et de la course aux armements se produit dans le sillage d'Agadir et des guerres balkaniques. En novembre 1912, alors que les Russes durcissent le ton contre les Autrichiens et que la France les encourage en coulisses, le gouvernement allemand fait preuve d'une retenue remarquable, ne décrétant ni rappel de réservistes, ni maintien en service actif de classes de conscrits, ni exercice de mobilisation[48]. Mais à partir de mi-novembre, lorsque l'ampleur des préparatifs militaires russes devient visible, le haut commandement allemand s'inquiète de plus en plus. La nouvelle la plus alarmante en provenance de Russie est le maintien en service actif d'une classe de conscrits libérables, ce qui augmente notablement les effectifs massés à la frontière russo-allemande dans le saillant polonais. Les craintes sont alimentées par des renseignements concordants, provenant de différentes sources dans différents pays : la plupart des membres de l'état-major russe sont d'avis que le conflit avec l'Autriche étant inévitable, c'est « maintenant le meilleur moment pour frapper[49] ».

Perturbé par ces mauvais présages et par les mouvements de troupes des deux côtés de la frontière galicienne, et désireux de contrecarrer l'impression que l'Allemagne n'est plus prête à défendre l'Autriche-Hongrie contre des menaces régionales, le chancelier allemand Bethmann-Hollweg prononce un discours de dix minutes devant le Reichstag, le 12 décembre 1912. Il s'agit là d'une réédition – certes plus courte et plus modérée – du discours que Lloyd George a prononcé l'année précédente à Mansion House. Le chancelier commence par faire remarquer qu'à ce jour, l'Allemagne « a utilisé son influence pour contenir le conflit » qui, « jusqu'à présent, a effectivement été circonscrit avec succès » – une observation qui suscite les applaudissements de l'assemblée. Elle est suivie d'une mise en garde où chaque mot a été soigneusement pesé :

> Si – ce que je ne souhaite pas – des difficultés insurmontables apparaissent, ce sera l'affaire des puissances directement impliquées dans cette situation particulière de faire valoir leurs revendications. Ceci s'applique à nos alliés. Si, faisant valoir leurs revendications, ils sont – contre toute attente – attaqués par une tierce partie et voient leur existence menacée, nous-mêmes, fidèles à notre devoir tout comme à nos alliés, serions obligés de nous tenir à leur côté, avec fermeté et détermination. *(Applaudissements de la droite et des nationaux-libéraux.)* Dans ce cas, nous combattrions pour défendre notre position en Europe et protéger notre propre avenir et notre sécurité. *(Applaudissements de la droite.)* Je suis convaincu qu'en poursuivant cette politique, nous aurons le soutien de l'ensemble de notre peuple. *(Applaudissements[50].)*

Le *Times*, qui publie l'intégralité du discours le lendemain, ne trouve « rien de nouveau ni de sensationnel » dans les mots du chancelier. « Il est parfaitement clair que l'Allemagne désire la paix et la recherche », écrit le correspondant du journal à Berlin [51]. Mais Edward Grey ne partage pas cette opinion. Il prend la décision tout à fait inattendue de convoquer l'ambassadeur allemand, le comte Lichnowsky, pour l'informer qu'en cas de guerre entre l'Allemagne et l'Alliance franco-russe, la Grande-Bretagne serait susceptible de combattre aux côtés des ennemis de l'Allemagne. Le rapport rédigé par Lichnowsky après cet entretien fait souffler un vent de panique à Berlin, affectant plus particulièrement le Kaiser qui, toujours extrêmement sensible au moindre signal venant de Londres, affirme déchiffrer dans les avertissements de Grey « une déclaration de guerre morale [52] ». Profondément ébranlé, il convoque Moltke, Tirpitz, Heeringen, le chef de l'Amirauté, et l'amiral Müller, le chef du cabinet de la Marine, pour une réunion d'urgence qui se tient au Neues Palais le dimanche 8 décembre à 11 heures.

Le Kaiser ouvre la réunion par toute une série de vitupérations belliqueuses : l'Autriche-Hongrie doit se montrer ferme avec la Serbie (dont les troupes occupent toujours à l'époque une partie de l'Albanie) et l'Allemagne doit la soutenir en cas d'attaque russe. Dans cette éventualité, vocifère-t-il, l'Allemagne lancera le gros de ses troupes contre la France et utilisera ses sous-marins pour torpiller les transports de troupes britanniques. Vers la fin de la discussion, il demande à Tirpitz d'augmenter la production de sous-marins. Il exige également que la presse soit « mieux utilisée pour rendre populaire l'idée d'une guerre contre la Russie » et approuve la remarque du chef d'état-major qui affirme « qu'une guerre est inévitable et que le plus tôt sera le mieux [53] ».

Quelle signification donner à ce « conseil de guerre », comme l'appellera ironiquement Bethmann, qui n'y a pas été convié ? Il n'y a pas consensus parmi les historiens. Pour certains, cette réunion, qui démontre que le Kaiser occupe toujours une place centrale dans les processus de décision, jette les bases d'un plan de guerre global prévoyant de placer la marine, l'armée, l'économie et l'opinion publique allemande sur le pied de guerre en vue de déclencher un conflit de façon préméditée [54]. D'autres, considérant cette réunion comme la simple réponse réflexe à une crise internationale, rejettent l'idée que les leaders militaires et politiques allemands aient déclenché ce jour-là le compte à rebours d'une guerre européenne prévue d'avance. Qui a raison ? On ne peut mettre en doute le caractère belliciste des avis donnés par les militaires au cours du conseil, et il est clair que Guillaume II paraît sur le moment prêt à soutenir les opinions des officiers les plus agressifs. Cependant, la réunion ne déclenche aucun compte à rebours. Le seul participant à avoir laissé un témoignage est l'amiral Müller qui, dans son journal intime, conclut ainsi : « La réunion n'a donné qu'un résultat pratiquement 0. » Aucune campagne de propagande nationale ne s'ensuit, ni aucun plan concerté pour mettre l'économie allemande sur le pied de guerre[55]. La figure centrale du drame qui se joue le 8 décembre n'est pas Guillaume II, mais le chancelier Bethmann qui « remet le Kaiser à sa place » et « annule » les décisions prises au cours d'un conseil de guerre destiné à rester anecdotique[56]. Début janvier, le sentiment d'urgence s'est dissipé et Guillaume II a recouvré son calme. Bethmann l'a persuadé d'abandonner ses projets d'expansion de la marine de guerre. La production accélérée de sous-marins qu'il a exigée n'est pas lancée. Et lorsqu'une nouvelle crise éclate dans les Balkans en avril-mai au sujet de l'occupation par les Serbes et les Monténégrins de la ville albanaise de Scutari, Guillaume II s'oppose systématiquement à toute initiative risquant de mener à la guerre[57].

Bien plus significative que ce conseil du 8 décembre 1912 est la décision d'augmenter la capacité militaire de l'Allemagne en temps de paix. L'origine de la loi militaire de 1913 est à rechercher dans l'anxiété suscitée en Allemagne par la détérioration de sa position de sécurité, aggravée par la façon dont la Russie gère la crise dans les Balkans. Dans un mémorandum très détaillé rédigé en décembre 1912, Moltke défend un ambitieux programme d'expansion et d'amélioration des capacités militaires. Si une guerre éclate, explique-t-il, l'Allemagne devra vraisemblablement combattre sur deux fronts, contre la France et contre la Russie, alors que l'aide des Autrichiens sera limitée et celle des Italiens inexistante. Si la Grande-Bretagne se jette également dans la mêlée, ce qui semble vraisemblable après la mise en garde prononcée par Grey le 3 décembre, il manquera 192 bataillons d'infanterie sur le front ouest pour y affronter la Grande-Bretagne, la France et la Belgique. Et la Russie n'est plus une quantité négligeable, sa puissance augmentant d'année en année[58]. Au cours d'auditions secrètes menées devant la commission du budget au Reichstag pendant le mois d'avril, les généraux dressent un sombre tableau des perspectives allemandes. Ne voyant guère de possibilité de mettre fin pacifiquement à l'encerclement actuel de l'Allemagne, ils sont pessimistes quant aux chances de succès de l'armée allemande. Dès 1916, les Russes posséderont une supériorité militaire irréversible. Les Français disposent déjà d'un avantage dans le domaine des chemins de fer stratégiques, de la mobilisation et du calendrier de déploiement des troupes – alors que les Allemands ne disposent que de treize lignes de chemin de fer directes pour rejoindre la frontière germano-française, les Français, eux, en ont seize, toutes à double voie, et disposant de voies de dérivation pour contourner les gares et les intersections[59].

Après de multiples marchandages concernant les détails et le financement, la nouvelle loi est adoptée en juillet 1913. Les effectifs de l'armée en temps de paix augmentent de 136 000 pour atteindre 890 000 officiers et hommes du rang. Cependant, même ces nouvelles mesures ne suffisent pas à assurer la sécurité de l'Allemagne, car elles vont déclencher l'augmentation des budgets militaires en France et en Russie, annulant ainsi rapidement les efforts allemands. Pendant le premier cycle de la course aux armements, c'étaient les Russes qui avaient imposé le rythme. Désormais, ce sont les Allemands. La loi militaire de 1913 a un impact décisif sur l'adoption par les députés français de la loi des Trois Ans, en août 1913. En Russie, les décisions allemandes (et les exigences françaises) vont déclencher le calendrier d'expansion et de remise à niveau connu sous le nom de « grand programme militaire ». En mars 1913, le tsar autorise l'attribution de subventions massives afin d'améliorer l'artillerie et l'armement en général, dans le cadre d'un programme extrêmement ambitieux prévoyant de porter à 800 000 hommes la capacité hivernale de l'armée russe en temps de paix, et ce dès 1917. La plupart des effectifs doivent être déployés dans la partie européenne de l'Empire (à la différence du plan de déploiement de 1910)[60]. En conséquence, en 1914, les effectifs de l'armée russe – soit environ 1,5 million d'hommes – seront deux fois supérieurs à ceux de l'Allemagne, et excéderont de 300 000 hommes les effectifs combinés de l'Allemagne et de l'Autriche-Hongrie. Pour 1916-1917, il est prévu que l'armée russe compte plus de deux millions d'hommes[61]. Dès 1914, ces mesures sont renforcées par le plan d'amélioration des chemins de fer stratégiques financé par les Français. Or depuis 1905, la stratégie allemande repose sur le plan Schlieffen, qui vise à résoudre le problème d'une guerre sur deux fronts en déclenchant une offensive massive contre la France tout en contenant le front à l'est. Ce ne serait qu'une fois la situation sur le front ouest résolue que les Allemands reporteraient leurs efforts vers l'est, contre la Russie. Mais que se passerait-il si l'équilibre des forces entre les deux blocs d'alliance changeait au point de rendre le plan Schlieffen inopérant ?

Comme certains historiens l'ont fait remarquer, l'Allemagne est plus rapide à mettre en œuvre ses plans de remise à niveau que ses deux adversaires de l'Entente, ce qui donne aux leaders militaires allemands un avantage stratégique de court terme en 1914[62]. De plus, les fondements économiques de la puissance militaire russe restent fragiles : entre 1900 et 1913, la productivité de la Russie baisse par rapport à celle de l'Allemagne[63]. Mais vues de Berlin, les perspectives d'avenir demeurent sombres. En 1904, les Russes et les Français peuvent aligner 260 982 hommes de plus que les Allemands et les Autrichiens. En 1914, le différentiel – qui ne cesse d'augmenter – est estimé à un million. Dans un rapport du 25 mai 1914, l'attaché militaire allemand à Saint-Pétersbourg note que jamais le contingent des nouveaux appelés n'a été aussi important (il est passé de 455 000 à 585 000) et, calculant l'augmentation prévue de l'armée russe en temps de paix pour les trois ou quatre années à venir, il conclut par ces mots : « Les effectifs de l'armée russe vont croître à un rythme jamais observé auparavant dans aucune armée d'aucun autre pays. » Moltke, qui considère l'emprunt franco-russe comme « l'un des coups stratégiques les plus destructeurs que la France nous ait portés depuis la guerre de 1870-1871 », prévoyait qu'il permettrait de « faire pencher la balance au détriment de l'Allemagne [64] ». Les stratèges allemands sont donc convaincus que dès 1916-1917, la puissance militaire de la Russie sera suffisante pour invalider tous les calculs sur lesquels reposait le plan Schlieffen [65].

Obsédé par les dangers qu'il sent monter à l'est comme à l'ouest et persuadé que le temps joue contre lui, Moltke se fait le partisan éloquent d'une « guerre préventive » qui permettrait à l'Empire allemand de résoudre le conflit à venir à son avantage. Il en vient à considérer chacune des crises qui éclatent avant la guerre comme une occasion manquée de remédier à un déséquilibre stratégique toujours croissant, qui mettra bientôt l'Allemagne dans une position d'infériorité irréversible [66]. L'idée d'une guerre préventive s'impose parmi le haut commandement allemand : une étude récente a identifié plusieurs dizaines d'occasions où des officiers supérieurs préconisent que la guerre soit déclarée « le plus tôt possible », même si cela implique d'être l'agresseur et d'en subir l'opprobre [67]. Les Allemands ne sont pas les seuls à faire cette analyse. Au début de 1914, Poincaré fait observer au rédacteur en chef du *Matin* que les Allemands craignent la montée en puissance de la Russie : « Ils savent que la cohésion de ce grand pays augmente de jour en jour. Ils veulent l'attaquer et le détruire avant qu'il ne soit à l'apogée de son pouvoir [68]. » En mars 1914, recevant le résumé d'une dépêche qui décrit les progrès de l'armée russe depuis 1913, le directeur des opérations militaires britanniques, le major-général Henry Wilson, y ajoute le commentaire suivant :

> Cette dépêche est de la plus haute importance. Il est désormais facile de comprendre pourquoi l'Allemagne s'inquiète pour son avenir et pourquoi elle pense sans doute que c'est « maintenant ou jamais » [69].

Un certain fatalisme sous-tend le bellicisme des militaires allemands. Quand ils évoquent la guerre, ils parlent moins de la victoire que de « la double menace de la défaite et de l'anéantissement [70] ». Le danger inhérent d'un tel raisonnement, qui permet aux commandants de cautionner les initiatives les plus agressives comme étant essentiellement défensives, est assez clair. Mais dans quelle mesure les arguments en faveur d'une guerre préventive développés par les militaires influencent-ils la politique étrangère allemande ? Même dans un système prétorien tel que l'est le système prusso-allemand, bien des décisions dépendent de la capacité des militaires à convaincre leurs collègues civils d'adopter leur point de vue stratégique. Or, dans ce domaine, ils se montrent peu efficaces. Certes, Moltke a tenté de convaincre les participants au conseil de guerre du 8 décembre 1912 qu'il fallait déclencher la guerre et que « le plus tôt serait le mieux », mais en dépit du soutien que Guillaume II a semblé lui apporter sur le moment, rien ne s'est produit.

Paradoxalement, comme il n'existe pas à Berlin d'organe de prise de décisions collectif similaire au Conseil des ministres à Saint-Pétersbourg, il est plus difficile aux militaires allemands de mettre sur pied un groupe de pression politique pouvant défendre leurs idées et utiliser des demandes de réquisitions pour battre en brèche le rempart de la rigueur budgétaire. Il n'y a pas en Allemagne de figure politique civile dont l'influence soit comparable à celle de Krivocheïne en Russie, et à l'inverse le chancelier est un personnage bien plus puissant et imposant que son homologue russe Vladimir Kokovtsov. De plus, en Allemagne, le fossé constitutionnel et institutionnel séparant les chaînes de commandement civil et militaire est bien plus profond qu'en France, où décideurs civils et militaires collaborent étroitement au plus haut niveau pour obtenir une augmentation des budgets militaires et soutenir ainsi une stratégie offensive. Or ce genre de synergie est beaucoup plus difficile à mettre en œuvre à Berlin.

Après la crise d'Agadir en 1911, Bethmann poursuit donc sans relâche une collaboration discrète et pragmatique avec la Grande-Bretagne et la Russie. « Notre tâche la plus urgente est d'instaurer un *modus vivendi* avec la Grande-Bretagne », déclare-t-il en décembre 1911. « Nous devons contenir la France par de prudentes avancées en direction de la Russie et de la Grande-Bretagne », écrit-il à nouveau en mars 1913. « Évidemment, cette politique qui déplaît à nos chauvinistes est impopulaire, mais je ne vois pas d'alternative pour l'Allemagne dans un avenir proche[71]. » C'est ainsi que les appels à la guerre préventive ne trouvent jamais de traduction politique en Allemagne avant 1914. Au contraire, ils sont rejetés par les leaders civils, tout comme le gouvernement autrichien rejette les demandes encore plus véhémentes de Conrad. Ni en 1905, ni même en 1908-1909 ou en 1911 (quand les conditions sont en fait bien plus favorables aux Allemands qu'elles ne le seront à l'été 1914), le gouvernement n'envisage de lancer une guerre préventive. Au cours de la crise d'Agadir en 1911, ce sont les Britanniques, bien plus que les Allemands ou les Français, qui prennent le risque de militariser la crise. Et pendant la crise de l'hiver 1912-1913, ce sont les Français, et non les Allemands, qui envisagent, quoique par intermittence seulement, d'embrasser la même stratégie. Berlin fait preuve de davantage de retenue dans les conseils qu'elle adresse à Vienne que Paris vis-à-vis de Saint-Pétersbourg.

Quant au Kaiser, bien que sujet à des accès de rhétorique belliqueuse, il paraît frappé de panique et prêche la prudence chaque fois qu'un conflit semble probable, nourrissant la frustration continuelle de ses généraux. Guillaume II persiste à croire qu'il sera possible de parvenir à un accord avec la Grande-Bretagne. Des remarques prononcées en 1913 suggèrent qu'il considère toujours une guerre anglo-allemande comme étant « impensable ». Il est convaincu que la puissance de l'armée allemande dissuadera la Russie d'intervenir militairement en cas de conflit entre l'Autriche et la Serbie[72]. Cet excès de confiance pousse le général Falkenhayn, l'un des faucons et futur ministre de la Guerre, à écrire en janvier 1913 que les leaders politiques – y compris le Kaiser – se bercent d'illusions, persuadés qu'ils sont de la possibilité d'une paix durable ; Moltke doit donc mener « seul » son « combat » pour faire adopter une politique étrangère plus agressive au Kaiser[73]. Le refus du Kaiser d'adopter l'option de la guerre préventive devient le cauchemar d'une « opposition militaire » croissante[74]. La primauté des leaders civils sur les leaders militaires reste intacte, ce qui ne signifie pas que les arguments en faveur d'une action préventive n'ont aucune influence sur les décisions des décideurs allemands ou autres[75]. Au contraire, la logique de la guerre préventive exercera une pression occulte mais forte sur les raisonnements des principaux décideurs pendant la crise de l'été 1914.

Les Allemands sur le Bosphore

Les décideurs allemands, du moins ceux qui ne sont pas obnubilés par la nécessité de préparer l'Allemagne à la perspective d'un conflit sur deux fronts, explorent également les possibilités d'un avenir où l'Allemagne poursuivrait ses intérêts tout en évitant une guerre aux risques incalculables. Un groupe de fonctionnaires influents, dont le secrétaire d'État impérial aux Colonies Bernhard Dernburg, l'ambassadeur Paul Metternich à Londres et son collègue Richard von Kühlmann, futur secrétaire d'État aux Affaires étrangères, continuent à préconiser une politique de détente et de concessions vis-à-vis de Londres. Cette ligne de pensée est publiquement formulée dans un pamphlet intitulé *Une politique mondiale allemande sans guerre !*, publié de façon anonyme à Berlin en mai 1913, mais rédigé par Richard Plehn, proche collaborateur de Kühlmann à Londres[76]. De fait, cette politique pouvait trouver de nombreux partisans à Londres, tout particulièrement parmi les libéraux opposés à Grey, tel le secrétaire d'État aux Colonies Lewis Harcourt[77].

Malgré l'échec de la mission Haldane, rechercher la détente avec la Grande-Bretagne était une démarche fructueuse. Une nouvelle série de négociations sur des questions coloniales s'était ouverte à l'été 1912. En avril 1913, les deux États avaient signé un accord au sujet des territoires africains de l'Empire portugais, dont l'effondrement financier semblait imminent. L'accord ne sera jamais ratifié, car Londres et Berlin ne parviennent pas à s'accorder sur les modalités et le calendrier de divulgation de son contenu, mais il témoigne de la volonté de principe, de part et d'autre, de se répartir des zones d'influence et de s'entendre pour en exclure toute tierce partie [78].

L'Allemagne ne disposant que d'options fort limitées dans l'espace ouvert à la colonisation et la situation d'une Europe divisée en deux blocs d'alliance étant relativement fermée, il ne reste qu'une seule région vers laquelle les hommes d'État désireux de mettre en œuvre « une politique mondiale sans guerre » puissent se tourner : l'Empire ottoman [79]. Historiquement, dans cette partie du monde où les rivalités entre empires font rage, les initiatives allemandes avaient été assez limitées. Mais dans les années 1880 les Allemands étaient devenus plus actifs, encouragés par le gouvernement de Constantinople, qui les courtisait ouvertement depuis que les Britanniques s'étaient aliéné les Ottomans en occupant l'Égypte en 1882 [80]. Banques, entreprises de travaux publics et compagnies de chemin de fer allemandes s'étaient alors installées dans les régions les moins développées de l'empire du sultan, y acquérant concessions et sphères d'influence. En grande partie financée et menée par les Allemands, la construction du chemin de fer d'Anatolie destiné à relier Constantinople à Ankara et Konya a commencé en 1888. Les deux lignes sont achevées en 1896. Le soutien du gouvernement allemand à ces initiatives, au début hésitant, devient progressivement plus prononcé et systématique. En 1911, l'ambassadeur allemand à Constantinople peut désormais parler de l'Empire ottoman comme « d'une sphère d'intérêt politique, militaire et économique » de l'Allemagne [81]. En investissant en territoire ottoman, principalement dans des projets d'infrastructure cruciaux, les Allemands espèrent stabiliser l'Empire ottoman contre les menaces que représentent d'autres pouvoirs impériaux, au premier rang desquels la Russie. Au cas où l'effondrement de l'Empire ottoman ouvrirait la porte à une partition de ses territoires, l'Allemagne veut être certaine d'avoir un siège à la table des grands empires coloniaux qui se partageront les dépouilles [82].

De grands espoirs sont donc placés dans le chemin de fer d'Anatolie. Les autorités ottomanes entendent pacifier et intégrer « l'est sauvage » de l'Anatolie, qui subit encore à l'époque les razzias des bandits circassiens, ainsi que civiliser les terres ottomanes les plus archaïques. Adoptant un point de vue « orientaliste », elles considèrent l'Anatolie comme une colonie où apporter le progrès. De nouvelles cultures sont introduites dans les régions désenclavées par le chemin de fer – dont certaines, betterave à sucre ou pomme de terre, sont en fait cultivées localement depuis un certain temps. On tente de lancer la culture de certaines plantes industrielles, tel l'alfa qui peut se transformer en pâte à papier, mais de nombreux projets ne dépassent pas le stade expérimental, parce que les sols ou le climat ne sont pas adaptés, ou que les habitants refusent d'adopter de nouvelles techniques. Pour ces paysans d'Anatolie dont certains ont apporté des bottes de foin dans les gares afin de nourrir les chevaux qui, s'imaginent-ils, tireront les trains, l'apparition de la locomotive à vapeur est une expérience inoubliable [83].

En Allemagne même également, ces projets enflamment l'imagination coloniale. Certains militants pangermanistes considèrent l'Anatolie comme un territoire ouvert à la future implantation de nombreux colons allemands. D'autres s'intéressent davantage aux marchés, aux routes commerciales et aux matières premières désormais accessibles [84]. Au tournant du XXᵉ siècle, les chemins de fer – tout comme les barrages hydroélectriques dans les années 1930-1950 ou la conquête spatiale dans les années 1960 – occupent une place prééminente dans l'imaginaire impérial. En Grande-Bretagne et dans la colonie du Cap par exemple, il est question de construire une ligne reliant le Cap au Caire. Au même moment, les Français travaillent sur les plans d'une ligne rivale qui doit traverser le continent africain d'est en ouest pour relier Djibouti à Dakar. Le développement de réseaux télégraphiques mondiaux a déjà manifesté l'alliance intime entre infrastructure et pouvoir, notamment dans les régions de l'Empire britannique où la station du télégraphe constitue un avant-poste miniature de l'autorité et de la discipline impériale.

La consternation est donc générale lorsqu'en 1903, on apprend que le gouvernement ottoman a confié à une entreprise et à des banques allemandes la construction d'une gigantesque ligne de chemin de fer qui prolongera les chemins de fer d'Anatolie d'Ankara jusqu'à Bagdad via Adana et Alep, traversant ainsi toute la Mésopotamie pour rejoindre Bassora sur les bords du golfe Persique. Ce projet, qui permettrait à terme de relier Berlin à Bagdad, se heurte à la suspicion et à l'obstruction des autres puissances impériales. Les Anglais s'inquiètent de la perspective que les Allemands puissent obtenir un accès privilégié aux champs pétrolifères de l'Irak ottoman, dont l'importance croît de jour en jour au moment même où la marine britannique envisage de passer du charbon au pétrole [85]. Ils craignent que la voie terrestre ne permette aux Allemands de s'affranchir de la domination qu'ils exercent sur les océans, et qu'ils en viennent à menacer leur prééminence dans le commerce mondial. Les Russes également redoutent que ce chemin de fer ne permette aux Allemands de remettre en question leur mainmise sur le Caucase et le nord de la Perse – bien que la ligne ait été tracée à dessein le plus loin possible des zones d'intérêts russes (au grand dam des ingénieurs et des investisseurs allemands).

Rétrospectivement, ces craintes stratégiques nous apparaissent exagérées, mais elles exercent une influence considérable sur les hommes politiques de l'époque, convaincus que les investissements économiques confèrent inévitablement une influence géopolitique. Les prises de position pro-ottomanes et promusulmanes de Guillaume II ne font rien pour calmer les esprits. En 1898, au cours de son deuxième voyage au Moyen-Orient, il a improvisé un toast à la mairie de Damas dont les termes ont été repris par tous les journaux de la planète : « Que Sa Majesté le Sultan et les trois cents millions de musulmans du monde entier qui voient en lui leur calife soient assurés que l'empereur d'Allemagne sera toujours leur ami [86]. » Cette envolée lyrique, née de l'euphorie suscitée par les acclamations de la foule, a renforcé la crainte que l'Allemagne ne s'allie aux forces du panislamisme et du nationalisme arabe qui commencent à gagner du terrain dans les empires coloniaux russe et britannique [87].

En réalité, à l'échelle internationale, les projets économiques allemands ne sont pas disproportionnés. Les Allemands investissent massivement dans la production d'électricité, l'agriculture, le secteur minier et les transports municipaux. Le commerce entre l'Allemagne et l'Empire ottoman est certes en augmentation mais en 1913, l'Allemagne n'est pas le plus important partenaire commercial de l'Empire ottoman : elle n'est que son quatrième client (après la Grande-Bretagne, la France et l'Autriche-Hongrie) et son troisième fournisseur (après la Grande-Bretagne et l'Autriche-Hongrie). Les investissements français sont encore supérieurs de 50 % aux investissements allemands. Et l'on ne peut pas dire non plus que les banquiers allemands se montrent plus agressifs que leurs concurrents européens. Dans la course pour le contrôle des concessions pétrolières si convoitées de Mésopotamie, les banques et les investisseurs britanniques, soutenus par Londres, n'ont aucun mal à mettre les Allemands en difficulté en usant à la fois de marchandage agressif et de diplomatie financière impitoyable [88]. Même dans le domaine des chemins de fer, qui représente la moitié des investissements allemands dans l'Empire ottoman (soit environ 340 millions de francs-or), les Français font pratiquement jeu égal (avec environ 320 millions). Ces derniers contrôlent 62,9 % de la dette publique ottomane (administrée par une agence internationale au profit des créanciers de l'Empire), l'Allemagne et la Grande-Bretagne se répartissant le reste à part quasiment égale. Enfin l'institution financière la plus puissante de Constantinople, la Banque impériale ottomane – qui contrôle le lucratif monopole du tabac, ainsi que de multiples entreprises, sans compter le droit exclusif d'imprimer les billets de banque ottomans – est une institution franco-britannique et non allemande. Elle constitue également un instrument politique aux mains des Français dans la mesure où Paris gère ses opérations de crédit et sa fiscalité [89].

Après de longues négociations, une série d'accords internationaux met fin aux tensions suscitées par la construction du chemin de fer de Bagdad. Le 15 février 1914, un accord franco-allemand délimite les sphères d'intérêt des principaux investisseurs français et allemands (les capitaux français étant nécessaires au financement du projet) ; le 15 juin, les Allemands parviennent à surmonter les objections des Britanniques en leur cédant le contrôle de la partie cruciale de la future ligne, de Bassora au golfe Persique – concession qui prive en grande partie les Allemands des avantages géostratégiques que le projet était censé leur apporter. Ces exemples de collaboration, où les rivalités politiques sont mises de côté dans le but d'obtenir des arrangements pragmatiques dans le domaine économique, donnent toutes les raisons de croire que l'Empire ottoman puisse devenir le théâtre de cette « politique mondiale sans guerre » qui jette à terme les bases d'un partenariat avec la Grande-Bretagne [90].

Mais en décembre 1913, l'arrivée à Constantinople d'une mission militaire allemande déclenche une crise bien plus grave que la dispute sur le contrôle du chemin de fer de Bagdad. Après sa campagne désastreuse dans les Balkans, le gouvernement ottoman recherche désespérément de l'aide pour renforcer et réformer radicalement ses forces armées. Après avoir un temps envisagé de faire appel aux Français, le haut commandement se tourne vers les Allemands qui s'imposent comme des partenaires évidents. Des conseillers militaires allemands avaient traditionnellement été présents à Constantinople dans les années 1880 et 1890, lorsque « Goltz Pacha » avait entraîné des cadres de l'armée turque [91]. Mais la mission de 1913 doit être beaucoup plus importante : son chef doit se voir attribuer un rôle de commandement (le refus de déléguer une telle autorité aux précédents conseillers étant considéré comme la raison principale de l'échec de leur mission) et il aura la responsabilité de l'intégralité de la formation militaire de l'armée ottomane, y compris de l'état-major. Il aura également des pouvoirs illimités en matière d'inspection et sera accompagné d'une phalange de quarante officiers allemands en service actif. Plus important encore : en tant que général commandant le premier corps d'armée ottoman, il sera responsable de la défense des Détroits et de la ville de Constantinople elle-même [92]. L'homme choisi pour mener cette mission est le lieutenant-général Liman von Sanders, commandant de la 22e division de Kassel.

Ni le Kaiser ni le chancelier Bethmann-Hollweg ne considèrent que cette mission diffère fondamentalement des précédentes : les détails sont donc définis en interne entre états-majors. Ils ne jugent pas non plus qu'elle nécessite des contacts diplomatiques officiels avec les Russes. Au lieu de cela, le Kaiser évoque la question de façon informelle en mai 1913, lors d'une rencontre avec Nicolas II et George V à l'occasion du mariage de la princesse Victoria-Louise de Prusse avec le prince Ernest-Auguste de Hanovre. Aucun des deux souverains n'émet alors la moindre objection. La mission n'est pas non plus abordée lorsque Bethmann et Sazonov se rencontrent brièvement en novembre 1913, le chancelier étant persuadé que le tsar en a informé son ministre des Affaires étrangères[93]. Or, quand le contenu de l'ordre de mission de Liman commence à être connu, la presse russe proteste vigoureusement. Ce que manifeste l'indignation de l'opinion publique, aiguillonnée par le ministère des Affaires étrangères, c'est la crainte que cette mission ne renforce l'influence allemande à Constantinople – une zone dont l'importance stratégique ne cesse de croître pour les Russes. Plus encore, ils craignent que la mission ne redonne un second souffle à l'Empire ottoman, dont l'effondrement et la partition sont devenus l'un des paramètres de leur pensée stratégique à court et moyen termes[94]. Dans une lettre adressée au tsar, l'attaché militaire russe à Berlin décrit ainsi Liman : « C'est un personnage très énergique, très imbu de lui-même[95]. » Pour ne rien arranger, il apparaît qu'au cours d'une audience secrète, le Kaiser a exhorté les membres de la mission à construire « une armée forte » qui « obéirait à nos ordres » et « ferait pièce aux desseins agressifs de la Russie ». Ses paroles, rapportées par Bazarov, l'attaché militaire russe à Berlin, plongent le gouvernement russe dans la consternation[96]. « Je ne les ai jamais vus aussi nerveux », confie Grey à l'ambassadeur allemand à Londres[97].

Pourquoi les Russes réagissent-t-il avec autant de véhémence à la mission Liman, que Sazonov considère comme une question « d'importance politique majeure[98] » ? Il faut se rappeler que même lors des crises de 1912-1913 où il a dû revoir ses priorités et faire passer la péninsule balkanique avant la prise de contrôle des Dardanelles, les Détroits sont restés au cœur de la stratégie russe. Leur importance économique n'a jamais été plus évidente : dans les années 1903-1912, 37 % des exportations russes se sont faites par les Dardanelles. Quant aux exportations de céréales (blé et seigle), vitales pour une économie en voie d'industrialisation et donc toujours à court de capitaux, leur part s'élève de 75 % à 80 %[99]. Dès le début des guerres balkaniques, Sazonov a multiplié les démarches auprès des États belligérants et des grandes puissances qui les soutenaient pour leur expliquer les « effets désastreux » d'une fermeture des Détroits aux navires commerciaux, et éviter que cela n'arrive[100]. De fait, ces conflits ont entraîné deux blocus temporaires des Dardanelles, perturbant très sérieusement le commerce russe.

C'était une chose que de subir des perturbations temporaires, mais il était autrement plus grave pour les Russes de perdre définitivement toute influence dans une zone cruciale pour leurs intérêts géopolitiques. À l'été 1911, Soukhomlinov s'inquiétait de l'éventualité que les Allemands ne prennent pied sur le Bosphore, déclarant : « Derrière la Turquie se tient l'Allemagne [101]. » En novembre 1912, ce sont les Bulgares qui semblent sur le point de s'emparer de Constantinople. Sazonov demande alors à Izvolski de mettre en garde Poincaré : si la ville tombe, les Russes seront contraints de déployer l'intégralité de leur flotte de la mer Noire dans les Détroits [102]. Au cours des semaines suivantes, Sazonov, l'état-major et l'Amirauté envisagent des projets de débarquement pour protéger Constantinople et défendre leurs intérêts. Le ministre rejette la proposition britannique d'internationaliser la capitale ottomane, au motif que cela affaiblirait l'influence de la Russie dans cette région. De nouveaux plans stratégiques sont élaborés pour s'emparer de Constantinople et de l'ensemble des Détroits par la force [103]. Dans un mémorandum rédigé pour Kokovtsov et les chefs d'état-major le 12 novembre, Sazonov expose les mérites d'une conquête : les Russes s'empareraient ainsi de l'un des centres vitaux du commerce mondial, de « la clé de la mer Méditerranée » et d'une base « pour un développement sans précédent de la puissance russe ». La Russie serait établie « dans une position globale qui viendrait couronner les efforts et les sacrifices qu'elle avait consentis au cours des deux derniers siècles de son histoire ». Faisant référence, de façon révélatrice, à l'importance de l'opinion publique, il conclut qu'un succès aussi grandiose « unirait le gouvernement et la société » derrière une question « cruciale pour l'ensemble de la nation » et « apporterait ainsi la guérison à notre société [104] ».

La Russie a perdu des millions de roubles pendant les récents blocus des Dardanelles, fait-il remarquer à Nicolas II le 23 novembre 1912, avant d'ajouter : « Imaginez ce qui se passerait si, au lieu d'être aux mains des Turcs, les Dardanelles passaient sous le contrôle d'un État capable de résister à nos exigences [105]. » Pendant l'été et l'automne 1913, cette crainte force les commandants de la flotte de la mer Noire à rester en alerte, prêts à s'emparer des Dardanelles. Le capitaine A. V. Nemitz, chef de la 2e section stratégique – mer Noire, déclare que la Russie « doit se préparer à [conquérir les Dardanelles] d'un jour à l'autre [106] ». Les craintes suscitées par le renforcement de la flotte turque exacerbent le sentiment d'urgence : un cuirassé est en construction en Grande-Bretagne, deux autres ont été commandés en 1912-1914 – aucun ne sera livré avant le déclenchement de la guerre. Mais la perspective que la flotte turque puisse devenir plus puissante que la leur remplit les « navalistes » de Saint-Pétersbourg d'une appréhension qui n'est que l'inversion de leurs propres visées impérialistes [107].

Le contrôle des Dardanelles est donc devenu pour les Russes une question extrêmement sensible au moment où la mission Liman arrive à Constantinople. Ce que Sazonov, qui suit de près l'élaboration des plans stratégiques, trouve tout particulièrement inacceptable, c'est le rôle de commandement dévolu aux Allemands. Or ces derniers ne veulent pas céder sur la question car, comme les Ottomans, ils considèrent que l'échec des missions précédentes est dû principalement au fait que les conseillers militaires n'avaient pas reçu d'autorité réelle. L'expérience indiquait que le droit de transmettre des directives ne suffisait pas sans le pouvoir de les faire appliquer. Sourd à cet argument, Sazonov tente de faire monter la pression contre Berlin. Il propose à Londres et à Paris la rédaction d'une note de protestation commune des puissances de l'Entente s'opposant dans les termes les plus vifs à la mission allemande, et se concluant par une menace implicite : « Si l'Allemagne s'arrogeait un rôle aussi prééminent à Constantinople, alors les autres puissances se verraient obligées d'agir conformément à leurs propres intérêts en Turquie [108]. »

Cette initiative est un échec, principalement parce que les Russes sont seuls à considérer que la mission Liman menace leurs intérêts vitaux. Ni l'attaché militaire français ni son homologue britannique à Constantinople ne sont particulièrement inquiets : il leur semble logique que les Allemands exigent un pouvoir de contrôle plus grand après l'échec des missions précédentes. Grey prétexte de l'urgence de la question d'Irlande et de « la délicate situation intérieure » de son pays pour éluder tout engagement direct [109]. De toute façon, les Britanniques s'inquiètent moins des initiatives allemandes en Turquie que de la domination croissante des capitaux *français*. « L'indépendance de la Turquie est en train de disparaître devant l'avance des financiers français », déclare Sir Louis Mallet à Grey en mars 1914. Le 18 du même mois, à la Chambre des communes, le député conservateur Sir Mark Sykes, spécialiste des questions ottomanes et moyen-orientales, se lance dans une virulente diatribe contre la mainmise de la finance française sur la Syrie qui, selon lui, « finira par mener à l'annexion [110] ».

Il faut ajouter à cela le fait qu'opère déjà dans le Bosphore une mission britannique navale dont le mandat a été étendu avec l'arrivée en 1912 de l'amiral Arthur Limpus. Nommé « commandant de la flotte » selon les termes de son ordre de mission [111], ce dernier n'est pas seulement chargé de superviser la rénovation de la marine turque – entraînement et renouvellement du matériel –, il coordonne également le déploiement des torpilleurs et l'installation des barrages de mines dans les Détroits, l'un des moyens les plus efficaces d'empêcher leur accès à des navires de guerre étrangers [112]. Limpus interprète d'ailleurs sa mission dans un sens politique. Dans sa correspondance avec l'Amirauté ottomane, il aborde non seulement les questions techniques, mais également des questions stratégiques plus générales telles que définir le niveau des capacités navales à engager « pour que la traversée de la mer Noire devienne risquée pour les transports de troupes russes [113] ». En d'autres termes, il poursuit à Constantinople des buts très similaires à ceux de Liman et considère avec flegme cette sorte de condominium anglo-allemand qui contrôle le dispositif de défense naval et terrestre de l'Empire ottoman. Comme il le déclare à l'Amirauté ottomane en 1912 :

> C'est l'Angleterre qui a le plus d'expérience aussi bien dans le domaine de la marine que dans celui des établissements terrestres. L'Allemagne possède l'armée de terre la plus puissante et réputée la plus efficace. Je suis certain que de faire venir des conseillers allemands pour tout ce qui touche à l'armée de terre a été une très sage décision. Je suis également certain que ce sera une décision tout aussi sage que de demander à l'Angleterre d'envoyer des conseillers pour tout ce qui touche à la marine [114].

Il est donc difficile à Sazonov de susciter chez ses partenaires de l'Entente la même indignation que celle provoquée en Russie par la mission Liman. Grey rejette son idée d'une note conjointe de protestation et suggère d'envoyer à Constantinople une demande de clarification bien plus inoffensive, pour se faire préciser le périmètre de la mission allemande. Malgré les signes d'approbation que Delcassé a donnés aux Russes [115], le Quai d'Orsay se montre encore plus réticent que le Foreign Office à réagir, d'autant plus qu'il a cru décrypter dans les éléments de langage de la note russe la perspective d'une dissolution totale de la Turquie asiatique dont les conséquences seraient désastreuses pour les intérêts financiers français. Paris préfère donc soutenir la proposition de Grey, plus modérée [116]. Autrement dit, l'Empire ottoman chancelant focalise trop d'ambitions impérialistes et d'inquiétudes paranoïaques pour que les partenaires de l'Entente fassent cause commune contre une hypothétique menace.

Cependant la mission Liman déclenche un changement d'état d'esprit et une radicalisation chez les décideurs russes. La tiédeur des réactions britannique et française rend Sazonov furieux. Dans un télégramme envoyé le 12 décembre 1913 à son ambassadeur à Londres, il parle avec amertume de sa perte de confiance dans la réalité du soutien britannique, ajoutant : « Le manque de solidarité entre les puissances de l'Entente nous inspire les plus vives inquiétudes [117]. » Dans un rapport remis au tsar le 23 décembre, il adopte une position ouvertement offensive. Il préconise que des « initiatives militaires conjointes » soient préparées sur-le-champ en coordination avec la France et la Grande-Bretagne. Les puissances de l'Entente devraient « s'emparer de certains points de l'Asie Mineure et les occuper, déclarant qu'elles n'en bougeraient pas tant que leurs exigences n'auraient pas été satisfaites ». Bien sûr, une initiative aussi spectaculaire risquerait d'entraîner « des complications européennes », mais il était plus probable qu'une attitude « ferme et résolue » aurait l'effet désiré : faire céder les Allemands. Céder soi-même en revanche « pourrait entraîner les conséquences les plus fatales ». Une conférence au sommet devrait être convoquée pour analyser les conséquences de la mission Liman [118].

Elle s'ouvre le 13 janvier 1913 sous la présidence du Premier ministre Vladimir Kokovtsov. Sont également présents Sazonov, le ministre de la Guerre Soukhomlinov, le chef d'état-major le général Jilinski et le ministre de la Marine Grigorovitch. Ils commencent par discuter des « mesures de coercition » à prendre pour obliger Constantinople à retirer sa demande d'assistance auprès des Allemands. L'idée d'appliquer des sanctions économiques au gouvernement ottoman est rapidement écartée : de telles mesures affecteraient également les très nombreux intérêts financiers français, risquant de mettre à rude épreuve les liens entre pays de l'Entente. Une alternative serait que les pays de l'Entente s'emparent par la force de bastions stratégiques en territoire ottoman. La condition préalable impérative, fait remarquer Sazonov, serait le soutien de la France. Fidèle à ses convictions, Kokovtsov s'oppose à ces propositions belliqueuses, répétant que la guerre serait un risque bien trop grand. Pendant toute la réunion, il tente d'imposer la retenue et la modération. Plutôt que d'agir par dépit et d'échafauder des représailles en conséquence, il lui semble important de fixer très précisément les limites de ce que la Russie peut tolérer ou pas. Les Allemands, fait-il remarquer, cherchent à se sortir « de la situation créée par les exigences russes » et se sont dits prêts à faire des concessions. Il était donc crucial d'éviter « toute déclaration catégorique pouvant s'apparenter un ultimatum » qui les forcerait à durcir leur position [119]. Mais cette fois-ci, le Premier ministre se heurte à l'opposition de Sazonov, Soukhomlinov, Jilinski et Grigorovitch, qui déclarent que la probabilité d'une intervention armée des Allemands serait minime et que, si le pire se produisait, la guerre, bien qu'indésirable, serait cependant une éventualité acceptable. Le ministre de la Guerre et le chef d'état-major affirment tous deux catégoriquement que « la Russie est parfaitement prête à entrer seule en guerre contre l'Allemagne, sans parler de combattre l'Autriche seule à seule [120] ».

Ce scénario extrême est rendu obsolète par la décision allemande de céder rapidement, ce qui met fin à la crise. Inquiet de l'intensité de la réaction à Saint-Pétersbourg, et poussé à la conciliation par Paris et Londres, le gouvernement allemand accepte d'affecter Liman à l'armée du sultan : il demeure inspecteur général et sa promotion au rang de « maréchal de l'Empire ottoman » signifie qu'il peut renoncer au commandement du premier corps d'armée sans perdre la face [121].

Cette crise ne dégénère donc pas en guerre continentale, mais elle constitue rétrospectivement un moment révélateur. Elle démontre que l'état d'esprit de certains décideurs russes est devenu très belliqueux. Sazonov, en particulier, a évolué : le politicien hésitant des premières années a gagné en assurance, adoptant une posture de plus en plus germanophobe. Il s'est mis à élaborer un récit des relations germano-russes qui ne laisse aucune place à un accord avec Berlin : la Russie avait toujours été le voisin docile et pacifique que l'Allemagne, prédateur hypocrite, maltraitait et humiliait à chaque occasion. Mais le temps de la résistance était venu. Le pouvoir de ces reconstructions fictives qui limitent le champ de vision des décideurs ne doit pas être sous-estimé. Et les encouragements répétés de Paris ont également fait leur œuvre : pendant la conférence du 13 janvier, Sazonov déclare qu'il serait impossible de prévoir la réaction de la Grande-Bretagne en cas de guerre russo-allemande, mais que la Russie pourrait compter sur l'aide active de la France dont l'ambassadeur lui avait récemment déclaré que « la France irait aussi loin que le souhaiterait la Russie ». Quant à la Grande-Bretagne, elle hésiterait sans doute un peu au début, mais il ne faisait « aucun doute » qu'elle interviendrait au cas où le conflit tournerait au désavantage de ses alliés franco-russes [122].

Le tsar semble lui aussi adopter une ligne plus ferme : au cours d'un entretien avec l'ambassadeur Buchanan début avril 1914, il lui fait observer que « l'on suppose généralement que rien ne peut séparer la Russie et l'Allemagne ». Cependant, « ceci est faux : il y a la question des Dardanelles » où le tsar craint que les Allemands ne soient en train de manœuvrer pour enfermer les Russes dans la mer Noire. Si l'Allemagne tente cela, il sera essentiel que les trois puissances de l'Entente se rapprochent encore davantage et fassent très clairement comprendre à Berlin que « toutes trois résisteront à toute agression allemande [123] ». Du côté allemand en revanche, la férocité de la réaction russe à l'annonce de la mission Liman et l'amertume d'avoir dû capituler devant leurs exigences ont créé l'impression qu'un fossé infranchissable sépare désormais les deux capitales. « Les relations prusso-russes sont définitivement mortes », déplore le Kaiser. « Nous sommes devenus ennemis [124] ! »

Quant à Kokovtsov, le modéré déjà affaibli, l'affaire Liman sonne le glas de sa carrière. Lorsque la crise éclate, il est à Paris où il négocie un nouvel emprunt destiné à améliorer les chemins de fer russes. À la demande de Sazonov, il se rend à Berlin pour négocier avec les Allemands. Les rapports qu'il rédige pour rendre compte de ses contacts indiquent combien il a conscience d'avoir été mis sur la touche. Il a du mal à faire comprendre à ses interlocuteurs allemands les particularités du système russe qui accorde si peu de pouvoir et de prérogatives au président du Conseil des ministres – une manière à peine voilée de s'en plaindre auprès de Sazonov[125]. La réunion du 13 janvier sera sa dernière occasion de présider une telle conférence. Fin janvier 1914, le tsar le démet de ses fonctions de Premier ministre et de ministre des Finances.

Son renvoi marque la défaite non seulement d'un homme, mais d'une politique, et plus généralement du courant prudent et conservateur de la vie politique russe dont il est le représentant. Le nouveau président du Conseil des ministres, Goremykine, est considéré par beaucoup comme un simple homme de paille, « un vieil homme » selon Sazonov, « qui a perdu depuis longtemps la capacité de s'intéresser à quoi que ce soit d'autre qu'à sa propre tranquillité et à son propre bien-être, ainsi que le pouvoir de tenir compte de ce qui se passe autour de lui[126] ». Le personnage le plus puissant du Conseil des ministres est désormais Krivocheïne, qui a orchestré la cabale contre Kokovtsov depuis 1913 et dispose de multiples relais d'influence. Le successeur de Kokovtsov aux Finances, Peter Bark, protégé de Krivocheïne, est un homme compétent mais peu connu. Krivocheïne étant un ardent partisan de la ligne dure poursuivie avec une détermination croissante par Sazonov et Soukhomlinov, et Kokovtsov n'étant plus là pour prêcher la retenue, l'équilibre au sein du Conseil des ministres va se rompre en faveur des positions les plus radicales.

En fin de compte, l'affaire Liman révèle l'importance majeure que la question des Détroits a acquise pour les Russes[127]. Au même moment, elle a suscité des interrogations troublantes : jusqu'où les pays de l'Entente sont-ils prêts à aller pour aider les Russes à obtenir un libre accès aux Détroits ? Les doutes de Sazonov à ce sujet sont manifestes, ce que montre la conclusion assez incohérente à laquelle la réunion du 13 janvier est parvenue : d'une part, les Russes doivent lancer, avec le soutien de l'Entente, une séquence d'actions de plus en plus coercitives contre Constantinople ; et d'autre part, si l'Entente continue à refuser de les soutenir, les Russes doivent s'en tenir à des mesures de coercition non militaires. Sazonov a donc raison de douter du soutien de l'Entente : même après la fin de la crise, la perspective que les Russes puissent « poser à nouveau la question [des Détroits] dans un avenir proche » demeurera un sujet de préoccupation à Londres[128].

En d'autres termes, il est difficile d'imaginer un scénario dans lequel les Russes parviendraient à mobiliser un soutien international à une stratégie visant ouvertement et directement à prendre le contrôle des Détroits. Telle était d'ailleurs la difficulté à laquelle Tcharykov s'était

Ivan Goremykine

heurté en novembre 1911, quand il avait tenté de mettre sur pied un accord bilatéral avec la Sublime Porte. À l'époque, Sazonov l'avait désavoué, pensant qu'une prise de contrôle directe était prématurée, et avait alors arbitré en faveur de Hartwig, dont la politique panslaviste se focalisait sur la péninsule balkanique (la Serbie en particulier). La logique de ce choix de 1911 semblait indiquer qu'échecs et frustrations dans les Détroits risquaient de pousser les Russes à s'intéresser à nouveau au saillant balkanique – de choisir en quelque sorte une stratégie par défaut, ou par élimination. Mais se montrer actif dans les Balkans ne signifiait pas abandonner les Détroits – au contraire, il ne s'agissait que d'un détour pour atteindre le même but. En 1912-1914, la stratégie russe tend de plus en plus à considérer les Balkans comme l'arrière-pays des Détroits, clé d'accès au goulot d'étranglement ottoman [129] ; elle repose sur la conviction de plus en plus centrale dans la pensée de Sazonov que les revendications russes ne pourront être satisfaites que dans le contexte d'une guerre européenne généralisée, dont l'objectif ultime, pour les Russes, sera le contrôle du Bosphore et des Dardanelles [130].

Cette ligne de pensée se reflète dans les minutes de la conférence spéciale du 8 février 1914, convoquée et présidée par Sazonov, et caractérisée par une liberté de ton et de perspective rendue possible par le renvoi de

Kokovtsov. Les participants réaffirment la nécessité de contrôler les Détroits alors même que Sazonov reconnaît qu'il est difficile d'imaginer y parvenir sans déclencher « une guerre européenne généralisée ». La discussion porte alors sur la façon de hiérarchiser deux objectifs différents : d'une part, s'emparer des Dardanelles ; d'autre part, gagner une guerre européenne, un objectif qui, à lui seul, nécessite d'engager toutes les forces disponibles. Réagissant aux propos de Sazonov, le chef d'état-major note que, dans l'éventualité d'une guerre européenne, la Russie n'aurait pas de régiments à envoyer dans les Détroits car ils seraient tous engagés sur le front ouest. Mais – et c'est la clé du raisonnement – si la Russie s'imposait sur le front ouest, alors la question des Dardanelles se résoudrait d'elle-même, ainsi que toute une série de problèmes régionaux, dans le cadre du règlement global de ce conflit généralisé. Tel est également l'avis du quartier-maître général Danilov, qui s'était opposé à toute opération militaire dirigée exclusivement sur les Détroits :

> Une guerre sur le front ouest nécessiterait l'engagement de toutes les forces de l'État, nous ne pourrions nous dispenser du moindre corps d'armée pour le réserver à une autre tâche. Nous serions obligés de concentrer nos forces pour obtenir le succès sur le théâtre d'opérations le plus important. La victoire sur ce théâtre nous permettrait d'obtenir des décisions avantageuses sur tous les objectifs secondaires [131].

Cependant d'autres opinions se font entendre à cette réunion. Le capitaine Nemitz, chef des opérations de l'Amirauté russe, formule une mise en garde : le scénario de Sazonov, Jilinski et Danilov n'a de sens que si l'ennemi menaçant Constantinople est le même que celui qui attaque sur le front ouest (c'est-à-dire l'Allemagne et/ou l'Autriche-Hongrie). Alors la Russie pourra effectivement se concentrer sur le conflit principal et présumer que les Dardanelles tomberont sous sa coupe dans la foulée. Mais en voulant s'emparer des Détroits, la Russie rencontrera d'autres adversaires. Il est donc plausible, fait-il remarquer, désignant la Grande-Bretagne à mots couverts, que « des flottes et des armées étrangères » ne viennent occuper les Détroits pendant que la Russie combattra et souffrira sur les fronts allemand et autrichien [132]. L'objection est à prendre au sérieux : l'expérience des années passées suggère qu'à toute tentative de modifier unilatéralement le statut des Détroits, la Russie risque de se heurter à l'opposition non seulement de ses ennemis mais également à celle de ses alliés [133].

Ces réflexions permettent aussi d'expliquer pourquoi la crise Liman marque un tournant dans l'attitude de Moscou vis-à-vis de Londres [134]. Sazonov, qui réclame immédiatement des mesures pour transformer l'Entente en véritable alliance, est l'artisan principal des négociations navales qui se tiennent avec les Britanniques à partir du 7 juin 1914. Dans ses Mémoires, il écrira que la mission militaire allemande avait « forcé » la Russie à rechercher « un accord concret » avec la Grande-Bretagne, les deux pays étant « conscients d'avoir un ennemi commun » – ce qui, évidemment, correspond à notre vision rétrospective tout entière orientée vers le déclenchement de la guerre. Même s'il ne fait aucun doute que Sazonov rêvait d'affronter et de vaincre les Allemands au sein de « l'alliance la plus puissante que l'humanité ait jamais connue [135] », il est également clair qu'un accord naval avec l'Angleterre promettait de museler la flotte la plus puissante du monde, l'empêchant ainsi de prendre des initiatives indésirables dans les Détroits (une motivation que le ministre des Affaires étrangères ne pouvait évidemment pas se permettre d'admettre ouvertement). Cette hypothèse est renforcée par la protestation officielle que les Russes avaient transmise à Londres en mai 1914 sur le rôle que les officiers britanniques jouaient dans la réforme de la marine turque [136]. Pour la Russie comme pour la Grande-Bretagne, le monde abritait plus d'un adversaire potentiel. Sous l'échafaudage des alliances se dissimulaient des rivalités impériales bien plus anciennes.

Le scénario balkanique

Dans une lettre adressée à Hartwig dont le contenu est communiqué à Pašić, Sazonov résume les derniers développements de la situation dans les Balkans et analyse leur importance pour la Serbie : ce royaume n'a parcouru que « la première étape de son chemin historique ».

> Afin d'atteindre sa destination, il doit encore subir une terrible épreuve, dans laquelle son existence même sera remise en cause. La terre promise de la Serbie est toujours en territoire austro-hongrois, et non dans la direction vers laquelle elle tente aujourd'hui de progresser et où elle se heurte aux Bulgares. Dans ces circonstances, il est de l'intérêt vital de la Serbie de se préparer, par un effort patient et déterminé, au conflit qui, inéluctablement, l'attend. Le temps œuvre pour la Serbie et contre ses ennemis, lesquels montrent déjà des signes clairs de décomposition [137].

Ce qui est intéressant ici, ce n'est pas seulement la franchise sans fard avec laquelle Sazonov écarte la Serbie de la Bulgarie pour la lancer sur l'Autriche-Hongrie, mais l'affirmation qu'en agissant ainsi, il ne fait qu'accepter le verdict de l'Histoire qui a déjà décidé que les jours de l'Autriche-Hongrie étaient comptés. Dans la rhétorique des chefs d'État de l'Entente, nous rencontrons souvent de tels récits du déclin inévitable de l'Autriche, dont il faut noter la grande efficacité. Ils permettent de légitimer la lutte des Serbes qui apparaissent comme les hérauts d'une modernité prédéterminée destinée à balayer les structures obsolètes de la Double Monarchie. Dans le même temps, ces récits occultent les preuves innombrables que l'Empire austro-hongrois est l'un des centres de la modernité culturelle, administrative et industrielle de l'Europe, alors que les États des Balkans au contraire, et tout particulièrement la Serbie, restent prisonniers d'un cercle vicieux combinant retard de développement et productivité déclinante. Mais leur fonction la plus importante est de permettre aux décideurs de dissimuler, y compris à leurs propres yeux, les responsabilités qu'ils ont dans les conséquences de leurs actions. Si l'avenir est déjà tout tracé, alors la politique ne signifie plus qu'il faille choisir entre différentes options qui chacune entraînerait un avenir différent. Il s'agit plutôt de s'aligner sur la marche impersonnelle de l'Histoire.

Au printemps 1914, l'Alliance franco-russe a installé un mécanisme de mise à feu géopolitique le long de la frontière austro-serbe. L'Alliance a lié la politique de défense de trois des plus grandes puissances mondiales – France, Russie et Grande-Bretagne – aux fortunes incertaines de la région la plus violente et instable d'Europe. Du point de vue français, s'engager à défendre les assaillants serbes est une conséquence logique de la signature de l'Alliance franco-russe, qui elle-même découle de ce que les décideurs français considèrent comme des contraintes stratégiques incontournables. La première d'entre elles est démographique : même avec l'accroissement considérable rendu possible par la loi des Trois Ans, l'armée française ne possède pas les effectifs considérés comme nécessaires par l'état-major pour contrer à elle seule la menace allemande. Pour pouvoir l'emporter face aux Allemands, il faut donc réunir deux conditions : la présence d'un corps expéditionnaire britannique sur le front ouest, et une offensive rapide à travers la Belgique permettant aux forces françaises de contourner l'Alsace-Lorraine, région défendue par de nombreuses fortifications. Malheureusement, ces deux conditions sont mutuellement exclusives, car ne pas respecter la neutralité belge signifie devoir se passer du soutien britannique. Cependant, même en se privant de l'avantage stratégique qu'offre l'invasion de la Belgique, il n'est pas garanti que les Britanniques interviennent dès la première phase de la guerre : l'ambiguïté de leur position a créé une marge de doute substantielle.

La France est donc obligée de rechercher un moyen de compenser à l'est son déficit de sécurité à l'ouest. Comme l'a dit l'ambassadeur belge au printemps 1913, moins l'amitié anglaise leur semble « solide et efficace », plus les stratèges français ressentent le besoin de « resserrer » les liens avec la Russie [138]. C'est pourquoi à partir de 1911, le gouvernement français se concentre sur le renforcement des capacités offensives de la

Russie, puis en 1912-1913 sur l'assurance que les plans de déploiement russes sont bien dirigés contre l'Allemagne plutôt que contre l'Autriche, leur adversaire désigné dans les Balkans. De puissantes incitations financières renforcent une coopération militaire de plus en plus étroite. Cette politique n'est certes pas neutre au plan stratégique : faire le pari qu'en renforçant les capacités militaires de la Russie, celle-ci deviendra capable de prendre l'initiative contre l'Allemagne implique inéluctablement que la France renonce à une part de son autonomie. Mais les décideurs français sont prêts à accepter les contraintes résultant de cette situation : ce que prouve leur empressement à étendre les termes de l'Alliance franco-russe pour couvrir spécifiquement un *casus fœderis* balkanique – une concession qui rend les Russes maîtres du jeu. Les Français sont prêts à prendre ce risque parce que leur plus grande inquiétude n'est pas que les Russes agissent précipitamment mais, au contraire, qu'ils ne fassent rien, ou qu'ils se renforcent au point de perdre tout intérêt pour l'Alliance et la sécurité qu'elle est censée leur apporter, ou encore qu'ils ne se concentrent que sur la destruction de l'Autriche plutôt que sur celle de « l'adversaire principal » des Français, l'Allemagne.

Le scénario balkanique est donc séduisant précisément parce qu'il semble le moyen le plus sûr d'obtenir le soutien total des Russes dans des opérations conjointes, non seulement parce que les Balkans appartiennent à leur sphère d'influence traditionnelle, mais parce qu'il est certain qu'un conflit austro-serbe excitera le sentiment national, ce qui contraindra les décideurs russes à intervenir. D'où l'importance des prêts français, les fameux emprunts russes (à l'époque parmi les plus élevés jamais consentis), accordés en échange du programme de construction de chemins de fer stratégiques qui permettront de transporter le gros des troupes russes sur le front est, forçant l'Allemagne – du moins les Français l'espèrent-ils – à diviser ses troupes, réduisant ainsi la puissance de l'offensive menée vers l'ouest et assurant à la France la marge de sécurité requise pour remporter la victoire.

L'engagement russe dans le saillant balkanique n'est pas de même nature. Depuis de nombreuses années, les Russes y mènent une politique visant à construire une forme de partenariat avec une ligue d'États balkaniques susceptibles de former un rempart contre l'Autriche-Hongrie. Ils relancent cette stratégie pendant la guerre italo-turque en Libye, favorisant la naissance de l'alliance serbo-bulgare dans laquelle un rôle d'arbitre leur est dévolu. Quand éclate la seconde guerre des Balkans au sujet du partage des dépouilles de la première, les Russes admettent que leur stratégie est désormais caduque et, après plusieurs semaines de tergiversations, ils choisissent la Serbie comme principal client, au détriment de la Bulgarie qui tombe rapidement sous la coupe des puissances centrales (au plan financier tout d'abord, puis politique). L'engagement de la Russie envers les Serbes se renforçant, elle se retrouve dans une posture de confrontation directe avec l'Autriche-Hongrie, comme le montrent les événements de l'hiver 1912-1913.

Malgré tout, les Russes mettent un certain temps à embrasser la vision stratégique proposée avec tant d'insistance par l'état-major français. Le plan de redéploiement présenté par Soukhomlinov en 1910 irritait le haut commandement français parce qu'il déplaçait le cœur du dispositif russe vers l'intérieur de la Russie, loin de la frontière germano-polonaise. Au cours des années suivantes, les Français ont dû batailler ferme pour parvenir à convaincre les Russes de s'engager dans une stratégie consistant à frapper l'Allemagne avec le maximum de puissance dans le temps le plus court possible, en utilisant des artères ferroviaires à quatre voies permettant d'acheminer des effectifs très élevés au cœur du dispositif ennemi.

Si les logiques stratégiques françaises et russes finissent par s'accorder, c'est pour plusieurs raisons. Tout d'abord, la perspective d'obtenir des prêts français colossaux incite puissamment les Russes à collaborer. De plus, comme il est impossible d'imaginer qu'une attaque russe contre l'Autriche n'entraîne pas l'intervention de l'Allemagne, il paraît également de plus en plus clair que pour l'emporter dans la péninsule balkanique, il faudra également vaincre l'Allemagne. Enfin, l'arrivée de la mission Liman à Constantinople joue un rôle de catalyseur. Elle ne déclenche pas seulement un renforcement des préparatifs de guerre, en exacerbant les doutes russes sur les intentions des Allemands ; elle permet également de formuler très clairement les liens existants entre les deux zones où les Russes ont des intérêts stratégiques : les Balkans et les Détroits. Ce que la conférence spéciale du 8 février 1914 fait nettement apparaître, c'est que Sazonov, Soukhomlinov et Jilinski en sont arrivés à la même conclusion : leur objectif dans les Détroits (accès libre ou contrôle total) sera nécessairement subordonné à la nécessité de l'emporter dans un conflit européen contre les puissances centrales. Il y a deux raisons à cela : tout d'abord la crainte que l'Allemagne ne prenne le contrôle des Détroits, mais plus encore le fait que les partenaires de l'Entente ne soient toujours pas disposés à soutenir une initiative russe pour s'emparer de cet atout capital, à leurs yeux, pour l'avenir stratégique et économique de la Russie. Les trois pays de l'Entente voient la situation dans cette région de manière si différente que le ministère des Affaires étrangères russe en est venu à considérer une guerre généralisée – autrement dit une guerre déclenchée dans les Balkans – comme le seul contexte dans lequel les Russes puissent agir en étant certains d'avoir le soutien de leurs partenaires occidentaux [139].

Il faut faire à ce stade une distinction importante : à aucun moment les stratèges russes ou français n'envisagent de déclencher une guerre d'agression contre les puissances centrales. Ce que nous analysons ici, ce sont des scénarios, non des plans à proprement parler. Mais il est néanmoins frappant de constater que les décideurs ne prennent guère en compte les effets que leurs décisions ne manqueront pas d'avoir sur l'Allemagne. Les Français ont mesuré combien l'équilibre de la menace penche au détriment des Allemands – en juin 1914, un rapport de l'état-major note avec satisfaction que « la situation militaire a évolué au préjudice des Allemands », et les évaluations britanniques vont toutes dans le même sens. Mais comme ils considèrent leurs propres initiatives comme purement défensives, ne prêtant d'intentions agressives qu'à leurs adversaires, les principaux décideurs ne prennent jamais au sérieux la possibilité que les mesures mises en œuvre par eux-mêmes puissent réduire le nombre d'options dont Berlin dispose. Ce qui est un exemple frappant de ce que les spécialistes des relations internationales appellent le « dilemme sécuritaire » : toute décision prise par un État pour renforcer sa sécurité « augmente le sentiment d'insécurité des autres États, les forçant à se préparer au pire [140] ».

Les Britanniques ont-ils conscience des risques posés par la balkanisation de la politique de sécurité de l'Entente ? Les hommes politiques britanniques voient avec lucidité que la dérive de la situation géopolitique européenne a créé un mécanisme qui peut, s'il est activé d'une certaine manière, transformer une querelle balkanique en guerre européenne. Et ils considèrent cette possibilité – tout comme les autres aspects de la situation européenne – avec des sentiments mitigés. Même les plus russophiles d'entre eux ne sont pas sans critiquer la politique menée par Saint-Pétersbourg dans les Balkans. En mars 1912, apprenant le rôle joué par les Russes dans la mise sur pied de l'alliance serbo-bulgare, Arthur Nicolson désapprouve cette initiative « qui montre que le gouvernement russe n'a nullement l'intention de coopérer avec le gouvernement autrichien sur les questions balkaniques, un état de fait que personnellement, je regrette profondément [141] ». Rencontrant des hommes politiques à Londres et à Balmoral en septembre 1912, Sazonov est frappé de la « prudence exagérée » dont ils font preuve sur les Balkans et de leur méfiance à l'égard de toute initiative russe semblant destinée à faire pression sur le gouvernement ottoman [142]. En novembre 1912, alors que l'armée serbe progresse en territoire albanais en direction de la côte adriatique, le vicomte Bertie, ambassadeur britannique à Paris, prévient le Quai d'Orsay que la Grande-Bretagne n'entrera pas en guerre pour offrir à Belgrade un port sur l'Adriatique [143].

Et cependant, quelques jours plus tard, le 4 décembre, Edward Grey convoque l'ambassadeur allemand, le comte Lichnowsky, pour lui délivrer ce sévère avertissement :

Si une guerre européenne devait se déclencher à la suite d'une attaque autrichienne sur la Serbie, et que la Russie, contrainte par son opinion publique, devait entrer en Galicie plutôt que de subir une humiliation semblable à celle de 1909, forçant ainsi l'Allemagne à venir en aide à l'Autriche, alors la France serait inévitablement attirée dans ce conflit, et *personne ne pourrait prédire ce qui s'en suivrait*[144].

Il faut se rappeler que le prétexte de cet échange est le discours de dix minutes prononcé par le chancelier Bethmann devant le Parlement allemand, dans lequel il prévenait que si, contre toute attente, l'Autriche devait être attaquée par un autre grande puissance – faisant là clairement référence à la Russie, dont les préparatifs militaires le long de la frontière galicienne avait déclenché une psychose de guerre –, l'Allemagne viendrait à son secours. Lichnowsky interprète le commentaire de Grey comme une « allusion qui ne peut pas ne pas être comprise », le signe qu'« il est vital pour la Grande-Bretagne *d'empêcher que [la France] ne soit écrasée par l'Allemagne*[145] ». Lisant le résumé de cet entretien quelques jours plus tard, Guillaume II est frappé de panique, y voyant « une déclaration de guerre morale » contre l'Allemagne. C'est cette mise en garde de Grey qui a déclenché le conseil de guerre de Potsdam du 8 décembre 1912. Les archives françaises prouvent sans ambiguïté qu'après sa conversation avec Lichnowsky, Grey en a transmis la teneur le jour même à l'ambassadeur Paul Cambon, et que ce dernier l'a à son tour communiquée à Raymond Poincaré[146].

Ce que la mise en garde de Grey a de plus remarquable, c'est la force avec laquelle est décrit l'enchaînement causal d'un scénario balkanique ainsi que le nombre de pétitions de principe intégrées au raisonnement. En premier lieu, Grey s'aligne sur l'opinion de Sazonov et d'Izvolski quant à « l'humiliation de 1909 », oubliant apparemment que c'est le refus de la Grande-Bretagne de trouver un compromis avec Izvolski sur la question des Détroits qui a poussé ce dernier – à l'époque ministre des Affaires étrangères – à crier au scandale en prétendant avoir été trompé par son collègue autrichien. L'idée que les puissances centrales ont infligé à la Russie des humiliations répétées est, pour le moins, sujette à caution. La vérité au contraire, c'est que les Russes ont eu de la chance d'échapper aux dangers dans lesquels ils se sont eux-mêmes jetés[147]. En second lieu, il est très discutable d'affirmer que les décideurs russes n'auraient pas d'autre choix, sous la pression de leur opinion publique, que d'attaquer l'Autriche-Hongrie en cas de conflit austro-serbe. Car il est loin d'être évident que l'opinion publique exige une action précipitée au sujet de la Serbie : la presse nationaliste certes la réclame, mais d'autres, comme le journal conservateur *Grajdanine* du prince Mechtcherski, dénoncent « le romantisme impuissant » des slavophiles et critiquent l'idée que la Russie devrait inéluctablement soutenir la Serbie contre l'Autriche. En février 1913, au plus fort de la crise des Balkans, l'ancien Premier ministre Serguëi Witte estimait que 10 % peut-être de la population russe étaient favorables à la guerre, contre 90 % qui s'y opposaient [148]. En dernier lieu, il est étonnant de supposer qu'une intervention de la Russie, qui constituerait une agression contre un État dont les actions ne menacent pas directement sa sécurité, entraînerait « inévitablement » la France – ce qui revient pour Grey à soutenir (ou du moins à accepter) la décision de Poincaré d'étendre les engagements du Traité d'alliance pour couvrir la possibilité d'une attaque russe contre une autre grande puissance européenne. Et par implication, cela obligerait la Grande-Bretagne à intervenir, tôt ou tard, aux côtés de la France. La perspective de combattre pour la Serbie met sans doute Grey mal à l'aise, car il lui arrive d'exprimer des doutes. Mais il a compris et avalisé le scénario balkanique, il l'a intégré à son raisonnement. De plus, il faut garder à l'esprit le fait que ce scénario n'est pas une analyse objective du système international. Il n'incarne pas une nécessité impersonnelle ; il est au contraire tissé d'attitudes partisanes, de promesses d'engagement et de menaces. Il révèle à quel point Grey s'est éloigné d'une politique de pur maintien de l'équilibre des pouvoirs pour adopter une politique focalisée sur la sécurité maximale de l'Entente [149]. En l'exposant à Lichnowsky, Grey ne prédit pas un avenir prédéterminé, il exprime une analyse personnelle de la situation qui rend cet avenir plausible.

L'axiome sur lequel repose toutes ces supputations est le refus, explicite ou implicite, d'accorder à l'Autriche-Hongrie le droit de défendre ses intérêts vitaux comme n'importe quelle autre puissance européenne. Or les décideurs français et britanniques restent extrêmement vagues sur les conditions précises dans lesquelles une querelle austro-serbe pourrait survenir. Poincaré ne fait aucun effort pour définir des critères précis lors de ses entretiens avec Izvolski ; et son ministre de la Guerre ainsi que le haut commandement demandent que des initiatives énergiques soient prises pendant l'hiver 1912-1913, alors même qu'il n'y a eu aucune agression de l'Autriche contre la Serbie. La position de Grey, qui cherche à établir des distinctions, est plus ambivalente : dans une note rédigée le 4 décembre 1912 (le jour même de sa mise en garde à Lichnowsky) à l'attention de Bertie à Paris, il suggère que la réaction britannique dépendra de la façon dont la guerre sera déclenchée :

> Si la Serbie provoquait l'Autriche et lui donnait un juste motif de grief, le sentiment ne serait pas le même que si c'était l'Autriche qui se montrait clairement agressive [150].

Mais dans un environnement aussi polarisé que celui de l'Europe en 1912-1914, où il est difficile de s'accorder sur le degré de provocation justifiant une réaction militaire, comment définir ce qui constitue « un juste motif de grief » ? Et l'indifférence des puissances de l'Entente vis-à-vis des impératifs de sécurité austro-hongrois est une preuve supplémentaire du peu d'importance qu'elles accordent au maintien de l'intégrité du territoire de la Double Monarchie : peut-être considèrent-elles l'Autriche-Hongrie comme le simple factotum de l'Allemagne, un État dépourvu d'identité géopolitique propre ? Ou la soupçonnent-elles de nourrir des desseins agressifs contre la péninsule balkanique ? Ou encore ont-elles accepté l'opinion que la Double Monarchie ayant fait son temps, elle doit bientôt céder la place à des États plus jeunes et meilleurs qu'elle ? Ironie de la situation : la personnalité du ministre des Affaires étrangères autrichien n'y change rien. S'il s'agit d'un fort tempérament, tel Aehrenthal, il est soupçonné d'agressivité. S'il s'agit d'une figure plus accommodante, tel Berchtold, on le taxe de servilité vis-à-vis de Berlin[151].

Un codicille est annexé à cette condamnation à mort de l'État Habsbourg : une description idyllique de la Serbie, nation de combattants de la liberté à qui l'avenir est promis. Nous retrouvons cette rhétorique là où elle est la plus attendue, c'est-à-dire dans les rapports enthousiastes rédigés depuis Belgrade par Hartwig, mais également dans les dépêches envoyées par Descos, l'ambassadeur français, fervent défenseur de la Serbie. La politique de soutien financier menée par la France depuis longtemps se poursuit en janvier 1914 : un nouveau prêt est accordé à Belgrade pour couvrir des dépenses militaires astronomiques (le prêt représente deux fois le montant du budget global de l'État serbe pour 1912) tandis que Pašić négocie auprès de Saint-Pétersbourg une assistance militaire comprenant la livraison de cent vingt mille fusils, vingt-quatre obusiers, trente-six canons « du tout dernier modèle » ainsi que leurs munitions, prétextant – ce qui se révélera faux – que l'Autriche-Hongrie est en train de livrer le même matériel à la Bulgarie[152].

Quant à Grey, pendant la conférence de Londres en 1913, il adopte une position discrètement proserbe, favorisant les revendications de Belgrade au détriment de celles du nouvel État albanais, non parce qu'il soutient la cause de la Grande Serbie en tant que telle, mais parce qu'il considère que contenter les Serbes est la clé de la survie de l'Entente[153]. Les frontières alors dessinées laissent la moitié de la population albanaise à l'extérieur du nouveau royaume d'Albanie. Beaucoup des Albanais ainsi restés sous domination serbe seront persécutés, déplacés, maltraités ou massacrés[154]. Cependant l'ambassadeur Crackanthorpe, qui a de nombreux amis au sein de l'élite politique serbe, commencera par passer sous

silence les informations sur les atrocités commises dans les zones nouvellement conquises par les Serbes, puis les minimisera. Quand les preuves
d'exaction s'accumuleront, quelques protestations se feront entendre par
intermittence, mais trop faiblement pour modifier une politique destinée
essentiellement à conserver le soutien des Russes.

Des facteurs supplémentaires augmenteront encore la sensibilité du
détonateur balkanique. Le premier est la détermination croissante de
l'Autriche à contenir les ambitions territoriales serbes. Nous avons vu
qu'au fur et à mesure que la situation dans les Balkans se détériore, les
décideurs viennois adoptent une ligne de plus en plus dure. L'humeur
continue à fluctuer au rythme des crises qui vont et viennent, mais leur
succession finit par avoir un effet cumulatif. La nervosité des politiciens
autrichiens est aggravée par des facteurs financiers et par le moral de
l'opinion publique. Alors que l'état des finances ne permet plus d'avoir
recours à de nouvelles mobilisations en temps de paix et que l'anxiété
grandit quant à leurs effets sur les recrues issues des minorités nationales,
le nombre des options stratégiques diminue et le climat politique se tend.
Malgré cela, il ne faut pas oublier que la toute dernière analyse stratégique
d'avant-guerre, rédigée par un haut fonctionnaire autrichien, le fameux
mémorandum Matscheko remis à Berchtold en juin 1914, ne mentionne
aucunement la guerre comme moyen de résoudre les nombreux problèmes auxquels se heurte l'Autriche dans la péninsule – et ce malgré le
pessimisme de son auteur.

Enfin, il faut tenir compte du fait que l'Allemagne dépend de plus en
plus d'une « politique de puissance ». Chercher à protéger son autonomie
et sa sécurité en se dotant de la plus grande puissance possible a toujours
été un trait caractéristique de la politique allemande, de Bismarck à
Bülow puis Bethmann-Hollweg. Mais une telle politique alarme les voisins de l'Allemagne et éloigne ses alliés potentiels, ce qui constitue un
problème qu'aucun des chanceliers successifs n'a pu résoudre. Tant que
cette stratégie continue à générer un effet dissuasif suffisant pour exclure
la possibilité d'une attaque conjointe du camp adverse, l'isolement est un
inconvénient certes sérieux, mais pas rédhibitoire. Or dès 1912 le relève-
ment spectaculaire du niveau de préparation militaire de l'Entente prive
cette stratégie de toute efficacité à long terme.

Deux questions préoccupent donc les stratèges et politiciens allemands
au cours des deux dernières années de l'avant-guerre : la première, évoquée précédemment, est de savoir combien de temps l'Allemagne pourra
se maintenir dans une position de supériorité relative suffisante pour
repousser ses ennemis en cas de conflit. La seconde préoccupation
concerne les intentions des Russes : leurs leaders sont-ils en train de préparer activement une guerre préventive contre l'Allemagne ? Ces deux

questions sont inextricablement liées, car si l'on conclut que la Russie cherche véritablement à *provoquer un conflit* avec l'Allemagne, alors vouloir éviter la guerre à présent en acceptant des concessions politiques coûteuses est un argument qui perd toute crédibilité. S'il n'est pas possible d'éviter la guerre, mais seulement de la retarder, alors il est logique d'accepter le combat proposé par l'adversaire maintenant plutôt que d'attendre que le même scénario ne se reproduise plus tard, dans des circonstances bien moins avantageuses. Toutes ces réflexions pèseront lourdement sur les décideurs allemands pendant la crise déclenchée par les assassinats de Sarajevo.

Une crise de la masculinité ?

Si l'on examine les chancelleries européennes en ce printemps et cet été 1914, on ne peut manquer d'être frappé par de funestes coïncidences. Castelnau, Joffre, Jilinski, Conrad von Hötzendorf, Wilson, Moltke : les principaux chefs militaires, ceux qui exercent une influence fluctuante mais importante sur les décideurs politiques, sont tous partisans de stratégies offensives. En 1913-1914, ce sont deux faucons, Delcassé puis Paléologue, qui représentent la France à Saint-Pétersbourg tandis qu'Izvolski, toujours déterminé à laver « l'affront » de 1909, officie à Paris. En décembre 1912, André de Panafieu, l'ambassadeur de France à Sofia, observe d'ailleurs qu'il est « le meilleur ambassadeur à Paris, parce qu'il a des intérêts personnels contre l'Allemagne et l'Autriche ». Les propres collègues russes d'Izvolski remarquent que dès qu'il aborde le sujet de la politique autrichienne vis-à-vis de Belgrade, il s'exprime « avec une amertume palpable qui ne l'a pas quitté depuis l'épisode de l'annexion [155] ». Or Miroslav Spalajković, l'ombrageux austrophobe, est désormais également ambassadeur à Saint-Pétersbourg, alors que son vieil ennemi autrichien le comte Forgách est conseiller diplomatique à Vienne. Comment ne pas penser à une pièce de Harold Pinter où tous les personnages se connaissent, mais se détestent ?

Il s'agit cependant d'une pièce où tous les personnages sont des hommes : quelle importance faut-il accorder à cela ? La masculinité a toujours été un concept très large, recouvrant toutes sortes de comportements ; le caractère viril de ces acteurs se décline différemment selon leur identité de classe, leur appartenance nationale ou leur profession. Mais il est frappant de noter que les protagonistes majeurs de la période font très fréquemment référence à des modes de comportement ostensiblement masculins, et combien ces comportements sont intimement liés à leur perception du fonctionnement du jeu politique. Comme l'écrit Arthur Nicolson à son ami Charles Hardinge pour recommander que Londres rejette tout appel à un rapprochement avec Berlin : « J'espère sincèrement que nous ne courberons pas le dos en la matière [156]. » De son côté, l'ambassadeur allemand à Paris, Wilhelm von Schoen, affirme en mars 1912 qu'il est essentiel que le gouvernement de Berlin reste « d'un calme exemplaire » dans ses relations avec la France et considère « avec sang-froid » les initiatives que la situation internationale lui impose de prendre pour la défense du pays [157]. Lorsque Bertie parle du risque que « les Allemands ne nous poussent dans l'eau et ne nous volent nos vêtements », il transforme par cette métaphore le système international en un rustique terrain de jeux envahi d'adolescents. Sazonov se félicite de la « rectitude » de Poincaré, et de « la fermeté inébranlable de sa détermination [158] » ; Paul Cambon, lui, y voit la « rigidité » de l'homme de loi professionnel. De l'autre côté de la Manche, l'ingéniosité circonspecte de l'amateur de plein air constitue un élément indispensable de la personnalité publique de Edward Grey. Quant à Bethmann, il écrira plus tard dans ses Mémoires que se dérober au devoir de porter assistance à l'Autriche pendant la crise de 1914 aurait été une forme « d'autocastration [159] ».

Dans la correspondance et les mémorandums de ces années-là, l'omniprésence de ces évocations d'une virilité *fin de siècle* est telle qu'il est difficile d'analyser leur impact. Mais elles reflètent certainement un moment très particulier de l'histoire de la masculinité en Europe. Les historiens du genre ont suggéré que pendant les dernières décennies du XIXᵉ siècle et la première décennie du XXᵉ, la définition relativement large d'une identité patriarcale centrée sur la satisfaction des désirs (nourriture, sexualité, biens matériels) a fait place à une conception moins massive, plus ferme et plus abstinente. Dans le même temps, une sorte de compétition de la part de formes de masculinité considérées comme subalternes et marginales – prolétaires, populations non-blanches par exemple – accentuait l'expression d'une soi-disant « vraie virilité » parmi les élites. Dans le corps des officiers tout particulièrement, la résistance, la force de caractère, le sens du devoir et un engagement sans faille détrônent graduellement l'importance traditionnellement accordée à une origine sociale élevée, désormais perçue comme efféminée [160]. « Aux yeux [des hommes], paraître viril […] le plus viril possible […] est la vraie marque de distinction », écrit Rosa Mayreder, féministe et libre-penseuse, en 1905. « Ils sont insensibles à la brutalité de la défaite ou à la pure injustice d'une action, à partir du moment où elle répond aux canons traditionnels de la virilité [161]. »

Cependant, ces formes de plus en plus hypertrophiées de masculinité s'opposent aux idéaux d'obéissance, de courtoisie, de raffinement culturel et de magnanimité toujours considérés comme la marque du « gentleman [162] ». Peut-être pouvons-nous attribuer les symptômes de tension de rôles et d'épuisement manifestés par beaucoup de décideurs importants – sautes d'humeur, obsessions, « tension nerveuse », indécision, maladies psychosomatiques et évasion de la réalité, pour n'en citer que quelques-uns – à ce renforcement des rôles de genre qui commence à faire peser un fardeau intolérable sur certains d'entre eux. Personnage distant et intraitable en matière de discipline pendant le service, Conrad von Hötzendorf a aussi profondément besoin d'empathie féminine ; dans la compagnie des femmes, le masque figé du guerrier tombe, révélant une personnalité inlassablement en quête de réconfort et de soutien psychologique. Sa mère Barbara a vécu toute sa vie chez lui ou proche de lui jusqu'à son décès en 1915. Il comble son absence en épousant Gina von Reininghaus, désormais divorcée, et en l'installant au cœur du QG austro-hongrois à Teschen – au grand étonnement de ses collègues et de la bonne société viennoise [163].

Le cas de l'ambassadeur français à Belgrade, Léon Descos, est également digne d'intérêt. Un diplomate russe qui le connaissait bien rapportera que les guerres des Balkans lui avaient porté « un coup très violent au plan moral », ce qui avait endommagé « son système nerveux » : « Il s'isole de plus en plus et par moment, ressasse son couplet favori sur l'inviolabilité de la paix [164]. » Pendant les guerres balkaniques, Berchtold lui aussi ne cesse de se plaindre dans son journal intime de souffrir de cauchemars, d'insomnies et de maux de tête [165]. Quant au nouveau président du Conseil français René Viviani, profondément pacifique, se rendant à Saint-Pétersbourg en juillet 1914 pour une rencontre au sommet, il manque de s'effondrer nerveusement. Hartwig, également, subit la pression. Alexandre Savinsky, l'ambassadeur russe à Sofia, est persuadé que les guerres balkaniques lui ont fait « perdre son équilibre mental » et « qu'il s'invente et voit des ennemis partout ». Au début de l'été 1914, Hartwig s'inquiète de la mauvaise santé de son cœur et attend avec impatience la pause estivale qui lui permettra d'aller prendre les eaux à Bad Nauheim. Il ne survivra pas à la crise de juillet [166]. La nervosité que beaucoup considèrent comme la marque distinctive de cette période se manifeste chez ces hommes de pouvoir non seulement par des accès d'anxiété, mais par un désir obsessionnel de triompher des « faiblesses » de leur propre volonté, d'être « un homme de courage » plutôt qu'« un homme de la peur », pour reprendre l'expression forgée par Walter Rathenau en 1904 [167]. Quelle que soit la façon dont on situe les acteurs de ces événements dans le contexte plus général de l'histoire du genre, il semble clair que le code de conduite valorisant la force inflexible sur la souplesse tactique et la ruse qui avaient caractérisé les hommes d'État de la génération précédente (Bismarck, Cavour ou Salisbury) est susceptible d'augmenter les risques de conflit.

L'avenir était-il ouvert ?

Dans le *System of Subjective Public Laws* qu'il publie en 1892, Georg Jellinek, professeur de droit à l'université de Vienne, analyse ce qu'il appelle « le pouvoir normatif des faits ». Par là il entend la tendance, chez les êtres humains, à assigner une autorité normative à des états de faits donnés. D'après lui, l'homme réagit ainsi parce que sa perception des situations existantes est affectée par les forces qu'exercent sur lui ces mêmes situations. Prisonniers de ce cercle herméneutique, les hommes tendent à dériver rapidement de l'observation de ce qui est au présupposé qu'un état de fait donné est normal et ne peut qu'incarner une certaine nécessité éthique. Quand surviennent des soubresauts ou des turbulences, ils s'adaptent rapidement aux nouvelles circonstances, leur attribuant la même qualité normative que celle qu'ils avaient perçue dans l'ordre des choses précédent [168].

Quelque chose de globalement analogue se produit lorsque nous étudions des événements historiques, tout particulièrement des catastrophes aussi importantes que la Première Guerre mondiale. Une fois qu'elles sont survenues, elles nous imposent (ou semblent nous imposer) le sentiment de leur inéluctabilité. C'est un processus qui se déroule à plusieurs niveaux. Nous en décernons la trace dans la correspondance, les discours et les Mémoires des principaux protagonistes, qui n'ont de cesse de souligner qu'il n'y avait pas d'alternative au chemin qu'ils ont choisi, que la guerre était « inévitable » et que personne n'avait le pouvoir de l'empêcher. Ces récits prennent des formes variées : certains se contentent d'attribuer la responsabilité des événements à d'autres États ou d'autres acteurs, d'autres assignent au système lui-même une propension à générer des conflits indépendamment de la volonté propre des acteurs individuels, d'autres encore invoquent les forces impersonnelles de l'Histoire et/ou du Destin.

Rechercher les causes de cette guerre – une quête qui domine depuis près d'un siècle la littérature sur le conflit – renforce cette tendance : à force de fouiller en long et en large les décennies qui précèdent la guerre, les historiens ont mis au jour de multiples causes qui s'empilent comme des poids sur le plateau d'une balance, jusqu'à ce que l'aiguille passe de l'improbable à l'inéluctable. Contingence, choix, libre arbitre : ces notions se retrouvent exclues de notre champ de vision. Lorsque depuis notre point de vue, au début du XXIe siècle, nous portons un regard rétrospectif sur les multiples rebondissements des relations internationales en Europe avant 1914, nous ne pouvons nous empêcher de les observer à travers le prisme de ce qui s'est effectivement passé. Les événements s'assemblent d'eux-mêmes pour former ce que Diderot a défini comme un tableau bien composé : « un tout renfermé sous un seul point de vue [169] ». Il serait pernicieux, bien entendu, d'idolâtrer la contingence ou l'inadvertance pour tenter de corriger ce problème. Entre autres, cela ne ferait que remplacer la question de la surdétermination par celle de la sous-détermination – l'énigme d'une guerre sans cause. Certes il est capital de comprendre que cette guerre aurait aisément pu ne pas avoir lieu et pourquoi, mais il est tout aussi important d'expliquer comment et pourquoi elle a en fait éclaté.

L'une des caractéristiques frappantes des interactions entre exécutifs européens, quel que soit le pays considéré, c'est l'incertitude persistante dans laquelle tous sont plongés quant aux intentions de leurs alliés comme de leurs adversaires potentiels. Les rivalités de pouvoir entre factions et entre responsables politiques demeurent difficiles à déchiffrer, tout comme l'influence des opinions publiques. Grey l'emportera-t-il sur ses adversaires au sein du cabinet et du Parlement ? Poincaré parviendra-t-il à conserver le contrôle de l'appareil militaire ? À Vienne, des voix martiales ont récemment donné le ton dans les discussions stratégiques, mais à la suite du scandale Redl, le pouvoir de Conrad semble décliner et son renvoi est imminent. À Saint-Pétersbourg, en revanche, les faucons ont le vent en poupe. Aux incertitudes générées en interne par les différents exécutifs s'ajoutent la difficulté d'interpréter les relations de pouvoirs à l'intérieur des cercles diplomatiques. Les observateurs britanniques sont persuadé – mais nous savons désormais qu'ils se trompaient – que les conservateurs modérés tels Kokovtsov (malgré son récent renvoi) et Piotr Dournovo ont renforcé leur influence auprès du tsar et sont sur le point de revenir aux affaires alors qu'à Paris, on s'inquiète de la victoire annon-cée comme imminente d'une faction pro-allemande dirigée par l'ancien Premier ministre Sergueï Witte. À quoi s'ajoute la nervosité permanente des principaux décideurs, toujours sensibles aux pressions de l'opinion publique. Dans un rapport envoyé de Berlin fin février 1914, l'attaché militaire russe, le major-général Ilya Leonidovitch Tatichtchev, ami du Kaiser, reconnaît que même s'il a remarqué la forte hostilité antirusse des journaux allemands, il ne peut juger si cela influence ou non Guillaume II : « Je pense que, de façon générale, Sa Majesté conserve un amour inébranlable de la paix. Mais peut-être ce sentiment est-il en train de s'affaiblir dans son entourage. » Deux semaines plus tard cependant, il sonne la fin de l'alerte, notant que la récente guerre journalistique ne semble pas avoir influencé le souverain allemand [170]. La paranoïa et l'agressivité ambiantes masquent une incertitude fondamentale : comment interpréter les humeurs et les intentions des autres chancelleries ? Et plus difficile encore, comment anticiper leurs réactions à d'hypothétiques situations ?

L'avenir est encore indéterminé – tout juste encore. En dépit de la radicalisation des positions des deux camps, certains signes indiquent que le moment de plus grand danger est peut-être en train de s'éloigner. L'Alliance anglo-russe est sous tension – il ne semble guère probable qu'elle se prolonge après 1915, date prévue pour son renouvellement. Certains indices indiquent un changement d'état d'esprit parmi les décideurs britanniques, qui ont récemment goûté aux fruits de la détente avec l'Allemagne sur la question des Balkans. Il est loin d'être évident, ni même certain, que Poincaré puisse poursuivre sa politique de sécurité très longtemps. Même entre Vienne et Belgrade, l'atmosphère semble un peu s'éclaircir : des accords ont été signés sur un échange de prisonniers politiques et sur le règlement de la question du chemin de fer de l'est. Plus fondamentalement, aucune grande puissance européenne n'envisage en cet instant de lancer une guerre d'agression contre ses voisins, même si toutes craignent que d'autres ne prennent cette initiative. Alors que le niveau de préparation militaire des pays de l'Entente augmente de façon spectaculaire, les états-majors allemand et autrichien agitent certes l'idée de déclencher une offensive préventive pour sortir de l'impasse, mais cela ne se traduit pas en politique définitivement arrêtée. Vienne n'a pas non plus résolu d'envahir la Serbie sans provocation – une décision qui serait suicidaire au plan géopolitique. Le système nécessite donc encore d'être mis à feu de l'extérieur, au moyen du détonateur que Russes et Français ont installé le long de la frontière austro-serbe. Si le gouvernement de Pašić avait poursuivi une politique de consolidation nationale et étouffé dans l'œuf le mouvement irrédentiste qui présentait une menace aussi grande pour sa propre autorité que pour la paix en Europe, les trois jeunes Bosniaques n'auraient jamais franchi la Drina, une mise en garde moins sibylline aurait été transmise à Vienne, les coups de feu de Sarajevo auraient pu ne jamais retentir. L'imbrication des engagements mutuels qui entraîneront la catastrophe de 1914 n'était pas une caractéristique ancienne du système européen, elle découlait d'une multitude d'ajustements récents, ce qui par là même démontre la rapidité avec laquelle les relations entre puissances évoluaient.

Si le détonateur balkanique n'avait pas été activé, cet avenir qui deviendra l'histoire de 1914 aurait cédé la place à un tout autre avenir où il était possible d'imaginer que la Triple-Entente ne survive pas à la résolution de la crise des Balkans et que la détente anglo-allemande se transforme en quelque chose de plus substantiel. Paradoxalement, la possibilité même de ce deuxième scénario n'a fait qu'augmenter la probabilité du premier : si les Français ont fait monter la pression sur Saint-Pétersbourg, c'est précisément pour éviter d'être abandonnés par la Russie et pour la forcer à les soutenir jusqu'au bout. Si la trame des alliances avait été plus solide et plus durable, les décideurs auraient sans doute ressenti moins de pression à agir comme ils l'ont fait. À l'inverse, les périodes de détente si caractéristiques des dernières années d'avant-guerre ont une conséquence paradoxale : en faisant reculer l'éventualité d'une guerre continentale, elles encouragent les décideurs à sous-évaluer les risques de leurs interventions. C'est une des raisons qui expliquent que le danger d'un conflit entre les deux blocs d'alliance semble s'éloigner au moment même où se déclenche l'enchaînement des événements qui entraîneront l'Europe dans la guerre.

Troisième partie

LA CRISE

7

MEURTRE À SARAJEVO

L'assassinat

En cette matinée du dimanche 28 juin 1914, l'archiduc François-Ferdinand, héritier présomptif du trône d'Autriche-Hongrie, et sa femme Sophie Chotek von Chotkowa und Wognin arrivent en train dans la ville de Sarajevo et montent dans une automobile pour se rendre à la mairie en passant par le quai Appel. Cinq véhicules composent le cortège. Dans la voiture de tête se trouvent le maire de Sarajevo, Fehim Čurčić, en fez et costume foncé, et le commissaire de police de la ville, le docteur Edmund Gerde. L'archiduc et sa femme ont pris place derrière eux, dans un splendide coupé Graef und Stift dont la capote a été relevée pour que les passagers puissent être vus par la foule en liesse massée le long des rues. Le général Oskar Potiorek, gouverneur de Bosnie, est assis en face d'eux sur le strapontin. Et sur le siège du passager à côté du chauffeur se trouve le lieutenant-colonel Franz von Harrach. Derrière suivent trois autres voitures transportant des policiers bosniaques, des membres de la suite de l'archiduc et de celle du gouverneur.

Lorsque le cortège s'engage sur le quai Appel, un large boulevard qui longe les rives de la rivière Miljačka et traverse le centre de Sarajevo, un panorama pittoresque s'offre à la vue du couple. De chaque côté de la rivière, jaillissant d'une profonde vallée surplombant la ville à l'est, des montagnes s'élèvent jusqu'à une altitude de quelque mille six cents mètres. Leurs flancs abrupts sont parsemés de villas et de maisons construites au milieu des vergers. Plus haut s'étendent les cimetières, jonchés de pierres tombales en marbre blanc brillant sous le soleil qui se détachent des sapins foncés et des affleurements rocheux. Le long de la rivière, héritage du passé ottoman de la ville, les minarets de nombreuses mosquées s'élancent parmi les arbres et les bâtiments. Au cœur de la cité, à gauche du quai Appel, s'étend le bazar : dans ce labyrinthe de ruelles

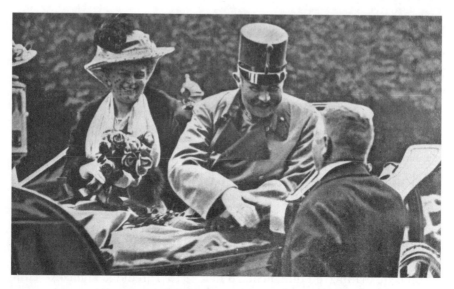

François-Ferdinand et Sophie à Sarajevo, 28 juin 1914

bordées de petites échoppes en bois abritées par des auvents et adossées à des entrepôts bâtis en pierre s'affairent marchands de tapis, épiciers, bourreliers, chaudronniers et commerçants de toutes sortes, regroupés selon leur activité. Au centre du bazar s'élève une petite maison où une organisation charitable ottomane, le *waqf*, a coutume d'offrir gratuitement du café aux pauvres. La veille, le temps avait été frais et pluvieux, mais en ce matin du 28 juin la cité baigne dans un chaud soleil.

La date que les Autrichiens ont choisie pour cette visite n'est pas un jour faste. C'est le jour de la Saint-Vitus où, en 1389, les forces ottomanes ont défait l'armée serbe au champ des Corbeaux (Kosovo), mettant fin à la domination de l'Empire serbe dans les Balkans et ouvrant la voie à l'intégration de ce qui en restait dans l'Empire ottoman. Dans toutes les terres serbes en ce 28 juin 1914, les commémorations doivent revêtir une importance toute particulière, puisqu'il s'agit de la première fois que l'on fête la Saint-Vitus depuis la fin de la seconde guerre des Balkans, qui a permis la libération du Kosovo. « La flamme sacrée du Kosovo, qui a inspiré des générations de Serbes, est devenue un feu ardent », proclame *Pijemont*, le journal de la Main noire, ce jour-là. « Le Kosovo est libre ! Le Kosovo a été vengé[1] ! » Aux yeux des ultranationalistes serbes vivant en Serbie ou infiltrés dans les réseaux irrédentistes de Bosnie, l'arrivée de l'héritier présomptif à Sarajevo en ce jour précis constitue un affront symbolique exigeant une réaction.

Les sept terroristes, divisés en deux groupes, se sont retrouvés dans la ville au cours des jours précédant la visite officielle. Au matin du 28 juin, ils prennent position en différents endroits le long du quai Appel. Ils portent chacun une bombe accrochée à la ceinture, guère plus volumineuse qu'un pain de savon, et munie d'un détonateur chimique que l'on active en brisant la capsule, ce qui leur donne douze secondes pour agir. Dans leur poche, ils transportent un pistolet chargé. Positionner autant de terroristes et d'armes est un élément essentiel à la réussite du complot car si l'un d'entre eux est arrêté et fouillé, un autre le remplacera. Chacun a également reçu un sachet de papier rempli de poudre de cyanure, afin de pouvoir se suicider une fois l'attentat commis.

À l'inverse, l'absence de mesures de sécurité prises par les autorités est criante. En dépit des avertissements transmis à Vienne sur le risque d'une attaque terroriste, l'archiduc et sa femme, qui se déplacent dans une voiture ouverte, empruntent un itinéraire tout à fait prévisible le long duquel les passants se sont massés. Aucun soldat n'a été déployé le long du trajet, contrairement à ce qui se fait d'habitude en de semblables occasions, de sorte que le cortège défile sans aucune protection le long d'une foule nombreuse. Les gardes du corps eux-mêmes sont absents : leur chef étant monté par erreur dans l'une des voitures avec trois officiers bosniaques, il a laissé le reste de ses hommes à la gare[2].

Le couple archiducal semble étonnamment insouciant de sa propre sécurité. François-Ferdinand et sa femme ont passé les trois jours précédents dans la petite station thermale d'Ilidze toute proche de Sarajevo, où ils n'ont croisé que des visages amicaux. Ils ont même pris le temps de faire une petite promenade improvisée dans le bazar de Sarajevo, flânant dans les ruelles étroites et bondées. Ce qu'ils ignoraient alors, c'était qu'ils étaient suivis par Gavrilo Princip, le jeune Serbe bosniaque qui deviendrait leur assassin trois jours plus tard. La veille de leur départ pour Sarajevo, au cours d'une réception à Ilidze, Sophie a rencontré le chef des Croates de Bosnie, le docteur Josip Sunarić, celui-là même qui avait mis en garde les autorités locales contre l'idée d'inviter l'archiduc en Bosnie à une date aussi symbolique pour les nationalistes serbes. « Cher docteur Sunarić », lui a-t-elle dit, « vous voyez que vous avez eu tort. Partout où nous sommes allés, nous avons reçu tant de marques d'amitié, de cordialité et d'affection non feinte, y compris de la part des Serbes, que nous en sommes très heureux[3] ! » De toute façon, il est bien connu que François-Ferdinand ne supporte guère les contraintes de sécurité ; de plus, il souhaite que cette dernière partie de son voyage se déroule dans une atmosphère décontractée : après avoir passé les jours précédents à assister à des manœuvres militaires dans les montagnes bosniaques en tant qu'inspecteur général de l'armée, il veut désormais se présenter à ses futurs sujets comme l'héritier du trône des Habsbourg.

Mais plus important encore, le 28 juin est l'anniversaire de mariage de François-Ferdinand et de Sophie. Malgré les multiples obstacles que le protocole de la cour des Habsbourg a dressés sur leur chemin, l'archiduc et sa femme ont bâti une vie de famille extrêmement heureuse. En 1904, ce dernier confiait à un ami qu'épouser celle qu'il appelait « ma Soph » avait été la chose la plus intelligente qu'il ait jamais faite. Elle est « son bonheur le plus grand », et leurs enfants, « tout son plaisir et sa fierté » : « Je peux rester assis parmi eux et les admirer pendant toute une journée, tant je les aime[4]. » Il n'y a aucune raison de penser que l'intensité de cette relation – assez inhabituelle dans le contexte des unions dynastiques de cette époque – ait diminué en quoi que ce soit au moment de la visite à Sarajevo. Sophie a insisté pour avoir l'autorisation de rester aux côtés de François-Ferdinand en ce jour de leur anniversaire de mariage, et il y a sans doute pour eux un plaisir supplémentaire à pouvoir remplir leurs obligations officielles côte à côte, dans cet avant-poste pittoresque et exotique de l'Empire austro-hongrois, d'une manière que l'étiquette rend impossible à Vienne.

Passant devant les maisons pavoisées aux couleurs des Habsbourg – noir et jaune – et de la Bosnie – rouge et jaune –, le cortège se rapproche du pont Cumurija, où Muhamed Mehmedbašić, originaire de Sarajevo, a pris position. Au moment où les acclamations s'élèvent autour de lui, il se prépare à amorcer sa bombe et à la lancer. C'est un instant de grande tension car à partir du moment où la capsule aura été brisée – un geste qui provoque une forte détonation – il sera impossible de revenir en arrière : la bombe devra être jetée. Mehmedbašić parvient à la dégager de son enveloppe de protection mais au dernier moment, croyant sentir quelqu'un, peut-être un policier, se rapprocher de lui, il reste paralysé de terreur, comme lorsqu'en janvier 1914 il avait été incapable de mener à terme sa mission d'assassiner Oskar Potiorek dans un train. Les voitures le dépassent. Un deuxième terroriste, le serbe bosniaque Nedeljko Čabrinović, posté un peu plus loin sur le quai, du côté de la rivière, est donc le premier à entrer en action. Il sort sa bombe et brise la capsule contre un réverbère. En entendant la détonation sèche, le garde du corps de l'archiduc croit qu'un pneu a éclaté, mais le chauffeur, qui a vu la bombe lancée en direction de la voiture, appuie sur l'accélérateur. On n'a jamais su clairement si l'archiduc avait vu la bombe lui aussi et l'avait détournée d'un geste de la main, ou si elle n'avait fait que rebondir sur la capote repliée derrière les passagers. Quoi qu'il en soit, elle manque sa cible, retombe à terre et explose sous la voiture suivante, blessant plusieurs officiers qui s'y trouvent et creusant un trou dans la chaussée.

L'archiduc réagit à l'incident avec un sang-froid remarquable. Se retournant, il voit que le troisième véhicule s'est arrêté. L'air est encore rempli de poussière et de fumée et résonne de l'onde de choc. Une écharde a égratigné le visage de Sophie, mais à part cela, le couple est indemne. Les passagers de la troisième automobile sont blessés mais vivants, certains tentent de descendre. Le plus sérieusement atteint, le colonel Erik von Merizzi, aide de camp du général Potiorek, saigne abondamment d'une blessure à la tête, mais il est conscient. Un certain nombre de passants ont également été blessés.

Après avoir lancé sa bombe, Čabrinović avale le cyanure qu'il a sur lui puis se jette du haut du quai dans la rivière. En vain : le poison, de mauvaise qualité, ne fait que brûler les muqueuses et l'estomac du jeune homme qui ne perd même pas connaissance. Et le niveau de la rivière est trop bas en cc mois d'été pour qu'il se noie ou soit emporté par le courant. Il ne fait que chuter de huit mètres sur un banc de sable bordant le lit de la rivière, où un commerçant, un barbier armé d'un pistolet et deux policiers n'ont aucun mal à le capturer.

Au lieu de quitter immédiatement le lieu du danger, l'archiduc s'assure que les blessés ont été secourus, avant d'ordonner au cortège de poursuivre jusqu'à la mairie, au centre de la ville, d'où il repartira un peu plus tard avec sa femme par le même itinéraire pour aller rendre visite aux blessés à l'hôpital. « Allons, déclare-t-il, cet homme est manifestement fou. Poursuivons notre programme. » Le cortège se remet en route, les dernières voitures contournant la carcasse encore fumante du troisième véhicule. Cet arrêt forcé a donné toute opportunité aux autres assassins, toujours à leur poste, d'accomplir leur mission. Mais étant jeunes et inexpérimentés, trois d'entre eux sont pris de panique lorsque la voiture et ses passagers arrivent à leur niveau. Le plus jeune, Vaso Čubrilović, qui reste tétanisé au moment d'agir (comme Mehmedbašić), est apparemment déstabilisé par la présence de la duchesse qu'il ne s'attendait pas à voir assise à côté de son mari dans la voiture impériale : « Je n'ai pas sorti mon revolver parce que j'ai vu que la duchesse était là », déclarera-t-il plus tard. « J'ai eu pitié d'elle [5]. » Cvijetko Popović est lui aussi saisi de frayeur. Il est à son poste, prêt à lancer sa bombe, mais incapable de passer à l'acte, « perdant courage au dernier moment en apercevant l'archiduc [6] ». En entendant la bombe de Čabrinović exploser, il se rue dans le bâtiment de la Prosvjeta, une association culturelle serbe, où il cache sa bombe au sous-sol, derrière une caisse.

Quant à Gavrilo Princip, il est tout d'abord pris au dépourvu. Ayant entendu l'explosion, il en conclut que le complot a réussi. Il se précipite vers l'endroit où Čabrinović s'est posté et le voit passer, entraîné par les policiers, courbé en deux par la douleur causée par le poison qui lui brûle la gorge. « J'ai immédiatement compris qu'il avait échoué et qu'il n'avait pas réussi à s'empoisonner. J'avais l'intention de le tuer rapidement d'un coup de revolver. À ce moment-là, le cortège passa devant moi[7]. » Abandonnant l'idée d'éliminer son complice, Princip se retourne vers le cortège, mais le temps qu'il repère l'archiduc – ce qui n'est pas difficile car il porte un casque orné de plumes d'autruche d'un vert brillant – la voiture a accéléré et roule désormais trop vite pour qu'il puisse viser avec précision. Princip ne perd pas son sang-froid, un tour de force vu les circonstances. Comprenant que le couple refera bientôt le trajet en sens inverse, il traverse le boulevard pour aller se poster sur le côté droit de la rue François-Joseph, sur le trajet que le cortège doit emprunter pour quitter la ville.

De son côté, Trifko Grabež a également quitté son poste pour partir à la recherche de Princip, mais il est pris dans le mouvement de foule qui a suivi la première explosion. Lorsque le cortège passe à sa hauteur, lui non plus ne passe pas à l'action, probablement par peur, même s'il affirmera plus tard que la foule était si dense qu'il n'a pas pu dégager la bombe de ses vêtements.

Dans un premier temps, on peut croire que l'archiduc a eu raison d'insister pour poursuivre le programme prévu. Le cortège parvient à destination, en face de l'hôtel de ville, sans aucun incident. Là se déroule un interlude tragi-comique : c'est au maire, Fehim Effendi Čurčić, qu'a échu l'honneur de prononcer le traditionnel discours de bienvenue à ses augustes visiteurs. Comme il a pris place dans la première voiture du cortège, il sait que la journée a très mal commencé et que le texte qu'il a préparé sera manifestement inapproprié dans les circonstances. Mais il est bien trop intimidé pour en improviser un autre ou même modifier ce qu'il a écrit pour tenir compte de ce qui vient de se passer. Dans un état d'agitation extrême, transpirant à grosses gouttes, il s'avance pour prononcer un discours émaillé d'incongruités : « Les habitants de Sarajevo ont l'âme emplie de joie, et accueillent l'illustre visite de Votre Altesse avec l'enthousiasme le plus grand… » À peine s'est-il lancé qu'il est interrompu par une exclamation de fureur de l'archiduc, incapable de contenir plus longtemps le choc et la rage provoqués par l'attentat : « Je viens ici à votre invitation, et vous, vous m'accueillez avec des bombes. » Dans le silence horrifié qui suit, on voit Sophie lui murmurer quelque chose à l'oreille. François-Ferdinand retrouve son calme : « Très bien, vous pouvez continuer[8]. » Le maire parvient tant bien que mal à finir son discours, puis il y a une autre interruption lorsqu'on s'aperçoit que les feuilles de papier sur lesquelles est écrite la réponse de l'archiduc sont tachées du sang des officiers blessés[9]. François-Joseph improvise donc une réponse courtoise dans laquelle il fait mention avec tact des événements du matin : « Je vous remercie cordialement pour les ovations ferventes avec lesquels les habitants nous ont reçus, mon épouse et moi-même, d'autant plus que j'y vois l'expression de leur soulagement devant l'échec de cette tentative d'assassinat[10]. » L'archiduc conclut par quelques mots de serbo-croate, en demandant au maire de transmettre ses meilleures pensées aux Sarajéviens.

Après les discours, il est prévu que le couple se sépare. Sophie doit rencontrer une délégation de femmes musulmanes dans une salle au premier étage de la mairie. Aucun homme ne doit être présent afin que les femmes puissent ôter leur voile. La pièce est étouffante, la duchesse semble sombre et préoccupée, pensant sans doute à ses enfants. Apercevant une petite fille qui a accompagné sa mère, elle prononce ses mots : « Cette enfant est à peu près aussi grande que ma Sophie. » Un peu plus tard, elle déclare que son époux et elle-même ont hâte de retrouver leurs enfants : « Nous ne les avons jamais laissés si longtemps[11]. » Pendant ce temps, l'archiduc, qui a dicté un télégramme à l'empereur pour l'assurer que tous deux allaient bien, visite le grand hall de la mairie. D'après un témoin oculaire, il semblait subir le contrecoup des événements, parlait « avec un filet de voix » et « se tenait de manière bizarre, levant haut les jambes comme pour marcher au pas de l'oie. Je pense qu'il tentait de montrer qu'il n'avait pas peur[12]. » Il y a quelques sarcasmes désobligeants à l'encontre de Potiorek, dont le dispositif de sécurité est manifestement défaillant.

Comment la visite doit-elle se poursuivre ? À l'origine, il était prévu d'emprunter à nouveau le quai Appel sur une petite distance, puis de tourner à droite juste après le bazar pour prendre la rue François-Joseph menant au Musée national. L'archiduc demande à Potiorek s'il y a un risque qu'un deuxième attentat ait lieu. D'après son propre témoignage, le gouverneur, démoralisé, lui répond alors qu'il « espère que rien ne se passera, mais que même en prenant toutes les mesures de sécurité possibles, on ne peut prévenir une attaque lancée à bout portant[13] ». Pour éviter tout risque, il propose donc d'annuler le reste du programme et d'aller directement soit à Ilidze, soit au Konak, le palais du gouverneur, et de là rejoindre la gare de Bistrik sur la rive gauche de la Miljačka. Mais l'archiduc veut se rendre au chevet de l'aide de camp de Potiorek, qui est soigné à l'hôpital militaire, à l'ouest de la ville. Il est donc décidé que la visite au musée sera annulée et que le cortège poursuivra son trajet tout droit sur le quai Appel plutôt que de passer par la rue François-Joseph, car s'il y a d'autres terroristes, c'est là sans doute qu'ils seront en embuscade. À l'origine, le programme a également prévu que le couple se sépare à l'hôtel de ville, l'archiduc se rendant au musée tandis que la duchesse irait directement au palais du gouverneur. Mais celle-ci prend l'initiative d'annoncer à son époux devant toute leur suite : « Je viens avec vous à l'hôpital[14]. » Pour parer à toute éventualité, le comte Harrach décide de rester debout sur le marchepied de la portière gauche, du côté de la rivière.

Le cortège s'ébranle donc pour retraverser toute la ville d'est en ouest dans la chaleur qui s'intensifie. Mais personne n'a songé à informer les chauffeurs du changement d'itinéraire. Après avoir longé le quartier du bazar, le véhicule de tête tourne donc à droite et s'engage dans la rue François-Joseph, suivie de la voiture du couple archiducal. Potiorek apostrophe le chauffeur : « Pas par là ! Il faut continuer sur le quai. » Le chauffeur se met au point mort et l'automobile – qui n'a pas de marche arrière – est lentement repoussée sur le boulevard principal. C'est l'occasion qu'attendait Princip, qui s'est posté au début de la rue, sous l'auvent d'une boutique sur le trottoir de droite. Il rattrape la voiture au moment où celle-ci s'arrête. Incapable de dégager suffisamment vite la bombe qu'il porte la ceinture, il dégaine son pistolet et tire deux fois à bout portant, tandis que Harrach, debout sur le marchepied de l'autre côté, assiste horrifié à la scène. Le temps – comme Princip le décrira lui-même dans sa déposition – semble avoir ralenti au moment où il sort de l'ombre projetée par l'auvent pour viser. À la vue de la duchesse, il s'arrête un instant : « Voyant qu'une dame était assise à côté de lui, j'hésitai un instant à tirer mais en même temps, j'étais rempli d'un sentiment particulier [15]... » Les souvenirs de Potiorek sont empreints de la même irréalité : il se rappellera être resté assis, pétrifié, dans la voiture, les yeux rivés sur le visage du tueur tandis que les coups étaient tirés, sans qu'il ne voie ni fumée ni éclair sortir du canon, n'entendant que des sons assourdis, comme de très lointaines détonations [16]. On peut croire tout d'abord que le tueur a manqué sa cible, car ses deux victimes restent immobiles, assises bien droit sur la banquette. En réalité, rien ne peut déjà plus les sauver. La première balle a traversé la porte du coupé et touché la duchesse à l'abdomen, sectionnant l'artère gastrique. La seconde a atteint l'archiduc au cou, arrachant la veine jugulaire. La voiture bondit et traverse le pont en direction du Konak ; c'est alors que Sophie s'affaisse sur le côté jusqu'à ce que sa tête repose sur les genoux de son mari. Potiorek pense d'abord qu'elle s'est évanouie sous le choc. Ce n'est que lorsqu'il voit du sang couler de la bouche de l'archiduc qu'il comprend que la situation est extrêmement grave. Toujours à cheval sur la portière de gauche, penché vers les passagers, le comte Harrach parvient à maintenir l'archiduc assis en le tenant fermement par le col de son uniforme. Il l'entend prononcer d'une voix faible ces mots qui resteront célèbres dans toute l'Autriche-Hongrie : « Sophie, Sophie, ne meurs pas, reste en vie pour nos enfants [17]. » Le casque orné de plumes vertes glisse de sa tête. Quand Harrach lui demande s'il souffre, il chuchote plusieurs fois « Ce n'est rien » puis perd connaissance.

Derrière le véhicule qui reculait, la foule s'était refermée sur Princip. Le revolver est arraché de sa main au moment même où il lève le bras pour se tirer une balle dans la tempe. De même pour le sachet de cyanure qu'il tente d'avaler. Il est frappé à coups de pied, de poing, de canne, et aurait été lynché sur place si des policiers n'avaient pas réussi à l'arracher à la foule pour le traîner en prison.

Sophie est déjà morte au moment où la voiture arrive au palais du gouverneur. Le couple est emporté de toute urgence au premier étage. François-Ferdinand est dans le coma. Son valet, le comte Morsey, qui a couru derrière la voiture depuis le lieu de la fusillade, essaie de l'aider à respirer en découpant le devant de son uniforme. Le sang qui jaillit tache les revers jaunes de son uniforme. À genoux près du lit, il lui demande s'il a un message pour ses enfants. Il n'y a pas de réponse. Les lèvres de l'archiduc sont déjà rigides. Il ne faut que quelques minutes à ceux qui sont présents pour déclarer que l'héritier présomptif du trône des Habsbourg est mort. Il est à peine 11 heures du matin. À mesure que la nouvelle se répand, le glas se met à retentir dans toute la ville.

Instantanés

La nouvelle de l'attentat parvient à Stefan Zweig sous la forme d'une perturbation du rythme de l'existence. En cet après-midi du 28 juin, il est en villégiature à Baden, petite ville thermale des environs de Vienne. Trouvant un endroit paisible à l'écart de la foule qui déambule dans le Kurpark, il s'assoit avec un livre, un essai sur Tolstoï et Dostoïevski du poète symboliste pétersbourgeois Dimitri Sergueïevitch Merejkovski. Zweig est rapidement profondément plongé dans sa lecture...

> Cependant, le vent dans les arbres, le gazouillement des oiseaux et la musique du parc qui flottait dans l'air étaient également présents à ma conscience. J'entendais distinctement des mélodies sans en être gêné, car notre oreille est si capable d'adaptation qu'une rumeur soutenue, une rue bruyante, un ruisseau bouillonnant, s'installe complètement dans notre conscience au bout de quelques minutes et qu'au contraire seule une rupture du rythme nous fait dresser l'oreille [...]. Soudain la musique se tut au milieu d'une mesure. Je ne savais pas quel morceau jouait l'orchestre de l'établissement de bains. Je sentis seulement que la musique avait cessé tout d'un coup. Instinctivement, je levai mes yeux de mon livre. La foule qui se promenait entre les arbres comme une seule masse claire et flottante semblait elle aussi se transformer ; elle aussi interrompait subitement son va-et-vient. Il devait s'être passé quelque chose [18].

Tout comme l'assassinat du président John F. Kennedy à Dallas en 1963, l'attentat de Sarajevo est un événement qui fige les personnages et les lieux, comme la lumière fulgurante d'un flash les marquant au fer rouge dans la mémoire des gens, qui se rappelleront avec précision l'endroit où ils étaient et ceux qui les entouraient au moment où ils ont appris la nouvelle [19]. La féministe et libre-penseuse viennoise Rosa Mayreder est en voyage en Allemagne avec son mari Karl, qui souffre de dépression chronique. C'est à Dresde qu'ils voient une affiche annonçant l'attentat, collée sur les vitres d'un grand magasin en face de leur chambre d'hôtel [20]. Cinquante ans après ce jour fatal, le prince Alfons Clary-Aldringen se souviendra qu'il était à la chasse au chevreuil, dans une forêt de Bohême, en compagnie de ses cousins Kinski. Au crépuscule, alors que les chasseurs se rassemblent sur la route en bordure des bois, ils voient arriver à bicyclette le cuisinier des Kinski qui leur apporte un message du responsable de la poste locale [21]. C'est par téléphone que le député Joseph Redlich apprend la choquante nouvelle ; la suite de l'après-midi n'est qu'une longue et chaotique série d'appels passés pour joindre amis, membres de sa famille et alliés politiques. Le dramaturge Arthur Schnitzler, qui a rêvé quatre semaines auparavant que les Jésuites lui donnaient l'ordre de tuer l'archiduc, apprend également la nouvelle par un coup de téléphone [22].

Quant à Leon Biliński, le ministre des Finances de la Double Monarchie, il ressent le choc de la nouvelle avant même qu'elle ne lui parvienne. En cette matinée, il est chez lui à Vienne et lit le *Neue freie Presse*. Sa voiture à cheval attend devant sa résidence pour l'emmener à la messe de 11 heures. Ses yeux tombent par hasard sur un article qui détaille le programme de la visite de l'archiduc en Bosnie.

> Aujourd'hui encore, je me rappelle précisément de la réelle sensation de douleur physique que je ressentis à la lecture des détails de ce voyage. Mais ne pouvant lui trouver de cause rationnelle, je dus me persuader que je n'avais aucune raison d'en vouloir à l'archiduc de participer à ces festivités. Quelques instants plus tard, le téléphone se mit à sonner [23].

La nouvelle paraît si horrifiante, raconte l'ambassadeur russe à Vienne, que beaucoup refusent d'y croire dans un premier temps. La vérité ne s'impose que le soir lorsque paraissent des éditions spéciales et que les premiers drapeaux sont mis en berne sur les bâtiments publics : « Les habitants de la ville se rassemblèrent dans les rues pour parler de cet événement terrible jusque tard dans la nuit [24]. » En moins de vingt-quatre heures, la nouvelle s'est répandue partout, y compris à Prague, dans la pension décrite par Jaroslav Hašek dans *Le Brave Soldat Chvéïk*, roman picaresque paru à l'issue de la guerre : le héros, Josef Chvéïk, *idiot savant*

Leon Biliński

et trafiquant patenté de corniauds, est occupé à enduire de pommade son genou rhumatisé lorsque sa logeuse, Mme Müller, fait irruption :

« Eh bien, notre Ferdinand... il n'y en a plus ! [...]

— Jésus-Marie, n'en v'là d'une nouvelle ! s'écria Chvéïk. Et où est-ce que ça lui est arrivé, à l'archiduc, voyons ?

— À Sarajevo. Des coups de revolver. Il y était allé avec son archiduchesse en auto.

— Ça, par exemple ! Ben oui, en auto... Vous voyez ce qu'c'est, m'ame Müller, on s'achète une auto et on ne pense pas à la fin... Un déplacement, ça peut toujours mal finir, même pour un seigneur comme l'archiduc... Et surtout à Sarajevo ! C'est en Bosnie, vous savez, m'ame Müller, et il n'y a que les Turcs qui sont capables de faire un sale coup pareil. On n'aurait pas dû leur prendre la Bosnie et l'Herzégovine, voilà tout [25]. »

Et c'est ainsi que s'ébranle le récit, la nouvelle suscitant chez le héros un monologue candide – le premier d'une longue série – qui le mène d'abord en prison pour sédition, puis, étant soupçonné de débilité mentale, à l'asile. Pendant des années, Sarajevo résonnera dans l'imaginaire littéraire de l'Empire disparu : on entend son écho dans la clameur menaçante des téléphones dans *Les Derniers Jours de l'humanité* de Karl Kraus, tout comme dans l'aveu du lieutenant Trotta von Sipolje, personnage de

Joseph Roth, recevant la nouvelle comme « la réalisation de quelque chose dont il avait souvent rêvé [26] ».

Il est cependant difficile d'évaluer l'impact immédiat de l'assassinat de l'archiduc sur ses contemporains. Comme l'a dit un spécialiste, « le trait le plus caractéristique » de la personnalité publique de François-Ferdinand est « sa profonde impopularité dans toutes les couches de la société [27] ». Dénué de charisme, irritable, sujet à de brusques accès de colère, il n'est pas homme à plaire aux foules. Ses traits lourds et inexpressifs n'ont rien pour le rendre attirant à ceux qui ne l'ont jamais vu en compagnie de sa famille et de ses plus proches amis, où son visage s'anime et ses yeux d'un bleu profond brillent. Ses contemporains font remarquer qu'il a soif de marques de respect et de reconnaissance, et que le moindre signe d'insubordination lui est insupportable. Mais d'un autre côté, il déteste la flagornerie, ce qui le rend difficile à contenter. D'après le comte Ottokar Czernin, un de ses alliés politiques et admirateurs, c'était un homme « qui savait détester » et qui n'oubliait jamais un affront. Ses accès de rage étaient si redoutables que ministres et hauts fonctionnaires « l'approchaient toujours le cœur battant [28] ». Il a peu de vrais amis proches. La méfiance est le sentiment qui domine dans ses rapports avec les gens : « Je considère tous ceux que je rencontre pour la première fois comme de vulgaires vauriens, dit-il en une occasion, il me faut du temps pour me persuader du contraire [29]. » Sa passion pour la chasse, que même ses contemporains trouvent immodérée, suscite de nombreux commentaires négatifs, tout particulièrement dans les vallées qui entourent son relais de chasse de Schloss Blühnbach. Afin de protéger les réserves de gibier de tout risque d'épizootie, il a fait clôturer le domaine tout autour du château, à la grande fureur des alpinistes de la classe moyenne qui ne peuvent plus emprunter les sentiers de cette région si populaire parmi les randonneurs, et des paysans du coin qui ne peuvent plus faire paître leurs chèvres dans les montagnes surplombant leurs villages [30]. Dans son journal intime au jour de l'attentat, le dramaturge Arthur Schnitzler note la rapidité avec laquelle « le choc initial » de la nouvelle s'est effacé, mitigé par le souvenir de « l'immense impopularité » de l'archiduc [31].

Il n'y a donc pas de déferlement d'émotion collective lorsqu'on apprend la nouvelle. Ceci permet de comprendre pourquoi ces assassinats sont toujours désignés par le nom de la ville où ils ont eu lieu, et non par celui des victimes – à l'inverse, personne ne parle de l'assassinat de Kennedy comme de « l'attentat de Dallas [32] ». Les historiens ont parfois déduit de l'impopularité de l'archiduc que son assassinat n'est pas en lui-même un facteur majeur de déclenchement des événements, mais tout au plus un prétexte à des décisions dont les racines plongeaient dans un passé plus lointain. Cette conclusion nous induit cependant en erreur.

Tout d'abord, il faut tenir compte du fait qu'en dépit de son impopularité, l'énergie et la volonté de réforme de l'héritier du trône étaient largement reconnues. Comme le dit l'ambassadeur autrichien à son collègue serbe à Constantinople, François-Ferdinand était un homme d'« une rare énergie et [d']une volonté de fer », tout entier dévoué aux affaires de l'État, et il aurait exercé une très grande influence [33]. Il était l'homme qui avait réuni autour de lui « tous ceux qui avaient compris que seul un changement complet d'orientation de la politique intérieure » pouvait garantir la pérennité de l'Empire [34]. De plus, ce n'était pas seulement la disparition de l'homme qui importait, mais le coup porté à ce qu'il symbolisait : l'avenir de la dynastie, de l'Empire et de l'idée même d'un État Habsbourg qui en faisait l'unité.

La réputation de François-Ferdinand est en tout cas transfigurée par les circonstances de sa mort, par un processus extrêmement rapide dans lequel la presse écrite joue un rôle déterminant. En moins de vingt-quatre heures, le récit désormais familier de l'événement de Sarajevo se met en place : la tentative avortée de Čabrinović et sa chute dans le lit de la rivière, le refus stoïque de l'archiduc d'annuler la visite après la première bombe, sa sollicitude envers les blessés de la quatrième voiture, son emportement contre Curcić, le maire, l'erreur fatale du chauffeur s'engageant dans la rue François-Joseph, et même les derniers mots du mourant à sa femme déjà inconsciente [35]. Les articles des journaux donnent à leurs lecteurs le sentiment d'un événement considérable. Les larges bandeaux noirs encadrant les unes des journaux font écho aux drapeaux de deuil et fanions noirs qui transforment la physionomie familière des villes de l'Empire – même les tramways sont tendus de noir. Les éditorialistes rendent hommage à l'énergie et à la clairvoyance politique du défunt, déplorent l'issue tragique d'une histoire d'amour, compatissent à la douleur des trois orphelins et au désespoir résigné du vieil empereur déjà frappé par tant de tragédies familiales.

De plus, pour la première fois, la vie privée et la personnalité intime de l'archiduc sont dévoilées à l'opinion publique. À cet égard, un article du *Reichspost* daté du 30 juin rapporte un témoignage symptomatique de l'archiduc sur sa vie familiale : « Quand je retourne dans ma famille après une longue et dure journée de travail, et que j'aperçois mon épouse à son ouvrage, assise au milieu de mes enfants qui jouent, j'abandonne sur le seuil tous mes soucis, pour absorber le bonheur surabondant qui m'entoure [36]. » Ces petites touches authentiques apportées au portrait du défunt par ses proches font tomber les barrières qui avaient séparé la personne privée du personnage public rébarbatif. Même si elles sont provoquées par les journaux, ces émotions n'en sont pas moins réelles. Comme Karl Kraus l'exprime deux semaines après l'attentat, ce qui a été passé sous silence pendant la vie de François-Ferdinand devient éloquent après sa mort [37].

Cependant pour la plupart des contemporains, la signification de l'attentat est essentiellement politique et non sentimentale. Les éditorialistes l'interprètent comme un tournant historique. Le *Neue freie Presse*, le journal de la bourgeoisie intellectuelle viennoise, parle d'un « coup du destin » – l'expression « *Schicksalsschlag* » se retrouve dans tous les journaux [38]. Quand cet « effroyable événement [...] fut connu », déclarent les rédacteurs, « ce fut comme si une tempête s'abattait sur la monarchie, comme si l'histoire avait inscrit le hideux principe d'une nouvelle ère en lettres de sang. » L'*Innsbrucker Nachrichten* évoque « un événement unique de l'histoire de l'Autriche ». Avec la mort de l'archiduc, observe l'éditorialiste du *Reichspost*, la monarchie n'a pas seulement perdu son futur souverain, mais une personnalité énergique et déterminée « sur laquelle les peuples de l'Empire des Habsbourg avaient reporté tous leurs espoirs pour l'avenir [39] ». Tous ces commentaires sont le fait d'Autrichiens, bien sûr. La tonalité est assez différente à Budapest, où beaucoup sont secrètement soulagés de voir disparaître le pourfendeur acharné de l'ultranationalisme magyar. Mais même en Hongrie, la presse bourgeoise qualifie l'événement de moment capital de l'histoire mondiale et dénonce les auteurs présumés de l'attentat [40]. Seules les personnalités les plus introverties peuvent ne pas avoir remarqué du tout que l'atmosphère générale s'est assombrie. À Prague, dans son journal intime, Kafka passe totalement sous silence les événements politiques de ce 28 juin 1914 pour faire la chronique de petites contrariétés purement privées – se perdre en allant à un rendez-vous, se tromper de tramway, manquer un appel téléphonique... Son cas demeure une exception [41].

Les débuts de l'enquête

À peine Princip a-t-il tiré ses coups de feu que l'enquête judiciaire est lancée. Quelques heures après les événements, rendu malade par le cyanure qu'il a tenté d'ingérer, couvert d'ecchymoses et de blessures reçues quand la foule a tenté de le lyncher, il se retrouve face à Leo Pfeffer, juge autrichien en poste à Sarajevo. « Le jeune assassin, racontera ce dernier, était de petite taille, émacié, le teint cireux, les traits acérés. Il était difficile d'imaginer qu'un individu aussi fluet ait pu commettre un crime aussi grave. » Au début, Princip semble incapable d'articuler le moindre mot mais lorsque le juge s'adresse à lui directement, il répond « avec une clarté parfaite, d'une voix qui devient de plus en plus forte et assurée [42] ». Au

Les assassins pendant le procès

cours des jours suivants, il fait des efforts héroïques pour empêcher les Autrichiens de reconstituer les circonstances de l'attentat. Pendant le premier interrogatoire, l'après-midi du 28 juin, il déclare avoir agi complètement seul et nie tout lien avec Čabrinović. « Quand j'ai entendu l'explosion [de la bombe lancée par ce dernier], déclare-t-il, je me suis dit : voilà quelqu'un qui a les mêmes opinions que moi. » Le lendemain, il ajoute même des détails pour étayer la véracité de son récit : il a été si décontenancé par le bruit de l'explosion qu'il en a oublié de tirer sur l'archiduc lorsque celui-ci est passé devant lui sur le quai Appel, ce qui l'a obligé à trouver un autre endroit d'où lancer son attaque. Dans un premier temps, Čabrinović confirme cette version : l'après-midi de l'attentat, il prétend, lui aussi, avoir agi seul, en utilisant une bombe qu'il s'est procurée à Belgrade auprès d'un « anarchiste » dont il a oublié le nom.

Le lendemain matin cependant, Čabrinović change soudainement sa version. Il reconnaît désormais que Princip et lui-même sont complices, et qu'ils ont planifié l'attaque ensemble à Belgrade. Les armes proviennent d'« anciens partisans » belgradois, des hommes qui ont combattu pendant les guerres des Balkans et ont gardé leurs armes après la démobilisation. Pressé de donner des noms, Čabrinović désigne Ciganović, l'employé des chemins de fer, le maillon le plus subalterne de la chaîne de commandement qui remonte jusqu'à Apis. Lorsque Princip est informé de ces détails le lendemain matin, il reconnaît également avoir comploté avec Čabrinović.

En théorie, l'enquête pourrait très bien en rester là. Les deux jeunes hommes ont mis au point une histoire plausible et cohérente. Pfeffer n'est pas un interrogateur particulièrement agressif ni un enquêteur très perspicace. Il n'y a ni intimidation physique ni menaces extra-judiciaires à l'encontre des prisonniers. Le juge semble même avoir quelques réticence à confronter chacun des suspects aux éléments à charge ou aux contradictions contenus dans la déposition de l'autre, parce qu'il considère que seuls des témoignages indépendants obtenus sans contrainte permettront de faire toute la lumière. En fait, il ne peut être question de témoignages indépendants puisque Čabrinović et Princip, pourtant enfermés dans des cellules différentes, parviennent à communiquer en frappant sur les murs selon un code qu'ils ont découvert en lisant un roman russe [43].

Ce qui permet à l'enquête de progresser, ce n'est pas la déposition du lanceur de bombe ni celle du tireur, mais le travail de routine de la police qui, persuadée qu'il doit y avoir d'autres complices, lance des rafles de plus en plus larges [44]. Parmi ceux qui tombent ainsi aux mains de la police se trouve Danilo Ilić lui-même. Les autorités n'ont aucun indice tangible contre lui ; elles savent seulement qu'il connaît Princip et qu'il est affilié à des cercles nationalistes serbes. Ilić, en revanche, n'ayant aucune idée de ce que sait la police, doit soupçonner que Princip ou Čabrinović, voire les deux, l'ont déjà incriminé. Quand il est présenté au juge Pfeffer, le mercredi 1er juillet, pris de panique, il lui propose un accord : il révélera tout ce qu'il sait si le juge d'instruction lui promet qu'il ne sera pas condamné à mort. Pfeffer ne peut prendre un tel engagement, mais lui assure que le droit autrichien considère le fait de collaborer avec les autorités comme une circonstance atténuante.

Il n'en faut pas plus à Ilić. Sa déposition, qui fait voler en éclats les témoignages de Princip et de Čabrinović, oriente l'enquête sur un tout nouveau terrain. Il déclare que les deux jeunes hommes n'ont pas agi seuls mais qu'ils appartiennent à une équipe de sept membres dont trois sont arrivés de Belgrade. Ilić a lui-même a recruté les trois autres. Il identifie chacun des membres du groupe et fait des suggestions précieuses permettant de les localiser. Galvanisé par ces révélations, Pfeffer se rue sur le téléphone pour donner l'ordre d'arrêter tous ceux qui ont été nommés.

C'est Trifko Grabež, le troisième membre de la cellule belgradoise, qui est retrouvé le premier. Après que Princip a tiré ses deux coups de feu, il a pris de multiples précautions pour ne pas éveiller les soupçons. Il est rentré à pied, sans se presser, chez un de ses oncles où il a caché son arme et sa bombe. Puis il a retraversé la ville pour se rendre chez un deuxième oncle, député à la Diète de Bosnie, où il a déjeuné et passé la nuit. Le lendemain matin, il a pris le train pour Pale, sa ville natale, d'où il espérait rejoindre la Serbie. Il est capturé dans une petite ville près de la frontière. Moins de neuf jours après l'attentat, Čubrilović et Popović sont également

Arrestation d'un suspect

arrêtés. Seul court encore Mehmedbašić, réfugié au Monténégro et, pour le moment, hors d'atteinte de la police autrichienne. Mais même sans lui, la police de Sarajevo possède suffisamment d'éléments, car Ilić a incriminé de multiples comparses, dont l'instituteur, le contrebandier et d'autres paysans infortunés qui ont aidé les jeunes gens en les hébergeant pour une nuit, en les transportant ou en cachant leurs armes.

Reconstruire les liens avec la Serbie s'avère plus difficile. Les armes sont bien de fabrication serbe, les revolvers ont été fabriqués sous licence serbe et les bombes proviennent de l'arsenal d'État de Kragujevac. Le 29 juin, Čabrinović a donné le nom de Ciganović comme étant l'homme qui, à Belgrade, a fourni revolvers et bombes à leur cellule. Mais Ciganović n'est qu'un obscur membre du réseau et, de plus, c'est un Bosniaque vivant en exil à Belgrade. L'impliquer n'oriente en rien l'enquête vers une éventuelle complicité des autorités serbes. Si, comme le pense l'historien italien Albertini, Ciganović est un informateur infiltré au sein de la Main noire qui travaille pour Nikola Pašić [45], ce rôle n'est pas officiel et même l'enquête la plus rigoureuse aurait échoué à établir sa responsabilité. Ce qui n'est pas le cas du major Voja Tankosić, ressortissant serbe, rouage important de l'organisation et adjoint d'Apis, lui-même chef du renseignement militaire serbe. Son nom a également été cité par Ilić, qui déclare non seulement que Tankosić a fourni des armes aux assassins, mais qu'il les a entraînés au tir à Belgrade et leur a donné l'ordre de se suicider plutôt que d'être capturés vivants. Les trois jeunes Belgradois commencent par soutenir qu'ils ne connaissaient absolument pas Tankosić. Mais après avoir été confrontés l'un après l'autre à Ilić – l'une des très rares occasions dans lesquelles des confrontations sont employées pour obtenir des aveux –, ils reconnaissent tous trois que Tankosić a été impliqué dans la préparation du complot.

À ce moment-là cependant, deux semaines se sont déjà écoulées et les Autrichiens ne se sont toujours pas rapprochés d'Apis, le véritable auteur de la conspiration. Lorsqu'on examine les dépositions des inculpés, on ne peut qu'être d'accord avec l'historien Joachim Remak : tous trois ont poursuivi une stratégie d'obstruction délibérée qui « les mena, dans une confusion parfaitement orchestrée, de leurs dénégations initiales à de vagues aveux incomplets [46] ». Ils ont fait le maximum pour limiter les conséquences des révélations d'Ilić et empêcher autant que possible que les milieux officiels belgradois ne soient incriminés. Aucun ne cite jamais la Main noire ; au contraire, ils font allusion à des liens entre Ciganović et la Narodna Odbrana, une fausse piste qui égarera les enquêteurs autrichiens. Et la procédure peu énergique du juge Pfeffer leur donne largement le temps de mettre au point une version des faits commune, ce qui fait que la vision d'ensemble mettra beaucoup plus de temps à émerger.

La progression laborieuse des investigations policières n'empêche cependant pas les leaders autrichiens de sentir intuitivement qu'il existe bel et bien un lien avec Belgrade et de se forger une opinion sur l'arrière-fond plus large du complot. Dans les heures qui suivent les assassinats, les télégrammes envoyés par le général Potiorek font déjà allusion à des complicités serbes. Le lanceur de bombes Čabrinović, dit-il, appartient à un groupuscule socialiste serbe « qui prend généralement ses ordres de Belgrade ». Princip, ancien élève d'une école « orthodoxe serbe », a fait une partie de ses études dans la capitale serbe et des perquisitions ont permis de découvrir « toute une bibliothèque de publications nationalistes et révolutionnaires d'origine belgradoise » dans la maison de son frère aîné à Hadzici [47]. L'ambassade d'Autriche à Belgrade transmet également un télégramme crypté : Čabrinović a travaillé chez un imprimeur belgradois jusqu'à quelques semaines avant l'attentat. Dans un rapport plus détaillé envoyé le 29 juin, l'ambassadeur autrichien, faisant observer que les trois jeunes hommes ont reçu leur éducation politique à Belgrade, relie les meurtres à la culture de la mémoire nationale serbe, où figure de manière prééminente Miloš Obilić, célèbre assassin martyr du Moyen Âge « considéré comme un héros partout où vivent des Serbes » :

Je ne saurais être encore assez sûr de moi pour accuser [le gouvernement de] Belgrade d'être directement responsable du meurtre, mais il a certainement une responsabilité indirecte ; les meneurs doivent être débusqués non seulement parmi les masses incultes, mais dans le département de la propagande au ministère des Affaires étrangères, parmi ces universitaires et ces rédacteurs en chef qui pendant des années ont semé la haine et aujourd'hui récoltent la violence [48].

Le gouverneur Potiorek est encore plus direct : dans un télégramme crypté envoyé au ministre de la Guerre, il note que les tueurs ont reconnu avoir reçu leurs armes à Belgrade. Même sans aveux, le gouverneur est « intimement convaincu » que les vraies causes de l'attentat doivent être recherchées du côté de la Serbie. Ce n'est pas à lui de juger des mesures à prendre, mais son opinion personnelle est que « seule une action ferme dans le domaine de la politique étrangère peut restaurer la paix et la normalité en Bosnie-Herzégovine [49] ». L'onde de choc de l'événement se fait encore sentir dans ces premiers rapports : « Nous ne nous sommes toujours pas remis du choc dévastateur de la catastrophe survenue hier, écrit l'ambassadeur d'Autriche à Belgrade, par conséquent, j'ai du mal à évaluer les drames sanglants de Sarajevo avec le sang-froid, l'objectivité et le calme nécessaires [50]. » La rage de vengeance, des présupposés sous-jacents hostiles quant aux objectifs des Serbes et un nombre croissant de preuves circonstancielles modèlent la perception que les Autrichiens se font de l'attentat dès les premières heures, suivant un processus qui n'a pas de liens directs avec ce que l'enquête judiciaire elle-même découvre.

Réactions serbes

Les autorités autrichiennes se montrent tout particulièrement attentives aux réactions des Serbes. Le gouvernement de Belgrade fait l'effort de respecter la bienséance, mais dès les premières heures les observateurs autrichiens constatent un décalage flagrant entre les condoléances officielles et la jubilation ressentie et exprimée par la plupart des habitants. Le lendemain de l'attentat, l'ambassadeur autrichien à Belgrade rapporte qu'une cérémonie prévue le 28 juin au soir en mémoire de l'assassin martyr Miloš Obilić a été annulée. Mais simultanément, il fait état de renseignements transmis par ses informateurs selon lesquels partout dans la ville, des manifestations de satisfaction se multiplient en privé [51]. Du champ du Kosovo, où la Saint-Vitus doit être célébrée avec un faste tout particulier, le consul autrichien raconte que « la foule fanatisée » a accueilli la nouvelle avec un enthousiasme « que je ne peux qualifier que de bestial [52] ». Il est annoncé dans un premier temps que la cour de Serbie observera un deuil officiel de huit semaines, avant que la durée n'en soit réduite à huit jours. Même cet hommage modeste est contredit par la réalité : les rues et les cafés sont emplis de patriotes serbes célébrant le drame qui s'est abattu sur les Habsbourg [53].

Les doutes des Autrichiens sont renforcés par les vitupérations incessantes de la presse nationaliste serbe. Le 29 juin, des pamphlets distribués en masse à Belgrade décrivent la prétendue « extermination » des Serbes de Bosnie-Herzégovine par des « mercenaires » tandis que les autorités Habsbourg se contentent de rester « les bras croisés ». L'éditorial du journal nationaliste *Politika* daté du 30 juin fait porter la responsabilité des attentats sur les Autrichiens eux-mêmes, les accusant de propager « le mensonge » de la complicité serbe. D'autres font l'éloge des assassins, « des jeunes hommes braves et honorables [54] ». Des articles de cet acabit – exaspérant les diplomates autrichiens en poste en Serbie – se multiplient. Régulièrement traduits et cités dans la presse austro-hongroise, ils contribuent à augmenter le ressentiment populaire. Ceux qui affirment que le gouvernement de Belgrade a officiellement averti Vienne du complot en préparation sont tout particulièrement dangereux – parce qu'ils contiennent une parcelle de vérité. *La Stampa* de Belgrade publie ainsi un article intitulé « Un avertissement ignoré » affirmant que Jovan Jovanović, l'ambassadeur serbe à Vienne, avait averti le comte Berchtold des détails du complot et que ce dernier, se montrant « très reconnaissant » de la confiance de l'ambassadeur, avait en effet prévenu l'empereur et l'héritier du trône [55]. Il y a certes dans cet article une part de vérité, mais l'affirmation est à double tranchant : d'un côté, elle implique que les Autrichiens ont fait preuve de négligence, mais de l'autre, elle admet que le gouvernement serbe a été au courant.

Bien sûr, les leaders serbes ne peuvent pas faire grand-chose pour mettre fin aux récriminations des Autrichiens. Le gouvernement ne peut interdire aux gens de célébrer l'attentat dans les cafés, ni contrôler le comportement des foules qui se sont massées au champ du Kosovo. La presse, elle, se situe dans un flou juridique. De Vienne, à plusieurs reprises, Jovanović, conscient des dangers créés par les journaux belgradois les plus virulents, demande instamment à Pašić de prendre des mesures contre les offenseurs les plus incisifs, afin d'éviter que la presse viennoise n'exploite les déclarations des extrémistes [56] ; d'autres légations serbes demandent aussi à ce que l'on serre la bride [57]. De leur côté, Les Autrichiens font connaître leur mécontentement. Mais le gouvernement de Pašić s'abrite derrière le fait que la Constitution ne lui permet pas de restreindre la liberté de la presse. Certes Pašić donne l'instruction au directeur du Bureau de la presse serbe de prêcher la prudence auprès des journalistes belgradois [58]. Et il faut noter qu'à partir de son démenti officiel du 7 juillet, il n'y a plus d'articles évoquant l'avertissement officiel censément transmis à Vienne par le gouvernement de Belgrade [59]. Pašić aurait-il pu invoquer les pouvoirs extraordinaires pour modérer le ton de la presse ? C'est une autre question, mais quoi qu'il en soit, il décide de ne pas y avoir recours. Sans doute pense-t-il que prendre des mesures contre la presse nationaliste ne serait pas opportun au plan politique, quelques semaines seulement après la fin d'un âpre conflit qui, en mai 1914, a opposé le cabinet radical aux éléments ultranationalistes de l'armée serbe. De nouvelles élections doivent avoir lieu le 14 août. Dans l'atmosphère électrique de la campagne électorale, Pašić ne peut guère se permettre de froisser l'opposition nationaliste.

D'autres faux pas auraient cependant pu être évités. Le 29 juin, Miroslav Spalajković, l'ambassadeur serbe à Saint-Pétersbourg, publie un communiqué de presse justifiant l'agitation anti-autrichienne en Bosnie et dénonçant les mesures prises par les autorités autrichiennes contre les sujets serbes soupçonnés de liens avec les groupuscules irrédentistes. Depuis des années, déclare-t-il au *Vetchernieïe Vremia*, les leaders politiques viennois fabriquent de toutes pièces des organisations anti-autrichiennes « dont la dite "Main noire", qui est une pure invention ». Il n'y a pas la moindre organisation révolutionnaire en Serbie, répète-t-il. Dans un entretien accordé le lendemain au *Novoïe Vremia*, il nie que les assassins aient reçu leurs armes à Belgrade et accuse les jésuites d'envenimer la querelle entre Croates et Serbes en Bosnie. Puis il lance un avertissement : l'arrestation imminente de membres importants de la communauté serbe de Bosnie pourrait même provoquer une offensive armée de la Serbie contre la Double Monarchie [60]. Certes, il est de notoriété publique que Spalajković a de très mauvaises relations avec ses homologues autrichiens, ainsi que la réputation d'être instable. Même Sazonov, qui est son ami, le décrit comme quelqu'un de « déséquilibré [61] ». Mais ses déclarations publiques, immédiatement transmises aux décideurs viennois, empoisonnent l'atmosphère dans les jours qui suivent l'attentat.

Pašić lui aussi contribue à obscurcir la situation par des démonstrations de bravache déplacées. Dans un discours prononcé en Nouvelle Serbie le 29 juin, devant plusieurs ministres, vingt-deux membres de la Skupština, de nombreux fonctionnaires locaux et une délégation de Serbes venus des différentes régions de la monarchie austro-hongroise, il lance cet avertissement : si les Autrichiens tentaient d'exploiter le « regrettable événement » de Sarajevo, les Serbes « n'hésiteraient pas à se défendre et à accomplir leur devoir [62] ». Ceci constitue une déclaration ahurissante, alors que les sentiments suscités par l'attentat sont encore si présents dans les esprits. Dans une circulaire envoyée à l'ensemble des ambassadeurs serbes le

1er juillet, il reprend le même argument, opposant les efforts constants et la bonne foi du gouvernement de Belgrade aux manipulations pernicieuses de la presse viennoise. La Serbie et ses représentants doivent combattre toute tentative autrichienne de « séduire l'opinion européenne ». Dans une autre circulaire portant sur le même sujet, accusant les journaux autrichiens de caricaturer les propos des journalistes serbes, il s'insurge contre l'idée que le gouvernement de Belgrade devrait agir pour mettre fin à ce qu'il considère comme des réactions justifiées aux provocations autrichiennes [63]. En résumé, on a parfois l'impression que Pašić pousse les journalistes serbes dans la mêlée plutôt que d'essayer de les retenir.

Les relations de Pašić avec les ministres et diplomates autrichiens, qui n'ont jamais été faciles, deviennent particulièrement tendues dans les jours qui suivent l'attentat. Le 3 juillet par exemple, à l'occasion d'une messe de requiem célébrée à Belgrade à la mémoire de l'archiduc, Pašić assure l'ambassadeur autrichien que Belgrade traitera la question « comme s'il s'agissait de l'un de ses propres dirigeants ». Ces propos sont sans doute sincères, mais dans un pays dont l'histoire récente est émaillée de plusieurs régicides, ils risquent d'apparaître aux yeux des Autrichiens comme une faute de goût, voire comme un sarcasme macabre [64].

Cependant une question plus fondamentale préoccupe les Autrichiens : peuvent-ils compter sur la collaboration de Pašić et de son gouvernement dans l'enquête sur les racines du complot ? À nouveau, ils ont de multiples raisons d'en douter. Le 30 juin, l'ambassadeur autrichien à Belgrade, Ritter von Storck, rencontre le secrétaire général du ministère des Affaires étrangères serbe, Slavko Gruić, pour lui demander ce que fait la police pour dénouer les fils de la conspiration qui, de notoriété publique, mènent jusqu'en territoire serbe. Gruić répond avec une naïveté – ou une mauvaise foi – confondante que la police n'a strictement rien fait, avant d'ajouter : « Le gouvernement autrichien souhaite-t-il demander qu'une telle enquête soit menée ? » Storck perd patience, déclarant qu'il considère que c'est le devoir élémentaire de la police de Belgrade que de mener l'enquête la plus poussée possible, que Vienne l'ait demandé ou pas [65].

Cependant, en dépit des assurances officielles, les autorités serbes ne déclencheront jamais d'enquête proportionnée à la gravité des crimes et à l'ampleur de la crise déclenchée. À la demande de Gruić, le ministre de l'Intérieur donne effectivement l'ordre à Vasil Lazarević, chef de la police de Belgrade, d'examiner le lien existant entre les assassins et la capitale. Une semaine plus tard, ce dernier clôture ses « investigations » par une déclaration expéditive : il n'existe pas la moindre relation entre les assassinats de Sarajevo et la capitale serbe ; il ajoute même que personne du nom de « Ciganović » n'existe ou n'a jamais existé à Belgrade [66]. Lorsque Storck sollicite l'aide de la police serbe et du ministère des Affaires étrangères pour localiser un groupe d'étudiants soupçonnés de préparer un nouvel attentat, il n'obtient que des informations contradictoires destinées à brouiller les pistes ; d'où il conclut qu'en dépit des assurances de Nikola Pašić, le ministère des Affaires étrangères serbe est incapable d'agir en partenaire digne de confiance. De fait, aucune décision n'est prise pour mettre au pas la Main noire. Apis lui-même reste à son poste. Et même si Pašić a réclamé une enquête sur les accusations de contrebande portées contre les régiments postés à la frontière, celle-ci n'est pas menée avec l'efficacité nécessaire.

Au lieu de chercher à se rapprocher des Autrichiens, Pašić, et plus largement les autorités serbes, retrouvent leurs réflexes et leurs arguments habituels : ce sont les Serbes qui sont les victimes de cette affaire, d'abord en Bosnie-Herzégovine, puis, depuis l'attentat, à Belgrade ; les Autrichiens n'ont que ce qu'ils méritent ; les Serbes ont le droit de se défendre, par la parole ou par les armes. Tout ceci est cohérent avec le postulat de Pašić : les autorités serbes n'ont rien à voir avec l'attentat [67]. Dans cette perspective, prendre la moindre mesure contre des personnes ou des groupes ayant trempé dans le complot serait reconnaître l'implication de Belgrade. À l'inverse, observer le détachement le plus complet signifie que Belgrade considère le problème comme une affaire purement interne à l'État Habsbourg. C'est pour cela que les officiels serbes considèrent que la seule réponse appropriée est de maintenir un silence officiel hautain, tout en reprochant à des politiciens viennois peu scrupuleux de porter atteinte délibérément à la réputation de la Serbie [68]. Cette position, logique du côté de Belgrade, déclenche la colère des Autrichiens, qui n'y voient qu'insolence, duplicité et dérobade, et, plus encore, la confirmation du fait que l'État serbe s'est rendu complice de la catastrophe. Par-dessus tout, les dénégations éhontées de Belgrade indiquent que le gouvernement serbe n'est pas disposé à résoudre les problèmes urgents créés par l'attentat, en bon partenaire et voisin – voire qu'il s'y oppose. Même si les décideurs viennois, instruits par l'expérience, ne sont pas surpris de cette réaction, elle a des conséquences majeures : en effet, il devient difficile d'imaginer comment les relations entre les deux voisins pourraient se normaliser sans le recours à une forme de coercition extérieure.

Comment réagir ?

L'impact de l'attentat sur les principaux décideurs austro-hongrois est immédiat et profond. En quelques jours à peine, un consensus émerge : seule une action militaire résoudra le problème des relations de la Double

Monarchie avec la Serbie. Il faut répondre à la provocation. Plus nombreux et unis que jamais, les faucons font pression sur le ministre des Affaires étrangères Leopold von Berchtold pour exiger des décisions rapides. « L'année dernière, j'avais pris la liberté de vous écrire que nous aurions à apprendre comment supporter l'insolence des Serbes sans riposter par la guerre », lui dit Ritter von Storck, le 30 juin. « Désormais, la situation a pris un tour totalement différent » :

> En choisissant entre la guerre ou la paix, nous ne devons plus nous laisser influencer par l'idée que nous n'avons rien à gagner dans une guerre contre la Serbie. Au contraire, nous devons saisir la première occasion de frapper ce royaume et de le pulvériser, sans écouter davantage nos scrupules [69].

Le lendemain de l'attentat, le prince Gottfried von Hohenlohe-Schillingsfürst, diplomate d'expérience qui vient d'être nommé pour succéder à Szögyényi, en poste depuis fort longtemps à Berlin, s'oppose à Berchtold : si des mesures graves ne sont pas prises sur-le-champ, menace-t-il avec une insolence qui frise l'insubordination, il refusera de prendre son poste à Berlin [70]. Ce soir-là, après une après-midi passée à endurer de semblables conversations, Berchtold voit arriver Conrad, libéré des contraintes qu'avait fait peser sur lui son plus farouche adversaire politique, désormais disparu. Le chef d'état-major se lance dans son couplet familier : il faut passer à l'action maintenant, donner l'ordre de mobiliser sans plus de négociations avec Belgrade. « Quand une vipère menace de vous piquer au talon, vous l'écrasez, sans lui laisser le temps de mordre. » L'avis du chef d'état-major, résumé par Berchtold, tient en trois mots : « La guerre ! La guerre ! La guerre [71] ! » Cette opinion est partagée par le ministre de la Guerre, Krobatin, tout juste rentré d'une tournée d'inspection dans le sud du Tyrol, et qui se réunit avec Berchtold et Conrad dans la matinée du 30 juin. L'armée est prête à entrer en action, leur déclare-t-il. Pour sortir la Double Monarchie de la tourmente, il n'y a qu'une issue : la guerre [72].

Leon Biliński, ministre conjoint des Finances, leur emboîte le pas. À la tête d'un des trois ministères impériaux tenant lieu de gouvernement à l'Autriche-Hongrie, il jouera un rôle capital dans les décisions politiques prises pendant la crise de juillet. Biliński n'est pas serbophobe. Responsable de l'administration de la Bosnie, il s'est montré accessible et conciliant dans ses rapports avec les minorités de la province. Il a pris la peine d'apprendre le serbo-croate et s'exprime en russe plutôt qu'en allemand avec ses collègues slaves du Sud, ce qui leur permet de suivre les échanges plus facilement et valorise leur héritage commun. Les réunions se déroulent dans une ambiance informelle et amicale, de nombreuses tasses de café bien noir et d'excellentes cigarettes facilitant les débats [73]. Jusqu'à l'attentat, Biliński a cherché à établir dans la durée des relations constructives avec les minorités nationales de Bosnie-Herzégovine et, même après le 28 juin, il s'oppose aux mesures de répression que tente d'imposer l'autoritaire *Landeschef* Potiorek[74].

Sur la question des relations extérieures avec la Serbie, Biliński a louvoyé entre une position belliqueuse et une attitude conciliante durant les récentes guerres balkaniques. Pendant le bras de fer au sujet de l'Albanie du Nord en mai 1913, et à nouveau en octobre 1913, il s'est montré belliqueux – même si en cette dernière occasion il a mis en garde ses collègues : comme l'empereur et l'héritier présomptif ne donneront pas leur accord à une guerre totale, il vaut mieux ne pas décréter la mobilisation[75]. D'un autre côté, il cultive d'excellentes relations avec Jovanović, l'ambassadeur serbe à Vienne, ce qui lui permet de résoudre pacifiquement le conflit sur le tracé de la frontière serbo-albanaise. Pendant la seconde guerre des Balkans, il s'oppose à l'idée de soutenir Sofia contre Belgrade, se faisant au contraire l'avocat d'un rapprochement avec une Serbie victorieuse et en pleine expansion territoriale. Il résiste sans relâche et avec détermination à Conrad, qui veut provoquer délibérément une guerre contre leurs voisins, estimant que l'Autriche serait accusée d'être l'agresseur et se retrouverait isolée parmi les grandes puissances[76].

L'attentat de Sarajevo met brutalement fin à ces atermoiements. Dès l'après-midi du 28 juin, Biliński défend sans faiblir l'idée d'une réaction directe contre la Serbie. Il n'a jamais été particulièrement proche de François-Ferdinand, mais a du mal à se défaire de l'idée qu'il a échoué à protéger les deux victimes. Rétrospectivement, il est pourtant clair qu'il n'a strictement rien à se reprocher. Potiorek ne l'a pas tenu informé de son projet de faire traverser la ville à l'archiduc et son épouse – d'où la nausée qui l'a assailli quant il a lu le programme détaillé de la visite dans le journal le matin même. Il n'a pas non plus été consulté sur les mesures de sécurité. Cependant, après l'attentat, il passe ses premières audiences avec l'empereur et Berchtold à se défendre avec emphase, documents à l'appui, contre l'accusation imaginaire qu'il a fait preuve de négligence dans l'exercice de ses fonctions[77].

Un des faucons les plus durs est Potiorek, gouverneur de Bosnie et subordonné de Biliński, qui, à la différence de son ministre, a de multiples raisons de s'accuser de négligence : c'est lui qui a insisté pour que les manœuvres militaires soient organisées en Bosnie, qui était responsable des mesures de sécurité dérisoires mises en place le jour de la visite à Sarajevo et a très mal organisé le départ de l'archiduc de l'hôtel de ville après la cérémonie. S'il ressent du remords, il le dissimule sous une attitude d'impétuosité belliqueuse[78]. Dans les rapports qu'il envoie depuis Sarajevo au chef d'état-major et au ministre de la Guerre, il réclame une action militaire rapide contre Belgrade. D'après lui, le temps joue contre la Double Monarchie, les réseaux irrédentistes serbes rendront bientôt la Bosnie ingouvernable au point qu'il deviendra impossible d'y déployer un grand nombre de soldats. La Double Monarchie ne pourra résoudre les questions de sécurité dans les Balkans qu'en chassant les organisations nationalistes serbes de la province et en éliminant le problème à la racine, c'est-à-dire à Belgrade. Certes Potiorek n'appartient pas au premier cercle des décideurs viennois, mais ses rapports exercent une influence certaine. François-Ferdinand avait toujours dit que la fragilité de l'Empire excluait catégoriquement toute éventualité de guerre avec un ennemi extérieur. Potiorek retourne l'argument, affirmant que la guerre, loin d'exacerber les problèmes intérieurs de l'Empire, permettra de les résoudre. Ce recours artificiel à l'argument que les historiens désigneront plus tard sous le terme de « primauté des objectifs intérieurs » aide Conrad et Krobatin à renverser les objections de certains de leurs collègues civils.

Les échelons supérieurs du ministère des Affaires étrangères se rangent très vite à ces arguments. Dès le 30 juin, l'ambassadeur allemand à Vienne, le baron Tschirschky, note que ses contacts – pour la plupart des diplomates – sont favorables à l'idée de « régler leurs comptes avec la Serbie de manière définitive[79] ». Les motivations sont variées selon les individus. Pour le spécialiste autoproclamé de la Serbie, le baron Alexander von Musulin, un Croate profondément hostile au nationalisme serbe, la crise qui suit l'attentat est l'occasion ou jamais de mettre un point d'arrêt à l'idéal de la Grande Serbie, avec le soutien des Croates de l'Empire[80]. C'est lui qui, après avoir assisté à de nombreuses réunions au ministère des Affaires étrangères dans les premiers jours de la crise, rédigera l'ultimatum envoyé à Belgrade. Pour Frigyes (« Fritz ») Szapáry, l'ambassadeur autrichien à Saint-Pétersbourg (qui se trouve par hasard à Vienne parce que sa femme s'y fait soigner), le sujet d'inquiétude majeur est la mainmise croissante des Russes sur la péninsule balkanique. Quant au comte Forgách, chef de la section politique du ministère des Affaires étrangères depuis octobre 1913, il n'a pas oublié les années extrêmement pénibles passées à Belgrade ni sa rancœur à l'égard de Spalajković. Une « pensée de groupe » (groupthink) particulièrement martiale s'impose donc au ministère. Ce qui sous-tend ce consensus sur une stratégie de confrontation, c'est le stéréotype familier d'une politique étrangère active, présentée comme diamétralement opposée à la passivité et aux tâtonnements qui ont censément entravé la diplomatie autrichienne auparavant. C'est en ces termes qu'Aehrenthal avait défendu sa politique pendant la crise de l'annexion bosniaque en 1908-1909, opposant son approche proactive au fatalisme de ses prédécesseurs. Or Forgách, le comte Alexander (« Alek ») Hoyos (le chef de cabinet de Berchtold), Szapáry, le comte

Albert Nemes (chef de section) et le baron Musulin sont tous des disciples enthousiastes d'Aehrenthal. Pendant les crises balkaniques de 1912 et 1913, ils ont fait pression sur Berchtold à de multiples reprises pour qu'il ne cède ni aux tentatives d'intimidation de la Russie ni à l'impertinence de la Serbie, tout en déplorant en privé ce qu'ils considéraient comme son attitude de conciliation excessive[81].

Mais si l'attentat de Sarajevo a poussé les faucons à la guerre, il a également fait disparaître le meilleur espoir de paix. Si François-Ferdinand avait survécu, il aurait poursuivi ses mises en garde contre les risques d'une aventure militaire, comme il l'avait fait si souvent auparavant. De retour des manœuvres d'été, il aurait démis Conrad de son poste, cette fois-ci de manière définitive. « Le monde ne sait pas que l'archiduc a toujours été opposé à la guerre », déclare un haut diplomate autrichien au politicien Joseph Redlich au cours de la dernière semaine de juillet. « Par sa mort, il a permis que *nous*, nous trouvions l'énergie que *lui* n'aurait jamais trouvé de toute sa vie[82] ! »

Dans les premiers jours qui suivent l'attentat, c'est sans nul doute le ministre des Affaires étrangères autrichien Leopold von Berchtold qui doit soutenir la pression la plus forte. Il est profondément et personnellement affecté par la nouvelle : il avait sensiblement le même âge que l'archiduc, et les deux hommes se connaissaient depuis l'enfance. Malgré leurs différences de tempérament – l'archiduc était colérique, sûr de lui, entêté, alors que le comte est raffiné, sensible et efféminé – les deux hommes avaient un profond respect l'un pour l'autre. Berchtold avait eu de multiples occasions de découvrir l'homme impulsif et plein de vivacité qui se cachait derrière l'irascible personnage officiel. Et cette relation avait acquis une dimension plus familiale : sa femme, Nandine, avait été une amie intime de Sophie Chotek dans leur enfance et elles étaient restées très proches. Lorsqu'il apprend la nouvelle au cours d'une fête de charité près de son château de Buchlau, Berchtold est frappé de stupeur. Il prend le premier train pour Vienne, où il est immédiatement happé par le tourbillon des réunions et des consultations. « L'ombre du défunt, d'un grand homme désormais disparu, planait sur ces discussions, qui me devinrent insupportablement douloureuses. Il me semblait avoir constamment sous les yeux l'image de celui qui avait été impitoyablement assassiné, [...] ses grands yeux bleus brillant sous son front sombre et résolu[83]. »

Berchtold est-il disposé à accepter les arguments en faveur d'une guerre contre la Serbie, ou faut-il le pousser ? Une chose est certaine : les faucons qui font le siège de son bureau pour lui donner leurs conseils dès le lendemain de l'attentat présument que s'il n'y est pas contraint et forcé, le ministre n'adoptera pas leur point de vue. Bien qu'il ait parfois pris des positions fermes (notamment sur l'Albanie), il est encore largement considéré comme un homme prudent et conciliant, un enfant de chœur en matière de relations extérieures. En mai 1914, un ambassadeur autrichien l'a traité de « dilettante » dont « l'inconséquence et le manque de volonté » privaient la politique étrangère d'une orientation ferme [84]. Afin de le pousser à l'action, ses collègues les plus extrémistes assortissent leurs conseils de critiques acerbes à l'encontre de la politique austro-hongroise telle qu'elle a été menée depuis la mort d'Aehrenthal en 1912. Comme toujours, Conrad se montre le plus direct, lui déclarant le 30 juin que sans ses hésitations et son excès de prudence pendant les guerres des Balkans, l'Autriche-Hongrie n'en serait pas là.

Il semble cependant que Berchtold ait résolu très tôt, et apparemment de lui-même, de recourir à une politique d'action immédiate. L'homme des manœuvres dilatoires et de la retenue se mue du jour au lendemain en un leader à la détermination inébranlable [85]. Il a l'occasion d'exposer sa position dès sa première audience avec l'empereur, au palais de Schönbrunn, le 30 juin à une heure de l'après-midi. Dans ses Mémoires restés inédits, Berchtold se rappelle les moindres détails : il trouve l'empereur très affecté par l'attentat, malgré les relations difficiles qu'il avait avec l'archiduc et son épouse morganatique. Rompant avec le protocole, le vieil homme de quatre-vingt-trois ans serre la main de son ministre et le fait asseoir. Ses yeux se remplissent de larmes lorsqu'il évoque les événements [86]. Berchtold déclare – et l'empereur acquiesce – que l'Autriche est allée jusqu'au bout de « sa politique de patience ». Si l'Empire montre des signes de faiblesse dans une situation aussi extrême, ses voisins du Sud et de l'Est, convaincus de son impuissance, poursuivront leur œuvre de destruction avec encore davantage de détermination. C'est l'Empire qui se trouve désormais acculé. Le ministre note que l'empereur semble extrêmement bien informé de la situation et accepte pleinement la nécessité de passer à l'action. Mais il exige qu'avant toute décision, Berchtold obtienne l'accord du Premier ministre hongrois, le comte István Tisza, qui se trouve justement à Vienne [87].

Or il y a là une difficulté potentiellement majeure : Tisza est farouchement opposé à toute stratégie destinée à déclencher un conflit immédiat. Premier ministre de 1903 à 1905, puis de nouveau à partir de 1913, figure dominante de la vie politique hongroise et fervent admirateur de Bismarck, cet homme d'une énergie et d'une ambition hors du commun a bâti son pouvoir sur un mélange de corruption électorale, d'impitoyables manœuvres d'intimidation policière contre ses opposants et de modernisation de l'économie et des infrastructures destinée à séduire les classes moyennes magyarophones, ainsi que les membres des autres minorités acceptant l'assimilation. Tisza incarne le Compromis de 1867 : c'est un nationaliste convaincu des bienfaits de l'union avec l'Autriche, indispensable selon lui pour assurer la sécurité de la Hongrie. Fermement déterminé à défendre l'hégémonie de l'élite magyare, il s'oppose à toute réforme du système électoral en vigueur qui maintient les minorités hors du jeu politique.

La disparition de l'héritier présomptif n'est donc pas pour lui une catastrophe mais un pur soulagement. Les réformes envisagées par François-Ferdinand auraient en effet ébranlé tout l'édifice du pouvoir sur lequel il avait bâti sa carrière. Les liens étroits de l'archiduc avec certains membres de l'élite roumaine lui étaient tout particulièrement odieux. Son assassinat est donc pour lui une délivrance inespérée, et il ne partage ni la rage ni le sentiment d'urgence de beaucoup de ses collègues autrichiens. Au cours d'un entretien avec Berchtold dans l'après-midi du 30 juin, puis dans une lettre adressée à l'empereur le lendemain, il exprime son refus que l'assassinat serve de « prétexte » à une guerre contre la Serbie. Il faut se montrer prudent, principalement parce que les nouveaux alignements dans les États balkaniques sont défavorables à l'Autriche-Hongrie. Le problème principal est celui posé par la Roumanie qui, en cet été 1914, semble bien partie pour s'allier avec la Russie et donc avec les puissances de l'Entente. Étant donné la présence d'une très importante minorité roumaine en Transylvanie et l'impossibilité de défendre la frontière, le réalignement de Bucarest pose un problème de sécurité majeur.

C'est donc de la folie, selon Tisza, que d'envisager de déclarer la guerre à la Serbie tant que l'on ne sait pas à qui la Roumanie fera allégeance et comment elle se comportera en cas de conflit. Il envisage deux options : soit persuader les Roumains, avec l'appui des Allemands, de revenir dans l'orbite de la Triple-Alliance ; soit contenir la Roumanie en renforçant les liens entre la Bulgarie (ennemie de la Roumanie pendant la seconde guerre balkanique), l'Empire des Habsbourg et l'Empire allemand.

> En dépit des illusions de grandeur dont ils se bercent, la force qui domine dans l'esprit de ce peuple, c'est la peur de la Bulgarie. Une fois qu'ils auront compris qu'ils ne peuvent pas nous empêcher de contracter une alliance avec les Bulgares, ils chercheront peut-être à être admis au sein de la Triple-Alliance afin de se protéger d'une éventuelle agression [88].

Tisza se livre là aux calculs traditionnels de la politique balkanique classique, simplement vus sous le prisme spécifiquement hongrois de la situation sécuritaire de l'Empire. La Roumanie occupe une large place dans les préoccupations de l'élite magyare, tout particulièrement dans le cas de ceux qui, à l'instar de Tisza, sont originaires de Transylvanie. Tisza et ses proches conseillers, qui considèrent de bonnes relations avec Saint-Pétersbourg comme indispensables à la sécurité de leur pays, sont favorables à l'idée de reconstruire l'entente ancestrale de la Russie et de la

Hongrie. Il faut cependant noter que le Premier ministre hongrois n'est pas opposé à la guerre par principe : il a soutenu l'intervention militaire contre la Serbie pendant la seconde crise albanaise, en octobre 1913, et il était disposé à envisager l'éventualité d'une guerre contre Belgrade en cas de nouvelle provocation, dans des circonstances plus favorables. Mais il est fortement opposé à la stratégie de réaction immédiate préconisée par la plupart des décideurs autrichiens [89].

Malgré la puissance des émotions qui agitent les élites politiques autrichiennes dans les premiers jours de juillet, il devient rapidement clair qu'une réaction militaire rapide n'est pas envisageable. Il faut premièrement parvenir à persuader Tisza de se ranger à l'opinion dominante à Vienne car il est impossible, au plan politique et constitutionnel, de passer outre l'opposition de cet acteur majeur du système dualiste. Deuxièmement, il s'agit de prouver l'implication de Belgrade. Au cours d'une réunion avec Berchtold, dans l'après-midi du 30 juin, Tisza demande à ce qu'on laisse un délai au gouvernement de Belgrade « pour prouver sa bonne volonté ». Berchtold se montre sceptique, mais accepte que toute initiative militaire soit reportée jusqu'à ce que la culpabilité des Serbes soit confirmée [90]. Or, faire émerger une image plus large des ramifications du complot et des liens éventuels avec Belgrade prendra plusieurs jours. La troisième question d'importance est celle des délais nécessaires pour mettre sur pied une intervention militaire. Conrad ne cesse de pousser ses collègues civils à « frapper immédiatement » (c'est-à-dire sans attendre les résultats de l'enquête), mais il a informé Berchtold au matin du 30 juin que l'état-major aurait besoin de seize jours pour mobiliser les troupes nécessaires à une offensive sur la Serbie – délai qui se révélera être une sous-estimation flagrante [91]. En admettant que les leaders parviennent à une décision, elle ne pourra pas être mise en œuvre immédiatement.

La toute dernière question – et finalement la plus cruciale – est la suivante : l'Allemagne soutiendra-t-elle l'Autriche en cas de confrontation avec la Serbie ? Les Allemands n'ont apporté qu'un soutien intermittent à la politique austro-hongroise dans les Balkans, au cours de dernières années. Huit semaines à peine avant les événements, Fritz Szapáry, l'ambassadeur autrichien à Saint-Pétersbourg, s'est plaint de ce que l'Allemagne « sacrifiait » systématiquement les intérêts austro-hongrois dans les Balkans. Durant les premiers jours de la crise, Berlin envoie des signaux contradictoires. Le 1er juillet, le célèbre journaliste allemand Viktor Naumann appelle le comte Hoyos, chef de cabinet de Berchtold, pour l'informer qu'il pense que les leaders allemands regarderont d'un œil bienveillant une offensive austro-hongroise contre la Serbie et semblent prêts à accepter le risque d'une guerre contre la Russie au cas où Saint-

Pétersbourg interviendrait. Naumann n'a pas de fonction officielle mais comme on sait qu'il est en contact étroit avec Wilhelm von Stumm, chef du département politique des Affaires étrangères à Berlin, ses informations ont un certain poids [92]. Dans le même temps, cependant, l'ambassadeur allemand, le baron Tschirschky, exhorte les Autrichiens à la prudence : chaque fois qu'ils évoquent avec lui la nécessité de prendre des mesures énergiques, écrit-il le 30 juin, « je saisis l'opportunité de telles ouverture pour les mettre en garde, calmement mais solennellement, contre toute décision hâtive [93] ». Dans une conversation avec l'ambassadeur autrichien à Berlin, le sous-secrétaire d'État aux Affaires étrangères, Arthur Zimmermann, exprime sa sympathie aux Autrichiens frappés par le drame de Sarajevo, mais leur recommande de ne pas imposer à Belgrade « des exigences humiliantes [94] ».

La position de l'empereur d'Allemagne constitue un autre sujet d'inquiétude. Durant l'automne et hiver 1913, Guillaume II avait plusieurs fois recommandé à Vienne de se concilier Belgrade par des pots-de-vin ou des programmes d'échanges. En juin 1914, au cours de sa dernière rencontre avec l'archiduc, le Kaiser avait à nouveau refusé de s'engager. À la question de savoir si l'Autriche-Hongrie « pouvait toujours compter sur le soutien inconditionnel de l'Allemagne », Guillaume II « avait esquivé la question et n'avait pas donné de réponse [95] ». Dans un rapport remis à l'empereur François-Joseph le 1er juillet, Tisza affirmait que l'empereur d'Allemagne faisait preuve de « partialité envers les Serbes » et qu'il ne serait pas facile de le convaincre de soutenir la politique balkanique de Vienne [96]. Dans un premier temps, les leaders austro-hongrois espéraient que les deux empereurs pourraient avoir un échange de vues, face à face, lors de la venue à Vienne de Guillaume II pour les funérailles de l'archiduc. Mais la visite a été annulée à la suite de rumeurs d'un nouveau complot serbe visant cette fois-ci le Kaiser. Il faudra trouver d'autres moyens de synchroniser la politique de Vienne et de Berlin.

Ici au moins, il y a un sujet sur lequel Berchtold, Tisza et les autres décideurs autrichiens se retrouvent : avant toute décision, l'Allemagne doit être soigneusement consultée. Berchtold supervise donc la préparation d'une mission diplomatique à Berlin. Deux documents doivent être transmis à l'allié allemand. Le premier est une lettre personnelle de l'empereur adressée au Kaiser, signée de sa main mais en fait rédigée par le chef de cabinet de Berchtold, Alek Hoyos ; le second est une version revue à la hâte du mémorandum Matscheko, auquel on a ajouté un bref appendice rédigé après l'attentat.

C'est une expérience étrange que de relire ces deux documents de nos jours. Le mémorandum Matscheko, dans sa version modifiée, offre la même description de la dégradation de la situation balkanique que l'original, mais avec un accent tout particulièrement mis sur les conséquences de la trahison roumaine – un argument destiné à Berlin, qui entretient des relations amicales avec les Roumains, mais également à Tisza, qui s'inquiète de la situation en Transylvanie. L'agressivité de l'Alliance franco-russe est également mise en relief et présentée comme une menace non seulement contre l'Autriche-Hongrie, mais aussi contre l'Allemagne. À la fin du document, l'appendice est introduit par les mots suivants : « Ce mémorandum venait d'être achevé lorsque les événements terribles de Sarajevo survinrent. » Sont alors décrits « le danger et l'intensité » d'une « agitation panserbe qui ne connaîtra pas de limite ». Les rédacteurs font remarquer qu'il est désormais vain de vouloir bâtir de bonnes relations avec la Serbie par une politique de bonne volonté et de compromis. Il n'y a aucune référence directe à la guerre, mais l'appendice évoque le caractère « irréconciliable » de l'antagonisme austro-serbe à la lumière des récents événements. Le document se conclut sur une métaphore disgracieuse : l'aigle austro-hongrois « doit maintenant déchirer d'une main résolue les liens du filet dans lequel ses ennemis cherchent à l'emprisonner [97] ».

La lettre personnelle de François-Joseph à Guillaume II est encore plus explicite. Ici aussi il est question de la Roumanie et des machinations des Russes, mais elle se termine avec l'annonce explicite d'une action imminente contre la Serbie. L'assassinat, fait remarquer le rédacteur, n'a pas été le fait d'un individu isolé mais d'une « conspiration bien organisée dont les ramifications s'étendent jusqu'à Belgrade ». L'Autriche-Hongrie ne sera pas en sûreté tant que « le pouvoir de nuisance de la Serbie dans les Balkans ne sera pas neutralisé ».

> Vous aussi serez certainement convaincu qu'après les terribles événements récemment survenus en Bosnie, il ne peut plus être question de résoudre par la conciliation le différend qui nous oppose à la Serbie, et que la politique de préservation de la paix poursuivie par tous les monarques d'Europe sera en danger tant que ce foyer d'agitation criminelle à Belgrade demeurera impuni [98].

Ce qui frappe le lecteur du XXIe siècle dans ces deux textes, c'est le manque de cohérence généré par la panique, l'emploi de métaphores ampoulées plutôt que de formulations rigoureuses, le recours à des procédés rhétoriques censés susciter l'émotion, la juxtaposition de différentes perspectives sans cadre narratif général qui leur donne une cohésion. Il n'y a pas non plus de demandes explicites d'assistance ni de propositions stratégiques ou de liste d'options mais simplement le tableau confus et sombre de sinistres présages. Le lien n'est pas non plus clairement établi entre le diagnostic qui est porté sur la situation générale dans les Balkans – qui suggère la nécessité d'une solution diplomatique – et les passages traitant de la Serbie – dans lesquels il est clair pour le lecteur que les auteurs envisagent un conflit.

Berchtold a tout d'abord eu l'intention d'envoyer ces deux documents par la voie diplomatique habituelle. Cependant, au soir du samedi 4 juillet, il expédie un télégramme à l'ambassadeur autrichien à Berlin, l'informant que son chef de cabinet les apportera lui-même. Il lui demande de solliciter des audiences auprès du Kaiser et du chancelier Bethmann-Hollweg. Bien qu'âgé de trente-six ans seulement, Hoyos est l'un des membres les plus ambitieux et énergiques de cette nouvelle cohorte de diplomates bellicistes. Il possède également de multiples contacts à Berlin. Lorsqu'il a quitté la capitale allemande à la fin d'une mission, l'ambassadeur Szögyényi a fait des commentaires élogieux sur la façon dont il a établi des relations « de confiance et d'intimité » avec les principaux milieux politiques allemands [99]. De plus, lors d'une affectation en Chine, il a fait la connaissance d'Arthur Zimmermann, qui précisément remplace son supérieur, le secrétaire d'État aux Affaires étrangères Gottlieb von Jagow, en voyage de noces quand la crise éclate. Hoyos considère les relations avec l'Allemagne comme la pierre angulaire de la sécurité austro-hongroise et la condition indispensable à toute politique active dans les Balkans. Telle est, selon lui, la leçon qu'il faut tirer de la crise de l'annexion bosniaque de 1908-1909, dans laquelle il a lui-même joué un rôle mineur. Mais plus fondamentalement, étant partisan de la ligne dure, Hoyos s'est prononcé dès le début pour une solution militaire ; dans le combat mené par Berchtold pour arracher son accord à Tisza, le jeune chef de cabinet apporte à son patron aux abois tout le soutien moral dont celui-ci a besoin [100].

En choisissant d'envoyer Hoyos remplir cette mission à Berlin, Berchtold est certain que les deux documents politiques envoyés par Vienne seront interprétés de façon belliqueuse. Les Allemands n'auront aucun doute : les Autrichiens iront jusqu'au bout. Tout en suivant ostensiblement les conseils de Tisza, qui a refusé de prendre la moindre décision sans que les Allemands soient consultés, Berchtold utilise en fait la mission pour l'exclure du processus de décision et s'assurer que la stratégie Habsbourg évoluera conformément à son souhait : réagir de manière rapide et décisive à l'attentat de Sarajevo [101] – ce qui est capital car, comme l'ambassadeur allemand le lui a fait remarquer d'un ton plein de sous-entendus, des discours grandiloquents (ce pour quoi les Autrichiens ont un talent indéniable) ne constituent pas des plans d'action [102].

Calendrier de mobilisation, dissensions politiques, poursuite de l'enquête policière à Sarajevo, nécessité d'obtenir le soutien des Allemands

– il y a pléthore de bonnes raisons pour retarder une action militaire contre la Serbie. Conrad lui-même n'est pas en mesure de proposer une alternative crédible à ses collègues civils. Cependant, pendant toute la durée de la crise de juillet, les Autrichiens ne pourront se départir du sentiment qu'ils auraient peut-être mieux fait de frapper Belgrade sans attendre de mobilisation générale et sans déclaration de guerre, ce que toute l'Europe aurait considéré comme une réaction réflexe à une provocation gravissime. Pourquoi l'Autriche-Hongrie n'a-t-elle pas tout simplement attaqué la Serbie pour en finir une bonne fois pour toutes, demandera le Premier ministre roumain Ion Brătianu le 24 juillet, au moment où la crise entre dans sa phase critique ? « Vous auriez pu, à ce moment-là, compter sur la sympathie de toute l'Europe [103]. » Nous ne pouvons que spéculer sur la façon dont la crise aurait alors évolué, mais une chose est certaine : lorsque Alek Hoyos monte dans le train de nuit qui va l'emporter vers Berlin, les Autrichiens ont déjà laissé passer le seul moment où ce scénario virtuel aurait pu s'enclencher.

8

L'ONDE DE CHOC

Les réactions à l'étranger

Dans l'après-midi du 28 juillet, le Kaiser navigue au large de l'Allemagne en mer du Nord, se préparant à participer aux régates de Kiel sur son yacht *Meteor*. Le canot à moteur *Hulda* qui vient l'accoster fait retentir sa sirène : c'est l'amiral Müller, chef du cabinet naval de l'empereur, qui lui apprend la nouvelle de vive voix, obligé de crier pour couvrir le bruit des vagues. Après une brève réunion à bord de son yacht, il est décidé que Guillaume II rentrera immédiatement à Berlin « pour prendre les choses en main et préserver la paix en Europe [1] ». Au même moment, un télégramme est remis au président Raymond Poincaré qui, des tribunes du champ de courses de Longchamp, assiste au Grand Prix en compagnie d'autres membres du corps diplomatique. Le comte Szécsen, ambassadeur d'Autriche-Hongrie, se retire immédiatement. Le président et la plupart des autres diplomates restent quant à eux pour profiter des autres courses de l'après-midi.

Ces anecdotes, insignifiantes en elles-mêmes, indiquent néanmoins des divergences de réactions et de perspectives pendant la crise de juillet 1914. L'ambassadeur britannique à Berlin note que la nouvelle des assassinats a plongé le pays dans la consternation : l'empereur Guillaume II vient tout juste de rentrer d'une visite rendue à l'archiduc dans sa résidence de Bohême à Konopischte (aujourd'hui Konopiště). « L'intimité » entre les deux hommes « était connue des Allemands, qui s'en félicitaient ». De plus, ils éprouvent de la sympathie pour le vieil empereur François-Joseph [2]. Pour eux comme pour les Autrichiens, le choc de la nouvelle se manifeste de multiples manières, telle l'impression soudain ressentie par l'historien Friedrich Meinecke que le jour s'obscurcissait au moment où il a découvert les gros titres collés sur la façade des bureaux d'un journal [3].

En Roumanie aussi, la nouvelle est accueillie avec une émotion profonde et largement partagée, en dépit des récentes tensions entre Bucarest et Vienne. La presse roumaine est unanime à faire l'éloge du défunt, « protecteur des minorités et défenseur des idéaux nationaux dans son empire[4] ». L'ambassadeur russe à Bucarest rapporte que des deux côtés des Carpates, François-Ferdinand était considéré comme le promoteur des récentes tentatives de compromis entre l'administration magyare et les Roumains de Transylvanie. Nombreux étaient « les hommes d'État et les politiciens » qui avaient espéré que l'accession au trône de l'archiduc inaugurerait la restauration de bonnes relations avec Vienne. À l'inverse, l'ambassadeur serbe à Bucarest regrette que les réactions roumaines à l'attentat soient « bien moins amicales envers la Serbie qu'on aurait pu l'espérer[5] ».

Ailleurs, la situation est différente. C'est en Serbie que le contraste est le plus frappant : l'ambassadeur britannique y décrit « une réaction de stupéfaction plutôt que de regrets » parmi le peuple[6]. Au Monténégro voisin, le secrétaire de l'ambassade autrichienne Lothar Egger Ritter von Möllwald note que, malgré les protestations de sympathie, ce sont les Autrichiens qui sont rendus responsables de leur propre malheur[7]. Dans la petite ville frontalière de Metalka, les drapeaux de fête flottent toujours le 2 juillet. Après enquête, les Autrichiens découvrent qu'ils ont été hissés le 30 juin – non pas en l'honneur de la fête de Kosovo, mais pour narguer les soldats autrichiens stationnés non loin, de l'autre côté de la frontière[8]. Enfin à Saint-Pétersbourg, l'ambassadeur serbe Spalajković écrit le 9 juillet que la nouvelle de l'assassinat de François-Ferdinand a été accueillie « avec plaisir[9] ».

En Italie, pays tout à la fois allié et rival de l'Autriche, la mort de l'archiduc et de son épouse suscite des sentiments mêlés. François-Ferdinand s'était montré presque aussi hostile envers les Italiens de la Double Monarchie qu'envers les Magyars. En dépit des condamnations officielles, écrit l'ambassadeur britannique à Rome, Rennell Rodd, il est évident « que les gens en général considèrent l'élimination de l'archiduc comme un événement quasi providentiel ». Les rapports des ambassadeurs autrichien et serbe confirment cette impression[10]. D'après une dépêche de l'ambassadeur russe, les spectateurs qui se massent dans un cinéma de Rome en ce dimanche après-midi applaudissent en apprenant la nouvelle, avant d'exiger de l'orchestre qu'il joue l'hymne national en scandant « *Marcia Reale ! Marcia Reale !* » – ce qui déclenche un tonnerre d'applaudissements. « Ces crimes sont atroces », déclare le ministre des Affaires étrangères San Giuliano à l'ambassadeur Sverbeïev, « mais la paix du monde n'en sera pas affectée ». À l'issue d'une conversation avec l'ambas-

sadeur de Serbie, un journaliste italien résume ses sentiments ainsi :
« Merci, la Serbie [11] ! »

À Paris, les nouvelles en provenance de Sarajevo sont reléguées en pages
intérieures des journaux par un scandale qui a pris une ampleur considérable : le 16 mars 1914, Mme Caillaux, l'épouse de l'ancien président du
Conseil Joseph Caillaux, est entrée dans le bureau de Gaston Calmette,
rédacteur en chef du *Figaro*, et l'a abattu de six balles de pistolet. La
raison de cet assassinat était la campagne que le journal avait menée
contre son mari, pendant laquelle Calmette avait publié des lettres
d'amour qu'elle avait écrites à Joseph alors qu'il était encore marié à sa
première épouse. Le procès de Mme Caillaux doit s'ouvrir le 20 juillet et
l'opinion publique française se passionne pour cette affaire qui, mêlant
scandale sexuel et crime passionnel, implique une femme très en vue de
la haute société. Jusqu'au 29 juillet, même *Le Temps,* journal de haute
tenue, consacre une place deux fois plus grande à l'acquittement de
Mme Caillaux (au motif que son geste était justifié par la nécessité de
laver l'outrage) qu'à la crise qui se développe en Europe centrale [12]. Et
quand la presse française s'exprime sur l'attentat de Sarajevo, elle souligne
que Vienne n'a aucun droit d'accuser le gouvernement serbe de complicité ; au contraire, c'est la presse viennoise qu'elle accuse d'attiser le ressentiment antiserbe [13].

À Londres, inversement, l'ambassadeur serbe, consterné, rapporte que
la presse britannique semble « suivre la propagande des Autrichiens » et
rendre la Serbie responsable des assassinats : « Ils disent qu'il s'agit de
l'acte de révolutionnaires serbes ayant des liens avec Belgrade. Ce n'est
pas bon pour la Serbie [14]. » Un éditorial du *Times* publié le 16 juillet
déclare que les Autrichiens sont parfaitement en droit de demander une
enquête énergique afin de mettre au jour toutes les ramifications du complot ainsi que d'exiger de la Serbie qu'elle réprime désormais toute activité
irrédentiste contre la Double Monarchie [15].

Ce que suggère la diversité de ces réactions, c'est que l'attentat est
perçu sous des angles différents en fonction de la position des différents
pays sur l'échiquier géopolitique. À cet égard, le cas de la Roumanie est
intéressant : l'opinion publique y a été globalement bien disposée envers
l'archiduc, apprécié pour ses prises de position proroumaines. En
revanche, le roi Carol, qui a présidé au récent réalignement de la Roumanie sur les puissances de l'Entente, adopte un point de vue proserbe.
Convaincu que le gouvernement serbe mènera une enquête approfondie
et rigoureuse, il pense que l'Autriche n'a aucune exigence à formuler vis-à-vis de Belgrade [16].

Il y a plus inquiétant encore : le développement de toute une série de
présupposés qui minimisent la signification de l'événement lui-même, et

par conséquent affaiblissent sa légitimité à constituer un *casus belli* potentiel. En tout premier lieu, le défunt archiduc aurait été à la tête d'un parti belliciste, une affirmation qui trouve un large écho dans les dépêches diplomatiques échangées entre pays de l'Entente et Italie, leur associée – or ceci n'est pas conforme à la réalité. De plus, en mettant l'accent sur l'impopularité de la victime, on met en doute l'authenticité des sentiments d'indignation ressentis par les Autrichiens, tout en donnant plus de crédit à l'idée que le complot reflète l'impopularité de la dynastie Habsbourg dans les régions slaves de l'Empire, et qu'il faut dédouaner la Serbie de toute responsabilité. S'ajoute à cela l'assertion hautement hasardeuse – mais assénée comme si elle découlait d'une enquête approfondie – que les autorités serbes n'ont aucun lien avec les attentats de Sarajevo. D'après une dépêche du 13 juillet envoyée de Berlin par l'ambassadeur serbe, le ministre des Affaires étrangères russe a informé son ambassadeur à Berlin que les Serbes ne sont en rien impliqués dans l'assassinat de Sarajevo – et ceci, au moment même où l'enquête autrichienne, bien que poussive, a déjà permis de découvrir des preuves irréfutables du contraire. De Saint-Pétersbourg, Miroslav Spalajković a la satisfaction de constater que, malgré le dossier de preuves transmis par le Bureau autrichien des correspondants de presse (*Austrian Korrespondenz-Bureau*), la presse russe suit la ligne gouvernementale, traitant les incidents de Sarajevo comme « une affaire interne purement autrichienne [17] ».

Si nous suivons la façon dont ce thème est traité dans les dépêches russes, nous voyons comment ces points de vue s'amalgament pour former une argumentation qui dénie à Vienne le droit de riposter et transforme l'attentat en prétexte fabriqué de toutes pièces pour justifier une politique dont les vraies motivations sont à rechercher ailleurs. D'après l'ambassadeur russe Chebeko, François-Ferdinand n'a été que l'homme de paille du Kaiser. S'il y a eu des manifestations de sentiment antiserbe à Vienne après les attentats, elles étaient le fait « d'éléments allemands » (Chebeko passe sous silence le rôle important qu'y jouent les Croates, même si dans une autre dépêche il ajoute mystérieusement que « des éléments bulgares » étaient également impliqués). Il rapporte que l'ambassadeur allemand Heinrich von Tschirschky est au premier rang de ceux qui tentent « d'exploiter le triste événement » en excitant l'opinion publique contre la Serbie et la Russie (en réalité, à ce moment précis de la crise, Tschirschky fait tout le contraire, exhortant toutes les parties en présence à la prudence, au grand déplaisir du Kaiser. Il ne change de stratégie que plus tard [18].)

De Belgrade, Hartwig informe Saint-Pétersbourg que tout ce qu'affirment les autorités autrichiennes est faux : l'épouvantable attentat n'a suscité nulle allégresse (*Schadenfreude*) en Serbie, mais bien au contraire une profonde émotion. Les réseaux basés à Belgrade censés avoir aidé les terroristes à préparer le complot n'existent pas. La bombe et les armes de Čabrinović ne proviennent pas de l'arsenal de Kragujevac, et ainsi de suite. Hartwig accuse les Autrichiens de fabriquer de fausses preuves : allégations lourdes de conséquences – bien que totalement fausses – non seulement parce qu'elles rappellent l'épisode du scandale Friedjung que les Serbes n'ont pas oublié (voir chapitre 2), mais également parce qu'elles impliquent que Vienne utilise sciemment les assassinats pour justifier une offensive contre Belgrade, offensive qui n'aurait d'autre motif que la volonté d'expansion [19]. Et derrière toutes ces machinations se cacherait l'Allemagne qui, comme le fait remarquer l'ambassadeur russe à Sofia, pourrait bien voir dans les événements l'occasion de lancer une attaque préemptive contre son voisin oriental et, par là, mettre fin à la supériorité croissante de l'Alliance franco-russe [20]. Plusieurs semaines avant le déclenchement de la guerre s'est mis en place tout un enchaînement d'arguments qui persistera dans la littérature historique pendant de longues années.

De tout cela, il découle naturellement qu'aux yeux des décideurs russes, l'Autriche n'a pas le droit de prendre la moindre mesure contre la Serbie. La position des Russes repose sur l'axiome suivant : un État souverain – ou un peuple dans son ensemble – ne peut être rendu responsable de l'action d'individus privés agissant à l'étranger [21], tout particulièrement quand ces individus sont « des anarchistes immatures ». D'ailleurs, les sources russes ne font presque jamais allusion au fait que les assassins soient d'origine serbe ou slave du Sud [22]. Comme le dira l'ambassadeur Chebeko à son collègue britannique à Vienne le 5 juillet, le simple fait que les Autrichiens accusent la Serbie « d'avoir indirectement favorisé, par son antipathie, le complot contre l'archiduc » est une injustice [23]. Le 8 juillet, une conversation entre Sazonov et Ottokar von Czernin, le chargé d'affaires autrichien à Saint-Pétersbourg, prouve que les Russes ne sont pas disposés à laisser beaucoup de liberté de manœuvre à Vienne. Czernin a mentionné la « possibilité » que le gouvernement austro-hongrois puisse « demander l'aide du gouvernement serbe pour mener une enquête sur le territoire serbe ». Sazonov répond que cette initiative « ferait une très mauvaise impression en Russie » : les Autrichiens feraient mieux d'abandonner cette idée « de peur de s'engager sur un terrain dangereux [24] ». Le 18 juillet, au cours d'une conversation avec Fritz Szapáry, de retour à Saint-Pétersbourg après un congé passé à Vienne au chevet de sa femme mourante, Sazonov reprend la même position en des termes encore plus tranchants, affirmant que « jamais la moindre preuve que le gouvernement serbe avait toléré une telle machination ne serait jamais trouvée [25] ».

La façon de présenter les événements est capitale, parce qu'elle est la première étape d'un processus selon lequel les Russes ont décidé de réagir, au cas où les Autrichiens prendraient des mesures contre la Serbie. L'attentat de Sarajevo, dont personne ne nie le caractère odieux, doit être excisé avec une précision chirurgicale de son contexte serbe afin de pouvoir dénoncer l'intention prêtée aux Autrichiens « d'exploiter ce crime pour frapper à mort Belgrade [26] ». Ce qui, bien évidemment, est un point de vue éminemment russe sur les événements, entièrement influencé par l'empathie ressentie depuis longtemps pour « les petits frères » serbes et leur combat héroïque. Et comme ce sont les Russes qui détermineront les conditions et le moment où la querelle austro-serbe justifiera leur propre intervention, c'est leur opinion sur la question qui importe. Or il ne faut guère s'attendre à ce que les autres puissances de l'Entente insistent pour obtenir un arbitrage plus impartial. Le gouvernement français a déjà donné carte blanche à Saint-Pétersbourg en cas de conflit austro-serbe. Sans prendre le temps d'examiner de près la situation par lui-même, Poincaré nie catégoriquement qu'il y ait un lien entre Belgrade et l'attentat. Au cours d'une conversation instructive qu'il a le 4 juillet avec l'ambassadeur d'Autriche, le président français compare les meurtres de Sarajevo à l'assassinat en 1894 du président Sadi Carnot par un anarchiste italien. Apparemment, cette remarque vise à exprimer la sympathie de la France pour l'Autriche, mais en fait, elle interprète l'attentat de Sarajevo comme l'acte aberrant d'un individu isolé dont aucune organisation politique, et encore moins un État souverain, ne peut être tenue responsable. L'Autrichien rappelle au président – mais en vain – qu'il n'y a pas d'agitation antifrançaise en Italie, « alors qu'il faut désormais reconnaître qu'en Serbie, l'agitation anti-autrichienne dure depuis des années et s'exprime par tous les moyens, légaux et illégaux [27] ».

Quant à Edward Grey, il a fait part de son intérêt, au moins théorique, pour que soit établi qui, de l'Autriche ou de la Serbie, est le pays provocateur, prétextant que l'opinion publique britannique ne soutiendra pas l'entrée en guerre de la Triple-Entente pour défendre les Serbes si ces derniers sont les agresseurs. Il est resté très vague sur la façon d'arbitrer une telle querelle et ses premiers commentaires après l'attentat laissent présager qu'il ne tient pas à imposer aux Russes des critères extrêmement rigoureux. Le 8 juillet, le comte Benckendorff, ambassadeur russe à Londres, lui fait remarquer « qu'il ne voyait pas sur quel élément fonder une démarche contre la Serbie ». La réponse du secrétaire d'État est la suivante :

> Je lui ai dit que j'ignorais ce qui était envisagé. Je ne pouvais que supposer qu'au cours du procès des personnes impliquées dans l'assassinat de l'archiduc, des éléments – par exemple le fait que les bombes aient été obtenues à Bel-

grade – puissent fonder, aux yeux du gouvernement autrichien, une accusation de négligence contre le gouvernement serbe. Mais tout cela n'était que pure conjecture de ma part.

Le comte Benckendorff répondit qu'il espérait voir l'Allemagne retenir la main de l'Autriche. Il n'imaginait pas que l'Allemagne veuille voir la querelle s'envenimer [28].

Grey ne fait alors aucune réponse (ou du moins, il ne la rapporte pas), ce qui est d'une importance considérable car cela fait peser sur l'Allemagne la responsabilité de contenir son allié autrichien. Cette absence de réponse signifie également qu'en cas d'échec de l'Allemagne, Grey a de fait accepté, avec une certaine légèreté, l'inévitabilité de cette querelle – en d'autres termes, d'une guerre entre grandes puissances européennes. Le même argument est repris de façon encore plus explicite dans un télégramme que Grey reçoit le lendemain, rapportant une conversation entre l'ambassadeur britannique à Vienne et son collègue russe. Ce dernier a déclaré qu'il ne pouvait imaginer l'Autriche assez stupide pour « se laisser entraîner dans une guerre » :

Car un conflit isolé avec la Serbie étant impossible, la Russie serait obligée de prendre les armes pour défendre cette dernière. On ne pouvait en douter. Une guerre serbe signifiait une guerre européenne généralisée [29].

Le comte Benckendorff

En moins de dix jours, les Russes ont constitué un contre-récit cohérent de l'attentat de Sarajevo – à quelques détails près. Comme le fait remarquer un diplomate autrichien, il est absurde d'affirmer d'une part que les Slaves du Sud en Bosnie-Herzégovine partagent tous la même haine à l'égard de la monarchie Habsbourg et, d'autre part, de se plaindre que des foules de Croates en colère s'en soient pris à des intérêts serbes. Et assurer, comme le font les Russes, que la Serbie n'aspire qu'à vivre en paix et en harmonie avec son voisin autrichien ne cadre pas avec les assurances que Sazonov a données à Pašić (via Hartwig) que la Serbie héritera bientôt des régions auxquelles un Empire des Habsbourg en pleine décrépitude sera bientôt contraint de renoncer. De plus, Spalajković a déclaré à la presse pétersbourgeoise que Belgrade avait averti Vienne de l'existence du complot, suscitant ainsi d'embarrassantes questions que les Russes feignent d'ignorer. Dans ce récit alternatif a également été expurgée toute l'histoire du long parrainage que la Russie a accordé à l'expansionnisme serbe, facteur d'instabilité dans les Balkans en général. Et de façon plus cruciale encore, il manque au tableau le fait que la Russie elle-même a entretenu des liens avec les réseaux serbes clandestins. Après la guerre, le colonel Artamonov, attaché militaire russe à Belgrade, reconnaîtra avec franchise avoir eu de fréquents contacts avec Apis avant la guerre. Il admettra même avoir fourni au chef de la Main noire des fonds pour l'aider à monter des opérations d'espionnage en Bosnie, même s'il niera avoir su par avance qu'un complot se tramait contre l'archiduc [30].

Quoi qu'il en soit, il est déjà clair que ni Paris ni Londres n'ont l'intention de remettre en question la version russe des événements : un despote impopulaire et belliciste a été éliminé par des citoyens de son propre pays, poussés au désespoir par des années d'humiliations et de mauvais traitements. Et maintenant, bien que sur le point de s'effondrer mais censément avide de conquête, le régime corrompu que ce personnage a incarné veut faire porter la responsabilité de sa mort à son voisin slave, innocent et pacifique. Raconter l'attentat de Sarajevo de la sorte ne revient pas en soi à formuler la décision d'entrer en guerre. Mais ce récit prépare la voie à une intervention militaire russe en cas de conflit austro-serbe. Le scénario balkanique est devenu hautement probable.

Le comte Hoyos s'en va à Berlin

Avant même que Alek Hoyos n'arrive à Berlin par le train de nuit, en ce matin du dimanche 5 juillet, une idée a fait son chemin : l'Autriche-Hongrie est en droit de prendre des mesures contre Belgrade. Le Kaiser a joué un rôle crucial dans ce changement d'humeur. Quand le 30 juin il reçoit la dépêche où Tschirschky dit avoir appelé les Autrichiens au calme, il inscrit en marge une annotation rageuse :

> Qui lui a donné l'autorisation d'agir ainsi ? C'est complètement idiot ! De quoi se mêle-t-il ? C'est à l'Autriche, et à elle seule, de déterminer ce qu'elle a l'intention de faire. Si les choses devaient mal tourner, on dirait plus tard que c'est l'Allemagne qui ne voulait pas agir. Que Tschirschky ait la bonté de mettre fin à ces absurdités ! Il est grand temps de balayer les Serbes [31].

Quelqu'un doit lui faire passer le message car, dès le 3 juillet, Tschirschky assure Berchtold que Berlin soutiendra une réaction autrichienne, à condition que les objectifs soient clairement définis et la situation diplomatique favorable [32]. Hoyos est donc certain d'être écouté avec sympathie lorsqu'il arrivera dans la capitale allemande. Sa première tâche est de mettre au courant Szögyényi, l'ambassadeur autrichien à Berlin, du contenu des deux documents qu'il a apportés, le mémorandum Matscheko révisé et la lettre personnelle de l'empereur d'Autriche à l'empereur d'Allemagne. Szögyényi part ensuite pour Potsdam avec une copie des documents pour y être reçu par le Kaiser, tandis que Hoyos se rend au ministère des Affaires étrangères pour y rencontrer Arthur Zimmermann, le sous-secrétaire d'État.

Guillaume II reçoit l'ambassadeur au Neues Palais, un immense château de style baroque qui s'élève à l'ouest du parc royal de Sanssouci à Potsdam. D'après le rapport de Szögyényi, Guillaume II lit rapidement les deux documents, puis déclare « qu'il s'attendait effectivement à une action sérieuse de notre part contre la Serbie » mais qu'il doit considérer le fait qu'une telle décision risque d'entraîner « de graves complications en Europe ». Il ne peut donc pas donner « de réponse définitive avant d'en avoir discuté avec le chancelier du Reich ». L'empereur se retire alors pour déjeuner. Szögyényi poursuit ainsi son récit :

> Après le déjeuner, alors que de nouveau j'exprimai la gravité de la situation de la manière la plus solennelle, Sa Majesté m'autorisa à transmettre à notre Souverain Suprême [François-Joseph] que nous pouvions compter, dans ce cas également, sur le soutien plein et entier de l'Allemagne. Comme il l'avait dit précédemment, il devait s'enquérir de l'opinion du chancelier, mais il n'avait pas le moindre doute que Herr von Bethmann-Hollweg ne fût entièrement d'accord avec sa position, tout particulièrement en ce qui concernait notre décision d'agir contre la Serbie. D'après le Kaiser Guillaume, il fallait agir sans délai. La Russie serait hostile, quoi qu'il en soit, mais il s'était préparé à cela depuis des années, et si une guerre devait éclater entre l'Autriche-Hongrie et la Russie, nous devions être assurés que l'Allemagne se tiendrait à nos côtés en alliée loyale. Par ailleurs, dans la situation actuelle, la Russie

n'était absolument pas prête à la guerre et y réfléchirait certainement à deux fois avant d'en appeler aux armes. [...] Mais si nous considérions nécessaire de recourir à une action militaire contre la Serbie, alors le Kaiser regretterait que nous n'exploitions pas le moment présent, qui nous est si favorable [33].

Pendant que l'ambassadeur et l'empereur s'entretiennent à Potsdam, Hoyos rencontre le sous-secrétaire d'État Zimmermann au ministère pour une conversation informelle – le secrétaire d'État Gottlieb von Jagow étant toujours voyage de noces et donc absent de Berlin. Les deux hommes parviennent à un accord de principe : l'Allemagne soutiendra une initiative autrichienne contre la Serbie. Après avoir lu les deux documents apportés par Hoyos, Zimmermann l'informe qu'il n'est pas en mesure de donner un avis officiel. Mais d'après Hoyos, il ajoute que si les Autrichiens décident d'agir, il y aura « quatre-vingt-dix pour cent de chances que cela déclenche une guerre européenne », avant de l'assurer du soutien allemand au plan autrichien [34]. Le sous-secrétaire d'État ne témoigne donc plus du tout de l'appréhension qui avait été perceptible lors de la conversation téléphonique du 4 juillet.

À 17 heures, un petit groupe se réunit au Neues Palais pour évoquer les événements de la journée et coordonner les points de vue. Autour du Kaiser sont présents son aide de camp le général Plessen, le chef de son cabinet militaire le général Lyncker, et le ministre de la Guerre le général Falkenhayn. Zimmermann et le chancelier, qui a quitté son domaine pour revenir à Berlin, assistent également à cette réunion que Plessen raconte dans son journal intime. L'empereur lit à haute voix la lettre de François-Joseph, d'où chacun conclut que les Autrichiens « se préparent à entrer en guerre contre la Serbie » et veulent d'abord « s'assurer qu'ils peuvent compter sur l'Allemagne ». Plessen poursuit ainsi : « L'opinion dominante parmi nous était que plus les Autrichiens agiraient rapidement, mieux cela serait, et que les Russes – bien qu'amis des Serbes – ne réagiraient finalement pas [35]. »

Le lendemain, le 6 juillet, Bethmann-Hollweg reçoit le comte Hoyos et l'ambassadeur Szögyényi en présence de Zimmermann pour leur communiquer la réponse officielle de Berlin à leur requête (le Kaiser a entre-temps quitté la capitale pour rejoindre son yacht et entamer sa croisière annuelle autour de la Scandinavie). Bethmann-Hollweg commence par parler assez longuement de la situation générale dans les Balkans : il évoque la nécessité d'intégrer plus étroitement la Bulgarie dans la Triple-Alliance et d'inciter la Roumanie à modérer son soutien à l'irrédentisme roumain en Transylvanie, etc. Ce n'est qu'après ces développements qu'il se prononce sur l'option militaire envisagée :

> Quant à nos relations avec la Serbie [écrit Szögyényi], il dit que l'opinion du gouvernement allemand est que nous devions juger de ce qui devait être

fait pour résoudre nos relations ; quelle que soit notre décision, nous pouvions être assurés que l'Allemagne, alliée et amie de la Double Monarchie, nous soutiendrait. Dans la suite de la conversation, j'ai cru comprendre que le chancelier, tout comme l'empereur, considère une intervention immédiate de notre part comme le moyen le meilleur et le plus radical de résoudre nos problèmes dans les Balkans. Au vu de la situation internationale, il estime qu'il faut mieux agir maintenant que plus tard [36].

Quelles que soient les bizarreries de ce discours – entre autres, le fait que seules neuf des cinquante-quatre lignes de la version imprimée du résumé de Szögyényi évoquent les mesures envisagées contre la Serbie, et qu'aucune mention ne soit faite d'une possible réaction des Russes –, nous avons bien ici une décision claire et d'importance capitale. Pour une fois, le gouvernement allemand a parlé d'une seule voix. Le Kaiser et le chancelier (qui est également ministre des Affaires étrangères) sont d'accord, ainsi que le sous-secrétaire d'État aux Affaires étrangères agissant en lieu et place de Jagow, le secrétaire d'État. Le ministre de la Guerre, qui a été informé, a assuré l'empereur que l'armée allemande était prête à toute éventualité. Il en découle que le soutien allemand est acquis aux Autrichiens, ce que l'on désignera plus tard par l'expression fameuse du « chèque en blanc ».

Dans la mesure où cette métaphore, par ailleurs légèrement erronée, exprime la promesse faite par l'Allemagne de soutenir son alliée, elle décrit avec justesse les intentions des Allemands : le Kaiser, tout comme le chancelier, est convaincu que les Autrichiens sont en droit d'agir contre la Serbie et méritent de pouvoir le faire sans se laisser effrayer par les manœuvres d'intimidation des Russes. Il est en revanche beaucoup plus problématique d'affirmer que les Allemands, surinterprétant les messages des Autrichiens, prennent des engagements qui vont au-delà des intentions autrichiennes, les forçant par là même à entrer en guerre [37]. Même s'il est vrai que la lettre de François-Joseph ne fait pas explicitement référence à une « guerre » contre la Serbie, il ne fait aucun doute dans l'esprit du lecteur que Vienne envisage l'option la plus radicale possible. Comment comprendre autrement l'insistance de l'empereur d'Autriche sur le fait que la « conciliation du conflit entre les deux pays » n'était plus possible et que le problème ne serait résolu que lorsque « le pouvoir de nuisance de la Serbie dans les Balkans serait neutralisé » ? Quoi qu'il en soit, le comte Hoyos ne laisse aucun doute à ses interlocuteurs quant à la position de Vienne : c'est lui qui contrôle personnellement la teneur des démarches entreprises par les Autrichiens pendant sa mission à Berlin. Il révélera plus tard à l'historien Luigi Albertini que c'était lui et non Szögyényi, ambassadeur chevronné, qui avait rédigé la dépêche résumant les assurances données par Bethmann-Hollweg [38].

Comment les leaders allemands évaluent-ils le risque qu'une attaque autrichienne contre la Serbie entraîne l'intervention des Russes, obligeant l'Allemagne à aider son alliée, ce qui déclencherait l'Alliance franco-russe et par conséquent une guerre continentale ? Certains historiens ont soutenu que Guillaume II, Bethmann-Hollweg et leurs conseillers militaires considéraient la crise provoquée par Sarajevo comme l'occasion de chercher à déclencher un conflit avec les autres grandes puissances en des termes favorables à l'Allemagne. Au cours des années précédentes, certains éléments de l'armée allemande avaient préconisé à de multiples reprises le recours à une guerre préventive, au prétexte que, l'équilibre des forces en présence devenant défavorable à la Triple-Alliance, le temps qui passait jouait en défaveur de l'Allemagne. Une guerre menée alors pouvait encore se gagner, alors que cinq ans plus tard les pays de l'Entente se seraient constitué un arsenal qui les rendrait virtuellement invincibles.

Quel est le poids exact de ces arguments dans les délibérations des leaders allemands ? Notons tout d'abord que les principaux décideurs, qui ne pensent pas qu'une intervention russe soit probable, ne souhaitent pas non plus la provoquer. Le 2 juillet, Salza Lichtenau, représentant du royaume de Saxe à Berlin, rapporte que certains hauts gradés soutiennent qu'il serait préférable « de laisser la guerre survenir maintenant », tant que la Russie n'est pas encore prête. Malgré cela, lui-même pense peu probable que le Kaiser se range à cette opinion. De plus, le rapport rédigé le lendemain par l'attaché militaire de Saxe note que, contrairement à ceux qui envisagent favorablement la perspective d'un conflit au plus vite, « le Kaiser se serait prononcé en faveur du maintien de la paix ». Les participants à la réunion du 5 juillet autour de l'empereur partagent le même point de vue : les Russes, bien qu'amis de la Serbie, « n'entreraient finalement pas en guerre ». Ce qui explique pourquoi, ce jour-là, Guillaume II répond négativement au ministre de la Guerre qui lui demande s'il souhaite ordonner des préparatifs quelconques afin d'être prêt en cas de conflit entre grandes puissances. Cette réticence des Allemands à déclencher des préparatifs militaires, caractéristique de leur gestion de la crise jusqu'à la fin du mois de juillet, reflète peut-être en partie la confiance de l'armée en son niveau de préparation. Mais elle indique également que les leaders allemands veulent confiner le conflit à la région des Balkans, au risque de compromettre leur état de préparation en cas d'échec du confinement [39].

Le Kaiser se montrer particulièrement confiant dans la possibilité de contenir le conflit à l'échelle locale. Au matin du 6 juillet, avant de quitter Berlin, il dit au secrétaire d'État à la Marine, l'amiral von Capelle, qu'il ne pense pas qu'il y aura d'autres complications militaires « puisque le tsar refuserait de se placer du côté des régicides ». De plus, ni la France ni la Russie ne sont prêtes à entrer en guerre. Sa déclaration ne relève pas seulement de l'autosuggestion : il est convaincu depuis longtemps que, même si le niveau de préparation militaire des Russes s'améliore, il leur faudra du temps avant qu'ils ne se risquent à frapper. Fin octobre 1913, à l'issue de la crise albanaise, il a déclaré à l'ambassadeur Szögyényi que, « pour le moment, la Russie ne lui donnait aucun motif d'inquiétude et qu'il n'y aurait rien à craindre de ce côté-là dans les six ans à venir [40] ».

Cette analyse du Kaiser n'est pas une alternative à celle de ceux qui prônent une guerre préventive ; au contraire, les deux sont en partie liées. Promouvoir la guerre préventive résulte d'un raisonnement en deux étapes bien distinctes. Premièrement, Berlin constate que ses chances de succès militaires au cours d'une guerre européenne sont en train de s'évanouir. Deuxièmement, il découle de ce constat que l'Allemagne doit remédier à ce problème en recherchant le conflit elle-même, avant qu'il ne soit trop tard. Mais ce qui influence la ligne de pensée des principaux décideurs civils, c'est la première étape du raisonnement, pas la seconde. Car après tout, des chances de victoire moindres signifient également que les risques d'une intervention russe sont minimes ; car si les Russes ont de bien meilleures chances de l'emporter contre l'Allemagne dans trois ans, pourquoi donc se risqueraient-ils à lancer un conflit continental maintenant, alors qu'ils n'y sont encore qu'à demi préparés ?

Raisonner ainsi rend possibles deux scénarios : le premier (de loin le plus probable aux yeux de Bethmann-Hollweg et de ses collègues) est que les Russes s'abstiendront d'intervenir et laisseront les Autrichiens vider leur querelle avec les Serbes, peut-être en réagissant un peu plus tard sur le plan diplomatique, de conserve avec une ou deux autres grandes puissances. Le second scénario, jugé moins probable, est que les Russes refuseront de reconnaître la légitimité de la réaction autrichienne, passeront outre l'inachèvement de leur programme de réarmement et interviendront quand même. Ce n'est qu'à ce deuxième niveau de conjectures que la logique de la guerre préventive reprend ses droits : car s'il doit y avoir une guerre, quelles qu'en soient les circonstances, alors il vaut mieux qu'elle se déclenche tout de suite.

Tous ces calculs reposent sur la conviction extrêmement forte – *a posteriori* erronée – qu'une intervention russe est improbable. Les raisons de cette grossière erreur d'appréciation sont faciles à trouver : le fait que les Russes aient accepté l'ultimatum autrichien en octobre 1913 conforte la plausibilité de ce scénario. S'y ajoute la certitude (déjà mentionnée) que le temps joue en leur faveur. De plus, Berlin considère les assassinats, fomentés par une culture politique marquée par sa propension à recourir au régicide, comme une violation du principe monarchique (un point de

vue partagé par une partie de la presse britannique). Comme le fait observer le Kaiser à de multiples reprises, il est difficile d'imaginer que le tsar
se rangera « aux côtés de régicides », quelle que soit la force du sentiment
panslave dans son pays. À tout cela s'ajoute la difficulté chronique de
déchiffrer les intentions de l'exécutif russe. Les Allemands n'ont pas réalisé
que la stratégie de l'Alliance franco-russe intégrait déjà le scénario d'une
querelle austro-serbe. Ils ne comprennent pas non plus que ni la France
ni la Grande-Bretagne ne se soucieront guère de savoir qui a provoqué
la querelle.

De plus, les Allemands n'ont pas encore saisi la signification du renvoi
de Kokovtsov de son poste de président du Conseil des ministres, et ont
du mal à évaluer l'équilibre des pouvoirs au sein du nouveau Conseil. Les
diplomates britanniques, qui tentent eux aussi de comprendre les nouveaux alignements, rencontrent les mêmes difficultés, et parviennent à la
conclusion totalement erronée que l'influence des conservateurs pacifistes,
tels Kokovtsov et Dournovo, est à nouveau grandissante. À Paris en
revanche, on s'inquiète du fait que la politique russe puisse retomber sous
le contrôle d'une faction pro-allemande emmenée par Sergueï Witte [41].
Comme dans d'autres circonstances antérieures, l'opacité du système russe
rend l'évaluation des risques extrêmement hasardeuse. Dans le même
temps, l'expérience récente d'une collaboration fructueuse avec Londres
pour résoudre des problèmes balkaniques suggère aux Allemands que la
Grande-Bretagne est sans doute disposée à comprendre le point de vue
de Berlin (malgré l'échec des négociations sur la marine) et à faire pression
sur la Russie pour qu'elle n'intervienne pas. C'est l'un des risques de la
détente, qui encourage les décideurs à sous-estimer les dangers de leurs
décisions.

L'on peut donc parler, comme l'ont fait certains historiens, d'une politique de risques calculés [42]. Mais cette expression occulte un autre maillon
important du raisonnement allemand : faire l'hypothèse que l'intervention russe – indéfendable sur le plan éthico-légal et difficilement justi-
fiable en termes de sécurité – ne soit la preuve de l'existence d'une menace
plus grande encore, à savoir le désir de Saint-Pétersbourg de rechercher
sciemment le conflit avec les puissances centrales, d'exploiter l'opportunité offerte par la démarche autrichienne pour pouvoir se lancer dans une
campagne qui brisera le pouvoir de la Triple-Alliance. Vue sous cet angle,
la crise austro-serbe est moins l'occasion pour les Allemands de rechercher
un conflit que le moyen d'établir la véritable nature des intentions de la
Russie. Et s'il s'avère que cette dernière veut entrer en guerre (ce qui
semble plausible aux Allemands, au vu de son effort de réarmement
gigantesque, de son intense collaboration avec la France, de l'indignation
soulevée par la mission Liman et de ses récentes négociations navales avec

la Grande-Bretagne), alors il vaut mieux accepter la guerre proposée par les Russes maintenant que de l'esquiver en se dérobant – de nouveau, l'argument de la guerre préventive « maintenant ou jamais » n'a de valeur que si deux conditions ont été remplies. Car si l'Allemagne cède, elle risque de perdre le seul allié qui lui reste et de subir la pression toujours plus forte des États de l'Entente dont la capacité à imposer leurs préférences augmentera au fur et à mesure que l'équilibre du pouvoir basculera en défaveur de l'Allemagne et de ce qui demeurera de l'Autriche-Hongrie [43].

L'Allemagne ne mène donc pas à proprement parler une stratégie centrée sur le risque mais une stratégie qui vise à établir quel est le niveau de menace réelle présenté par la Russie. Soit, pour dire les choses un peu différemment, si les Russes choisissent de mobiliser contre l'Allemagne et déclenchent ainsi une guerre continentale, leur décision ne découlera pas du risque créé par les décisions allemandes, mais de leur détermination à modifier le système européen par la guerre. De ce point de vue certes assez limité, les Allemands ne prennent pas de risques, ils évaluent des menaces. Telle est la logique des références fréquentes que fait Bethmann-Hollweg à la menace représentée par la Russie, au cours des mois qui précèdent le déclenchement des hostilités.

Pour bien comprendre cette inquiétude, il faut se rappeler brièvement à quel point cette question domine le paysage des hommes politiques et des rédacteurs en chef au printemps et à l'été 1914. Le 2 janvier 1914, *Le Matin*, grand quotidien parisien, inaugure la publication d'une spectaculaire série de cinq longs articles, intitulée « La plus grande Russie ». De la plume de Stéphane Lauzanne, rédacteur en chef du journal, tout juste de retour d'un voyage à Moscou et Saint-Pétersbourg, ils font vive impression à Berlin, non seulement à cause de leur ton d'agressivité sarcastique, mais également par la teneur, apparemment fiable, de leurs informations. Ce qui inquiète le plus les lecteurs allemands consiste en une carte intitulée « La Russie prend ses dispositions pour entrer en guerre » représentant l'ensemble des territoires de la mer Baltique à la mer Noire où figurent, tel un vaste archipel, les concentrations de troupes reliées entre elles par tout un réseau de voies ferrées. Le commentaire accompagnant la carte explique que telle est « la disposition exacte des corps d'armée russes au 31 décembre 1913 » et prie les lecteurs de remarquer « l'extraordinaire concentration des forces à la frontière avec la Prusse ». Ces articles reflètent une vision fantasmée et exagérée de la puissance militaire russe ; peut-être sont-ils destinés à saper en France l'opposition au nouvel emprunt russe. Mais ils ont de quoi alarmer les Allemands qui savent que la France a récemment accepté de consentir des prêts colossaux à la

Russie. Le soupçon que l'information provient de sources gouvernementales amplifie l'effet de ces articles ; il est bien connu que *Le Matin* est proche de Poincaré et l'on sait également que Lauzanne a rencontré Sazonov et d'autres militaires de haut rang pendant son voyage en Russie[44]. Cette série d'articles n'est pas le seul exemple, loin de là, de journalisme « inspiré » destiné à impressionner l'adversaire. À peu près à la même date, un éditorial du journal militaire *Razviedtchik,* très largement considéré comme un organe de l'état-major impérial russe, offre une vision horrifique de la guerre à venir contre l'Allemagne :

> Ce ne sont pas seulement les soldats, mais le peuple russe tout entier qui doit prendre conscience du fait que nous nous préparons à mener une guerre d'extermination contre les Allemands, et qu'il faut détruire les empires allemands [*sic*] même si cela doit entraîner le sacrifice de centaines de milliers de vies[45].

Cette psychose de guerre entretenue par la manipulation semi-officielle des opinions publiques se poursuit pendant tout l'été. Le 13 juin, le quotidien *Birjevaïa Viedomosti* (« Les Nouvelles de la Bourse ») publie un article particulièrement alarmant intitulé « Nous sommes prêts, la France doit l'être aussi ». Ce qui inquiète le plus les décideurs berlinois, c'est d'apprendre par Pourtalès, leur ambassadeur à Saint-Pétersbourg, qu'il a été « inspiré » par le ministre de la Guerre Vladimir Soukhomlinov en personne. Largement repris par les journaux français et allemands, le texte dresse un tableau impressionnant de la colossale machine de guerre russe qui s'abattrait sur l'Allemagne en cas de conflit : l'armée russe se targue de pouvoir bientôt compter 2,32 millions de soldats alors qu'à elles deux, l'Allemagne et l'Autriche-Hongrie ne peuvent en aligner que 1,8 million. De plus, grâce à l'expansion rapide des voies ferrées, les délais de mobilisation se réduisent très rapidement[46].

Le but premier de Soukhomlinov n'est sans doute pas de terrifier les Allemands, mais de convaincre les Français de l'ampleur des engagements russes au sein de l'Alliance tout en leur rappelant qu'ils doivent prendre leur part du fardeau. Mais quoi qu'il en soit, il est inévitable que ce genre d'articles ait un effet désastreux en Allemagne. Le Kaiser émaille les marges de sa traduction de ses annotations coutumières, dont la suivante : « Ah ! Les Russes abattent enfin leurs cartes. Tous ceux qui en Allemagne refusent encore de croire que les Russo-Gaulois se préparent à une guerre imminente contre nous devraient être enfermés chez les fous[47]. » Le chancelier Bethmann-Hollweg lit également l'article ; dans une lettre du 16 juin à l'ambassadeur Lichnowsky en poste à Londres, il observe que jamais la soif de guerre du « parti militariste » russe ne s'est exprimée « de façon aussi impitoyable ». Jusqu'à présent, poursuit-il, seuls les « extrémistes » pangermanistes et militaristes soupçonnaient la Russie de préparer une guerre d'agression contre l'Allemagne. Mais désormais, même « des hommes politiques modérés » (au rang desquels Bethmann-Hollweg se compte probablement) « commencent à se rallier cette opinion [48] ». Et parmi eux le secrétaire d'État aux Affaires étrangères Gottlieb von Jagow, qui pense que, même si la Russie n'est pas encore prête à entrer en guerre, ses armées immenses, sa flotte de la Baltique et ses chemins de fer lui offriront bientôt les moyens « d'écraser » l'Allemagne [49]. Les rapports de l'état-major datés du 27 novembre 1913 et du 7 juillet 1914 fournissent des analyses mises à jour du programme de construction de voies ferrées stratégiques en Russie, ainsi qu'une carte sur laquelle figurent les principales lignes en construction (la plupart à voies multiples), soulignées de bandes de couleurs vives : elles s'enfoncent profondément à l'intérieur du territoire russe, d'où elles convergent vers les fronts allemand et autrichien [50].

La tenue de négociations navales anglo-russes en juin 1914, semblant indiquer que la pensée stratégique des puissances de l'Entente entre dans une phase nouvelle et dangereuse, renforce les craintes des Allemands. En mai 1914, sous la pression du Quai d'Orsay, le cabinet britannique a autorisé ces discussions. En dépit de leur caractère secret, les Allemands en connaissent les détails par l'entremise d'un de leurs agents, le second secrétaire de l'ambassade de Russie à Londres, Benno von Siebert, un Allemand de la Baltique. Par son intermédiaire, Berlin apprend entre autres que Londres et Saint-Pétersbourg ont évoqué la possibilité qu'en cas de guerre la marine britannique soutienne le débarquement d'un corps expéditionnaire russe en Poméranie. Cette information préoccupe Berlin : en effet, en 1913-1914, le budget de la marine russe a dépassé celui de la marine allemande. L'inquiétude grandit : l'agressivité des Russes et le resserrement des liens entre pays de l'Entente pourraient rapidement priver l'Allemagne de toute liberté de mouvement. Le fossé entre les réponses évasives d'Edward Grey aux demandes d'information formulées par le comte Lichnowsky et les détails transmis par Siebert donnent aux Allemands l'impression que les Britanniques ont quelque chose à cacher, ce qui suscite une crise de confiance entre Londres et Berlin. Or le sujet est capital aux yeux de Bethmann-Hollweg, qui a fondé toute sa politique sur le présupposé que la Grande-Bretagne – bien que partiellement intégrée à l'Entente – ne soutiendrait jamais ses partenaires s'ils se lançaient dans une guerre d'agression contre l'Allemagne [51].

Le journal intime du diplomate et philosophe Kurt Riezler, le plus proche conseiller et le confident de Bethmann-Hollweg, jette la lumière sur les réflexions du chancelier au moment où se prend la décision de soutenir Vienne. Au soir du 6 juillet, après la réunion avec Szögyényi et

Hoyos, les deux hommes sont de retour dans la propriété du chancelier à Hohenfinow. Riezler résume ainsi leur conversation :

> Sur la véranda, sous le ciel noir, longue conversation au sujet de la situation. L'information secrète qu'il me communique [transmise par l'informateur allemand, employé de l'ambassade de Russie à Londres] est dévastatrice. Les négociations russo-britanniques sur une future convention navale, un débarquement en Poméranie, tout ceci l'inquiète au plus haut point, c'est le dernier maillon de la chaîne. [...] La puissance militaire russe en augmentation rapide ; le renforcement du saillant polonais qui rendra la situation intenable. L'Autriche de plus en plus faible et de moins en moins mobile [...].

Aux inquiétudes suscitées par la Russie se mêlent des doutes quant à la fiabilité et la longévité de l'alliance avec l'Autriche :

> Le chancelier parle de décisions capitales. Le meurtre de François-Ferdinand. L'implication des autorités serbes. L'Autriche qui veut reprendre la main. La lettre de François-Joseph qui demande si l'Alliance est prête à agir.
>
> C'est là notre sempiternel dilemme à chaque initiative autrichienne dans les Balkans : si nous les encourageons, ils diront que nous les avons poussés à agir. Si nous tentons de les dissuader, ils clameront que nous les avons laissé tomber et ils iront voir les Puissances occidentales, qui les accueilleront à bras ouverts, et nous perdrons ainsi notre dernier allié raisonnable [52].

Le lendemain, au cours d'une nouvelle conversation, Bethmann-Hollweg fait remarquer à Riezler que l'Autriche est incapable « d'entrer en guerre pour aider son allié allemand à défendre ses intérêts [53] ». À l'inverse, une guerre déclenchée « à l'est », c'est-à-dire engendrée par un conflit balkanique et déclenchée par l'Autriche-Hongrie, voilà qui assurera que Vienne s'engage pleinement : « Si la guerre vient de l'est, de telle sorte que nous nous engagions aux côtés de l'Autriche-Hongrie, et non l'Autriche-Hongrie à nos côtés, alors nous aurions quelque chance de l'emporter [54]. » Ce raisonnement est l'exact reflet de l'un des arguments cruciaux développés par les décideurs français, à savoir qu'une guerre d'origine balkanique sera le meilleur moyen de mobiliser le soutien plein et entier de la Russie aux côtés de la France contre l'Allemagne. Ni les Français ni les Allemands ne font confiance à leurs alliés respectifs pour qu'ils s'engagent pleinement à leurs côtés dans un conflit où leurs intérêts propres ne sont pas en jeu.

Vers un ultimatum autrichien

Une amorce de décision a été prise : les Autrichiens, ou du moins l'entourage de Berchtold, ont l'intention de résoudre le conflit avec la

Serbie par la voie militaire. Mais sur toutes les autres questions, Vienne – ou plus précisément les multiples organes de décision qui formulent la politique autrichienne – n'est pas encore parvenue à des positions cohérentes. Au moment où Hoyos part à Berlin par exemple, rien n'a été décidé sur la façon dont la Serbie sera traitée après la victoire. Lorsque Zimmermann demande à Hoyos quels sont les objectifs des Autrichiens pour l'après-guerre, ce dernier se lance dans une étrange improvisation : il déclare que la Serbie sera partagée entre l'Autriche, la Bulgarie et la Roumanie, alors qu'il n'a aucune autorité pour proposer un tel scénario de partition à Zimmermann, sur lequel d'ailleurs ses collègues autrichiens ne se sont nullement prononcés. Il racontera plus tard avoir inventé cette réponse parce qu'il craignait que les Allemands ne perdent confiance s'ils sentaient « que nous étions incapables de formuler précisément notre stratégie vis-à-vis de la Serbie et n'avions pas d'objectifs clairs ». Les objectifs en eux-mêmes n'ont pas d'importance, il s'agit juste de convaincre les Allemands de la détermination et de la fermeté des Autrichiens [55]. Quand il apprend l'initiative inconsidérée de Hoyos, Tisza devient furieux : plus encore que les élites politiques viennoises, les Hongrois sont horrifiés par la perspective de devoir gouverner des masses toujours plus grandes de sujets slaves insoumis. Vienne devra par la suite démentir avoir eu l'intention d'annexer des territoires serbes. Mais la gaffe spectaculaire de Hoyos est révélatrice du désordre dans lequel la politique autrichienne évolue pendant la crise.

Le calendrier pose un autre problème. Les Allemands ont insisté pour qu'une action contre la Serbie, si elle doit avoir lieu, soit lancée rapidement, avant que l'indignation suscitée par l'attentat ne retombe. Mais la rapidité n'étant pas le trait dominant de la culture politique autrichienne, il faudra à l'évidence un certain délai avant qu'une opération militaire ne puisse être déclenchée. Cette lenteur a plusieurs causes, dont la première est d'ordre politique. Au cours d'un Conseil des ministres conjoint qui se tient à Vienne le 7 juillet, au lendemain du retour de Hoyos, il apparaît clairement que les principaux décideurs ne sont toujours pas d'accord sur la manière de procéder. Berchtold ouvre les débats en rappelant à ses collègues que la Bosnie et l'Herzégovine ne peuvent être stabilisées tant que la menace représentée par Belgrade ne sera pas anéantie. Si rien n'est fait, la Double Monarchie sera de plus en plus impuissante à lutter contre les mouvements irrédentistes entretenus par la Russie, que ce soit parmi les populations slaves du Sud ou dans les zones peuplées de Roumains. L'argument vise à entraîner l'adhésion du Premier ministre hongrois (dont la principale préoccupation est la stabilité de la Transylvanie) sans parvenir à le convaincre. Dans sa réponse, il concède à Berchtold que l'attitude de la presse serbe et les résultats de l'enquête policière menée à Sarajevo renforcent les arguments en faveur d'une intervention militaire. Mais il souhaite d'abord épuiser les options diplomatiques en adressant un ultimatum à Belgrade dont les conditions soient « fermes mais pas impossibles à remplir ». Des forces suffisantes doivent également être déployées pour défendre la Transylvanie d'une éventuelle attaque opportuniste des Roumains. Enfin Vienne doit chercher à consolider sa position dans les Balkans en se rapprochant de la Bulgarie et de l'Empire ottoman, dans l'espoir de créer un contrepoids à la Serbie et « forcer la Roumanie à réintégrer la Triple-Alliance [56] ».

Rien de tout cela n'est une nouveauté pour les décideurs réunis autour de la table : ce sont les positions traditionnelles de Budapest, pour qui la Transylvanie occupe le devant de la scène. Mais Tisza se heurte à ses collègues qui font bloc, déterminés à présenter un ultimatum qu'ils s'attendent à voir rejeté par Belgrade. Se contenter d'un succès purement diplomatique, avertit le ministre de la Guerre Krobatin, ne servirait à rien, car Belgrade, Bucarest et Saint-Pétersbourg, ainsi que les zones slaves de la monarchie, l'interpréteraient comme un aveu de faiblesse et d'irrésolution. Le temps est compté – chaque année qui passe érode encore davantage la position de sécurité de l'Autriche-Hongrie dans les Balkans. Les conclusions notées dans les minutes de la réunion (tenues par Hoyos lui-même) reflètent un curieux mélange, pas toujours cohérent, entre les différentes positions. Premièrement, tous les présents s'accordent sur la nécessité de parvenir à une résolution rapide de la querelle avec la Serbie, « par des moyens pacifiques ou militaires ». Deuxièmement, les ministres acceptent la proposition du comte Tisza : la mobilisation contre la Serbie ne surviendra qu'après présentation d'un ultimatum à Belgrade. Enfin, tous à l'exception du Premier ministre hongrois déclarent qu'un succès purement diplomatique, même s'il constitue « une spectaculaire humiliation » de la Serbie, n'aura aucune valeur et que par conséquent il faut rédiger l'ultimatum en des termes suffisamment durs pour s'assurer qu'il soit rejeté, « afin d'ouvrir la voie à une solution radicale, une intervention militaire [57] ».

Après le déjeuner, Conrad et Karl Kailer, représentant l'état-major de la Marine, se joignent à la réunion pour que les ministres puissent examiner les plans militaires. En réponse à une question de Krobatin, Conrad explique que bien que le plan de guerre contre la Serbie (appelé « plan B » pour « Balkans ») nécessite un déploiement massif à la périphérie sud, une intervention russe obligera les Autrichiens à déplacer le cœur du dispositif vers le nord-est. Un certain délai sera nécessaire pour évaluer s'il faut opérer ce déplacement, et quand précisément, mais Conrad espère savoir dès le cinquième jour de la mobilisation s'il doit tenir compte d'une intervention russe ou non. Ce délai aura peut-être pour conséquence l'abandon d'une partie du nord de la Galicie aux Russes, dans un premier temps. En revanche, ce qui demeure imprécis, c'est la façon dont les Autrichiens accompliront la délicate opération logistique impliquée par le passage d'un plan de déploiement à un autre – et les ministres s'abstiennent de poser la question [58].

Cette réunion marque un tournant. Lorsqu'elle se termine, les chances d'une issue pacifique sont devenues très minces [59]. Cependant, il n'y a encore aucun signe d'action précipitée. L'option d'une attaque surprise sans déclaration de guerre a été rejetée. La Constitution impose que Tisza donne son accord à une décision aussi importante : or ce dernier continue à exiger que la Serbie soit tout d'abord humiliée sur le plan diplomatique. Ce n'est qu'au bout d'une semaine qu'il se range à l'avis de la majorité, principalement parce qu'il est désormais convaincu que si la question serbe n'est pas réglée, la Transylvanie risque la déstabilisation. Mais il demeure un obstacle encore plus infranchissable : mobiliser les troupes en plein été perturbe grandement la vie des régions rurales de l'Empire austro-hongrois, car les hommes jeunes ne sont plus là au moment où la plupart des récoltes doivent être moissonnées. Afin de pallier le problème, l'état-major a mis sur pied un système de permissions permettant aux appelés de retourner chez eux pour participer aux moissons avant de rejoindre leurs unités pour les grandes manœuvres d'été. Le 6 juillet, veille de cette réunion, Conrad a été informé que des soldats servant à Agram (Zagreb), Graz, Presbourg (Bratislava), Cracovie, Temesvar (Timisoara), Innsbruck et Budapest sont partis en permission et ne reviendront pas avant le 25 juillet.

Il n'a donc guère le choix : il peut certes donner l'ordre d'annuler toute nouvelle permission (ce qu'il fait), mais pas de rappeler les dizaines de milliers d'hommes déjà partis, au risque de perturber sérieusement le déroulement des moissons, de susciter la colère des paysans des minorités nationales, d'engorger les voies de chemin de fer et d'éveiller les soupçons en Europe sur l'imminence d'une opération militaire. Il est étrange, pour ne pas dire plus, que Conrad, l'architecte de ces fameuses permissions d'été, n'ait pas anticipé le problème lorsqu'au lendemain soir des attentats, il propose à Berchtold d'attaquer la Serbie par surprise, tout comme les Japonais ont attaqué la flotte russe à Port-Arthur en 1904, sans déclaration de guerre préalable [60].

Dans l'intervalle, une certaine unanimité a été atteinte à Vienne sur la politique à suivre. Le 14 juillet, une nouvelle réunion au sommet décide que le projet d'ultimatum sera corrigé et approuvé par le Conseil des ministres du 19 juillet. Mais l'ultimatum lui-même ne sera présenté au gouvernement de Belgrade que le jeudi 23 juillet. Il s'agit d'éviter qu'il ne coïncide avec la visite d'État que le président Raymond Poincaré et son président du Conseil René Viviani doivent effectuer à Saint-Péters-bourg du 20 au 23 juillet. Berchtold comme Tisza pensent qu'« envoyer un ultimatum pendant le sommet de Saint-Pétersbourg serait considéré comme un affront, et les discussions personnelles entre l'ambitieux prési-dent français et Sa Majesté l'empereur de Russie [...] augmenteraient le risque d'une intervention militaire franco-russe [61] ».

À partir de ce moment, garder le secret devient impératif, pour des raisons à la fois diplomatiques et militaires. Le 10 juillet, Conrad informe Berchtold qu'il faut éviter toute initiative qui puisse révéler aux Serbes quelles sont les intentions autrichiennes et leur donner le temps de couper l'herbe sous le pied de l'armée autrichienne [62]. De récentes analyses de la puissance militaire serbe indiquent que ce ne seront pas des adversaires faciles – des conclusions largement vérifiées à l'hiver 1914, quand les Serbes parviendront à repousser les Autrichiens hors de leur territoire. Le secret est également essentiel, car il représente le seul espoir de présenter les exigences de Vienne à Belgrade avant que les puissances de l'Entente n'aient le temps de se consulter sur leur réaction – d'où l'importance d'éviter les jours où Poincaré et Viviani se trouveront à Saint-Pétersbourg. Berchtold donne des instructions très fermes pour que la presse s'abs-tienne de parler de la Serbie, ce qui se révèle efficace : les quotidiens se détournent du sujet pendant les semaines du milieu de la crise, contri-buant de ce fait à créer l'illusion d'un calme trompeur dans l'opinion publique, au moment même où la crise entre dans sa phase la plus dange-reuse. Dans ses relations officielles avec la Russie, Vienne s'ingénie à éviter toute occasion de friction ; l'ambassadeur Szapáry ne ménage aucun effort pour tranquilliser le ministère russe des Affaires étrangères, répétant que tout ira bien [63].

Malheureusement, cette politique du secret est mise à mal par une fuite dont l'origine, curieusement, se trouve à Berlin. Le 11 juillet, le secrétaire d'État allemand Gottfried von Jagow informe son ambassadeur à Rome des intentions de l'Autriche. Ce dernier transmet l'information au ministre italien des Affaires étrangères San Giuliano, qui, à son tour, l'envoie par télégramme codé aux ambassades italiennes à Saint-Péters-bourg, Bucarest et Vienne. Les Autrichiens, qui ont percé le code italien et surveillent de près le trafic diplomatique entre Vienne et Rome, apprennent donc presque instantanément que les Italiens sont au courant de leurs plans (par une source allemande) et qu'ils les ont transmis à deux capitales hostiles, dans l'intention de pousser les Russes et les Roumains à adopter un « comportement menaçant » à Vienne et à Berlin, dissua-dant ainsi les Autrichiens d'agir [64]. Les Autrichiens ont également de bonnes raisons de penser que les Russes, les meilleurs spécialistes euro-péens du décryptage, ont eux aussi intercepté les télégrammes italiens et découvert l'existence de l'ultimatum. En fait, les Russes n'ont nul besoin de ces interceptions, ayant déjà bénéficié d'autres fuites allemandes et autrichiennes. Le 5 juillet, au cours d'une conversation avec le comte Lützow, ancien ambassadeur autrichien à Rome désormais retraité, l'ambassadeur russe à Vienne apprend que les Autrichiens sont en train de rédiger une note « en des termes extrêmement durs » contenant « des exigences qu'aucun État indépendant ne pourrait accepter ». Le plus surprenant, c'est que Lützow tient ses informations d'une longue et franche conversation qu'il a eue à Vienne avec Berchtold et Forgách eux-mêmes. Le rapport rédigé par Chebeko sur cette découverte spectaculaire arrive directement sur le bureau du tsar Nicolas II, qui y ajoute cette note capitale : « D'après moi, aucun pays ne peut présenter d'exigences à un autre s'il n'a pas résolu d'entrer en guerre [65]. » Rien ne peut exprimer plus clairement le fait que la Russie refuse à l'Autriche le droit d'exiger la moindre satisfaction de la part de Belgrade.

Ces violations du secret autrichien ont deux effets importants. En premier lieu, aux alentours du 20 juillet, les Russes et leurs principaux alliés savent parfaitement ce que trament les Autrichiens – tout comme les autorités serbes, ce que nous savons par un rapport envoyé de Belgrade le 17 juillet par l'ambassadeur britannique Crackanthorpe [66]. À Saint-Pétersbourg comme à Belgrade, ce coup d'avance permet de formuler et de coordonner – avant même la présentation de l'ultimatum à Belgrade – une position de rejet extrêmement ferme, ce que Pašić formule sans ambiguïté dans une circulaire envoyée le 19 juillet à toutes les ambassades de Serbie : « Nous ne pouvons accepter ces exigences qu'aucun autre pays respectueux de son indépendance et de sa dignité n'accepterait [67]. » Cela signifie entre autres qu'il y a largement l'occasion de mûrir les réactions à un éventuel ultimatum avant l'arrivée de Poincaré et de Viviani à Saint-Pétersbourg le 20 juillet. L'idée – élaborée par Sazonov puis largement diffusée dans toute la littérature historique – que la nouvelle de l'ultimatum a fait l'effet d'une bombe quand les Russes et les Français l'ont apprise le 23 juillet, jour de sa remise au ministère des Affaires étrangères serbe, est tout simplement absurde.

La deuxième conséquence porte sur les relations de Vienne avec son partenaire allemand. Accusant les Allemands d'avoir compromis le secret, Berchtold réagit en coupant toute communication avec Berlin. Par conséquent, les Allemands ne seront pas mieux informés du contenu précis de l'ultimatum que leurs adversaires de l'Entente. Ils n'en recevront une copie qu'au soir du 22 juillet, ce qui constitue un des aspects les plus étranges de la gestion de la crise par les Autrichiens [68]. Mais cette mise à l'écart n'empêche pas les protestations des Allemands de sonner faux lorsqu'ils affirment ne rien savoir : les diplomates de l'Entente y voient au contraire la preuve que Berlin et Vienne planifient ensemble, dans le plus grand secret, une entreprise conjointe préparée de longue date, à laquelle il faut répondre de manière ferme et coordonnée – une conviction qui augure mal pour la paix alors que la crise entre dans sa phase finale.

Il faut à nouveau évoquer ici les particularités du processus de décision en Autriche-Hongrie. Considéré comme un enfant de chœur incapable de prendre des résolutions claires par de nombreux faucons au sein de l'administration, Berchtold prend la tête des opérations politiques et diplomatiques avec une autorité impressionnante dès le 28 juin. Mais le consensus est long et difficile à obtenir. Les documents qui jalonnent l'émergence de la décision autrichienne contiennent des dissonances surprenantes, ce qui reflète la nécessité d'incorporer – sans nécessairement les réconcilier – des points de vue opposés.

Peut-être le défaut majeur de ce processus de décision est-il l'étroitesse du champ de vision à la fois individuel et collectif. Les Autrichiens ressemblent à des hérissons qui traversent la grand-route sans regarder les voitures qui roulent à vive allure [69]. Ils entraperçoivent bien la possibilité que la Russie décrète une mobilisation générale, ce qui entraînerait une guerre généralisée. Ils en discutent même à plusieurs reprises. Mais jamais ils n'intègrent cet élément dans la pesée des différentes options. Pas plus qu'ils n'examinent de près la question de savoir si l'Autriche-Hongrie est en mesure de soutenir une guerre contre une ou plusieurs grandes puissances européennes [70]. Plusieurs raisons à cela : tout d'abord l'administration austro-hongroise a une confiance immodérée en la puissance de l'armée allemande qui, pense-t-elle, suffira à dissuader les Russes d'intervenir, ou sinon, permettra de les vaincre [71]. La seconde raison réside dans la structure multicellulaire de l'élite politique, peu propice à la formulation de décisions équilibrées : plutôt que d'examiner précisément les informations contradictoires, les protagonistes ont tendance à exprimer des opinions très tranchées, souvent radicalisées par des antagonismes mutuels, sans envisager les problèmes à traiter de façon globale. Le solipsisme du processus de décision découle également d'un profond sentiment d'isolement géopolitique. Comme le fait alors remarquer un journaliste viennois fin connaisseur du système, l'idée que les hommes d'État austro-hongrois ont « une responsabilité envers l'Europe » n'a aucun sens, « parce que l'Europe n'existe pas. Les opinions publiques française et russe soutiendront toujours que c'est nous qui sommes coupables, même si des milliers de Serbes armés de bombes décidaient de nous envahir à l'improviste, en pleine nuit, sans même nous déclarer la guerre [72] ». Mais la raison principale de cette étonnante étroitesse du débat, c'est assurément le fait que les Autrichiens ne peuvent concevoir de stratégie alternative, tant ils sont convaincus de la justesse de leur cause et de leur droit à punir la Serbie. Même Tisza, qui a accepté de reconnaître dès le 7 juillet que Belgrade était impliqué dans l'attentat de Sarajevo, est prêt à soutenir une réaction militaire à condition que le contexte diplomatique et le calendrier soient favorables. Ne rien faire confirmerait l'opinion communément admise que l'Empire était aux abois. Alors qu'à l'inverse, un coup d'audace aurait un effet salvateur : « L'Autriche-Hongrie retrouverait confiance en elle. Cela signifierait "Je peux, donc je suis" [73]. »

En résumé, les Autrichiens sont sur le point de prendre ce que les théoriciens de la décision appellent une « *opting decision* » : une décision dont les enjeux sont incroyablement élevés, dont l'impact va irrémédiablement bouleverser la donne, dans une situation où la charge émotive est maximale et où les conséquences d'une absence de décision seraient extrêmement préjudiciables. De telles décisions acquièrent parfois une dimension existentielle dans la mesure où elles promettent de réinventer l'organe même de décision, de le transformer radicalement. Il s'y cache un élément qui s'enracine dans une identité résistant à toute rationalisation [74]. Ce qui ne veut pas dire que les Autrichiens prennent une décision irrationnelle, car ils évaluent la crise à l'aune des événements passés et prennent en compte différents facteurs de risque. Il est de plus très difficile d'imaginer comment ils pourraient mettre en place une solution moins drastique étant donné le contexte : d'une part la réticence des autorités serbes à répondre à leurs exigences, d'autre part l'impossibilité de les y contraindre (au vu de la situation internationale), sans compter l'absence de toute institution d'arbitrage internationale susceptible de résoudre ce genre de situation. Au cœur de la réaction autrichienne – plus encore que chez tous les autres acteurs de 1914 – il y a une sorte de saut de la foi, intuitif, arbitraire, « un acte de décision brute [75] » fondé sur la conscience partagée de ce qu'incarne l'Empire austro-hongrois et de ce qu'il doit être pour rester une grande puissance.

La mort étrange de Nikolaï Hartwig

C'est pendant cette phase de latence où les Autrichiens élaborent leur réaction que l'ambassadeur russe à Belgrade décède brutalement. Hartwig souffrait d'obésité, de violentes migraines causées non seulement par le stress mais sans doute aussi par de l'hypertension, et depuis quelque temps, d'angine de poitrine. Il avait pour habitude de prendre les eaux à Bad Nauheim tous les étés où, perdant quelques kilos, il se refaisait une santé physique et morale. Apprenant la nouvelle de l'attentat, son adjoint

Basil Strandmann interrompt ses vacances à Venise pour rentrer à Belgrade. Il y retrouve Hartwig dont la santé s'est dégradée, et qui attend avec impatience son départ en cure prévu pour le 13 juillet, puisque d'après lui, « il ne faut s'attendre à aucun événement d'importance avant l'automne ».

Le 10 juillet, soit trois jours avant son départ, Hartwig apprend que l'ambassadeur autrichien, le baron Giesl, vient de revenir à Belgrade. Il téléphone donc à l'ambassade autrichienne et demande à être reçu afin de clarifier quelques malentendus. Effectivement, tout Belgrade raconte que le 3 juillet, jour du requiem célébré à la mémoire de l'archiduc François-Ferdinand, l'ambassade de Russie a été le seul bâtiment à ne pas mettre son drapeau en berne, ce qu'ont d'ailleurs remarqué les ambassadeurs italien et britannique [76]. Ceci s'ajoute à la réception donnée par Hartwig le lendemain même de l'attentat – les rues avoisinantes avaient résonné des applaudissements et des rires des invités – et à d'autres faux pas, dont le Russe craint que les Autrichiens n'aient entendu parler [77]. En fait, l'entretien se déroule dans une atmosphère assez détendue. Giesl accepte de bonne grâce les excuses de Hartwig et les deux hommes entament une longue conversation dans son bureau.

Après avoir parlé assez longuement de sa mauvaise santé et de ses projets de vacances, Hartwig revient au sujet principal de sa visite : se faire l'avocat des Serbes, innocents de toute participation dans l'attentat, et défendre leurs intentions pour l'avenir. Mais à peine parvient-il à la fin de sa phrase qu'il perd connaissance, glisse du canapé vers le tapis, sa cigarette encore entre les doigts. Il est environ 21 h 20. En toute hâte, on envoie sa voiture pour ramener sa fille Ludmilla, qui passe la soirée avec le prince héritier Alexandar de Serbie. Un médecin serbe du voisinage accourt, suivi du propre médecin de Hartwig, mais malgré des applications d'eau de Cologne, d'éther et de glace, ils ne parviennent pas à le ranimer. Sa fille refuse les marques de sympathie que cherche à lui prodiguer la baronne Giesl, lui jetant que « les condoléances des Autrichiens » lui sont indifférentes. Elle inspecte scrupuleusement la pièce où son père est mort, allant jusqu'à fouiller dans de grands vases japonais et sentir l'eau de Cologne utilisée pour tenter de le ranimer. Elle exige de savoir si son père a bu ou mangé quoi que ce soit. Giesl lui répond qu'il n'a fait que fumer quelques cigarettes russes qu'il avait sur lui. Elle réclame qu'on lui remette les mégots, qu'elle emporte dans son sac à main. Ni la maladie de Hartwig (dont il n'avait jamais fait mystère) ni les protestations de l'ambassadeur autrichien n'empêchent des rumeurs d'assassinat de circuler dans tout Belgrade [78]. Un journal dépeint même Giesl et sa femme comme « des Borgia des temps modernes » qui empoisonnent leurs hôtes innocents. Quelques jours plus tard, chez son barbier, l'ambassadeur autrichien lui-même surprend une conversation entre deux clients :

> L'Autriche nous envoie des ambassadeurs bien étranges : nous avons d'abord eu un imbécile [Forgách], maintenant c'est un assassin. Giesl est revenu de Vienne avec une chaise électrique qui permet de tuer instantanément tous ceux qui s'assoient dessus, sans laisser la moindre trace[79].

Heureusement, aucun des deux hommes ne reconnaît Giesl assis à côté d'eux. À la demande de sa famille et du gouvernement de Belgrade, Sazonov donne l'autorisation que Hartwig soit enterré en Serbie, procédure tout à fait inhabituelle pour un diplomate russe mort en service à l'étranger[80]. L'émotion populaire et la pompe sans précédent qui accompagnent ses funérailles d'État témoignent de la place tout à fait extraordinaire qu'il occupait dans l'esprit du public. Quel que soit le jugement que l'on porte sur son action dans les Balkans, il serait déplacé de nier que Hartwig a déjà atteint ses objectifs lorsqu'il s'effondre dans le bureau de Giesl. Comme l'exprime Descos, l'ambassadeur français, il a disparu au moment même où « sa volonté indomptable » a triomphé, « imposant à la Serbie son autorité absolue, et à l'Europe la question serbe sous la forme violente chère à son cœur[81] ».

9

LES FRANÇAIS À SAINT-PÉTERSBOURG

Le comte de Robien change de train

Le 6 juillet 1914, le comte de Robien, âgé de vingt-six ans, quitte Paris pour Saint-Pétersbourg où il vient d'être nommé attaché d'ambassade. La date de son départ a été avancée afin qu'il puisse arriver à temps pour aider aux préparatifs de la visite d'État du président Raymond Poincaré prévue pour le 20 juillet. Pour arriver au plus vite, Robien ne prend pas le Nord-Express, qui ne part pas tous les jours, mais un wagon-lit ordinaire dans le train rapide pour Cologne. Ce qui lui laisse un peu de temps pour apercevoir le Rhin et la grande cathédrale gothique avant de changer de train et de traverser la région industrielle de la Ruhr, « toujours si impressionnante et qui ne manque pas d'une certaine beauté ». De là, le train s'enfonce vers l'est, traversant l'Allemagne dans sa plus grande largeur, avant d'atteindre Wirballen (aujourd'hui Kybartai, en Lituanie), à la frontière orientale de la Prusse. À son grand désappointement, Robien doit abandonner le confort de son wagon-lit allemand pour changer de train une fois de plus, l'écartement des rails étant plus large en Russie qu'en Europe. Il se souviendra longtemps de sa première rencontre avec les habitants de l'autre côté de la frontière : à peine le train a-t-il stoppé qu'il est envahi d'une « horde d'hommes barbus » en bottes et tablier blanc, qui s'emparent de ses bagages avec une telle rapidité qu'il ne peut les suivre. Robien et les autres passagers sont escortés jusqu'à une barrière devant laquelle se tiennent « des soldats avec de grands sabres ». On examine leurs passeports, une procédure qui stupéfie le voyageur, « car en 1914, on voyage dans toute l'Europe sauf en Russie sans avoir de passeport ». Après avoir présenté ses documents de voyage, il doit attendre dans une vaste pièce où, dans un coin, sont accrochées des icônes, éclairées de bougies, « étrange décoration », pense-t-il, pour ce qui s'avère être une salle d'attente. Enfin les formalités se terminent et le train s'ébranle, traversant des campagnes « d'une tristesse affreuse » parsemées de villages où s'élèvent les clochers à bulbe des églises. Il tente de nouer la conversation avec quelques officiers – qui sont en fait des ingénieurs – mais ces derniers ne parlent que quelques mots d'allemand : « On avait l'impression d'être en Chine [1]. »

Son arrivée à Saint-Pétersbourg, où il va passer les années de guerre et vivre les bouleversements de deux révolutions, ne dissipe en rien ce sentiment d'étrangeté. Au contraire, écrit-il : elle « acheva notre déception ». « Les très longues rues mal tenues » de la capitale russe grouillent « de petites voitures sordides et délabrées » conduites par des « cochers barbus et chevelus ». Robien, qui prévoyait de descendre à l'Hôtel de France où les chambres sont grandes, trouve le mobilier si laid et l'ambiance si peu confortable, « si différente de celle à laquelle nous étions habitués en Europe », qu'il décide d'annuler sa réservation et de s'installer au Grand Hôtel d'Europe, « sur la fameuse perspective Nevski ». Cependant, aux yeux de l'aristocrate parisien, même ce prestigieux établissement n'a rien de particulièrement européen, tandis que les boutiques les plus chics de la perspective ne lui rappellent qu'une ville de province [2].

Se déplacer dans cette ville n'est pas chose facile car, contrairement à ce que lui ont assuré ses collègues parisiens, aucun passant ou presque ne comprend le français. Nulle satisfaction non plus au restaurant, où ce gourmet exigeant trouve la cuisine russe épouvantable, en particulier les « détestables » soupes de poisson : « Seul le borchtch vaut la peine d'être retenu. » Quant à la vodka, que l'on avale d'un trait, elle est « indigne d'un palais civilisé, habitué à la lente dégustation de nos cognacs, de nos armagnacs, de nos marcs et de nos kirsch [3] ».

S'étant un peu familiarisé avec la ville, Robien se rend à son nouveau lieu de travail, l'ambassade de France, installée dans l'ancien palais de la famille Dolgorouki, à l'un des plus beaux endroits des quais de la Neva – ce qui réconforte quelque peu le jeune diplomate, tout particulièrement impressionné par la présence de valets de pied en culotte et livrée bleue. Au rez-de-chaussée, donnant sur la Neva, se trouve le bureau de l'ambassadeur, les murs ornés de tapisseries et de tableaux de Van der Meulen, puis la petite pièce du téléphone, où le personnel de l'ambassade se retrouve rituellement tous les après-midi pour prendre le thé. Le conseiller Doulcet occupe un bureau contigu où sont accrochés les portraits de tous les ambassadeurs français qui se sont succédé à la cour de Russie. À l'arrière du bâtiment, au fond d'un autre bureau encombré de meubles d'archives où travaillent les secrétaires, s'ouvre la chambre forte où l'on conserve les documents secrets et les codes. Mais la fierté de l'ambassade, c'est la grande salle de réception du premier étage, un superbe salon tendu

de damas vert et or : on peut y admirer des tableaux de Guardi appartenant à l'ambassadeur, Maurice Paléologue, et des fauteuils en bois doré
qui proviendraient des appartements de Marie-Antoinette [4].

Louis de Robien connaît déjà Maurice Paléologue, personnage hors du
commun, en poste à Saint-Pétersbourg depuis janvier, et qui dominera la
vie de l'ambassade jusqu'à son départ trois années plus tard. Ses photographies de 1914 nous montrent un homme élégant, « de taille moyenne, la
tête chauve, les yeux très brillants profondément enfoncés dans les
orbites ». « Plus qu'un diplomate, c'était un romancier », dira plus tard
Robien. « Il voyait tous les événements sous leur côté dramatique et littéraire, et lorsqu'il racontait un événement ou cherchait à retracer une
conversation, il les recréait presque entièrement dans son imagination, ce
qui donnait à ses récits plus de vie que d'exactitude. » Extrêmement fier
de son nom, dont il prétend, abusivement, avoir hérité des anciens empereurs de Byzance, il compense son ascendance « exotique » (son père était
un réfugié politique grec et sa mère une musicienne belge) par des
démonstrations de patriotisme enflammé et le désir d'incarner le raffinement et la supériorité culturelle français.

Une fois installé à Saint-Pétersbourg, Paléologue, qui n'a jamais auparavant occupé un poste aussi élevé, prend rapidement la mesure de sa nouvelle mission. Louis de Robien observe la façon dont il fait sentir son
importance aux représentants des « petites puissances » : lorsque le secrétaire annonce l'ambassadeur belge Buisseret ou son collègue néerlandais
Sweerts, il a coutume de s'éclipser par la porte de derrière, d'aller faire
une promenade « afin de les faire attendre une heure pour pouvoir aller
vers eux les bras tendus en leur disant : "Cher ami, j'ai eu tant à faire
aujourd'hui." » Il se fait remarquer, même dans le milieu des grands
ambassadeurs, par son goût immodéré du luxe et du faste. La haute
société de Saint-Pétersbourg fait grand cas des dîners offerts à l'ambassade, où officie un chef que Paléologue a amené avec lui de Paris. Robien
attribue ces comportements « à son origine orientale », avant d'ajouter
avec condescendance que l'amour du luxe chez Paléologue, comme chez
beaucoup de parvenus, a quelque chose de forcé et d'artificiel [5].

Paléologue a en horreur le genre de dépêches extrêmement détaillées
dont la rédaction est le lot quotidien d'un ambassadeur, préférant rédiger
ses impressions sous la forme de scènes brillantes relevées de dialogues où
les formules accrocheuses remplacent les longues circonlocutions parfois
ambiguës caractéristiques des échanges entre diplomates alors présents en
Russie. Robien se souviendra d'un jour en particulier où l'ambassadeur
devait être reçu en audience par le tsar pour discuter d'une importante
question d'ordre militaire. Souhaitant que le télégramme puisse partir
« dès son retour à l'ambassade pour arriver à Paris à l'heure où il ferait le

plus d'effet », Paléologue a rédigé le compte rendu de l'audience avant d'aller voir le tsar. Robien et ses collègues se mettent alors à chiffrer le récit détaillé d'une conversation qui n'a pas encore eu lieu. Parmi tous les détails de ce faux rapport, Robien se souviendra d'un détail typique du style de Paléologue : « À ce moment l'entretien prit une tournure cruciale et l'empereur m'offrit une cigarette[6]. »

Tous les commentaires de Robien, quoique hostiles, sont sans doute justes. Paléologue est l'un des personnalités les plus hautes en couleur a avoir obtenu un poste d'ambassadeur de France. Pendant des années, il s'est morfondu à Paris, astreint à d'ennuyeuses tâches de copiste au sein de la Centrale. Plus tard, il a été chargé de conserver les dossiers secrets – tout particulièrement ceux qui avaient trait à l'Alliance franco-russe – ainsi que de faire la liaison entre le ministère des Affaires étrangères et les services du renseignement militaire, une mission qu'il a beaucoup appréciée. Dépositaire de toutes les informations confidentielles accumulées au cours de ces longues années, sur l'Alliance franco-russe comme sur les menaces militaires qui pèsent contre elle – il avait accès par exemple aux renseignements que les Français s'étaient procurés sur le double plan de mobilisation allemand –, il s'est forgé une conception de la politique étrangère française focalisée sur la menace allemande et l'importance capitale de la cohésion entre alliés[7]. Ses écrits historiques révèlent une conception romantique du grand homme qui se laisse emporter à prendre des décisions historiques, ce qu'il exprime citant dans sa biographie de Cavour un passage des Mémoires de Louis XIV :

> La sagesse veut qu'en certaines rencontres, on donne beaucoup au hasard ; la raison elle-même conseille alors de suivre je ne sais quels mouvements ou instincts aveugles, au-dessus de la raison, et qui semblent venir du ciel. De dire quand il faut s'en défier ou s'y abandonner, personne ne le peut ; ni livres, ni règles, ni expérience ne l'enseignent ; une certaine justesse et une certaine hardiesse d'esprit les font toujours trouver[8].

À la germanophobie profonde et inébranlable qu'il éprouve s'ajoute un goût pour les scénarios catastrophes dont beaucoup de ses collègues ont perçu le caractère dangereux. Pendant son séjour à Sofia, de 1907 à 1912, l'un des rares postes qu'il ait occupé à l'étranger avant Saint-Pétersbourg, l'un d'entre eux rapporte que ses dépêches, tout comme ses conversations, regorgent d'idées folles, « d'horizons, de nuées et d'orages menaçants ». On peine à trouver un seul commentaire qui n'émette pas une réserve sur le futur ambassadeur. Comme le fait remarquer un haut fonctionnaire du Quai d'Orsay en mai 1914, il y a eu trop de rapports défavorables pour qu'on puisse avoir la moindre « confiance » en lui[9]. Izvolski le qualifie de « beau parleur, mythomane, extrêmement onctueux ». Même ses collègues britanniques à Sofia l'ont décrit en 1912 comme quelqu'un d'« excitable », « enclin à propager rumeurs alarmistes et nouvelles à sensations », un « trafiquant d'histoires à dormir debout [10] ».

Sa nomination à Saint-Pétersbourg, le poste le plus important et le plus sensible de toute la diplomatie française, peut donc paraître surprenante. Il doit son ascension rapide davantage au réalignement politique de l'époque qu'à des qualités professionnelles attendues. C'est Delcassé qui l'a découvert et s'est dépensé pour promouvoir sa carrière, principalement parce que les deux hommes partagent la même opinion sur la menace allemande – le premier a trouvé dans le second un subordonné qui peut faire écho à ses propres idées et les défendre. Après la chute de son mentor, Paléologue doit se contenter de postes subalternes, et sa carrière marque le pas. Poincaré le tire de cette obscurité – les deux hommes sont en effet amis intimes depuis leurs années de lycée à Louis-le-Grand. Le « grand don » de Paléologue, comme le fait remarquer Louis de Robien peu aimablement, c'est d'avoir été le camarade de classe de Poincaré et de Millerand : « C'est à leur amitié qu'il dut sa carrière étonnante [11]. » Lorsqu'il devient président du Conseil, Poincaré le rappelle de Sofia pour le nommer directeur politique du Quai d'Orsay. Cette promotion spectaculaire, qui confie de telles responsabilités à un homme aussi excentrique et controversé, choque de nombreux vétérans de la diplomatie. L'ambassadeur à Madrid confie au britannique Bertie que Paléologue n'a pas l'étoffe d'un directeur, tandis que l'ambassadeur au Japon déplore « ce choix lamentable [12] ». Ce sont là des mots très durs, même à l'aune des commentaires que l'on entend dans les couloirs des services diplomatiques, où ceux qui s'élèvent s'attirent souvent la critique des envieux. De Londres, Eyre Crowe réagit ainsi : « Il reste à espérer que l'air de la capitale ait un effet sédatif sur M. Paléologue, bien que cela soit rarement le cas à Paris [13]. »

Poincaré, qui connaît la réputation de Paléologue, fait ce qu'il peut pour contrôler ses excès. Étant en profond accord sur toutes les questions majeures, les deux hommes collaborent étroitement, au point que le président du Conseil en vient à dépendre du jugement du diplomate [14]. C'est en effet ce dernier qui pousse Poincaré à renforcer les engagements de la France dans les Balkans. Paléologue ne croit pas en une possible réconciliation des intérêts russes et autrichiens dans cette région et, obsédé par ce qu'il considère comme les vils desseins de Berlin et de Vienne, il est aveugle aux machinations des Russes. Il voit dans les deux guerres des Balkans l'occasion pour la Russie de consolider sa position dans la péninsule [15]. Sa proximité avec Poincaré est une raison pour laquelle Sazonov, bien que connaissant ses idiosyncrasies, a accepté favorablement sa nomination à Saint-Pétersbourg [16]. Il est donc certain qu'il reprendra le flambeau de Delcassé. La veille de son départ, au cours d'une conversation avec un diplomate russe de passage à Paris, Paléologue déclare qu'il a accepté le poste en Russie pour mettre fin à la politique de concessions qui a prévalu jusqu'alors, et « qu'il se battrait pour imposer une ligne dure sans compromission ni hésitation ». « Cela suffit, nous devons montrer notre puissance à l'Allemagne [17] ! » Telles sont les convictions, les attitudes et les relations qui guideront le nouvel ambassadeur pendant la crise de l'été 1914.

Poincaré vogue vers la Russie

À 23 h 30 le mercredi 15 juillet, le train présidentiel quitte la gare du Nord à Paris pour Dunkerque. À son bord se trouvent le président Raymond Poincaré, le nouveau président du Conseil René Viviani ainsi que Pierre de Margerie, le directeur politique du Quai d'Orsay. Très tôt le lendemain matin, les trois hommes embarquent sur le cuirassé *La France* pour remonter la mer du Nord puis traverser la Baltique jusqu'à Kronstadt et Saint-Pétersbourg. Viviani, qui n'est président du Conseil que depuis quatre semaines, inaugure là ses nouvelles responsabilités sans aucune expérience ou connaissance préalables en matière de relations étrangères. Aux yeux de Poincaré, le principal atout de cet ancien socialiste est sa conversion récente à la cause de la loi des Trois Ans et à la politique de défense du président, qu'il est prêt à soutenir car il contrôle un nombre important de députés à la Chambre. Mais au cours de la visite officielle, il va progressivement perdre pied. À l'inverse, Pierre de Margerie, âgé de cinquante et un ans, est un diplomate de carrière expérimenté que Poincaré a rappelé à Paris au printemps 1912 pour le nommer directeur adjoint au Quai d'Orsay, poste créé afin qu'il puisse garder un œil sur Paléologue et éviter tout dérapage majeur. En fait, Margerie n'aura jamais à intervenir ; il devient directeur lorsque Paléologue, ayant donné entière satisfaction à ce poste, est récompensé de ses bons et loyaux services par Poincaré qui le nomme ambassadeur à Saint-Pétersbourg. Au Quai d'Orsay, Margerie fait preuve d'efficacité et – plus important encore – de loyauté politique [18]. Ni Viviani ni Margerie ne sont donc en mesure de contester à Poincaré le contrôle que ce dernier exerce sur la politique étrangère française.

Lorsque le 16 juillet à 5 heures du matin le président monte à bord de *La France*, il a cependant de multiples sujets de préoccupation. À commencer par la spectaculaire intervention de Charles Humbert devant le Sénat, le 13 juillet. Profitant de la remise de son rapport sur le budget

Raymond Poincaré   René Viviani

spécial voté pour le matériel militaire, ce sénateur de la Meuse, départe-ment limitrophe de la Belgique, s'est livré à une attaque en règle contre l'administration militaire française. D'après lui, les forts ont été mal construits, ils manquent de munitions et les installations de TSF leur permettant de communiquer entre eux sont défectueuses : pour preuve, chaque fois que les Allemands utilisent leur télégraphe à Metz, affirme-t-il, la station de Verdun tombe en panne. L'artillerie française – singuliè-rement l'artillerie lourde – est en infériorité numérique. Un détail a retenu l'attention du public et tout particulièrement des mères de soldats : l'armée manque cruellement de bottes. Si la guerre éclate, a déclaré Hum-bert, les soldats français monteront au front avec une seule paire de bottes, n'ayant en réserve dans leur paquetage qu'une paire de rechange vieille de plus de trente ans. Ce discours a déclenché une controverse houleuse : dans sa réponse, le ministre de la Guerre Adolphe Messimy, qui ne pouvait nier le fond de l'attaque, a insisté sur les progrès rapides menés dans tous les domaines et promis que l'artillerie serait remise à niveau dès 1917 [19].

La controverse est d'autant plus déplaisante que Georges Clemenceau, adversaire de toujours de Poincaré, a pris la tête de l'agitation parlemen-taire, clamant que l'incompétence révélée par ce rapport justifiait de reje-ter le nouveau budget militaire. Poincaré a tout juste eu le temps de résoudre ce problème et de faire adopter le budget, évitant ainsi de devoir reporter son départ, mais malgré ses efforts il n'a, semble-t-il, pas réussi à rassurer Viviani, extrêmement préoccupé par ce climat d'intrigues [20].

Car à cette agitation parlementaire il faut ajouter le procès de Mme Caillaux, qui doit s'ouvrir le 20 juillet : il y a toutes les raisons de craindre que des révélations devant la cour ne déclenchent des scandales en chaîne qui pourraient aller jusqu'à ébranler le gouvernement. L'ampleur de la menace devient visible lorsque certaines rumeurs commencent à circuler : la victime, le rédacteur en chef du *Figaro* Gaston Calmette, aurait également eu en sa possession des télégrammes allemands déchiffrés révélant l'ampleur des négociations menées par Caillaux avec l'Allemagne pendant la crise d'Agadir en 1911. Au cours de ces contacts – d'après lesdits télégrammes – Caillaux aurait exprimé le souhait de se rapprocher de Berlin. De son côté, Caillaux affirme détenir des déclarations sous serment prouvant que c'est Poincaré qui a orchestré la campagne de presse menée contre lui. Le 11 juillet, soit trois jours avant le départ du président, il a menacé de les rendre publiques si Poincaré ne pesait pas en faveur de l'acquittement de son épouse [21]. La machinerie occulte des intrigues politiques parisiennes tourne donc à plein régime.

Malgré ces multiples sujets de préoccupation, c'est un président d'une résolution et d'un calme surprenants qui embarque pour ces trois jours de navigation, sans aucun doute soulagé de quitter Paris au moment où l'ouverture du procès surexcite la presse. « Effrayé de l'ignorance [de Viviani] dans toutes les questions de la politique étrangère », Poincaré passe le plus clair de son temps à arpenter le pont en sa compagnie pour lui fournir informations et instructions en vue de la visite officielle [22]. Le résumé de ces exposés nous donne un aperçu très clair du raisonnement de Poincaré au moment où il quitte Paris : ils incluent « des détails sur l'Alliance [franco-russe] », une vue d'ensemble des « divers sujets traités en 1912 à Saint-Pétersbourg », « les conventions militaires de la France et de la Russie », des éléments d'informations sur les démarches de la Russie envers l'Angleterre en vue de signer une convention navale et le « rapport avec l'Allemagne ». À cet égard, Poincaré déclare à Viviani : « Je n'ai jamais eu de difficultés avec l'Allemagne parce que j'ai toujours été vis-à-vis d'elle d'une grande fermeté [23]. » Quant aux « divers sujets traités en 1912 à Saint-Pétersbourg », ils incluent le renforcement des chemins de fer stratégique, l'importance de lancer des offensives massives à partir du saillant polonais et la nécessité de se concentrer sur l'Allemagne désignée comme adversaire principal. L'allusion à l'Angleterre semble indiquer que Poincaré n'a pas seulement en tête l'Alliance franco-russe, mais songe déjà à la naissance d'une Triple-Entente. Le credo de Poincaré peut se résumer ainsi : l'Alliance est la clé de voûte de la défense militaire de la France, elle ne peut être maintenue qu'en se montrant inflexible vis-à-vis du bloc adverse et en refusant de céder à ses demandes. Tels sont les axiomes qui conditionneront son interprétation de la crise se déroulant dans les Balkans.

Si l'on en juge par son journal intime, Poincaré trouve ces quelques jours en mer profondément reposants. Alors que Viviani s'inquiète des scandales et des intrigues parisiennes dont des bribes lui parviennent par télégramme, Poincaré profite de la douce chaleur sur le pont pour admirer les jeux de lumière sur une mer azur parcourue de « vagues imperceptibles ». Il n'y a qu'un incident mineur : tandis qu'il approche du port de Kronstadt à une allure de quinze nœuds, le cuirassé entre en collision avec un remorqueur russe tirant une frégate jusqu'à son mouillage. Il est embarrassant qu'un navire de guerre français naviguant dans des eaux neutres sous les ordres d'un amiral aborde et endommage le remorqueur d'une nation alliée. C'est, comme il le note dans son journal avec irritation, « un geste qui manque d'adresse et d'élégance ».

Il recouvre néanmoins sa bonne humeur en découvrant l'accueil somptueux réservé à *La France* lorsqu'il entre dans le port : de tous côtés, navires de guerre, paquebots richement décorés et bateaux de plaisance se portent à la rencontre des visiteurs pour leur souhaiter la bienvenue. Le canot impérial se range le long du cuirassé français afin d'amener le président Poincaré à bord de l'*Alexandria*, le yacht du tsar. « Je quitte le *France* avec l'émotion qui m'étreint chaque fois que je sors, au bruit du canon, d'un de nos cuirassés », note Poincaré [24]. Au loin, debout à côté du tsar sur le pont de l'*Alexandria* d'où il a une vue superbe de l'ensemble de la scène, Maurice Paléologue a pour sa part déjà commencé à rédiger mentalement un paragraphe de ses futurs Mémoires :

> Le spectacle est grandiose. Dans une lumière vibrante et argentée, sur des flots de turquoise et d'émeraude, *La France*, laissant un long sillage derrière elle, avance avec lenteur, puis s'arrête majestueusement. Le formidable cuirassé, qui amène le chef de l'État français, justifie éloquemment son nom : c'est bien la France qui vient vers la Russie. Je sens battre mon cœur [25].

Une partie de poker

Les minutes du sommet qui se déroule pendant les trois jours suivants n'ont pas survécu. Dans les années 1930, les éditeurs des *Documents diplomatiques français* les ont cherché en vain [26]. De façon peut-être moins surprenante, étant donné les perturbations qui ont affecté la collecte des archives pendant les années du conflit mondial puis de la guerre civile en Russie, la version russe a également été perdue. Cependant, il est possible de se faire une idée assez précise du déroulement des discussions en se référant au journal intime de Poincaré, aux Mémoires de Paléologue ainsi qu'à d'autres notes prises par divers diplomates.

La crise qui couve au centre de l'Europe constitue bien le sujet central du sommet. Il est important de le rappeler, car on a souvent suggéré que, cette visite d'État ayant été préparée de longue date, il ne s'agissait pas d'un sommet de crise, et que par conséquent les sujets abordés avaient certainement suivis un ordre du jour planifié dans lequel la question serbe n'occupait qu'une place subalterne. En réalité, c'est exactement l'inverse qui se produit. Avant même que Poincaré n'ait quitté la France, le tsar a déjà confié à Paléologue sa hâte de le rencontrer : « Il y a une question qui me préoccupe surtout : notre entente avec l'Angleterre. Il faut que nous l'amenions à entrer dans notre alliance. Ce serait un tel gage de paix [27] ! »

Dès la fin des cérémonies, le tsar et son hôte s'isolent à la poupe pour entrer en conversation – « je dirais plutôt en conférence, écrit Paléologue, car il est visible qu'ils parlent d'affaires, qu'ils s'interrogent réciproquement, qu'ils discutent ». L'ambassadeur a l'impression que c'est le président français qui prend l'ascendant, car « bientôt, c'est lui seul qui parle. L'empereur ne fait plus qu'acquiescer, mais toute sa physionomie témoigne qu'il approuve sincèrement [28] ».

D'après le journal de Poincaré, cette conversation à bord de l'*Alexandria* porte tout d'abord sur l'Alliance franco-russe, dont le tsar parle « avec beaucoup de fermeté ». Il l'interroge sur le scandale Humbert qui, selon lui, a fait très mauvaise impression en Russie et lui demande instamment de faire le nécessaire pour éviter que la loi des Trois Ans ne soit abrogée. Poincaré répond en l'assurant que la nouvelle Chambre a démontré sa véritable volonté en votant pour le maintien de la loi, que le président du Conseil Viviani soutient également avec détermination. Puis le tsar évoque la question des relations entre Serguëi Witte et Joseph Caillaux, dont on dit qu'ils prônent une nouvelle politique étrangère basée sur un rapprochement entre la Russie, la France, l'Allemagne et la Grande-Bretagne. Les deux hommes jugent qu'il s'agit là d'un projet irréalisable qui ne menace en rien les alignements géopolitiques existants [29].

Pour résumer, avant même d'avoir débarqué de l'*Alexandria*, Raymond Poincaré et Nicolas II savent qu'ils partagent les mêmes analyses. La solidarité de l'Alliance en constitue le fondement, ce qui implique non seulement de s'entraider mutuellement au plan diplomatique mais également d'être prêts à intervenir militairement. Le lendemain (le 21 juillet), le tsar vient rendre visite à Poincaré dans les appartements du palais de Peterhof où ce dernier est logé. Les deux hommes passent une heure en tête à tête : dans un premier temps, l'entretien porte sur les tensions entre Russes et

Britanniques en Perse. Adoptant un ton conciliant, Poincaré répète qu'il ne s'agit là que de frictions mineures qui ne méritent pas de compromettre les bonnes relations entre les deux pays. Tous deux tombent d'accord : ces problèmes n'ont pas leur origine à Londres ou à Saint-Pétersbourg, mais s'enracinent dans des « intérêts locaux » non précisés, d'importance limitée. D'ailleurs, le tsar note avec soulagement qu'Edward Grey a poursuivi les négociations navales même après que les Allemands ont découvert leur existence. Les deux chefs d'État abordent également d'autres sujets : l'Albanie, les tensions entre la Turquie et la Grèce au sujet des îles de la mer Égée, et la politique italienne ; mais la préoccupation principale du tsar, note Poincaré, reste l'Autriche et les décisions qu'elle entend prendre pour réagir à l'attentat de Sarajevo. À ce moment de la conversation, le tsar fait ce commentaire extrêmement révélateur : « Il me répète que dans les circonstances actuelles, une alliance totale entre nos deux gouvernements lui paraît plus nécessaire que jamais. » Puis peu après, Nicolas II se retire [30].

À nouveau, cet entretien est revenu au thème central de la solidarité inébranlable de l'Alliance franco-russe confrontée à de possibles provocations autrichiennes. Mais que cela signifie-t-il en pratique ? Que l'Alliance réagira à une éventuelle initiative de l'Autriche contre la Serbie par une guerre qui, nécessairement, s'étendra à tout le continent ? L'après-midi même, Poincaré va offrir une réponse codée à cette question lorsqu'en compagnie de Viviani et de Paléologue, il reçoit successivement différents ambassadeurs. Le deuxième d'entre eux est l'ambassadeur d'Autriche-Hongrie, Fritz Szapáry, tout juste de retour de Vienne où il s'est rendu au chevet de sa femme mourante. Après quelques mots de condoléances relatifs à l'attentat de Sarajevo, Poincaré lui demande s'il a des informations en provenance de Serbie. L'ambassadeur répond que « l'enquête judiciaire suit son cours ». La version que Paléologue donne de la réplique de Poincaré concorde largement avec celle de la dépêche rédigée par Szapáry :

> Les résultats de cette enquête ne laissent pas de me préoccuper ; car je me rappelle deux enquêtes antérieures qui n'ont pas amélioré vos rapports avec la Serbie... vous vous rappelez, monsieur l'ambassadeur..., l'affaire Friedjung et l'affaire Prochaska [31] ?

Ce qui constitue une déclaration inouïe de la part d'un chef d'État en visite dans une capitale étrangère au représentant d'un État tiers. Indépendamment même du ton provocateur, cela revient à refuser de reconnaître par avance toute crédibilité aux découvertes que les Autrichiens pourront faire sur les ramifications du complot. Cela équivaut à dire que la France refusera d'accepter que le gouvernement serbe ait la moindre responsabilité dans l'attentat et que par conséquent, toute exigence présentée à Belgrade sera illégitime. Les scandales Friedjung et Prochaska ne sont qu'un prétexte pour rejeter *a priori* l'idée que l'Autriche ait le moindre grief. Au cas où tout cela n'aurait pas été suffisamment clair, Poincaré poursuit :

> Je fais remarquer à l'ambassadeur avec beaucoup de fermeté que la Serbie a en Europe des amis qui pourraient être étonnés d'une démarche de ce genre [32].

Paléologue de son côté se souviendra d'une formulation encore plus directe :

> La Serbie a des amis très chauds dans le peuple russe. Et la Russie a une alliée, la France. Que de complications à craindre [33] !

Szapáry, lui aussi, cite Poincaré : une initiative autrichienne produirait « une situation dangereuse pour la paix ». Quels que soient les mots exacts employés par Poincaré, ils produisirent un choc, non seulement pour l'ambassadeur autrichien mais même pour les Russes présents dont certains, d'après le témoignage de Louis de Robien, sont cependant « connus pour leur antipathie envers l'Autriche [34] ». Vers la fin de sa dépêche, Szapáry note que « le manque de tact, voire l'attitude presque menaçante » du président français, « chef d'État étranger qui n'est qu'invité en Russie » contraste avec la prudence et la réserve affichées par M. Sazonov » – un jugement que l'on ne peut guère contester. L'ensemble de la scène lui laisse penser que l'arrivée de Poincaré à Saint-Pétersbourg « aura tout sauf un effet d'apaisement [35] ».

En commentant cette différence d'attitude entre Sazonov et Poincaré, Szapáry a touché un point sensible de la relation franco-russe. Au cours d'un dîner de gala donné à l'ambassade française le soir même en son honneur, le président Poincaré est assis à côté de Sazonov. Dans une chaleur étouffante (la salle étant mal ventilée), les deux hommes discutent des tensions austro-serbes. À sa consternation, Poincaré trouve Sazonov « préoccupé et peu disposé à la fermeté ». « Le moment est mauvais pour nous, lui déclare le ministre russe, nos paysans sont très occupés aux travaux des champs [36]. » Pendant ce temps, dans le petit salon contigu où sont reçus les invités moins illustres, l'ambiance est tout autre : on peut y entendre un colonel de l'entourage de Poincaré proposer un toast « à la guerre prochaine et à la victoire certaine [37] ». Poincaré, désarçonné par l'irrésolution de Sazonov, confie à Paléologue : « Il faut prévenir Sazonov des mauvais desseins de l'Autriche, l'encourager à se montrer ferme et lui promettre notre appui [38]. » Plus tard dans la soirée, après une réception donnée par le conseil municipal à l'hôtel de ville de Saint-Pétersbourg, Poincaré se retrouve à la poupe du yacht impérial, assis en compagnie de Viviani et d'Izvolski, revenu de Paris pour prendre part au sommet. Ce dernier semble soucieux, peut-être a-t-il discuté avec Sazonov ? De son côté, Viviani paraît « triste et maussade ». Alors que le yacht vogue vers Peterhof dans un silence quasi total, Poincaré lève la tête, contemple le ciel étoilé et se demande : « Que nous réserve l'Autriche [39] ? »

Le lendemain, 22 juillet, s'avère être une journée particulièrement difficile. En effet, ce jour-là, Viviani, semble avoir souffert d'une crise de nerfs. Tout commence au déjeuner où le président du Conseil français, placé à la gauche du tsar, se révèle incapable de répondre à la moindre question que lui pose le souverain. À mesure que l'après-midi se poursuit, il se comporte de plus en plus bizarrement. Tandis que Nicolas II et Poincaré écoutent le concert donné par une fanfare militaire, Viviani reste à l'écart de la tente impériale, seul : il marmonne, grommelle puis se met à jurer à haute voix, attirant l'attention de tous les présents. Paléologue ne parvient pas à le calmer. Finalement, on annonce que Viviani, souffrant « d'une crise de foie », devra se retirer plus tôt. D'une formule lapidaire, Poincaré notera l'incident dans son journal : « Viviani est de plus en plus triste et tout le monde s'en aperçoit. Le dîner est excellent [40]. »

Il est impossible d'établir avec certitude les causes de cette crise qui frappe le président du Conseil français. Certains historiens ont avancé l'hypothèse que l'anxiété suscitée par les nouvelles en provenance de Paris ont précipité ce collapsus mental. Ce jour-là en effet est arrivé un télégramme rapportant que Caillaux a menacé de produire divers documents compromettants devant la cour [41]. Mais plus probablement cet homme profondément pacifique s'alarme-t-il de l'atmosphère de plus en plus belliqueuse qui s'intensifie tout au long du voyage officiel. Telle est en tout cas l'opinion de Louis de Robien, pour qui il est clair que Viviani est « véritablement excédé par toutes ces manifestations de l'esprit militaire ». En ce 22 juillet, remarque-t-il, on ne parle que de guerre : « On sentait que l'atmosphère avait changé depuis la veille. » Et bien qu'il se mette à rire lorsque les marins servant sur *La France* lui déclarent qu'ils craignent d'être attaqués au cours de la traversée du retour, leur nervosité est un signe inquiétant. Le défilé militaire du 23 juillet est l'apothéose de la visite : soixante-dix mille soldats défilent devant les deux chefs d'État, presque exclusivement sur deux marches militaires, *Sambre et Meuse* et la *Marche lorraine*, qu'apparemment les Russes considèrent « comme l'hymne particulier de Poincaré ». Détail particulièrement frappant : les soldats portent non pas leur uniforme de parade chamarré, mais la tenue de combat kaki qu'ils ont mise pour l'entraînement, ce que Robien interprète comme un signe supplémentaire de l'enthousiasme guerrier généralisé [42].

Le soir du 22 juillet, Poincaré et Paléologue sont les témoins de l'une des manifestations les plus curieuses de la solidarité franco-russe, au cours d'un dîner donné par le grand-duc Nikolaï Nikolaïevitch, commandant de la garde impériale, à Krasnoïe Selo. Proche de Saint-Pétersbourg, ce lieu de villégiature très prisé abrite de nombreuses villas, dont la résidence d'été des tsars. La scène est pittoresque : trois longues tables dressées dans des tentes à demi ouvertes trônent au centre d'un jardin embaumé et fraîchement arrosé. À son arrivée, Paléologue est accueilli par les deux filles du roi Nikola de Monténégro, ce monarque énergique et remarquablement ambitieux qui a réussi à marier la première, Anastasie, au grand-duc Nikolaï et la seconde, Militza, au frère de Nicolas, le grand-duc Piotr Nikolaïevitch. « Savez-vous bien que nous vivons des jours historiques, des jours sacrés ! » lui demandent-elles, parlant toutes deux en même temps.

> Demain à la revue, les musiques ne joueront que la *Marche lorraine* et *Sambre et Meuse*. J'ai reçu aujourd'hui de mon père un télégramme en style convenu ; il m'annonce qu'avant la fin du mois nous aurons la guerre… Quel héros, mon père !… Il est digne de l'*Iliade* ! Tenez, regardez cette bonbonnière qui ne me quitte jamais ; elle contient de la terre de Lorraine, oui, de la terre de Lorraine que j'ai prise au-delà de la frontière quand j'ai été en France avec mon mari, il y a deux ans. Et puis, regardez encore, là, sur la table d'honneur : elle est couverte de chardons ; je n'ai pas voulu qu'il y eût d'autres fleurs. Eh bien ! Ce sont des chardons de Lorraine. J'en ai cueilli quelques branches sur le territoire annexé ; je les ai rapportées ici et j'en ai fait semer les graines dans mon jardin… Militza, parle-lui encore, à l'ambassadeur ; dis-lui tout ce que cette journée représente pour nous, pendant que je vais recevoir l'Empereur [43]…

Militza ne s'exprime pas là de manière figurée : dans une lettre de novembre 1912, l'attaché militaire à Saint-Pétersbourg, le général de Laguiche, a confirmé que pendant l'été précédent, tandis que son époux assistait aux manœuvres française près de Nancy, la grande-duchesse avait donné l'ordre d'aller chercher un pied de chardons et de la terre de l'autre côté de la frontière, en territoire lorrain alors sous domination allemande. Ayant rapporté la plante en Russie, elle l'avait soignée jusqu'à ce qu'elle monte en graines. Elle les avait ressemées dans la terre lorraine et soigneusement arrosées jusqu'à ce que de nouvelles pousses apparaissent avant de les repiquer dans un mélange de terre lorraine et russe pour symboliser l'alliance entre les deux pays. Puis elle avait chargé son jardinier de poursuivre le travail, le menaçant de le renvoyer si les chardons mouraient. C'est donc bien de son jardin que proviennent les fleurs qu'elle montre à Paléologue en juillet 1914 [44]. Ces gestes excentriques ont un réel impact politique. Le mari d'Anastasie, le grand-duc Nikolaï, qui compte parmi les panslavistes les plus actifs, presse le tsar, son cousin issu de germain, d'intervenir militairement aux côtés de la Serbie au cas où l'Autriche lui imposerait des exigences inacceptables.

Le « dithyrambe » des princesses monténégrines se poursuit pendant le dîner, où Anastasie régale ses voisins de ses prophéties : « La guerre va éclater... Il ne restera rien de l'Autriche... Vous reprendrez l'Alsace et la Lorraine... Nos armées se rejoindront à Berlin... L'Allemagne sera détruite [45]... » et ainsi de suite. Poincaré est lui aussi témoin de leur manège : pendant l'entracte du ballet donné le soir même, les deux princesses abordent Sazonov, assis à côté du président français, pour lui reprocher de ne pas soutenir la Serbie avec suffisamment de vigueur. De nouveau, la mollesse de sa réaction apparaît préoccupante, mais Poincaré note avec satisfaction que « l'empereur, de son coté, sans être aussi exalté que les deux grandes-duchesses, me paraît plus décidé que Sazonov à défendre diplomatiquement la Serbie [46] ».

Ces dissonances n'empêchent cependant pas les deux partenaires de l'Alliance de s'entendre sur une initiative commune. À 18 heures le 23 juillet, le soir même du départ des français, Viviani, apparemment remis de sa crise de foie, s'accorde avec Sazonov sur les instructions à envoyer aux ambassadeurs français et russe à Vienne. Ces derniers doivent mener une démarche commune et amicale pour recommander à l'Autriche de faire preuve de modération et exprimer l'espoir qu'elle ne fasse rien qui puisse compromettre l'honneur ou l'indépendance de la Serbie. Chaque mot a été pesé de façon à rendre nulle par avance la note que les Autrichiens sont sur le point de présenter à Belgrade – ce que savent pertinemment Russes et Français. De son côté, George Buchanan accepte de demander à son gouvernement d'agir de même [47].

Le soir même, au cours du dîner d'adieu donné sur le pont de *La France*, Viviani et Paléologue ont une discussion houleuse et particulièrement révélatrice au sujet de la formulation du communiqué de presse. Le brouillon de Paléologue se conclut sur une allusion à la Serbie formulée en ces termes :

> Les deux gouvernements ont constaté la parfaite concordance de leurs vues et de leurs intentions pour le maintien de l'équilibre européen, notamment dans la péninsule balkanique.

Cette rédaction n'est pas du goût de Viviani, qui trouve qu'elle « nous engagerait trop à suivre, dans les Balkans, la politique de la Russie ». Une autre version, plus anodine, est donc proposée :

> La visite que le président de la République vient de faire à S. M. l'empereur de Russie a offert aux deux gouvernements amis et alliés l'occasion de consta-

ter la parfaite communauté de leurs vues sur les divers problèmes que le souci de la paix en général et de l'équilibre européen pose devant les puissances, notamment en Orient [48].

En dépit de l'emploi virtuose des euphémismes et de sa tonalité prudente, le communiqué révisé est facilement décodé et exploité par la presse libérale et panslaviste, qui soutient ouvertement l'idée d'une intervention militaire pour défendre Belgrade [49].

De son coté, Poincaré est mécontent de la façon dont le dîner s'est déroulé. Une grosse pluie d'orage a abattu la tente dressée sur le pont arrière sous laquelle les convives auraient dû se retrouver et le cuisinier du bateau ne s'est pas couvert de gloire : la soupe a été servie en retard et, écrit-il, « personne n'avait fait de compliments ». Mais le président peut être satisfait de l'impact général de sa visite officielle. Il est venu prêcher la fermeté et ses paroles ont été écoutées avec attention. Or l'examen des sources révèle qu'à aucun moment ni Poincaré ni ses interlocuteurs russes n'envisagent que l'Autriche puisse légitimement réagir à la suite de l'attentat, pas plus qu'ils n'examinent quelles mesures elle pourrait prendre. La fermeté, dans ce contexte, est donc synonyme d'opposition intransigeante à toute initiative autrichienne. Il n'y a donc nul besoin d'improviser ou de formuler de nouvelles positions – Poincaré se contente de ne pas dévier de la stratégie qu'il poursuit depuis l'été 1912, ce scénario balkanique envisagé au cours des si nombreuses consultations franco-russes des dernières années. Ce qui explique pourquoi Poincaré, à la différence de son entourage, conserve un calme olympien pendant toute la visite : si les Russes demeurent fermes eux aussi, tout se déroulera comme prévu. Poincaré appelle cela une politique de paix, car il espère bien que l'Allemagne et l'Autriche céderont face la solidarité franco-russe sans faille. Mais en cas d'échec, il y a pire situation que de devoir combattre aux côtés de la puissante Russie avec, l'espère-t-il, le soutien militaire, naval, commercial et industriel de la Grande-Bretagne.

Louis de Robien, qui a été un observateur privilégié de tous les événements de cette visite, n'est cependant pas convaincu. Il a le sentiment que Poincaré a délibérément outrepassé l'autorité de Viviani qui, en tant que président du Conseil et ministre des Affaires étrangères, est chargé de définir la politique du gouvernement français. Or c'est le président Poincaré qui a multiplié engagements et promesses auprès du tsar et qui, juste avant de le quitter, lui a répété : « Cette fois-ci, nous devons tenir bon. » Louis de Robien se souviendra que « presque à la même heure l'ultimatum autrichien était remis à Belgrade » :

> Nos adversaires, eux aussi, étaient décidés à « tenir le coup ». Des deux côtés on s'imaginait qu'il suffisait de « bluffer » pour remporter un succès,

aucun des joueurs ne pensait qu'il faudrait aller jusqu'au bout. La tragique partie de poker était engagée [50].

Il était dans la nature des grands hommes de faire de tels paris et de jouer à des jeux si risqués. Comme le dirait Paléologue dans sa biographie de Cavour, « l'homme d'action devait être joueur, puisque toute initiative grave implique non seulement une vue anticipée de l'avenir, mais encore une prétention à susciter les événements, à les conduire, à les dominer [51] »...

10

L'ULTIMATUM

Les exigences autrichiennes

Tandis que Poincaré et Viviani rejoignent le port de Kronstadt, les Autrichiens mettent la touche finale à l'ultimatum qu'ils veulent adresser à Belgrade. Dès le dimanche 19 juillet, les membres du Conseil des ministres conjoint se sont discrètement rendus à la résidence privée de Berchtold, sans prendre de véhicules officiels, pour décider « des actions diplomatiques à mener contre la Serbie ». La note devant être envoyée à Belgrade a fait l'objet d'une discussion informelle avant d'être définitivement adoptée. L'ultimatum sera présenté le 23 juillet à 17 heures (horaire peu après repoussé à 18 heures, afin d'être certain que le document arrive après que Poincaré aura embarqué à bord de *La France*). Berchtold a affirmé, de façon assez irréaliste, « qu'il était improbable que la nouvelle de notre décision soit rendue publique avant que Poincaré ne quitte Saint-Pétersbourg », mais comme il savait que les intentions autrichiennes étaient déjà connues à Rome, il devenait essentiel d'agir rapidement. Le gouvernement serbe aurait quarante-huit heures pour répondre. Si l'ultimatum n'était pas accepté dans sa totalité, il expirerait en début de soirée, le 25 juillet.

Que se passera-t-il ensuite ? Le reste de la discussion porte sur les différents aspects du scénario post-ultimatum. Conrad assure Tisza que des forces suffisantes seront disponibles pour défendre la Transylvanie en cas d'offensive roumaine. Le Premier ministre hongrois réaffirme avec insistance que l'Autriche-Hongrie doit déclarer dès le début n'avoir « pas l'intention de s'agrandir au détriment de la Serbie » ni d'annexer le moindre territoire. Il s'oppose à nouveau fermement à toute décision qui augmenterait sur les territoires Habsbourg la population d'origine slave du Sud, dont il craint l'hostilité. Il craint également que la perspective de voir l'Autriche annexer des territoires n'incite les Russes à intervenir.

Ces exigences donnent lieu à une discussion assez houleuse. Berchtold en particulier maintient qu'à l'issue d'un éventuel conflit, il pourra se révéler indispensable de réduire le territoire de la Serbie afin de neutraliser la menace qu'elle fait peser sur la sécurité austro-hongroise. Tisza refusant de céder sur ce point, les ministres parviennent à un compromis : Vienne annoncerait officiellement en temps utile que la Double Monarchie ne se livrait pas à une guerre de conquête et n'avait aucune visée sur les territoires serbes. Cependant, la possibilité que d'autres États, notamment la Bulgarie, puissent s'emparer de certains territoires actuellement contrôlés par les Serbes restait ouverte [1].

Ni cette rencontre ni les autres réunions au sommet qui se tiennent pendant ces semaines à Vienne ne produisent ce que nous appellerions aujourd'hui, de près ou de loin, une stratégie de sortie. Or la Serbie n'est pas un État hors-la-loi isolé dans une région par ailleurs calme. L'Albanie, qui la jouxte, demeure extrêmement instable. Le risque est réel qu'une fois gorgée de territoires macédoniens auparavant contrôlés par les Serbes la Bulgarie ne reprenne une politique prorusse. En outre, quels territoires accorder à la Roumanie pour compenser d'éventuelles annexions bulgares [2] ? La dynastie des Karadjordjević, hostile à l'Autriche, restera-t-elle sur le trône de Serbie ? Si non, par qui ou par quoi la remplacer ? D'autres questions pratiques, certes moins cruciales, se posent également : qui prendra en charge les légations autrichiennes de Cetinje et de Belgrade en cas de rupture des relations diplomatiques ? L'Allemagne [3] ? Toutes ces interrogations restent sans réponse. De plus, en ce 19 juillet (comme au cours de la réunion du 7 juillet), la possibilité d'une intervention russe est à peine évoquée. Les explications données par Conrad sur la situation militaire ne portent que sur le plan B, scénario exclusivement balkanique, et non sur le plan R, qui prévoit la possibilité d'une offensive russe en Galicie autrichienne. Cependant, aucun des ministres présents ne pense à lui demander comment il réagira si les Russes interviennent effectivement, ni quelle sera la difficulté de passer d'un scénario de déploiement à un autre [4]. L'ensemble de l'élite politique viennoise reste obnubilée par le conflit avec Belgrade, à l'exclusion de toute autre considération plus globale. Même lorsque l'on apprend à Vienne la teneur de l'incroyable mise en garde proférée par Poincaré à Szapáry – un message qui révèle que la France et la Russie se sont concertées pour définir une réponse commune à toute initiative autrichienne –, Berchtold n'envisage pas de changer de stratégie [5].

La note et l'ultimatum sont rédigés par le baron Musulin von Gomirje, un fonctionnaire relativement subalterne, conseiller au ministère des Affaires étrangères depuis 1910, spécialiste des questions religieuses et de l'Extrême-Orient. On lui confie cette tâche car il a la réputation de rédi-

ger extrêmement bien. Comme le dira plus tard l'historien britannique
Lewis Namier, il incarne « un de ces hommes ordinaires, consciencieux,
d'une grande probité personnelle, qu'un noir destin avait choisis pour
devenir les pions de ce jeu qui déboucherait sur le désastre le plus grand
de toute l'histoire européenne[6] ». Musulin cisèle son texte comme un
joaillier taille une pierre précieuse[7]. La note d'introduction s'ouvre sur le
rappel que la Serbie avait promis, après la crise de l'annexion de la Bosnie,
de conserver « des relations de bon voisinage » avec l'Autriche-Hongrie.
Malgré cet engagement, le gouvernement serbe avait continué à tolérer
sur son territoire l'existence d'un « mouvement subversif » qui se manifes-
tait « par des actes de terrorisme, par une série d'attentats et par des
meurtres » – référence quelque peu exagérée à la douzaine de complots
avortés que les Slaves du Sud ont tenté de fomenter avant l'attentat de
Sarajevo. Loin d'essayer de réprimer ces activités, affirme la note, le gouvernement serbe a « toléré les activités criminelles des diverses sociétés et
associations dirigées contre la Monarchie » ainsi que « toutes les manifestations qui étaient de nature à inspirer au peuple serbe de la haine contre
la Monarchie et le mépris de ses institutions[8] ». L'enquête préliminaire
sur l'attentat de Sarajevo a révélé que le complot a été machiné à Belgrade
où les assassins ont reçu leurs armes, et que leur entrée en Bosnie a été
facilitée par des chefs du service frontière serbe. Le temps de la longani-
mité expectative dont a fait preuve jusqu'à présent la Monarchie dans ses
relations avec la Serbie est donc révolu. La dernière partie de la lettre
stipule que le gouvernement de Belgrade doit publier officiellement et
diffuser dans l'ensemble du royaume une déclaration (dont le texte est
fourni) répudiant l'irrédentisme panslave.

La caractéristique la plus intéressante de ce texte, qui fournira les éléments de langage de la lettre transmise aux autres puissances cinq jours
plus tard, au moment où l'Autriche déclarera la guerre à la Serbie, c'est
qu'il n'accuse pas l'État serbe de complicité directe dans les attentats de
Sarajevo. Il ne fait que prétendre, plus modestement, que les autorités
serbes ont « toléré » les organisations et les activités à l'origine du complot. La prudence de cette formulation reflète en partie ce que les Autrichiens savent déjà et ce qu'ils ignorent encore. Le ministère des Affaires
étrangères a envoyé en Bosnie un conseiller diplomatique, le docteur Friedrich von Wiesner, pour récolter et analyser toutes les preuves disponibles
sur le contexte du complot. Le 13 juillet, à l'issue d'une enquête scrupu-
leuse, ce dernier a rédigé un rapport concluant qu'il n'y avait pas encore
de preuves formelles de la responsabilité ou de la complicité du gouvernement de Belgrade[9]. C'est ce rapport qui sera cité plus tard par ceux qui
affirment que l'Autriche, déterminée à entrer en guerre, n'a utilisé l'attentat que comme prétexte. Mais à l'époque des faits, la situation est bien

plus complexe. Comme Wiesner lui-même l'expliquera plus tard à l'historien américain Bernadotte Everly Schmitt, son rapport a été « très largement mal interprété » :

> Personnellement [dira Wiesner] les preuves rassemblées au cours de
> l'enquête l'avaient fermement convaincu que le gouvernement serbe portait
> une responsabilité morale dans l'attentat de Sarajevo ; mais ces preuves n'étant
> pas de nature à être retenues par une cour de justice, il n'avait pas souhaité
> qu'elles soient utilisés pour formuler officiellement des griefs à l'encontre de
> la Serbie. Tel était ce qu'il avait très clairement indiqué dès son retour à
> Vienne [10].

Comme les Autrichiens semblent déterminés à rendre leur cause inatta-
quable sur le plan légal, il ne peut être question dans ces conditions
d'accuser le gouvernement serbe de complicité directe dans les attentats.
Les éléments de preuve relatifs à la préparation et à l'entraînement des
jeunes terroristes ainsi qu'à leur passage en Bosnie ne permettent que de
confirmer l'implication de diverses administrations subalternes de l'État.
De plus, en suivant la piste des structures nébuleuses de la Narodna
Odbrana, les Autrichiens n'ont pas repéré la présence bien plus importante de la Main noire, dont le réseau infiltre tous les organes de l'État
serbe. Ils n'ont pas non plus été capables de remonter jusqu'à Apis, ni de
trancher une question capitale : le gouvernement serbe avait-il connaissance du complot par avance ? Ce dernier point est sans nul doute resté
sans réponse parce que Biliński, très embarrassé de n'avoir pas rapporté à
Berchtold la courte conversation qu'il a eue avec l'ambassadeur serbe le
21 juin, a depuis gardé un silence total sur cet épisode. S'ils avaient
une meilleure connaissance des différents éléments de la situation, les
Autrichiens considéreraient certainement que leurs décisions sont pleinement justifiées. Mais pour le moment, l'opprobre jeté par le scandale
Friedjung, que Russes et Français brandissent comme argument pour
s'opposer aux demandes de Vienne, oblige les rédacteurs de l'ultimatum
à calibrer leurs éléments de langage au plus juste pour ne pas outrepasser
ce qui peut être prouvé de manière irréfutable sur la base des faits déjà
établis par l'enquête menée à Sarajevo.

La note d'introduction est suivie de l'ultimatum à proprement parler,
lui-même formulé en dix points. Les trois premiers concernent la suppression des organes irrédentistes et de la propagande anti-autrichienne à
laquelle ils se livrent. Les points 4, 6 et 8 exigent des actions contre les
personnes impliquées dans l'attentat, y compris les militaires et les gardes-
frontières compromis, ainsi que « contre les complices du complot du
28 juin se trouvant sur le territoire serbe ». Le point 7 est encore plus
précis : il exige l'arrestation « d'urgence » du major Voja Tankosić et de

Milan Ciganović. Alors même que les Autrichiens l'ignorent, Tankosić
est bien membre de la Main noire et proche d'Apis et c'est lui qui a
recruté les trois jeunes gens formant le noyau du complot. Quant à Ciganović, il n'est connu des Autrichiens qu'en tant que « fonctionnaire de
l'État serbe, compromis d'après les résultats de l'instruction, dans l'attentat de Sarajevo », mais il est également, selon le témoignage plus tardif
de Ljuba Jovanović, membre de la Main noire et agent double travaillant
en secret pour Pašić [11]. Le point 9 demande que Belgrade fournisse à
Vienne « des explications sur les injustifiables propos tenus par de hauts
fonctionnaires serbes tant en Serbie qu'à l'étranger qui, malgré leur position officielle, n'ont pas hésité, après l'attentat du 28 juin, à s'exprimer
dans des interviews, dans un sens hostile à la Monarchie austro-hongroise ». Ce point, qui fait référence entre autres aux interviews données
par Spalajković à Saint-Pétersbourg, nous rappelle également combien
l'attitude des Autrichiens a été affectée par la façon dont les Serbes ont
réagi au double meurtre de Sarajevo. Le point 10 exige simplement une
notification officielle « sans retard » des mesures prises pour satisfaire aux
points précédents.

Les points 5 et 6 sont les plus controversés. Le point 5 exige que le
gouvernement de Belgrade « accepte la collaboration en Serbie des
organes du gouvernement impérial et royal [de l'Autriche-Hongrie] dans
la suppression du mouvement subversif dirigé contre l'intégrité territoriale
de la monarchie ». Le point 6 déclare que « des organes délégués à cette
fin » par l'Autriche-Hongrie « prendraient part aux recherches » sur
d'éventuelles complicités en Serbie. Comme de coutume à Vienne, le
texte a été rédigé à plusieurs mains, mais c'est Berchtold qui a insisté
pour incorporer la référence à la participation autrichienne à l'enquête [12].
La raison en est évidente : Vienne ne fait pas confiance aux autorités de
Belgrade pour poursuivre une enquête approfondie en l'absence de toute
forme de supervision et de vérification. Et il faut reconnaître que rien
dans les actions du gouvernement serbe entre le 28 juin et la présentation
de l'ultimatum ne permet aux Autrichiens de penser le contraire.

Il s'agit cependant là d'une exigence incompatible avec le maintien de
la souveraineté serbe – exigence que Paris, Saint-Pétersbourg et Belgrade
ont déjà identifiée comme étant le facteur potentiel de déclenchement
d'une confrontation plus large. On peut en effet légitimement poser la
question : un État peut-il être rendu responsable des actions planifiées
par de simples citoyens depuis son territoire ? Mais envisager la situation
sous l'angle de l'inviolabilité de la souveraineté serbe fausse quelque peu
le tableau. Premièrement, il faut prendre en compte la question de la
réciprocité. L'État serbe – ou du moins les hommes d'État serbes – revendique la responsabilité d'opérer la réunification finale de tous les Serbes,

y compris ceux qui vivent dans la Double Monarchie austro-hongroise. Ce qui implique au mieux une reconnaissance limitée des droits souverains de l'Empire sur les territoires non encore rattachés à la « Grande Serbie ». Deuxièmement, il faut également tenir compte du fait que l'État serbe, sous la direction de Pašić, n'exerce qu'un contrôle très limité sur les réseaux irrédentistes. L'interpénétration de ces réseaux et des organes de l'État ainsi que les affiliations transnationales de cet irrédentisme ethnique rendent caduque toute tentative d'expliquer les tensions austro-serbe en termes d'interactions entre deux États-nations souverains. Enfin, bien évidemment, les organes supranationaux et le cadre juridique qui, de nos jours, permettent d'arbitrer dans de telles situations et de surveiller la mise en œuvre des décisions n'existent pas à l'époque.

Lorsque Edward Grey prend connaissance de l'intégralité de l'ultimatum autrichien, il a cette réaction devenue célèbre : « Je n'ai jamais vu jusqu'ici un État adresser à un autre État un document d'un caractère aussi terrible. » Quant à Winston Churchill, dans une lettre adressée à sa femme, il qualifie la note de « document le plus insolent de son espèce qui ait jamais été rédigé [13] ». Nous ne savons pas à quoi Grey ou Churchill comparaient cet ultimatum, et la spécificité de la situation historique créée par l'attentat de Sarajevo rend hasardeux tout jugement comparatif. Mais il serait erroné de considérer l'ultimatum autrichien comme une forme de régression anormale nous ramenant à une période de barbarie révolue précédant l'émergence des États-nations. Ce document est en fait bien plus modéré que l'ultimatum présenté par l'OTAN à la Serbie yougoslave sous la forme de l'accord de Rambouillet, rédigé en février et mars 1999 pour obliger les Serbes à se conformer aux décisions prises par l'OTAN sur le Kosovo, qui contient cet article :

> Le personnel de l'OTAN aura, de même que ses véhicules, navires, aéronefs et équipements, toute liberté d'accès et de passage sur l'ensemble du territoire de la république fédérale de Yougoslavie, y compris son espace aérien et ses eaux territoriales. Cette faculté comprendra, de manière non limitative, le droit de bivouaquer, de manœuvrer, de se loger et d'utiliser toute zone ou toute installation pour des besoins logistiques, d'entraînement ou opérationnels [14].

Henry Kissinger a sans nul doute raison de décrire Rambouillet comme « une provocation, un prétexte pour démarrer des bombardements », un texte dont les termes sont inacceptables, même pour les Serbes les plus modérés [15]. Les exigences des Autrichiens en 1914 ne soutiennent pas la comparaison.

Il n'en demeure pas moins que les rédacteurs viennois partent du principe que les Serbes n'accepteront probablement pas leur ultimatum, lequel n'est donc pas une dernière tentative de sauver la paix entre deux voisins, mais l'exposition sans complaisance de la position autrichienne. En revanche, à la différence de l'accord de Rambouillet, il ne s'agit pas de mettre l'État serbe à genoux, mais de cibler la menace que l'irrédentisme serbe fait porter à la sécurité autrichienne. Même les points 5 et 6 ne font que refléter l'inquiétude légitime des rédacteurs qu'une éventuelle acceptation par la Serbie ne soit pas totale. Il ne faut pas oublier à cet égard que le 16 juillet encore, lorsque l'ambassadeur britannique Dayrell Crackanthorpe avait suggéré à Slavko Gruić, secrétaire général du ministère des Affaires étrangères, qu'il serait opportun que la Serbie lance une enquête indépendante, ce dernier lui avait répondu qu'il était « impossible de prendre la moindre mesure définitive avant d'avoir connaissance des résultats de l'enquête menée à Sarajevo ». Une fois le rapport publié, le gouvernement serbe accepterait « toute demande d'enquête supplémentaire exigée par les circonstances, dans le respect des usages internationaux ». Si le pire devait se produire, avait-il ajouté de façon inquiétante, « la Serbie ne serait pas isolée. La Russie ne resterait pas passive si les Serbes étaient attaqués sans cause [16] ». Ces faux-fuyants indiquaient qu'il n'était guère probable que la Serbie se plie aux injonctions d'un voisin considéré comme hostile si elle n'y était pas contrainte. Or c'étaient précisément ces thèmes de la coercition et de l'assentiment que le gouvernement serbe avait lui-même développés dans la circulaire envoyée aux grandes puissances pour justifier l'offensive des États balkaniques contre l'Empire ottoman en 1912. Les Ottomans avaient tout à la fois refusé toute forme de « participation étrangère » dans les nécessaires réformes en Macédoine tout en multipliant les promesses de « s'en acquitter par eux-mêmes » : mais aucune réforme n'ayant été accomplie, leurs promesses avaient été accueillies « par tous les pays » avec « la méfiance la plus profonde [17] ». Il est peu probable qu'en juillet 1914, quiconque à Belgrade ait fait le rapprochement.

Réponses serbes

Au matin du 23 juillet, l'ambassadeur autrichien, le baron Giesl, téléphone au ministère des Affaires étrangères de Belgrade pour informer le gouvernement serbe que Vienne délivrera une « communication importante » au Premier ministre serbe l'après-midi même. Or, Pašić étant en campagne électorale dans la ville de Niš, c'est le ministre des Finances Lazar Paču, chargé de le remplacer en son absence, qui reçoit le coup de téléphone. Lorsqu'il parvient à joindre Pašić, ce dernier refuse de revenir

Nikola Pašić

à Belgrade malgré ses demandes insistantes et lui donne l'ordre « de recevoir Giesl à [sa] place ». Quand l'ambassadeur se présente au ministère à 18 heures (le délai ayant été repoussé d'une heure), il est reçu par Paču et Gruić, à qui le ministre, qui ne parle pas français, a demandé d'être présent.

Giesl tend les documents à Paču – l'ultimatum, un appendice de deux pages ainsi que la note de couverture adressée à Paču en tant que Premier ministre par intérim – et l'informe que le délai pour la réponse est de quarante-huit heures très précisément. À l'expiration de ce délai, s'il n'y a pas de réponse satisfaisante, ou pas de réponse du tout, Giesl rompra les relations diplomatiques et repartira à Vienne avec l'ensemble du personnel de l'ambassade autrichienne. Sans ouvrir le dossier, Paču lui répond que la campagne électorale battant son plein, beaucoup de ministres sont absents de Belgrade et qu'il sera matériellement impossible de les réunir tous à temps pour prendre une décision. Ce à quoi Giesl rétorque « qu'au temps des chemins de fer et du télégraphe, et dans un pays de la taille de la Serbie, le retour des ministres à la capitale n'est qu'une question d'heures ». De toute façon, ajoute-t-il, « il s'agit d'une affaire interne au gouvernement serbe, qui ne me concerne pas [18] ». La dépêche qu'il télégraphie à Vienne se termine sur ces mots : « Il n'y eut pas d'autre échange. » Mais après la guerre, au cours d'entretiens avec l'historien italien Luigi Albertini, l'ancien ambassadeur se souviendra que Pacu a hésité, disant qu'il n'était pas en mesure d'accepter cette note. Giesl avait alors répondu qu'en ce cas, il la poserait sur la table, et que « Pacu pourrait en faire ce qu'il voudrait [19] ».

Immédiatement après le départ de Giesl, Pacu réunit les ministres encore présents à Belgrade pour qu'ils examinent le texte tous ensemble. Il est en état de choc parce qu'il espérait contre toute attente que les Allemands auraient fini par empêcher Vienne de prendre une décision « qui risque d'entraîner l'Allemagne dans la guerre ». Pendant un moment, ils étudient la note « dans un silence de mort, parce que personne n'osait être le premier à exprimer un avis ». C'est le ministre de l'Éducation qui se met à arpenter la pièce plusieurs fois avant de déclarer : « Nous n'avons pas d'autre choix que de nous battre [20]. »

S'ensuit alors un curieux intermède. Au vu de l'importance capitale de la note, il est évident pour tous qu'il faut que Pašić revienne à Belgrade sur-le-champ. Ce dernier a passé la matinée à faire campagne à Niš, dans le nord de la Serbie, mais après son discours, il semble soudain perdre tout intérêt pour les élections. « Comme il serait agréable de prendre un peu de repos », déclare-t-il à Sajinović, le directeur politique du ministère des Affaires étrangères, qui l'accompagne. « Si nous allions passer deux ou trois jours à Salonique [c'est-à-dire Thessalonique, annexée par les Grecs en 1913], où nous pourrions séjourner incognito ? » Pendant que les deux hommes attendent que le wagon spécial du Premier ministre soit accroché au train pour Salonique, un employé des chemins de fer vient informer Pašić d'un coup de téléphone urgent de Belgrade : Lazar Pacu le supplie de rentrer, mais Pašić n'en a cure. « Lazar me dit que d'après ses informations, il ne s'agira pas d'une note ordinaire. Mais je n'ai pas cédé et je lui ai répondu que nous donnerions notre réponse à mon retour à Belgrade. » Et de ce pas, Pašić et Sajinović vont prendre le train pour Salonique. Ce n'est qu'en gare de Lescovac, à près de cinquante kilomètres au sud de Niš, que, recevant un télégramme du prince-régent Alexandar, le Premier ministre est persuadé de revenir à Belgrade [21].

Réaction étrange mais caractéristique de celui qui, informé par avance des détails du complot qui se tramait contre le roi Alexandar et la reine Draga à l'été 1903, avait emmené toute sa famille en train sur la côte adriatique (alors sous administration autrichienne) afin d'y attendre la suite des événements. Il est impossible de savoir précisément ce que Pašić a en tête en cet après-midi de 23 juillet 1914. Peut-être, comme l'a suggéré Albertini, espère-t-il tout simplement éviter le poids et la responsabilité d'avoir à accepter la note des Autrichiens. Il est intéressant de noter que de son côté, Berchtold a appris d'une source secrète non identifiée que le

Premier ministre avait l'intention de démissionner immédiatement après la remise de la note [22]. Pašić a-t-il été pris de panique ? A-t-il ressenti le besoin de prendre du recul et de réfléchir aux différentes options ? Les exigences d'une élection parlementaire ajoutées à la crise extérieure la plus grave de toute l'histoire de l'État serbe lui font sans nul doute subir une pression considérable. Quoi qu'il en soit, ce moment passe et le 24 juillet à 5 heures du matin, le Premier ministre et le directeur politique sont de retour à Belgrade.

Il faut quelque temps pour que la réponse serbe à l'ultimatum se cristallise. Le soir du 23 juillet, alors que Pašić est encore sur le chemin du retour, Pač008u envoie une circulaire à l'ensemble des légations serbes déclarant que les exigences autrichiennes sont « telles qu'aucun gouvernement serbe ne peut les accepter dans leur intégralité ». Il réaffirme cette opinion au cours d'une visite au chargé d'affaires Strandmann qui, après le décès de Hartwig, a été nommé chef de la légation russe. Après son départ, le prince Alexandar, qui vient à son tour voir Strandmann pour discuter de la situation, affirme lui aussi qu'il est « absolument impossible à un État ayant le moindre sens de sa dignité » d'accepter cet ultimatum, ajoutant qu'il a toute confiance en la magnanimité du tsar « dont seule la parole puissante peut désormais sauver la Serbie ». Le lendemain matin, très tôt, c'est Pašić qui consulte Strandmann. Le Premier ministre est d'avis que la Serbie ne doit ni accepter ni rejeter l'ultimatum mais essayer d'obtenir sur-le-champ un délai supplémentaire, ce qui laisserait le temps d'en appeler aux grandes puissances pour qu'elles défendent son indépendance. Mais ajoute-t-il, « si nous ne pouvons éviter la guerre, nous nous battrons [23] ».

Ces déclarations semblent suggérer que les leaders politiques serbes sont tous tombés d'accord, presque immédiatement, pour résister et si nécessaire entrer en guerre. Mais elles sont toutes rapportées par Strandmann : il est probable que le désir d'obtenir le soutien de la Russie ait poussé les ministres présents à Belgrade à insister auprès du chargé d'affaires russe sur l'impossibilité d'obtempérer aux exigences des Autrichiens. À l'inverse, d'autres témoignages indiquent que, en privé, les décideurs serbes, profondément alarmés par la perspective d'une attaque autrichienne, ne voient pas d'autre solution que de céder [24]. Le souvenir d'octobre 1913, où Sazonov a conseillé à Belgrade d'accepter l'ultimatum autrichien au sujet de l'Albanie, est encore suffisamment vivace pour alimenter leurs doutes : les Russes soutiendront-ils la Serbie cette fois-ci ? De plus, il est difficile de savoir ce que fera la France, car ses principaux leaders sont encore en voyage entre Saint-Pétersbourg et Paris ; en outre, l'ambassadeur Descos, qui depuis quelque temps souffre de surmenage, est tombé malade et a été rappelé à Paris. Son remplaçant n'est pas encore arrivé.

Aucune décision n'étant prise au cours du Conseil des ministres réuni par Pašu le soir du 23 juillet, la situation n'est toujours pas résolue lorsque Pašić arrive le lendemain matin. Ce dernier se contente de déclarer qu'aucune action ne doit être arrêtée tant que les Russes n'auront pas fait connaître leur position. En plus des consultations avec Strandmann, qui font bien sûr l'objet de rapports envoyés sur-le-champ à Saint-Pétersbourg, les Serbes formulent deux autres demandes officielles d'explication. Pašić télégraphie à Spalajković pour lui demander de sonder l'opinion du gouvernement russe. Au même moment, le prince régent Alexandar envoie un télégramme au tsar lui déclarant que « la Serbie ne peut se défendre seule » et que le gouvernement de Belgrade est prêt à accepter tous les points de l'ultimatum « que Votre Majesté [le tsar] nous conseillera d'accepter [25] ». L'historien italien Luciano Magrini conclura de ses interviews avec les principaux décideurs serbes et d'autres témoins de ces événements que le gouvernement de Belgrade avait effectivement décidé d'accepter l'ultimatum et d'éviter la guerre. « L'idée était que dans l'état qui était le sien, la Serbie ne pouvait faire autrement que de céder à une menace aussi terrible [26]. » C'est évidemment dans un esprit de résignation que Pašić compose le télégramme envoyé le 25 juillet à l'ensemble des ambassades serbes où il déclare que Belgrade a l'intention de donner une réponse « conciliatoire sur tous les points », offrant ainsi à Vienne « toute satisfaction [27] ». Ce qui, incontestablement, constitue une reculade majeure par rapport à la circulaire beaucoup plus ferme envoyé par Pašu deux jours plus tôt. Un télégramme de Crackanthorpe à Grey, envoyé peu après midi le 25 juillet, confirme qu'à ce moment, les Serbes sont même prêts à accepter les fameux points 5 et 6 exigeant une commission d'enquête mixte, « à condition que la constitution de cette commission puisse se faire conformément aux usages internationaux [28] ».

Il se peut que les nouvelles en provenance de Russie aient redonné aux Serbes toute leur résolution. Le 23 juillet vers 8 h 30 est arrivé un télégramme envoyé la veille au soir par Spalajković rapportant la conversation que ce dernier a eue avec Poincaré pendant la visite d'État. Le président avait demandé à l'ambassadeur serbe s'il avait des nouvelles de Belgrade ; Spalajković lui ayant répondu que la situation était très difficile, Poincaré lui avait alors déclaré : « Nous vous aiderons à l'améliorer [29]. » Ce qui constitue un signe d'encouragement, mais rien de particulièrement concret. Vers minuit le 24 juillet, le gouvernement de Belgrade reçoit un nouveau télégramme annonçant qu'une « décision hardie » est imminente [30].

Les deux dépêches les plus importantes de Spalajković sont envoyées dans la nuit du 24 au 25 juillet : elles détaillent une conversation avec Sazonov avant 19 heures le 24 juillet, pendant laquelle le ministre des

Affaires étrangères russe lui a transmis les conclusions d'une réunion du Conseil des ministres qui s'est tenue à 15 heures l'après-midi même. Dans le premier de ces deux télégrammes, Spalajković rapporte que Sazonov a « condamné l'ultimatum austro-hongrois avec dégoût », déclarant qu'aucun État ne pouvait accepter de telles exigences sans « commettre un suicide ». Sazonov, qui assure Spalajković que la Serbie peut « compter officieusement sur le soutien de la Russie », ne peut lui spécifier la forme que prendra ce soutien car il s'agit d'une question « dont le tsar doit décider après consultation avec la France ». Dans l'intervalle, la Serbie doit éviter toute provocation inutile. Si le pays est attaqué et ne peut se défendre, il faudra dans un premier temps faire reculer les troupes vers le sud-est et vers l'intérieur du territoire, le but n'étant pas d'accepter une occupation autrichienne mais de ménager l'armée serbe afin qu'elle soit prête à se redéployer ultérieurement [31]. Le second télégramme de la nuit, envoyé à 1 h 40 du matin le 25 juillet, rapporte que le Conseil des ministres russe, ayant décidé de prendre « des mesures énergiques pouvant aller jusqu'à la mobilisation », est sur le point de publier « un communiqué officiel par lequel la Russie prend la Serbie sous sa protection [32] ».

À 8 heures le 25 juillet, Spalajković envoie une nouvelle dépêche où il rapporte sa conversation avec l'attaché militaire serbe, qui revient tout juste de la résidence du tsar à Tsarskoe Selo. L'attaché militaire, qui s'est entretenu avec le chef d'état-major russe, informe Spalajković que le conseil militaire s'est montré « prêt à partir en guerre » et « résolu à aller jusqu'au bout pour protéger la Serbie ». Le tsar, en particulier, a surpris tous les présents par sa détermination. De plus, l'ordre a été donné qu'à 18 heures précises, au moment même où doit expirer l'ultimatum autrichien, tous les cadets de dernière année des académies militaires de Russie soient nommés officiers, signal clair de l'imminence d'une mobilisation générale. « Dans tous les milieux sans exception, la fermeté adoptée par le tsar et son gouvernement suscite la résolution et l'allégresse la plus grande [33]. » D'autres dépêches font état des mesures militaires déjà prises, de l'atmosphère de « fierté et de sacrifice » qui règne parmi la classe politique et dans la sphère publique, et de l'enthousiasme avec lequel est reçue la nouvelle que Londres a donné l'ordre à la flotte britannique de se tenir prête [34].

Ce sont donc probablement ces nouvelles en provenance de Russie qui, dissipant le fatalisme qui s'emparait de Belgrade, dissuadent les ministres serbes d'essayer d'éviter la guerre en acceptant les exigences autrichiennes [35]. En effet, le télégramme de Spalajković du 24 juillet transmettant l'assurance de soutien donnée (certes encore vague) par Sazonov arrive à Belgrade en deux parties, la première à 4 h 17 du matin puis la seconde à 10 heures le 25 juillet. Le télégramme faisant allusion à la mobilisation russe arrive à 11 h 30 le même jour, largement à temps pour que les ministres serbes en prennent connaissance avant de rédiger leur réponse à la note autrichienne [36].

Mais en dépit du durcissement de l'atmosphère, ces derniers dépensent des trésors d'énergie pour affiner leur réponse afin de créer l'illusion d'une docilité aussi grande que possible, sans compromettre la souveraineté de leur pays. Pašić, Ljuba Jovanović et la plupart des ministres alors présents, y compris le ministre de l'Intérieur Stojan Protić, le ministre de l'Économie Velizar Janković et le ministre de la Justice Marko Djuričić, tous mettent la main à la pâte. Slavko Gruić, secrétaire général du ministère des Affaires étrangères, décrira plus tard à Luigi Albertini l'atmosphère frénétique qui régnait avant la remise de la réponse. Pendant tout l'après-midi du 25 juillet, de nombreux brouillons sont rédigés auxquels les ministres, tour à tour, ajoutent ou retranchent divers passages. Même la version finale est recouverte de si nombreuses corrections, additions et suppressions qu'elle en est quasiment illisible.

> Enfin, peu après 16 heures, le texte est définitif ; on essaie de le taper mais le dactylographe, peu expérimenté, est trop nerveux et la machine à écrire ne fonctionne pas. Il faut donc le recopier à la main, en utilisant de l'encre hectographique afin d'en tirer des copies. [...] La dernière demi-heure est marquée par un travail intense. La réponse est corrigée çà et là à la main, une phrase entière, placée entre parenthèses, est biffée à l'encre de façon à être rendue illisible. À 17 h 45, Gruić remet le document sous enveloppe à Pašić [37].

Pašić espérait que ce serait Gruić ou un autre haut fonctionnaire qui apporterait la réponse au baron Giesl, mais personne n'étant volontaire, il déclare : « Très bien, je la porterai moi-même », avant de descendre l'escalier et de sortir pour se rendre à pied au rendez-vous fixé avec l'ambassadeur autrichien. Pendant ce temps, les ministres et les officiels serbes se précipitent à la gare pour prendre le train de Niš où le gouvernement serbe se replie en prévision du conflit à venir.

La réponse serbe a beau sembler bâclée, elle constitue un chef-d'œuvre d'équivoque diplomatique. Le baron Musulin, qui a rédigé la première version de l'ultimatum autrichien, la décrit comme « l'exercice de style le plus brillant de virtuosité diplomatique » qu'il ait jamais lu [38]. Le texte s'ouvre sur une déclaration pleine d'assurance : le gouvernement serbe a donné des preuves de sa politique modérée et pacifique en de multiples occasions pendant les guerres balkaniques. « C'est grâce à la Serbie et aux sacrifices qu'elle a faits dans l'intérêt exclusif de la paix européenne que la paix a été préservée. » Puisque le gouvernement serbe ne peut être tenu responsable de l'action d'individus et ne peut exercer aucun contrôle

direct sur la presse ou sur les activités pacifiques des associations, il a été
« péniblement surpris » des accusations portées par Vienne [39]. Les rédacteurs sont donc confiants que leur réponse dissipera tout malentendu
entre les deux pays.

Dans leurs réponses aux différents points de l'ultimatum, les Serbes
proposent un subtil cocktail d'acceptations, d'acceptations sous conditions, de dérobades et de refus. Ils acceptent officiellement de condamner
toute propagande pour la dissolution de l'Empire austro-hongrois ou
l'annexion de ses territoires (bien qu'ils fassent usage d'un mode verbal
qui évite d'impliquer qu'une telle propagande a effectivement existé). À
la demande de dissolution des organisations irrédentistes, ils répondent
que le gouvernement serbe ne possède « aucune preuve que la société
Narodna Odbrana et autres sociétés similaires » aient jamais commis
« quelque acte criminel » – néanmoins ils acceptent de la dissoudre ainsi
que toute organisation « qui agirait contre l'Autriche-Hongrie ». Le
point 3 déclare que le gouvernement sera tout disposé à supprimer de
l'éducation publique serbe tout élément de propagande anti-autrichienne
« quand le Gouvernement impérial et royal lui fournira des faits et des
preuves de cette propagande ». Le point 4 accepte d'exclure de l'armée
les personnes soupçonnées mais seulement après que les autorités austro-
hongroise auront communiqué « les noms et les faits reprochés à ces officiers et fonctionnaires ». Sur la question de la création de commissions
d'enquête mixtes austro-serbes (le point 5), la réponse précise que le gouvernement serbe « doit avouer qu'il ne se rend pas clairement compte du
sens et de la portée » de cette demande, mais accepte une telle collaboration « qui répondrait aux principes du droit international et à la procédure criminelle ainsi qu'aux bons rapports de voisinage ». En revanche,
le point 6 (participation des autorités autrichiennes dans les poursuites
engagées contre les personnes impliquées) est rejeté catégoriquement
comme constituant une violation de la Constitution serbe – il s'agit du
point touchant à la souveraineté serbe sur lequel Sazonov a poussé Belgrade à ne pas céder. Quant au point 7, exigeant l'arrestation de Tankosić
et de Ciganović, le gouvernement serbe déclare qu'il a déjà « fait procéder,
dès le soir même de la remise de la note, à l'arrestation du commandant
Voja Tankosić », mais qu'il n'a pas encore été possible d'arrêter Ciganović.
À nouveau le gouvernement autrichien est prié de fournir « les présomptions de culpabilité, ainsi que les preuves éventuelles de culpabilité [...]
aux fins d'enquête ultérieure ». Ce qui constitue une réponse artificieuse :
dès que le nom de Ciganović était apparu dans l'enquête menée à Sarajevo, la préfecture de police à Belgrade lui avait fait quitter la ville en
toute hâte, muni d'un ordre de mission spécial, tout en continuant
d'affirmer officiellement que personne du nom de Ciganović n'avait

jamais existé dans la capitale [40]. Dans sa réponse, le gouvernement serbe accepte sans condition les points 8 et 10 relatifs aux poursuites contre les gardes-frontières coupables d'actions illégales, et l'obligation d'informer le gouvernement austro-hongrois des mesures prises. Mais le point 9, par lequel les Autrichiens ont demandé des explications sur les commentaires hostiles faits en public par des fonctionnaires serbes pendant les jours qui ont suivi les assassinats, suscite une réponse équivoque : le gouvernement serbe « donnera volontiers des explications », une fois que le gouvernement autrichien « lui aura communiqué les passages en question de ces propos et dès qu'il aura démontré que les propos employés ont, en effet, été tenus par lesdits fonctionnaires [41] ».

On ne peut qu'admirer, tout comme Musulin à l'époque, un texte aussi subtilement rédigé. Affirmer, comme le font de nombreux récits de la période, que la réponse serbe constituait une capitulation quasi générale devant les exigences autrichiennes est profondément trompeur. Ce document est destiné aux alliés de la Serbie, non à ses adversaires – de fait, les Autrichiens n'ont obtenu que des concessions étonnamment limitées [42]. Plus encore, c'est sur Vienne que pèse désormais la responsabilité d'ouvrir l'enquête sur les ramifications serbes de la conspiration, sans avoir obtenu la moindre concession sur le genre de collaboration qui permette de remonter efficacement les différentes pistes. En ce sens, ce document s'inscrit dans le droit fil de la stratégie poursuivie par les autorités serbes depuis le 28 juin : nier catégoriquement toute forme d'implication et s'abstenir de prendre la moindre initiative qui puisse être interprétée comme la reconnaissance d'une quelconque responsabilité. De nombreuses réponses à des points spécifiques n'offrent que la perspective de longues négociations acrimonieuses – et vraisemblablement stériles – sur ce qui constitue précisément « les faits et les preuves » de propagande irrédentiste ou d'activités clandestines au sein de l'armée et l'administration. L'appel au droit international, bien qu'efficace en termes de propagande, n'est que de l'obstruction pure et simple puisqu'il n'existe aucune jurisprudence internationale sur de telles situations, ni aucun organisme ayant autorité pour les résoudre dans un cadre légal contraignant. Cependant, le texte est rédigé de façon à reproduire les intonations d'hommes d'État sensés, plongés dans un embarras sincère, essayant de comprendre des exigences exorbitantes et inacceptables. Dans le texte résonne la voix mesurée de la Serbie politique et constitutionnelle désavouant tout lien avec sa sœur jumelle panserbe et expansionniste, selon un schéma profondément ancré dans l'histoire des relations extérieures de cette nation. Ce qui suffit naturellement à persuader les amis de la Serbie que, face à une capitulation aussi complète, Vienne n'a plus aucune raison d'agir.

En réalité, le texte constitue un refus habilement maquillé de la plupart des exigences autrichiennes. On peut d'ailleurs raisonnablement se poser la question : Pašić a-t-il vraiment le choix, fin juillet, alors qu'en refusant de prendre l'initiative de poursuivre les réseaux irrédentistes après l'attentat, il a laissé la crise atteindre ce paroxysme ? Nous avons déjà examiné les nombreuses raisons qui peuvent expliquer la passivité singulière du Premier ministre après le 28 juin – une vulnérabilité persistante après le combat politique récemment mené contre le parti militariste et la Main noire ; des habitudes de prudence et de secret profondément ancrées, acquises à la suite de trente années passées au sommet de la vie politique serbe, exposé à tous les dangers ; et la sympathie idéologique foncière que Pašić et ses collègues éprouvent pour la cause irrédentiste. À ceci on peut ajouter une autre considération : Pašić a certainement de bonnes raisons de craindre une enquête approfondie, parce qu'elle aurait sûrement dévoilé les liens qui unissaient les conspirateurs à l'élite politique serbe. La moindre lueur jetée sur les machinations d'Apis aurait nui à la cause de Belgrade, et le mot est faible. Mais il y avait plus inquiétant : le risque qu'en enquêtant sur l'agent double Ciganović (déjà identifié comme suspect), les Autrichiens ne découvrent que Pašić et ses collègues étaient au courant du complot avant même sa réalisation. Or le 7 juillet, au cours de l'interview qu'il avait donnée à *Az Est* (« Le Soir »), le Premier ministre avait formellement démenti toute connaissance préalable. Dans un sens, peut-être, les Autrichiens ont-ils exigé des Serbes l'impossible, à savoir que la Serbie officielle, celle qui figure sur la carte politique de l'Europe, mette fin à l'existence de la Serbie expansionniste de l'irrédentisme panserbe. Le dilemme, c'est que les deux Serbie étaient interdépendantes et interchangeables, les deux faces d'une même pièce. À l'entrée de la salle de réception du ministère de la Guerre, lieu officiel par excellence, était accroché un tableau représentant une allégorie de la patrie en armes dressée devant un paysage serbe, une femme dont le bouclier portait la liste des provinces non encore libérées : Bosnie, Herzégovine, Voïvodine, Dalmatie, etc. [43].

Avant même de recevoir la réponse, Giesl sait que les Serbes n'accepteront pas l'ultimatum sans conditions. Depuis 15 heures, l'ordre de mobilisation générale de l'armée serbe est effectif ; la garnison de Belgrade a quitté la ville à grand bruit pour prendre position en hâte sur les hauteurs ; la Banque nationale et les archives d'État évacuent pour se replier vers l'intérieur, et le corps diplomatique se prépare à suivre le gouvernement, qui doit provisoirement rejoindre Kragujevac avant de poursuivre jusqu'à Niš [44]. L'un des ministres serbes participant à la rédaction de la réponse l'a également prévenu confidentiellement [45]. Cinq minutes avant l'expiration de l'ultimatum, à 17 h 55 le samedi 25 juillet, Pašić se présente donc à la légation autrichienne pour remettre la note serbe, s'adressant à Giesl dans un allemand approximatif (car il ne parle pas français) : « Une partie de vos exigences, nous les avons acceptées [...], pour le reste, nous nous en remettons à votre loyauté et à vos sentiments chevaleresques d'officier autrichien. » Puis il repart. Giesl se contente de survoler dédaigneusement le texte, constate qu'il est insuffisant et signe une lettre déjà préparée informant le Premier ministre serbe qu'il quitte Belgrade le soir même avec le personnel diplomatique. La protection des citoyens et des biens austro-hongrois est officiellement confiée à la légation allemande, les codes secrets sortis du coffre-fort et brûlés, et les bagages, déjà prêts, chargés dans des voitures qui attendent à la porte. À 18 h 30, Giesl, son épouse et le personnel de l'ambassade sont dans le train qui quitte Belgrade et dix minutes plus tard, ils franchissent la frontière.

Cela signifie-t-il la guerre ? Dans un curieux télégramme envoyé le 24 juillet à Mensdorff, l'ambassadeur autrichien à Londres, Berchtold lui demande d'informer Edward Grey que la note autrichienne n'est pas un ultimatum officiel, mais une « démarche limitée dans le temps » qui, si le délai expire sans réponse satisfaisante, entraînera la rupture des relations diplomatiques et le commencement des préparatifs militaires nécessaires. Cependant, la guerre peut encore être évitée : si la Serbie décide ultérieurement de reculer « sous la pression de nos préparatifs militaires » poursuit Berchtold, elle recevra une demande d'indemnisation des coûts encourus par l'Autriche[46]. Le lendemain, alors qu'il se rend à Bad Ischl, à quelque deux cent cinquante kilomètres à l'ouest de Vienne, pour y rejoindre l'empereur François-Joseph, un télégramme envoyé de la capitale par le chef de la première section, le comte Macchio, le rattrape alors qu'il est à Lambach. Il l'informe que le chargé d'affaires russe à Vienne, Koudachtchev, a demandé officiellement la prolongation du délai. Dans sa réponse, Berchtold déclare que c'est impossible, mais ajoute que même après l'expiration du délai, la Serbie peut encore éviter la guerre en acceptant les exigences autrichiennes[47]. Ces mots reflètent-ils, comme le croyait Albertini, un moment de doute[48] ? Ou peut-être ne s'agit-il que de gagner du temps, car nous avons vu combien les Autrichiens sont inquiets à l'idée de prendre du retard dans leurs préparatifs militaires une fois que ceux-ci deviendront nécessaires.

Rétrospectivement, il est clair que ces manœuvres de dernière minute n'avaient aucune chance d'aboutir. Le 26 et le 27 juillet, Spalajković multiplie les dépêches triomphales, rapportant que les Russes, qui mobilisent 1,7 million de soldats, s'apprêtent à « déclencher sur-le-champ une offensive énergique contre l'Autriche-Hongrie dès que celle-ci attaquera la Serbie ». Le tsar est convaincu, écrit-il le 26 juillet, que les Serbes « se battront comme des lions » et pourront même vaincre les Autrichiens tout seuls, en lançant une offensive de leur bastion de l'intérieur du pays. La position de l'Allemagne, en revanche, n'est pas encore claire mais même si elle se jette dans la mêlée, le tsar est convaincu qu'il y a de grandes chances d'obtenir « une partition de l'Autriche-Hongrie ». En cas d'échec, les Russes exécuteront « le plan militaire français, si bien que la victoire contre l'Allemagne serait presque certaine [49] ».

L'ancien directeur politique du ministère des Affaires étrangères serbe, emporté par son enthousiasme, en arrive à faire des propositions de stratégie : « À mon avis, ceci nous offre une occasion unique d'exploiter l'événement judicieusement et de parvenir à la réunification des Serbes. Il est donc souhaitable que l'Autriche nous attaque. En ce cas, en avant, à la grâce de Dieu ! » Ces cris de guerre en provenance de Saint-Pétersbourg contribuent à durcir l'atmosphère. Des concessions de dernière minute semblent désormais inconcevables. Pašić était convaincu depuis longtemps que l'unification de la Serbie ne se ferait pas en temps de paix, mais qu'elle ne pourrait être forgée que dans le creuset d'une grande guerre, avec l'aide d'une grande puissance. Cette conviction n'était pas un plan et ne l'avait jamais été – c'était un avenir souvent imaginé dont l'heure semblait désormais imminente. Deux semaines s'écouleront encore avant que les premiers combats sérieux ne s'engagent, mais la route qui mène à la guerre est en vue et la Serbie ne regardera plus en arrière.

Une « guerre locale » commence

Le matin du 28 juillet 1914, à la villa impérial de Bad Ischl, assis au bureau de son cabinet de travail, l'empereur François-Joseph signe sa déclaration de guerre à la Serbie avec une plume d'autruche. Face à lui se dresse le buste en marbre de son épouse décédée. À sa droite se trouve un allume-cigare électrique dernier cri, un objet de bronze peu maniable posé sur un socle de bois foncé dont le cordon d'alimentation serpente jusqu'à une prise située derrière son bureau. Le texte s'inspire directement de celui que les Autrichiens ont utilisé pour déclarer la guerre à la Prusse en 1866 :

> À tous mes peuples ! C'était mon souhait le plus fervent que de consacrer les années que, par la grâce de Dieu, il me reste à vivre, aux œuvres de la paix et de protéger mes peuples des lourds sacrifices et du fardeau de la guerre. La Providence, dans sa sagesse, en a décrété autrement. Les machinations d'un adversaire malveillant me contraignent, pour la défense de l'honneur de ma monarchie, pour la protection de sa dignité et de son statut de puissance, pour la sécurité de ses possessions, à brandir à nouveau l'épée après de longues années de paix [50].

Au moment où l'empereur signe cette déclaration, la plupart des habitants de Belgrade ont déjà déserté la ville. Tous les hommes en âge de combattre ont été mobilisés et beaucoup de familles se sont réfugiés chez des proches dans l'intérieur du pays. La plupart des étrangers sont partis également. À 14 heures le 28 juillet, la rumeur que le déclenchement de la guerre est imminent se répand comme une traînée de poudre dans toute la ville. Les éditions spéciales de tous les journaux sont épuisées avant même que les vendeurs n'aient le temps de parcourir les rues [51]. Avant la fin de journée, deux bateaux à vapeur serbes qui transportaient des munitions et des mines sur le Danube ont été saisis par des sentinelles autrichiennes. Peu après 1 heure du matin le lendemain, les soldats serbes font sauter le pont sur la Save entre Semlin et Belgrade. Des canonnières autrichiennes ouvrent le feu et après un bref engagement, les Serbes se replient.

Sigmund Freud, alors âgé de cinquante-huit ans, accueille la nouvelle que la guerre a enfin été déclarée avec allégresse : « Pour la première fois depuis trente ans, je me sens autrichien et désire donner une seconde chance à cet empire dans lequel je ne plaçais que peu d'espoirs. Toute ma libido est offerte à l'Autriche-Hongrie [52]. »

11

COUPS DE SEMONCE

La fermeté l'emporte

Après quatre jours épuisants où se sont enchaînés réceptions, défilés militaires, discours, dîners et toasts, Maurice Paléologue éprouve le besoin de se reposer. Après avoir raccompagné Poincaré sur *La France* au soir du 23 juillet, il demande à son domestique de ne pas le réveiller le lendemain matin. Mais à 7 heures, le téléphone sonne. La nouvelle de l'ultimatum autrichien surprend l'ambassadeur, qui n'est pas encore levé et la reçoit comme un rêve dans son demi-sommeil :

> L'événement m'apparaît à la fois irréel et certain, imaginaire et avéré. Il me semble que je poursuis ma conversation d'hier avec l'Empereur, que je formule des hypothèses et des prévisions ; simultanément, j'ai la sensation forte, positive, irrécusable, du fait accompli [1].

Annulant le déjeuner qu'il avait prévu, Paléologue accepte une réunion à l'ambassade de France avec Sazonov et Sir George Buchanan, l'ambassadeur britannique [2]. D'après ses propres Mémoires, il rappelle à ses deux hôtes les toasts échangés la veille entre le président français et le tsar, avant d'insister sur la nécessité que les trois puissances de l'Entente adoptent une politique de « fermeté ». Sazonov semble interloqué : « Mais supposez que cette politique nous mène inéluctablement à la guerre ? » La fermeté n'entraînera la guerre, répond Paléologue, que si les « puissances germaniques » ont déjà « décidé de recourir à la force pour assurer leur hégémonie à l'est ». L'ambassadeur français reprend exactement l'argument que Bethmann a développé avec son conseiller Riezler au cours de la seconde semaine de juillet.

Il est douteux que Sazonov ait été aussi passif que ne le suggère le récit de Paléologue. Dans la dépêche que Buchanan consacre à la même conversation, c'est au contraire le ministre russe qui fait monter les enchères en déclarant : « La Russie, en tout cas, devra décréter la mobilisation[3]. » Quoi qu'il en soit, il est clair que les trois hommes prennent extrêmement au sérieux la situation créée par l'ultimatum autrichien. Sazonov et Paléologue poussent ensemble Buchanan à convaincre son gouvernement de ne pas rester neutre, ce qui serait « synonyme de suicide ». Se rangeant à leur avis, Buchanan s'engage à « plaider avec éloquence » auprès de Grey en faveur d'une politique de « résistance à l'arrogance allemande[4] ». Le comte de Robien, qui s'entretient avec l'ambassadeur l'après-midi même, en est consterné : « À ce déjeuner néfaste, ils se sont excités les uns les autres. Paléologue a dû être particulièrement véhément en se targuant des conversations qu'il avait eues avec Poincaré[5]. »

En réalité, Sazonov n'a nul besoin des encouragements de Paléologue ni de qui que ce soit d'autre. Avant même le déjeuner à l'ambassade de France, il a fustigé l'ambassadeur autrichien en des termes qui ne laissent aucun doute quant à la façon dont il interprète la situation et dont il souhaite y répondre. Après que Fritz Szapáry, comme c'est la coutume en de telles situations, lui a lu le texte de la note à haute voix, Sazonov a rugi plusieurs fois : « Je sais ce qui se passe. Vous voulez faire la guerre à la Serbie ! Ce sont les journaux allemands qui vous poussent ! Vous êtes en train de mettre le feu à l'Europe. C'est une lourde responsabilité que vous prenez là et vous en verrez les conséquences à Londres, à Paris, et peut-être ailleurs. » Szapáry lui propose donc de lui adresser un dossier de preuves pour justifier les exigences de Vienne, une offre que Sazonov balaie, disant cela ne l'intéresse pas : « Vous voulez la guerre et vous avez brûlé vos vaisseaux. » À Szapáry qui lui déclare alors que l'Autriche, « la puissance la plus pacifique du monde », a le droit de défendre ses intérêts vitaux, Sazonov, sarcastique, réplique : « On voit bien combien vous êtes pacifique, vous qui mettez le feu à l'Europe[6]. » Szapáry quitte la réunion dans un état de grande agitation pour se précipiter à l'ambassade d'Autriche, encoder et envoyer son rapport.

À peine est-il parti que Sazonov convoque le chef d'état-major, le général Yanouchkevitch, au ministère des Affaires étrangères. Le gouvernement, lui annonce-t-il, s'apprête à publier un communiqué de presse déclarant que la Russie ne compte pas « rester inactive » si la « dignité et l'intégrité du peuple serbe, nos frères de sang, sont menacées ». De fait, le communiqué correspondant sera transmis à la presse le lendemain. Puis les deux hommes discutent de plans de « mobilisation partielle contre l'Autriche-Hongrie seulement[7] ». Pendant les jours qui suivront la présentation de l'ultimatum autrichien, le ministre des Affaires étrangères russe, s'en tenant à sa stratégie de fermeté, multipliera les déclarations martiales et prendra des décisions qui contribueront à la surenchère dans la crise.

Le jour même à 15 heures se déroule une réunion du Conseil des ministres qui va durer deux heures. Sazonov, tout juste sorti de son déjeuner avec Paléologue et Buchanan, prend la parole en premier et commence par esquisser le contexte plus global de la crise. L'Allemagne, déclare-t-il, s'est engagée depuis longtemps dans des « préparatifs systématiques » qui visent non seulement à accroître son pouvoir en Europe centrale mais à obtenir tous les objectifs qu'elle s'est fixés « en matière de politique internationale, sans la moindre considération pour l'opinion ni l'influence des pays qui n'appartiennent pas à la Triple-Alliance ». Au cours de la dernière décennie, la Russie a répondu à ces défis par une modération et une patience inépuisables, mais ses concessions n'ont fait qu'encourager les Allemands à utiliser des « méthodes agressives ». Le temps est venu de résister. L'ultimatum autrichien a été rédigé « de connivence avec les Allemands » ; si Belgrade l'acceptait, la Serbie deviendrait *de facto* un protectorat des puissances centrales. Si la Russie abandonnait sa « mission historique » d'assurer l'indépendance des peuples slaves, elle serait « considérée comme un État décadent », perdrait « toute son autorité » et « son prestige dans les Balkans » et « par conséquent n'occuperait plus qu'une place de second rang parmi les puissances ». Résister, prévient-il cependant, signifie prendre le risque d'une guerre avec l'Autriche et l'Allemagne, un danger d'autant plus grand que l'on ne sait pas encore précisément quelle sera la position de la Grande-Bretagne [8].

C'est Alexandre Vassilievitch Krivocheïne, le ministre de l'Agriculture – l'un de ceux qui se sont opposés à Kokovtsov et ont causé sa chute – qui prend ensuite la parole. Jouissant de la faveur du tsar, il entretient des liens étroits avec les lobbies nationalistes de la Douma. En tant que ministre de l'Agriculture, il est également très proche des *zemstvos*, ces assemblées élues dominées par la noblesse qui forment le gouvernement local de la majeure partie de l'Empire russe. Depuis des années, il est également lié à *Novoïe Vremia*, le journal connu pour ses positions nationalistes sur les questions balkaniques et sa défense des revendications russes dans les Détroits [9]. Krivocheïne a soutenu les décisions de mobilisation partielle prises par Soukhomlinov au cours de la crise contre l'Autriche en novembre 1912, affirmant alors « qu'il était grand temps que la Russie cesse de s'humilier devant les Allemands [10] ». Il semble également très proche de la volubile Militza de Monténégro, qui le considère comme son allié dans la lutte menée par ce petit royaume pour sauver les Slaves du Sud [11]. Après le départ de Kokovtsov, Krivocheïne, belliciste de plus en plus germanophobe, est devenu l'homme fort du Conseil des ministres.

Lorsqu'il prend la parole devant le Conseil le 24 juillet, Krivocheïne développe tout un éventail d'arguments pour et contre une réaction militaire, avant de préconiser en conclusion de réagir avec fermeté à la démarche autrichienne. La Russie, fait-il remarquer, est sans conteste dans une position politique, financière et militaire incomparablement meilleure qu'après le désastre de 1904-1905. Mais le programme de réarmement n'a pas encore été achevé, et il n'est pas certain que les forces armées russes puissent jamais rivaliser avec les Allemands et les Austro-Hongrois en termes « d'efficacité technique moderne ». D'un autre côté, « les conditions générales » s'étant améliorées au cours des dernières années – peut-être fait-il là référence au renforcement de l'Alliance franco-russe –, il serait difficile au gouvernement impérial d'expliquer à l'opinion publique et à la Douma pourquoi « il hésite à agir résolument ». Puis vient le cœur de l'argument : dans le passé, les « prises de position exagérément prudentes » de la Russie n'ont pas permis de « satisfaire » les puissances centrales européennes. À l'évidence, en cas d'hostilités, les risques encourus par la Russie sont grands, ce que la guerre russo-japonaise a clairement démontré. Mais alors même que la Russie désire la paix, davantage de « conciliation » n'est pas le moyen de l'obtenir : « Il se pourrait que la guerre éclate malgré nos tentatives de conciliation. » Dans les circonstances actuelles, la stratégie la meilleure consiste donc à adopter « une attitude plus ferme et plus énergique pour s'opposer aux revendications déraisonnables des puissances centrales [12] ».

La déclaration de Krivochéïne fait une profonde impression, et aucun des orateurs suivants ne propose le moindre argument pour modifier ses conclusions. Le ministre de la Guerre Soukhomlinov et le ministre de la Marine Grigorovitch admettent que le programme de réarmement est inachevé, mais tous deux « [réaffirment] néanmoins que l'hésitation n'[est] plus de mise » et qu'ils ne voient « aucune objection à l'idée de faire preuve d'une plus grande fermeté ». Peter Bark, s'exprimant au nom du ministre des Finances, émet certes quelques réserves quant à la capacité de la Russie à faire face au fardeau financier et économique d'une guerre continentale, mais même lui reconnaît que faire davantage de concessions ne garantira pas le maintien de la paix : « Puisque l'honneur, la dignité et l'autorité de la Russie [sont] en jeu », il ne voit pas de raison de s'opposer à l'avis de la majorité. Résumant l'opinion générale, le Premier ministre conclut qu'il est « du devoir du gouvernement impérial de se prononcer immédiatement en faveur de la Serbie ». La fermeté a davantage de chances de sauver la paix que la conciliation, et en cas d'échec, « la Russie devrait être prête à faire les sacrifices requis [13] ». Finalement, le Conseil adopte les cinq résolutions suivantes : (i) demander à l'Autriche d'allonger le délai de l'ultimatum ; (ii) conseiller à la Serbie de ne pas livrer bataille sur sa frontière, mais de regrouper ses forces au centre du

territoire ; (iii) demander au tsar d'approuver « le principe » d'une mobilisation des districts de Kiev, Odessa, Kazan et Moscou ; (iv) ordonner au
ministre de la Guerre d'accélérer la constitution de stocks d'équipements
militaires ; (v) retirer les fonds russes investis en Allemagne en Autriche [14].

« Cette fois, c'est la guerre »

Le lendemain (le 25 juillet), le Conseil des ministres se réunit en séance
solennelle présidée par le tsar, en présence du chef d'état-major Yanouchkevitch et du grand-duc Nikolaï, gouverneur militaire du district de
Saint-Pétersbourg et mari d'Anastasie de Monténégro (la princesse qui a
entrepris Poincaré de manière si directe pendant la visite d'État). Cette
réunion, qui confirme les décisions de la veille, débouche sur de nouvelles
mesures militaires encore plus détaillées, dont la plus importante consiste
à autoriser la mise en œuvre d'une série de réglementations complexes
dites de la « période préparatoire à la guerre ». Ces mesures, qui
impliquent de nombreuses dispositions prévues pour faciliter la mobilisation, doivent être appliquées non seulement dans les districts limitrophes
de l'Autriche-Hongrie, mais dans l'ensemble de la Russie européenne [15].

Ces réunions du 24 et 25 juillet sont d'une importance capitale. Dans
une certaine mesure, elles représentent une renaissance de dernière
minute du Conseil des ministres, dont l'influence sur la politique étrangère avait décliné depuis la mort de Stolypine. Il était en effet assez inhabituel que la politique étrangère soit débattue de cette façon par le
Conseil [16]. En focalisant l'attention de ses collègues sur l'Allemagne désignée comme instigatrice de la crise, Sazonov révèle combien il a intégré
la logique de l'Alliance franco-russe selon laquelle « l'adversaire principal »
est bien l'Allemagne, et non l'Autriche. Que cette crise soit d'origine
autrichienne plutôt qu'allemande ne fait aucune différence, puisque
l'Autriche est considérée comme le cheval de Troie d'une stratégie allemande malveillante dont les objectifs ultimes (au-delà de l'acquisition
d'une hégémonie sur le nord-est) demeurent flous. Quant au problème
de l'impréparation relative de la Russie (par rapport à ce qui était
escompté pour 1917), les ministres traitent la question en se contentant
de quelques vagues références à une guerre qui éclatera « quoi qu'il
arrive », même si la Russie faisait le choix de « se concilier » les Allemands
en s'abstenant d'attaquer leurs alliés autrichiens. Cet argument ressemble
superficiellement au raisonnement poursuivi par Bethmann pendant les
premières semaines de juillet : l'idée que l'on puisse considérer la crise de
Sarajevo comme un moyen de tester les intentions des Russes. Si les

Russes optaient pour la guerre, malgré tous les obstacles, cela signifierait qu'ils voulaient la guerre à tout prix. Mais il y a une différence cruciale entre la Russie et l'Allemagne : Bethmann employait cet argument pour justifier d'accepter la guerre au cas où la Russie déciderait de la déclencher ; à aucun moment (avant la mobilisation générale en Russie) cet argument n'est utilisé par l'Allemagne pour justifier des mesures préemptives. Alors qu'à Saint-Pétersbourg au contraire, les mesures envisagées, de nature proactive, ne répondent pas à une menace directe contre la Russie et risquent de faire dégénérer la crise de manière quasi certaine.

Les mesures militaires adoptées par le Conseil des ministres le 24 et le 25 juillet semblent tout particulièrement inexplicables. Évoquée par Sazonov et Yanouchkevitch, la mobilisation partielle, dont le principe est adopté le 24 juillet, est une procédure totalement irréaliste et potentiellement dangereuse. Même partielle, toute mobilisation menaçant l'Autriche-Hongrie entraînera inéluctablement, par le jeu des alliances austro-allemandes, des contre-mesures de la part de Berlin, de la même façon qu'une mobilisation allemande partielle contre la Russie déclencherait inévitablement des contre-mesures françaises, que l'Allemagne choisisse ou non de mobiliser sur son front ouest. Et en cas de contre-mesures, les zones frontalières dans lesquelles il n'y aura pas de mobilisation seront doublement exposées (comme par exemple le flanc droit d'un corps d'armée dirigé au sud contre l'Autriche). La marge de manœuvre donnée par une éventuelle mobilisation partielle est donc largement illusoire. Plus inquiétant encore : les plans russes ne prévoient tout simplement pas de scénario de mobilisation partielle, ni de calendrier spécifique pour une mobilisation dirigée contre l'Autriche uniquement. La planification en vigueur, désignée sous le titre de « Calendrier de mobilisation n° 19 », consiste en « un ensemble intégré, une proposition tout-ou-rien » qui ne fait pas la distinction entre les deux adversaires [17]. Les différents districts militaires ayant des densités de population extrêmement différentes, la plupart des corps d'armée doivent incorporer des réservistes venant d'autres zones de mobilisation. De plus, en cas de mobilisation générale, il est prévu que certains corps d'armée des régions proches de l'Autriche se déploient dans le saillant polonais, à proximité de la frontière allemande. Et par-dessus le marché, une mobilisation limitée à certains secteurs engendrerait une situation chaotique dans la gestion déjà extrêmement complexe des flux ferroviaires vers les zones de mobilisation et entre elles. Improviser une mobilisation partielle contre l'Autriche-Hongrie n'est donc pas seulement une gageure en soi : cela met en danger la capacité de la Russie à passer à une mobilisation générale, si celle-ci devient nécessaire par la suite [18].

Lorsque l'on considère ces innombrables difficultés, il semble incompréhensible qu'une mobilisation partielle ait été sérieusement envisagée. Pourquoi Sazonov la préconise-t-il ? On peut comprendre l'attrait à première vue d'une mesure semblant offrir une alternative à la mobilisation générale qui, certainement, aurait déclenché une guerre continentale. Nul doute que Sazonov se rappelle la crise de l'hiver 1912-1913 où l'armée russe a improvisé un plan de mobilisation bouche-trou contre l'Autriche-Hongrie. Peut-être ce ministre civil, notoirement ignorant en la matière, n'est-il pas conscient des difficultés réelles, dans un contexte où l'expertise militaire est un secret jalousement gardé et la communication entre civils et militaires extrêmement réduite. Il est clair également qu'il est fort mal conseillé par le chef d'état-major Yanouchkevitch, un homme aux compétences très limitées qui, cinq mois après sa prise de fonction, n'en a toujours pas pris la mesure. Courtisan plutôt que soldat, Yanouchkevitch n'avait aucun état de service sur le terrain et sa promotion, qui avait suscité la surprise générale, était sans doute due à l'affection que lui portait le tsar plus qu'à ses compétences professionnelles [19]. Cependant, même après que les subordonnés du chef d'état-major et le chef d'état-major lui-même lui ont fait remarquer l'absurdité d'une mobilisation partielle, Sazonov refuse d'y renoncer. Éprouve-t-il le besoin de pouvoir proposer au tsar une alternative à la mobilisation générale ? Espère-t-il qu'une mobilisation partielle suffise à persuader les Allemands et les Autrichiens de renoncer ? ou qu'au contraire, cette décision engagera le tsar dans un processus qu'il sera obligé de poursuivre en acceptant une mobilisation générale ? Le moins que l'on puisse dire, c'est que toutes ces incertitudes suggèrent que le sommet de l'exécutif russe n'agit pas avec cohérence, une impression renforcée par la proposition du tsar d'ajouter la flotte de la Baltique à la mobilisation partielle décrétée par Sazonov, même si cette dernière décision contrecarre l'intention du ministre des Affaires étrangères de ne pas provoquer les Allemands [20].

Quoi qu'il en soit, en ces 24 et 25 juillet, la mobilisation partielle demeure une stratégie virtuelle, du moins jusqu'au 28 juillet où le Conseil des ministres décide effectivement de la rendre publique ; dans l'intervalle, il prend une décision encore plus importante : activer le « règlement de la période préparatoire à la guerre du 2 mars 1913 ». Cette loi de prémobilisation prévoit le renforcement de la sécurité et de la préparation dans les dépôts d'approvisionnement et les armureries, l'accélération des travaux de remise en état des chemins de fer, l'inspection de tous les services, le déploiement de forces de couverture sur certaines positions des fronts menacés et le rappel des réservistes à leurs camps d'entraînement. D'autres mesures sont également prises : les troupes en manœuvre loin de leurs bases doivent être rappelées sur-le-champ. Près de trois mille cadets doivent être promus pour porter les effectifs du corps des officiers au nombre nécessaire en temps de guerre. Les ports doivent être minés, les chevaux et les chariots rassemblés et l'état de guerre déclaré dans toutes les forteresses des districts de Varsovie, Vilnius et Saint-Pétersbourg, afin que les autorités militaires possèdent les pouvoirs requis pour assurer une mobilisation générale rapide quand elle sera décrétée. De plus, ces mesures s'appliquent non seulement dans les zones frontalières de l'Autriche mais aussi dans toute la Russie européenne [21].

De toute évidence, de telles décisions sont extrêmement risquées : comment les Allemands ou les Autrichiens pourraient-ils faire la différence entre ces mesures de prémobilisation si étendues et la première phase d'une mobilisation à proprement parler ? Le texte du « règlement du 2 mars » permet d'en mesurer la portée : il stipule que les réservistes des divisions frontalières devront être rappelés et recevront une instruction « sur les uniformes portés par l'ennemi et son probable déploiement ».

> Les chevaux devront être ferrés à neuf, plus aucune permission ne sera accordée et les hommes et les officiers en permission ou retenus ailleurs devront revenir immédiatement dans leurs quartiers. Toute personne soupçonnée d'espionnage devra être arrêtée. Les chevaux, le bétail et les céréales ne pourront plus être exportés tandis que les liquidités et les valeurs détenues dans des banques proches de la frontière devront être transférées vers l'intérieur du territoire. Tous les navires devront revenir à leur port d'attache pour y être avitaillés et armés [22].

Yanouchkevitch augmente encore le risque de malentendu en recommandant expressément aux commandants des districts militaires de ne pas s'en tenir à la lettre du règlement du 2 mars, mais au contraire de renforcer les mesures prescrites s'ils le jugent approprié.

Comme il fallait s'y attendre, de nombreux observateurs prennent cette prémobilisation pour une mobilisation partielle. Le 26 juillet, l'attaché militaire belge à Saint-Pétersbourg rapporte que le tsar a ordonné la mobilisation « de dix corps d'armée dans les circonscriptions militaires de Kiev et d'Odessa », ajoutant que la nouvelle a été « reçue avec le plus grand enthousiasme par les milieux militaires » ; dans une dépêche envoyée le lendemain, il précise que les journaux ont reçu l'interdiction formelle d'évoquer publiquement « la mobilisation de l'armée [23] ». De leur côté, les consuls autrichiens et allemands ainsi que les attachés et autres diplomates, alarmés, multiplient les dépêches. De Copenhague, l'ambassadeur autrichien, le comte Széchényi, écrit le 26 juillet que le ministre des Affaires étrangères danois Eric Scavenius a reçu des informations en provenance de Saint-Pétersbourg indiquant que la Russie a déjà commencé à mobiliser – même si, au vu de la précipitation dans laquelle ces mesures offensive ont été prises, Széchényi pense peu probable que la France ou l'Angleterre se sentent tenues d'intervenir[24]. Le lendemain, Hein, le consul autrichien à Kiev, fait état du rappel des officiers dans leurs garnisons ; il décrit de longues colonnes d'unités d'artillerie quittant Kiev pour se diriger vers une destination inconnue à l'ouest. Plus tard le même jour (27 juillet), il note que seize trains chargés de matériel d'artillerie et de cosaques quittent Kiev, tandis que vingt-six trains militaires transportant également du matériel d'artillerie et des sapeurs venus d'Odessa repartent vers la frontière autrichienne. Le vaste camp militaire de Kiev est désormais désert, les soldats étant partis prendre leurs quartiers d'hiver ou étant rassemblés à la gare pour embarquer dans les trains[25]. Une autre dépêche codée arrive à Vienne en provenance de Szczakowa dans le saillant polonais : des manœuvres en cours dans la région ont été interrompues, les soldats regroupés en ville et « un important détachement d'artillerie » chargé dans des wagons, à la gare desservant Vienne. Durant la nuit précédente, sept trains transportant des sapeurs sont déjà passés par cette gare[26]. De Moscou, on apprend que l'aviation impériale russe (dont les effectifs sont en deuxième position après la France) s'est repositionnée vers l'ouest, tandis qu'un régiment de cavalerie est arrivé d'Iekaterinoslav (aujourd'hui Dniepropetrovsk), à quelques mille kilomètres plus au sud[27]. Les autorités autrichiennes de Galicie annoncent elles aussi que des concentrations de troupes très importantes incluant de l'artillerie et des cosaques ont pris position de l'autre côté de la frontière[28]. Des régiments d'infanterie (cosaques et dragons) ont quitté Batoum sur la côte est de la mer Noire pour se diriger vers Varsovie[29]. Des dépêches affluent également à l'ambassade allemande de Saint-Pétersbourg, envoyées par les différents consulats de Russie, décrivant toutes les signes d'une immense armée se préparant à la guerre : les rivières sont minées, le matériel ferroviaire est saisi, une division entière d'artillerie quitte Kiev vers l'ouest. On ne peut plus envoyer de télégrammes cryptés en allemand depuis le bureau télégraphique de Moscou. Des soldats reviennent de grandes manœuvres, des unités d'infanterie et de cavalerie se rapprochent de Lublin et de Kovel, les chevaux sont rassemblés en grand nombre dans des points de rassemblements, d'importants convois de véhicules militaires font mouvement[30]. Dès le 25 juillet au soir, lorsque Maurice Paléologue s'était rendu à la gare pour saluer Izvolski qui repartait de Saint-Pétersbourg à Paris « en toute hâte », les deux hommes avaient été surpris de l'agitation qui y régnait :

> Sur les quais l'animation est vive : les trains sont bondés d'officiers et de soldats. Cela sent déjà la mobilisation. Nous échangeons rapidement nos impressions et nous concluons de même : cette fois, c'est la guerre[31].

Motivations russes

En prenant ces décisions, Sazonov et ses collègues aggravent la crise et augmentent fortement la probabilité qu'une guerre générale se déclenche en Europe. En tout premier lieu, la prémobilisation russe modifie l'alchimie politique en Serbie : alors que le gouvernement de Belgrade envisageait à l'origine d'accepter l'ultimatum, il est désormais impensable de céder à la pression autrichienne. Elle intensifie également la pression sur le gouvernement russe lui-même, car le spectacle d'hommes en uniforme et l'annonce que la Russie ne restera pas indifférente au destin de la Serbie stimulent l'ardeur de la presse nationaliste. Elle déclenche tous les signaux d'alarme en Autriche-Hongrie. Mais de façon plus cruciale encore, la prémobilisation fait monter la pression sur l'Allemagne qui, jusqu'à présent, s'est abstenue de tout préparatif militaire et compte toujours éviter l'extension du conflit austro-serbe.

Pourquoi Sazonov prend-il ces décisions ? Personnage dissimulateur, il n'a jamais donné un compte rendu fiable de ses actions ou de ses motivations pendant cet été, mais la réponse la plus évidente et la plus plausible à cette question réside dans sa toute première réaction à la nouvelle de l'ultimatum : « C'est la guerre européenne ! » Dès le début, Sazonov est convaincu que toute initiative militaire de Vienne contre la Serbie devra nécessairement déclencher une contre-attaque russe. Il réagit donc à l'ultimatum dans la logique de tous ses engagements précédents. Il n'a jamais reconnu le fait que l'Autriche-Hongrie ait le droit de prendre des contre-mesures pour lutter contre l'irrédentisme serbe. Au contraire, il a endossé la cause du nationalisme balkanique en adoptant explicitement le credo selon lequel la Serbie est l'héritière légitime de tous les territoires peuplés de Slaves du Sud non encore libérés du joug de la Double Monarchie – cette structure multiethnique obsolète dont les jours sont comptés, il en est persuadé. Jamais apparemment l'idée ne l'a effleuré que l'Empire russe, autocratique et pluriethnique, où les relations avec les minorités sont encore bien plus conflictuelles qu'en Autriche-Hongrie, puisse être lui aussi condamné.

Par conséquent, dès le début, Sazonov a refusé à l'Autriche le droit d'agir de quelque manière que ce soit après les attentats. Il n'a cessé de répéter, en diverses occasions, qu'il réagirait militairement à toute action contre la Serbie, protégée de la Russie. Le 18 juillet déjà, peu après avoir appris que les Autrichiens préparaient une note, il a dit à Sir George Buchanan que « rien de ce qui ressemblerait à un ultimatum autrichien ne pourrait laisser la Russie indifférente, et [que] la Russie pourrait être contrainte de prendre certaines mesures militaires à titre de précaution[32] ». Sazonov ne pouvait ignorer les risques immenses d'une telle

initiative puisque, avec Kokovtsov, il s'était opposé à une décision similaire – mobilisation partielle contre l'Autriche – en novembre 1912, au
paroxysme de la crise des Balkans. Comme l'avait alors dit Kokovtsov,
« quel que soit le nom que nous donnons aux mesures envisagées, une
mobilisation reste une mobilisation, et nos adversaires la combattront en
déclenchant une vraie guerre [33] ».

La situation en 1914 est tout autre. Les risques sont plus grands encore
et, Kokovtsov ayant été écarté du pouvoir, l'atmosphère est moins inhibée.
Mais il y a une autre différence : en novembre 1912, Sazonov avait ajouté
un argument pour justifier son opposition à la mobilisation, prétextant
que « même si nous étions prêts à entrer en guerre [...] nous n'avions pas
le droit de prendre une telle décision sans l'accord préalable de nos
alliés [34] ». Or, en cet été 1914, il ne peut plus y avoir aucun doute quant
à la réalité de cet accord, du moins avec la France, non seulement parce
que Poincaré et Paléologue ont instamment demandé à la Russie de se
montrer ferme sur la question serbe, mais parce que la crise en cours
correspond très exactement au scénario balkanique que les deux alliés ont
fini par définir, après maintes discussions et maints sommets, comme le
casus belli optimal. Le 30 juillet, l'attaché militaire russe à Paris, le comte
Ignatiev, expédie à Saint-Pétersbourg une dépêche révélatrice : fort de ses
multiples contacts avec les plus hauts gradés de l'armée française, il
constate autour de lui « une joie non dissimulée à la perspective de saisir
l'opportunité de ce que les Français considèrent comme des circonstances
stratégiques favorables [35] ». L'ambassadeur belge à Paris remarque le même
optimisme : « L'état-major français est favorable à la guerre », écrit-il le
30 juillet. « L'état-major désire la guerre, parce que selon lui le moment
est favorable et qu'il faut en finir [36]. »

Contrairement à ce que certains ont affirmé, il ne s'agit pas seulement
de mettre en cause Paléologue, qui aurait dénaturé les intentions de la
France ou pris des engagements auprès de Saint-Pétersbourg sans l'aval
de Paris. Il n'est pas non plus exact qu'il aurait mal renseigné Paris sur la
mobilisation russe, afin de laisser à la crise le temps de mûrir jusqu'au
moment où Paris n'aurait plus eu la capacité de retenir son allié. Au
contraire, il alerte le Quai d'Orsay de l'ensemble des mesures adoptées
par le gouvernement russe. Un télégramme rédigé à 6 h 30 le matin du
24 juillet soutient le principe de la solidarité franco-russe afin de « préserver la paix par l'usage de la force ». Un autre télégramme, à 23 heures le
même jour, fait référence aux mesures que la Russie « serait sans aucun
doute obligée de prendre si l'indépendance ou l'intégrité territoriale de la
Serbie était menacée ». Un troisième télégramme, rédigé à 16 h 45 le
lendemain, estampillé « urgent » et « secret », rapporte que le Conseil des
ministres russe a décidé le jour même « le principe » d'une mobilisation

du « 13ᵉ corps d'armée qui est destiné à opérer contre l'Autriche ». Le texte se poursuit par cette phrase cruciale :

> La mobilisation ne sera rendu publique et effective qu'au moment où le gouvernement austro-hongrois tentera de contraindre la Serbie par la force des armes. Cependant les préparatifs clandestins commenceront aujourd'hui même [37].

Plus tard, Viviani, furieux d'apprendre qu'on a laissé la situation évoluer si vite et si loin, exigera que Paléologue rende compte de toutes ses initiatives pendant ces jours cruciaux de la crise, l'accusant d'avoir passé sous silence des informations vitales sur les préparatifs russes – c'est précisément cette initiative qui donnera naissance au mythe des manipulations occultes de Paléologue. Mais alors que Viviani est tenu à l'écart (sans nul doute délibérément par Poincaré), le président lui-même et le Quai d'Orsay sont en revanche parfaitement informés. Au cas où les télégrammes de Paléologue ne seraient pas suffisamment explicites, Paris reçoit les dépêches de son attaché militaire, le général de Laguiche, faisant état le 26 juillet par exemple de « dispositions militaires secrètes » déjà en vigueur à Varsovie, Vilnius et Saint-Pétersbourg, trois districts limitrophes de l'Allemagne [38]. Malgré toutes ces informations, le Quai d'Orsay n'appelle pas à la modération. Quant à Poincaré (qui falsifiera plus tard certains détails cruciaux du rôle qu'il a joué dans la crise), il ne désavouera jamais ni Paléologue ni la ligne politique que ce dernier représente avec tant d'enthousiasme à Saint-Pétersbourg.

À dire vrai, il y a quelques moments où Sazonov semble reprendre foi à une issue pacifique. Nous avons vu que les Autrichiens ont marqué une pause après avoir reçu la réponse à leur ultimatum, le 25 juillet, dans l'espoir que la réalité de leurs préparatifs militaires inciterait Belgrade à faire des concessions de dernière minute. Sazonov, interprétant cet interlude de façon erronée comme le signe que Vienne recherche peut-être une désescalade, commence à évoquer un accord négocié. « Je me montrerai prêt à négocier jusqu'au tout dernier moment », affirme-t-il à l'ambassadeur français le 26 juillet. Ce qu'il entend par là devient plus clair lorsqu'il convoque Szapáry « à une franche et loyale explication ». Analysant la note autrichienne point par point, Sazonov insiste sur le caractère « inadmissible, absurde et injurieux » de chacune des clauses, avant de conclure : « Reprenez votre ultimatum, modifiez-en la forme et je vous garantis le résultat [39]. » Mais cette « négociation » ne peut guère être la base de discussions fructueuses. De toute façon, les Autrichiens ont momentanément calmé le jeu non parce qu'ils ont des doutes sur le bien-fondé de leur action, mais parce qu'ils espèrent que Belgrade cédera au

dernier moment. Or la nouvelle de la prémobilisation russe met naturellement fin à ces espoirs. Personne n'est plus excité de voir des cosaques
embarquer dans des trains que Miroslav Spalajković, qui y voit les présages du combat final pour l'unité et la liberté de la Serbie. Si l'on ajoute
à cela l'encouragement du tsar poussant les Serbes à se battre « comme
des lions », il est improbable que Belgrade revienne sur sa position. De
plus, dans l'intervalle, Sazonov a explicitement conseillé à Belgrade de ne
pas accepter d'offre de médiation britannique.

Tout en laissant la crise s'aggraver, les Russes doivent observer une
certaine prudence. Certes les Français sont tenus de les assister dans une
intervention balkanique quelles que soient les circonstances précises dans
lesquelles l'intervention sera jugée nécessaire. Mais il demeure crucial de
ménager les opinions publiques française et britannique et d'éviter de
provoquer les Allemands aussi longtemps que possible. Depuis 1912, un
principe de la stratégie de mobilisation russe est que la concentration des
hommes et du matériel doit être achevée, si possible, « sans déclenchement des hostilités, afin de ne pas priver irrévocablement l'ennemi de
tout espoir que la guerre puisse encore être évitée ». Pendant cette période
de mobilisation latente, « d'habiles négociations diplomatiques » doivent
être engagées « pour endormir les craintes de l'ennemi [40] ». Après une
conversation avec Sazonov le 25 juillet, Paléologue rapporte à Paris que
lorsque la mobilisation sera décrétée en Russie, elle aura lieu contre
l'Autriche uniquement, tout en évitant de prendre l'offensive, « afin de
laisser à l'Allemagne un prétexte à ne pas invoquer aussitôt le *casus fœderis* [41] ». Il est également essentiel, aux yeux des opinions publiques russe,
française et britannique, que ce soit l'Autriche et non la Russie qui appa-
raisse comme l'agresseur. « Nous devons laisser le cabinet de Vienne se
mettre entièrement dans son tort », déclare Sazonov à Paléologue le
24 juillet [42]. C'est l'ennemi qui doit apparaître comme l'agresseur : les
décideurs des deux blocs ne cesseront de répéter cette idée durant les
dernières journées de la crise.

Toutes ces décisions sont-elles véritablement prises uniquement pour
défendre la Serbie ? La Russie est-elle vraiment prête à risquer une guerre
pour protéger l'intégrité territoriale de son État-client ? Nous avons vu
que la Serbie avait gagné en importance aux yeux des Russes pendant les
dernières années de l'avant-guerre, et ce pour deux raisons : la désaffection
croissante entre Saint-Pétersbourg et Sofia, et la conviction que la Serbie
est un meilleur instrument de pression sur la monarchie austro-hongroise
que la Bulgarie. La cause serbe suscite de profondes sympathies dans les
milieux nationalistes et panslavistes russes – elle constitue de plus un
thème qui permet au gouvernement de renforcer sa popularité auprès de
la classe moyenne. À l'inverse, en octobre 1913, Saint-Pétersbourg n'a pas

hésité à laisser Belgrade affronter seule l'ultimatum autrichien, exigeant que l'armée serbe se retire du nord de l'Albanie. Et contrairement à la Bulgarie, pays frontalier de la Russie possédant une partie du littoral de la mer Noire, la Serbie n'a guère d'importance géopolitique pour la sécurité de l'Empire russe.

On ne peut comprendre pleinement la vigueur de la réaction russe qu'à la condition de tenir compte de l'anxiété croissante suscitée chez les leaders russes par la question des détroits turcs. Depuis les années 1890, les Russes (ou plus précisément l'Amirauté russe) n'ont cessé de rêver à des expéditions pour s'emparer du Bosphore [43]. Et nous avons vu comment l'offensive bulgare sur Constantinople, la perturbation des exportations de céréales pendant les guerres balkaniques ainsi que la crise Liman von Sanders ont propulsé la question en tête de l'ordre du jour dans les années 1912-1914 [44]. À l'été 1914, d'autres facteurs contribuent à redoubler les craintes russes, dont le principal consiste en une course aux armements navals entre l'Empire ottoman et la Grèce, alimentée par une dispute sur l'avenir des îles du nord de la mer Égée. Afin de conserver sa supériorité sur la marine grecque, l'Amirauté ottomane a commandé deux cuirassiers aux firmes britanniques Armstrong et Vickers, le premier devant être livré fin juillet 1914 [45].

Ce conflit régional est tout particulièrement alarmant pour les Russes. Premièrement, il fait courir le risque, en cas d'hostilités, d'une nouvelle fermeture des Détroits aux navires de commerce russe, ce qui entraînerait pertes financières et perturbations économiques. Deuxièmement, il existe un risque qu'un État moins puissant (la Grèce ou la Bulgarie) ne s'empare de cette portion de l'Empire ottoman convoitée par les Russes. Troisièmement, un conflit gréco-turc pourrait attirer la marine britannique sur scène, au moment même où les Russes font pression sur Londres pour qu'elle réduise le périmètre de la mission navale britannique en cours à Constantinople. Mais le point de loin le plus grave, c'est la perspective de voir des cuirassés turcs croiser en mer Noire, où les Russes ne possèdent aucun bâtiment de cette classe. L'arrivée de ces nouveaux navires, a averti le ministre de la Marine en janvier 1914, fera de la Turquie une puissance navale dotée d'une « supériorité écrasante, de l'ordre de un à six » sur la flotte russe de la mer Noire [46]. « Il est clair que la perte de notre supériorité en mer Noire aurait des conséquences calamiteuses », déclare Sazonov à l'ambassadeur russe à Londres en mai 1914. « Par conséquent nous ne pouvons rester sans rien faire à regarder l'expansion continue et extrêmement rapide de la marine ottomane [47]. » Fin juillet 1914, Sazonov continue de supplier les Britanniques de ne pas livrer les cuirassiers destinés à Constantinople [48].

Il est difficile d'évaluer le poids exact de ces préoccupations dans le raisonnement russe au cours de la crise de juillet[49]. Comme les documents officiels se concentrent sur l'épicentre austro-serbe de la crise, on a eu tendance à expliquer les décisions russes en référence exclusivement à la solidarité avec les « petits frères » slaves et à la nécessité de défendre le prestige de l'Empire russe dans la péninsule balkanique. Ce qui complique encore davantage le tableau, c'est le fait que le Bosphore est une obsession spécifique aux milieux de la marine, et que ne partage pas l'état-major général de l'armée.

En revanche, la question des Détroits est d'une importance capitale pour Krivocheïne, responsable des exportations agricoles et donc tout particulièrement sensible à la vulnérabilité du transport maritime russe. L'instabilité récente dans les Balkans a contribué à fusionner les deux théâtres d'opérations, de telle sorte que la péninsule balkanique est de plus en plus considérée comme l'arrière-pays stratégiquement crucial pour le contrôle des Détroits[50]. Contrôler les Balkans permettrait à Saint-Pétersbourg d'être en bien meilleure posture pour empêcher toute intrusion étrangère dans le Bosphore. Les visées russes sur les Détroits sont donc un facteur important pour conforter leur décision de ne pas céder aux menaces pesant sur la Serbie.

Quel que soit l'ordre exact de leurs priorités géopolitiques, les Russes sont déjà sur le chemin de la guerre. À ce point, le champ des possibles ayant commencé à se rétrécir, il devient rétrospectivement plus difficile (quoique possible encore) d'imaginer des scénarios alternatifs au conflit qui, de fait, éclate dans les premiers jours d'août 1914. C'est ainsi sans doute qu'il faut comprendre les mots du général Dobrorolski, chef du service de mobilisation de l'armée russe, lorsqu'il remarque en 1921 qu'après les réunions du 24 et 25 juillet à Saint-Pétersbourg « la guerre était un fait acquis et le flot de télégrammes échangés par les gouvernements russe et allemand n'était que la mise en scène d'un drame historique[51] ». Cependant, tout au long de cette quatrième semaine de juillet, si cruciale, Russes et Français continuent à évoquer une politique de paix. La politique de « fermeté » prônée par Poincaré, Sazonov, Paléologue, Izvolski, Krivocheïne et leurs collègues a pour but de « sauver la paix par une démonstration de force », selon les mots mêmes du tsar.

Il est tentant de disqualifier ce discours, d'en faire un écran de fumée, un tissu d'euphémismes destinés à masquer l'agressivité de la stratégie franco-russe, ou peut-être également à rassurer les décideurs londoniens. Mais nous retrouvons les mêmes formules dans les communications internes ainsi que dans les déclarations privées. Ce qui contraste, de manière intéressante, avec le langage employé dans les documents allemands comparables : la guerre y est évoquée plus directement comme une menace extérieure, une nécessité et un instrument politique. Cependant, si l'on examine de plus près ce que les hommes d'État français et russes font lorsqu'ils parlent de la nécessité de préserver la paix, on se rend compte qu'il y a là une différence de forme plutôt qu'une différence de fond. La raison de cette différence n'est pas claire, mais il faut se garder d'y voir un symptôme de militarisme ou de pulsion guerrière germaniques. Il se peut que cette différence reflète la profonde influence exercée par Clausewitz sur le discours politique allemand. La guerre de 1914-1918 est la négation absolue de ce que Clausewitz représentait et défendait mais, dans ses subtiles analyses de la notion de conflit, il décrivait la guerre comme un instrument éminemment politique, dont l'emploi – en dernier recours – devait toujours être subordonné à des objectifs politiques. À l'inverse, le langage des décideurs français et russes reflète le présupposé que la guerre et la paix sont des alternatives existentielles fondamentales. Cependant, ni les sages injonctions de Clausewitz sur la primauté de la politique ni les ferventes invocations à la paix, ce plus grand bien du genre humain, ne sont d'aucune utilité pour retenir les décideurs qui entraînent l'Europe dans la guerre en juillet 1914.

12

Derniers jours

Une lumière étrange tombe sur la carte de l'Europe

Pendant la majeure partie de la crise de juillet, les décideurs londoniens ont les yeux rivés sur les neuf comtés de l'Ulster, au nord de l'Irlande. Le 21 mai 1914, la Chambre des communes adopte en troisième lecture la loi du *Home Rule* qui confère un statut d'autonomie interne à l'Irlande, mais la Chambre des lords la rejette. Le gouvernement libéral d'Asquith, qui dépend du vote des nationalistes irlandais, se résout à utiliser les dispositions de la loi sur le Parlement autorisant le gouvernement, en certaines circonstances, à passer outre le vote des lords pour faire adopter le *Home Rule* en le soumettant au *Royal Assent* (assentiment du souverain). La perspective d'une dévolution partielle des prérogatives gouvernementales aux Irlandais catholiques suscite une violente controverse. La question la plus épineuse consiste à définir quels comtés de l'Ulster – où se mêlent catholiques et protestants – seront exemptés du *Home Rule* et resteront au sein du Royaume-Uni. Désespérant de trouver une solution qui réponde à leurs exigences, les deux camps – nationalistes catholiques irlandais et protestants unionistes – se préparent à la lutte armée. Au printemps 1914, l'Irlande est au bord d'une véritable guerre civile. Telle est l'origine des Troubles, qui ravageront la vie politique en Irlande du Nord jusqu'au début du XXIe siècle [1].

Les tensions créées par la question de l'Irlande affectent profondément la vie politique du royaume parce qu'elles touchent à l'identité politique passée, présente et future des îles Britanniques. Le parti conservateur (officiellement dénommé Parti conservateur et unioniste) s'oppose farouchement au *Home Rule*. Le sentiment unioniste est également très fort dans le corps des officiers de l'armée britannique, dont beaucoup de recrues appartiennent à des familles anglo-irlandaises protestantes pour qui l'enjeu est très élevé. D'ailleurs, il n'est pas certain que l'armée restera

Herbert Henry Asquith

loyale si elle est appelée à faire respecter le *Home Rule*. Au cours de l'incident de Curragh le 20 mars 1914, cinquante-sept officiers britanniques de cette garnison ont menacé de démissionner plutôt que d'imposer le *Home Rule* contre la résistance des unionistes [2].

Parmi ceux qui, au sein de l'armée, ont soutenu leur insubordination se trouve le directeur des opérations militaires Henry Wilson, qui a joué un rôle si important dans l'expansion des plans d'intervention britannique en cas d'engagement sur le continent. Wilson fait de moins en moins d'efforts pour dissimuler le mépris qu'il éprouve pour Asquith, qu'il a rebaptisé « Squiff » (« le poivrot »), et pour « son immonde cabinet ». Il n'a pas hésité à utiliser la question du *Home Rule* pour extorquer au Premier ministre des concessions envers les unionistes. Dans un mémorandum adressé au Conseil de l'armée et devant être présenté au cabinet le 29 juin 1914, Wilson et ses collègues affirment que l'armée serait obligée de déployer l'ensemble du corps expéditionnaire britannique en Irlande s'il fallait y imposer le *Home Rule* et y rétablir l'ordre [3]. En d'autres termes, si le gouvernement britannique voulait appliquer cette réforme, il devrait renoncer à toute intervention militaire en Europe dans un avenir proche. À l'inverse, une intervention militaire sur le continent signifierait l'abandon du *Home Rule*. Nulle part ailleurs en Europe, à l'exception peut-être de l'Autriche-Hongrie, la situation intérieure ne pèse aussi directement sur les prises de position politiques du haut commandement militaire.

L'Ulster concentre donc encore toute l'attention du gouvernement britannique lorsque survient l'attentat de Sarajevo. Le Premier ministre ne rédige pas de journal intime mais, dans sa correspondance privée avec Venetia Stanley, une jeune femme mondaine, intelligente et élégante, devenue sa confidente, il décrit en toute franchise le détail de ses préoccupations quotidiennes. Ces lettres semblent indiquer que le Premier ministre, entièrement focalisé sur « les drôles de choses qui se passent en Ulster », ne prend pas totalement conscience de la portée politique de la mort violente « des membres de la famille royale autrichienne [4] ». Asquith ne fait plus aucune référence à la situation internationale jusqu'au 24 juillet, où il rapporte tristement qu'un nouvel épisode de marchandage sur la question de l'Ulster vient d'échouer à cause de l'inextricable géographie confessionnelle des comtés de Tyrone et de Fermanagh. Ce n'est qu'à la fin d'une longue discussion sur les affaires nord-irlandaises que le Premier ministre mentionne, presque en passant, que l'Autriche a envoyé un « ultimatum humiliant et menaçant à la Serbie, qui ne peut absolument pas l'accepter ».

> Nous ne sommes désormais plus si éloignés d'un véritable Armageddon qui ramènerait les problèmes de l'Ulster et des volontaires nationalistes à leur véritable proportion. Heureusement, il ne semble y avoir aucune raison que nous ne restions pas de simples spectateurs [5].

Cette lettre s'ouvre sur l'annonce que « la lumière avait disparue ». Or ce n'est pas à l'extinction imminente de la civilisation européenne qu'Asquith fait allusion ici, mais au fait que le matin même, Venetia a quitté Londres pour le manoir familial de l'île d'Anglesey.

Pour Edward Grey, le secrétaire d'État au Foreign Office, ces jours sont assombris par les soucis personnels : sa vue se dégradant, il a de plus en plus de mal à suivre la balle durant les matchs de squash et ne peut plus distinguer son étoile favorite la nuit. Il projette de passer plus de temps à la campagne et envisage de consulter un ophtalmologiste allemand renommé. À l'inverse d'Asquith cependant, il a immédiatement perçu la gravité de la crise qui se prépare dans le sud-est de l'Europe.

Tout au long des consultations qu'il a en juillet avec les différents ambassadeurs à Londres, Grey trace, comme souvent auparavant, un chemin sinueux qui lui évite d'avoir à s'engager de manière directe. Le 8 juillet, il dit à Paul Cambon que si l'opinion publique autrichienne contraignait l'empereur François-Joseph à effectuer une démarche contre la Serbie, la France et la Grande-Bretagne devraient faire tout ce qui était en leur pouvoir pour calmer Saint-Pétersbourg. Cambon « acquiesça avec empressement [6] ». Le même jour, Grey rappelle à l'ambassadeur russe que Berlin s'inquiète des récentes négociations navales anglo-russes et qu'il est crucial que la Russie ne donne aucune raison aux Allemands de penser qu'un coup se prépare contre eux [7]. Le 9 juillet, il assure l'ambassadeur allemand, le comte Lichnowsky, qu'il n'existe aucun accord secret contraignant entre la France, la Russie et la Grande-Bretagne. Mais il ajoute que les relations de la Grande-Bretagne avec ses partenaires de l'Entente sont toujours aussi « chaleureuses » et que Lichnowsky doit savoir que certaines consultations ont eu lieu depuis 1906 entre les différentes autorités navales et militaires, bien que sans aucune « intention agressive [8] ».

Lors de ses entretiens avec l'ambassadeur autrichien, il se montre courtois mais réservé et évasif. Quand le 17 juillet le comte Mensdorff se plaint auprès de lui des excès de la presse serbe, Grey lui demande, assez curieusement, s'il n'y a quand même pas un seul journal serbe qui se soit comporté correctement. Mensdorff concède que c'est effectivement possible, mais que la Double Monarchie ne peut plus continuer à tolérer un tel degré de subversion politique. « Sir Edward Grey en convient, mais ne poursuit pas la discussion sur le sujet », rapporte Mensdorff [9]. Après avoir reçu le texte de la note autrichienne transmis à Belgrade, Grey propose à l'ambassadeur de le recevoir à nouveau le 24 juillet – c'est en cette occasion qu'il décrit la note comme le document de ce type le plus « terrible » qu'il ait jamais lu. Néanmoins, le secrétaire d'État juge que les accusations de complicité portées par l'Autriche contre certaines administrations serbes, ainsi que plusieurs exigences énumérées dans la note, sont « justifiées [10] ». Le jour même, après avoir obtenu l'accord du cabinet, il propose qu'un groupe de quatre puissances moins directement impliquées dans la querelle – la Grande-Bretagne, la France, l'Italie et l'Allemagne – interviennent si la situation s'embrase entre l'Autriche et la Russie [11].

Rien de tout cela ne donne la moindre indication que Grey a l'intention d'entrer dans le conflit. Il a souvent répété que l'opinion publique (ce qui signifiait pour lui « l'opinion publiée ») serait en dernier ressort le facteur déterminant de l'action de la Grande-Bretagne. Or presque personne dans le milieu journalistique ne se prononce en faveur d'une intervention. La quasi-totalité des grands journaux rejettent la perspective d'une participation britannique dans une guerre européenne. Le *Manchester Guardian*, qui déclare que la Grande-Bretagne ne court aucun risque d'être entraînée dans le conflit austro-serbe par le jeu des « traités d'alliance », annonce, dans une formule restée célèbre, que Manchester se soucie aussi peu de Belgrade que Belgrade ne se soucie de Manchester. Le 29 juillet, le *Daily News* exprime son horreur à l'idée que la vie de soldats britanniques puisse être sacrifiée pour défendre « l'hégémonie russe sur le monde slave [12] ». Le 1er août, son rédacteur en chef, le libéral Alfred George Gardiner, publie un article intitulé « Pourquoi nous ne devons pas nous battre » qui développe deux arguments : il n'existe pas de conflit d'intérêt fondamental entre la Grande-Bretagne et l'Allemagne d'une part, et battre l'Allemagne reviendrait à établir une dictature russe sur « l'Europe et l'Asie » d'autre part. Il s'agit certes de journaux libéraux, mais même les titres conservateurs sont loin de se montrer enthousiastes. Le *Yorkshire Post*, par exemple, ne pense pas que l'Angleterre pâtirait davantage d'une victoire austro-allemande sur l'Alliance franco-russe que d'une victoire franco-russe, et « ne voit aucune raison justifiant que la Grande-Bretagne soit entraînée dans la guerre ». Le 28 juillet, le *Cambridge Daily News* assure que la Grande-Bretagne n'a qu'un intérêt négligeable dans le conflit à venir et l'*Oxford Chronicle* affirme de son côté le 31 juillet que le devoir du gouvernement est de contenir la crise et de s'en tenir à l'écart [13]. Seul *The Times* défend avec constance une intervention britannique : bien que Wickham Steed ne traite la position autrichienne qu'avec une empathie modérée, le journal anticipe dès le 22 juillet la survenue d'un conflit continental et se prononce le 27, le 29 et le 31 juillet en faveur d'un engagement de la Grande-Bretagne. Quant au journaliste mégalomane et homme d'affaires véreux Horatio Bottomley, il se montre particulièrement véhément. Dans un éditorial écrit pour son propre journal, *John Bull*, au cours de la première semaine de juillet, il ouvre par ces mots : « Nous avons toujours considéré la Serbie comme un repaire de conspirateurs sans pitié et de menteurs. » Il exige que « la Serbie soit rayée de la carte » avant de poursuivre, sans grande logique, en recommandant au gouvernement britannique de « profiter de la crise » pour « anéantir » la flotte allemande [14]. Outragé, l'ambassadeur serbe à Londres, Bosković, présente une protestation officielle au Foreign Office et consulte des juristes sur la possibilité de poursuivre le journal pour ses « mensonges » au sujet de la Serbie [15].

Au moins jusqu'au début du mois d'août, on ne peut pas dire que l'opinion publique fasse pression sur le gouvernement pour qu'il intervienne. La majorité des ministres sont encore résolument non interventionnistes. Ce sont les mêmes qui avaient fomenté la révolte du cabinet contre la politique de Grey en novembre 1911. Tel est le problème fondamental auquel le secrétaire d'État s'est toujours heurté : une large fraction de son propre parti n'a jamais eu confiance en sa politique étrangère. Il a pu compter pendant quelque temps sur l'appui des conservateurs au Parlement, mais à l'été 1914 le sentiment anti-*Home Rule* est si exacerbé que leur soutien lui aussi semble fragile. Face à ces pressions, il en revient à sa coutume de ne parler des questions de politique internationale qu'avec ses trois collègues les plus proches, les libéraux impérialistes Asquith, Haldane et Churchill.

Il faut donc attendre la réunion du cabinet du 24 juillet, consacrée à de longues et difficiles discussions sur le découpage des circonscriptions en Ulster, pour qu'il aborde la question de la position britannique dans la crise en cours en proposant de créer un groupe de quatre puissances (Grande-Bretagne, France, Italie, Allemagne) pour mener une médiation entre les deux protagonistes. Cela fait plus d'un mois que le cabinet n'a pas discuté de politique étrangère. Dans un passage légèrement ampoulé mais néanmoins poignant, Churchill décrira le sentiment qui s'empare des membres du cabinet lorsqu'ils prennent conscience de la portée de ce que leur dit Grey : « Les communes de Fermanagh et de Tyrone s'effacèrent dans les brumes et les tempêtes de l'Irlande et peu à peu, une étrange lumière se mit à tomber sur la carte de l'Europe [16]. » Les ministres approuvent la proposition de Grey d'une initiative des quatre puissances, puis se séparent pour le week-end.

Vers la fin de cette quatrième semaine de juillet, Grey met en demeure le gouvernement de définir clairement les circonstances dans lesquelles il serait prêt à intervenir. Le lundi 27 juillet, il pose ouvertement la question : le cabinet soutiendrait-il une intervention au cas où la France serait attaquée par l'Allemagne ? Ses opposants de toujours, Morley, Simon, Burns, Beauchamp et Harcourt menacent de démissionner sur-le-champ si une telle décision est prise. Au cours d'une réunion tardive dans la nuit du 29 au 30 juillet, après un long débat qui n'a pas permis de parvenir à une résolution, Grey insiste pour obtenir la promesse d'un soutien à la France. Seuls quatre de ses collègues (dont Asquith, Haldane et Churchill) se rallient à sa proposition ; tous les autres refusent.

Il semble alors improbable que même une invasion de la Belgique puisse déclencher une intervention britannique. Or les renseignements militaires obtenus par l'état-major général français corroborent les déductions des stratèges : l'Allemagne lancerait son offensive contre la France en passant par la Belgique, violant ainsi le Traité international de 1839 qui garantit sa neutralité. Mais bien que la Grande-Bretagne soit signataire de ce traité, le cabinet considère que l'obligation de le faire respecter s'impose à l'ensemble des signataires collectivement, et non pas à l'un d'entre eux pris individuellement. Si la question se pose un jour, concluent-ils, la réaction britannique sera dictée « par des considérations de stratégie politique et non par une obligation [17] ». Il est frappant de voir le flegme avec lequel le haut commandement britannique et les leaders politiques envisagent une violation de la neutralité belge par les Allemands. À l'issue des consultations entre états-majors français et britannique en 1911, Henry Wilson avait conclu que les Allemands décideraient de traverser les Ardennes belges en se cantonnant au sud de la Sambre et de la Meuse. Il avait présenté ses conclusions au cours de la 114e conférence du Comité de la défense impériale [18]. C'est précisément ce scénario qui est examiné par le cabinet le 29 juillet, quand Lloyd George démontre, carte à l'appui, que les Allemands ne traverseront que « l'angle le plus méridional du territoire belge ». Loin de s'en indigner, les ministres acceptent cette perspective comme une nécessité stratégique (du point de vue allemand) et donc comme un fait acquis quasiment inévitable. Les inquiétudes des stratèges britanniques se concentrent principalement sur Anvers et sur l'embouchure de l'Escaut, une zone depuis toujours considérée comme indispensable à la sécurité de la Grande-Bretagne. « Je ne vois pas en quoi nous serions tenus d'intervenir s'ils ne pénètrent qu'un tout petit peu en Belgique », commente Churchill [19]. Lloyd George affirmera plus tard qu'il aurait refusé d'entrer en guerre si l'invasion allemande de la Belgique s'était limitée à la traversée des Ardennes [20]. Les décideurs britanniques considèrent en tout état de cause que les Belges eux-mêmes ne se battraient pas jusqu'à la fin au sud, mais qu'après une résistance symbolique destinée à prouver qu'ils n'avaient pas autorisé la violation de leur territoire, ils se retrancheraient derrière leurs lignes fortifiées plus au nord [21]. L'invasion allemande de la Belgique n'entraînerait donc pas de façon automatique l'intervention des Britanniques dans le conflit.

Néanmoins, il serait erroné de déduire de ces réactions très réticentes que Grey lui-même, ou ses plus proches collègues, ont renié leurs engagements de longue date vis-à-vis de l'Entente. Au contraire, Grey analyse la crise européenne en cours presque exclusivement sous l'angle de l'Entente. La perspective que le Parlement refuse d'honorer les obligations morales que lui-même a contractées envers la France au prix de tant d'efforts le plonge dans une profonde anxiété. Tout comme ses collègues, il réprouve la politique aventuriste de Belgrade, et il est au courant des massacres et des exactions commis dans les zones nouvellement conquises par la Serbie. Il est certainement en possession de suffisamment d'informations pour appréhender les menaces que la Serbie fait peser sur la monarchie austro-hongroise. Il se révolte à l'idée qu'une grande puissance puisse « être entraînée dans la guerre par la Serbie [22] ». Mais il ne manifeste aucun intérêt pour le genre d'intervention qui aurait pu donner à l'Autriche d'autres options que l'ultimatum. La médiation à quatre proposée aux ministres le 24 juillet est vouée à l'échec [23] : seule une des quatre grandes puissances concernées, l'Allemagne, est susceptible de défendre les intérêts de l'Autriche-Hongrie. De plus, ni l'Autriche-Hongrie ni le système international ne disposent des moyens de faire appliquer d'éventuelles résolutions. Enfin, la grande puissance la plus directement impliquée dans le soutien à l'irrédentisme serbe, la Russie, ne serait pas impliquée dans les décisions du groupe des quatre, ni tenue de les respecter. La confiance que Grey éprouve en sa capacité à mettre sur pied une forme de médiation découle en partie de la renommée qu'il s'est acquise lorsqu'il a présidé la Conférence des ambassadeurs en 1913 à Londres. Mais entre résoudre des disputes frontalières entre Serbes et Albanais et effectuer une médiation pour éviter une guerre entre grandes puissances, il y a un gouffre.

Dans sa gestion de la crise, Grey subordonne son analyse de la querelle austro-serbe aux impératifs plus larges de l'Entente, ce qui, en pratique, revient à soutenir tacitement la politique russe. Certes, il évoque de temps à autre la nécessité de « calmer » les Russes et demande à Saint-Pétersbourg d'éviter les mesures de provocation inutile, mais il n'a en réalité qu'une connaissance et un intérêt fort limités pour tout ce qui se passe véritablement en Russie durant les jours cruciaux suivant la remise de l'ultimatum. Cette ignorance n'est pas entièrement de son fait, car les Russes dissimulent l'étendue de « leurs préparatifs clandestins » à Sir George Buchanan, lui affirmant le 26 juillet que les « mesures de protection » en vigueur à Moscou et à Saint-Pétersbourg ont été mises en œuvre simplement pour faire face à une vague de grèves qui paralyse l'industrie russe. Buchanan n'est pas entièrement convaincu : dans une courte dépêche envoyée à Grey le 26 juillet, il note que puisque les grèves sont « pratiquement terminées », les mesures qu'il a observées doivent « sans doute » être liées à « l'intention de mobiliser[24] ». Mais Grey ne manifestant aucun intérêt et ne lui envoyant aucune instruction de Londres, il ne fait rien pour poursuivre ses investigations. Cet épisode est tout à fait caractéristique de la façon dont le Foreign Office gère la communication avec la Russie. Le 26 juillet, jour où Buchanan envoie ses dépêches, Nicolson reçoit l'ambassadeur allemand, le comte Lichnowsky, qui lui communique un télégramme urgent de son gouvernement : il semble que la Russie rappelle « des classes de réservistes », ce qui, de fait, indique une mobilisation. Nicolson lui répond que Londres « n'a pas d'informations sur l'imminence d'une mobilisation générale ni d'ailleurs d'aucune mobilisation » avant d'ajouter :

> Il serait cependant difficile et délicat de demander à Saint-Pétersbourg de ne pas mobiliser du tout au moment même où l'Autriche envisage de prendre une telle décision. Nous ne serions pas écoutés. L'enjeu principal est d'empêcher, si possible, toute opération militaire active[25].

Ce qui constitue pour le moins une curieuse interprétation de la situation, qui met sur le même pied les mobilisations autrichienne et russe en

négligeant le fait que les mesures autrichiennes sont dirigées exclusivement contre la Serbie, alors que les mesures russes visent l'Autriche (ainsi
que l'Allemagne, dans la mesure où le règlement du 2 mars 1913, qui
s'applique à la quasi-totalité des districts militaires de l'ouest, a été étendu
pour couvrir la mobilisation de la flotte de la Baltique). Les commentaires
de Grey révèlent, eux aussi, une ignorance totale (ou peut-être délibérée)
de la portée de ces mesures de mobilisation russe, à une époque où la
rapidité de concentration et d'attaque est considérée comme un facteur
capital de succès militaire. Et en dernière analyse, si Grey avait vraiment
l'intention, en toute impartialité, de mener une médiation et de contenir
la crise – questions complexes, il faut le reconnaître –, il aurait fallu qu'il
examine de près les forces et les faiblesses des arguments autrichiens
contre la Serbie, et qu'il empêche les Russes de prendre des contre-
mesures qui ne pouvaient que déclencher un conflit beaucoup plus
étendu. Mais il n'en a rien fait. Dès son entretien avec Benckendorff le
8 juillet, comme à plusieurs reprises après, Grey s'était rangé à l'opinion
des Russes, pour qui « une guerre serbe signifiait inéluctablement une
guerre européenne [26] ».

Grey était au courant des grandes lignes de ce qui s'était dit au cours
de la visite d'État des Français à Saint-Pétersbourg. Dans une dépêche du
24 juillet envoyée après que Poincaré a quitté la Russie, l'ambassadeur
Buchanan rapporte que les différentes rencontres dans la capitale russe
ont révélé « une parfaite communauté de pensée » entre la France et la
Russie « sur la paix générale et l'équilibre des pouvoirs en Europe » et que
les deux États ont « réaffirmé solennellement les obligations imposées par
leur alliance ». Sazonov a demandé à Buchanan de transmettre à Grey
l'espoir que le gouvernement britannique « proclame sa solidarité avec la
France et la Russie [27] ». Commentant cette dépêche, Eyre Crowe utilise
des formules plus incisives que celles dont Grey aurait lui-même usé, mais
qui résument parfaitement la logique interne de la position adoptée par
le secrétaire d'État :

> Quoi que nous pensions de la validité des accusations que l'Autriche porte
> contre la Serbie, la France et la Russie considèrent que ce ne sont que des
> prétextes, et que ce qui est véritablement en jeu, c'est la rivalité entre la Triple-
> Alliance et la Triple-Entente. Je pense qu'il serait impolitique, pour ne pas
> dire dangereux, que l'Angleterre tente de contredire cette opinion, ou de
> noyer le poisson, par une quelconque démarche auprès de Paris ou de Saint-
> Pétersbourg. [...] Nos intérêts sont liés à ceux de la France et de la Russie
> dans ce conflit, qui n'est pas une lutte pour s'emparer de la Serbie mais une
> lutte entre l'Allemagne qui cherche à imposer une dictature politique sur
> l'Europe et les puissances qui veulent garder leur liberté [28].

De fait, le 29 juillet, Grey assure Lichnowsky, l'ambassadeur allemand, que la Grande-Bretagne n'est tenue par aucune obligation légale vis-à-vis de ses partenaires de l'Entente. Mais il l'avertit également (sans en avoir obtenu l'autorisation préalable du cabinet) que si l'Allemagne et la France étaient entraînées dans la guerre, la Grande-Bretagne pourrait se retrouver contrainte de prendre une décision précipitée [29]. Lorsque Bethmann-Hollweg contacte Londres le 30 juillet pour laisser entendre que l'Allemagne n'annexerait pas de régions françaises si la Grande-Bretagne restait neutre, Grey envoie un télégramme à Goschen, l'ambassadeur britannique à Berlin : cette proposition « ne peut être envisagée un seul instant [30] ».

Les actions et les omissions de Grey révèlent que son analyse de la crise est structurée par l'existence de l'Entente. La situation est interprétée comme une actualisation du scénario balkanique, ce scénario qui est devenu le cœur de l'Alliance franco-russe, et que Grey a déjà intériorisé dans l'avertissement transmis à l'ambassadeur allemand début décembre 1912 (voir le chapitre 5) : une querelle éclaterait dans les Balkans – peu importait comment –, la Russie s'en mêlerait, y entraînerait l'Allemagne, la France interviendrait « inévitablement » aux côtés de son allié ; dans cette situation, la Grande-Bretagne ne pourrait rester à l'écart à regarder la France se faire écraser par l'Allemagne. Tel est précisément le canevas – malgré des doutes et tergiversations momentanés – que Grey suit en 1914. Il n'étudie ni ne pèse les griefs de l'Autriche contre la Serbie – plus encore, il n'y accorde pas le moindre intérêt – non pas parce qu'il croit que le gouvernement serbe est innocent des accusations portées contre lui [31], mais parce qu'il se range à l'opinion franco-russe selon laquelle les menaces autrichiennes contre la Serbie ne sont que des « prétextes » (comme le dit Eyre Crowe) pour activer l'Alliance.

La caractéristique centrale de ce scénario est que la Grande-Bretagne accepte (ou du moins ne remet pas en question) la légitimité d'une offensive russe contre l'Autriche pour résoudre une querelle austro-serbe, ni l'inévitabilité du soutien français à l'initiative russe. Les circonstances précises de cette querelle initiale et les questions de culpabilité sont d'un intérêt mineur. Ce qui importe est la situation qui se déploiera une fois que les Russes (et les Français) seront engagés. Or définir le problème de cette manière reporte toute la responsabilité sur l'Allemagne, dont la décision d'intervenir pour défendre l'Autriche déclenchera nécessairement une mobilisation française et une guerre continentale.

Poincaré rentre à Paris

Au moment où Grey propose une médiation par quatre puissances à la fin de la réunion du cabinet britannique le 24 juillet, Poincaré et

Viviani retraversent le golfe de Finlande à bord de *La France*, escortés par des torpilleurs russes. Lorsqu'ils arrivent en Suède le lendemain, Poincaré profite de l'accès à des liaisons télégraphiques sécurisées pour reprendre la main sur la formulation de la politique française. Il demande au président du Conseil d'annoncer à la presse française par un communiqué que Viviani est en communication avec toutes les parties prenantes et a repris la direction des affaires extérieures. « Il ne faut pas qu'en France on s'imagine que Bienvenu-Martin [chargé d'assurer l'intérim au Quai d'Orsay, mais dénué de toute expérience] est abandonné à lui-même [32] », note Poincaré. Au cours des dernières vingt-quatre heures, il n'a appris de l'évolution de la crise austro-serbe que ce qui lui parvient par bribes captées par l'intermédiaire de la station télégraphique de *La France*. Mais lorsque l'image d'ensemble devient plus claire, Poincaré s'en tient à la position qu'il a déjà définie à Saint-Pétersbourg : la démarche autrichienne est illégitime, et comporte dans ses exigences « toute une part inacceptable pour la Serbie ». En fait, elles constituent « une violation outrageante du droit des gens ». La responsabilité de sauver la paix ne repose plus sur la Russie, dont les préparatifs militaires sont parfaitement cohérents avec les positions affirmées et décidées durant la visite d'État française, mais sur l'Allemagne qui doit retenir son allié autrichien. Mais si elle refuse de le faire, comme Poincaré le note dans son journal le 25 juillet, « elle [se met] dans une situation très fausse en prenant à son compte [...] les violences de l'Autriche [33] ».

L'aperçu le plus révélateur de la façon dont Poincaré considère son rôle dans les événements nous est fourni par sa réaction lorsqu'il apprend à Stockholm ce que Sazonov a conseillé aux Serbes de faire : ne pas résister aux Autrichiens sur la frontière, mais regrouper leurs troupes vers l'intérieur, puis protester auprès de la communauté internationale contre l'invasion autrichienne et en appeler à l'arbitrage des grandes puissances. Le but de Sazonov est de gagner la communauté internationale à la cause serbe tout en attirant les Autrichiens le plus loin possible en territoire serbe (les forçant à déployer leur plan B) afin d'affaiblir leur dispositif destiné à repousser une attaque russe en Galicie. Or Poincaré interprète cette information de manière erronée, comme le signe que Sazonov a perdu courage et conseille désormais une « abdication » des responsabilités de la Russie envers la Serbie. « Nous ne pouvons assurément nous montrer *plus braves* [c'est-à-dire plus engagés envers Belgrade] *que les Russes* », écrit-il alors. « La pauvre Serbie a toutes les chances d'être humiliée [34]. » On semble revenu aux jours de l'hiver 1912-1913 où les décideurs français avaient poussé les Russes à adopter une position plus ferme contre l'Autriche dans les Balkans. À l'époque, l'attaché militaire russe à Paris avait réagi avec surprise au discours belliqueux des militaires fran-

Nicolas II et Poincaré

çais. Désormais, la situation était différente : une politique commune avait été définie et les craintes de Poincaré que Sazonov ne soit en train de tergiverser à nouveau ne sont pas fondées.

Il peut sembler étrange, la crise s'aggravant en Europe centrale, que Poincaré n'ait pas tout simplement annulé la visite prévue en Suède sur le chemin du retour. L'arrêt à Stockholm a parfois été cité comme une preuve de la passivité du leader français pendant cette crise. Si Poincaré a l'intention de jouer un rôle actif dans les événements, pourquoi lui-même et Viviani s'offrent-ils une croisière d'agrément sur le chemin du retour [35] ? La réponse à cette question, c'est que la visite en Suède n'a rien d'une escale touristique, c'est un élément crucial d'une stratégie d'alliance réaffirmée à Saint-Pétersbourg. Poincaré et le tsar ont évoqué la nécessité de s'assurer de la neutralité suédoise – une étape de plus, doit-on en conclure, de la préparation d'une guerre imminente. En effet, les relations russo-suédoises ont récemment été tendues : les Russes se sont livrés à d'intenses activités d'espionnage et les Suédois craignent une attaque imminente, soit sur la frontière commune aux deux pays, soit par la Baltique [36]. Le dernier jour de la visite à Saint-Pétersbourg, le tsar a donc demandé à Poincaré d'aller en personne rassurer le roi Gustave V de Suède : le président français doit l'assurer que le tsar ne nourrit aucun dessein agressif vis-à-vis de son voisin et que, bien qu'il ait tout ignoré jusque-là de ces fameuses activités d'espionnage, il y mettra fin immédiatement [37]. Par-dessus tout, il est crucial d'empêcher la Suède de tomber

dans les bras de l'Allemagne, ce qui entraînerait des complications stratégiques majeures. Le 25 juillet, à l'issue d'une après-midi passée avec Gustave V, Poincaré a rempli sa mission avec succès et peut informer le tsar
que le roi, lui aussi, désire vivement préserver la neutralité de son
royaume [38].

Il est bien entendu embarrassant pour le président français d'être
retenu en Suède par des réceptions officielles alors que la crise européenne
s'aggrave et que le pauvre Viviani donne à nouveau des signes visibles de
tension nerveuse. Mais l'opinion française demeure calme. Son attention
est toujours fixée sur le procès Caillaux, qui ne se termine que le 28 juillet
par l'acquittement surprise de Mme Caillaux. Dans ces circonstances,
comme le sait pertinemment Poincaré, un retour prématuré aurait risqué
d'alarmer les Français et l'opinion publique européenne plutôt que de les
rassurer. De plus, il aurait « laissé [penser] que la France peut se mêler au
conflit [39] ». Mais le 27 juillet, une fois connue la nouvelle du retour
anticipé du Kaiser à Berlin – ce dernier ayant prématurément interrompu
sa croisière annuelle sur la Baltique –, Poincaré annule sur-le-champ les
visites d'État prévues au Danemark et en Norvège, deux pays qui de toute
façon ne présentent pas un intérêt stratégique majeur. Désormais assailli
de télégrammes de tous ses ministres le suppliant de rentrer à Paris, il
donne l'ordre à l'équipage de faire route directement vers Dunkerque [40].

À peine ont-ils changé de cap que *La France* et son navire d'escorte, le
cuirassé *Jean-Bart*, croisent la route d'un croiseur allemand sorti du port
de Kiel pour traverser le golfe de Mecklembourg, suivi par un torpilleur
qui vire aussitôt de bord et quitte la scène. Le croiseur allemand rend les
honneurs traditionnels, tirant une bordée à blanc de tous ses canons,
auquel le *Jean-Bart* répond de la même manière – *La France* restant silencieux conformément à l'usage pour un navire transportant un chef d'État.
Quelques minutes plus tard, son télégraphiste intercepte un message radio
crypté envoyé par le croiseur allemand juste après le salut, probablement
pour prévenir Berlin que le président français est sur le chemin du
retour [41].

Quant à Poincaré et Viviani, leurs divergences de vue sur la situation
internationale vont croissant. Poincaré remarque que le président du
Conseil semble « de plus en plus troublé et inquiet et remue les idées les
plus contradictoires [42] ». Le 27 juillet arrive un télégramme annonçant la
prise de position de Grey : la Grande-Bretagne ne restera pas inactive si
une guerre éclate dans les Balkans. Poincaré, donnant en exemple cette
fermeté à Viviani pour tenter de lui redonner confiance, passe la majeure
partie de cette journée, comme il l'avait fait pendant la traversée vers
Saint-Pétersbourg, à lui démontrer que « la faiblesse est toujours mère de
complications » et que la seule stratégie sensée est de « montrer une fer-

meté persévérante ». Mais Viviani « demeure nerveux, agité, ne cesse de prononcer des paroles inquiétantes ou des phrases qui dénotent une ignorance noire des choses de la politique extérieure ». Pierre de Margerie (chef du département politique du Quai d'Orsay) est également troublé par « le singulier état d'esprit de Viviani ». Au grand désespoir de Poincaré, le président du Conseil semble incapable de parler de façon cohérente d'autres sujets que des congrès du parti socialiste et des alliances politiques autour de son leader Jean Jaurès [43].

La pression commence également à peser sur Poincaré, tout particulièrement contrarié par une série de messages radio confus et quasiment inintelligibles qui arrivent le 27 juillet, rapportant diverses déclarations de Sir Edward Grey. Ayant averti l'ambassadeur autrichien que la Grande-Bretagne ne restera pas à l'écart dans une guerre d'origine balkanique, Grey prévient désormais l'ambassadeur français, Paul Cambon, que l'opinion publique britannique ne soutiendra pas un engagement britannique dans une guerre déclenchée au sujet d'un problème serbe. Mais alors que la plus grande crainte de Viviani, c'est que la France ne se précipite tête baissée dans la guerre, Poincaré redoute par-dessus tout le contraire, à savoir que la France ne parvienne pas à s'opposer à une démarche autrichienne contre la Serbie :

> Mais si l'Autriche veut pousser plus loin sa victoire [par victoire, Poincaré entend ici l'acceptation éventuelle par Belgrade des exigences de l'ultimatum], si elle déclare la guerre ou si elle entre à Belgrade, l'Europe laissera-t-elle faire ? [...] Et est-ce entre l'Autriche et la Russie que [l'Europe] cherchera seulement à mettre le holà ? Ce serait, en réalité, prendre parti pour l'Autriche qui aurait le champ libre du côté serbe. J'expose toutes ces objections à Viviani [44]...

Le 28 juillet, au moment où *La France,* entrant en mer du Nord, s'approche des côtes françaises, Poincaré demande à l'officier télégraphiste d'annuler la réception prévue à Dunkerque : le train présidentiel doit se tenir prêt à repartir immédiatement du port vers Paris avec le président et tout son entourage. Le temps est plus froid et plus gris, la mer très agitée et des grains s'abattent violemment sur le navire. Les derniers télégrammes reçus annoncent que les Britanniques soutiennent « une démarche collective » des puissances pour désamorcer la crise – nouvelle encourageante pour Poincaré, car elle signifie que les Russes ne seront censés céder qui si les Autrichiens cèdent également. D'autres informations réconfortantes lui parviennent finalement de Paris : en réponse à l'ambassadeur allemand von Schoen, qui a affirmé avec insistance que la querelle austro-serbe était une question que les deux pays devaient résoudre seuls, le ministre des Affaires étrangères par intérim Bienvenu-Martin a déclaré que la France ne ferait rien pour retenir son allié russe si l'Allemagne ne faisait pas de même vis-à-vis de l'Autriche. Ravi d'apprendre la fermeté de cette riposte, Poincaré donne l'ordre à Margerie de demander à Viviani de télégraphier à Paris pour informer Bienvenu-Martin que lui, Viviani, approuve sa réponse – ce qui illustre parfaitement la chaîne de commandement régissant la politique étrangère française dans ces derniers jours de juillet 1914 [45].

Au moment où il débarque en France, et bien qu'il n'y ait encore aucun signe de contre-mesures militaires en Allemagne, la conviction de Poincaré est faite : la guerre européenne ne peut plus être évitée [46]. Il retrouve ses ministres, calmes et résolus, soulagé de voir qu'ils font preuve de plus de détermination que le craintif Viviani. Il a déjà télégraphié à Bienvenu-Martin pour lui donner l'ordre de se mettre en rapport avec ses collègues des ministères de la Guerre, de la Marine, de l'Intérieur et des Finances, afin de s'assurer que toutes les précautions soient prises en cas d'aggravation de la situation. Il est satisfait d'apprendre que de grandes avancées ont été faites dans tous les domaines concernés. Abel Ferry, le sous-secrétaire d'État aux Affaires étrangères, et René Renoult, le ministre des Travaux publics, qui ont fait le déplacement à Dunkerque pour venir accueillir le président, lui annoncent que toutes les permissions ont été annulées, les régiments en manœuvre rappelés dans leurs garnisons, les préfets placés en état d'alerte, les fonctionnaires sommés de rester à leur poste et les fournitures essentielles commandées : « Bref, on avait pris les dispositions qui devaient, le cas échéant, permettre la mobilisation immédiate [47]. » Lorsque, dans le train qui les ramène à Paris, Renoult lui demande si un accord politique entre grandes puissances peut encore être trouvé, Poincaré lui répond : « Non, il ne peut y avoir aucun accord. Il ne peut y avoir aucun arrangement [48]. » Mais c'est la description que Poincaré fait dans son journal intime des foules qui se sont rassemblées pour l'accueillir sur le chemin du retour qui nous révèle le mieux l'état d'esprit d'un leader politique déjà en guerre :

> Nous arrivons à 8 heures du matin à Dunkerque et débarquons à 9 heures. Tout de suite, nous constatons que l'état d'esprit de la population, et notamment des ouvriers et des dockers, est excellent. Une multitude très dense s'est précipitée sur les jetées et sur les quais et nous accueille par des cris répétés de « Vive La France ! Vive Poincaré ! » Je maîtrise péniblement mon émotion et j'échange quelques mots avec le maire, les sénateurs [...], les députés [...]. Tous me disent, et le préfet me confirme : nous pouvons compter sur l'union et sur la résolution du pays [49].

Le gouvernement russe pour sa part a déjà décrété des mesures de prémobilisation extrêmement étendues. Paris en est bien informé, à la fois par une courte note de Paléologue le 25 juillet, et de façon plus détaillée par l'attaché militaire français à Saint-Pétersbourg, le général Pierre de Laguiche [50]. Au matin du 29 juillet arrive la nouvelle, transmise par l'ambassadeur Izvolski, que la Russie a prévu de décréter une mobilisation partielle contre l'Autriche le jour même. Il est difficile de retracer la réaction de Poincaré, parce que plus tard, en préparant la rédaction de ses Mémoires, il retranchera de son journal intime la seconde partie de l'entrée de ce jour, une page qui semblait traiter des mesures prises par les Russes [51]. Il n'existe pas non plus de minutes détaillées des délibérations du Conseil des ministres qui se tient ce jour-là. Mais d'après le récit que Louis Malvy, le ministre de l'Intérieur, qui a assisté au Conseil, en fait à Joseph Caillaux le soir même, les ministres ont expressément approuvé les mesures prises par les Russes [52]. Ni au cours de la traversée le 26 et le 27 juillet, ni le 29 juillet, Paris n'a cru bon de retenir son partenaire de l'Alliance.

Ce qui concorde parfaitement avec le scénario balkanique ainsi qu'avec le raisonnement stratégique français, où la rapidité et l'efficacité de la mobilisation russe sont des facteurs cruciaux. Mais cette priorité doit être mise en balance avec la nécessité de s'assurer de l'intervention des Britanniques. Or, fin juillet, le gouvernement britannique n'a toujours pas décidé s'il entrerait dans cette guerre européenne qui semble imminente, ni quand, ni comment. Mais une chose est claire : s'il apparaît que la France se lance dans une guerre d'agression aux côtés de son allié russe, elle ne pourra moralement plus prétendre à demander le soutien de son allié britannique. Dans le même temps, la sécurité de la France en cas d'offensive allemande à l'ouest nécessite que Paris exige une réaction militaire russe la plus rapide possible. Il s'agit donc toujours du même paradoxe : une guerre défensive sur le front ouest doit commencer par une guerre offensive à l'est. Ces deux impératifs antagoniques soumettent les décideurs français à une pression considérable, qui augmente encore dans la nuit du 29 juillet lorsque les Allemands avertissent les Russes qu'ils envisagent eux aussi de mobiliser, à moins que Saint-Pétersbourg n'interrompe sa propre mobilisation.

Tard dans la nuit du 29 au 30 juillet, un télégramme de Sazonov arrive à l'ambassade de Russie à Paris pour informer Izvolski de la mise en garde allemande. Puisque la Russie ne peut reculer, écrit Sazonov, le gouvernement russe a l'intention « d'accélérer les mesures défensives et d'assumer une entrée en guerre probablement inéluctable ». Izvolski doit remercier le gouvernement français, de la part du ministre russe, de son assurance généreuse que « nous pouvons compter de façon absolue sur le soutien de la France, notre alliée [53] ». Comme les Russes ont déjà informé les Français de leur décision de décréter une mobilisation *partielle* (contre l'Autriche uniquement), on peut conclure que « l'accélération » dont parle Sazonov fait référence à l'imminence d'une mobilisation *générale* en Russie, une mesure qui rendrait la guerre continentale quasiment inévitable [54]. Comme on peut s'y attendre, ce télégramme déclenche l'effervescence à Paris. En pleine nuit, Izvolski envoie son secrétaire d'ambassade au Quai d'Orsay tandis que lui-même se rend chez Viviani pour lui remettre le télégramme de Sazonov. Peu après 4 heures du matin, Viviani rejoint le ministre de la Guerre Adolphe Messimy et le président Poincaré à l'Élysée pour discuter de la situation. Il en résulte une réponse française soigneusement rédigée, envoyée au matin du 30 juillet :

> La France est résolue à remplir toutes les obligations découlant de l'alliance. Mais, dans l'intérêt même de la paix générale et étant donné qu'une conversation est engagée entre les puissances moins intéressées, je crois qu'il serait opportun que, dans les mesures de précaution et de défense auxquelles la Russie croit devoir procéder, elle ne prît immédiatement aucune disposition qui offrît à l'Allemagne un prétexte pour une mobilisation totale ou partielle de ses forces [55].

Cette réponse est parfois citée pour prouver que le gouvernement français, effrayé par les décisions des Russes, était prêt à compromettre les dispositions de sécurité de l'Alliance franco-russe afin de préserver la paix [56]. C'est d'ailleurs certainement ainsi que l'entendait Viviani : rencontrant l'ancien ministre des Affaires étrangères Gabriel Hanotaux le soir même, il se plaint que les Russes « nous mettent devant le fait accompli sans nous consulter [57] ». Mais le but de cette note est plus complexe : elle doit persuader les Britanniques que la France tente de retenir son allié russe – raison pour laquelle une copie du message a été immédiatement envoyée à Paul Cambon à Londres. Poincaré fait explicitement le lien avec l'Entente franco-anglaise quand il note dans son journal que le message adressé à Saint-Pétersbourg a été formulé « à cause de l'attitude ambiguë de l'Angleterre [58] ». Au même moment cependant, il donne comme instruction à Margerie et Messimy – apparemment sans en informer Viviani – de clarifier auprès d'Izvolski la véritable nature des intentions du gouvernement français. Ce que rapporte l'ambassadeur russe de cette conversation avec le diplomate et le ministre français atténue la portée du télégramme :

> Margerie, avec qui je viens de m'entretenir, me dit que le gouvernement français ne souhaite pas intervenir dans nos préparatifs militaires, mais croit qu'il est hautement souhaitable, dans l'intérêt des négociations en cours pour sauver la paix, que ces préparatifs évitent autant que possible de prendre un caractère ostentatoire et provocateur. Poursuivant le même raisonnement, le ministre de la Guerre a également dit au comte Ignatiev [l'attaché militaire

russe à Paris] que nous pouvons déclarer que nous sommes disposés, dans l'intérêt supérieur de la paix, à ralentir temporairement nos mesures de mobilisation, *ce qui ne nous empêche pas, par ailleurs, de continuer nos préparatifs militaires, voire de les poursuivre encore plus énergiquement, à condition de ne pas effectuer de transports de troupes massifs* [59].

Ces télégrammes, tous deux envoyés le 30 juillet, résument les triangulations complexes de la stratégie française qui doit composer avec les impératifs clairement définis de l'Alliance franco-russe et la logique plus vague de l'Entente franco-anglaise. Faire référence à « l'intérêt supérieur de la paix » signifie en réalité offrir à l'adversaire une occasion de reculer – scénario de plus en plus improbable. Entre-temps la Russie poursuit ses préparatifs de guerre, sous la forme d'une quasi-mobilisation, à laquelle il ne manque plus que la phase finale de concentration des troupes sur la frontière occidentale. Alors qu'il prend des notes pendant le Conseil des ministres en ce matin du 30 juillet, le sous-secrétaire d'État aux Affaires étrangères Abel Ferry résume ainsi la position de la France : « Ne pas arrêter la mobilisation russe. Mobiliser mais ne pas concentrer [60]. » Dans son journal, à la même date, Poincaré rapporte l'envoi du télégramme incitant Saint-Pétersbourg à la retenue, avant de poursuivre ainsi : « En même temps, nous prenons les mesures nécessaires pour établir, dans l'Est, le dispositif de couverture [61] ».

La Russie mobilise

Le soir du 29 juillet, le chef d'état-major transmet l'oukase de mobilisation générale au général Sergeï Dobrorolski, directeur de la mobilisation, chargé de recueillir les signatures ministérielles sans lesquelles l'ordre ne peut être rendu effectif. Ce dernier racontera plus tard ses visites aux ministres de la Guerre, de la Marine et de l'Intérieur. L'atmosphère est sombre. Soukhomlinov, auparavant si loquace pour défendre ses convictions bellicistes, est devenu très silencieux. Peut-être regrette-t-il désormais l'article incendiaire qu'il a « planté » dans *Birjevaïa Viedomosti* quelques mois auparavant, déclarant que « la Russie [était] prête à entrer en guerre [62] ». À la lecture de l'oukase, l'amiral Grigorovitch, ministre de la Marine, éprouve un choc : « Quoi, la guerre contre l'Allemagne ? Notre flotte n'est absolument pas en état de se défendre contre la flotte allemande. » Il téléphone à Soukhomlinov pour en avoir confirmation avant de signer, « le cœur lourd ». Dobrorolski se rend ensuite chez le ministre de l'Intérieur, le réactionnaire ultramonarchiste Nikolaï Maklakov. Dans son bureau, plongé dans une atmosphère religieuse, de grandes icônes dressées sur une table étroite brillent à la lueur d'une lampe votive. En Russie, déclare le ministre, « la guerre ne sera jamais populaire auprès de la masse de la population, qui préfère les idées révolutionnaires à une victoire contre l'Allemagne. Mais on ne peut échapper à son destin. » Après avoir tracé un signe de croix, Maklakov lui aussi signe l'oukaze [63].

Vers 21 heures, ayant recueilli toutes les signatures nécessaires, Dobrorolski se rend au central télégraphique de Saint-Pétersbourg où l'attend le directeur en chef des Postes, à qui l'on a demandé de se tenir prêt à effectuer une transmission « de la plus haute importance ». Plusieurs copies du texte sont tapées à la machine avec un soin méticuleux afin de pouvoir transmettre l'ordre simultanément des nombreuses machines du hall central qui relient Saint-Pétersbourg aux principaux centres de l'Empire russe, d'où il sera retransmis à toutes les villes de tous les districts. Suivant la procédure fixée pour l'envoi des ordres de mobilisation, le central télégraphique a été fermé à tout autre trafic. À 21 h 30, juste avant que la transmission ne commence, le téléphone sonne : c'est Yanouchkevitch, le chef d'état-major, qui ordonne à Dobrorolski de ne pas transmettre le texte mais d'attendre d'autres instructions. Quelques minutes plus tard surgit un messager, le capitaine d'état-major Tugan-Baranowsky, qui annonce avec agitation que le tsar a changé d'avis. Au lieu de la mobilisation générale, un ordre de mobilisation partielle va être promulgué, selon la « résolution de principe » adoptée durant le Conseil des ministres des 24 et 25 juillet. Le nouvel oukaze, rédigé en bonne et due forme, est transmis vers minuit dans la nuit du 29 au 30 juillet, déclenchant des mesures de mobilisation dans les districts de Kiev, Odessa, Moscou et Kazan [64].

Ce contrordre soudain va occasionner une série de quiproquos presque comiques à l'ambassade de France. Peu après 22 heures, le général de Laguiche, l'attaché militaire, a été averti de l'imminence de la mobilisation par les Russes qui lui ont demandé de ne pas en informer l'ambassadeur Paléologue, car ils craignent qu'une indiscrétion de sa part ne compromette le secret entourant la décision. Mais Paléologue, qui l'apprend une heure plus tard d'une autre source (c'est-à-dire d'une indiscrétion russe), envoie sur-le-champ son premier secrétaire, Chambrun, au ministère des Affaires étrangères russe afin d'alerter Paris par télégramme qu'une mobilisation secrète est en cours. Paléologue préfère transmettre depuis le ministère car il craint que les codes français ne soient pas sûrs ; au même moment il expédie un télégramme chiffré au Quai d'Orsay : « Veuillez récupérer de toute urgence auprès de l'ambassade de Russie mon télégramme n° 304. » Arrivant au ministère des Affaires étrangères, Chambrun croise Laguiche qui vient d'apprendre que le tsar a annulé l'ordre de mobilisation et lui donne l'ordre de supprimer la partie du télégramme qui fait référence à la « décision secrète de commencer la mobilisation ». Le télégramme envoyé à l'ambassade russe à Paris se contente donc d'annoncer la mobilisation russe contre l'Autriche, de telle sorte que Viviani et ses collègues vont rester ignorants du fait que Saint-Pétersbourg a été à deux doigts de lancer une mobilisation générale le 29 juillet au soir. Le lendemain matin, Paléologue est fou de rage lorsqu'il apprend que l'attaché militaire et son propre secrétaire ont interféré avec ses communications.

De toute façon, la mobilisation partielle annoncée le 29 juillet n'est pas un arrangement viable : elle pose des problèmes insurmontables aux stratèges de l'état-major, menaçant de perturber les procédures de la mobilisation générale qui suivra. Si l'ordre n'est pas annulé et remplacé par un ordre de mobilisation générale dans les vingt-quatre heures, la capacité de l'armée à lancer une offensive à l'ouest sera irrémédiablement compromise. Au petit matin du 30 juillet, Sazonov et Krivochéïne – tous deux « grandement perturbés par l'arrêt de la mobilisation générale [65] » – se concertent par téléphone. Sazonov propose que Krivochéïne demande audience au tsar afin de le persuader qu'il y a urgence à reprendre la mobilisation générale. À 11 heures, Sazonov rencontre Yanouchkevitch, qui énumère à nouveau toutes les raisons de passer immédiatement à une mobilisation générale. Debout dans le bureau du chef d'état-major, Sazonov demande à ce qu'on lui passe le palais de Peterhof par téléphone. Après quelques minutes d'une attente éprouvante, il entend une voix d'homme « peu habituée à parler au téléphone » et qu'il ne reconnaît pas tout d'abord : son interlocuteur « désire savoir qui est à l'appareil [66] ». Le tsar accepte de le recevoir à 15 heures l'après-midi même (mais sans Krivochéïne, car il déteste que ses ministres se liguent pour venir faire pression sur lui).

À son arrivée à Peterhof, Sazonov est directement conduit dans le bureau du tsar, qu'il trouve « fatigué et préoccupé ». À la demande du souverain, l'audience se déroule en présence du général Tatichtchev, sur le point de repartir à Berlin reprendre son poste d'attaché militaire auprès du Kaiser. Pendant cinquante minutes, Sazonov explique toutes les difficultés techniques de la situation, rappelant à Nicolas II que les Allemands « ont rejeté toutes nos offres de conciliation qui allaient pourtant bien au-delà de l'esprit de concession que l'on peut attendre de la part d'une grande puissance dont les forces sont intactes ». Il conclut qu'il « n'y a plus d'espoir de sauver la paix ». Le tsar clôt l'entretien sur une décision définitive : « Vous avez raison. Il ne reste rien d'autre à faire que de nous préparer à une attaque. Transmettez au chef d'état-major mon ordre de mobilisation [67]. »

Enfin, à son grand soulagement, Yanouchkevitch reçoit l'appel tant attendu de Sazonov : « Donnez vos ordres, Général, puis disparaissez pour le reste de la journée. » Mais les craintes du ministre qu'il n'y ait un nouveau contrordre se révèlent infondées. Une fois de plus, le général Dobrorolski doit se rendre au central télégraphique. Cette fois-ci, tous savent ce qui est en jeu. Lorsqu'il pénètre dans le grand hall vers 18 heures, « un silence solennel règne parmi les télégraphistes, hommes et femmes. Chacun, assis devant sa machine, attend la copie du télégramme. » Aucun messager cette fois-ci n'arrive de la part du tsar. Peu après 18 heures, bien que les opérateurs restent silencieux, les machines se mettent à cliqueter, emplissant le hall d'une rumeur intense et résolue [68].

La mobilisation générale russe, la première de toutes, est l'une des décisions les plus lourdes de conséquences de la crise de juillet. Elle survient à un moment où le gouvernement allemand n'a même pas encore décrété l'état de guerre imminente, l'équivalent de la période préparatoire à la guerre en vigueur en Russie depuis le 26 juillet. L'Autriche-Hongrie, pour sa part, est toujours engagée dans une mobilisation partielle contre la Serbie. Cette situation mettra plus tard les décideurs russes et français dans un certain embarras. Dans le livre orange publié par le gouvernement russe après le déclenchement de la guerre pour justifier ses décisions pendant la crise, les éditeurs antidateront de trois jours l'ordre autrichien de mobilisation générale pour donner l'impression que les Russes n'ont fait que réagir à des développements extérieurs. Un télégramme du 29 juillet de l'ambassadeur Chebeko à Vienne déclarant qu'un ordre de mobilisation générale autrichien était attendu pour le lendemain sera antidaté au 28 juillet, et modifié afin qu'on lise « l'ordre de mobilisation générale a été signé » – en fait, le décret autrichien de mobilisation générale ne sera pas signé avant le 31 juillet, avec effet au lendemain. Le livre jaune des Français manipulera encore plus audacieusement les sources, en insérant un communiqué fictif de Paléologue, daté du 31 juillet, déclarant que la mobilisation russe a été signée « en réaction à la mobilisation générale autrichienne » ainsi qu'aux « mesures successives de mobilisation prises en secret par les Allemands au cours des six derniers jours ». En réalité, sur le plan militaire, l'Allemagne est restée une oasis de tranquillité relative pendant toute la crise [69].

Pourquoi les Russes prennent-ils cette décision ? En ce qui concerne Sazonov, le facteur décisif est sans doute la déclaration de guerre autrichienne à la Serbie le 28 juillet, à laquelle il réagit presque immédiatement en envoyant un télégramme aux ambassades de Londres, Paris Vienne, Berlin et Rome annonçant que la Russie décrétera une mobilisation partielle des districts limitrophes de l'Autriche dès le lendemain [70] (il s'agit du télégramme examiné par les ministres français le lendemain matin). À ce stade, il est encore crucial pour Sazonov que les Allemands demeurent convaincus que « la Russie n'avait aucune intention agressive à leur égard » – d'où la décision russe d'une mobilisation partielle[71]. Pourquoi donc Sazonov passe-t-il si rapidement à la mobilisation générale ? Plusieurs raisons s'imposent, dont la première, analysée plus haut, est l'impossibilité technique de passer d'une mobilisation partielle (pour laquelle il n'existe aucun plan véritable) à une mobilisation générale.

La seconde raison, c'est que Sazonov est convaincu que l'intransigeance de l'Autriche dissimule une stratégie de l'Allemagne – et cette conviction ne fait que croître tout au long de la crise. Elle est profondément ancrée dans la politique balkanique de la Russie, qui a cessé depuis assez longtemps de prendre au sérieux l'Autriche-Hongrie en tant qu'acteur autonome des affaires européennes. À cet égard il faut rappeler qu'à Port Baltiski, en juillet 1912, Sazonov avait averti Bethmann de ne pas encourager les Autrichiens à se lancer dans des aventures risquées. Cette conviction se trouve renforcée pendant la crise de juillet par des rapports suggérant que l'Allemagne continue à soutenir la position autrichienne plutôt que de l'inciter à reculer (ce qui est exact). Dans ses Mémoires, Sazonov se rappellera avoir reçu un télégramme de l'ambassadeur Benckendorff envoyé de Londres le 28 juillet, jour de la déclaration de guerre autrichienne. Benckendorff y rapporte une conversation avec le comte Lichnowsky (ambassadeur allemand à Londres) qui « avait confirmé sa conviction » que l'Allemagne « soutenait l'obstination de l'Autriche ». C'est là un point extrêmement important, car il permet aux Russes de faire porter tout le poids moral de la crise à Berlin et d'en faire l'agent sur lequel reposent tous les espoirs de paix. Laconique, Benckendorff conclut : « Il est clair que la clé de la situation se trouve à Berlin[72]. »

Sazonov lui-même exprime cette conviction dans un bref télégramme envoyé le 28 juillet aux ambassadeurs russes de Paris et de Londres : il déclare conclure d'une conversation avec l'ambassadeur allemand à Saint-Pétersbourg, le comte Pourtalès, que « l'Allemagne favorise l'attitude intransigeante de l'Autriche[73] ». Sa position se durcit considérablement le lendemain, lorsque Pourtalès lui demande audience afin de lui transmettre un message du chancelier allemand : si la Russie poursuit ses préparatifs militaires, l'Allemagne se verra elle-même contrainte de mobiliser. Ce à quoi Sazonov, qui interprète l'avertissement du chancelier comme un ultimatum, répond sèchement : « Je n'ai désormais plus aucun doute sur la cause véritable de l'intransigeance de l'Autriche. » Pourtalès se lève alors de son fauteuil et s'exclame : « Je proteste de toutes mes forces, monsieur le Ministre, contre cette affirmation blessante[74]. » La rencontre se termine dans une atmosphère glaciale. Pour les Russes, la

situation est la suivante : si l'Allemagne, en dépit de son apparente quié-
tude, est effectivement le moteur de la politique autrichienne, alors la
mobilisation partielle n'a aucun sens, étant donné la solidité du bloc
austro-allemand – pourquoi ne pas alors reconnaître la véritable nature
du danger et mobiliser toutes leurs forces contre ces deux puissances ?

Enfin, le soutien de Sazonov à la mobilisation générale est renforcé par
l'assurance donnée le 28 juillet par Maurice Paléologue, « sur instruction
de son gouvernement », que les Russes peuvent compter, « en cas de
nécessité » sur « l'entière résolution de la France à remplir ses obligations
en tant qu'alliée [75] ». Il se peut même que les Russes soient confiants, dès
la fin du mois de juillet, quant au fait que la Grande-Bretagne apportera
son aide. « Aujourd'hui Saint-Pétersbourg est fermement persuadé, plus
encore, a reçu l'assurance que l'Angleterre soutiendra la France », écrit
l'attaché militaire belge Bernard de L'Escaille le 30 juillet. « Ce soutien
est un argument considérable, qui n'a pas peu contribué à donner l'avantage au parti belliciste [76]. » À quelles assurances L'Escaille fait-il allusion ?
Quand ont-elles été données ? Cela n'a pas été éclairci, mais il est quasiment certain qu'il ne se trompe pas en affirmant que les leaders russes
ont confiance en une intervention britannique, au moins à long terme.

Et cependant, à peine la décision de mobilisation générale a-t-elle été
prise et acceptée par le tsar qu'elle est annulée au profit d'une mobilisation
partielle contre l'Autriche, une option décidée de manière officielle,
certes, mais inapplicable. La raison profonde de ce revirement, ce sont les
sentiments de crainte et d'horreur inspirés par la guerre qui submergent le
tsar au moment même de déclencher le conflit. Pratiquement tous ceux
qui le connaissaient et ont laissé un témoignage écrit s'accordaient à dire
qu'il était partagé entre deux émotions contradictoires : la première, un
effroi bien compréhensible à la perspective de déclencher une guerre et
toutes les souffrances qu'elle infligerait à son pays ; la seconde, une hyper-
sensibilité à la rhétorique galvanisante des politiciens nationalistes, une
prédilection pour les hommes et les actions exaltant le sentiment patriotique. Ce qui fait basculer le tsar du côté de la prudence le 29 juillet,
c'est l'arrivée à 21 h 20, juste avant que l'ordre de mobilisation générale
ne soit transmis, d'un télégramme du Kaiser Guillaume II. Le cousin du
tsar l'assure que son gouvernement espère toujours parvenir à « un accord
direct » entre Vienne et Saint-Pétersbourg et conclut ainsi :

> Bien sûr toute mesure militaire prise par la Russie qui pourrait être inter-
> prétée par l'Autriche comme une menace précipiterait les calamités que nous
> souhaitons tous deux éviter, et compromettrait la position de médiateur que
> j'ai acceptée bien volontiers lorsque vous avez fait appel à mon amitié et à
> mon aide [77].

« Je ne serai pas responsable d'une effroyable hécatombe », déclare alors le tsar qui exige que l'ordre soit annulé. Yanouchkevitch saisit le téléphone pour arrêter la main de Dobrorolski ; un messager court jusqu'au central télégraphique afin d'expliquer qu'un ordre de mobilisation partielle va arriver pour remplacer l'ordre annulé.

Il n'est pas inutile de s'attarder un moment pour examiner comment un simple télégramme envoyé par son cousin au troisième degré suffit au tsar pour retarder de vingt-quatre heures un ordre de mobilisation générale. Après la révolution de février 1917, Vladimir Bourtsev, journaliste révolutionnaire et adversaire acharné du tsarisme, sera chargé d'examiner les papiers privés du tsar : il découvrira toute une série de télégrammes personnels échangés entre l'empereur de Russie et l'empereur d'Allemagne. Les deux hommes, qui signent respectivement Nicky et Willy, communiquent en anglais, sur un ton informel voire parfois intime. La découverte de ces documents fera sensation. En septembre 1917, le journaliste Hermann Bernstein, qui couvre la révolution en Russie, les publiera dans le *New York Herald* avant qu'ils ne paraissent en livre quatre mois plus tard (précédés d'un avant-propos de Theodore Roosevelt) [78].

Les télégrammes « Willy-Nicky », tels qu'on y fait désormais référence, exercent une fascination durable, en partie parce que leur lecture nous donne l'illusion d'écouter à la dérobée une conversation privée entre deux empereurs d'une Europe désormais disparue, mais également parce qu'ils nous restituent un monde où le destin des nations semble encore reposer entre les mains d'individus extrêmement puissants. En réalité, ces impressions nous induisent en erreur, du moins en ce qui concerne ces fameux télégrammes échangés pendant la crise de juillet, qui n'étaient ni secrets, leur existence étant connue, ni privés, leur contenu étant largement débattu [79]. Il s'agit en fait de câbles diplomatiques couchés sous la forme d'une correspondance privée. Des deux côtés de cette conversation, le contenu est scruté et approuvé par les diplomates. Ces télégrammes sont l'exemple de ce curieux système de communication entre monarques qui demeurera une caractéristique du système européen jusqu'au déclenchement de la guerre – même si, en l'occurrence, les deux monarques se contentent d'émettre des messages dont ils ne sont pas l'origine. Ils reflètent la structure monarchique des exécutifs européens, et non le pouvoir des monarques à modeler la politique. Le télégramme du 29 juillet fait figure d'exception, car il arrive au moment très particulier où, pour une fois, tout dépend de la décision du tsar, non qu'il soit l'acteur principal du processus de définition de la politique, mais parce que son autorisation et sa signature sont absolument nécessaires pour décréter la mobilisation générale. Il ne s'agit pas là d'une question d'influence politique, mais du reliquat symbolique de l'absolutisme militaire au sein d'un système autocratique. Au moment précis où le tsar se débat dans les affres d'une décision difficile (ce qui se comprend, vu les enjeux), le télégramme de « Willy » suffit à faire pencher la balance contre la décision de mobiliser. Mais son effet ne dure même pas une journée, car les deux monarques ne font qu'exprimer les positions fondamentalement irréconciliables de leurs exécutifs respectifs. Au matin du 30 juillet, Nicolas II, abandonnant tout espoir qu'un accord entre cousins puisse sauver la paix, en revient à l'option de la mobilisation générale [80].

Une deuxième réflexion s'impose sur cette décision russe de mobiliser : quand Sazonov rencontre le tsar dans l'après-midi du 30 juillet, il le trouve inquiet de la menace que la mobilisation autrichienne fait peser sur la Russie : « [Les Allemands] ne veulent pas reconnaître que l'Autriche a mobilisé avant nous. Maintenant, ils exigent que notre propre mobilisation soit interrompue, sans mentionner la mobilisation autrichienne. À présent, si j'acceptais les exigences allemandes, nous serions désarmés face à l'Autriche [81]. » Or nous savons qu'à ce stade, les préparatifs autrichiens se concentrent encore exclusivement sur l'objectif de vaincre la Serbie, sans tenir le moindre compte d'une éventuelle réaction de la part des Russes. La crainte du tsar n'exprime pas une paranoïa individuelle, elle reflète une tendance plus générale de l'analyse des risques menée par l'état-major russe. Les services de renseignement militaire n'ont cessé de surévaluer les capacités militaires de l'Autriche et, de façon plus cruciale encore, ils prêtent aux Autrichiens la capacité de mener des actions préemptives en toute discrétion. Ce présupposé a été renforcé par la crise de l'hiver 1912-1913 où les Autrichiens sont parvenus à augmenter la concentration de leurs troupes en Galicie sans attirer l'attention des Russes dans un premier temps [82]. Cette tendance à la surestimation est paradoxalement renforcée par la connaissance très précise des plans de déploiement autrichien (grâce au défunt colonel Redl, ainsi que d'autres sources bien informées). Ceci n'est pas nouveau : en 1910 déjà, Soukhomlinov, fraîchement nommé ministre de la Guerre, se vantait d'avoir consulté des plans de déploiement de l'armée et de la marine autrichiennes, conçus spécifiquement « pour la conquête de la Macédoine ». Ces documents, affirmait-il, révélaient la gravité du danger que l'expansionnisme austro-hongrois faisait courir aux intérêts russes dans la péninsule balkanique et rendaient nulles et non avenues toutes les dénégations des diplomates. Que ces documents puissent avoir été de simples plans d'urgence (qui plus est obsolètes) et non le reflet des ambitions géopolitiques des Autrichiens ne semble pas avoir effleuré l'esprit de Soukhomlinov, qui avait sans doute l'intention de les utiliser pour réclamer une augmentation des budgets militaires [83]. Cette tendance à surinterpréter de façon paranoïaque les documents dérobés aux Autrichiens continue à peser sur la politique de sécurité russe jusqu'en 1914. C'est parce qu'ils connaissent si bien les calendriers de mobilisation autrichiens que les Russes ont tendance d'une part à interpréter toute mesure isolée comme faisant partie d'un tout cohérent, et d'autre part à considérer toute variation par rapport à la séquence attendue comme une menace potentielle.

En 1913 par exemple, ils ont appris de source secrète qu'en cas de guerre avec la Serbie, les Autrichiens prévoyaient de mobiliser sept corps d'armée. Or, en juillet 1914, des rapports (ni précis ni fiables) de l'ambassadeur Chebeko et de l'attaché militaire Vineken semblent indiquer que le nombre de corps d'armée mis sur le pied de guerre s'élève à huit ou neuf — ce qui, aux yeux du renseignement militaire, peut indiquer que Conrad est peut-être en train de basculer du plan B (centré sur la Serbie) au plan R (centré sur la Russie). En d'autres termes, qu'il est en train de « passer subrepticement à une mobilisation générale ou quasi générale [84] ». Rétrospectivement, nous savons que les Autrichiens ont revu à la hausse leurs estimations des capacités de l'armée serbe, ce qui les a poussés à augmenter le déploiement qu'ils estimaient nécessaire à une victoire contre la Serbie. Et le déroulement de la première année de guerre prouvera que même ces estimations révisées n'étaient pas encore assez importantes pour leur assurer une victoire décisive contre des Serbes qui, le tsar l'avait prédit, se battront effectivement « comme des lions ». Ceci représente un exemple classique des erreurs d'interprétation qui peuvent se produire lorsque, obtenant un certain nombre de renseignements de haut niveau, on cherche à les faire rentrer de force dans un schéma hors contexte et peut-être périmé. Étant donné la paranoïa ambiante, il était virtuellement impossible d'obtenir une estimation objective du niveau réel de la menace. Mais plus grave encore : ces interprétations des décisions autrichiennes sont prises très au sérieux par le tsar, qui dévore les rapports quotidiens de l'état-major général. Tout ceci permet d'expliquer pourquoi les Russes considèrent leur propre mobilisation générale comme équivalente à celle des Autrichiens, et ainsi parfaitement justifiée. À l'instar des autres protagonistes de la crise de juillet, les Russes peuvent affirmer que ce sont eux qui sont dos au mur.

Le saut dans l'inconnu

Pendant toute la mi-juillet, les décideurs allemands s'accrochent de toutes leurs forces à leur stratégie de localisation du conflit. Durant les premiers jours, il est encore facile d'imaginer que la crise se résoudra rapidement. Le 6 juillet, Guillaume II assurait à l'empereur François-Joseph « que la situation s'éclaircirait en moins d'une semaine parce que

Theobald von Bethmann-Hollweg

la Serbie reculerait », même s'il était possible, comme il le faisait remarquer au ministre de la Guerre Erich von Falkenhayn, que « la période de tension » dure un peu plus longtemps, « trois semaines » peut-être [85]. Au cours de la troisième semaine de juillet, alors que l'espoir d'un règlement rapide semble définitivement s'éloigner, les leaders politiques n'en poursuivent pas moins sur leur lancée. Le 17 juillet, le chargé d'affaires de la légation de Saxe à Berlin apprend « qu'une localisation du conflit est escomptée, étant donné que l'Angleterre demeure absolument pacifique et que ni la France ni la Russie ne semblent pencher vers la guerre [86] ». Dans une circulaire adressée le 21 juillet aux ambassadeurs allemands à Rome, Londres et Saint-Pétersbourg, Bethmann déclare : « Nous souhaitons instamment une localisation du conflit. L'intervention d'une autre puissance, quelle qu'elle soit, aurait des conséquences incalculables, étant donné les antagonismes entre les alliances [87]. »

Une des conditions pour parvenir à contenir la crise était que les Allemands eux-mêmes s'abstiennent de toute décision risquant de déclencher une escalade. Si Bethmann incite le Kaiser à quitter Berlin pour sa croisière annuelle sur la Baltique, c'est en partie pour éviter toute initiative intempestive et également s'assurer de la marge de manœuvre et de la tranquillité d'esprit dont il a besoin pour gérer la crise. De même, les plus hauts responsables militaires sont encouragés à prendre leurs congés ou à les poursuivre. Le chef d'état-major Helmut von Moltke, le secrétaire d'État de l'office du Reich à la Marine, l'amiral von Tirpitz, et le chef d'état-major de l'Amirauté, Hugo von Pohl, sont déjà en permission ; le quartier-maître général, le comte Waldersee, quitte Berlin pour aller se reposer quelques semaines dans la propriété de son beau-père dans le Mecklembourg ; quant au ministre de la Guerre Erich von Falkenhayn, il effectue une brève tournée d'inspection avant de prendre son congé annuel.

Il ne faudrait cependant pas accorder trop d'importance à ces absences. Les individus concernés sont conscients de la gravité de la crise et confiants dans l'état de préparation de l'armée allemande ; ils savent également il n'y a pas de risque d'escalade tant que les Autrichiens ne prennent pas d'initiative contre Belgrade [88]. D'un autre côté, on ne peut pas non plus aller trop loin et affirmer qu'il s'agit là d'une ruse subtile des Allemands pour détourner l'attention des autres États de leurs préparatifs militaires en vue de déclencher une guerre continentale planifiée à l'avance. Les mémorandums internes et la correspondance échangés pendant ces journées suggèrent que les hommes politiques, tout comme les chefs de l'armée et de la marine, sont convaincus que la stratégie de localisation aboutira. Il ne se tient aucune réunion au sommet des principaux commandants, et Helmut von Moltke ne revient de sa cure à Carlsbad en Bohême que le 25 juillet. Le 13 juillet, il écrit à l'attaché militaire allemand à Vienne que l'Autriche ferait bien de « battre les Serbes puis de conclure une paix rapide, en exigeant comme seule condition une alliance austro-serbe, comme la Prusse l'avait fait avec l'Autriche en 1866 ». Apparemment, à cette date-là, il croit encore possible que l'Autriche lance une offensive contre la Serbie et règle le conflit sans que la Russie n'intervienne [89].

L'absence d'activité des réseaux de renseignement militaire est également tout à fait remarquable. Le major Walter Nicolai, chef du département III b de l'état-major, responsable de l'espionnage et du contre-espionnage, est parti en vacances avec sa famille dans les monts du Harz, et n'a pas été rappelé à Berlin. Les postes de renseignement le long de la frontière orientale ne reçoivent aucune instruction spécifique après les réunions de Potsdam et ne semblent pas avoir pris de précautions particulières. Il faut attendre le 16 juillet pour qu'un officier du département des opérations n'émette l'idée qu'il serait « souhaitable de surveiller les développements en Russie avec plus d'attention qu'en période de calme absolu », mais même cette circulaire mentionne expressément qu'il n'y a nul besoin « de mettre en œuvre des mesures spéciales [90] ». Dans plusieurs districts frontaliers, les officiers de renseignements sont autorisés à rester en permission, tout comme Moltke, jusqu'au 25 juillet[91].

Afin de ne pas compromettre leur stratégie, Bethmann et le ministère des Affaires étrangères poussent les Autrichiens à accélérer le rythme et à passer à l'acte pour mettre tout le monde devant un *fait accompli*. Mais les décideurs viennois ne parviennent pas à suivre ce conseil – ou s'y refusent. La lourde machinerie de l'État Habsbourg ne se prête pas à des décisions rapides et tranchées. Dès le 11 juillet, Bethmann commence à se plaindre de la lenteur insoutenable des préparatifs autrichiens. Dans une entrée de son journal intime rédigé chez Bethmann, Kurt Riezler résume ainsi le problème : « Apparemment, [les Autrichiens] ont besoin d'un délai horriblement long pour mobiliser. Seize jours d'après [Conrad von] Hötzendorff. Terriblement dangereux. Un rapide *fait accompli*, puis se montrer aimable avec l'Entente – c'est la seule façon de résister au choc[92]. » Le 17 juillet, le secrétaire de l'ambassade allemande à Vienne, Stolberg, avertit Bethmann que « des négociations » se déroulent toujours entre Berchtold et Tizsa[93]. Afin d'accélérer le processus et de minimiser le risque de complications internationales, Berchtold fixe un délai de quarante-huit heures pour obtenir la réponse des Serbes à l'ultimatum autrichien. Pour les mêmes raisons, Jagow presse les Autrichiens d'avancer la date prévue de leur éventuelle déclaration de guerre du 29 au 28 juillet.

Si la lenteur de la réaction autrichienne anéantit une des conditions de succès de leur stratégie de localisation, pourquoi les Allemands s'y accrochent-ils avec autant d'obstination ? En premier lieu, Berlin continue à croire que des facteurs structurels plus profonds – tel le retard du programme de réarmement russe – militent contre une intervention armée des Russes. Les intentions du gouvernement français sont plus difficiles à déchiffrer, d'autant plus que le président, le président du Conseil et le chef du département politique du Quai d'Orsay passent cette troisième et quatrième semaine de juillet en Russie, ou en mer. Mais le rapport Humbert sur l'état de préparation militaire en France conforte la conviction des Allemands que les pays de l'Entente n'interviendront probablement pas.

Interprétant à juste titre le ton extrêmement sévère du rapport Humbert comme une attaque essentiellement politique contre le ministre de la Guerre Adolphe Messimy et son entourage, les Allemands ont accueilli avec scepticisme ces révélations spectaculaires sur la prétendue impréparation militaire française. Les experts militaires allemands ont immédiatement fait remarquer que le canon de campagne français était supérieur à son homologue allemand. Et comme l'armée française a abandonné sa stratégie défensive au profit d'une stratégie offensive, faire état dans le rapport du déclin relatif des fortifications à la frontière est une diversion [94]. Cependant, dans un mémorandum secret rédigé après les révélations d'Humbert, Moltke conclut que les préparatifs militaires français à la frontière sont insuffisants, en particulier dans le domaine de l'artillerie lourde, des mortiers et de la construction de dépôts de munitions pouvant résister aux bombardements [95]. Au minimum donc, le rapport Humbert semble indiquer que le gouvernement français, et en particulier le haut commandement, ne sera pas d'humeur à pousser l'Alliance franco-russe dans une guerre au sujet de la Serbie ; quant aux Russes, eux aussi, ils seront certainement découragés d'agir [96].

Une deuxième raison pousse Berlin à continuer de croire en la localisation du conflit : le manque d'options alternatives. Aux yeux des décideurs allemands, il est hors de question d'abandonner leurs alliés Habsbourg, à la fois pour des raisons politiques et de réputation, mais également parce que Berlin reconnaît la légitimité des griefs autrichiens contre la Serbie. De plus, si l'équilibre de la puissance militaire en Europe se modifie au détriment des Allemands, leur situation sera pire encore s'ils perdent leur unique allié. Les stratèges allemands ont déjà tiré un trait sur l'Italie, trop peu fiable pour compter comme un atout substantiel [97]. Du reste, l'ambivalence de la position italienne rend encore moins crédible la proposition de Grey de rassembler les quatre puissances moins directement impliqués pour résoudre la dispute austro-serbe : si l'Italie se rangeait aux côtés des deux puissances de l'Entente (ce qui semblait fort probable étant donné sa politique balkanique anti-autrichienne) quelle chance y aurait-il d'obtenir justice pour l'Autriche-Hongrie ? Les Allemands sont prêts à transmettre à Vienne la proposition de Grey, mais Bethmann est d'avis que l'Allemagne doit soutenir une médiation multilatérale entre l'Autriche et la Russie uniquement, et non entre l'Autriche et la Serbie [98].

Ce qui sous-tend cette politique de localisation et empêche l'émergence de stratégies alternatives, c'est la conviction, capitale aux yeux de Bethmann, que si la Russie décide malgré tout d'intervenir pour défendre son protégé serbe, la guerre qui éclatera serait un événement échappant au contrôle de l'Allemagne, un coup du destin asséné aux puissances centrales par une Russie agressive et ses partenaires de l'Entente. Cette ligne de pensée se retrouve dans une lettre adressée le 12 juillet par le secrétaire d'État aux Affaires étrangères Gottlieb von Jagow à l'ambassadeur Lichnowsky à Londres :

> Il faut que nous fassions en sorte de localiser le conflit entre l'Autriche et la Serbie. Cela dépend en premier lieu de la Russie, et ensuite de l'influence des autres membres de l'Entente. Je ne souhaite pas une guerre préventive mais si le combat s'offre à nous, nous ne faiblirons pas [99].

Ici à nouveau nous retrouvons la conviction partagée par tant d'acteurs de cette crise qui considèrent agir sous la pression d'irrésistibles contraintes extérieures tout en faisant reposer la responsabilité de choisir entre la guerre et la paix sur les épaules de leurs adversaires.

En soutenant l'Autriche-Hongrie et en étant persuadés – de façon bien insouciante – qu'ils pourront contenir le conflit, les Allemands apportent leur propre contribution au déroulement de la crise. Cependant, rien dans la façon dont ils réagissent aux événements de l'été 1914 ne suggère qu'ils considèrent la crise comme l'occasion tant attendue de mettre en œuvre un plan préparé de longue date pour déclencher une guerre préventive contre leurs voisins. Au contraire, Zimmermann, Jagow et Bethmann sont étonnamment lents à saisir l'ampleur du désastre qui se prépare. Le 13 juillet, Zimmermann est encore persuadé qu'il n'y aura pas de « grand conflit européen ». Et le samedi 26 juillet, les hauts fonctionnaires du ministère des Affaires étrangères pensent toujours que la France et la Grande-Bretagne resteront à l'écart d'une guerre balkanique. Loin d'être maîtres de la situation, les décideurs allemands ont du mal à ne pas se laisser dépasser par les événements. Pendant ces jours décisifs du mois de juillet, les collègues de Jagow sont frappés de le voir « si nerveux, irrésolu et inquiet », ne semblant pas « à la hauteur des responsabilités de sa charge », tandis que Tirpitz compare Bethmann à « un homme qui se noie [100] ».

Pendant ces chaudes journées du mois de juillet, le Kaiser navigue autour de la Scandinavie. Ces longues croisières, principalement en mer Baltique, sont depuis longtemps une activité immuable du calendrier estival permettant à Guillaume II d'échapper pour un temps à la tension et au sentiment d'impuissance qui lui pèsent tant à Berlin. Seul maître à bord du *Hohenzollern*, le yacht impérial, entouré d'une coterie de flatteurs complaisants qui ne peuvent se soustraire à ses caprices, le Kaiser peut laisser libre cours à l'impétuosité de sa personnalité. Après quelques jours fort agréables où il assiste aux régates de Kiel, ponctués de nombreuses occasions de fraterniser avec des officiers de la Royal Navy, Guillaume II met le cap sur la ville côtière de Balholm en Norvège, devant laquelle son yacht reste au mouillage jusqu'au 25 juillet. C'est de là qu'il envoie, le 14 juillet, une première réponse personnelle au message de François-Joseph demandant l'aide des Allemands. Il renouvelle l'assurance que Berlin soutiendra Vienne et dénonce les « fanatiques insensés » responsables de « l'agitation panslaviste » qui menace la Double Monarchie mais, de façon tout à fait intéressante, il ne mentionne pas la guerre. Certes il déclare que, tout en devant « se garder de prendre parti sur la question des relations actuelles entre Vienne et Belgrade », il considère comme « le devoir moral de tous les États civilisés » que de s'opposer à la « propagande par les actes » des antimonarchistes en employant « tous les moyens d'action du pouvoir ». Mais le reste de la lettre fait exclusivement référence à des initiatives *diplomatiques* dans les Balkans pour éviter la création d'une « ligue balkanique sous patronage russe » hostile à l'Autriche. Il termine sa lettre en formulant le vœu que l'empereur puisse se remettre au plus vite du deuil qui l'a frappé [101].

Les commentaires du Kaiser en marge des documents officiels qui lui sont transmis pendant sa croisière montrent que, comme beaucoup des leaders politiques et militaires restés à Berlin, il est impatient de savoir quelles décisions Vienne prendra [102]. Il semble principalement préoccupé par la crainte que les décideurs viennois ne procrastinent trop longtemps et ne gaspillent ainsi le capital de sympathie que leur ont valu les assassinats, ou pire encore, que le courage ne leur manque à la dernière minute. Il est donc soulagé d'apprendre vers le 15 juillet qu'une « décision énergique » est imminente, son seul regret étant le délai supplémentaire avant que les exigences autrichiennes ne soient transmises à Belgrade [103].

Le 19 juillet cependant, Guillaume II est brutalement plongé dans un état de profonde anxiété par un télégramme envoyé au *Hohenzollern*, par le secrétaire d'État aux Affaires étrangères Jagow. Il ne contient aucune information nouvelle mais précise que la remise de l'ultimatum étant désormais fixée au 23 juillet, des dispositions doivent être prises pour que le Kaiser puisse être joint « au cas où des circonstances inattendues rendraient nécessaire de prendre d'importantes décisions [la mobilisation] ». Le Kaiser prend soudainement conscience de l'ampleur de la crise qui se profile [104]. Il donne l'ordre sur-le-champ à la flotte de la haute mer d'annuler sa visite prévue en Scandinavie et de se tenir prête à prendre la mer. Son inquiétude est d'autant plus compréhensible que la marine britannique se trouve en plein exercice de mobilisation et par conséquent, en état d'alerte élevé. Mais Bethmann et Jagow considèrent à juste titre que cet ordre ne fera que susciter les soupçons et exacerbera la crise en dissuadant les Britanniques de démobiliser leur flotte. Le 22 juillet, ils l'annulent pour que l'escale en Norvège se déroule comme prévu. À ce stade, les manœuvres diplomatiques priment encore sur les considérations stratégiques [105].

Malgré l'augmentation de la tension, Guillaume II reste convaincu qu'une crise plus générale peut encore être évitée. Lorsqu'il reçoit la copie de l'ultimatum adressé à Belgrade, il fait le commentaire suivant : « Qui l'eût cru ! C'est finalement une note très dure. » Jusque-là, de toute évidence, il partageait l'opinion de son entourage que les Autrichiens renonceraient à affronter la Serbie. Lorsque l'amiral Müller émet l'idée que cet ultimatum signifie que la guerre est toute proche, le Kaiser le contredit avec énergie. Les Serbes, affirme-t-il, ne se risqueront jamais dans un conflit contre l'Autriche – ce que l'amiral Müller interprète, avec justesse, comme le signe que le Kaiser n'est absolument pas prêt, au plan psychologique, à des complications militaires, et cédera dès qu'il réalisera que la guerre est une possibilité réelle [106].

Guillaume II rentre à Potsdam dans l'après-midi du 27 juillet. Très tôt le lendemain matin, il prend connaissance du texte de la réponse serbe à l'ultimatum du 23 juillet. Sa réaction, notée en marge de son exemplaire du texte, est pour le moins inattendue : « Excellent résultat pour un délai de 48 heures, qui dépasse toutes nos espérances ! Cela supprime toute nécessité d'entrer en guerre. » Il est stupéfait d'apprendre que les Autrichiens ont déjà décrété une mobilisation partielle : « Jamais je n'aurais ordonné une mobilisation sur cette base [107]. » À 10 heures du matin, il rédige à la hâte une lettre pour Jagow dans laquelle il déclare que puisque la Serbie a accepté « la plus humiliante des capitulations », « tout motif de guerre est désormais éliminé ». Au lieu d'envahir l'ensemble du territoire serbe, poursuit-il, les Autrichiens devraient envisager d'occuper temporairement Belgrade, déjà évacuée, afin de s'assurer que les Serbes respecteront leurs engagements. Plus important, Guillaume ordonne à Jagow d'informer les Autrichiens que telle est sa volonté, « que tout motif de guerre a disparu » et que lui-même est prêt à servir de « médiateur de paix pour l'Autriche » : « Je le ferai de ma propre initiative, en ménageant au mieux ses sentiments patriotiques et dans le plus grand respect de l'honneur de son armée [108]. » Il écrit également à Moltke, reprenant les mêmes arguments : si la Serbie remplit ses obligations envers l'Autriche-Hongrie, il n'y a plus de raisons justifiant la guerre. Durant toute cette journée, d'après le ministre de la Guerre, « il se livra à des déclarations confuses qui donnaient clairement l'impression qu'il ne voulait plus entrer en guerre et il était déterminé à l'éviter, quitte à abandonner l'Autriche-Hongrie au milieu du gué [109] ».

Certains historiens ont interprété cet accès de circonspection comme la preuve que le Kaiser a perdu son sang-froid. Le 6 juillet, lorsqu'il avait rencontré le grand industriel Gustav Krupp à Kiel, il avait répété avec assurance : « Cette fois-ci, je ne me dégonflerai pas. » Krupp avait été frappé du caractère pathétique de ce besoin dérisoire de se montrer à la hauteur [110]. Comme l'a remarqué l'historien Luigi Albertini avec pertinence, « Guillaume II fanfaronnait lorsque le danger était loin, mais baissait le ton lorsqu'il voyait une vraie menace de guerre se profiler à l'horizon [111] ». Il y a une part de vérité dans cette analyse : l'empressement de l'empereur à s'engager dans la défense des intérêts autrichiens est inversement proportionnel à la perception qu'il a des risques de conflit. Et le 28 juillet, les risques semblent extrêmement élevés. D'après les télégrammes les plus récents envoyés de Londres par Lichnowsky, Sir Edward Grey a déclaré « qu'il n'aurait jamais cru possible » que la Serbie aille aussi loin pour satisfaire les Autrichiens et qu'un conflit majeur éclatera si ces derniers ne modèrent pas leur position [112]. Guillaume II, toujours extrêmement sensible au point de vue britannique, prend certainement ces avertissements au sérieux – peut-être même expliquent-ils son interprétation de la réponse serbe, qui ne correspond pas à celle du chancelier et du ministère des Affaires étrangères. D'une certaine mesure, la note que le Kaiser rédige le 28 juillet s'inscrit davantage dans la logique de ses précédentes interventions qu'elle ne s'explique par l'hypothèse d'un accès de panique de dernière minute. Car tous ses commentaires pendant la crise indiquent qu'à la différence des décideurs viennois et berlinois qui considèrent l'ultimatum comme un simple prétexte pour engager une action militaire, Guillaume II, lui, le voit véritablement comme un instrument diplomatique devant jouer un rôle dans la résolution de cette crise et il reste attaché à l'idée d'une solution politique du problème balkanique.

L'appareil de prise de décision est donc lézardé. L'opinion du souverain diverge de celle des décideurs les plus importants. Mais la fissure est vite réparée, car le trait le plus frappant des instructions envoyées à Jagow le 28 juillet, c'est qu'elles restent lettre morte. Si le Kaiser avait véritablement détenu le pouvoir qu'on lui a parfois attribué, alors son intervention aurait pu changer le cours de la crise et peut-être de l'histoire du monde. Mais il a perdu le fil des développements à Vienne, où les leaders sont désormais impatients de passer à l'offensive contre la Serbie. De façon plus grave encore, ses trois semaines de croisière lui ont fait perdre le contact avec ce qui se déroulait à Berlin. Les instructions transmises à Jagow n'ont aucun impact sur les démarches allemandes auprès de Vienne. Bethmann n'informe pas les Autrichiens des intentions du Kaiser suffisamment tôt pour éviter la déclaration de guerre à la Serbie le 28 juillet. Et le télégramme urgent qu'il envoie à Tschirschky un quart d'heure à peine après la lettre de Guillaume II à Jagow reprend bien certaines de ses propositions, mais omet ses affirmations réitérées qu'il n'y a plus aucun motif de guerre. À l'inverse, Bethmann campe sur la position précédente – abandonnée depuis par le Kaiser – selon laquelle les Allemands doivent absolument éviter de donner l'impression qu'ils veulent retenir les Autrichiens [113].

Pour quelles raisons Bethmann agit-il ainsi ? Il est difficile de le savoir. Considérer qu'il a déjà subordonné ses démarches diplomatiques à une stratégie de guerre préventive, ceci n'est pas corroboré par les documents. Plus probablement, il est déjà engagé dans une stratégie alternative de collaboration avec Vienne visant à dissuader la Russie de réagir de façon disproportionnée aux décisions autrichiennes. Le soir du 28 juillet, le

chancelier persuade le Kaiser d'envoyer un télégramme à Nicolas II l'assurant que le gouvernement allemand fait le maximum pour obtenir un
accord satisfaisant entre Vienne et Saint-Pétersbourg – démarche qu'à
peine vingt-quatre heures plus tôt, Guillaume II avait refusé de faire, la
trouvant prématurée [114]. Il s'agit de ce fameux télégramme déjà mentionné, envoyé à Nicky pour le supplier de ne pas compromettre la mission de médiation de Willy. Ce que Bethmann souhaite, c'est contenir le
conflit au niveau régional, non pas l'éviter, et il est déterminé à protéger
cette stratégie de toute intervention de son souverain.

À partir du 25 juillet, les signes d'activité militaire en Russie se multiplient. L'officier de renseignement basé à Königsberg rapporte qu'une
série « inhabituellement longue » de transmissions cryptées a été intercep-
tée entre la tour Eiffel et la station de TSF de Bobruysk [115]. Le matin du
26 juillet, le lieutenant-général Chelius, attaché militaire allemand à la
cour de Nicolas II, note que les autorités militaires semblent avoir entamé
« tous les préparatifs d'une mobilisation contre l'Autriche [116] ». Afin de
se faire une idée plus complète de ce qui se passe de l'autre côté de la
frontière, le major Nicolai du département III b interrompt ses congés,
rentre à Berlin et donne l'ordre de mobiliser les *Spannungsreisende* : il
s'agit de volontaires issus de différents milieux dont la mission consiste à
se rendre en France et en Russie, au moindre signe de tension internationale (*Spannung*), comme de simples voyageurs (*Reisende*), touristes ou
représentants de commerce, afin d'y mener de discrètes missions d'observation pour établir, selon la note de service établie par le major Nicolai,
« si des préparatifs de guerre se déroulent en France et en Russie [117] ».
Certains d'entre eux font de nombreux allers-retours de part et d'autre
de la frontière afin de venir faire leur rapport en personne, comme l'infatigable Herr Henoumont, qui se rend deux fois à Varsovie en l'espace de
trois jours, et se retrouve bloqué en Pologne pendant un moment lorsque
la frontière est fermée. D'autres partent plus loin et envoient des télégrammes par le réseau télégraphique public, en utilisant un code assez
simple. Il n'y a pas encore de sentiment d'urgence – leurs officiers traitants sont informés le 25 juillet que la période de tension pourra durer
un certain temps. Si à l'inverse la tension retombait, les *Spannungsreisende* dont les permissions avaient été annulées pourraient repartir en
congé [118].
Les *Spannungsreisende* et autres agents opérant à la frontière orientale
permettent au renseignement militaire de se faire une idée des préparatifs
en cours en Russie. De Königsberg, des rapports font état de convois
ferroviaires partant vers l'est à vide, de mouvements de troupes autour de
Kovno, de la mise en état d'alerte des gardes-frontières. À 22 heures le

26 juillet, le *Spannungsreisende* Ventski envoie un télégramme de Vilna pour rapporter que les préparatifs de guerre sont déjà bien entamés dans la ville. Le 27 et le 28 juillet, un flot continu d'informations parvient au bureau d'analyse des renseignements nouvellement créé au sein de l'état-major. Dans l'après-midi du 28 juillet, il publie une synthèse des informations les plus récentes :

> Russie apparemment mobilisation partielle. Étendue non encore définie avec certitude. District militaire Odessa Kiev assez certain. Moscou encore incertain. Rapports isolés sur mobilisation district militaire Varsovie non encore vérifiés. Autres districts notamment Vilna mobilisation non encore décrétée. Cependant il est certain que la Russie prend des mesures militaires le long de la frontière allemande devant être considérées comme préparatoires à la guerre. Proclamation probable de la période préparatoire à la guerre dans tout l'empire. Gardes-frontières en état d'alerte sur toutes frontières [119].

Cette détérioration spectaculaire de la situation, renforcée par la nouvelle de la mobilisation partielle russe le 29 juillet, injecte une dose de panique dans la diplomatie allemande : inquiet des messages en provenance de Londres et de la multitude d'informations sur les préparatifs militaires russes, Bethmann change brutalement de cap. Après avoir sabordé les tentatives de Guillaume II pour retenir Vienne le 28 juillet, il essaie désormais de faire fléchir les Autrichiens en envoyant toute une série de télégrammes urgents à Tschirschky [120]. Mais ses efforts sont rendus vains par la rapidité des préparatifs militaires russes, qui menacent de contraindre les Allemands à prendre des contre-mesures avant que leur médiation ne puisse prendre effet.

Une fois connue la nouvelle de la mobilisation russe le 30 juillet, ce n'est plus qu'une question de temps avant que Berlin ne réagisse par une mesure similaire. Deux jours auparavant, après avoir dû batailler contre Bethmann, le ministre de la Guerre Erich von Falkenhayn est parvenu à faire rappeler les régiments en manœuvres dans leur caserne. Les premières mesures préparatoires ordonnées ce jour-là – achats de blé dans la zone offensive occidentale, patrouilles spéciales le long des voies ferrées et retour des régiments dans leurs garnisons – peuvent encore être tenues secrètes et donc, en théorie, s'effectuer parallèlement aux efforts diplomatiques pour contenir le conflit. Mais il n'en va pas de même avec « l'état de danger de guerre » (*Kriegsgefahrzustand*), dernière étape avant la mobilisation. Pendant les derniers jours de paix, les décideurs berlinois se déchirent sur la question de savoir si l'Allemagne doit passer à ce niveau de préparation et quand, alors que des mesures équivalentes sont en vigueur en Russie depuis le 26 juillet.

Le 29 juillet, jour où la Russie décrète la mobilisation partielle, une réunion des chefs militaires révèle qu'il existe encore des désaccords entre eux : Falkenhayn, le ministre de la Guerre, est favorable à la déclaration de « l'état de danger de guerre » tandis que le chef d'état-major et le chancelier préconisent simplement d'augmenter le nombre de patrouilles et de sentinelles dans les principales installations ferroviaires. Le Kaiser semble hésiter entre les deux options. À Berlin comme à Saint-Péters-bourg, ces moments où l'ensemble des décideurs sont confrontés à des prises de décisions cruciales et controversées touchant à la souveraineté redonnent au chef de l'État un rôle central dans le processus de décision. Le télégramme que Guillaume II a reçu le matin même de la part du tsar, menaçant de « prendre des mesures extrêmes qui mèneraient à la guerre », le dispose tout d'abord à soutenir son ministre de la Guerre. Mais sous la pression de Bethmann, il change d'avis : en fin de compte, « l'état de danger de guerre » ne sera pas déclaré. Tout en déplorant le résultat de cette réunion, Falkenhayn note dans son journal intime qu'il en comprend les motifs car « celui qui croit en la possibilité de maintenir la paix, ou du moins la souhaite, ne peut guère se prononcer en faveur d'une déclaration de "menace de guerre" [121] ».

Le 31 juillet, après d'autres atermoiements sur les mesures à prendre, l'ambassadeur Pourtalès transmet depuis Moscou la nouvelle que les Russes ont ordonné la mobilisation générale la veille au soir, avec effet à minuit. Par téléphone, le Kaiser donne alors l'ordre de décréter « l'état de danger de guerre », ordre transmis à l'armée par Falkenhayn à 13 heures le 31 juillet. Ce sont les Russes qui, les premiers, ont pris la responsabilité de mobiliser, point crucial pour les décideurs berlinois qui, au vu de manifestations pacifistes dans certaines villes d'Allemagne, veulent que le caractère défensif de l'entrée en guerre de leur pays ne fasse aucun doute. L'attitude des dirigeants sociaux-démocrates (SPD), parti qui a remporté plus d'un tiers des voix aux dernières élections du Reichstag, est source d'inquiétude : le 28 juillet, Bethmann a rencontré le chef de l'aile droite du SPD, Albert Südekum, qui lui a promis que son parti ne s'opposerait pas à un gouvernement obligé de se défendre contre une offensive russe (les sentiments russophobes sont presque aussi forts au sein du SPD qu'au sein du mouvement libéral britannique). Le 30 juillet, le chancelier est en mesure de rassurer ses collègues : en cas de conflit, il n'y a pas à craindre de mouvements de subversion intérieure de la part de partis ouvriers [122].

Voyant les derniers développements en Russie, Guillaume II ne peut plus s'opposer à la déclaration de « l'état de danger de guerre », mais il est intéressant de noter que, d'après le témoignage du ministre plénipo-tentiaire de Bavière von Weininger, la décision doit lui être « arrachée » par Falkenhayn. L'après-midi, le souverain a recouvré son sang-froid, principalement parce qu'il s'est convaincu lui-même qu'il agit désormais sous la contrainte extérieure – conviction fondamentale, partagée par presque tous les acteurs de la crise de juillet. En présence de son ministre de la Guerre, Guillaume II fait un point de la situation, rejetant l'intégralité de la responsabilité du conflit sur la Russie. « Son comportement et son discours, » note Falkenhayn dans son journal, « furent dignes d'un empereur d'Allemagne, dignes d'un roi de Prusse. » Ce qui, de la part d'un militaire de carrière, l'un des faucons les plus convaincus, de ceux qui l'ont vilipendé pour son amour de la paix et sa peur de la guerre, prend une résonance extrêmement forte [123]. Lorsque, le 1er août 1914, le gouvernement russe refuse d'annuler son ordre de mobilisation, l'Allemagne déclare la guerre à la Russie.

« Il doit y avoir un malentendu »

Durant les derniers jours de juillet, l'attention du Kaiser reste concentrée sur la Grande-Bretagne. Cela s'explique en partie par le fait que, comme beaucoup d'Allemands, il la considère comme le pivot du système continental, la puissance sur laquelle repose la possibilité d'éviter une guerre générale. Guillaume II partage la tendance répandue à surestimer le poids de la Grande-Bretagne dans la diplomatie continentale et à sous-estimer l'engagement que ses décideurs clés (en particulier Grey) ont déjà pris dans une certaine ligne de conduite. Il faut également tenir compte de la dimension psychologique : l'Angleterre représente le pays dont Guillaume a désespérément recherché l'admiration, la reconnaissance et l'affection – sans toujours parvenir à les obtenir. Elle incarne tout ce qui le fascine : une marine armée des meilleurs cannons et des meilleurs instruments que la science moderne puisse concevoir, la richesse, la sophistication et (du moins dans les cercles qu'il fréquente lors de ses visites) la dignité d'un comportement aristocratique qu'il admire sans parvenir à l'imiter. C'est le pays de sa grand-mère, dont il remarquera plus tard que, si elle avait été encore en vie, elle n'aurait jamais permis à Nicky et à George de se liguer ainsi contre lui. C'est le royaume où a régné son oncle Édouard VII, jalousé et détesté, qui a réussi à en consolider la place sur la scène internationale – là où lui, Guillaume, a échoué. Et bien évidemment, c'est le pays natal de sa mère, décédée treize ans auparavant, avec qui il n'est jamais parvenu à résoudre une relation tourmentée. Cette nébuleuse d'émotions et d'associations d'idées influence continuellement le Kaiser lorsqu'il tente d'interpréter la politique de la Grande-Bretagne.

Le 28 juillet, il est grandement rasséréné par un message de son frère Henri de Prusse, qui lui laisse entendre que George V a l'intention de laisser la Grande-Bretagne à l'écart de la guerre. En début de matinée le 26 juillet, Henri de Prusse, venu participer aux régates de Cowes au large de l'île de Wight, se rend au palais de Buckingham pour prendre congé du roi avant de rentrer en Allemagne. Au cours de leur conversation, selon Henri, George V lui déclare : « Nous ferons tout ce qui est en notre pouvoir pour demeurer à l'écart et nous resterons neutres [124]. » Dès que le prince arrive dans le port de Kiel, le 28 juillet, il télégraphie ces mots au Kaiser, qui les interprète comme une déclaration officielle de neutralité. Lorsque Tirpitz ose critiquer cette interprétation, Guillaume II lui réplique, avec un mélange typique de grandiloquence et de naïveté : « J'en ai la parole d'un roi, et cela me suffit [125]. » Que le roi d'Angleterre ait effectivement prononcé ces mots ou pas, cela demeure incertain. Comme on peut s'y attendre, son propre journal ne donne aucune indication. Il se contente de noter : « Henri de Prusse est venu me voir tôt ce matin. Il repart sur-le-champ en Allemagne. » Mais un autre récit de la rencontre, probablement rédigé par le monarque à la demande de Grey, donne davantage de détails. D'après ce document, lorsque Henri de Prusse demande à George V ce que ferait la Grande-Bretagne en cas de guerre européenne, le monarque britannique répond :

> Je ne sais ce que nous ferons, nous n'avons de querelle avec personne et j'espère que nous resterons neutres. Mais si l'Allemagne déclare la guerre à la Russie et si la France fait cause commune avec la Russie, alors je crains que nous ne soyons entraînés. Mais soyez assuré que moi-même et mon gouvernement ferons tout notre possible pour éviter une guerre européenne [126].

Henri a donc largement pris ses désirs pour des réalités dans la façon dont il a transmis le message, même si nous ne pouvons pas totalement exclure la possibilité que George V ait modifié son propre compte rendu pour qu'il corresponde aux souhaits de son secrétaire d'État aux Affaires étrangères – auquel cas la vérité se trouve quelque part entre les deux versions. Quoi qu'il en soit, le télégramme d'Henri suffit à rendre au Kaiser toute sa confiance dans le fait que la Grande-Bretagne restera à l'écart du conflit. Son optimisme semble de plus confirmé par le manque d'empressement du gouvernement britannique, et de Grey en particulier, à annoncer publiquement ses intentions.

Guillaume II est donc choqué d'apprendre, au matin du 30 juillet, la mise en garde que Grey a adressée à l'ambassadeur allemand, le comte Lichnowsky : si le conflit se limitait à l'Autriche, à la Serbie et (bizarrement) à la Russie, la Grande-Bretagne ne s'en mêlerait pas. Mais elle interviendrait aux côtés de l'Entente si l'Allemagne et la France étaient engagées. La dépêche de l'ambassadeur Lichnowsky provoque une volée d'annotations rageuses de la part du Kaiser : les Anglais sont des « cra-

Le comte Lichnowsky

pules », « de minables boutiquiers » qui veulent forcer l'Allemagne à « laisser tomber » l'Autriche et qui osent la menacer de conséquences dramatiques tout en refusant de retirer leurs alliés continentaux de la mêlée [127]. Lorsqu'il apprend la nouvelle de la mobilisation générale en Russie le lendemain, le Kaiser fait le lien avec la position de la Grande-Bretagne : combinée à l'avertissement de Grey, la mobilisation russe lui « prouve » que l'Angleterre entend désormais exploiter « le prétexte » de l'élargissement du conflit pour « jouer la carte de toutes les nations européennes en sa faveur et contre nous [128] ! »

C'est alors que, peu après 17 heures en ce samedi 1er août, arrive une nouvelle stupéfiante. Quelques minutes après que Berlin a décrété la mobilisation générale, un télégramme de Lichnowsky en provenance de Londres rapporte l'entretien que l'ambassadeur allemand a eu le matin même avec le secrétaire d'État au Foreign Office : non seulement il semble que Grey propose de ne pas intervenir dans le conflit si l'Allemagne n'attaque pas la France, mais qu'il se porte également garant de la neutralité de la France. Tel est le texte de ce télégramme :

> Sir Edward Grey vient de m'informer par l'intermédiaire de Sir W. Tyrell qu'il espère être en mesure cet après-midi, après un Conseil des ministres qui se tient en ce moment même, de me faire une déclaration qui peut s'avérer

utile à prévenir la grande catastrophe [le télégramme est envoyé à 11 h 14].
À en juger par une remarque de Sir W. Tyrell, cela semble signifier qu'au cas
où nous n'attaquerions pas la France, l'Angleterre elle aussi resterait neutre et
garantirait la passivité de la France. J'en apprendrai les détails cet après-midi.
Sir Edward Grey vient de me téléphoner pour me demander si je pouvais lui
donner l'assurance qu'en cas de neutralité française dans une guerre entre la
Russie et l'Allemagne, nous n'attaquerions pas la France. Je lui ai assuré que
je pouvais prendre la responsabilité d'une telle garantie et il va user de cette
assurance au cours de la réunion du cabinet de ce jour. Précision : Sir
W. Tyrell m'a instamment prié d'user de mon influence pour empêcher nos
troupes de violer la frontière française. Tout repose sur cela. Il me dit qu'en
une occasion où les troupes allemandes avaient déjà traversé la frontière, les
troupes françaises s'étaient retirées [129].

Abasourdis par cette offre inattendue, les décideurs berlinois se mettent
sur-le-champ à rédiger une réponse favorable. Mais le projet de réponse
n'est pas encore achevé que vers 20 heures arrive un deuxième télégramme
de Londres : « Suite à [mon précédent télégramme], Sir W. Tyrell vient
de venir me voir et m'a dit que Sir Edward Grey veut proposer la neutralité de la Grande-Bretagne y compris au cas où nous entrerions en guerre
contre la France et contre la Russie. Je dois voir Sir Edward Grey à
15 h 30 et vous tiendrai informés aussitôt [130]. »

Ces messages de Londres déclenchent une violente discussion entre le
Kaiser et son chef d'état-major. La mobilisation allemande est déjà en
marche, ce qui signifie que la lourde machinerie du plan Schlieffen s'est
ébranlée. Après lecture du premier télégramme de Lichnowsky, le Kaiser
était d'avis que, bien que l'ordre de mobilisation ne puisse plus être révo-
qué pour le moment, il fallait interrompre toute initiative contre la France
en échange de la promesse de la neutralité anglo-française. Soutenu par
Bethmann, Tirpitz et Jagow, il donne donc l'ordre d'interrompre tout
mouvement de troupes en attendant l'arrivée de nouveaux messages de
Lichnowsky clarifiant la nature de l'offre britannique. Mais alors que
Guillaume II et Bethmann souhaitent saisir cette opportunité d'éviter une
guerre sur le front ouest, Moltke affirme qu'une fois lancée, la mobilisation générale ne peut plus être interrompue. « Ceci donna lieu à un
affrontement spectaculaire », raconte l'un des témoins. « Moltke, très
agité, les lèvres tremblantes, défendait sa position, tandis que le Kaiser, le
chancelier et les autres participants tentaient en vain de le
convaincre [131]. » Il serait suicidaire, déclare Moltke, de laisser l'armée allemande à découvert, exposée à une mobilisation française dans son dos.
De toute façon, les premières patrouilles sont déjà entrées dans le Luxembourg, suivies de près par la 16e division de Trèves. Mais le Kaiser refuse
de se laisser impressionner. Il fait transmettre l'ordre à Trèves que la

16e division s'arrête avant de franchir la frontière luxembourgeoise. Lorsque Moltke le supplie de ne pas s'opposer à l'occupation du Luxembourg, ce qui priverait les Allemands du contrôle de la voie ferrée, Guillaume II lui réplique : « Trouvez d'autres itinéraires ! » La situation est bloquée, Moltke frôle l'hystérie. S'adressant en aparté au ministre de la Guerre, le chef d'état-major au bord des larmes lui confie « qu'il est un homme brisé, parce que cette décision du Kaiser démontre que ce dernier espère toujours sauver la paix [132] ».

Même après l'arrivée du second télégramme, Moltke continue d'affirmer qu'il est trop tard pour modifier le plan de mobilisation afin d'en exclure la France, mais le Kaiser refuse de l'écouter : « Votre illustre oncle ne m'aurait jamais fait une telle réponse. Si je vous en donne l'ordre, cela doit être possible [133]. » Il fait apporter du champagne, tandis que Moltke quitte rageusement la réunion, confiant à son épouse qu'il était parfaitement prêt à affronter l'ennemi, mais « pas un Kaiser tel que celui-là ». Le stress de cette réunion est si élevé que son épouse lui attribue la cause de la petite attaque cérébrale qui frappe le chef d'état-major [134].

Tandis que l'on sabre le champagne, Bethmann et Jagow s'attellent à la tâche de rédiger une réponse au premier télégramme de Lichnowsky. L'Allemagne accepterait la proposition « si l'Angleterre pouvait garantir de toute la force de son armée la neutralité inconditionnelle de la France dans un conflit germano-russe ». La mobilisation se poursuivrait mais aucun soldat allemand ne franchirait la frontière française avant 7 heures du matin le 3 août, dans l'attente de la finalisation de l'accord. Le Kaiser appuie la teneur de ce message par un télégramme personnel envoyé au roi George V dans lequel il accepte chaleureusement l'offre « de neutralité française sous garantie de la Grande-Bretagne » et exprime l'espoir que les Français ne se montrent pas trop « nerveux » : « Les troupes de notre côté de la frontière sont en train d'être prévenues par télégramme et téléphone de ne pas pénétrer en territoire français [135]. » Quant à Jagow, il envoie un autre télégramme à Lichnowsky pour lui demander de remercier Grey de son initiative [136].

Peu après arrive une nouvelle dépêche de Lichnowsky. Entre-temps, le rendez-vous si attendu avec Grey a bien eu lieu à 15 h 30 mais, à la grande surprise de l'ambassadeur, Grey ne lui fait aucune offre de neutralité britannique et française, et ne semble pas en avoir discuté avec ses collègues du cabinet. À la place, il se contente de faire allusion à la possibilité que les armées française et allemande puissent « en cas de guerre russe, rester face à face sans passer à l'offensive », avant d'examiner les initiatives allemandes qui pourraient entraîner une intervention britannique. En particulier, Grey prévient l'ambassadeur qu'il serait « très difficile de modérer l'indignation britannique en cas de violation de la neutralité

belge par la France ou par l'Allemagne ». Lichnowsky réagit en lui retournant la question : Grey serait-il disposé à l'assurer de la neutralité britannique si l'Allemagne acceptait de respecter l'intégrité du territoire belge ?
Étonnamment, Grey paraît pris de court par cette ouverture. Il est obligé
de déclarer qu'il ne peut donner une telle assurance, parce que l'Angleterre
doit garder les mains libres. En d'autres termes, Grey semble revenir sur
sa proposition initiale. Du même coup, il révèle – peut-être à son insu –
qu'il l'a faite sans consulter les Français au préalable. Dans le compte
rendu de cette rencontre peu concluante, Lichnowsky se contente de
noter que les Britanniques ne semblent pas prêts à prendre des engagements limitant leur liberté d'action, mais que Grey a accepté de sonder la
possibilité d'un face-à-face armé franco-allemand sans offensive [137]. Cette
dépêche, qui arrive en début de soirée, plonge Berlin dans la confusion
générale et aucune réponse n'est envoyée.

Entre-temps cependant, le télégramme du Kaiser au roi George V
acceptant chaleureusement l'offre de son gouvernement de garantir la
neutralité française a été remis à son destinataire – causant la consternation à Londres. Personne apparemment n'a été mis au courant des tours
et des détours des négociations menées par Grey pendant la journée. Le
secrétaire d'État au Foreign Office est donc convoqué à Buckingham pour
s'expliquer et formuler une réponse. Vers 21 heures, il rédige au crayon
le texte de ce qui deviendra la réponse de George V au télégramme du
Kaiser :

> Il doit y avoir un malentendu au sujet d'une suggestion faite lors d'une
> conversation amicale entre Sir Edward Grey et le prince Lichnowsky cet après-
> midi, alors qu'ils évoquaient les moyens d'éviter que les armées française et
> allemande n'entament le combat tant qu'il demeure une chance d'accord entre
> l'Autriche et la Russie. Sir Edward Grey fera en sorte de rencontrer le prince
> Lichnowsky au plus vite demain matin afin de vérifier s'il n'y a pas eu malen-
> tendu de sa part [138].

Toute ambiguïté est définitivement levée par un nouveau télégramme
de Lichnowsky qui a reçu le télégramme de Jagow « acceptant » la « proposition » britannique au même moment où le roi George V reçoit le
télégramme enthousiaste de son cousin. Impassible, Lichnowsky fait cette
réponse lapidaire à Jagow : « En l'absence de toute proposition britannique, votre télégramme est inopérant. N'ai donc pas pris d'autre
initiative [139]. »

À ce moment, il est déjà 23 heures à Berlin. Le soulagement est proche
pour Moltke qui, au QG de l'état-major, versait des larmes de désespoir
au sujet de l'ordre du Kaiser arrêtant l'avancée de la 16ᵉ division. Peu
après minuit, il est rappelé au palais pour apprendre la teneur de la der-

nière dépêche londonienne. À son arrivée Guillaume lui montre le tout dernier télégramme reçu, qui précise la position corrigée de la Grande-Bretagne, avant de lui lancer : « Maintenant, vous pouvez faire ce que vous voulez [140]. »

À quel jeu jouait Grey ? Ses communications avec Lichnowsky, Cambon et différents collègues britanniques tout au long de cette journée du 1er août sont si difficiles à suivre que les tentatives pour les déchiffrer représentent un chapitre entier de la littérature sur les origines de la guerre. Le 29 juillet, Grey avait averti Lichnowsky que la Grande-Bretagne pourrait être obligée de prendre des initiatives rapides si l'Allemagne et la France étaient entraînées dans la guerre – le fameux avertissement qui avait poussé le Kaiser à traiter les Anglais de « crapules » et de « boutiquiers [141] ». Cependant, le 31 juillet, il a également prévenu Bertie, son ambassadeur à Paris, qu'il ne fallait pas s'attendre à ce que l'opinion publique britannique soutienne l'intervention de la Grande-Bretagne dans une querelle si éloignée des intérêts du pays [142]. Peut-être Grey a-t-il véritablement fait miroiter la possibilité de la neutralité britannique à Lichnowsky – auquel cas, il n'y a pas eu de malentendu, l'ambassadeur allemand a bien saisi le fond de sa pensée [143]. Dans cette hypothèse, le soi-disant malentendu se résume aux contorsions de Grey pour se sortir de la situation délicate dans laquelle il s'est mis. Ou peut-être essaie-t-il de pallier l'incertitude dans laquelle il est, ne sachant pas si le cabinet appuiera sa politique de soutien aux Français. Si le cabinet refusait de soutenir la France, alors l'offre de neutralité offrirait au moins à la Grande-Bretagne un levier pour obtenir diverses assurances auprès des Allemands (par exemple, la promesse de ne pas lancer d'offensives préemptives contre la France) [144]. Peut-être encore Grey n'est-il pas attaché à la neutralité du tout : il aura cédé momentanément à la pression de son allié libéral impérialiste, le lord chancelier Haldane, qui veut trouver le moyen d'empêcher ou de retarder le déclenchement des hostilités afin d'avoir plus de temps pour préparer et entraîner le corps expéditionnaire britannique. Il se peut également que des craintes suscitées par la fragilité croissante des marchés financiers internationaux au cours de la dernière semaine de juillet jouent un rôle [145].

Quel que soit le point de vue adopté – et les désaccords entre historiens sont en eux-mêmes révélateurs – il est clair que les ambiguïtés de Grey sont à deux doigts de devenir de véritables contradictions. Proposer la neutralité britannique, même en cas de guerre continentale impliquant la France, constitue le renversement absolu de toutes les positions précédemment adoptées par le secrétaire d'État, à tel point qu'il est difficile de croire que telle soit véritablement son intention. D'un autre côté, sa proposition d'un face-à-face armé franco-allemand sans offensive est parfaitement corroborée par les sources. Dans un télégramme envoyé à Bertie le 1er août à 17 h 25, Grey déclare avoir lui-même proposé à l'ambassadeur allemand « qu'après la mobilisation sur le front occidental, les armées française et allemande restent face à face, aucune d'entre elles ne franchissant la frontière avant que l'autre ne le fasse. Je ne peux dire si cette proposition sera cohérente avec les obligations contractées par la France dans le cadre de son alliance [avec la Russie] [146] ». Mais même cette suggestion semble bizarre, parce qu'elle est fondée sur l'hypothèse que la France soit prête à renoncer à l'alliance que Poincaré et ses collègues ont eu tant de mal à renforcer au cours des dernières années. Ce qu'elle indique, c'est au mieux une compréhension très limitée des réalités politiques et militaires de la situation d'ensemble. Quoi qu'il en soit, Grey est rapidement rappelé à l'ordre par Bertie, qui fait éclater son agacement face aux spéculations du secrétaire d'État dans une réponse d'une impertinence cinglante :

> Je ne peux imaginer, dans le cas où la Russie serait en guerre contre l'Autriche et qu'elle serait attaquée par l'Allemagne, que le fait de rester sans rien faire soit cohérent avec les obligations que les Français ont contractées envers leurs alliés russes. Si la France agissait ainsi, les Allemands attaqueraient d'abord la Russie et en cas de victoire, ils se retourneraient ensuite contre les Français. Dois-je m'enquérir précisément de la nature des obligations françaises aux termes de l'Alliance franco-russe [147] ?

Comme nous le savons, rien ne découle de cette curieuse option stratégique : Grey lui-même la rejette avant même que la note acide de Bertie n'arrive sur son bureau. Mais une chose est certaine : pendant ces journées, Grey est soumis à une pression extrême. Il manque de sommeil. Il n'a aucun moyen de savoir si le cabinet soutiendra sa politique interventionniste, ni quand il prendra sa décision, et il est pressé de tous côtés par différents collègues, y compris les anti-interventionnistes de son propre parti (qui contrôlent toujours la majorité du cabinet) et les pro-interventionnistes de l'opposition conservatrice.

Une source supplémentaire de pression peut aider à expliquer ces atermoiements du 1er août : l'ordre de mobilisation russe du 30 juillet. Tard dans la nuit du 31 juillet, l'ambassade d'Allemagne informe Londres qu'en réponse à la mobilisation russe, l'Allemagne a déclaré « l'état de danger de guerre » et annoncé que si la Russie n'annule pas son ordre de mobilisation générale sur-le-champ, l'Allemagne sera obligée de mobiliser à son tour, « ce qui signifierait la guerre [148] ». Ceci sonne l'alarme à Londres : à 1 h 30 du matin, le Premier ministre Herbert Asquith et le secrétaire particulier de Grey, Sir William Tyrell, se précipitent au palais de Buckingham en taxi, demandent que l'on réveille le roi afin qu'il envoie un télégramme au tsar pour le conjurer d'arrêter la mobilisation russe. Asquith raconte ainsi la scène :

> Le pauvre roi fut tiré du lit et ce fut l'une de mes plus étranges expériences (même si, comme vous le savez, j'en ai vu bien d'autres) que de me retrouver ainsi à ses côtés, lui vêtu d'une robe de chambre marron enfilée sur sa chemise de nuit, montrant tous les signes d'avoir été réveillé dans son premier sommeil, et moi à lui lire le message et le texte de la réponse. Il se contenta de suggérer de la rendre plus personnelle et directe en ajoutant les mots « Mon cher Nicky », et en signant « Georgie » [149] !

Dès l'aube, l'activité diplomatique s'intensifie.

Il faut considérer l'impact de la nouvelle en provenance de Saint-Pétersbourg à la lumière de ce que nous savons des sentiments mitigés que le Foreign Office éprouve vis-à-vis de la Russie dans les derniers mois avant la crise de juillet. Comme nous l'avons vu précédemment, depuis quelque temps déjà, Grey et Tyrell ont réexaminé la question des relations anglo-russes. Au vu des pressions exercées par la Russie en Perse et dans d'autres territoires à la périphérie de l'Empire britannique, il était question d'abandonner la Convention anglo-russe en faveur d'une approche plus ouverte, sans exclure *a priori* un rapprochement avec l'Allemagne. Ceci n'est jamais devenu la politique officielle du Foreign Office, mais le fait d'apprendre que c'est la mobilisation russe qui a déclenché les contre-mesures allemandes fait ressortir, au moins temporairement, le rôle joué par la Russie dans l'aggravation de la crise. Or les décideurs britanniques n'ont ni intérêt ni sympathie particulière pour la Serbie. Il s'agit pour eux d'une guerre déclenchée dans l'est de l'Europe, au sujet de problèmes très éloignés des préoccupations de la Grande-Bretagne. Est-ce le scénario balkanique qui fait douter Grey ?

Le matin du 29 juillet, il redit à Cambon, qui l'écoute horrifié, que la France se laisse « entraîner dans une querelle qui n'est pas la sienne mais à laquelle, à cause de son alliance, son honneur et son intérêt l'obligent à prendre part ». À l'inverse, la Grande-Bretagne est « libre de tout engagement, et devrait décider ce que les intérêts britanniques commandaient au gouvernement de faire ». Il ajoute : « Notre opinion a toujours été d'éviter d'être entraînés dans une guerre déclenchée par une question balkanique [150]. » Deux jours plus tard, ayant appris que Berlin a décrété « l'état de danger de guerre », il reprend les mêmes arguments, répétant que contrairement aux affirmations de Cambon, il n'y a pas de comparaison possible entre cette crise et Agadir en 1911 (où la Grande-Bretagne est venue en aide à la France), parce que « dans le cas présent, la France se trouve entraînée dans une querelle qui n'est pas la sienne [151] ». Lorsque Cambon exprime sa profonde déception et lui demande si la Grande-Bretagne serait prête à aider la France en cas d'offensive allemande, Grey précise sa pensée : « Aux toutes dernières nouvelles, la Russie a ordonné la mobilisation totale de sa flotte et de son armée. Ceci, me semble-t-il, va précipiter la crise et semble indiquer que la mobilisation allemande est contrainte par la Russie [152]. » Ce n'est qu'à la lumière de cette perspective qu'il peut sembler cohérent de proposer une confrontation sans combat entre Français et Allemands, tandis que la Russie, abandonnée par son alliée française, affronterait seule l'Allemagne et l'Autriche à l'est. « Si la France ne pouvait prendre avantage de cette proposition », déclare Grey à Cambon dans l'après-midi du 1er août, « c'était parce qu'elle était liée par une alliance dans laquelle nous-mêmes ne sommes pas partie prenante et *dont nous ignorons les termes* [153] ». En écrivant ces mots, Grey fait plus que refroidir l'atmosphère en retirant son soutien à la France, ou en gagnant du temps pour parachever les préparatifs militaires britanniques. Il se débat pour tenter d'échapper aux conséquences qu'entraîne une certaine interprétation de l'Entente – une interprétation que lui-même a à divers moments partagée et formulée. Il est très profondément perturbé, du moins en ce moment précis, par le fait qu'une lointaine querelle dans le sud-est de l'Europe soit acceptée comme l'élément déclencheur d'une guerre continentale, alors qu'aucune des trois grandes puissances de l'Entente n'est attaquée directement, ni même menacée. Grey finira pas rester fidèle à la ligne « ententiste » qu'il poursuivait depuis 1912, mais ses moments d'hésitation nous rappellent un autre facteur de complexité de la crise de juillet. Les choix entre les différentes options ne déchirent pas seulement les partis ou les gouvernements. Ce sont les décideurs eux-mêmes dont l'esprit se retrouve totalement partagé.

Les tribulations de Paul Cambon

Ces journées sont les plus dramatiques de la vie de Paul Cambon. Dès qu'il apprend que les Autrichiens ont adressé un ultimatum à la Serbie, il est convaincu qu'une guerre européenne est imminente. Bien qu'il ait parfois critiqué la façon dont Poincaré a encouragé les Russes à s'engager dans les Balkans, il considère désormais que l'Alliance franco-russe doit tenir bon face à la menace que l'Autriche fait peser sur la Serbie. Il quitte même Londres le 25 juillet afin de conseiller l'inexpérimenté Bienvenu-Martin, ministre des Affaires étrangères par intérim. C'est sans doute à son instigation que ce dernier a répondu avec tant de fermeté à l'ambassadeur allemand, ce qui a réjoui Poincaré quand il l'a appris le 28 juillet, alors qu'il était encore en mer[154].

Pour Cambon tout comme pour Guillaume II, tout dépend de la Grande-Bretagne. « Si le gouvernement britannique s'interpose aujourd'hui, la paix peut encore être sauvée », déclare-t-il au journaliste André Géraud le 24 juillet[155]. Tôt dans la journée du 28 juillet, au cours d'une rencontre avec Grey, il insiste à nouveau : « Si l'on pensait certain que la Grande-Bretagne se tienne à l'écart d'une guerre européenne, les chances de préserver la paix seraient en grand danger[156]. » Ici à nouveau se manifeste cette réaction instinctive faisant porter la responsabilité du choix entre guerre et paix sur les épaules de quelqu'un d'autre. D'après Cambon, c'est la Grande-Bretagne qui est désormais responsable de la paix, car si elle jette dans la balance tout le poids de son immense puissance commerciale et navale contre Berlin, elle peut dissuader l'Allemagne de prêter main-forte à son allié autrichien. Or depuis des années, Cambon répète à ses supérieurs politiques qu'ils peuvent compter sur le soutien sans faille des Britanniques.

Sa situation n'a donc rien d'enviable. Car le conflit qui menace n'est pas à proprement parler une guerre défensive, mais un conflit dans lequel la France est appelée à soutenir l'intervention de la Russie dans une querelle balkanique – une obligation au sujet de laquelle il a précédemment exprimé des doutes. D'ailleurs, le gouvernement français fait tout son possible pour compenser ce désavantage en évitant scrupuleusement de prendre la moindre mesure agressive contre l'Allemagne : au matin du 30 juillet, le Conseil des ministres a décidé que le dispositif de couverture prendrait position le long de la ligne allant des Vosges au Luxembourg, mais ne s'approcherait pas à moins de dix kilomètres de la frontière. Il s'agit d'éviter tout risque d'escarmouches avec les patrouilles allemandes et de persuader Londres de la nature pacifique de la politique française. L'effet moral et le bénéfice en termes de propagande de cette zone d'exclusion excéderont largement les risques militaires. Londres est informé sur-le-champ de cette décision par l'intermédiaire de Cambon[157]. Mais il n'en demeure pas moins que la Grande-Bretagne n'est pas partie prenante de l'alliance qui oblige censément la France à intervenir et qu'elle n'en connaît pas officiellement les termes – ce que Grey ne cesse de rappeler. Ni la Russie ni la France n'ont été attaquées ou menacées directement. Libre à Cambon de plaider sa cause auprès de Grey en disant que la France était « obligée d'aider la Russie en cas d'attaque contre cette dernière », mais pour le moment il n'y a aucune indication que l'Autriche ou l'Allemagne aient l'intention d'attaquer la Russie[158]. Si la Grande-Bretagne déclare son intention d'intervenir, il ne semble guère probable que cela dissuade les puissances centrales de poursuivre une politique dans laquelle elles se sont embarquées sans la consulter au préalable.

Ce qui explique cette situation délicate, c'est une divergence de vues existant depuis longtemps entre les deux partenaires de l'Entente. Cambon a toujours présumé – ou il s'est persuadé – que la Grande-Bretagne, tout comme la France, considère l'Entente comme un moyen de faire contrepoids à l'Allemagne et de la contenir. Il n'a pas vu que pour les décideurs britanniques, l'Entente sert des objectifs plus complexes : il s'agit, entre autres, de transformer l'agresseur potentiel qui menace divers territoires de l'Empire britannique, à savoir la Russie, en leur défenseur. Une des raisons probable des atermoiements de Grey, c'est qu'il en est venu à dépendre trop exclusivement des assurances et des conseils que lui donne le sous-secrétaire d'État permanent Sir Arthur Nicolson, défenseur passionné du lien avec la France et avec la Russie et qui souhaite le voir se transformer en véritable alliance. Or Nicolson, quoique non dénué d'influence, n'est pas l'arbitre de la politique à Londres, et ses positions sont de moins en moins en phase avec celles du groupe qui entoure Grey, des conseillers qui eux éprouvent une méfiance croissante à l'égard de la Russie et se montrent de plus en plus germanophiles (ou de moins en moins germanophobes) [159]. Nous avons donc là un exemple typique de la difficulté qu'avaient les contemporains, même les mieux informés tel Paul Cambon, à interpréter les intentions de leurs alliés tout comme celles de leurs adversaires.

Les divergences de perspectives géopolitiques sont renforcées par la profonde méfiance que l'establishment politique britannique éprouve à l'égard de toute forme d'engagement contraignant, une méfiance qui s'ajoute à l'hostilité antirusse ressentie tout particulièrement chez les principaux politiciens libéraux. L'Entente cordiale finit donc par représenter des choses assez différentes pour les deux partenaires [160]. Pendant toute son existence, le Foreign Office « chercha à en réduire la portée alors que le Quai d'Orsay tenta de l'exploiter au maximum [161] ». Et ces dissonances sont amplifiées par la personnalité des deux individus qui incarnent l'Entente à Londres : Edward Grey et Paul Cambon, le premier méfiant, évasif et totalement ignorant de la France et de l'Europe, et le second, viscéralement français, totalement dévoué à la cause de l'Entente, qui est et demeurera le couronnement de sa carrière politique et de sa vie de patriote.

De plus, la marge de manœuvre de Grey est extrêmement étroite. D'une part, le 27 juillet, il n'a pas obtenu le soutien du cabinet à une intervention de la Grande-Bretagne. Deux jours plus tard, il subit un nouvel échec, seuls quatre de ses collègues (Asquith, Haldane, Churchill et Crewe) soutenant sa demande officielle d'assistance à la France. C'est la fameuse réunion où le cabinet rejette l'idée que le Traité de 1839 oblige la Grande-Bretagne à s'opposer militairement à une violation allemande de la neutralité belge. L'obligation de défendre le Traité, ont affirmé les radicaux, ne concerne pas spécialement la Grande-Bretagne mais l'ensemble des signataires. Si la situation survenait, la décision serait « une question de politique et non une obligation légale [162] ». Or les Français comme les Russes répètent que seule une déclaration sans ambiguïté de solidarité de la Grande-Bretagne envers son allié français persuadera l'Allemagne et l'Autriche de « rentrer leurs cornes [163] ». D'autre part, Grey est sous la pression de ses plus proches collaborateurs – Nicolson et Eyre Crowe –, qui le poussent à déclarer la solidarité de la Grande-Bretagne avec les pays de l'Entente. Dans un mémorandum du 31 juillet, Crowe lui fournit des arguments à utiliser contre ses opposants. Peut-être n'y a-t-il pas d'obligation officielle envers la France, écrit-il, mais il est indéniable que la Grande-Bretagne a contracté une obligation morale envers son amie de l'autre côté de la Manche :

> Il est tout à fait exact qu'il n'existe pas de documents signés nous liant à la France. Nous n'avons pas d'obligation formelle. Mais l'Entente a été créée, renforcée, mise à l'épreuve et célébrée d'une manière qui justifie que l'on croit à l'existence d'un lien moral. La politique de l'Entente n'a aucun sens si elle n'implique pas que, dans une juste querelle, l'Angleterre ne se tienne aux côtés de ses amis. C'est l'attente honorable qui a été créée. Nous ne pouvons pas ne pas y répondre sans exposer notre réputation à de graves critiques [164].

Quant à Nicolson, il se concentre sur la Belgique et sur l'obligation de défendre sa neutralité. Mais les conditions dans lesquelles le groupe de Grey définissait précédemment la politique extérieure de la Grande-Bretagne n'existent plus. L'épicentre du processus de décision s'est déplacé du Foreign Office au cabinet, laissant sur la touche les conseillers pro-Entente de Grey.

Le 1er août, après une réunion matinale du cabinet, Grey explique à un Paul Cambon décomposé que le gouvernement britannique s'oppose purement et simplement à toute intervention. Cambon proteste, il ne transmettra pas ce message à Paris ; il se contentera de dire qu'aucune décision n'a été prise. Mais il y a bien eu une décision, lui rétorque Grey : le cabinet a jugé que les intérêts britanniques n'étaient pas suffisamment engagés pour justifier l'envoi d'un corps expéditionnaire sur le continent. Aux abois, l'ambassadeur français invoque un nouvel argument : il rappelle à Grey qu'aux termes de la Convention navale de 1912, la France s'est démunie des moyens de défendre ses ports du nord et a confié la sécurité de son littoral à la Royal Navy. Même en l'absence d'une alliance en bonne et due forme, plaide-t-il, « la Grande-Bretagne n'a-t-elle pas une obligation morale de nous aider, de nous prêter au moins le secours de sa flotte, puisque c'est sur votre avis que nous avons redéployé la nôtre ? » Il semble incroyable que Grey ait dû se voir rappeler à ses obligations par Cambon, mais l'argument fait mouche. Le secrétaire d'État reconnaît qu'une attaque allemande sur le littoral français ou une violation de la neutralité belge pourrait changer l'état d'esprit de l'opinion publique britannique. Plus important encore, il s'engage à poser la question de la défense des côtes françaises au gouvernement dès le lendemain. Blanc comme un linge, au bord des larmes, Cambon quitte le bureau du secrétaire d'État en chancelant. C'est Nicolson qui doit le conduire jusqu'à un fauteuil dans l'antichambre des ambassadeurs où il s'effondre en murmurant : « Ils vont nous laisser tomber ! Ils vont nous laisser tomber [165] ! »

La Grande-Bretagne intervient

En réalité, la situation est moins critique que ne le craint Cambon. Au cours de ces premiers jours du mois d'août, la tension exacerbe les émotions. Cambon a peur d'être abandonné, Grey redoute de perdre pied avant d'avoir le temps d'assurer le soutien du gouvernement à sa stratégie politique : ces craintes les amènent à radicaliser leurs prises de position, ce qui peut nous induire à mal interpréter les réalités sous-jacentes de la situation. Or la balance est déjà en train de pencher imperceptiblement en faveur d'une intervention britannique sur le continent. Le 29 juillet, le cabinet accède à la demande de Churchill qui, en tant que Premier lord de l'Amirauté, voulait mobiliser la flotte par mesure de précaution. Le soir même, Asquith réussit à transmettre son accord à un déploiement de la flotte, au moyen d'un « regard appuyé » et « d'une sorte de grognement » adressés à Churchill. Ce dernier, ayant obtenu ce qu'il désire sans l'accord formel du cabinet mais avec l'approbation tacite du Premier ministre, décrète la mobilisation de la Royal Navy le 1er août.

Dans le même temps, l'opposition conservatrice a commencé à faire pression en faveur de l'intervention. La presse conservatrice s'est déjà prononcée dans ce sens. Tandis que le *Manchester Guardian*, le *Daily News* et le *Standard*, des journaux libéraux, s'en tiennent à une politique de neutralité, le *Times* a entraîné les journaux tories à exiger de ne pas céder devant l'Autriche et l'Allemagne et à participer à la guerre continentale désormais imminente. En coulisses, le directeur des opérations militaires Henry Wilson, interventionniste fervent, que l'on voit faire de fréquents allers-retours entre l'ambassade de France et le Foreign Office, avertit les dirigeants du Parti conservateur que la France court le danger d'être abandonnée par la Grande-Bretagne.

Le 1er août, peu après l'entretien de Cambon avec Grey, George Lloyd, membre conservateur du Parlement, rend visite à l'ambassadeur de France. Cambon est encore furieux : que sont devenus les accords navals franco-britanniques, demande-t-il, ou les consultations entre états-majors, qui présupposent une politique de sécurité commune ? Ou encore les assurances répétées au cours des dernières années que la Grande-Bretagne soutiendrait la France ? « Tous nos plans ont été établis en commun », s'exclame l'ambassadeur. « Nos états-majors se sont consultés. Vous avez eu connaissance de tous nos plans et de tous nos préparatifs [166]. » Mais surmontant sa consternation, Cambon manipule habilement son interlocuteur. Le Foreign Office, lui dit-il, a justifié son impuissance par l'opposition des conservateurs et laissé entendre que l'on ne pouvait se fier aux Tories pour soutenir une initiative qui mènerait à la guerre. George Llyod rejette cette accusation avec vigueur et ressort de l'entretien déterminé à mobiliser un lobby conservateur pro-interventionniste. Une réunion a lieu le soir même chez Austen Chamberlain, et à 10 heures le lendemain matin (le 2 août) un groupe de Tories influents, parmi lesquels Lansdowne et Bonar Law, les deux chefs de file conservateurs du Parlement, se sont ralliés à la cause interventionniste. Une lettre est adressée à Asquith : l'opposition soutiendra l'intervention britannique et met en garde le gouvernement contre une décision de rester neutre qui nuirait non seulement à la réputation du pays, mais également à sa sécurité [167].

Cependant, c'est au sein du cabinet que va se jouer l'affrontement décisif. Ici les positions sont encore fermement anti-interventionnistes. La majorité de ses membres se méfient de l'Entente avec la France et se montrent profondément hostiles à la Convention avec la Russie [168]. « Tout le monde souhaite rester à l'écart », écrit Asquith à Venetia Stanley le 31 juillet [169]. Les trois quarts au moins des membres du gouvernement, se souviendra Churchill, sont déterminés à ne pas se laisser entraîner dans « une querelle européenne » sauf si la Grande-Bretagne est attaquée, « ce qui semblait fort peu probable [170] ». Et les anti-interventionnistes peuvent se targuer, à juste titre, du soutien des intérêts commerciaux et financiers. Le 31 juillet, une délégation de banquiers de la City est venue rencontrer Asquith pour le mettre en garde contre un entraînement de la Grande-Bretagne dans un conflit européen.

Au matin du 1er août, la réunion du cabinet permet de clarifier, tout en les radicalisant, les différentes positions. Morley et Simon, chefs de file des anti-interventionnistes, exigent une déclaration « ici et maintenant », qu'en « *aucune circonstance* » le gouvernement britannique n'interviendra. À l'inverse, Churchill, qui se montre « très belliqueux », exige « une mobilisation immédiate ». Grey paraît sur le point de démissionner

si le cabinet s'engage dans une politique de neutralité. Haldane semble
« perdu » et « nébuleux [171] ». Le cabinet se prononce contre le déploiement immédiat du corps expéditionnaire britannique sur le continent –
une décision à laquelle ni Grey ni les autres libéraux impérialistes ne
s'opposent (la fameuse décision qui plongera Paul Cambon dans le désespoir). John Morley est si certain que la Grande-Bretagne n'interviendra
pas qu'il agite le drapeau de la victoire du « parti de la paix » sous le nez
de Churchill en lui disant : « Finalement, nous vous avons battus [172]. »

Cependant, avant la fin de la journée suivante, dimanche 2 août, le
gouvernement britannique prend les décisions cruciales le menant à une
intervention. Durant la première réunion de la journée, de 11 heures à
14 heures, Grey obtient l'autorisation d'informer l'ambassadeur français
que si la flotte allemande traverse la mer du Nord ou pénètre dans la
Manche afin de perturber le commerce français ou attaquer le littoral, la
flotte britannique se déploiera pour fournir toute la protection nécessaire.
Walter Runciman, ministre de l'Agriculture et de la Pêche, décrira plus
tard cette réunion comme « celle qui avait décidé que la guerre avec l'Allemagne était inévitable [173] ». Plus tard, au cours d'un deuxième conseil,
de 18 h 30 à 20 heures, il est décidé qu'une « violation substantielle » de
la neutralité belge « nous obligerait à agir [174] ». Cela sous-entend une
intervention militaire, puisque les Allemands ont clairement indiqué au
gouvernement britannique qu'ils avaient l'intention de traverser la Belgique pour attaquer la France. Reconnaissant que le sort en est jeté, Burns
annonce sa démission après la première réunion. Dès la fin de la seconde,
le vicomte John Morley présente à son tour la sienne. Le « parti de la
paix » est en pleine déroute.

Comment expliquer un revirement aussi spectaculaire ? Il faut tout
d'abord remarquer l'habileté dont ont fait preuve les interventionnistes à
fixer les termes du débat. Le ministre Herbert Samuel oriente la discussion en rédigeant à l'avance les deux éléments de langage définissant les
deux événements susceptibles de déclencher une réaction militaire de la
Grande-Bretagne : un bombardement allemand de la côte française et
« une violation substantielle » de la neutralité belge. Une partie de l'attrait
de ces deux propositions réside dans le fait qu'elles sont formulées de
façon que ce soit « une initiative allemande et non une action de notre
fait [175] » qui entraînerait la guerre. Au matin du 2 août, Grey explique
avec beaucoup d'émotion que la Grande-Bretagne a l'obligation morale
de soutenir la France dans le conflit à venir : « Nous avons incité la France
à se reposer sur nous et si nous ne la soutenons pas dans ces temps
d'angoisse, je ne pourrai rester à la tête du Foreign Office [176]... » Tandis
que les pro-interventionnistes font bloc autour de Grey et du Premier
ministre, le parti de la paix ne parvient pas à rallier à lui un soutien

bipartisan au Parlement, ni d'autres forces à l'extérieur, et se montre incapable de produire un leader pouvant s'opposer aux impérialistes et à leurs alliés conservateurs.

Quelle est la portée des arguments mis en avant par les libéraux impérialistes ? Comme la Grande-Bretagne déclare effectivement la guerre à l'Allemagne le 4 août après l'invasion de la Belgique et que l'Entente se transforme rapidement en une alliance à part entière, dont l'histoire sera réécrite plus tard comme celle d'une amitié franco-anglaise indéfectible, on a généralement considéré que la défense de la Belgique et de la France avait motivé l'entrée en guerre de la Grande-Bretagne. Ce qui n'est pas faux : il est impossible de nier l'importance de ces motifs pour légitimer la politique adoptée et cimenter l'*union sacrée* entre le cabinet, le Parlement et l'opinion publique qui est une caractéristique si spectaculaire de la première période de la guerre [177]. Dans un discours brillant prononcé le 3 août devant la Chambre des communes, Grey incorpore l'Entente franco-anglaise dans le consensus interventionniste qui a émergé. Les engagements de la Grande-Bretagne vis-à-vis de la France, déclare-t-il, ne vont pas jusqu'à « s'engager à coopérer en cas de guerre ». Mais l'existence d'une coopération navale entre les deux pays implique une obligation morale :

> La flotte française est désormais en Méditerranée et les côtes nord et atlantique de la France sont sans aucune défense. La flotte française étant concentrée en Méditerranée, la situation a radicalement changé, car l'amitié qui a prospéré entre nos deux pays leur a donné un sentiment de sécurité, le sentiment qu'ils n'avaient rien à redouter de notre part. Et donc les côtes françaises sont sans aucune défense. La flotte française est concentrée en Méditerranée depuis quelques années précisément à cause de ce sentiment de confiance et d'amitié qui existe entre nos deux pays [178].

À cette raison d'ordre moral, Grey ajouta un argument d'intérêt : si la France retire sa flotte de l'est de la Méditerranée, l'Italie pourra se saisir de l'occasion pour sortir de sa neutralité, forçant la Grande-Bretagne à se lancer dans la bataille pour défendre des routes commerciales maritimes « vitales à notre pays ». C'est le discours en tout point le plus applaudi de l'ensemble de sa carrière politique. On ne peut le relire de nos jours sans être impressionné par la façon dont il a construit le cadre de référence moral de la position impérialiste – usant de cette courtoisie légèrement empruntée qui le caractérise. L'un des hommages les plus remarqués vient du libéral Christopher Addison, jusque-là opposé à l'intervention : « Le discours [de Grey] a convaincu l'ensemble des membres du Parlement, à l'exception de trois ou quatre d'entre eux peut-être, que nous étions obligés de participer [179]. » Une fois la décision prise, c'est l'ensemble de la nation qui s'y conforme avec une rapidité surprenante, créant une *union sacrée* britannique qui s'étend des unionistes de toute obédience jusqu'au Parti travailliste et même aux nationalistes irlandais[180]. Malgré des moments difficiles, mais qui n'ont guère duré, Cambon a finalement eu raison de faire confiance au secrétaire d'État au Foreign Office.

Cependant, le fait que ni la France ni la Belgique n'aient pesé d'un grand poids dans les délibérations du cabinet au cours des derniers jours de juillet indique que nous devons nuancer le tableau et distinguer entre les raisons de fond de la décision britannique et les arguments choisis pour la présenter et la justifier. D'autres facteurs ont joué le rôle de catalyseur dans cette transition de la neutralité à l'intervention, plus particulièrement parmi les ministres indécis dont le soutien était nécessaire pour faire adopter une résolution par le cabinet. Au sein de ce groupe plus restreint, des préoccupations politiciennes ont certainement été cruciales : comment assurer la survie du gouvernement libéral après une éventuelle démission de Grey et d'Asquith ? Étant donné que l'opposition conservatrice soutient l'intervention – un soutien alimenté par son attitude sur la question de l'Irlande, car l'intervention entraînerait le report *sine die* du *Home Rule* –, la chute du gouvernement libéral aurait pour seul effet de retarder l'adoption de la politique préconisée par Grey. Pour ceux qui restent insensibles à la neutralité belge ou à l'accord naval anglo-français, cela constitue un argument de poids pour éviter que le débat sur l'intervention ne fasse s'effondrer le gouvernement[181].

Tous ces calculs sont sous-tendus par des craintes plus profondes concernant le danger que le conflit à venir fait peser sur la sécurité de la Grande-Bretagne. Depuis l'année 1900 environ, la nécessité de repousser les menaces russes a été une préoccupation majeure des décideurs britanniques. En 1902, la Grande-Bretagne a utilisé l'Alliance anglo-japonaise pour contrebalancer la menace russe en Extrême-Orient. L'Entente franco-anglaise de 1904 a encore davantage affaibli la Russie, du moins en tant qu'adversaire de la Grande-Bretagne, et la Convention de 1907 avec la Russie – en théorie du moins – a fourni le moyen de gérer les tensions à la périphérie d'un empire colonial que la Grande-Bretagne n'a plus les moyens de défendre militairement. En 1914, la menace russe n'a pas disparu. Au contraire elle a refait surface au cours de la dernière année de l'avant-guerre. Pendant cette période, le comportement hégémonique et les provocations de la Russie en Perse et en Asie centrale ont encouragé certains décideurs londoniens à croire que la Convention anglo-russe vivait ses derniers jours, tandis que d'autres poussent de plus belle à la signature d'une alliance avec Saint-Pétersbourg. Comme Buchanan l'a écrit à Grey en avril 1914 : « La puissance de la Russie s'accroît si rapidement que nous devons conserver son amitié à tout prix. Si elle se convainc que nous sommes un allié peu fiable ou peu utile, elle pourrait bien s'entendre avec l'Allemagne et reprendre sa liberté d'action en Turquie et en Perse [182]. » Ou, pour reprendre la formulation encore plus explicite de Nicolson en 1912 :

> Il serait bien plus préjudiciable de nous retrouver face à une France et une Russie inamicales que face à une Allemagne inamicale. L'Allemagne peut certes nous donner du fil à retordre, mais elle ne peut pas menacer nos intérêts les plus importants, alors que la Russie pourrait nous mettre dans une situation extrêmement difficile, voire même en danger, au Moyen-Orient et sur notre frontière en Inde. Il serait désastreux que nous en revenions à la situation d'avant 1904 et 1907 [183].

Cependant, c'est pour contenir l'Allemagne et non la Russie que la Grande-Bretagne entre en guerre en 1914. Il y a controverse parmi les historiens sur l'impact respectif de ce qui nous apparaît comme deux paradigmes de sécurité bien distincts. Si des études plus anciennes (et certaines des études les plus récentes) insistent sur le caractère central de l'équilibre des pouvoirs en Europe dans la pensée et la stratégie politiques britanniques, d'autres analyses récentes, révisionnistes, ont adopté un champ de vision plus global et défendu l'hypothèse que la vulnérabilité de la Grande-Bretagne, en tant que puissance mondiale, l'obligeait à se concentrer sur la Russie, la menace la plus importante. Il est vrai que les arguments « continentalistes » pèsent davantage après les crises de 1905 et de 1911 [184]. Mais il serait erroné d'exagérer la tension entre ces deux points de vue, souvent entremêlés dans les arguments développés par les décideurs. À cet égard, la note ajoutée par Eyre Crowe à un télégramme de l'ambassadeur Buchanan en poste à Saint-Pétersbourg est révélatrice. Crowe a toujours été convaincu de la nécessité de maintenir l'équilibre des pouvoirs sur le continent et, par conséquent, soucieux de contenir l'Allemagne. Ce qui ne l'empêche pas de plaider ouvertement pour la défense de la sécurité de l'Empire britannique :

> Si la guerre éclate et si l'Angleterre reste à l'écart, de deux choses l'une : (a) soit l'Allemagne et l'Autriche l'emportent, écrasent la France et humilient la Russie. Quelle sera alors la position d'une Angleterre isolée ? (b) soit la France et la Russie gagnent. Quelle serait alors leur attitude envers l'Angleterre ? Qu'en serait-il de l'Inde et de la Méditerranée [185] ?

Pour résumer, en 1914, les principaux décideurs britanniques n'ont pas à choisir entre l'option continentale et l'option impériale. Que l'on considère l'Allemagne ou la Russie comme la menace principale, le résultat est le même, puisque l'intervention de la Grande-Bretagne aux côtés de l'Entente offre le moyen de contenter la Russie et de l'enchaîner et *simultanément* de s'opposer à l'Allemagne et de la contenir. Dans les conditions qui étaient celles de 1914, les logiques de sécurité continentale et de sécurité globale convergèrent dans la décision britannique de soutenir les puissances de l'Entente contre l'Allemagne et l'Autriche.

La Belgique

La stratégie française combine une attitude offensive sur le théâtre d'opérations russe et une attitude défensive sur son propre territoire. Dans le cas de l'Allemagne, les polarités sont inversées. La nécessité de combattre sur deux fronts oblige les stratèges allemands à rechercher une victoire décisive dans un premier temps sur l'un d'eux avant de se concentrer sur le second. Priorité était donnée à l'offensive vers l'ouest, parce que c'était là que les Allemands s'attendaient à rencontrer la résistance la plus forte et la plus déterminée. Sur le front oriental en revanche, ils ne laissaient qu'une force de maintien chargée de contenir l'avancée russe. La répartition des contingents entre l'est et l'ouest a certes changé au cours des dernières années de l'avant-guerre, car Moltke s'est efforcé de parer l'augmentation de la puissance militaire russe et les améliorations de ses infrastructures, mais la logique d'ensemble reste la même : l'Allemagne frappera d'abord à l'ouest avant de se retourner contre son ennemi à l'est. Depuis 1905, les stratèges allemands tiennent pour acquis que le succès militaire à l'ouest ne sera possible que si l'Allemagne attaque la France en passant par la Belgique et le Luxembourg, deux pays neutres. L'offensive se fera en empruntant deux corridors, de part et d'autre de la forêt des Ardennes, l'un traversant le Luxembourg, l'autre contournant l'avancée de territoire hollandais connue sous le nom de saillant de Maastricht et traversant le sud de la Belgique. Une quintuple attaque serait lancée pour envahir le nord de la France selon un mouvement concentrique, contournant les places fortes de Verdun, Nancy, Épinal et Belfort, afin de permettre aux armées allemandes de menacer Paris par le nord-est et d'obtenir ainsi une rapide résolution du conflit occidental.

Moltke et ses subordonnés à l'état-major considèrent ce plan de déploiement comme la simple expression de nécessités militaires incontournables. Aucune alternative n'est imaginée, ce qui aurait permis aux leaders civils de faire jouer des options différentes. Le seul autre scénario de déploiement, le plan de campagne oriental, qui envisageait une mobilisation contre la Russie uniquement, a été enterré en 1913. Les chefs militaires allemands semblent totalement indifférents aux conséquences d'une éventuelle violation de la neutralité belge sur la marge de manœuvre de la diplomatie allemande pendant cette phase cruciale qui sépare la paix et la guerre. À juste titre, les historiens ont critiqué la rigidité de la planification militaire allemande, y voyant le fruit d'un système politique où l'armée poursuit ses rêves de « destruction absolue » sans aucune supervision ni aucun contrôle de la part du pouvoir civil [186]. Cependant la réduction du nombre des options est étayée par un raisonnement minutieux : au sein de l'Alliance franco-russe, les dispositions défensives de plus en plus interdépendantes rendent virtuellement impossible d'imaginer une guerre menée sur un seul front, d'où l'abandon du plan de campagne oriental. Et les militaires allemands (à l'inverse de leurs homologues français et des décideurs civils allemands) n'attachent guère d'importance à la question de l'intervention britannique, que la plupart d'entre eux considèrent comme quantité négligeable au plan militaire – ce qui est une autre erreur d'anticipation stratégique et politique.

À l'approche du 1er août et du début de la mobilisation allemande, les décideurs berlinois vont commettre deux erreurs monumentales. Exécuter le plan de déploiement vers l'ouest nécessite d'envahir la Belgique rapidement et sans délai. Il est hors de question, soutient Moltke, de reculer le déclenchement du plan pour permettre de concentrer les forces allemandes avant de franchir la frontière belge : cela laisserait le temps aux Belges et aux Français de consolider leurs positions défensives, tout particulièrement autour de la ville de Liège, où l'avancée allemande risque d'être bloquée et les pertes extrêmement élevées. Mais passer à l'action immédiatement pose un problème politique : si l'Allemagne avait attendu, il aurait été plus difficile pour Grey et ses alliés de préconiser une intervention britannique car leurs opposants politiques auraient pu faire remarquer que c'était la Russie (et par extension la France) et non l'Allemagne qui forçait l'allure. Les interventionnistes britanniques auraient ainsi été privés d'un de leurs arguments les plus efficaces. Conscient de l'enjeu et des conséquences d'une intervention britannique, l'amiral Tirpitz posera plus tard la question accablante : « Pourquoi n'avons-nous pas attendu [187] ? »

La seconde erreur désastreuse est la présentation de l'ultimatum à la Belgique le 2 août. Étant donné que la décision de violer la neutralité belge a été prise et qu'il est urgent d'agir vite, il vaut sans doute mieux (du point de vue allemand) se contenter de pénétrer en territoire belge, de le traverser tout en s'excusant et de traiter la question comme un fait accompli à régler en versant des indemnités – ce à quoi précisément s'attend le gouvernement britannique. Sans compter le fait que certains ministres du gouvernement Asquith, dont Churchill, ont répété que la Grande-Bretagne ne considérerait pas nécessairement le simple fait de passer par la Belgique comme un *casus belli*, du moment que les Allemands se cantonnaient au sud de la ligne Sambre-et-Meuse sans s'approcher de la région stratégiquement sensible du port d'Anvers et de l'estuaire de l'Escaut.

Les décideurs civils allemands, quant à eux, n'imaginent pas d'alternative à l'ultimatum, unique moyen à leurs yeux de parvenir à un accord avec Bruxelles et d'empêcher ainsi l'intervention des Britanniques. Cet ultimatum, rédigé par Moltke le 26 juillet, puis revu par le ministère des Affaires étrangères à Berlin, est formulé de façon à faire appel au sens de la raison et de l'intérêt national des Belges face au déséquilibre des forces en présence. Après avoir affirmé qu'il sait de source sûre l'intention de la France de marcher sur l'Allemagne par le territoire belge, il déclare que « le gouvernement allemand regretterait très vivement que la Belgique regardât comme un acte d'hostilité contre elle le fait que les mesures des ennemis de l'Allemagne l'obligent de violer de son côté le territoire belge ». Puis s'ensuit une série de points : l'Allemagne garantira l'intégrité et l'indépendance de la Belgique et de ses possessions (point 1), évacuera le territoire belge dès la fin des hostilités (point 2), remboursera tout dommage ou coût occasionnés en Belgique (point 3). En revanche, si la Belgique s'opposait à l'avancée des troupes allemandes, « l'Allemagne serait obligée, à regret, de considérer la Belgique en ennemie ». Si cette situation peut être évitée, alors « les relations d'amitié qui unissent les deux États voisins seront maintenus d'une façon durable [188] ».

Deux changements significatifs de dernière minute sont apportés à l'ultimatum. Le délai laissé aux Belges pour répondre est ramené de vingt-quatre à douze heures à la demande de Moltke, qui veut passer à l'action au plus vite. En revanche, une clause indiquant que si les Belges maintenaient une attitude amicale, ils pouvaient espérer recevoir des compensations territoriales « au détriment de la France », est effacée du texte, le ministère des Affaires étrangères réalisant soudain que cette clause risque de susciter la fureur de la Grande-Bretagne, encore plus que la violation du territoire belge elle-même. Que cela ne soit pas venu à l'esprit de Bethmann ne jette pas une lumière très flatteuse sur son jugement politique au paroxysme de la crise [189].

À peine l'ambassadeur allemand Below Saleske a-t-il remis la note à Davignon, le ministre belge des Affaires étrangères, que la situation vire au cauchemar pour les Allemands. Si Moltke s'était contenté de traverser le sud de la Belgique, peut-être aurait-il été possible de présenter cette violation comme un impératif d'ordre stratégique. Mais l'ultimatum force le gouvernement belge à formuler explicitement une position de principe avant même que l'événement ait lieu. C'est la tâche qui échoit au roi des Belges et au chef du gouvernement, le comte Charles de Broqueville, qui arrive au palais à 20 heures, muni d'une traduction de l'ultimatum en français. Or il n'y a aucun doute quant à la façon dont les deux hommes vont réagir : le roi des Belges est connu pour sa droiture et sa détermination, tandis que Broqueville est l'incarnation de l'aristocrate patriote. Tous deux considèrent l'ultimatum comme un affront fait à l'honneur de la Belgique – et comment aurait-il pu en être autrement ? À 21 heures, l'ultimatum allemand est débattu par les membres du Conseil des ministres, auxquels se joignent plus tard de hautes personnalités politiques (les ministres d'État nommés par le roi) pour une réunion exceptionnelle du Conseil de la Couronne. Mais il n'y a pas de débat car il est clair, dès le premier instant, que la Belgique résistera. Pendant la nuit, le ministre des Affaires étrangères rédige une réponse saisissante de clarté et de dignité, qui culmine par le rejet sans compromis de l'offre allemande : « Le gouvernement belge, en acceptant les propositions qui lui sont notifiées, sacrifierait l'honneur de la nation, en même temps qu'il trahirait ses devoirs vis-à-vis de l'Europe [190]. »

Au matin du 3 août, le texte de l'ultimatum ainsi que de la réponse sont montrés à l'ambassadeur français à Bruxelles Antony Klobukowski, qui transmet aussitôt la nouvelle à l'agence Havas. La presse en Belgique et dans les pays de l'Entente se déchaîne, suscitant une indignation généralisée. En Belgique, on assiste à une explosion de patriotisme. Les rues de Bruxelles et de toutes les grandes villes se couvrent de drapeaux ; tous les partis politiques, des libéraux anticléricaux et des socialistes aux catholiques cléricaux, s'engagent à défendre l'honneur de leur patrie contre l'envahisseur [191]. Le 5 août, devant la Chambre des députés, le roi évoque l'union nationale pour défendre le pays et pose la question : « Êtes-vous déterminés à défendre l'héritage sacré de nos ancêtres, quoi qu'il en coûte ? » Ces paroles sont saluées par une interminable ovation [192]. L'ultimatum allemand se révèle donc être « une terrible erreur de jugement psychologique [193] ». La propagande de guerre s'en saisit, amplifiant encore son écho qui finit par noyer la complexité de l'enchaînement causal qui a mené à la guerre, et conférant aux pays de l'Entente un sentiment inébranlable de supériorité morale.

Beaucoup d'Allemands sont atterrés de la décision belge de résister à outrance. « Ah, les pauvres malheureux, s'exclame un diplomate allemand de l'ambassade de Belgique, les pauvres malheureux ! Pourquoi restent-ils devant le rouleau compresseur ? Nous n'avons aucune intention de leur faire du mal, mais s'ils restent en travers du passage, ils vont se faire écraser. Les malheureux [194] ! » C'est peut-être parce qu'ils reconnaissent l'absurdité de la situation que six jours plus tard, le 8 août, les Allemands renouvellent leur appel à la raison. Entre-temps, la forteresse de Liège, si importante pour Moltke, est tombée après une défense acharnée et au prix de lourdes pertes. Dans une note transmise à Brand Whitlock, l'ambassadeur américain à Bruxelles, le gouvernement allemand exprime ses regrets à la suite « des combats sanglants qui se sont déroulés devant Liège » avant d'ajouter :

> Maintenant que l'armée belge a défendu l'honneur de ses armes par une résistance héroïque contre une force largement supérieure en nombre, le gouvernement allemand supplie le roi des Belges et le gouvernement belge d'épargner à leur pays les horreurs de la guerre. [...] L'Allemagne donne à nouveau l'assurance solennelle qu'elle ne cherche pas à s'emparer de la Belgique pour elle-même, et qu'une telle intention est très loin de sa pensée. L'Allemagne est toujours prête à évacuer la Belgique dès que l'état de guerre lui permettra de le faire [195].

Cette offre, à nouveau, est refusée.

Bruits de bottes

C'est sur cette séquence de mobilisations générales, d'ultimatums et de déclarations de guerre que s'achève l'histoire de ce livre. Pendant sa dernière rencontre avec Sazonov à Saint-Pétersbourg le samedi 1er août, l'ambassadeur Pourtalès marmonne « quelques mots incompréhensibles », éclate en sanglots puis balbutie : « Voilà donc le résultat de ma mission ! » avant de s'enfuir de la pièce en courant [196]. Lorsque le comte Lichnowsky rend visite à Asquith le 2 août, il trouve le Premier ministre « effondré », des larmes « coulant sur son visage [197] ». À Bruxelles, les conseillers de l'ambassade d'Allemagne, qui se terrent dans une pièce aux volets clos parmi les cartons et les malles, s'essuient le front et fument cigarette sur cigarette pour maîtriser leurs nerfs [198].

Le temps des diplomates va se clore, le temps des soldats et des marins s'ouvre déjà. Lorsque le ministre plénipotentiaire de Bavière se rend au ministère allemand de la Guerre après la promulgation de l'ordre de mobilisation générale, il ne trouve que « des visages souriants » et échange « de nombreuses poignées de main dans les couloirs » : « chacun se félicite d'avoir passé l'obstacle [199] ». De Paris le 30 juillet, le colonel Ignatiev rapporte la joie non dissimulée de ses collègues français « d'avoir l'occasion, ils en sont convaincus, de bénéficier de circonstances stratégiques favorables [200] ». De son côté, le Premier lord de l'Amirauté, Winston Churchill, semble revigoré à la perspective des combats à venir : « Tout tend à la catastrophe & à l'effondrement », écrit-il à sa femme le 28 juillet. « Mais moi, je suis intéressé, prêt et heureux [201]. » Quant à Krivocheïne, recevant une délégation de membres de la Douma à Saint-Pétersbourg, il leur affirme avec jovialité que l'Allemagne sera bientôt écrasée et que la guerre est une « aubaine » pour la Russie : « Reposez-vous sur nous, Messieurs, tout se passera bien [202]. »

Mansell Merry, vicaire de St. Michael à Oxford, s'est rendu à Saint-Pétersbourg mi-juillet afin d'y officier en tant que chapelain de l'église anglicane pendant les mois d'été. Lorsque la mobilisation est annoncée, il essaie de repartir pour Stockholm par la mer. Mais son paquebot, le *Døbeln*, reste confiné au port – les phares ont été éteints dans l'ensemble du golfe de Finlande et les forts de Kronstadt ont ordre de bombarder tout navire qui tenterait de franchir le barrage de mines. Le 31 juillet, par une journée maussade et venteuse, Merry se retrouve consigné à bord avec tous les autres candidats au voyage, à regarder la foule des soldats et des réservistes de la marine passer le long du quai Nikolaïevskaïa. Quelques-uns défilent « au son d'une fanfare », mais la plupart « avançaient d'un pas lourd, sac au dos ou à bout de bras. De part et d'autre de cette colonne, des femmes tentaient se maintenir au niveau de leur mari, de leur fils ou de leur amoureux, pleurant comme si elles avaient le cœur brisé, tandis que l'une après l'autre, les compagnies défilaient devant nous [203] ».

Au petit matin du 2 août, le boulevard du Palais au centre de Paris s'emplit de la même rumeur : d'interminables colonnes d'hommes se dirigent vers la gare de l'Est et la gare du Nord. On n'entend ni musique, ni chants, ni acclamations. Seuls s'élèvent le raclement des bottes sur les pavés, le cliquetis de centaines de sabots, le grondement des moteurs des camions, et le grincement des roues ferrées des canons tirés sous les fenêtres obscures des immeubles, empêchant leurs occupants de dormir ou les attirant à leurs fenêtres, encore tout ensommeillés, pour contempler ce sombre spectacle [204].

Les réactions de la population à la nouvelle que la guerre a éclaté démentent l'affirmation, si souvent répétée par les hommes d'État, que l'opinion publique a forcé la main des décideurs. Certes, il n'y a aucune résistance à l'appel aux armes. Presque partout, les hommes rallient avec plus ou moins de bonne volonté leur point de rassemblement [205]. Cette volonté de servir n'est pas une manifestation d'enthousiasme pour la guerre, mais une forme de patriotisme défensif, car l'étiologie du conflit a été si complexe et si étrange qu'elle permet aux soldats et aux citoyens de chaque pays de se convaincre qu'ils combattent dans une guerre défensive, que leur pays a été attaqué ou provoqué par un ennemi déterminé, et que leur gouvernement a tout tenté pour préserver la paix [206]. Alors que les grands blocs se préparent à entrer en conflit, l'enchaînement complexe des événements qui a mis le feu aux poudres est vite perdu de vue. Comme le note un diplomate américain en poste à Bruxelles dans son journal le 2 août, « personne ne semble plus se souvenir qu'il y a quelques jours encore, la Serbie jouait un rôle majeur dans cette affaire. Elle semble avoir disparu de la scène [207] ».

Il y a bien quelques expressions d'enthousiasme chauvin pour le combat à venir mais elles restent exceptionnelles. Que partout en Europe les hommes se soient saisis de l'occasion d'aller vaincre un ennemi détesté, c'est un mythe qui a été entièrement détruit[208]. Quasiment partout, pour la quasi-totalité de la population, la nouvelle de la mobilisation est un choc profond, « un coup de tonnerre dans un ciel sans nuage ». Et plus on s'éloigne des centres urbains, moins la mobilisation semble avoir de sens pour ceux qui vont se battre, mourir ou être mutilés, et pour ceux qui vont perdre leurs proches. Dans les villages de la campagne russe règne « un silence abasourdi », brisé seulement par « les pleurs des hommes, des femmes et des enfants[209] ». À Vatilieu, petite commune de l'Isère, le tocsin fait se rassembler artisans et paysans sur la place du village. Certains, qui étaient dans leur champ, accourent la fourche à la main.

> « Qu'est-ce que cela veut dire ? Que va-t-il nous arriver ? » se demandaient les villageoises. Femmes, enfants, maris, tous étaient submergés par l'émotion. Les femmes s'accrochaient au bras de leur mari. Les enfants, voyant leur mère pleurer, fondaient en larmes à leur tour. Tout autour de nous, ce n'était qu'angoisse et consternation. Quelle spectacle désolant[210] !

Un voyageur anglais raconte une scène dont il a été témoin dans un campement cosaque de l'Altaï (Semipalatinsk), lorsque le « drapeau bleu » brandi par un cavalier et le son du clairon sonnant l'alerte ont annoncé la mobilisation. Le tsar avait parlé et, en guerriers fidèles à leurs traditions, les cosaques « brûlaient de passer à l'attaque ». Mais qui était l'ennemi ? Personne ne le savait. Le télégramme de mobilisation ne donnait aucun détail. Les rumeurs se multiplièrent. On commença par croire qu'il devait s'agir des Chinois : « La Russie a pénétré trop profondément en Mongolie et la Chine a déclaré la guerre. » Puis une autre rumeur fit le tour du campement : « L'Angleterre ! C'est contre l'Angleterre ! » Cette fausse nouvelle sembla s'imposer pendant quelque temps.

> Ce n'est qu'au bout de quatre jours que la vérité finit par nous parvenir et là, personne ne voulut y croire[211].

CONCLUSION

« Jamais je ne comprendrai comment tout cela est arrivé », faisait remarquer la romancière Rebecca West à son mari en 1936, alors qu'ils se tenaient au balcon de la mairie de Sarajevo. Non pas parce qu'il y avait trop peu de faits connus, poursuivait-elle, mais au contraire, parce qu'il y en avait beaucoup trop [1]. La complexité de la crise de Sarajevo, l'un des thèmes centraux de ce livre, provient en partie de comportements que l'on constate encore de nos jours sur la scène politique. La dernière partie de ce livre a été rédigée en 2011-2012, au plus fort de la crise financière de l'Eurozone, un événement contemporain d'une complexité indescriptible. Il faut noter que tous les acteurs concernés par cette crise de l'euro, à l'instar de leurs homologues de juillet 1914, avaient conscience qu'une des issues possibles (la disparition de l'euro) serait une catastrophe généralisée. Personne ne souhaitait que cela arrive, mais au-delà de cet intérêt commun, chacun défendait des intérêts particuliers et contradictoires. Étant donné le tissu de relations unissant tous les acteurs du système, les conséquences de chaque initiative dépendaient de celles prises en réaction par les autres acteurs, des réactions difficiles à prévoir du fait de l'opacité des processus de décision. Et pendant tout ce temps, les hommes politiques européens continuaient à agiter le spectre d'une catastrophe générale pour maintenir une pression et protéger leurs propres avantages.

C'est en ce sens que les hommes de 1914 sont nos contemporains. Mais les différences sont aussi significatives que les ressemblances. Au moins les ministres européens chargés de résoudre la crise de l'euro s'accordaient-ils globalement sur la nature du problème. En 1914 en revanche, des perspectives éthiques et politiques radicalement différentes érodaient le consensus et sapaient la confiance mutuelle. De plus, les puissantes institutions supranationales qui, de nos jours, fournissent le cadre dans lequel les politiques sont définies, les conflits réglés et les

L'empreinte des pas de Gavrilo Princip, à Sarajevo (photo de 1955)

remèdes identifiés, n'existaient tout simplement pas. Enfin, la complexité de la crise de 1914 provenait non de la dispersion des pouvoirs et des responsabilités au sein d'un appareil politico-financier unique, mais d'interactions et de ripostes extrêmement rapides entre différents centres de pouvoir autonomes, lourdement armés, confrontés à des menaces différentes et fluctuantes, opérant dans un environnement à haut risque et extrêmement opaque.

La complexité des événements de 1914 découle également de mutations rapides dans le système international : l'émergence soudaine d'un

État albanais indépendant, la course aux armements navals russo-turque en mer Noire, ou encore la réorientation de la politique balkanique de la Russie qui se rapprochait de Belgrade au détriment de Sofia, pour n'en citer que quelques-uns. Il ne s'agissait pas là de transitions historiques de longue durée, mais de réalignements à court terme, dont les conséquences ont été amplifiées par l'instabilité des relations de pouvoir au sein des exécutifs européens : le combat mené par Grey pour contrer la menace posée par les libéraux radicaux, la fragile domination de Poincaré protégeant sa politique d'Alliance franco-russe, ou encore la campagne politique menée par Soukhomlinov contre Kokovtsov. Après la chute de ce dernier en janvier 1914, à en croire les Mémoires restés inédits d'un observateur politique, le tsar Nicolas II avait proposé le poste de Premier ministre à Piotr Dournovo, conservateur convaincu, énergique et déterminé, farouchement opposé à toute forme d'implication dans les Balkans. Mais Dournovo ne l'avait pas accepté : il était donc revenu à Goremykine, dont la faiblesse avait permis à Krivocheïne et à l'état-major de peser d'un poids disproportionné dans tous les Conseils de juillet 1914[2]. Il serait erroné de faire dépendre trop de conséquences de ce point de détail, mais il attire néanmoins notre attention sur ces réalignements contingents, de court terme, qui ont modifié les conditions dans lesquelles s'est déroulée la crise de juillet.

Tout ceci rendait à son tour l'ensemble du système plus opaque, plus aléatoire, et nourrissait une atmosphère de méfiance, y compris entre partenaires d'une même alliance – une évolution dangereuse pour la paix. Le niveau de confiance entre leaders russes et britanniques était tombé relativement bas en 1914 et continuait à fléchir, sans toutefois remettre en cause la volonté du Foreign Office britannique d'accepter une guerre européenne déclenchée pour défendre les intérêts russes. Bien au contraire, cela renforçait les arguments en faveur d'une intervention. Et l'on peut en dire autant de l'Alliance franco-russe : doutant de son avenir, Russes et Français n'en étaient que plus enclins à accepter le conflit. Au sein de chaque gouvernement, les fluctuations des relations de pouvoir – conjuguées à l'évolution très rapide des situations de fait – produisaient des oscillations stratégiques et une communication ambiguë, facteurs cruciaux dans les crises de l'avant-guerre. De fait, il n'est pas évident que le terme de « stratégie » soit toujours approprié dans ce contexte, étant donné le caractère flou et ambigu de beaucoup des engagements considérés. On peut en effet se poser la question : la Russie ou l'Allemagne avaient-elle véritablement une stratégie balkanique dans les années 1912-1914 ? Nous assistons plutôt à un foisonnement d'initiatives, de scénarios et d'attitudes dont la logique n'est pas toujours facile à discerner. Au sein de chaque exécutif national, l'instabilité des relations de pouvoir signifiait également que les décideurs étaient soumis à une pression considérable – non pas tant de la part de la presse ou de l'opinion publique, encore moins de quelque lobby industriel ou financier, que d'adversaires issus de la même élite qu'eux ou de leur propre gouvernement, ce qui nourrissait le sentiment d'urgence qui hantait les décideurs au cours de cet été 1914.

De plus il faut distinguer entre les facteurs objectifs qui pesaient sur les gouvernants et les récits qu'ils se faisaient ou échangeaient entre eux, soit pour rendre compte de ce qu'ils pensaient faire, soit pour justifier leur action. Chacun des acteurs clés de cette histoire passait le monde au crible de tels récits bâtis sur des fragments de réalité amalgamés entre eux par des peurs, des procès d'intention, des intérêts déguisés en principes. En Autriche, l'histoire de ces jeunes hors-la-loi régicides usant la patience de leur vénérable voisin par leurs provocations incessantes a interféré avec une évaluation objective de la manière de gérer les relations avec les Serbes. En Serbie, des fantasmes de victimisation et d'oppression de la part d'un Empire des Habsbourg cupide et tout-puissant ont eu le même effet, de façon inverse. En Allemagne, la sombre vision d'un avenir d'invasions et les craintes de partition ont pesé sur toutes les décisions de l'été 1914. Et la saga des prétendues humiliations à répétition infligées par les puissances centrales à la Russie a eu sur ce pays un impact similaire : déformer le passé et simplifier la situation présente. Mais le plus influent de tous ces récits a été la description, répétée à l'envi par tous les protagonistes, de l'inéluctable déclin historique de l'Autriche-Hongrie : après avoir progressivement remplacé une ancienne série de présupposés qui faisaient de l'Autriche le pivot de la stabilité en Europe centrale et orientale, ce récit imaginaire a levé les inhibitions qui retenaient les ennemis de Vienne en sapant l'idée que la Double Monarchie, comme toutes les autres grandes puissances, avait des intérêts propres qu'elle était en droit de défendre avec détermination.

Étant donné le lieu où se sont produits les assassinats à l'origine de la crise, il semble évident que le contexte balkanique a été un facteur majeur du déclenchement de la guerre, mais deux points en particulier méritent qu'on s'y arrête. Premièrement, les guerres balkaniques ont redéfini les relations entre puissances, grandes ou moins grandes, en augmentant les risques. Aux yeux des Russes comme des Autrichiens, la lutte pour le contrôle de la péninsule balkanique a pris un tour nouveau et plus menaçant, tout particulièrement pendant la crise de l'hiver 1912-1913. La balkanisation de l'Alliance franco-russe en a été une conséquence. La France et la Russie, chacune à leur rythme et pour des raisons différentes, ont mis en place un détonateur géopolitique le long de la frontière austro-serbe. Le scénario balkanique n'était ni une stratégie, ni un plan, ni un complot élaboré de façon continue au fil du temps ; il n'y avait pas non plus de relation nécessaire ou identique entre les positions adoptées en 1912-1913 et le déclenchement de la guerre l'année suivante. Ce n'est pas le scénario balkanique (qui était en fait un scénario serbe) qui a entraîné l'Europe dans la guerre en 1914, mais plutôt l'inverse : une fois la crise de juillet déclenchée, c'est ce scénario qui a fourni le cadre conceptuel permettant de l'interpréter. La Russie et la France avaient ainsi lié la fortune de deux des plus grandes puissances mondiales, de façon asymétrique, à la destinée incertaine d'un État turbulent et parfois violent.

Pour l'Autriche-Hongrie, dont le dispositif de sécurité régionale avait été détruit par les guerres des Balkans, l'attentat de Sarajevo n'a absolument pas été le prétexte au déclenchement d'une quelconque stratégie préexistante d'invasion et de conquête. Cet attentat a été un point de bascule, la cause d'un retournement radical, lourd de menaces réelles et symboliques. De notre point de vue rétrospectif du début du XXIe siècle, il est facile d'affirmer que Vienne aurait dû résoudre les problèmes qu'elle avait créés en négociant de façon dépassionnée avec Belgrade, mais dans le contexte de 1914, ce n'était pas une option crédible – pas plus que ne l'était la médiation des quatre puissances proposée, sans grand enthousiasme, par Edward Grey et qui se fondait sur une indifférence partisane aux réalités politiques de la situation austro-hongroise. Et ce non seulement parce que les autorités serbes ne voulaient pas ou ne pouvaient pas réprimer les activités irrédentistes qui avaient suscité ces assassinats, mais parce que les amis de la Serbie refusaient de concéder à l'Autriche le droit d'adjoindre à ses exigences la possibilité de contrôler que Belgrade s'y conformerait. Ils rejetaient cette demande au motif qu'elle était incompatible avec la souveraineté serbe. On peut ici établir un parallèle avec le débat qui s'est déroulé au Conseil de sécurité de l'ONU en octobre 2011 sur une résolution soutenue par les États de l'OTAN : elle proposait des sanctions contre le régime de Bachar el-Assad en Syrie pour mettre fin aux massacres perpétrés par le pouvoir contre ses opposants. Le représentant russe a contesté cette résolution, affirmant que son principe reflétait une « logique d'affrontement » caractéristique des puissances occidentales, mais inopportune, tandis que le représentant chinois a affirmé que des sanctions étaient inappropriées car elles ne respectaient pas la « souveraineté » de l'État syrien.

Qu'en est-il alors de la question de la culpabilité ? En affirmant que l'Allemagne et ses alliés étaient moralement responsables du déclenchement de la guerre, l'article 231 du traité de Versailles a eu pour conséquence de mettre la question de la culpabilité au cœur du débat sur les origines de la guerre. Rechercher le coupable : ce jeu-là n'a jamais perdu de son attrait. La formulation la plus influente de cette tradition est la fameuse « thèse Fischer » – nom donné au faisceau d'arguments élaborés dans les années 1960 par Fritz Fischer, Imanuel Geiss et une vingtaine d'autres historiens allemands qui identifiaient l'Allemagne comme le principal responsable du déclenchement de la guerre. D'après cette thèse (si l'on ne tient pas compte des multiples variantes produites par « l'école de Fischer »), les Allemands n'étaient pas entrés en guerre par accident, ni par entraînement. C'était un choix délibéré – pire encore, ils l'avaient planifié à l'avance dans l'espoir de briser leur encerclement et de devenir une puissance mondiale. Des études récentes de la controverse Fischer ont mis en lumière les liens entre ce débat et le processus complexe, difficile, semé d'embûches par lequel les intellectuels allemands ont fait face à l'héritage moralement délétère de la période nazie, et les arguments développés par Fischer ont fait l'objet de maintes critiques [3]. Il n'en reste pas moins que sous une version moins radicale, cette thèse domine toujours les études sur l'entrée en guerre de l'Allemagne.

Avons-nous véritablement besoin de prouver la culpabilité d'un seul État ? Ou de classer les États en fonction de leur part de responsabilité dans le déclenchement de la guerre ? Dans une étude désormais classique sur le sujet, Paul Kennedy affirme que se dérober à cette recherche en accusant l'ensemble des protagonistes, ou en les disculpant tous, est un signe de « mollesse », semblant impliquer qu'une approche plus vigoureuse ne doit pas hésiter à pointer du doigt les responsabilités [4]. Le problème d'une telle approche n'est pas tant le risque de se tromper de coupable, mais le fait que ce type d'études est pétri de présupposés. Elles présument que dans toute interaction conflictuelle, l'un des protagonistes a raison et l'autre a tort ; les Serbes avaient-ils tort de vouloir unifier leur nation ? Les Autrichiens avaient-ils tort de défendre l'indépendance de l'Albanie ? L'une de ces deux entreprises était-elle moralement plus condamnable que l'autre ? Ces questions n'ont pas de sens. Un défaut supplémentaire de ces récits accusatoires, c'est qu'ils rétrécissent le champ de vision en se focalisant sur le tempérament politique et les initiatives d'un État plutôt que sur les processus multilatéraux d'interaction. Enfin, dernier problème : rechercher le coupable prédispose l'investigateur à interpréter les actions des décideurs comme étant planifiées et conduites par une intention cohérente. Il s'agit de démontrer que quelqu'un a voulu la guerre et qu'il l'a préparée. Sous sa forme extrême, ce genre de recherche produit des récits conspirationnistes, dans lesquels une coterie d'individus puissants, tels des méchants en smoking tout droit sortis d'un film de James Bond, manipulent les événements en coulisses pour accomplir leur plan machiavélique. Il faut reconnaître que de tels récits procurent à leurs lecteurs une grande satisfaction morale, et il n'est évidemment pas impossible, sur le plan logique, que la guerre se soit déclenchée ainsi à l'été 1914. Mais ce livre défend l'idée que de tels arguments ne sont pas corroborés par les faits.

Le déclenchement de la guerre de 1914 n'est pas un roman d'Agatha Christie à la fin duquel nous découvrons le coupable, debout près du cadavre dans le jardin d'hiver, un pistolet encore fumant à la main. Il n'y a pas d'arme du crime dans cette histoire, ou plutôt il y en a une pour chaque personnage principal. Vu sous cet angle, le déclenchement de la guerre n'a pas été un crime, mais une tragédie [5]. Reconnaître cela ne signifie pas que nous devons minimiser le bellicisme et la paranoïa impérialiste des décideurs politiques allemands et autrichiens qui ont attiré à juste titre l'attention de Fischer et de ses alliés historiographiques. Néanmoins les Allemands n'étaient pas les seuls à avoir été impérialistes ni à avoir succombé à la paranoïa ; la crise qui a entraîné la guerre de 1914 était le fruit d'une culture politique commune. Mais elle était également multipolaire et authentiquement interactive, ce qui en fait précisément l'événement le plus complexe des temps modernes, et c'est la raison pour laquelle les débats sur son origine se poursuivent, un siècle après que Gavrilo Princip, posté au coin de la rue François-Joseph, a tiré ses deux coups de pistolet fatals.

Une chose est certaine : rien de ce que convoitaient les hommes politiques en 1914 ne valait le cataclysme qui s'est déclenché. Les protagonistes avaient-ils compris combien les enjeux étaient élevés ? On a cru pendant un temps que tous les Européens de 1914 avaient succombé à l'illusion que le prochain conflit continental serait de courte durée, une « guerre de cabinet » limitée dans le temps (*Kabinettskrieg*), semblable aux guerres du XVIIIᵉ siècle. « Les hommes seraient rentrés avant Noël », disait-on. Plus récemment, la prédominance de cette « illusion d'une guerre éclair » a été remise en question [6]. Le plan Schlieffen reposait certes sur une offensive éclair et massive contre la France, mais même au sein de son propre état-major certains s'inquiétaient : loin de produire des victoires rapides, la prochaine guerre serait « une longue et sanglante progression pied à pied [7] ». Helmuth von Moltke avait beau espérer que la guerre européenne, si elle éclatait, se résoudrait rapidement, il n'en concédait pas moins que le conflit pourrait tout aussi bien traîner pendant des années, au prix de destructions incommensurables. Au cours de la quatrième semaine de juillet, le Premier ministre britannique Herbert Asquith évoquait même l'approche de « l'Armageddon ». Quant aux généraux russes et français, ils parlaient de « guerre d'extermination » et de « l'extinction de la civilisation ».

Tous savaient au fond d'eux-mêmes, mais en avaient-il véritablement conscience ? Peut-être est-ce ici la différence majeure entre les années qui ont précédé 1914 et celles qui ont suivi 1945. Dans les années 1950 et

1960, les décideurs, tout comme les opinions publiques, comprenaient de manière viscérale ce que signifiait une guerre nucléaire – les images du champignon atomique bourgeonnant au-dessus d'Hiroshima et de Nagasaki avaient pénétré jusqu'aux cauchemars des citoyens ordinaires de la planète. Par conséquent, la plus grande course aux armements de l'histoire de l'humanité n'a pas dégénéré en guerre nucléaire entre superpuissances. Mais il n'en était pas ainsi avant 1914. Dans l'esprit de nombreux hommes d'État, l'espoir d'une guerre rapide et la crainte d'un conflit de longue durée semblaient, pour ainsi dire, se neutraliser, empêchant une meilleure appréhension des risques. En mars 1913, un journaliste travaillant pour *Le Figaro* rédigeait un article sur une série de conférences récemment données à Paris par les plus grands spécialistes de la médecine militaire française. Parmi eux se trouvait le professeur Jacques-Ambroise Monprofit, tout juste de retour d'une mission spéciale dans des hôpitaux militaires en Serbie et en Grèce où il avait aidé à mettre en place de meilleurs protocoles de chirurgie de guerre. Il avait observé que « les blessures causées par le canon français [vendu aux États balkaniques avant la déclaration de la Première Guerre mondiale] furent non seulement plus nombreuses, mais encore effroyablement graves, broiement des os, dilacérations des tissus, écrasement du thorax et du crâne ». Les souffrances ainsi causées étaient si atroces qu'un autre expert éminent, le professeur Antoine Depage, avait proposé un embargo international sur l'emploi de ces armes à l'avenir. « L'on comprend la générosité du sentiment qui l'a guidé, commentait le journaliste, mais, enfin, si nous devons avoir un jour, sur les champs de bataille, l'infériorité numérique, encore faut-il que des agresseurs sachent bien que nous avons, pour nous défendre, des armes qu'on peut redouter. » L'article se concluait sur cette déclaration : la France devait se féliciter de posséder non seulement des armes aussi terrifiantes, mais également « une organisation médicale que l'on peut bien qualifier de merveilleuse [8] ». Où que nous jetions le regard dans cette Europe de l'avant-guerre, nous rencontrons cette légèreté désinvolte. En ce sens, les protagonistes de 1914 étaient des somnambules qui regardaient sans voir, hantés par leurs songes mais aveugles à la réalité des horreurs qu'ils étaient sur le point de faire naître dans le monde.

NOTES

Abréviations

AMAE – Archives du ministère des Affaires étrangères, Paris.

AN – Archives nationales, Paris.

AS – Arkhiv Srbije, Belgrade.

AVPRI – Arkhiv Vneshnei Politiki Rossiiskoi Imperii (Archives de politique étrangère de l'Empire russe), Moscou.

BD – G. P. Gooch and H. Temperley (éd.), *British Documents on the Origins of the War : 1898-1914*, 11 vol., Londres, 1926-1938.

BNF – Bibliothèque nationale de France, Paris.

DD – Karl Kautsky, comte Max Montgelas et Walter Schücking (dir.), *Deutsche Dokumente zum Kriegsausbruch*, 4 vol., Berlin, 1919.

DDF – Commission de publication de documents relatifs aux origines de la guerre de 1914 (dir.), *Documents diplomatiques français relatifs aux origines de la guerre de 1914*, 41 vol., Paris, 1929-1959.

DSP – Vladimir Dedijer et Života Anić (dir.), *Dokumenti o Spoljnoj Politici Kraljevine Srbije*, 7 vol., Belgrade, 1980.

GARF – Gosudarstvennyi Arkhiv Rossiiskoi Federatsii (Archives nationales de la Fédération de Russie), Moscou.

GP – Johannes Lepsius, Albrecht Mendelssohn-Bartholdy et Friedrich Wilhelm Thimme (dir.), *Große Politik der europäischen Kabinette, 1871-1914*, 40 vol., Berlin, 1922-1927.

HHStA – Haus-, Hof- und Staatsarchiv, Vienne.

HSA – Hauptstaatsarchiv, Stuttgart.

IBZI – Kommission beim Zentralexekutivkomitee der Sowjetregierung unter dem Vorsitz von M. N. Pokrowski (dir.), *Die internationalen Beziehungen im Zeitalter des Imperialismus. Dokumente aus den Archiven der zarischen und der provisorischen Regierung*, traduction Otto Hoetzsch, 9 vol., Berlin, 1931-1939.

KA – Krasnyi Arkhiv.

MAEB AD – Ministère des Affaires étrangères de Belgique, Archives diplomatiques, Bruxelles.

MFA – Ministry of Foreign Affairs, Londres.

MID-PO – Ministerstvo Inostrannikh Del – Politicko Odelenje (ministère serbe des Affaires étrangères, département Politique).

NA – Nationaal Archief, La Haye.

NMM – National Maritime Museum, Greenwich.

ÖUAP – Ludwig Bittner et Hans Uebersberger (dir.), *Österreichs-Ungarns Außenpolitik von der bosnischen Krise bis zum Kriegsausbruch 1914*.

PA-AA – Das politische Archiv des Auswärtigen Amtes, Berlin.

PA-AP – Papiers d'agents – Archives privées.

RGIA – Rossiiskii Gosudarstvennyi Istoricheskii Arkhiv (Archives historiques de l'État russe), Saint-Pétersbourg.

RGVIA – Rossiiskii Gosudarstvennyi Voenno-istoricheskii Arkhiv (Archives d'histoire militaire de l'État russe), Moscou.

TNA – The National Archives, Kew.

INTRODUCTION

1. Cité in David Fromkin, *Europe's Last Summer. Who Started the Great War in 1914 ?*, New York, 2004, p. 6.

2. Le ministère des Affaires étrangères allemand a financé les activités de l'Arbeitsauschuss Deutscher Verbände destiné à coordonner la campagne contre « la responsabilité de la guerre » et soutenu en sous-main un Zentralstelle zur Erforschung der Kriegsursachen où travaillaient des universitaires ; voir Ulrich Heinemann, *Die verdrängte Niederlage : politische Öffentlichkeit und Kriegsschuldfrage in der Weimarer Republik*, Göttingen, 1983, not. p. 95-117 ; Sacha Zala, *Geschichte unter der Schere politischer Zensur. Amtliche Aktensammlung im internationalen Vergleich,* Munich, 2001, not. p. 57-77 ; Imanuel Geiss, « Die manipulierte Kriegsschuldfrage. Deutsche Reichspolitik in der Julikrise 1914 und deutsche Kriegsziele im Spiegel des Schuldreferats des Auswärtigen Amtes, 1919-1931 », *Militärgschichtliche Mitteilungen*, 34, 1983, p. 31-60.

3. « … de portée essentiellement politique », Barthou à Martin, lettre du 3 mai 1934, citée in Keith Hamilton, « The Historical Diplomacy of the Third Republic », in Keith Wilson (dir.), *Forging the Collective Memory. Government and International Historians through Two World Wars*, Providence, Oxford, 1996, p. 29-62, ici p. 45 ; sur les critiques françaises des éditions allemandes, voir par ex. Émile Bourgeois, « Les archives d'État et l'enquête sur les origines de la guerre mondiale. À propos de la publication allemande : *Die große Politik d. europ. Kabinette* et de sa traduction française », *Revue historique*, 155, mai-août 1927, p. 39-56 ; Bourgeois accusa les éditeurs allemands de structurer leur édition de façon à dissimuler les omissions tactiques faites dans les archives ; pour une réponse de l'éditeur allemand, voir Friedrich Thimme, « Französische Kritiken zur deutschen Aktenpublikation », *Europäische Gespräche*, 8/9, 1927, p. 461-479.

4. Ulfried Burz, « Austria and the Great War. Official Publications in the 1920s and 1930s », in Keith M. Wilson, *Forging the Collective Memory,* p. 178-201, ici p. 186.

5. Jean-Baptiste Duroselle, *La Grande Guerre des Français, 1914-1918 : L'incompréhensible*, Paris, 1994, p. 23-33 ; John F. V. Keiger, *Raymond Poincaré*, Cambridge, 1997, p. 194-195.

6. Keith M. Wilson, « The Imbalance in British Documents on the Origins of the War, 1898-1914. Gooch, Temperley and the India Office » ; in du même auteur (dir.), *Forging the Collective Memory,* p. 230-264, ici p. 231 ; voir aussi dans le même volume l'introduction de Wilson, « Governments, Historians and "Historical Engineering" », p. 1-28, not. p. 12-13.

7. Bernhard Schwertfeger, *Der Weltkrieg der Dokumente. Zehn Jahre Kriegsschuldforschung und ihr Ergebnis*, Berlin, 1929. Pour un aperçu plus général de cette question, voir Sacha Zala, *Geschichte unter der Schere*, not. p. 31-36, 47-91, 327-338.

8. Theobald von Bethmann-Hollweg, *Considérations sur la guerre mondiale*, Paris, 1924 ; Sergueï Sazonov, *Les Années fatales*, Paris, 1927 ; Raymond Poincaré, *Au service de la France – neuf années de souvenirs*, 10 vol., Paris, 1926-33, not. vol. 4, « L'Union Sacrée », p. 163-431. Pour une discussion plus détaillée mais pas nécessairement plus éclairante de la crise par l'ancien président, voir les déclarations retranscrites in René Gerin, *Les Responsabilités de la guerre : quatorze questions, par René Gerin... quatorze réponses, par Raymond Poincaré*, Paris, 1930.

9. Edward Viscount Grey of Fallodon, *Twenty-Five Years : 1892-1916*, Londres, 1925.

10. Bernadotte Everly Schmitt, *Interviewing the Authors of the War*, Chicago, 1930.

11. Bernadotte Everly Schmitt, *Interviewing the Authors*, p. 11.

12. Luigi Albertini, *The Origins of the War of 1914*, trad. par Isabella M. Massey, 3 vol., Oxford, 1953, vol. 2, p. 40 ; Magrini travaillait sous la direction de l'historien Luigi Albertini.

13. Derek Spring, « The Unfinished Collection. Russian Documents on the Origins of the First World War », in Keith M. Wilson (dir.), *Forging the Collective Memory*, p. 63-86.

14. John W. Langdon, *July 1914 : The Long Debate, 1918-1990*, Oxford, 1991, p. 51.

15. Il serait impossible de donner ici une sélection de références. Pour des analyses utiles du débat et de son histoire, voir John A. Moses, *The Politics of Illusion : The Fischer Controversy in German Historiography*, Londres : George Prior, 1975 ; Annika Mombauer. *The Origins of the First World War : Controversies and Consensus*, Londres : Longman, 2002 ; Wolfgang Jäger, *Historische Forschung und politische Kultur in Deutschland. Die Debatte um den Ausbruch des Ersten Weltkriegs 1914-1980*, Göttingen, 1984 ; Langdon, *The Long Debate* ; du même auteur « Emerging from Fischer's Shadow : Recent Examinations of the Crisis of July 1914 », *The History Teacher*, vol. 20, n° 1, novembre 1986, p. 63-86 ; James Joll, « The 1914 Debate Continues : Fritz Fischer and His Critics », *Past & Present*, 34 / 1, 1966, p. 100-113 et la réponse in P. H. S. Hatton, « Britain and Germany in 1914 : The July Crisis and War Aims », *Past & Present*, 36 / 1, 1967, p. 138-143 ; Konrad Jarausch, « Revising German History. Bethmann-Hollweg Revisited », *Central European History*, 21 / 3, 1988, p. 224-243 ; Samuel R. Williamson et Ernest R. May, « An Identity of Opinion. Historians and July 1914 », *Journal of Modern History*, 79 / 2, juin 2007, p. 335-387 ; Jay Winter et Antoine Prost, *The Great War in History. Debates and Controversies, 1914 to the Present*, Cambridge, 2005.

16. Sur l'« ornementalisme » et le décorum, voir David Cannadine, *Ornamentalism. How the British Saw Their Empire*, Londres, 2002 ; pour une magnifique description du monde d'avant 1914 vu sous l'angle de la mise à distance et de la nostalgie, voir Barbara Tuchman, *Proud Tower. A Portrait of the World before the War, 1890-1914*, Londres, 1966 et, du même auteur, *August 1914*, Londres, 1962.

17. Richard F. Hamilton et Holger Herwig, *Decisions for War 1914-1917*, Cambridge, 2004, p. 46.

18. Svetoslav Budinov, *Balkanskite Voini (1912-1913). Istoricheski predstavi v sistemata na nauchno-obrezovatelnata komunikatsia*, Sofia, 2005, p. 55.

19. Voir not. Holger Afflerbach, « The Topos of Improbable War in Europe before 1914 », in Holger Afflerbach et David Stevenson (dir.), *An Improbable War ? The Outbreak of World War I and European Political Culture before 1914*, Oxford, 2007, p. 161-182 et l'introduction des auteurs à ce même ouvrage, p. 1-17.

1. Fantômes serbes

1. Sir George Bonham au marquis de Lansdowne, télégramme (copie), Belgrade, 12 juin 1903, TNA, FO 105 / 157, f° 43.

2. Des récits contradictoires du régicide ont circulé dans Belgrade pendant les semaines qui ont suivi les assassinats, plusieurs conjurés tentant de dissimuler les détails les plus accablants, ou voulant minimiser ou au contraire exagérer la part qu'ils avaient prise dans le complot. Pour des reportages contemporains détaillés et bien informés sur les événements du 10-11 juin, voir *Neue freie Presse*, 12 juin, p. 1-3, et 13 juin 1903, p. 1-2. Les dépêches rédigées par l'ambassadeur britannique sont particulièrement documentées sur l'accumulation des faits et des rumeurs ; à consulter in TNA, FO 105 / 157, « Servia. Coup d'État. Extirpation of the Obrenovitch dynasty & Election of King Peter Karageorgević. Suspension of diplomatic relations with Servia June 1903 » ; voir aussi Wayne S. Vucinich, *Serbia Between East and West. The Events of 1903-1906*, Stanford, 1954, p. 55-59 ; pour un compte rendu faisant autorité dans les sources secondaires, voir Slobodan Jovanović, *Vlada Aleksandra Obrenovica*, 3 vol., Belgrade, 1934-1936, vol. 3, p. 359-362 ; Dragisa Vasić, *Devetsto treća (majski prevrat) prilozi za istoriju Srbije od 8. jula 1900. do 17. januara 1907*, Belgrade, 1925, p. 75-112 ; Rebecca West, *Black Lamb and Grey Falcon. A Journey through Yugoslavia*, Londres, 1955, p. 11-12, 560-564.

3. David MacKenzie, *Apis : The Congenial Conspirator. The Life of Colonel Dragutin T. Dimitrejević*, Boulder, 1989, p. 26 ; Alex N. Dragnich, *Serbia, Nikola Pašić and Yugoslavia*, New Brunswick, 1974, p. 44.

4. David MacKenzie, *Apis,* p. 29.

5. Voir, par exemple, les passages du journal intime de Vukasin Petrović décrivant une conversation avec Alexandar Obrenović retranscrits in Vladan Djordjević, *Das Ende der Obrenovitch. Beiträge zur Geschichte Serbiens 1897-1900*, Leipzig, 1905, p. 559-588.

6. Wayne S. Vucinich, *Serbia between East and West*, p. 9.

7. Wayne S. Vucinich, *Serbia between East and West*, p. 10.

8. Branislav Vranesević, « Die Aussenpolitischen Beziehungen zwischen Serbien und der Habsburgermonarchie », in Adam Wandruszka et Peter Urbanitsch (dir.), *Die Habsburgermonarchie 1848-1918*, 10 vol., Vienne, 1973-2006, vol. 6 / 2, p. 319-386, ici p. 36-37.

9. Voir *The Times*, 7 avril, p. 3, n° 37048, col. B ; 23 avril, n° 37062, col. A.

10. Wayne S. Vucinich, *Serbia between East and West*, p. 21 ; Gale Stokes, « The Social Role of the Serbian Army before World War I : A Synthesis », in Stephen Fischer-Galati et Béla K. Király (dir.), *War and Society in Central Europe, 1740-1920*, Boulder, 1987, p. 105-117.

11. Sur le charisme du chef dans un groupe, voir Roger Eatwell, « The Concept and Theory of Charismatic Leadership », *Totalitarian Movements and Political Religions*, 7 / 2, 2006, p. 141-156, ici p. 144, 153, 154 ; du même auteur, « Hacia un nuevo modelo de liderazgo carismático de derecha », in Miguel Ángel Simon Gomez (dir.), *La extrema derecha en Europa desde 1945 a nuestros días*, Madrid, 2007, p. 19-23.

12. Ces deux commentaires sont cités in MacKenzie, *Apis*, p. 50.

13. Wayne S. Vucinich, *Serbia between East and West*, p. 47.

14. David MacKenzie, *Apis,* p. 35 ; Wayne S. Vucinich, *Serbia between East and West*, p. 51 ; Vladimir Dedijer, *The Road to Sarajevo*, Londres, 1967, p. 85.

15. *The Times*, 27 avril, p. 6, n° 37065, col. B.

16. Slobodan Jovanović, *Vlada Aleksandra Obrenovica*, vol. 3, p. 359.

17. Sir George Bonham au marquis de Lansdowne, télégramme déchiffré, Belgrade, 19 h 45, 11 juin 1903, TNA, FO 105 / 157, f° 11.

18. Sir George Bonham au marquis de Lansdowne, télégramme (copie), Belgrade, 12 juin 1903, TNA, FO 105 / 157, f° 43.

19. Sir Francis Plunkett au marquis de Lansdowne, Vienne, 12 juin 1903, TNA, FO 105 / 157, f° 44.

20. Voir la proclamation du Petar du 25 juin (OS) dans Djurdje Jelenić, *Nova Srbija i Jugoslavija. Istorija nacionalnog oslobodjenja i ujedinjenja Srba, Hrvata i Slovenaca, od Kočine krajine do vidovdanskog ustava (1788-1921)*, Belgrade, 1923, p. 225.

21. Pour des récits décrivant le coup d'État de 1903 comme l'inauguration d'un âge d'or serbe, voir Milivoje Popović, *Borba za parlamentarni režim u Srbiji*, Belgrade, 1938, not. p. 85-108, 110-111 ; Živan Mitrović, *Srpske politicke stranke*, Belgrade, 1939, not. p. 95-114 ; Alex N. Dragnich, *The Development of Parliamentary Government in Serbia*, Boulder, 1978, p. 95-98 ; du même auteur, *Serbia, Nikola Pašić and Yugoslavia*.

22. Commentaires de M. Kalievič, rapporté in Sir George Bonham au marquis de Lansdowne, 21 juin 1903, TNA, FO 105 / 157, f°s 309-311, ici f° 310 ; voir aussi Wayne S. Vucinich, *Serbia between East and West*, p. 70-71.

23. Wilfred Thesiger au Marquis de Lansdowne, Belgrade, 15 novembre 1905, TNA, FO 105 / 158, f°s 247-252, ici f° 250. (Thesiger était le père du célèbre explorateur et écrivain.)

24. Thesiger au marquis de Lansdowne, Belgrade, 5 décembre 1905, TNA, FO 105 / 158, f°s 253-255, ici f°s 254-255 ; Alex N. Dragnich, *Serbia, Nikola Pašić and Yugolavia*, p. 73-74.

25. David MacKenzie, *Apis*, p. 56.

26. Comte Mérey von Kapos-Mére à Alois von Aehrenthal, 27 novembre 1903, cité in Francis R. Bridge, *From Sadowa to Sarajevo. The Foreign Policy of Austria-Hungary, 1866-1914*, Londres, 1972, p. 263 ; l'analyse de Mérey est corroborée in Kosztowits à Melvil van Lijnden, Belgrade, 4 septembre 1903, NA, 2. 05. 36, doc. 10, *Rapporten aan en briefwisseling met het Ministerie van Buitenlandse Zaken*.

27. David MacKenzie, « Officer Conspirators and Nationalism in Serbia, 1901-1914 », in Stephen Fischer-Galati et Béla K. Kiraly (dir.), *Essays on War and Society in East Central Europe, 1720-1920*, Boulder, 1987, p. 117-150, ici p. 125 ; Dimitrije Djordjević, « The Role of the Military in the Balkans in the Nineteenth Century », in Ralph Melville et Hans-Jürgen Schroeder (dir.), *Der Berliner Kongress von 1878*, Wiesbaden, 1982, p. 317-347, not. p. 343-345.

28. Dušan T. Bataković, « Nikola Pašić, les radicaux et la "Main noire" », *Balcanica*, 37, 2006, p. 143-169, ici p. 154 ; pour un récit de la « contre-conspiration de Niš », voir Dragisa Vasić, *Devetsto treća*, p. 131-184.

29. Pour une analyse lucide de la personnalité de Pašić, voir Djordje Stanković, *Nikola Pašić. Prilozi za biografiju*, Belgrade, 2006, 2e partie, chap. VIII, p. 322.

30. Slobodan Jovanović, « Nicholas Pašić : After Ten Years », *Slavonic and East European Review*, 15, 1937, p. 368-376, ici p. 369.

31. Sur la russophilie de Pašić, pragmatique plus qu'idéologique, voir Čedomir Popov, « Nova Osvetljenja Rusko-Srpskih odnosa » (recension de Latinka Petrović et Andrej Šemjakin (dir.), *Nikola Pašić. Pisma članci i govori*, Belgrade, 1995, in *Zbornik Matice Srpske za Slavistiku*, 48-49, 1995, p. 278-283, ici p. 278 ; Vasa Kazimirović, *Nikola Pašić I njegovo doba 1845-1926*, Belgrade, 1990, p. 54-55, 63. Pour une analyse qui met l'accent sur la dimension idéologique de la russophilie de Pašić, voir Andrej Šemjakin,

Ideologia Nikole Pašića. Formiranje i evolucija (1868-1891), Moscou, 1998 ; sur sa mission à Saint-Pétersbourg, voir David MacKenzie, *Apis*, p. 27.

32. Voir les anecdotes collectées in Nikac Djukanov, *Bajade : anegdote o Nikoli Pašiću,*, Belgrade, 1996, p. 35.

33. Djordje Stanković, *Nikola Pašić*, p. 315-316.

34. Dušan T. Bataković, « Nikola Pašić », p. 150-151 ; Alex N. Dragnich, *Serbia, Nikola Pašić and Yugoslavia*, p. 3, 6, 7, 27-28 ; David MacKenzie, *Apis*, p. 26-28.

35. Dušan T. Bataković, « Nikola Pašić », p. 151 ; Alex N. Dragnich, *Serbia, Nikola Pašić and Yugoslavia*, p. 76 ; David MacKenzie, *Apis*, p. 57 ; Constantin Dumba, *Memoirs of a Diplomat*, trad. Ian F. D. Morrow, Londres, 1933, p. 141-143.

36. Wayne S. Vucinich, *Serbia between East and West*, p. 102.

37. Pour le texte de *Načertanije*, voir Dragoslav Stranjaković, « Kako postalo Garašaninovo "Načertanije" », in *Spomenik Srpske Kraljevske Akademije*, VCI, 1939, p. 64-115, ici p. 75, cité in Wolf Dietrich Behschnitt, *Nationalismus bei Serben und Kroaten 1830-1914*, Munich, 1980, p. 55.

38. Dragoslav Stranjaković, « Kako postalo Garašaninovo "Načertanije" », p. 78, cité in Wolf Dietrich Behschnitt, *Nationalismus*, p. 57 ; voir aussi Horst Haselsteiner, « Nationale Expansionsvorstellungen bei Serben und Kroaten im 19. Jahrhundert », *Österreichische Osthefte*, 39, 1997, p. 245-254, ici p. 247-248.

39. Pour le texte de *Srbi svi i svuda*, voir Vuk Stefanović Karadžić, *Kovčežic za istoriju, jezik, običaje Srba sva tri zakona* [Un trésor de l'Histoire, langage et coutumes des Serbes des trois confessions], Vienne, 1849, p. 1-27, ici p. 1, 7, 19, 22 ; sur cet étonnant refus des Croates d'adopter la dénomination de « Serbes », p. 2-3 ; Horst Haselsteiner, « Nationale Expansionsvorstellungen », p. 246-247.

40. Vuk Stefanović Karadžić, *Kovčežic*, p. 2-3 ; Horst Haselsteiner, « Nationale Expansionsvorstellungen », p. 248.

41. Dragoslav Stranjaković, « Kako postalo Garašaninovo "Načertanije" », p. 84, cité in Wolf Dietrich Behschnitt, *Nationalismus*, p. 56 ; Horst Haselsteiner, « Nationale Expansionsvorstellungen », p. 249.

42. David MacKenzie, « Serbia as Piedmont and the Yugoslav Idea, 1804-1914 », *East European Quarterly*, 28, 1994, p. 153-182, ici p. 160.

43. Leopold von Ranke, *The History of Servia and the Servian Revolution*, trad. Mme Alexander Kerr, Londres, 1853, p. 52.

44. Tim Judah, *The Serbs. History, Myth and the Destruction of Yugoslavia*, 2ᵉ éd., New Haven, 2000, p. 29-47.

45. Arthur J. Evans, *Through Bosnia and the Herzegovina on Foot during the Insurrection, August and September, 1875*, Londres, 1877, p. 139.

46. Barbara Jelavich, « Serbia in 1897 : A Report of Sir Charles Eliot », *Journal of Central European Affairs*, 18, 1958, p. 183-189, ici p. 185.

47. Vladimir Dedijer, *Road to Sarajevo*, p. 250-260.

48. Le nombre exact d'habitants en « Vieille Serbie » (incluant le Kosovo, Metohija, Sandzak et Bujanovac) n'est pas connu ; voir Wolf Dietrich Behschnitt, *Nationalismus*, p. 39.

49. Voir Justin MacCarthy, *Death and Exile. The Ethnic Cleansing of Ottoman Muslims, 1821-1922*, Princeton, 1996, p. 161-164 et passim.

50. Pour une excellente étude d'ensemble (avec cartes) voir Andrew Rossos, *Macedonia and the Macedonians. A History*, Stanford, 2008, p. 4.

51. John Shea, « Macedonia in History : Myths and Constants », *Österreichische Osthefte*, 40, 1998, p. 147-168 ; Loring M. Danforth, « Competing Claims to Macedo-

nian Identity : The Macedonian Question and the Breakup of Yugoslavia », *Anthropology Today,* 9 / 4, 1993, p. 3-10 ; Andrew Rossos, *Macedonia,* p. 5.

52. Barbara Jelavich, « Serbia in 1897 », p. 187.

53. Carnegie Foundation Endowment for International Peace, *Enquête dans les Balkans : rapport présenté aux directeurs de la Dotation par les membres de la commission d'enquête,* Paris, 1914, p. 448, 449.

54. Cité in Djordje Stanković, *Nikola Pašić, saveznivi i stvaranje Jugoslavije,* Zajecar, 1995, p. 29 ; sur les convictions de Pašić sur l'unité fondamentale des Serbes, Croates et des Slovènes, voir aussi, du même auteur, *Nikola Pašić. Prilozi za biografi ju,* not. le premier chapitre, p. 40.

55. Cité in David MacKenzie, *Ilja Garašanin : Balkan Bismarck,* Boulder, 1985, p. 99.

56. Wayne S. Vucinich, *Serbia between East and West,* p. 122.

57. Kosztowits à Melvil de Lijnden, Belgrade, 25 août 1903, NA, 2. 05. 36, doc. 10, *Rapporten aan en briefwisseling met het Ministerie van Buitenlandse Zaken.*

58. David MacKenzie, « Officer Conspirators », p. 128-129 ; Wayne S. Vucinich, *Serbia between East and West,* p. 158-159.

59. Horst Haselsteiner, « Nationale Expansionsvorstellungen », p. 249.

60. Cité in Wayne S. Vucinich, *Serbia between East and West,* p. 172, 174.

61. Francis R. Bridge, *From Sadowa to Sarajevo,* p. 122-123.

62. Vasa Kazimirović, *Nikola Pašić,* p. 607.

63. Sur la question des armements et celle du commerce, voir Jovan Jovanović, *Borba za Narodno Ujedinjenje, 1903-1908,* Belgrade, 1938, p. 108-116.

64. Kosztowits à W. M. de Weede, Belgrade, 24 mai 1905, NA, 2. 05. 36, doc. 10, *Rapporten aan en briefwisseling met het Ministerie van Buitenlandse Zaken.*

65. M. B. Hayne, *The French Foreign Office and the Origins of the First World War (1898-1914),* Oxford, 1993, p. 52, 150.

66. Herbert Feis, *Europe, the World's Banker (1870-1914). An Account of European Foreign Investment and the Connection of World Finance with Diplomacy before the War,* New Haven, 1930, p. 264.

67. Čedomir Antić, « Crisis and Armament. Economic Relations between Great Britain and Serbia 1910-1912 », *Balcanica,* 36, 2006, p. 151-161.

68. J. B. Whitehead, « General Report on the Kingdom of Serbia for the Year 1906 », in David Stevenson (dir.), *British Documents on Foreign Affairs. Reports and Papers from the Foreign Office Confidential Print,* part 1, *From the Mid-Nineteenth Century to the First World War,* Series F, *Europe, 1848-1914,* vol. 16, *Monténégro, Romania, Servia (1885-1914),* doc. 43, p. 205-220, ici p. 210.

69. Michael Palairet, *The Balkan Economies c. 1800-1914. Evolution without Development,* Cambridge, 1997, p. 28.

70. Michael Palairet, *Balkan Economies,* p. 86-87.

71. Holger Sundhaussen, *Historische Statistik Serbiens. Mit europäischen Vergleichsdaten, 1834-1914,* Munich, 1989, p. 26-28.

72. Michael Palairet, *Balkan Economies,* p. 23.

73. Michael Palairet, *Balkan Economies,* p. 112, 113, 168 ; John R. Lampe, « Varieties of Unsuccessful Industrialisation. The Balkan States Before 1914 », *Journal of Economic History,* 35, 1975, p. 56-85, ici p. 59.

74. Michael Palairet, *Balkan Economies,* p. 331.

75. Martin Mayer, « Grundschulen in Serbien während des 19. Jahrhunderts. Elementarbildung in einer "Nachzüglergesellschaft" », in Norbert Reiter et Holm Sundhaussen, (dir.), *Allgemeinbildung als Modernisierungsfaktor. Zur Geschichte der Elementarbildung in*

Südosteuropa von der Aufklärung bis zum Zweiten Weltkrieg, Berlin, 1994, p. 77-102, ici p. 87, 88, 91, 92.

76. Andrei Simic, *The Peasant Urbanites. A Study of Rural-Urban Mobility in Serbia*, New York, 1973, p. 28-59, 148-151.

77. Voir les remarques de Mira Crouch sur la situation de Belgrade dans l'entre-deux-guerres in « Jews, Other Jews and "Others" : Some Marginal Considerations Concerning the Limits of Tolerance », in John Milfull (dir.), *Why Germany ? National Socialist Anti-Semitism and the European Context*, Providence, 1993, p. 121-138, ici p. 125.

78. J. B. Whitehead, « General Report on the Kingdom of Serbia for the year 1908 », p. 312-334, ici p. 314.

79. Cité in Violeta Manojlović, « Defense of National Interest and Sovereignty : Serbian Government Policy in the Bosnian Crisis, 1906-1909 », thèse de doctorat, Simon Fraser University, 1997, p. 58.

80. Cité in Violeta Manojlović, « Defense of National Interest... », p. 68-69.

81. Violeta Manojlović, « Defense of National Interest and Sovereignty », p. 3.

82. Pavel Milioukov, *Political Memoirs 1905-1917*, trad. Carl Goldberg, Ann Arbor, 1967, p. 182.

83. J. B. Whitehead, « General Report... 1908 », p. 314-315.

84. Jovan Cvijic, *The Annexation of Bosnia and Herzegovina and the Serb Problem*, Londres, 1909, p. 14 ; sur son influence sur Pašić, voir Vladimir Stojancević, « Pašićevi pogledi na resavanje pitanja Stare Srbije i Makedonije do 1912. godine », in Vasilije Krestic, *Nikola Pašić. Zivot I delo. Zbornik radova za Naucnog Skupa u Srpskoj Akademiji Nauka i Utmetnosti*, Belgrade, 1997, p. 284-301, ici p. 285.

85. Prince Lazarovich-Hrebelianovich, *The Servian People. Their Past Glory and Destiny*, New York, 1910, p. 142.

86. Wolf Dietrich Behschnitt, *Nationalismus,* p. 108.

87. David MacKenzie, « Officer Conspirators », p. 130-131 ; du même auteur, *Apis,* p. 63.

88. Cité in Milorad Radusinović, « Antanta i Aneksiona kriza », *Istorija 20. Veka,* 9, 1991, p. 7-22, ici p. 9.

89. Aleksandar Pavlović, *Liudi i dogadaji, ideje i ideali,* Belgrade, 2002, p. 30-38. Pavlović était un politicien social-démocrate, membre de l'élite intellectuelle de Belgrade – son journal intime, dont l'existence était restée ignorée du public, a été publié en 2002 par sa fille.

90. Cité in Violeta Manojlović, « Defense of National Interest and Sovereignty », p. 78.

91. Milorad Radusinović, « Antanta i Aneksiona kriza », p. 18.

92. Cité in Milan St. Protić, *Radikali u Srbjii : Ideje i Pokret,* Belgrade, 1990, p. 246.

93. Violeta Manojlović, « Defense of National Interest and Sovereignty », p. 109.

94. Milovije Buha, « *Mlada Bosna* » – *Sarajevski atentat. Zavod za udžbenike i nastavna sredstva,* Sarajevo, 2006, p. 171.

95. Wolf Dietrich Behschnitt, *Nationalismus,* p. 117.

96. Pour plus de détails sur la fondation de Ujedinjenje ili smrt !, voir David MacKenzie, « Serbia as Piedmont », p. 153-182 ; du même auteur, *Apis,* p. 64-68 ; Dragoslav Ljubibratic, *Mlada Bosna i Sarajevski atentat,* Sarajevo, 1964, p. 35-37 ; Wolf Dietrich Behschnitt, *Nationalismus,* p. 115-117.

97. Milovije Buha, « *Mlada Bosna* », p. 170.

98. *Pijemont,* 12 novembre 1911, cité in Dušan T. Bataković, « Nikola Pašić », p. 143-169, ici p. 158 ; le lien avec le protofascisme est également fait in Vladimir Dedijer et Branko Pavičević, « Dokazi za jednu tezu », *Novi Misao,* Belgrade, juin 1953.

99. Cité in Joachim Remak, *Sarajevo. The Story of a Political Murder*, Londres, 1959, p. 46 ; sur le role séminal de Jovanović et son implication, voir David MacKenzie, « Ljuba Jovanović-Čupa and the Search for Yugoslav Unity », *International History Review*, 1 / 1, 1979, p. 36-54.

100. Vladimir Dedijer, *Road to Sarajevo*, p. 379.

101. Joachim Remak, *Sarajevo*, p. 49.

102. Cité in David MacKenzie, *Apis*, p. 71.

103. Vojislav Vučković, *Unutrašnje krize Srbije i Prvi Svetski Rat*, Belgrade, 1966, p. 179.

104. Dušan T. Bataković, « Nikola Pašić », p. 160.

105. David MacKenzie, *Apis*, p. 73.

106. Ugron à Alois von Aehrenthal, Belgrade, 12 novembre 1911, HHS tA Vienne, PA Serbien XIX 62, n° 94 a.

107. Milovije Buha, « *Mlada Bosna* », p. 143, 175.

108. Voir, par exemple, *Politika*, Belgrade, 18 août 1910, qui célèbre Žerajić comme « le noble rejeton de sa race » dont le nom « est aujourd'hui sacré parmi le peuple ». L'article a paru à l'occasion de l'anniversaire du roi Petar Karadjordjević ; il est cité dans le « livre rouge » autrichien, mais repris ici d'une version en ligne : http://209.85.135.104/search?q=cache:0YxuZRIgw9YJ:www.geocities.com/veldes1/varesanin.html+%22bogdan+zerajic%22=en&ct=clnk&cd=4&gl=uk&ie=UTF-8.

109. Joachim Remak, *Sarajevo*, p. 36-37.

110. Vladimir Dedijer, *Road to Sarajevo*, p. 236 ; Jean-Jacques Becker, « L'ombre du nationalisme serbe », *Vingtième Siècle*, 69, 2001, p. 7-29, ici p. 13.

111. Paget à Edward Grey, Belgrade, 6 juin 1913, TNA, FO 371 / 1748.

112. Dayrell Crackanthorpe à Edward Grey, Belgrade, 7 septembre 1913, TNA, FO 371 / 1748, f°s 74-76.

113. Carnegie Foundation, *Enquête dans les Balkans*, p. 144 ; Katrin Boeckh, *Von den Balkankriegen zum Ersten Weltkrieg. Kleinstaatenpolitik und ethnische Selbstbestimmung auf dem Balkan*, Munich, 1996, p. 125-126.

114. Katrin Boeckh, *Von den Balkankriegen zum Ersten Weltkrieg. Kleinstaatenpolitik und ethnische Selbstbestimmung auf dem Balkan*, Munich, 1966, p. 164.

115. Peckham à Dayrell Crackanthorpe, Üsküb, 23 octobre 1913 ; Dayrell Crackanthorpe à Edward Grey, Belgrade, 17 novembre, TNA, FO 371 / 1748, f°s 147-148, 158.

116. Greig à Dayrell Crackanthorpe, Monastir, 25 novembre 1913, TNA, FO 371 / 1748, f° 309.

117. Greig à Dayrell Crackanthorpe, Monastir, 30 novembre 1913, TNA, FO 371 / 1748, f° 341-50, ici f° 34.

118. Greig à Dayrell Crackanthorpe, Monastir, 16 décembre 1913, TNA, FO 371 / 1748, f° 364.

119. Greig à Crackenthorpe, Monastir, 24 décembre 1913, TNA, FO 371 / 2098, f°s 11-15, ici f°s 13-14.

120. Note en marge signée « RGV » (Robert Gilbert Vansittart), sur la circulaire du Foreign Office, 9 décembre 1913, TNA, FO 371 / 1748, f° 32.

121. Voir les commentaires de Pašić, datés du 3 avril 1914, en appendice à Djordjević au ministère des Affaires étrangères de Belgrade, Constantinople, 1er avril 1914, in *DSP*, 7 vol., Belgrade, 1980, vol. 7 / 1, doc. 44, p. 586.

122. La demande d'assistance a été refusée sous prétexte que Pavel Milioukov, membre russe de la Commission, était un ennemi de la Serbie, s'étant exprimé devant la Douma en faveur de l'autonomie de la Macédoine ; voir Katrin Boeckh, *Von den Balkankriegen*, p. 172.

123. Joachim Remak, *Sarajevo*, p. 57.

124. Milovije Buha, « *Mlada Bosna* », p. 173-174.

125. Sur la radicalisation de l'armée serbe engendrée par ces guerres, voir Léon Descos à Gaston Doumergue, Belgrade, 7 mai 1914, *DDF*, 3ᵉ série, vol. 10, doc. 207, p. 333-335.

126. Il n'est toujours pas établi avec certitude qu'Apis ait eu ou non l'intention d'exécuter ce coup d'État, voir David MacKenzie, *Apis*, p. 119-120 ; sur les liens entre la Main noire et l'opposition parlementaire, voir Vojislav Vučković, *Unutrašnje krize*, p. 187.

127. Vladimir Dedijer, *Road to Sarajevo*, p. 389.

128. En 1917, au cours de son procès à Salonique, Apis a déclaré qu'il avait confié à l'agent Rade Malobabić l'organisation de tous les détails de l'attentat. La question de savoir si l'ensemble de Ujedinjenje ili smrt ! était impliqué, ou uniquement une petite coterie d'officiers et d'agents proches d'Apis, reste controversée, voir David MacKenzie, *The « Black Hand » on Trial : Salonika, 1917*, Boulder, 1995, p. 45, 261-262 ; Fritz Würthle, *Die Sarajewoer Gerichtsakten*, Vienne, 1975, Miloš Bogičević, *Le Procès de Salonique, Juin 1917*, Paris, 1927, p. 36, 63 ; David MacKenzie, *Apis*, p. 258-259.

129. Miloš Bogičević, *Procès de Salonique*, p. 78-80, 127.

130. Luigi Albertini, *The Origins of the War of 1914*, traduit par Isabella M. Massey, 3 vol., Oxford, 1953, vol. 2, p. 73 ; David MacKenzie, *Apis*, p. 128.

131. Session du 12 octobre 1914, retranscrit in Albert Mousset, *Un drame historique : l'attentat de Sarajevo*, Paris, 1930, p. 131.

132. Luigi Albertini, *Origins*, vol. 2, p. 86-88.

133. Josef Kohler, *Der Prozess gegen die Attentäter von Sarajevo. Nach dem amtlichen Stenogramm der Gerichtsverhandlung aktenmässig dargestellt*, Berlin, 1918, p. 44.

134. Joachim Remak, *Sarajevo*, p. 63.

135. Josef Kohler, *Der Prozess*, p. 4.

136. Josef Kohler, *Der Prozess*, p. 23.

137. Sur l'épineuse question de la situation économique de la Bosnie comparée à la Serbie, voir Evelyn Kolm, *Die Ambitionen Österreich-Ungarns im Zeitalter des Hochimperialismus*, Francfort-sur-le-Main, 2001, p. 235-240 ; Robert J. Donia, *Islam under the Double Eagle. The Muslims of Bosnia and Herzegovina, 1878-1914*, New York, 1981, p. 8 ; Peter F. Sugar, *The Industrialization of Bosnia-Herzegovina, 1878-1918*, Seattle, 1963 ; Michael Palairet, *Balkan Economies*, p. 171, 231, 369 ; Robert A. Kann, « Trends towards Colonialism in the Habsburg Empire, 1878-1918 : The Case of Bosnia-Herce-govina 1878-1918 », in D. K. Rowney et G. E. Orchard » (dir.), *Russian and Slavic History*, Columbus, 1977, p. 164-180 ; Kurt Wessely, « Die wirtschaftliche Entwicklung von Bosnien-Herzegowina », in Adam Wandruszka et Peter Urbanitsch (dir.), *Die Habsburgermonarchie*, vol. 1, p. 528-566.

138. *La Couronne de montagne* ne raconte pas l'histoire de Miloš Obilić à proprement parler, mais son nom, qui revient vingt fois dans le texte, est invoqué comme le symbole de ce qu'il y a de meilleur dans la tradition de courage et de sacrifice des combattants serbes. Pour le texte complet en anglais accompagné d'un appareil critique voir http://www.rastko.rs/knjizevnost/njegos/njegos-mountain_wreath.html.

139. Déposition de Gavrilo Princip in Professor Pharos [pseud.], *Der Prozess gegen die Attentäter von Sarajewo*, Berlin, 1918, p. 40.

140. Josef Kohler, *Der Prozess*, p. 41.

141. Josef Kohler, *Der Prozess*, p. 30, 53.

142. Josef Kohler, *Der Prozess*, p. 5.

143. Josef Kohler, *Der Prozess*, p. 6.

144. Josef Kohler, *Der Prozess*, p. 6.

145. Josef Kohler, *Der Prozess*, p. 9.

146. Josef Kohler, *Der Prozess*, p. 24.

147. Josef Kohler, *Der Prozess*, p. 137, 147.

148. Josef Kohler, *Der Prozess*, p. 145-146, 139.

149. Sur les bagarres de Čubrilović avec ses professeurs, voir Zdravko Antonić, « Svedočenje Vase Čubrilovića o sarajevskom atentatu i svom tamnovanju 1914-1918 », *Zbornik Matice srpske za istoriju*, 46, 1992, p. 163-180, ici p. 165, 167.

150. Ljuba Jovanović, « Nach dem Veitstage des Jahres 1914 », *Die Kriegsschuldfrage. Berliner Monatshefte für Internationale Aufklärung*, 3 / 1, 1925, p. 68-82, ici p. 68-69 ; sur la signification de ce document, voir Luigi Albertini, *Origins*, vol. 2, p. 90 ; mais cette version des événements n'est pas acceptée par tous, voir par exemple, Milovije Buha, « *Mlada Bosna* », p. 343, qui soutient (faute de preuve directe) que Pašić était au courant du passage des jeunes gens, mais ignorant de la nature de leur mission. Voir aussi Dušan T Bataković, « Nikola Pašić », p. 16 ; Djordje Stanković, *Nikola Pašić*, not. p. 262.

151. Les preuves en faveur d'une connaissance par Pašić du complot avant sa mise en œuvre sont analysées in Luigi Albertini, *Origins*, vol. 2, p. 90-97. Albertini se concentre sur le témoignage de L. Jovanović, renforcé par la supposition que Ciganović était l'agent de Pašić ; Luciano Magrini, collaborateur d'Albertini, a ajouté deux témoignages supplémentaires de deux proches de Pašić, recueillis pendant la guerre, voir, du même auteur, *Il dramma di Seraievo. Origini i responsabilità della guerra europea*, Milan, 1929, p. 106-108, 114-116. L'information disponible à l'époque est judicieusement évaluée in Sydney Bradshaw Fay, *The Origins of the First World War*, 2 vol., New York, 1929, vol. 2, p. 140-146 ; Hans Uebersberger, *Österreich zwischen Russland und Serbien. Zur südslawischen Frage und der Entstehung des Ersten Weltkrieges*, Cologne, Graz, 1958, p. 264-265 ajoute à ces éléments de preuve une note manuscrite de Pašić qui fait référence à des « lycéens », des « bombes » et des « revolvers », note trouvée dans les archives du ministère des Affaires étrangères serbe. Le compte rendu extrêmement détaillé, mais pas entièrement fiable, que fait Vladimir Dedijer de l'arrière-plan du complot in *Road to Sarajevo*, concède que Pašić était probablement au courant du complot, mais uniquement parce qu'il avait pu deviner son existence à partir des informations incomplètes à sa disposition. Les analyses les plus récentes, y compris le livre très détaillé de Friedrich Würthle *Die Spur führt nach Belgrad*, Vienne, 1975, proposent toutes sortes d'interpétations, mais n'ajoutent aucune preuve nouvelle à ce corpus.

152. Il y a des preuves indirectes mais solides que Ciganović ait été un informateur, voir Miloš Bogičević, *Procès de Salonique*, p. 32, 131-132 ; Fay, *Origins*, vol. 2, p. 146-148 ; et Luigi Albertini, *Origins*, vol. 2, p. 98. Le neveu de Pašić était aussi membre de Ujedinjenje ili smrt !

153. Voir chef du district de Podrinje à Protić, Sabac, 4 juin 1914 ; Protić à Nikola Pašić (avec un résumé des rapports en provenance de la zone frontalière), Belgrade, 15 juin 1914 ; chef du district de Podrinje au commandant du 5ᵉ bataillon de gardes-frontières à Loznice, Sabac, 16 juin 1914 ; commandant du secteur de la Drina, Valevo, au ministre de la Guerre, 17 juin 1914, *DSP* vol. 7, doc. 155, 206, 210, 212, p. 290, 337-339, 344-345, 347.

154. Ministre de l'Intérieur au chef du district de Podrinje à Sabac, 10 juin 1914, *DSP* vol. 7, réponse de Protić annexée au doc. 155, p. 290.

155. Chef du district de Podrinje à Protić, Sabac, « Top Secret », 14 juin 1914, *DSP* vol. 7, doc. 198, p. 331.

156. Capitaine du 4ᵉ bataillon de gardes-frontières au commandant du 5ᵉ secteur, 19 juin 1914 ; commandant du 5ᵉ secteur au chef d'état-major, même date, *DSP* vol. 7,

tous deux annexés à doc. 209, p. 343 ; voir aussi Vladimir Dedijer, *Road to Sarajevo*, p. 390-391 ; Milovije Buha, « *Mlada Bosna* », p. 178.

157. Le texte complet en serbe de la déposition d'Apis devant la cour peut être consulté in Milan Z. Živanović, *Solunski process hiljadu devetsto sedamnaeste. Prilog zaproucavanje politicke istorije Srbije od 1903. do 1918. god.*, Belgrade, 1955, p. 556-558 ; voir aussi David MacKenzie, « *Black Hand* » *on Trial*, p. 46.

158. État-major royal (Apis) à Département des opérations de l'état-major, 21 juin 1914, in *DSP*, vol. 7 / 2, doc. 230, p. 364-365.

159. Nikola Pašić à Stepanović, Belgrade, 24 juin 1914, in *DSP*, vol. 7 / 2, doc. 254, p. 391-392.

160. Luigi Albertini, *Origins*, vol. 2, p. 99 ; Djordje Stanković, *Nikola Pašić, saveznivi i stvaranje Jugoslavije*, p. 40.

161. Voir « Die Warnungen des serbischen Gesandten », *Neue freie Presse*, 3 juillet 1914, p. 4.

162. « Note de M. Abel Ferry », 1er juillet 1914, *DDF*, série 3, vol. 10, doc. 466, p. 670-671.

163. Témoignage de Lešanin, rapporté in Luciano Magrini, *Il dramma di Seraievo*, p. 115.

164. Lettre de Jovanović au *Neues Wiener Tageblatt*, 177, 28 juin 1924, cité in Luigi Albertini, *Origins*, vol. 2, p. 105 ; Bogičević, *Procès de Salonique*, p. 121-125 ; Luciano Magrini, *Il dramma di Seraievo*, p. 115-116 ; Sidney Bradshaw Fay, *Origins*, vol. 2, p. 152-166.

165. Joachim Remak, *Sarajevo*, p. 75.

166. Joachim Remak, *Sarajevo*, p. 74 ; Luigi Albertini, *Origins*, vol. 2, p. 102.

167. Vojislav Vučković, *Unutrašnje krize*, p. 192.

168. Djordje Stanković, *Nikola Pašić. Prilozi za biografi ju*, p. 264.

169. Milorad Radusinović, « Antanta I Aneksiona kriza », p. 18.

170. Djordje Stanković, *Nikola Pašić, saveznivi i stvaranje Jugoslavije*, p. 30-32 ; Alex N. Dragnich, *Serbia, Nikola Pašić and Yugoslavia*, p. 106.

171. Djordje Stanković, *Nikola Pašić, saveznivi i stvaranje Jugoslavije*, p. 36.

172. Djordje Stanković, *Nikola Pašić*, p. 41.

173. Sur la compréhension que Pašić avait de la politique russe dans les Balkans, voir Andrej Šemjakin, « Rusofilstvo Nikole Pasica », p. 28.

174. Cité in Wolf Dietrich Behschnitt, *Nationalismus*, p. 128.

175. Les rapports de l'attaché militaire serbe à Saint-Pétersbourg sont résumés in Protić à Nikola Pašić, Belgrade, 12 juin 1914 ; voir aussi des rapports décrivant avec animation le niveau de préparation de l'armée russe in Ambassade serbe à Belgrade (Spalajković) au ministre des Affaires étrangères, Saint-Pétersbourg, 13 juin 1914, *DSP*, vol. 7, doc. 185, 189, p. 317, 322.

176. Miloš Bogičević, *Procès de Salonique*, p. III.

2. L'Empire sans qualités

1. John Leslie, « The Antecedents of Austria-Hungary's War Aims. Policies and Policy-makers in Vienna and Budapest before and during 1914 », in Elisabeth Springer et Leopold Kammerhold (dir.), *Archiv und Forschung. Das Haus-, Hof- und Staatsarchiv in seiner Bedeutung für die Geschichte Österreichs und Europas*, Vienne, 1993, p. 307-394, ici p. 354.

2. Robert A. Kann, *History*, p. 448 ; May, *Hapsburg Monarchy*, p. 442-443 ; Sked, *Decline and Fall*, p. 264 ; Serguëi Sazonov à Nicolas II, 20 janvier 1914, GARF, fonds 543, op. 1, del. 675.

3. Robin Okey, *Habsburg Monarchy*, p. 303, 305.

4. Wolfgang Pav, « Die dalmatinischen Abgeordneten im österreichischen Reichsrat nach der Wahlrechtsreform von 1907 », mémoire de master, université de Vienne, 2007, p. 144, consultable en ligne : http://othes.univie.ac.at/342/1/11-29-2007_0202290.pdf.

5. Alan Sked, *Decline and Fall*, p. 210-211 ; Andrew C. Janos, « The Decline of Oligarchy », p. 50-53.

6. Brigitte Hamann, *Hitlers Wien. Lehrjahre eines Diktators*, Munich, 1996, p. 170-174.

7. Steven Beller, *Francis Joseph*, Londres, 1996, p. 173 ; Arthur J. May, *The Hapsburg Monarchy, 1867-1914*, Cambridge MA, 1951, p. 440 ; Carlile Aylmer Macartney, *The House of Austria. The Later Phase, 1790-1918*, Édimbourg, 1978, p. 240 ; Robert A. Kann, *A History of the Habsburg Empire, 1526-1918*, Berkeley, 1977, p. 452-461 ; Robin Okey, *The Habsburg Monarchy, c. 1765-1918. From Enlightenment to Eclipse*, Londres, 2001, p. 356-360.

8. Pour une réflexion intéressante sur ce problème, voir Arthur J. May, « R. W. Seton-Watson and British Anti-Hapsburg Sentiment », *American Slavic and East European Review*, vol. 20, n° 1, février, 1961, p. 40-54.

9. Pour une analyse excellente et concise, voir Lothar Höbelt, « Parliamentary Politics in a Multinational Setting : Late Imperial Austria », *CAS Working Papers in Austrian Studies Series, Working Paper*, 92-96 ; ses arguments sont développés plus en détails in Lothar Höbelt, « Parteien und Fraktionen im Cisleithanischen Reichsrat », in Adam Wandruszka et Peter Urbanitsch (dir.), *Die Habsburgermonarchie 1848-1918*, 10 vol., Vienne, 1973-2006, vol. 7 / 1, p. 895-1006.

10. László Katus, « The Common Market of the Austro-Hungarian Monarchy », in András Gerö (dir.), *The Austro-Hungarian Monarchy Revisisted*, trad. par Thomas J. et Helen D. DeKornfeld, New York, 2009, p. 21-49, ici p. 41.

11. István Deák, « The Fall of Austria-Hungary : Peace, Stability, and Legitimacy », in Geir Lundestad (dir.), *The Fall of Great Powers*, Oxford, 1994, p. 81-102, ici p. 86-87.

12. György Köver, « The Economic Achievements of the Austro-Hungarian Monarchy. Scales and Speed », in András Gerö, (dir.), *Austro-Hungarian Monarchy*, p. 51-83, ici p. 79 ; Nachum T. Gross, « The Industrial Revolution in the Habsburg Monarchy 1750-1914 », in Carlo C. Cipolla, (dir.), *The Emergence of Industrial Societies*, 6 vol., New York, 1976, vol. 4 / 1, p. 228-278 ; David F. Good, « "Stagnation" and "Take-Off" in Austria, 1873-1913 », *Economic History Review* 27 / 1, 1974, p. 72-88 argumente que bien qu'il n'y ait pas eu de décollage économique à proprement parler, la croissance en Cisleithanie était restée soutenue pendant toute la période précédant la guerre ; John Komlos, « Economic Growth and Industrialisation in Hungary 1830-1913 », *Journal of European Economic History*, 1, 1981, p. 5-46 ; du même auteur, *The Habsburg Monarchy as a Customs Union. Economic Development in Austria-Hungary in the Nineteenth Century*, Princeton, 1983, not. p. 214-220 ; pour une étude mettant l'accent sur la vitalité de la croissance du PNB par habitant en Autriche (par opposition à la Hongrie) voir Max Stephan Schulze, « Patterns of Growth and Stagnation in the Late Nineteenth-Century Habsburg Economy », *European Review of Economic History*, 4, 2000, p. 311-340.

13. Henry Wickham Steed, *The Hapsburg Monarchy*, Londres, 1919, p. 77.

14. John Leslie, « The Antecedents of Austria-Hungary's War Aims. Policies and Policy-makers in Vienna and Budapest before and during 1914 », in Elisabeth Springer

et Leopold Kammerhold (dir.), *Archiv und Forschung. Das Haus-, Hof- und Staatsarchiv in seiner Bedeutung für die Geschichte Österreichs und Europas*, Vienne, 1993, p. 307-394, ici p. 354.

15. Robert A. Kann, *History*, p. 448 ; May, *Hapsburg Monarchy*, p. 442-443 ; Sked, *Decline and Fall*, p. 264 ; Serguei Sazonov à Nicolas II, 20 janvier 1914, GARF, fonds 543, op. 1, del. 675.

16. Robin Okey, *Habsburg Monarchy*, p. 303, 305.

17. Wolfgang Pav, « Die dalmatinischen Abgeordneten im österreichischen Reichsrat nach der Wahlrechtsreform von 1907 », mémoire de master, université de Vienne, 2007, p. 144, consultable en ligne : http://othes.univie.ac.at/342/1/11-29-2007_0202290.pdf.

18. Sur cette tendance, voir John Deak, « The Incomplete State in an Age of Total War, » ou « The Habsburg Monarchy and the First World War as a Historiographical Problem », tapuscrit non publié, University of Notre Dame, 2011 ; John Deak a présenté une version de cet article au cours du Cambridge Modern European History Seminar en 2011 ; je lui suis extrêmement reconnaissant de m'avoir communiqué une version du texte complet avant publication.

19. Maureen Healy, *Vienna and the Fall of the Habsburg Empire. Total War and Everyday Life in World War I*, Cambridge, 2004, p. 24 ; John W. Boyer, « Some Reflections on the Problem of Austria, Germany and Mitteleuropa », *Central European History*, 22, 1989, p. 301-315, ici p. 311.

20. Sur la croissance de l'État dans ces années-là, voir Deak, « The Incomplete State in an Age of Total War ».

21. Gary B. Cohen, « Neither Absolutism nor Anarchy : New Narratives on Society and Government in Late Imperial Austria », *Austrian History Yearbook*, 29 / 1, 1998, p. 37-61, ici p. 44.

22. Robert Musil, *Der Mann ohne Eigenschaften*, Hamburg, 1978, p. 32-33. Cité ici d'après *L'Homme sans qualités*, traduit de l'allemand par Philippe Jaccottet, nouvelle édition préparée par Jean-Pierre Cometti d'après l'édition d'Adolf Frisé, Paris, Seuil, 2004, p. 61.

23. Barbara Jelavich, *History of the Balkans*, 2 vol., Cambridge, 1983, vol. 2, p. 68.

24. F. Palacky s'adressant au « Comité des Cinquante » du Parlement de Francfort, 11 avril 1848, in Hans Kohn, *Pan-Slavism. Its History and Ideology*, Notre Dame, 1953, p. 65-69.

25. Cité in Arthur J. May, *Hapsburg Monarchy*, p. 199.

26. Lawrence Cole, « Military Veterans and Popular Patriotism in Imperial Austria, 1870-1914 », in Lawrence Cole et Daniel Unowsky, (dir.), *The Limits of Loyalty. Imperial Symbolism, Popular Allegiances and State Patriotism in the Late Habsburg Monarchy*, New York, Oxford, 2007, p. 36-61, ici p. 55.

27. Sur cette description de François-Joseph, voir Karl Kraus, *The Last Days of Mankind. A Tragedy in Five Parts*, trad. par Alexander Gode et Sue Ellen Wright, éd. F. Ungar, New York, 1974, Act IV, Scene 29, p. 154 ; voir aussi Hugh LeCaine Agnew, « The Flyspecks on Palivec's Portrait. Franz Joseph, the Symbols of Monarchy and Czech Popular Loyalty », in Laurence Cole et Daniel L. Unowsky (dir.), *Limits of Loyalty*, p. 86-112, ici p. 107.

28. Lothar Höbelt, *Franz Joseph I. Der Kaiser und sein Reich. Eine politische Geschichte*, Vienne, 2009) ; sur le rôle de l'empereur dans l'élaboration des lois et des constitutions : Lászlo Péter, « Die Verfassungsentwicklung in Ungarn », in Adam Wandruszka et Peter Urbanitsch (dir.), *Die Habsburgermonarchie*, vol. 7 / 1, p. 239-540, not. p. 403-414.

29. Steven Beller, *Francis Joseph*, p. 173.

30. Joseph Maria Baernreither, *Fragmente eines politischen Tagebuches. Die südslawische Frage und Österreich-Ungarn vor dem Weltkrieg*, éd. Joseph Redlich, Berlin, 1928, p. 210.

31. Sur la loyauté à l'empereur, voir Stephen Fischer-Galati, « Nationalism and Kaisertreue », *Slavic Review*, 22, 1963, p. 31-36 ; Robert A. Kann, « The Dynasty and the Imperial Idea », *Austrian History Yearbook*, 3 / 1, 1967, p. 11-31 ; Lawrence Cole et Daniel Unowsky, « Introduction. Imperial Loyalty and Popular Allegiances in the Late Habsburg Monarchy », in Lawrence Cole et Daniel Unowsky (dir.), *Limits of Loyalty*, p. 1-10 ; dans le même volume, voir aussi les chapitres suivants : Christiane Wolf, « Representing Constitutional Monarchy in Late Nineteenth-Century and Early Twentieth-Century Britain, Germany and Austria », p. 199-222, not. p. 214 ; Alice Freifeld, « Empress Elisabeth as Hungarian Queen : The Uses of Celebrity Monarchy », p. 138-161.

32. Joseph Roth, *The Radetzky March*, trad. par Michael Hofmann, Londres, 2003, p. 75. Cité ici d'après *La Marche de Radetzky*, trad. de l'allemand par Blanche Giddon et revu par Alain Huriot, présenté par Stéphane Pesnel, Paris, Seuil, 1995, p. 91.

33. Francis R. Bridge, *From Sadowa to Sarajevo. The Foreign Policy of Austria-Hungary, 1866-1914*, Londres, 1972, p. 71.

34. Noel Malcolm, *Bosnia. A Short History*, Londres, 1994, p. 140.

35. Michael Palairet, *The Balkan Economies c. 1800-1914. Evolution without Development*, Cambridge, 1997, p. 171, 369 ; Peter F. Sugar, *The Industrialization of Bosnia Herzegovina, 1878-1918*, Seattle, 1963 ; pour une analyse moins enthousiaste mettant l'accent sur le caractère intéressé et utilitaire des investissements autrichiens, voir Kurt Wessely, « Die wirtschaftliche Entwicklung von Bosnien-Herzegovina », in Adam Wandruszka et Peter Urbanitsch (dir.), *Die Habsburgermonarchie*, vol. 1, p. 528-566.

36. Robert J. Donia, *Islam under the Double Eagle. The Muslims of Bosnia and Herzegovina 1878-1914*, New York, 1981, p. 8 ; Robert A. Kann, « Trends towards Colonialism in the Habsburg Empire, 1878-1914 : The Case of Bosnia-Hercegovina 1878-1918 », in D. K. Rowney et G. E. Orchard (dir.), *Russian and Slavic History*, Columbus, 1977, p. 164-180.

37. Martin Mayer, « Grundschulen in Serbien während des 19. Jahrhunderts. Elementarbildung in einer "Nachzüglergesellschaft" », in Norbert Reiter et Holm Sundhaussen (dir.), *Allgemeinbildung als Modernisierungsfaktor. Zur Geschichte, der Elementarbildung in Südosteuropa von der Aufklärung bis zum Zweiten Weltkrieg*, Berlin, 1994, p. 93.

38. Noel Malcolm, *Bosnia*, p. 144.

39. Vladimir Dedijer, *The Road to Sarajevo*, Londres, 1967, p. 278.

40. Commentaire rapporté par l'ancien ministre du Commerce autrichien Joseph Maria Baernreither, *Der Verfall des Habsburgerreiches und die Deutschen. Fragmente eines politischen Tagebuches 1897-1917*, éd. Oskar Mitis, Vienne, 1939, p. 141-142.

41. William Eleroy Curtis, *The Turk and His Lost Provinces : Greece, Bulgaria, Servia, Bosnia*, Chicago et Londres, 1903, p. 275 ; il est probable que le président Roosevelt avait lu Curtis, qui fait également le lien avec les Philippines.

42. Edvard Beneš, *Le Problème autrichien et la question tchèque*, Paris, 1908, p. 307, cité in Joachim Remak, « The Ausgleich and After – How Doomed the Habsburg Empire ? » in Ludovik Holotik et Anton Vantuch (dir.), *Der Österreich-Ungarische Ausgleich 1867*, Bratislava, 1971, p. 971-988, ici p. 985.

43. Wickham Steed, lettre au rédacteur en chef, *TLS*, 24 septembre 1954 ; du même auteur, *The Habsburg Monarchy*, p. XIII.

44. Thomas Masaryk, *The Making of a State. Memories and Observations*, 1914-1918, Londres, 1927 [les éditions originales en tchèque et en allemand sont parues en 1925],

p. 8. Pour une discussion de l'opinion de Steed sur ce passage, voir Deak, « The Incomplete State in an Age of Total War ».

45. Oszkár Jászi, *The Dissolution of the Habsburg Monarchy*, Chicago, 1929, p. 23, 451.

46. Oszkár Jászi, « Danubia : Old and New », *Proceedings of the American Philosophical Society*, 93 / 1, 1949, p. 1-31, ici p. 2.

47. Mihály Babits, *Keresztükasul életemen*, Budapest, 1939, cité in Mihály Szegedy-Maszák, « The Re-evaluated Past. The Memory of the Dual Monarchy in Hungarian Literature », in András Gerö (dir.), *Austro-Hungarian Monarchy*, p. 192-216, ici p. 196.

48. Pour une compilation fort utile d'études État par État, voir Marian Kent (dir.), *The Great Powers and the End of the Ottoman Empire*, Londres, 1984.

49. Samuel R. Williamson, *Austria-Hungary*, p. 59-61 ; Francis R. Bridge, *From Sadowa to Sarajevo*, p. 211-309.

50. Le texte du traité de la Ligue des trois empereurs (version de 1881) et le protocole additionnel peuvent être consultés in Francis R. Bridge, *From Sadowa to Sarajevo*, p. 399-402.

51. Cité in Francis R. Bridge, *From Sadowa to Sarajevo*, p. 141. Mais voir aussi Ernst R. Rutkowski, « Gustav Graf Kálnoky. Eine biographische Skizze », *Mitteilungen des Österreichischen Staatsarchivs*, 14, 1961, p. 330-343.

52. Mémorandum de Kálnoky à Taaffe, septembre 1885, cité in Francis R. Bridge, *From Sadowa to Sarajevo*, p. 149.

53. Edmund Glaise von Horstenau, *Franz Josephs Weggefährte : das Leben des Generalstabschefs, Grafen Beck nach seinen Aufzeichnungen und hinterlassenen Dokumenten*, Zurich, Vienne, 1930, p. 391.

54. Francis R. Bridge, *From Sadowa to Sarajevo*, p. 263.

55. Kosztowits à Tets van Goudriaan, Belgrade, 22 janvier 1906, NA, 2. 05. 36, doc. 10, *Rapporten aan en briefwisseling met het Ministerie van Buitenlandse Zaken*.

56. Pour une discussion particulièrement éclairante de ces accords, basée sur les Mémoires et le journal du diplomate bulgare Christophor Khesapchiev, voir Kiril Valtchev Merjanski, « The Secret Serbian-Bulgarian Treaty of Alliance of 1904 and the Russian Policy in the Balkans before the Bosnian Crisis », mémoire de master, Wright State University, 2007, p. 30-31, 38-39, 41-42, 44, 50-51, 53-78. Voir aussi Constantin Dumba, *Memoirs of a Diplomat*, traduit par Lan F. D. Morrow, Londres, 1933, p. 137-139 ; Miloš Bogičević, *Die auswärtige Politik Serbiens 1903-1914*, 3 vol., Berlin, 1931, vol. 3, p. 29.

57. Pour une discussion classique de ce problème, voir Solomon Wank, « Foreign Policy and the Nationality Problem in Austria-Hungary, 1867-1914 », *Austrian History Yearbook*, 3, 1967, p. 37-56.

58. Pomiankowski à Beck, Belgrade, 17 février 1906, cité in Günther Kronenbitter, « *Krieg im Frieden* ». *Die Führung der k.u.k. Armee und die Grossmachtpolitik Österreich Ungarns 1906-1914*, Munich, 2003, p. 327.

59. « Konzept der Instruktion für Forgách anlässlich seines Amtsantrittes in Belgrad », Vienne, 6 juillet 1907, in Solomon Wank (dir.), *Aus dem Nachlass Aehrenthal. Briefe und Dokumente zur österreichisch-ungarischen Innenund Außenpolitik 1885-1912*, 2 vol., Graz, 1994, vol. 2, doc. 377, p. 517-520, ici p. 518.

60. Solomon Wank, « Aehrenthal's Programme for the Constitutional Transformation of the Habsburg Monarchy : Three Secret Memoires », *Slavonic and East European Review*, 42, 1963, p. 513-536, ici p. 515.

61. Sur le contexte de l'annexion, voir Bernadotte Everly Schmitt, *The Annexation of Bosnia 1908-1909*, Cambridge, 1937, p. 1-18.

62. Robin Okey, *Habsburg Monarchy*, p. 363.

63. Holger Affl Erbach, *Der Dreibund. Europäische Grossmacht- und Allianzpolitik vor dem Ersten Weltkrieg*, Vienne, 2002, p. 629.

64. Nikolaï Chebeko, *Souvenirs. Essai historique sur les origines de la guerre de 1914*, Paris, 1936, p. 83.

65. Harold Nicolson, *Die Verschwörung der Diplomaten. Aus Sir Arthur Nicolsons Leben 1849-1928*, Francfort-sur-le-Main, 1930, p. 301-302 ; Samuel R. Williamson, *Austria-Hungary*, p. 68-69 ; Bernadotte Everly Schmitt, *The Annexation of Bosnia*, p. 49-60 ; un témoignage contemporain confirmant ce point de vue : Baron M. de Taube, *La politique russe d'avant-guerre et la fin de l'empire des tsars*, Paris, 1928, p. 186-187.

66. Theodor von Sosnosky, *Die Balkanpolitik Österreich-Ungarns seit 1866*, Berlin, 1913, p. 170-172 ; Bernadotte Everly Schmitt, *Annexation of Bosnia*, p. 43-44 ; Afflerbach, *Dreibund*, p. 750-754, 788-814 ; R. J. B. Bosworth, *Italy, the Least of the Great Powers : Italian Foreign Policy before the First World War*, Cambridge, 1979, p. 87-88, 223-224, 245.

67. W. M. Carlgren, *Iswolsky und Aehrenthal vor der bosnischen Annexionskrise. Russische und österreichisch-ungarische Balkanpolitik 1906-1908*, Uppsala, 1955, p. 86-87.

68. David Stevenson, *Armaments and the Coming of War. Europe 1904-1915*, Oxford, 1996, p. 162-163.

69. Pavel Milioukov, *Political Memoirs 1905-1917*, traduit par Carl Goldberg, Ann Arbor, 1967, p. 242 ; Vasilij N. Strandmann, *Balkanske Uspomene*, traduit du russe en serbe par Jovan Kachaki, Belgrade, 2009, p. 238.

70. Günter Schödl, *Kroatische Nationalpolitik und « Jugoslavenstvo ». Studien zur nationalen Integration und regionaler Politik in Kroatien-Dalmatien am Beginn des* 20. *Jahrhunderts*, Munich, 1990, p. 289.

71. Tomas G. Masaryk, *Der Agramer Hochverratsprozess und die Annexion von Bosnien und Herzegowina*, Vienne, 1909, pamphlet reproduisant la plupart des grands discours de Masaryk sur le scandale du procès d'Agram ; voir aussi von Sosnosky, *Die Balkanpolitik*, p. 221-224 ; Baernreither, *Fragmente. Die südslawische Frage*, p. 133-145.

72. Forgách à Alois von Aehrenthal, Belgrade, 9 novembre 1910, *ÖUAP*, vol. 3, doc. 2296, p. 40 ; Forgách à Alois von Aehrenthal, Belgrade, 13 novembre 1910, *ÖUAP*, vol. 3, doc. 2309, p. 49 ; Forgách à Alois von Aehrenthal, Belgrade, 15 novembre 1910 *ÖUAP*, vol. 3, doc. 2316, p. 56-58 ; Forgách à Alois von Aehrenthal, Belgrade, 22 novembre 1910, *ÖUAP*, vol. 3, doc. 2323, p. 64-66.

73. Forgách à Alois von Aehrenthal, Belgrade, 26 novembre 1910, *ÖUAP*, vol. 3, doc. 2329, p. 72-74.

74. Forgách à Macchio, Belgrade, 17 janvier 1911, *ÖUAP*, vol. 3, doc. 2413, p. 146.

75. Forgách à Alois von Aehrenthal, Belgrade, 12 décembre 1910, *ÖUAP*, vol. 3, doc. 2369, p. 109-110.

76. Forgách à Alois von Aehrenthal, Belgrade, 1er avril 1911, *ÖUAP*, vol. 3, doc. 2490, p. 219.

77. Voir Miroslav Spalajković, *La Bosnie et l'Herzégovine. Étude d'histoire diplomatique et de droit international*, Paris, 1897, not. p. 256-279, p. 280-316.

78. Notes prises sur une conversation avec Léon Descos par Jean Doulcet, Saint-Pétersbourg, 8 décembre 1913, AMAE Papiers Jean Doulcet, vol. 23, Saint-Pétersbourg IV, Notes personnelles, 1912-1917.

79. John Leslie, « Antecedents », p. 341 ; sur l'animosité existant entre Forgách et Miroslav Spalajković, voir aussi Friedrich Würthle, *Die Spur führt nach Belgrad*, Vienne, 1975, p. 186-192.

80. Heinrich von Tschirschky à Theobald von Bethmann-Hollweg, Vienne, 13 février 1910, PA – AA, R 10984.

81. Notes sur une conversation avec André de Panafieu, Saint-Pétersbourg, 11 décembre 1912, AMAE Papiers Jean Doulcet, vol. 23.

82. Vasilij N. Strandmann, *Balkanske Uspomene*, p. 249.

83. Malenković à Nikola Pašić, Budapest, 12 juillet 1914, AS, MID-PO, 416, f° 162.

84. Andrew Lamb, « Léhar's *Die Lustige Witwe* – Theatrical Fantasy or Political Reality ? », article du programme de *The Merry Widow*, Royal Opera, Londres, 1997 ; révisé et consultable en ligne à : http://www.josef-weinberger.com/mw/politics.html.

85. Egon Erwin Kisch, *Mein Leben für die Zeitung 1906-1913, Journalistische Texte* 1, Berlin and Weimar, 1983, p. 140-142.

86. Polivanov à Neratov, Saint-Pétersbourg, 14 août 1911, *IBZI*, série 3, vol. 1, part 1, doc. 318, p. 383-384.

87. Günther Kronenbitter, *Grossmachtpolitik Österreich-Ungarns*, p. 321 ; Christopher Seton Watson, *Italy From Liberalism to Fascism, 1870-1925*, Londres, 1967, p. 333-338.

88. Seton Watson, *Italy*, p. 344.

89. Le texte du compromis de Racconigi (en français et en russe) est reproduit in Narodnii komissariat po inostrannym delam (dir.), *Materialy po istorii franko-russkikh otnoshenii za 1910-1914 g.g. Sbornik sekretnykh diplomaticheskikh dokumentov byvshego Imperatorskogo rossiiskogo ministerstva inostrannykh del*, Moscou, 1922, p. 298 ; sur l'accord conclu ultérieurement entre l'Autriche-Hongrie et l'Italie, voir Guido Donnino, *L'Accordo Italo-Russo di Racconigi*, Milan, 1983, p. 273-279.

90. Čedomir Antić, « Crisis and Armament. Economic Relations between Great Britain and Serbia 1910-1912 », *Balcanica*, 36, 2006, p. 158-159.

91. Alois von Aehrenthal à Szögyéñyi, Erlass nach Berlin, 29 décembre 1911, *ÖUAP*, vol. 3, doc. 3175, p. 733 ; Radoslav Vesnić, *Dr Milenko Vesnić, Gransenjer Srbske Diplomatije*, Belgrade, 2008, p. 275, p. 280.

92. Von Haymerle à MFA Vienne, Belgrade, 9 octobre 1910, *ÖUAP*, vol. 3, doc. 2266, p. 13-14.

93. Ugron à Alois von Aehrenthal, Belgrade, 12 novembre 1911, *ÖUAP*, vol. 3, doc. 2911, p. 539 ; Ugron à Alois von Aehrenthal, Belgrade, 14 novembre 1911, *ÖUAP*, vol. 3, doc. 2921, p. 545-6 ; Gellinek au chef d'état-major, Belgrade, 15 novembre 1911, *ÖUAP*, vol. 3, doc. 2929, p. 549-550.

94. Gellinek au chef d'état-major, Belgrade, 22 novembre 1911, *ÖUAP*, vol. 3, doc. 2966, p. 574 ; voir aussi Ugron à Alois von Aehrenthal, Belgrade, 29 janvier 1912, retranscrit in Barbara Jelavich, « What the Habsburg Government Knew about the Black Hand », *Austrian History Yearbook*, 22, 1991, p. 131-150, ici p. 141.

95. Gellinek au chef d'état-major, Belgrade, 15 novembre 1911, *ÖUAP*, vol. 3, doc. 2928, p. 549 ; Gellinek au chef d'état-major, Belgrade, 15 novembre 1911, *ÖUAP*, vol. 3, doc. 2929, p. 549-550.

96. Gellinek au chef d'état-major, Belgrade, 3 décembre 1911, *ÖUAP*, vol. 3, doc. 3041, p. 627 ; Gellinek au chef d'état-major, Belgrade, 2 février 1912, *ÖUAP*, vol. 3, doc. 3264, p. 806-807.

97. Ugron à MFA Vienne, Belgrade, 6 février 1912, *ÖUAP*, vol. 3, doc. 3270 , p. 812-814.

98. Barbara Jelavich, « What the Habsburg Government Knew », p. 138.

99. Gellinek au chef d'état-major, Belgrade, 18 janvier 1914, retranscrit in Barbara Jelavich, « What the Habsburg Government Knew », p. 142-144, ici p. 143.

100. Gellinek au chef d'état-major, Belgrade, 10 mai 1914, retranscrit in Barbara Jelavich, « What the Habsburg Government Knew », p. 145-147, ici p. 145.

101. Gellinek au chef d'état-major, Belgrade, 21 mai 1914, retranscrit in Barbara Jelavich, « What the Habsburg Government Knew », p. 147-149, ici p. 147-148.

102. Gellinek au chef d'état-major, Belgrade, 21 juin 1914, retranscrit in Barbara Jelavich, « What the Habsburg Government Knew », p. 149-150, ici p. 150.

103. Hugo Hantsch, *Leopold Graf Berchtold. Grandseigneur und Staatsmann*, 2 vol., Graz, 1963, vol. 2, p. 489.

104. Leon Biliński, *Wspomnienia i dokumenty*, 2 vol., Warsaw, 1924, vol. 1, p. 260-162 ; pour une analyse subtile de cette rencontre, voir aussi le tapuscrit non publié de Samuel R. Williamson, intitulé « Serbia and Austria-Hungary : The Final Rehearsal, October 1913 », p. 13-15. Je suis extrêmement reconnaissant au professeur Williamson de m'avoir communiqué ce chapitre, ce qui m'a permis de comprendre les évolutions des relations austro-serbes après la seconde guerre des Balkans.

105. Sur le portrait psychologique de Berchtold, sa « politesse exquise, mais peu sincère », son caractère « léger, peu sûr de lui-même, et à cause de cela réservé et peu communicatif », voir Nikolaï Chebeko, *Souvenirs,* p. 167.

106. Jelavich, « What the Habsburg Government Knew », p. 131-150.

107. Günther Kronenbitter, *Grossmachtpolitik Österreich-Ungarns*, p. 386.

108. Gellinek, « Resumé on the Serbian army after its campaign against Bulgaria in the summer of 1913 », cité in Günther Kronenbitter, *Grossmachtpolitik Österreich-Ungarns*, p. 434-435 ; sur les analyses autrichiennes de la puissance militaire serbe, voir aussi Rudolf Jerábek, *Potiorek. General im Schatten von Sarajevo*, Graz, 1991, p. 106.

109. Pour une analyse brillante des structures de décisions en Autriche-Hongrie, voir Leslie, « Antecedents », passim.

110. Comtesse Gina Conrad von Hötzendorf, *Mein Leben mit Conrad von Hötzendorf*, Leipzig, 1935, p. 12.

111. Lawrence Sondhaus, *Franz Conrad von Hötzendorf : Architect of the Apocalypse*, Boston, 2000, p. 111.

112. Holger Herwig, *The First World War. Germany and Austria-Hungary*, 1914-1918, Londres, 1997, p. 10.

113. Hans Jürgen Pantenius, *Der Angriffsgedanke gegen Italien bei Conrad von Hötzendorf. Ein Beitrag zur Koalitionskriegsführung im Ersten Weltkrieg*, 2 vol., Cologne, 1984, vol. 1, p. 350-57 : Herwig, *The First World War*, p. 9-10.

114. Roberto Segre, *Vienna e Belgrado 1876-1914*, Milan, [1935], p. 43.

115. Comtesse Gina Conrad von Hötzendorf, *Mein Leben mit Conrad*, p. 44.

116. Franz Conrad von Hötzendorf, mémorandum du 31 décembre 1907, cité in Günther Kronenbitter, *Grossmachtpolitik Österreich-Ungarns*, p. 330.

117. Comtesse Gina Conrad von Hötzendorf, *Mein Leben mit Conrad*, p. 101.

118. Holger H. Herwig, *First World War*, p. 19-21.

119. Sur la conception que se faisait Conrad d'un conflit armé, voir Günther Kronenbitter, *Grossmachtpolitik Österreich-Ungarns*, p. 135-137, p. 139, p. 140 ; István Deák, *Beyond Nationalism. A Social and Political History of the Habsburg Officer Corps*, New York, 1990, p. 73 ; Pantenius, *Angriffsgedanke*, p. 231, p. 233-236.

120. Alois von Aehrenthal, mémorandum du 22 octobre 1911, cité in Günther Kronenbitter, *Grossmachtpolitik Österreich-Ungarns*, p. 363-365.

121. Franz Conrad von Hötzendorf, *Aus meiner Dienstzeit, 1906-1918*, 5 vol., Vienne, 1921-1925, vol. 2, p. 282.

122. John Deák, *Beyond Nationalism*, p. 73.

123. Francis R. Bridge, *From Sadowa to Sarajevo*, p. 336 ; Sondhaus, *Architect of the Apocalypse*, p. 106.

124. Rudolf Sieghart, *Die letzten Jahrzehnte einer Großmacht*, Berlin, 1932, p. 52 ; Georg Franz, *Erzherzog Franz Ferdinand und die Pläne zur Reform der Habsburger Monarchie*, Brünn, 1943, p. 23.

125. Lawrence Sondhaus, *The Naval Policy of Austria-Hungary 1867-1918. Navalism, Industrial Development and the Politics of Dualism*, West Lafayette, 1994, p. 176 ; c'est le Premier ministre autrichien Koerber qui utilise l'expression de « cabinet fantôme », voir Georg Franz, *Erzherzog Franz Ferdinand*, p. 25.

126. Cité in Günther Kronenbitter, *Grossmachtpolitik Österreich-Ungarns* p. 66.

127. Lavender Cassels, *The Archduke and the Assassin*, Londres, 1984, p. 23 ; Georg Franz, *Erzherzog Franz Ferdinand*, p. 18.

128. Keith Hitchins, *The Nationality Problem in Austria-Hungary. The Reports of Alexander Vaida to Archduke Franz Ferdinand's Chancellery*, Leiden, 1974, p. X, p. 8-14, p. 176-179 et passim.

129. Stephan Verosta, *Theorie und Realität von Bündnissen. Heinrich Lammasch, Karl Renner und der Zweibund*, 1897-1914, Vienne, 1971, p. 244, 258-259, 266.

130. Günther Kronenbitter, *Grossmachtpolitik Österreich-Ungarns*, p. 74, 163 ; Sondhaus, *Architect of the Apocalypse*, p. 118.

131. Lawrence Sondhaus, *Architect of the Apocalypse*, p. 104-105.

132. François-Ferdinand à Alois von Aehrenthal, 6 août 1908, cité in Leopold von Chlumecky, *Erzherzog Franz Ferdinands Wirken und Wollen*, Berlin, 1929, p. 98.

133. François-Ferdinand à Alois von Aehrenthal, 20 octobre 1908, cité in Kronenbitter, *Grossmachtpolitik Österreich-Ungarns*, p. 338-339.

134. François-Ferdinand au Major Alexander Brosch von Aarenau, 20 octobre 1908, cité in Chlumecky, *Erzherzog Franz Ferdinands Wirken und Wollen*, p. 99 ; Rudolf Kiszling, *Erzherzog Franz Ferdinand von Österreich-Este. Leben, Pläne und Wirken am Schicksalsweg der Donaumonarchie*, Graz, 1953, p. 127-130 ; Sondhaus, *Architect of the Apocalypse*, p. 102.

135. Sur les raison pour lesquelles il accepte le poste, voir Leopold von Berchtold, journal intime, 2 février 1908, cité in Hugo Hantsch, *Berchtold*, vol. 1, p. 88.

136. Hugo Hantsch, *Berchtold*, vol. 1, p. 86.

137. Leopold von Berchtold à Alois von Aehrenthal, Saint-Pétersbourg, 19 novembre 1908, cité in Hugo Hantsch, *Berchtold*, vol. 1, p. 132-134.

138. Hugo Hantsch, *Berchtold*, vol. 1, p. 206 ; pour le jugement de Berchtold sur le philistinisme de la haute société de Saint-Pétersbourg, voir p. 233.

139. John Leslie, « Antecedents », p. 377.

140. François-Ferdinand à Leopold von Berchtold, Vienne, 16 janvier 1913, cité in Francis R. Bridge, *From Sadowa to Sarajevo*, p. 342.

141. Cité in Hugo Hantsch, *Berchtold*, vol. 1, p. 265.

142. Rapport du Consul général Jehlitschka à Üsküb, 24 octobre 1913, copié en annexe à Griesinger à ministère des Affaires étrangères allemand, Belgrade, 30 octobre, PA – AA, R 14 276, cité in Katrin Boeckh, *Von den Balkankriegen zum Ersten Weltkrieg. Kleinstaatenpolitik und ethnische Selbstbestimmung auf dem Balkan*, Munich, 1996, p. 168.

143. Jovanović à Nikola Pašić, Vienne, 6 mai 1914, AS, MID-PO, 415, f° 674.

144. Wilhelm Ritter von Storck à Leopold von Berchtold, Belgrade, 28 octobre 1913, cité in Katrin Boeckh, *Von den Balkankriegen zum Ersten Weltkrieg. Kleinstaatenpolitik und ethnische Selbstbestimmung auf dem Balkan*, Munich, 1996, p. 171-172.

145. Giesl à MFA Vienne, Belgrade, 30 mai 1914, in *ÖUAP*, vol. 8, doc. 9774, p. 96-97.

146. Gellinek à MFA Vienne, *ÖUAP*, vol. 8, doc. 9883, p. 158-159.

147. Pour le texte en anglais du mémorandum Matscheko, voir Francis R. Bridge, *From Sadowa to Sarajevo*, p. 443-448, ici p. 443.

148. Sur la nécessité d'une aide étrangère, voir De Veer et Thomson (mission hollandaise en Albanie) au ministère de la Guerre néerlandais, NA, 2. 05. 03, doc. 652 Algemeine Correspondentie over Albanië Ministerie van Buitenlandse Zaken.

149. Toutes les citations du mémorandum sont traduites de sa transcription in De Veer et Thomson au ministère de la Guerre néerlandais, NA, 2. 05. 03, doc. 652. Sur la paranoïa dont témoigne le texte et son ton « strident », voir Samuel R. Williamson, *Austria-Hungary*, p. 165-170 ; sur l'irénisme dans lequel il baigne : Francis R. Bridge, *From Sadowa to Sarajevo*, p. 334-335 ; pour une opinion différente suggérant que les objectifs fixés par le mémorandum (à savoir le rapprochement avec la Roumanie) n'auraient pu être atteints sans déclencher une crise, voir Paul Schroeder, « Romania and the Great Powers before 1914 », *Revue roumaine d'histoire*, 14 / 1, 1975, p. 39-53.

150. Voir Günther Kronenbitter, *Grossmachtpolitik Österreich-Ungarns*, p. 236-237 ; sur l'implication du jeune Hötzendorf, voir Bruce W. Menning, « Russian Military Intelligence, July 1914. What St Petersburg Perceived and Why It Mattered », tapuscrit inédit. Je suis très reconnaissant au professeur Menning de m'avoir communiqué cet article avant sa publication par le *Journal of Modern History*, et de m'avoir éclairé sur le rôle des services secrets dans la prise de décision en Russie. Au sujet des Mémoires de Svechine, étudiés par Menning, voir Mikhaïl Svechine, *Zapiski starogo generala o bylom*, Nice, 1964, not. p. 99.

151. Samuel R. Williamson, *Austria-Hungary*, p. 146.

152. Cité in Lawrence Sondhaus, *Architect of the Apocalypse*, p. 122.

153. Von Hötzendorf, *Aus meiner Dienstzeit*, vol. 3, p. 169 ; Karl Bardolff, *Soldat im alten Österreich*, Iéna, 1938, p. 177 ; Kiszling, *Erzherzog Franz Ferdinand*, p. 196.

154. Cité in Günther Kronenbitter, *Grossmachtpolitik Österreich-Ungarns*, p. 71.

155. Vasilij N. Strandmann, *Balkanske Uspomene*, p. 245-50 ; sur les plaintes des négociateurs serbes quant aux interventions de Pašić, voir Mikhail Ilić à Nikola Pašić, Vienne, 9 mars 1914 ; Ilić à Nikola Pašić, Vienne, 10 mars 1914, et not. Ilić à Nikola Pašić, 11 mars 1914, où Ilić demande à Pašić de cesser d'interrompre les négociations par ses « nouveautés », AS, MID-PO, 415, fos 9-12, 14-24, 25-27 ; sur le souhait des deux parties de parvenir à un accord, voir Nikolaï Hartwig à Sergueï Sazonov, Belgrade, 4 mars 1914, *IBZI*, série 3, vol. 1, doc. 379, p. 375.

3. LA POLARISATION DE L'EUROPE, 1887-1907

1. Pour le texte du traité, voir *The Avalon Project. Documents in Law, History and Diplomacy*, Yale Law School, consultable sur : http://avalon.law.yale.edu/19th_century/frrumil.asp.

2. Claude Digeon, *La Crise allemande dans la pensée française 1870-1914*, Paris, 1959, p. 535-542.

3. Klaus Hildebrand, *Das vergangene Reich. Deutsche Außenpolitik von Bismarck bis Hitler (1871-1945)*, Stuttgart, 1995, p. 18.

4. Pour une analyse perspicace du problème, voir Paul W. Schroeder, « The Lost Intermediaries : The Impact of 1870 on the European System », *International History Review*, 6 / 1, 1984, p. 1-27.

5. J. B. Eustis, « The Franco-Russian Alliance », *The North American Review*, 165, 1897, p. 111-118, ici p. 117.

6. Ulrich Lappenküper, *Die Mission Radowitz. Untersuchungen zur Russlandpolitik Otto von Bismarcks (1871-1875)*, Göttingen, 1990, p. 226.

7. Cette citation est extraite du fameux Bad Kissingen Memorandum du 15 juin 1877, rédigé pour répondre à la situation dans les Balkans, mais qui reproduit de nombreux thèmes importants de la politique du chancelier, le texte est reproduit in *GP*, 1922-1927 vol. 2, p. 153-154. Cité ici d'après Heinrich Auguste Winkler, *Histoire de l'Allemagne*, trad. de l'allemand par Odile Demange, Paris, Fayard, 2005, p. 220.

8. Otto von Bismarck, discours au Reichstag du 5 décembre 1876, in Horst Kohl (dir.), *Politische Reden Bismarcks. Historisch-kritische Gesamtausgabe*, 14 vol., Stuttgart, 1892-1905, vol. 6, p. 461.

9. Klaus Hildebrand, *Das vergangene Reich*, p. 50-51 ; voir aussi Hermann Oncken, *Das Deutsche Reich und die Vorgeschichte des Weltkrieges*, 2 vol., Leipzig, 1933, vol. 1, p. 215.

10. Pour un bon résumé de la crise bulgare, voir John Morris Roberts, *Europe*, 1880-1945, 3ᵉ édition, Harlow, 2001, p. 75-78.

11. Herbert von Bismarck à son frère Wilhelm, 11 novembre 1887, in Walter Bussmann (dir.), *Staatssekretär Graf Herbert von Bismarck : aus seiner politischen Privatkorrespondenz*, Göttingen, 1964, p. 457-458. Cité ici d'après Heinrich Auguste Winkler, *Histoire de l'Allemagne*, p. 222.

12. Sur cette *fronde* contre Bismarck, voir J. Alden Nicholls, *Germany After Bismarck*, Cambridge, MA, 1958, p. 101-103, 132-134 ; Katherine Lerman, *Bismarck. Profiles in Power*, Harlow, 2004, p. 244-248 ; Konrad Canis, *Bismarcks Außenpolitik 1870 bis 1890 : Aufstieg und Gefährdung*, Paderborn, 2004, p. 381-383 ; Ernst Engelberg, *Bismarck. Das Reich in der Mitte Europas*, Munich, 1993, p. 309-313 ; Otto Pflanze, *Bismarck and the Development of Germany*, 3 vol., Princeton, 1990, vol. 3, *The Period of Fortification (1880-1898)*, p. 313-316.

13. William L. Langer, « The Franco-Russian Alliance (1890-1894) », *The Slavonic Review*, 3 / 9, 1925, p. 554-575, ici p. 554-555.

14. Sur l'impact à Saint-Pétersbourg du non-renouvellement, voir Peter Jakobs, *Das Werden des französisch-russischen Zweibundes (1890-1894)*, Wiesbaden, 1968, p. 56-58 ; George F. Kennan, *The Decline of Bismarck's European Order. Franco-Prussian Relations, 1875-1890*, Princeton, 1979, p. 398.

15. *Morning Post*, 1ᵉʳ juillet 1891 et *Standard*, 4 juillet 1891, tous deux cités in Patricia A. Weitsman, *Dangerous Alliances, Proponents of Peace, Weapons of War*, Stanford, 2004, p. 109.

16. Antoine Laboulaye à Alexandre Ribot, 22 juin 1890, cité in Patricia A. Weitsman, *Dangerous Alliances*, p. 105.

17. Nikolaï von Giers à Mohrenheim, 19-21 août 1891, cité in Patricia A. Weitsman, *Dangerous Alliances*, p. 105-106.

18. George F. Kennan, *The Fateful Alliance. France, Russia and the Coming of the First World War*, Manchester, 1984, p. 153-154.

19. Francis R. Bridge et Roger Bullen, *The Great Powers and the European States System 1815-1914*, Harlow, 1980, p. 259 ; sur l'orientation antibritannique de la nouvelle Alliance (du point de vue russe), voir aussi Peter Jakobs, *Das Werden des französisch-russischen Zweibundes*, p. 73-78.

20. George F. Kennan, *Fateful Alliance*, passim.

21. Patricia A. Weitsman, *Dangerous Alliances*, p. 117.

22. Sur l'Alliance et la culture populaire, voir I. S. Rybachenok, *Rossiia i Frantsiia : soiuz interesov i soiuz serdets, 1891-1897 : russko frantsuzskyi soiuz v diplomaticheskikh dokumentakh, fotografiakh, risunkakh, karikaturakh, stikhakh, tostakh i meniu*, Moscou, 2004.

23. Thomas M. Iiams, *Dreyfus, Diplomatists and the Dual Alliance : Gabriel Hanotaux at the Quai d'Orsay (1894-1898)*, Genève, 1962, p. 27-28.

24. Conversation entre Lamsdorf et Lobanov-Rostovsky rapportée le 9 octobre 1895, in V. N. Lamsdorf, *Dnevnik : 1894-1896*, éd. V. I. Bovykin et I. A. Diakonova, Moscou, 1991, p. 264-266 ; Dominic C. B. Lieven, *Nicholas II. Emperor of All the Russias*, Londres, 1993, p. 93.

25. Sur la conviction de Hanotaux que les colonies sont un moyen crucial de restaurer le prestige perdu de la France, voir Peter Grupp, *Theorie des Kolonialimperialismus und Methoden der imperialistischen Außenpolitik bei Gabriel Hanotaux*, Berne et Francfort-sur-le-Main, 1962, not. p. 78-84, 122-127, 142-145 ; voir aussi Alf Heggoy, *The African Policies of Gabriel Hanotaux*, 1894-1898, Athènes, GA, 1972, not. p. 10-11 ; Christopher Andrew et A. Sidney Kanya-Forstner, « Gabriel Hanotaux, the Colonial Party and the Fashoda Strategy », in Ernest Francis Penrose (dir.), *European Imperialism and the Partition of Africa*, Londres, 1975, p. 55-104.

26. Cité in Christopher Andrew, *Théophile Delcassé and the Making of the Entente Cordiale. A Reappraisal of French Foreign Policy 1898-1905*, Londres, 1968, p. 19 ; M. B. Hayne, *The French Foreign Office and the Origins of the First World War, 1898-1914*, Oxford, 1993, p. 95.

27. G. N. Sanderson, *England, Europe and the Upper Nile, 1882-1889*, Édimbourg, 1965, p. 140-161.

28. M. B. Hayne, *French Foreign Office*, p. 97.

29. Christopher Andrew, *Delcassé*, p. 168.

30. Christopher Andrew, *Delcassé*, p. 171.

31. Jules Clarétie, « Vingt-huit ans à la Comédie-Française – Journal », entrée du 8 mars 1900, *Revue des Deux Mondes*, novembre 1949 / 6, p. 122-140, ici p. 129.

32. Jules Clarétie, « Vingt-huit ans à la Comédie-Française », p. 129 ; Christopher Andrew, *Delcassé*, p. 307-308 ; M. B. Hayne, *French Foreign Office*, p. 113.

33. Christopher Andrew, *Delcassé*, p. 172 ; sur la réaction française aux signes de rapprochement anglo-allemand à la fin des années 1890, voir aussi P. J. V. Rolo, *Entente Cordiale. The Origins and Negotiation of the Anglo-French Agreements of 8 April 1904*, Londres, 1969, p. 73.

34. P. J. V. Rolo, *Entente Cordiale*, p. 106.

35. Maurice Paléologue, *Un grand tournant de le politique mondiale (1904-1906)*, Paris, 1914, p. 196.

36. M. B. Hayne, *French Foreign Office*, p. 55.

37. Discours de Disraeli à la Chambre des communes, consultable en ligne dans Hansard 1803-2005, http://hansard.millbanksystems.com/commons/1871/feb/09/address-to-her-majesty-on-her-most.

38. Éditorial, *The Times*, 15 février 1871, p. 9, col. C.

39. « The Eastern Question : The Russian Repudiation of the Treaty of 1856, A New Sebastopol Wanted... », *New York Times*, 1er janvier 1871, p. 1.

40. Discours de Disraeli à la Chambre des communes, consultable en ligne dans Hansard 1803-2005, http://hansard.millbanksystems.com/commons/1871/feb/09/address-to-her-majesty-on-her-most.

41. Keith M. Neilson, *Britain and the Last Tsar. British Policy and Russia (1894-1917)*, Oxford, 1995, p. XIII.

42. Pour une analyse magistrale de la question chinoise, voir Thomas Otte, *The China Question. Great Power Rivalry and British Isolation (1894-1905)*, Oxford, 2007.

43. Payson J. Treat, « The Cause of the Sino-Japanese War, 1894 », *The Pacific Historical Review*, 8, 1939, p. 149-157 ; Stewart Lone, *Japan's First Modern War. Army and Society in the Conflict with China (1894-1895)*, Londres, 1994, p. 24.

44. Keith M. Neilson, « Britain, Russia and the Sino-Japanese War », in Keith M. Neilson, John Berryman et Ian Nish, *The Sino-Japanese War of 1894-1895 in its International Dimension*, Suntory-Toyota International Centre for Economics and Related Disciplines, London School of Economics, Londres, [1994], p. 1-22.

45. P. J. V. Rolo, *Entente Cordiale*, p. 64, 108.

46. David Gillard, *The Struggle for Asia, 1828-1914. A Study in British and Russian Imperialism*, Londres, 1977, p. 153-166.

47. Godley (sous-secrétaire d'État permanent, India Office) à Curzon, 10 novembre 1899, cité in Keith M. Neilson, *Britain and the Last Tsar*, p. 122.

48. Intelligence Department, War Office, « Military Needs of the Empire in a War with France and Russia », 12 août 1901, cité in Keith M. Neilson, *Britain and the Last Tsar*, p. 123.

49. Cité in Keith M. Neilson, *Britain and the Last Tsar*, p. 16-17.

50. Cité in Thomas Otte, *China Question*, p. 71.

51. Cité d'une lettre de l'attaché militaire britannique à Pékin à Kimberley in Thomas Otte, *China Question*, p. 71.

52. Sur les réactions britanniques aux incursions françaises en Birmanie et le lien avec la politique de l'entente, voir John D. Hargreaves, « Entente Manquée : Anglo-French Relations, 1895-1896 », in *Historical Journal*, 11, 1953-1955, p. 65-92 ; Thomas Otte, *China Question*, p. 330.

53. Keith M. Neilson, *Britain and the Last Tsar*, p. XIV ; Rolo, *Entente Cordiale*, p. 273 ; sur Delcassé, Keith M. Wilson, *The Policy of the Entente. Essays on the Determinants of British Foreign Policy, 1904-1914*, Cambridge, 1985, p. 71.

54. Cité in Keith M. Wilson, *Policy of the Entente*, p. 71.

55. Cité in Keith M. Neilson, *Britain and the Last Tsar*, p. 22. Keith M. Neilson, *Britain and the Last Tsar*, p. 124-125.

56. Cité in Keith M. Neilson, *Britain and the Last Tsar*, p. 124-125.

57. Sur la « hâte fiévreuse » des préparatifs militaires russes près de la frontière indienne, voir le rapport secret de l'attaché militaire britannique H. D. Napier, Saint-Pétersbourg, 9 novembre 1904, inclus dans Charles Hardinge à Lansdowne, 10 novembre 1904, Hardinge Papers, Cambridge University Library, vol. 46.

58. « Demands for Reinforcements by the Government of India », 20 février 1905, cité in Keith M. Neilson, *Britain and the Last Tsar*, p. 131.

59. Stanley Wolpert, *Morley and India, 1906-1910*, Berkeley, 1967, p. 80.

60. Keith M. Neilson, *Britain and the Last Tsar*, p. 134-135 ; Keith M. Wilson, *Policy of the Entente*, p. 7.

61. Edward Grey à Spring Rice, Londres, 22 décembre 1905, cité in Keith M. Neilson, *Britain and the Last Tsar,* p. 12.

62. Thomas Otto, *China Question,* p. 71, 90, 333.

63. Sur la revendication allemande de la baie d'Angra Pequena, voir Klaus Hildebrand, *Das Vergangene Reich,* p. 87-88 ; aussi Konrad Canis, *Bismarcks Außenpolitik,* p. 209-217.

64. Sur les « quatre mois de silence dédaigneux » par lesquels le gouvernement de Salisbury a accueilli la note du président Cleveland, datée 20 juillet 1895, dans laquelle il protestait contre les agressions britanniques au Venezuela, et la réponse « condescendante » du gouvernement britannique aux demandes ultérieures des États-Unis, voir Bradford Perkins, *The Great Rapprochement : England and the United States 1895-1914,* Londres, 1969, p. 13-16 ; voir aussi Harry Cranbrook Allen, *Great Britain and the United States : A History of Anglo-American Relations (1783-1952),* Londres, 1954, p. 532-541.

65. Commentaire de la main de Bismarck sur une lettre de Hatzfeldt à Bismarck, 24 mai 1884, *GP,* vol. 4, p. 58.

66. Bernhard von Bülow à Philipp zu Eulenburg, 2 mars 1890, cité in Peter Winzen, *Bülow's Weltmachtkonzept. Untersuchungen zur Frühphase seiner Außenpolitik (1897-1901),* Boppard am Rhein, 1977, p. 50.

67. Konrad Canis, *Von Bismarck zur Weltpolitik. Deutsche Außenpolitik, 1890 bis 1902,* Berlin, 1997, p. 93-94.

68. Konrad Canis, *Bismarcks Außenpolitik,* p. 124.

69. P. J. V. Rolo, *Entente Cordiale,* p. 116.

70. Gordon Martel, *Imperial Diplomacy : Rosebery and the Failure of Foreign Policy,* Londres, 1986, p. 187.

71. Sur les objections allemandes au traité, voir Jacques Willequet, *Le Congo belge et la Weltpolitik (1894-1914),* Bruxelles, 1962, p. 14-21 ; Konrad Canis, *Von Bismarck zur Weltpolitik,* p. 134-135 ; cf. A. J. P. Taylor, « Prelude to Fashoda : The Question of the Upper Nile, 1894-1895 », *English Historical Review,* 65, 1950, p. 52-80.

72. Konrad Canis, *Von Bismarck zur Weltpolitik,* p. 142-143.

73. Le texte complet du télégramme Kruger est reproduit in *GP,* vol. 11, doc. 2610, p. 31-32.

74. Sur le déroulement et les conséquences de la crise du Transvaal, voir Harald Rosenbach, *Das deutsche Reich, Großbritannien und der Transvaal (1896-1902). Anfänge deutsch-britischer Entfremdung,* Göttingen, 1993.

75. Friedrich Kiessling, *Gegen den grossen Krieg ? Entspannung in den internationalen Beziehungen (1911-1914),* Munich, 2002, p. 137.

76. Peter Winzen, « Zur Genesis von Weltmachtkonzept und Weltpolitik », in John C. G. Röhl (dir.), *Der Ort Kaiser Wilhelms in der deutschen Geschichte,* Munich, 1991, p. 189-222 ; ici p. 192-193.

77. Jan Rüger, *The Great Naval Game. Britain and Germany in the Age of Empire,* Cambridge, 2007.

78. Gregor Schöllgen, *Imperialismus und Gleichgewicht. Deutschland, England und die orientalische Frage (1871-1914),* Munich, 1984, p. 76 ; Christopher Clark, *Kaiser Wilhelm II. A Life in Power,* Londres, 2008, p. 184.

79. Jonathan Steinberg, *Yesterday's Deterrent ; Tirpitz and the Birth of the German Battle Fleet,* Londres, [1965], p. 71, 101-102, 109 ; Ivo Nikolaï Lambi, *The Navy and German Power Politics (1862-1914),* Boston, 1984, p. 68-86.

80. Jonathan Steinberg, *Yesterday's Deterrent,* p. 201 ; aussi p. 125-148.

81. Cité in Harald Rosenbach, *Transvaal,* p. 70.

82. Le texte de ce mémorandum est reproduit in Jonathan Steinberg, *Yesterday's Deterrent*, p. 209-221. Voir aussi Volker R. Berghahn et Wilhelm Deist (dir.), *Rüstung im Zeichen der wilhelminischen Weltpolitik*, Düsseldorf, 1988, not. doc. II / 11, II / 12 et VII / 1.

83. Voir James Ainsworth, « Naval Strategic Thought in Britain and Germany 1890-1914 », thèse de doctorat, université de Cambridge, 2011 ; sur les craintes persistantes que la puissance maritime française suscite chez les Britanniques vers 1900, et la relativement faible priorité assignée à « la menace allemande », voir Andreas Rose, *Zwischen Empire und Kontinent. Britische Außenpolitik vor dem Ersten Weltkrieg*, Munich, 2011, p. 209-211.

84. Même Lord Selborne, souvent cité à l'appui de la thèse selon laquelle la peur de la marine allemande a transformé la stratégie britannique, était autant préoccupé par les marines russe et française qu'il l'était de la marine allemande. Voir Dominik Geppert et Andreas Rose, « Machtpolitik und Flottenbau vor 1914. Zur Neuinterpretation britischer Außenpolitik im Zeitalter des Hochimperialismus », *Historische Zeitschrift*, 293, 2011, p. 401-437, ici p. 409 ; Andreas Rose, *Zwischen Empire und Kontinent*, p. 223-226.

85. La littérature sur la rivalité navale anglo-allemande renouvelle depuis quelque temps l'analyse de cette question. Arthur J, Marder, *From the Dreadnought to Scapa Flow. The Royal Navy in the Fischer Era (1904-1919)*, 5 vol., Oxford, 1961-1970, exposait le point de vue plus ancien selon lequel la menace allemande avait dominé et transformé la réflexion des stratèges britanniques. Cette analyse est remise en question dans nombre d'études plus récentes. Voir, par exemple Jon T. Sumida, « Sir John Fischer and the Dreadnought. The Sources of Naval Mythology », *The Journal of Military History*, 59, 1995, p. 619-638 ; Charles H. Fairbanks Jr, « The Origins of the Dreadnought Revolution. A Historiographical Essay », *International History Review*, 13, 1991, p. 246-272 ; Nicholas A. Lambert, « Admiral Sir John Fischer and the Concept of Flotilla Defence, 1904-1909 », *The Journal of Military History*, 59, 1995, p. 639-660. L'étude révisionniste la plus importante est désormais Andreas Rose, *Zwischen Empire und Kontinent.*'

86. Cité in Niall Ferguson, *Pity of War*, Londres, 1998, p. 71.

87. Charles Hardinge, Keith M. Wilson et Edward Grey cité in Keith M. Wilson, *Policy of the Entente*, p. 106.

88. Andreas Rose, *Zwischen Empire und Kontinent*, p. 202-217 et 404-424 ; sur la décision de Tirpitz de renoncer à poursuivre la course aux armements, voir Hew Strachan, *The First World War*, Oxford, 2001, p. 33.

89. Hans Delbrück in *Preussische Jahrbücher*, 87, 1897, p. 402, cité in Konrad Canis, *Von Bismarck zur Weltpolitik*, p. 225.

90. Bernhard von Bülow, discours au Reichstag du 6 décembre 1897, in Johannes Penzler, (dir.), *Fürst Bülows nebst urkundlichen Beiträgen zu seiner Politik. Mit Erlaubnis des Reichskanzlers gesammelt und herausgegeben*, 2 vol., Berlin, 1907, vol. 1, 1897-1903, p. 6.

91. Konrad Canis, *Von Bismarck zur Weltpolitik*, p. 255-256.

92. Waldersee, journal intime, entrée du 13 juillet 1900, in Heinrich Otto Meisner, *Denkwürdigkeiten des General-Feldmarschalls Alfred Grafen von Waldervoir*, 3 vol., Stuttgart, 1922-1923, vol. 2, p. 449.

93. George C. Herring, *From Colony to Superpower : US Foreign Relations since 1776*, New York, 2009, p. 307.

94. Cité in Paul Kennedy, *The Rise of the Anglo-German Antagonism, 1860-1914*, Londres, 1980, p. 365, 236.

95. Sur la *Weltpolitik* en tant qu'instrument de « l'impérialisme social » à visée inté-rieure, voir surtout l'analyse classique de Hans-Ulrich Wehler, *Das deutsche Kaiserreich 1871-1918*, Göttingen, 1973, p. 178 ; du même auteur, *Deutsche Gesellschaftsgeschichte*, 5 vol., Munich, 1987-2008, vol. 3, p. 1139 ; un point de vue similaire est exposé in Wolfgang M. Mommsen, *Grossmachtstellung und Weltpolitik. Die Außenpolitik des Deut-schen Reiches, 1870 bis 1914*, Francfort-sur-le-Main, 1993, p. 139-140 ; sur la marine comme instrument de « gestion de crise » intérieure, voir Volker Berghahn, *Der Tirpitz-Plan. Genesis und Verfall einer innenpolitischen Krisenstrategie unter Wilhelm II.*, Düssel-dorf, 1971, p. 11-20, 592-604 et passim.

96. Guillaume II à Bernhard von Bülow, Syracuse, 19 avril 1904, in *GP*, vol. 20 / 1, doc. 6378, p. 22-23.

97. Guillaume II au tsar Nicolas II, 11 février 1904, in Walter Goetz (dir.), *Briefe Kaiser Wilhelms II. an den Zaren, 1894-1914*, Berlin, 1920, p. 337-338.

98. Guillaume II à Nicolas II, 6 juin, 19 août 1904, in Walter Goetz (dir.), *Briefe Kaiser Wilhelms II.*, p. 340-341.

99. Théophile Delcassé à Barrère, 28 février 1900, cité in Christopher Andrew, *Del-cassé*, p. 151.

100. Abel Combarieu, *Sept ans à l'Élysée avec le président Émile Loubet : de l'affaire Dreyfus à la conférence d'Algésiras, 1899-1906*, Paris, 1932, p. 183-184.

101. Cité in Christopher Andrew, *Delcassé*, p. 271 ; Samuel R. Williamson, *The Poli-tics of Grand Strategy. Britain and France Prepare for War, 1904-1914*, Cambridge, MA, 1969, p. 14 ; cf. John C. G. Röhl, *Wilhelm II. Der Weg in den Abgrund, 1900-1941*, Munich, 2008, p. 372.

102. Paul Metternich (ambassadeur allemand à Londres) au ministère allemand des Affaires étrangères, Londres, 4 juin 1904, *GP*, vol. 20 / 1, doc. 6384, p. 29-30.

103. Klaus Hildebrand, *Das vergangene Reich*, p. 222-223 ; Samuel R. Williamson, *Grand Strategy*, p. 31-32.

104. « The German Emperor at Tangier », *The Times*, samedi 1er avril 1905, p. 5, col. A.

105. « The Morocco Question », *The Times*, 8 janvier 1906, p. 9, col. A.

106. Katherine Lerman, *The Chancellor as Courtier : Bernhard von Bülow and the Governance of Germany (1900-1909)*, Cambridge, 1990, p. 147-148 ; sur « l'inutilité » de la Triple-Alliance, voir Prince Karl Max von Lichnowsky, *My Mission to London, 1912-1914*, Londres, 1929, p. 3.

107. Paul Kennedy, *Anglo-German Antagonism*, p. 280.

108. .Charles Hardinge à Arthur Nicolson, Londres, 26 mars 1909, cité in Zara S. Steiner, *The Foreign Office and Foreign Policy (1898-1914)*, Cambridge, 1969, p. 95.

109. Marina Soroka, *Britain, Russia and the Road to the First World War. The Fateful Embassy of Count Aleksandr Benckendorff (1903-1916)*, Londres, 2011, p. 146 ; Rogers Platt Churchill, *The Anglo-Russian Convention of 1907*, Cedar Rapids, 1939, p. 340 ; David MacLaren MacDonald, *United Government and Foreign Policy in Russia, 1900-1914*, Cambridge, MA, 1992, p. 110.

110. Pour un récit qui fait justice aux pressions exercées sur la diplomatie européenne par la périphérie coloniale, voir Thomas Otte, *China Question* ; du même auteur, *The Foreign Office Mind. The Making of British Foreign Policy (1865-1914)*, Cambridge, 2011 ; Nils Petersson, *Imperialismus und Modernisierung. Siam, China und die europäi-schen Mächte, 1895-1914*, Munich, 2000 ; pour une critique vigoureuse des fondements empiriques et théoriques du « consensus » selon lequel les dirigeants allemands ont causé eux-mêmes leur propre isolement par leur comportement, voir Paul W. Schroeder,

« Embedded Counterfactuals and World War I as an Unavoidable War », consultable en ligne sur http://ir.emu.edu.tr/staff/ekaymak/courses/IR515/Articles/Schroeder%20 on%20counterfactuals.pdf, p. 28-29 et passim.

111. Fiona K. Tomaszewski, *A Great Russia. Russia and the Triple Entente*, Westport, 2002, p. 68.

112. Lansdowne à Francis Bertie, Londres, 22 avril 1905, *BD*, vol. 3, doc. 90, p. 72-73.

113. Aide-mémoire de l'ambassade de Grande-Bretagne à Paris, Paris, 24 avril 1905, *DDF*, série 2, vol. 6, doc. 347, p. 414-415 ; sur le fait que Delcassé ignorait les desseins allemands sur un port de l'ouest marocain, voir note 5 in *DDF*, série 2, vol. 6, doc. 347.

114. Conversation entre Théophile Delcassé et Paléologue du 26 avril, racontée in Maurice Paléologue, *The Turning Point. Three Critical Years (1904-1906)*, trad. F. Appleby Holt, Londres, 1935, p. 233.

115. Christopher Andrew, *Delcassé*, p. 283-285 ; sur « l'antigermanisme » de Fischer : Hew Strachan, *First World War*, p. 18.

116. Zara S. Steiner, *Foreign Office*, p. 100, 102.

117. Voir, par exemple, les minutes annexées par Edward Grey, Eyre Crowe et Édouard VII à diverses lettres de Fairfax Cartwright à Edward Grey, Munich, 12 janvier 1907, 23 avril 1907, 7 août 1907, 8 janvier 1908, *BD*, vol. 6, doc. 2, 16, 23 et les minutes annexes à la dépêche envoyée de Munich par Fairfax Cartwright le 8 janvier 1908, p. 11, 32, 42, 108. Sidney B. Fay examine la réaction de Londres aux dépêches de Fairfax Cartwright dans sa recension de Gooch et Temperley, *British Documents* in *American Historical Review*, 36, 1930, p. 151-155.

118. G. S. Spicer, minutes de Francis Bertie à Edward Grey, Paris, 12 septembre 1907, *BD*, vol. 6, doc. 35, p. 55-58, ici p. 56.

119. Edward Grey, *Twenty-Five Years 1892-1916*, 2 vol., Londres, 1925, vol. 1, p. 33.

120. Eyre Crowe, « Memorandum on the Present State of British Relations with France and Germany », 1er janvier 1907, *BD*, vol. 3, appendice du doc. 445, p. 397-420, ici p. 406.

121. Edward Grey, *Twenty-Five Years,* vol. 2, p. 29 ; John A. S. Grenville, *Lord Salisbury and Foreign Policy. The Close of the Nineteenth Century*, Londres, 1970, p. 213.

122. Minute rédigée par Charles Hardinge, datée du 10 novembre 1909, annexée à Edward Goschen à Edward Grey, Berlin, 4 novembre 1909, *BD*, vol. 6, doc. 204, p. 304-312, ici p. 311 ; pour une discussion incisive qui propose une révision éclairante de ces prises de position, voir Keith M. Wilson, *The Policy of the Entente. Essays on the Determinants of British Foreign Policy*, 1904-1914, Cambridge, 1985, p. 100.

123. Eyre Crowe, « Memorandum on the Present State of British Relations with France and Germany », 1er janvier 1907, *BD*, vol. 3, appendice au doc. 445, p. 397-420, ici p. 406. Sur la consolidation de cette phalange anti-allemande au sommet du Foreign Office, voir Jürgen Angelow, *Der Weg in die Urkatastrophe. Der Zerfall des alten Europas (1900-1914)*, Berlin, 2010, p. 51-52.

124. Ces chiffres sont tirés de Hans-Ulrich Wehler, *Deutsche Gesellschaftsgeschichte*, 5 vol., Munich, 2008, vol. 3, *Von der « deutschen Doppelrevolution » bis zum Beginn des Ersten Weltkrieges (1849-1914)*, p. 610-612.

125. Clive Trebilcock, *The Industrialisation of the Continental Powers (1780-1914)*, Londres, 1981, p. 22.

126. Keith M. Neilson, « *Quot homines, tot sententiae* : Bertie, Hardinge, Nicolson and British Policy, 1906-1916 », manuscrit non publié ; je suis extrêmement reconnaissant au professeur Neilson de m'avoir permis de consulter ce texte avant sa publication.

127. Charles Hardinge à Francis Bertie, lettre privée, 14 février 1904, Bertie Papers, TNA, FO 800 / 176 ; Charles Hardinge à Francis Bertie, lettre privée, 11 mai 1904, Bertie Papers, TNA, FO 800 / 183, both cited in Keith M. Neilson, « *Quot homines, tot sententiae* ».

128. Keith M. Neilson, « "My Beloved Russians" : Sir Arthur Nicolson and Russia, 1906-1916 », *International History Review,* 9 / 4, 1987, p. 521-554, ici p. 524-525.

129. « The Invention of Germany » est le titre du sixième chapitre de Keith M. Wilson, *Policy of the Entente,* p. 100-120.

130. Sur les inquiétudes britanniques quant aux capacités défensives après la guerre des Boers, voir Aaron L. Friedberg, *The Weary Titan. Britain and the Experience of Relative Decline, 1895-1905,* Princeton, 1988, p. 232-234 et passim ; David Reynolds, *Britannia Overruled. British Policy and World Power in the Twentieth Century,* 2ᵉ éd., Harlow, 2000, p. 63-67.

131. Sur cet aspect de la politique étrangères des États-Unis, voir John A. Thompson, « The Exaggeration of American Vulnerability : The Anatomy of a Tradition », *Diplomatic History,* 16 / 1, 1992, p. 23-43.

132. Pour d'autres exemples de ce genre de scenarios imaginaires, voir A. Dekhnewallah (pseud.), *The Great Russian Invasion of India. A Sequel to the Afghanistan Campaign of 1879-1879,* Londres, 1879 ; William Le Queux, *The Great War in England in 1897,* Londres, 1894 (imagine une invasion franco-russe de l'Angleterre déjouée par l'intervention courageuse de l'Empire allemand) ; pour une excellente étude d'ensemble, voir I. F. Clarke, *Voices Prophesying War, 1763-1984,* Londres, 1970.

133. Maurice Paléologue, journal intime, entrée du 29 novembre 1906, in id., *The Turning Point,* p. 328.

134. David MacLaren MacDonald, *United Government and Foreign Policy in Russia 1900-1914,* Cambridge, MA,1992, p. 103-111.

135. E. W. Edwards, « The Franco-German Agreement on Morocco, 1909 », *English Historical Review,* 78, 1963, p. 483-513, ici p. 413 ; sur la réaction hostile de la Grande-Bretagne et de la Russie, voir Paul Cambon à Jules Cambon, 9 décembre 1911, in Paul Cambon, *Correspondance 1870-1924,* 3 vol., Paris, 1940-1946, vol. 2, p. 354-355 ; Jean-Claude Allain, *Agadir, 1911. Une crise impérialiste en Europe pour la conquête du Maroc,* Paris, 1976, p. 232-246.

136. Klaus Hildebrand, *Das Vergangene Reich,* p. 256-257 ; Uwe Liszkowski, *Zwischen Liberalismus und Imperialismus. Die zaristische Außenpolitik vor dem Ersten Weltkrieg im Urteil Miljukov und der Kadettenpartei, 1905-1914,* Stuttgart, 1974, p. 70, 156 ; sur les tendances à la détente pendant cette période, voir Friedrich Kiessling, *Gegen den grossen Krieg ?,* passim.

4. LES VOIX MULTIPLES DE LA POLITIQUE ÉTRANGÈRE EUROPÉENNE

1. Johannes Paulmann, *Pomp und Politik : Monarchenbegegnungen in Europa zwischen Ancien Régime und Erstem Weltkrieg,* Paderborn, 2000, p. 338-340.

2. Sur cette capacité du Kaiser à influencer les éléments de langage par lequel les Allemands formulaient et saisissaient les enjeux de la politique étrangère, voir Michael A. Obst, *« Einer nur ist Herr im Reiche ». Wilhelm II. als politischer Redner,* Paderborn, 2010, p. 406-407.

3. Christopher Hibbert, *Edward VII. A Portrait,* Londres, 1976, p. 282.

4. Virginia Cowles, *Edward VII and His Circle,* Londres, [1956], p. 110.

5. Zara S. Steiner, *The Foreign Office and Foreign Policy, 1898-1914*, Cambridge, 1969, p. 69-71.

6. Robert et Isabelle Tombs, *That Sweet Enemy. The French and British from the Sun King to the Present*, Londres, 2006, p. 438 ; Christopher Hibbert, *Edward VII*, p. 259 (citation), 258 ; Roderick MacLean, *Royalty and Diplomacy in Europe, 1890-1914*, Cambridge, 2001, p. 147-148.

7. Cité in Christopher Hibbert, *Edward VII*, p. 261-262.

8. Harold Nicolson, *King George the Fifth*, Londres, 1952, p. 175.

9. Kenneth Rose, *George V*, Londres, 1983, p. 166.

10. Harold Nicolson, *King George the Fifth*, p. 175.

11. Cité in Miranda Carter, *The Three Emperors. Three Cousins, Three Empires and the Road to World War One*, Londres, 2009, p. 82.

12. Dominic C. B. Lieven, *Nicholas II. Emperor of All the Russians*, Londres, 1993, p. 117.

13. Cité in David MacLaren MacDonald, *United Government and Foreign Policy in Russia 1900-1914*, Cambridge MA, 1992, p. 31.

14. Cité in Dominic C. B. Lieven, *Nicholas II,* p. 97.

15. David MacLaren MacDonald, *United Government,* p. 38-57.

16. Dominic C. B. Lieven, *Nicholas II,* p. 100.

17. David MacLaren MacDonald, *United Government,* p. 106.

18. David MacLaren MacDonald, *United Government,* p. 168-198.

19. John C. G. Röhl, *Germany Without Bismarck. The Crisis of Government in the Second Reich (1890-1900)*, Londres, 1967 ; du même auteur, « The "kingship mechanism" in the Kaiserreich », in id., *The Kaiser and His Court. Wilhelm II and the Government of Germany*, traduit en anglais par T. F. Cole, Cambridge, 1994, p. 107-130 ; Hans-Ulrich Wehler, *Das deutsche Kaiserreich, 1871-1918*, Göttingen, 1973, p. 60-69 ; du même auteur, *Deutsche Gesellschaftsgeschichte*, 5 vol. Munich, 1995, vol. 3, p. 1016-1020.

20. Lamar Cecil, « Der diplomatische Dienst im kaiserlichen Deutschland », in Klaus Schwabe (dir.), *Das diplomatische Korps, 1871-1945*, Boppard am Rhein, 1985, p. 15-39, ici p. 39.

21. Cité in John C. G. Röhl, « Kaiser Wilhelm II : A Suitable Case for Treatment ? », in id., *The Kaiser and His Court. Wilhelm II and the Government of Germany*, Cambridge, 1994, p. 2-27, ici p. 12.

22. John C. G. Röhl, « The Splendour and Impotence of the German Diplomatic Service », in id., *The Kaiser and His Court,* p. 150-161, ici p. 159 ; Friedrich Christian Stahl, « Preussische Armee und Reichsheer, 1871-1914 », in Oswald Hauser, *Zur Problematik "Preußen und das Reich"*, Cologne et Vienne, 1984, p. 181-245, ici p. 202 ; Johannes Paulmann, « "Dearest Nicky..." Monarchical Relations between Prussia, the German Empire and Russia during the Nineteenth Centry », in Roger P. Bartlett et Karen Schönwalder (dir.), *The German Lands and Eastern Europe. Essays on the History of Their Social, Cultural and Political Relations*, Londres, 1999, p. 157-181.

23. L'analyse critique qui fait autorité est John C. G. Röhl, *Wilhelm II. Der Weg in den Abgrund 1900-1941*, Munich, 2008, p. 26.

24. O'Brien à Elihu Root, Berlin, 7 avril 1906, cité in Alfred Vagts, *Deutschland und die Vereinigten Staaten in der Weltpolitik*, 2 vol., New York, 1935, p. 1878, cité in John C. G. Röhl, *Der Weg in den Abgrund,* p. 488.

25. Ragnhild Fiebig-von Hase, « Die Rolle Kaiser Wilhelms II. in den deutschamerikanischen Beziehungen, 1890-1914 », in John C. G. Röhl (dir.), *Wilhelm II.*, Munich, 1991, p. 223-257, ici p. 251 ; id., *Der Weg in den Abgrund,* p. 653.

26. John C. G. Röhl, *Der Weg in den Abgrund*, p. 253, 125, 109, 269.

27. Voir Friedrich von Holstein à Philipp zu Eulenburg, Berlin, 20 octobre 1891, in John C. G. Röhl (dir.), *Philipp Eulenburgs Politische Korrespondenz*, 3 vol., Boppard am Rhein, 1976-1983, vol. 1, p. 716.

28. John C. G. Röhl, *Der Weg in den Abgrund*, p. 82, 90.

29. Harald Rosenbach, *Das deutsche Reich, Grossbritannien und der Transvaal (1896-1902). Anfänge deutsch-britischer Entfremdung*, Göttingen, 1993, p. 58-61 ; pour une confusion semblable dans la politique extrême-orientale du Kaiser, voir Gordon Craig, *Germany 1866-1945*, Oxford, 1981, p. 244.

30. John C. G. Röhl, *Der Weg in den Abgrund*, p. 375 ; Holger Afflerbach, *Falkenhayn : Politisches Denken und Handeln im Kaiserreich*, Munich, 1994, p. 58-59.

31. Cet épisode fait l'objet d'une analyse in John C. G. Röhl, *Der Weg in den Abgrund*, p. 348.

32. Klaus Hildebrand, *Das vergangene Reich. Deutsche Außenpolitik von Bismarck bis Hitler 1871-1945*, Stuttgart, 1995, p. 155-156 ; Rainer Lahme, *Deutsche Außenpolitik 1890-1894. Von der Gleichgewichtspolitik Bismarcks zur Allianzstrategie Caprivis*, Göttingen, 1994, p. 18 ; Norman Rich, Max Henry Fisher et Werner Frauendienst (dir.), *Die geheimen Papiere Friedrichs von Holsteins*, 4 vol., Göttingen, Berlin, Francfort-sur-le-Main, 1957, vol. 1, p. 130.

33. Guillaume II. à Bernhard von Bülow, 11 août 1905, in *GP*, vol. 19 / 2, S. 496-498 ; voir aussi Katherine Lerman, *The Chancellor as Courtier Bernhard von Bülow and the Governance of Germany, 1900-1909*, Cambridge, 1990, p. 129-130 ; Christopher Clark, *Kaiser Wilhelm II. A Life in Power*, Londres, 2008, p. 99-100.

34. John C. G. Röhl, *Der Weg in den Abgrund*, p. 543.

35. John C. G. Röhl, *Der Weg in den Abgrund*, p. 366, 473 ; Friedrich von Holstein, note non datée, Norman Rich, Max Henry Fisher et Werner Frauendienst (dir.), *Geheime Papiere*, vol. 4, p. 366.

36. Jules Cambon à Maurice Paléologue, Berlin, 10 mai 1912, AMAE PA – AP, 43 Jules Cambon 56, f° 204.

37. Jean-Paul Bled, *Franz Joseph,* traduit par Theresa Bridgeman, Londres, 1994, p. 200-203.

38. R. J. B. Bosworth, *Italy, the Least of the Great Powers : Italian Foreign Policy before the First World War*, Cambridge, 1979, p. 14-17.

39. Fortunato Minniti, « Gli Stati Maggiori e la politica estera italiana », in R. J. B. Bosworth et Sergio Romano (dir.), *La Politica estera italiana (1860-1985)*, Bologne, 1991, p. 91-120, ici p. 120 ; R. J. B. Bosworth, *Italy, the Least of the Great Powers,* p. 219.

40. Dominic C. B. Lieven, *Nicholas II*, p. 105.

41. Ses enfants, par exemple, jouaient avec les enfants des ambassadeurs amis, voir Hélène Izvolski, « The Fateful Years : 1906-1911 », *Russian Review*, 28 / 2, 1969, p. 191-206.

42. David MacLaren MacDonald, *United Government and Foreign Policy in Russia, 1900-1914*, Cambridge MA, 1992, p. 84-85, 94-96.

43. Mémorandum rédigé par Edward Grey, 15 mars 1907 ; Edward Grey à Arthur Nicolson, Londres, 19 mars 1907, TNA FO 418 / 38, f°ˢ 79, 90-91.

44. Pavel Milioukov, *Political Memoirs 1905-1917,* trad. Carl Goldberg, Ann Arbor, 1967, p. 184.

45. David MacLaren MacDonald, *United Government,* p. 153, 157-158 ; Andrew Rossos, *Russia and the Balkans. Inter-Balkan Rivalries and Russian Foreign Policy 1908-1914,* Toronto, 1981, p. 11 ; Ronald Bobroff, *Roads to Glory. Late Imperial Russia and the Turkish Straits,* Londres, 2006, p. 13-15.

46. Sur le contexte de l'accord de Potsdam, voir I. I. Astaf'ev, *Russkogermanskie diplomaticheskie otnosheniia, 1905-1911 g.g.,* [Moscou], 1972).

47. Sur Nikolaï Hartwig, voir Andrew Rossos, *Russia and the Balkans,* p. 50-51 ; sur la diplomatie de Tcharykov en 1911, voir Ronald Bobroff, *Roads to Glory,* p. 23-26.

48. David MacLaren MacDonald, *United Government,* p. 166.

49. Cité in Dominic C. B. Lieven, *Nicholas II,* p. 82.

50. Andrew Rossos, *Russia and the Balkans,* p. 9 ; Uwe Liszkowski, *Zwischen Liberalismus und Imperialismus. Die zaristische Außenpolitik vor dem Ersten Weltkrieg im Urteil Miljukov und der Kadettenpartei (1905-1914),* Stuttgart, 1974, p. 173-174.

51. Sur cet aspect de la politique russe, voir Dietrich Geyer, *Russian Imperialism. The Interaction of Domestic and Foreign Policy 1860-1914,* trad. par Bruce Little, Leamington Spa, 1987, p. 293-317 et passim.

52. M. B. Hayne, *The French Foreign Office and the Origins of the First World War, 1898-1914,* Oxford, 1993, p. 34.

53. M. B. Hayne, *French Foreign Office,* p. 81.

54. « Un diplomate » (pseud.), *Paul Cambon, ambassadeur de France,* Paris, 1937, p. 234.

55. M. B. Hayne, *French Foreign Office,* p. 84, p. 103.

56. M. B. Hayne, *French Foreign Office,* p. 85.

57. M. B. Hayne, *French Foreign Office,* p. 174, 200.

58. Sur l'accord marocain du 8 février 1909, voir Paul Cambon à Henri Cambon, 7 février 1909, in Paul Cambon, *Correspondance,* vol. 2, p. 272-273.

59. M. B. Hayne, *French Foreign Office,* p. 199, p. 207.

60. Maurice Herbette, « Relations avec la France de 1902 à 1908. Notes de Maurice Herbette » AMAE NS Allemagne 26, not. f⁰ˢ 3 verso, 25, 27, 34, 36, 37, 58, 87, 91, 113, 150, 160, 175, 182, 200, 212, 219, 249, 343 ; pour une analyse de ce document, voir M. B. Hayne, *French Foreign Office,* p. 209.

61. Cité in Jean-Claude Allain, *Agadir. Une crise impérialiste en Europe pour la conquête du Maroc,* Paris, 1976, p. 284 ; voir aussi M. B. Hayne, *French Foreign Ministry,* p. 212 ; sur la gestion par la France de ses relations avec l'Allemagne au Maroc, voir aussi Emily Oncken, *Panthersprung nach Agadir. Die deutsche Politik während der zweiten Marokkokrise 1911,* Düsseldorf, 1981, p. 98-109.

62. E. W. Edwards, « The Franco-German Agreement on Morocco, 1909 », *English Historical Review, 78,* 1963, p. 483-513.

63. Pour une analyse subtile de la transition vers une « diplomatie aventureuse » au Quai d'Orsay en 1910-1911, voir Jean-Claude Allain, *Agadir,* p. 279-297.

64. Klaus Hildebrand, *Das vergangene Reich,* p. 161.

65. Wolfgang J. Mommsen, *Grossmachtstellung und Weltpolitik. Die Außenpolitik des Deutschen Reiches, 1870 bis 1914,* Francfort-sur-le-Main, 1993, p. 125.

66. Geoff Eley, « The View from the Throne : The Personal Rule of Kaiser Wilhelm II », *Historical Journal, 28 / 2,* 1985, p. 469-485.

67. Friedrich von Holstein à Philipp zu Eulenburg, Berlin, 3 février 1897 ; voir aussi Philipp zu Eulenburg à Friedrich von Holstein, Vienne, 7 février 1897, in Norman Rich, Max Henry Fisher et Werner Frauendienst (dir.), *Die geheimen Papiere,* doc. 599 et 601, vol. 4, p. 8, 12 ; voir aussi Chlodwig von Hohenlohe-Schillingsfürst à Philipp zu Eulen-

burg, Berlin, 4 février 1897, in Chlodwig von Hohenlohe-Schillingsfürst, *Denkwürdigkeiten der Reichskanzlerzeit,* éd. K. A. v. Müller, Stuttgart, Berlin, 1931, p. 297.

68. Katherine Lerman, *Chancellor as Courtier,* p. 110.

69. Guillaume II à Bernhard von Bülow, 11 août 1905, in *GP,* vol. 19 / 2, S. 496-498 ; voir aussi Katherine Lerman, *Chancellor as Courtier,* p. 129-130.

70. Peter Winzen, *Reichskanzler Bernhard Fürst von Bülow : Weltmachtstratege ohne Fortune, Wegbereiter der grossen Katastrophe,* Göttingen, 2003, p. 134-146.

71. Katherine Lerman, *Chancellor as Courtier,* p. 258.

72. Konrad H. Jarausch, *The Enigmatic Chancellor. Bethmann-Hollweg and the Hubris of Imperial Germany,* New Haven, 1973, p. 72, p. 110.

73. Sir Edward et Lady Grey, *Cottage Book. The Undiscovered Country Diary of an Edwardian Statesman,* éd. Michael Waterhouse, Londres, 2001, p. 63 ; sur le peu d'attrait de Edward Grey pour la vie politique, voir aussi p. 21.

74. Cecil Spring-Rice à Lord Nova Ferguson, 16 juillet 1898, in Stephen Gwynn (dir.), *The Letters and Friendships of Sir Cecil Spring-Rice,* Londres, 1929, p. 252-253.

75. Arthur Ponsonby, cité in Zara S. Steiner, *British Foreign Office,* p. 84.

76. Zara S. Steiner, *British Foreign Office,* p. 92.

77. Zara S. Steiner, *British Foreign Office,* p. 91.

78. Dominik Geppert, *Pressekriege. Öffentlichkeit und Diplomatie in den deutschbritisch Beziehungen (1896-1912),* Munich, 2007, p. 412-418.

79. Sur la relation des élites britanniques avec l'Allemagne, voir Thomas Weber, « *Our Friend "The Enemy"* ». *Elite Education in Britain and Germany before World War I,* Stanford, 2008.

80. Discours prononcé par Edward Grey au Eighty Club, rapporté in *The Times,* 1er juin 1905, p. 12, col. B.

81. Jean-Claude Allain, *Joseph Caillaux,* 2 vol., Paris, 1978, vol. 1, not. p. 327-323 ; W. Henry Cooke, « Joseph Caillaux. Statesman of the Third Republic », *Pacific Historical Review,* 13 / 3, 1944, p. 292-297.

82. Jean-Claude Allain, *Joseph Caillaux,* vol. 1, p. 388.

83. John F. V. Keiger, *France and the Origins of the First World War,* Londres, 1983, p. 35, 42.

84. Jean-Claude Allain, *Agadir,* p. 402.

85. Ralf Forsbach, *Alfred von Kiderlen-Wächter (1852-1912). Ein Diplomatenleben im Kaiserreich,* 2 vol., Göttingen, 1997, vol. 2, p. 500-501.

86. Oscar Freiherr von der Lancken-Wakenitz à Langwerth von Simmern, Paris, 21 août 1911, *GP,* vol. 29, doc. 10717.

87. Sur l'échec de Kiderlen à tenir au courant Bethmann-Hollweg des développements de l'affaire, voir l'entrée dans le journal intime de Kurt Riezler, 30 juillet 1911, in Karl Dietrich Erdmann (dir.), *Kurt Riezler. Tagebücher, Aufsätze, Dokumente,* Göttingen, 1972, p. 178-179.

88. Rapport de Wilhelm von Schoen au ministère des Affaires étrangères de Berlin, Paris, 7 mai 1911, *GP,* vol. 29, doc. 10554, f° 113.

89. David Stevenson, *Armaments and the Coming of War : Europe 1904-1914,* Cambridge, 1996, p. 182-183 ; Oncken, *Panthersprung,* p. 136-144 ; sur la mission du *Panther* comme preuve de la « prudence » de Kiderlen et de son désir d'éviter des « complications guerrières », voir not. Jean-Claude Allain, *Agadir,* p. 333.

90. G. P. Gooch, « Kiderlen-Wächter », *Cambridge Historical Journal,* 5 / 2, 1936, p. 178-192, ici p. 187.

91. Forsbach, *Kiderlen-Wächter,* p. 469, 471, 474, 476, 477.

92. Ces commentaires sont rapportés in « Indications données à M. Stephen Pichon à M. de Margerie », 18 octobre 1918, in AMAE, NS Allemagne 51, f° 202, cité in Stefon Schmidt, *Frankreichs Außenpolitik in der Julikrise* 1914. *Ein Beitrag zur Geschichte des Ausbruchs der Ersten Weltrieges*, Munich, 2009, p. 228.

93. Edward Grey à Francis Bertie, 19 et 20 juillet 1911, Francis Bertie à Edward Grey, 21 juillet 1911, *BD*, vol. 7, doc. 397, 405, 408, p. 376, 382, 385 ; voir aussi Samuel R. Williamson, *The Politics of Grand Strategy. Britain and France Prepare for War, 1904-1914*, Cambridge, MA, 1969, p. 146-147.

94. Keith M. Wilson, « The Agadir Crisis, the Mansion House Speech and the Double-edgeress of Agreements », *Historical Journal*, 15 / 3, 1972, p. 517.

95. Francis Bertie à Edward Grey, Paris, 17 juillet 1911, *BD*, vol. 7, doc. 391, p. 370-371.

96. Edward Grey à Edward Goschen, Londres, 21 juillet 1911, *BD*, vol. 7, doc. 411, p. 390.

97. « Mr Lloyd George on British Prestige », *The Times*, 22 juillet 1911, p. 7, col. A.

98. David Stevenson, *Armaments*, p. 186.

99. Timothy Boyle, « New Light on Lloyd George's Mansion House Speech », *Historical Journal*, 23 / 2, 1980, p. 431-433 ; sur l'orientation anti-allemande de ce discours, voir Richard A. Cosgrove, « A Note on Lloyd George's Speech at the Mansion House, 21 July 1911 », *Historical Journal*, 12 / 4, 1969, p. 698-701 ; sur la stratégie politique des libéraux impérialistes sous-tendant ce discours voir Keith M. Wilson, « The Agadir Crisis », p. 513-532 ; aussi, du même auteur, *The Policy of the Entente. Essays on the Determinants of British Foreign Policy, 1904-1914*, Cambridge, 1985, p. 27 ; Samuel R. Williamson, *Grand Strategy*, p. 153-155.

100. Cité in Keith M. Wilson, « Agadir Crisis », p. 513-514.

101. Keith M. Wilson, *Policy of the Entente*, p. 27.

102. Zara S. Steiner, *British Foreign Office*, p. 125.

103. Sur la place de « l'option guerre » dans la stratégie politique de Edward Grey, voir Jost Dülffer, Martin Kröger et Rolf-Harald Wippich, *Vermiedene Kriege. Deeskalation von Konflikten der Großmächte zwischen Krimkrieg und Ersten Weltkrieg 1856-1914*, Munich, 1997, p. 639.

104. Theobald von Bethmann-Hollweg à Paul Metternich, 22 novembre 1911, *GP*, vol. 29, doc. 10657, p. 261-266 (sur l'ordre donné par le gouvernement britannique de « se préparer à la guerre ») ; Theobald von Bethmann-Hollweg à Paul Metternich, 22 novembre 1911, *GP*, vol. 31, doc. 11321, p. 31-33 (p. 32 sur « la détermination à frapper »). Sur le rôle de la Grande-Bretagne dans l'aggravation de la crise : Hew Strachan, *The First World War*, Oxford, 2001, p. 26.

105. Alois von Aehrenthal, audience avec l'empereur François-Joseph, Mendel, 3 août 1911, *ÖUAP*, vol. 3, doc. 2579, p. 292-294, ici p. 294.

106. Conversation entre Alfred von Kiderlen-Wächter et Osten-Sacken, rapportée in Osten-Sacken à Neratov, Berlin, 20 août 1911, *IBZI*, série 3, vol. 1, part 1, doc. 238, p. 344.

107. Friedrich Kiessling, *Gegen den grossen Krieg ? Entspannung in den internationalen Beziehungen (1911-1914)*, Munich, 2002, p. 59.

108. Keith M. Wilson, *Policy of the Entente*, p. 31-36.

109. Keith M. Wilson, *Policy of the Entente*, p. 29.

110. Samuel R. Williamson, *Grand Strategy*, p. 46 ; Christopher Andrew, *Théophile Delcassé and the Making of the Entente Cordiale. A Reappraisal of French Foreign Policy*

(1898-1905), Londres, 1968, p. 283-284 ; sur le rôle joué par Haldane dans ces développements, voir Edward M. Spiers, *Haldane. An Army Reformer*, Édimbourg, 1980, p. 78.

111. Samuel R. Williamson, *Grand Strategy*, not. chap. 7.

112. Keith M. Wilson, *Policy of the Entente*, p. 123.

113. Stefan Schmidt, *Frankreichs Außenpolitik*, p. 156-171, 196.

114. Baron Guillaume à Davignon, 14 avril 1913, MAEB AD, France 11, Correspondance politique – légations.

115. Edward House, *The Intimate Papers of Edward House*, 2 vol., Londres, 1926, vol. 1, *Behind the Political Curtain*, 1912-1915, p. 254-255.

116. Je dois cette information au professeur Laurence W. Martin, l'auteur de *Peace Without Victory. Woodrow Wilson and the British Liberals*, Port Washington, 1973.

117. Peter Gatrell, *Government, Industry and Rearmament in Russia, 1900-1914. The Last Argument of Tsarism*, Cambridge, 1994, p. 128-129 ; William C. Fuller, *Strategy and Power in Russia, 1600-1914*, New York, 1992, p. 411 ; David Stevenson, *Armaments*, p. 156.

118. Peter Gatrell, *Government*, p. 147-148.

119. Vladimir A. Soukhomlinov, *Erinnerungen*, Berlin, 1924, p. 271-277 ; Vladimir N. Kokovtsov, *Out of My Past : The Memoirs of Count Kokovtsov, Russian Minister of Finance, 1904-1914, Chairman of the Council of Ministers, 1911-1914*, éd. H. H. Fischer, trad. Laura Matveev, Stanford, 1935, p. 229, 313-315.

120. Peter-Christian Witt, *Die Finanzpolitik des Deutschen Reiches von 1903 bis 1913. Eine Studie zur Innenpolitik des wilhelminischen Deutschland*, Lübeck, 1970, p. 318-320, 323.

121. David Stevenson, *Armaments*, p. 178.

122. Stig Förster, *Der doppelte Militarismus. Die deutsche Heeresrüstungspolitik zwischen Status-Quo-Sicherung und Aggression*, 1890-1913, Stuttgart et Wiesbaden, 1985, p. 112-116, 224.

123. Voir Terence Zuber, *Inventing the Schlieffen Plan*, Oxford, 2002.

124. Sur les contraintes structurelles pesant sur les dépenses militaires du Reich, voir Nial Ferguson, « Public Finance and National Security. The Domestic Origins of the First World War Revisited », *Past & Present*, 142, 1994, p. 141-168.

125. Karl von Einem à Bernhard von Bülow, 18 juin 1906, cité in David G. Herrmann, *The Arming of Europe*, p. 67.

126. Annika Mombauer, *Helmuth von Moltke and the Origins of the First World War*, Cambridge, 2001, p. 88.

127. David G. Herrmann, *The Arming of Europe and the Making of the First World War*, Princeton, 1996, p. 64-65.

128. Franz Conrad von Hötzendorf cité in David G. Herrmann, *The Arming of Europe*, p. 98 ; David Stevenson, *Armaments*, p. 6 ; « Army and Society in the Habsburg Monarchy 1900-1914 », *Past & Present*, 33, avril 1966, p. 95-111 ; Lstván Deák, « The Fall of Austria-Hungary : Peace, Stability, and Legitimacy », in Geir Lundestad (dir.), *The Fall of Great Powers*, Oxford, 1994, p. 89.

129. Sur la difficulté d'obtenir des financements, voir Joseph Joffre, *Mémoires du Maréchal Joffre (1910-1917)*, Paris, 1932, p. 41-59, citation p. 58 ; Gerd Krumeich, *Armaments and Politics in France on the Eve of the First World War. The Introduction of the Three-Year Conscription 1913-1914*, trad. Stephen Conn, Leamington Spa, 1984 ; David Stevenson, *Armaments*, p. 218 ; sur les réalignements de l'opinion publique, voir Paul B. Miller, *From Revolutionaries to Citizens. Antimilitarism in France, 1870-1914*, Durham et Londres, 2002, p. 173-200.

130. Gerd Krumeich, *Armaments and Politics*, p. 47.

131. Stig Förster, *Der doppelte Militarismus*, p. 216-220, 272 ; Herrmann, *The Arming of Europe*, p. 190 ; Witt, *Die Finanzpolitik*, p. 356-357.

132. William C. Fuller, *Civil-Military Conflict in Imperial Russia 1881-1914*, Princeton, 1985, p. 225 ; citation : Harold H. Fisher (dir.), *Out of my Past. The Memoirs of Count Kokovtsov Russian Minister of Finance, 1904-1911, Chairman of the Council of Ministers, 1911-1914*, trad. Laura Matveev, Stanford, 1935, p. 340.

133. Joseph Caillaux, *Mes Mémoires*, 3 vol., Paris, 1942-1947, vol. 2, *Mes audaces – Agadir... 1909-1912*, p. 211-215 ; Gerd Krumeich, *Armaments and Politics*, p. 24.

134. Dominic C. B. Lieven, *Nicholas II*, p. 175 ; c'est Dournovo qui a fait cette référence aux « attitudes des civils », voir Dominic C. B. Lieven, *Russia's Rulers Under the Old Regime*, New Haven, 1989, p. 218.

135. Bruce W. Menning, *Bayonets Before Bullets. The Imperial Russian Army, 1861-1914*, Bloomington, 1992, p. 221-237.

136. William C. Fuller, *Strategy and Power*, p. 424-433.

137. Harold H. Fisher (dir.), *Memoirs of Count Kokovtsov*, p. 348.

138. David MacLaren MacDonald, « A Lever without a Fulcrum : Domestic Factors and Russian Foreign Policy, 1904-1914 », in Hugh Ragsdale (dir.), *Imperial Russian Foreign Policy*, Cambridge, 1993, p. 268-314, ici p. 302 ; sur le soutien dont bénéficie Soukhomlinov au sein du Conseil, voir Harold H. Fisher (dir.), *Memoirs of Count Kokovtsov*, p. 349.

139. Voir, par exemple, Peter Rassow, « Schlieffen und Holstein », *Historische Zeitschrift, 173*, 1952, p. 297-313.

140. Wilhelm Widenmann à Tirpitz, Londres, 28 octobre et 30 octobre 1911, *GP,* vol. 31, doc. 11313, 11314, p. 11-15, 16-17.

141. Pour un point de vue très éclairant sur les dépêches de Widenmann, auquel je dois cette analyse, voir Friedrich Kiessling, *Gegen den grossen Krieg ?*, p. 73-74.

142. Theobald von Bethmann-Hollweg à Paul Metternich, Berlin, 31 octobre 1911 ; Paul Metternich à Theobald von Bethmann-Hollweg, Londres, 1 novembre 1911, *GP,* vol. 31, doc. 11315, 11316, p. 17-18, 18-24.

143. Friedrich Kiessling, *Gegen den grossen Krieg ?*, p. 74.

144. « Der Kaiser machte eine, der Kanzler eine andere Politik, der Generalstab seine Antworthen für sich. » Alfred von Waldersee à Gottlieb von Jagow (secrétaire d'État aux Affaires étrangères), 6 mai 1919, cité in Dieter Hoffmann, *Der Sprung ins Dunkle : Oder wie der 1. Weltkrieg entfesselt wurde*, Leipzig, 2010, p. 137.

145. David B. Ralston, *The Army of the Republic*, Cambridge, MA, 1967, p. 338-340 fait observer que Moltke, à la différence de Joffre, devait tenir compte des prises de position d'un empereur qui prenait très au sérieux son devoir de « chef de guerre suprême » ; pour une critique de cette analyse : Douglas Porch, *The March to the Marne. The French Army, 1871-1914*, Cambridge, 1981, p. 171-172.

146. Henry Wilson, journal intime, 9 août 1911 et 16 novembre 1911, Imperial War Museum London ; troisième citation : Hew Strachan, *The Politics of the British Army*, Oxford, 1997, p. 114 ; sur les opinions politiques et constitutionnelles de Wilson, voir Hew Strachan, *The Politics of the British Army*, p. 114-115, 125-126.

147. Samuel Williamson et Russell Van Wyk, *Soldiers, Statesmen and the Coming of the Great War. A Brief Documentary History*, Boston, 2003, p. 218.

148. Raymond Poincaré, « Entretien avec Kokowtsoff – Chemins de fer stratégiques », Saint-Pétersbourg, août 1912, AMAE, NS Russie 41, f° 280.

149. Douglas Porch, *March to the Marne*, p. 175 ; sur l'effet exécutoire de l'Alliance franco-russe sur les dispositions militaires françaises, voir aussi les commentaires de Maurice Herbette du 17 juin 1914 rapportés in Georges Louis, *Les Carnets de Georges Louis*, 2 vol., Paris, 1926, vol. 2, p. 114.

150. Gerd Krumeich, *Armaments and Politics*, p. 214.

151. Annika Mombauer, *Moltke*, p. 45.

152. William C. Fuller, *Civil-Military Conflict*, p. 225.

153. Marc Trachtenberg, « The Coming of the First World War : A Reassessment », in id., *History and Strategy*, Princeton, 1991).

154. Pourtalès à Theobald von Bethmann-Hollweg, Saint-Pétersbourg, 1 février 1913, rapportant une conversation avec Sergueï Sazonov, PA – AA, R 10896.

155. Pourtalès à Theobald von Bethmann-Hollweg, Saint-Pétersbourg, 11 mars 1914, PA – AA, R 10898.

156. Pavel Milioukov, *Political Memoirs*, p. 235.

157. Modris Eksteins, « Sir Edward Grey and Imperial Germany in 1914 », *Journal of Contemporary History*, 6 / 3, 1971, p. 121-131.

158. Bernhard von Bülow, discours au Reichstag, 29 mars 1909, cité in Bernhard Rosenberger, *Zeitungen als Kriegstreiber ? Die Rolle der Presse im Vorfeld des Ersten Weltkrieges*, Cologne, 1998, p. 33.

159. Sur ces développements et leur impact sur la politique allemande, voir Joachim Radkau, *Das Zeitalter der Nervosität. Deutschland zwischen Bismarck und Hitler*, Munich, 1998) ; Mommsen, *Bürgerstolz und Weltmachtstreben*, p. 187 ; Hans-Ülrich Wehler, *Deutsche Gesellschaftsgeschichte*, 5 vol., Munich, 1987-2008, vol. 3, p. 905 ; J. Sperber, *The Kaiser's Voters. Electors and Elections in Imperial Germany*, Cambridge, 1997 ; James N. Retallack, *Notables of the Right. The Conservative Party and Political Mobilization in Germany*, Winchester, 1988 ; Geoff Eley, *The Reshaping of the German Right. Radical Nationalism and Political Change after Bismarck*, New Haven, 1980 ; Thomas Nipperdey, *Die Organisation der deutschen Parteien vor 1918*, Düsseldorf, 1961 ; David Blackbourn, « The Politics of Demagogy in Imperial Germany », in id., *Populists and Patricians. Essays in Modern German History*, Londres, 1987, p. 217-245, ici p. 222 ff.

160. R. J. B. Bosworth, *Italy*, p. 44.

161. Sur Corradini et son influence, dans un contexte pan-européen, voir Monique de Taeye-Henen, *Le Nationalisme d'Enrico Corradini et les origines du fascisme dans la revue florentine* Il Regno, *1903-1906*, Paris, 1973 ; et l'introduction à Enrico Corradini, *Scritti e discorsi*, dir. Lucia Strappini, Turin, 1980, p. vii-lix.

162. William Mulligan, *The Origins of the First World War*, Cambridge, 2010, p. 139.

163. David MacLaren MacDonald, *United Government*, p. 182 ; Louise MacReynolds, *The News Under Russia's Old Regime. The Development of a Mass-Circulation Press*, Princeton, 1991, p. 223-252.

164. Voir R. J. B. Bosworth, *Italy*, p. 17 ; Clark, *Kaiser Wilhelm II*, p. 218-255 ; Geppert, *Pressekriege*, passim.

165. Dominic C. B. Lieven, *Nicholas II*, p. 96.

166. Buisseret (ambassadeur belge à Saint-Pétersbourg) à Davignon (ministre belge des Affaires étrangères), 17 janvier 1914, MAEB AD, Empire russe 34, 1914.

167. Charles Hardinge à Arthur Nicolson, 28 octobre 1908, cité in Keith M. Neilson, « "My Beloved Russians" : Sir Arthur Nicolson and Russia, 1906-1916 », *International History Review*, 9 / 4, 1987, p. 538-539.

168. Judith A. Head, « Public Opinions and Middle-Eastern Railways. The Russo-German Railway Negotiations of 1910-1911 », *International History Review*, 6 / 1, 1984, p. 28-47, ici p. 46-47.

169. Theodore Roosevelt, *America and the World War*, Londres, 1915, p. 36.

170. Christopher Hibbert, *Edward VII*, p. 256-257 ; Tombs et Tombs, *That Sweet Enemy*, p. 438-440.

171. Kosztowits à Tets van Goudriaan, 7 mars 1906, NA, 2. 05. 36, doc. 10, Rapporten aan en briefwisseling met het Ministerie van Buitenlandse Zaken.

172. David Stevenson, *Armaments*, p. 193 ; Allain, *Agadir*, p. 379-382.

173. Léon Descos (ambassadeur français à Belgrade) à Gaston Doumergue (ministre français des Affaires étrangères), 23 mars 1914, 22 avril 1914, 9 juin 1914 in *DDF*, 3ᵉ série, 1911-1914, vol. 10, doc. 17, 145, 347, p. 26-27, 252-255, 513-515.

174. William C. Fuller, *Civil-Military Conflict*, p. 210.

175. Kohlhaas, mémorandum à Pourtalès, Moscou, 3 décembre 1912, PA – AA, R 10895.

176. Le baron Guillaume à Davignon, Paris, 5 mai 1913, MAEB AD, France 11, 1914.

177. Keith Robbins, « Public Opinion, the Press and Pressure Groups », in Francis Harry Hinsley (dir.), *British Foreign Policy under Sir Edward Grey*, Cambridge, 1977, p. 70-88, ici p. 72 ; Geppert, *Pressekriege*, p. 59-69.

178. Denis Mack Smith, *Italy and Its Monarchy*, New Haven, 1989, p. 191.

179. D. W. Spring, « Russia and the Coming of War », in Robert John Weston Evans et Hartmut Pogge von Strandmann (dir.), *The Coming of the First World War*, Oxford, 1988, p. 57-86, ici p. 59-60.

180. Reportage non signé d'un journaliste allemand dans le *Lokal-Anzeiger* de Saint-Pétersbourg, transmis par Pourtalès (Saint-Pétersbourg) à Bethmann-Hollweg, 17 mars 1911, PA – AA, R 10544.

181. J. B. Hayne, *French Foreign Office*, p. 43-44.

182. David MacLaren MacDonald, *United Government*, p. 133, 134, 191.

183. J. B. Hayne, *French Foreign Office*, p. 47.

184. Gerd Krumeich, *Armaments and Politics*, p. 46-47.

185. William C. Fuller, *Strategy and Power in Russia*, p. 419-420.

186. Buisseret à Davignon, Saint-Pétersbourg, 17 janvier 1914, 27 mars 1914, 9 juin 1914, MAEB AD, Empire russe 34, 1914.

187. Leopold Kammerhofer, *Diplomatie und Pressepolitik 1848-1918*, in Adam Wandruszka et Peter Urbanitsch (dir.), *Die Habsburgermonarchie 1848-1918*, 10 vol., Vienne, 1973-2006, vol. 6 / 1, *Die Habsburger Monarchie im System der internationalen Beziehungen*, p. 459-495, ici p. 489-490 ; Joseph Goricar et Lyman Beecher Stowe, *The Inside Story of Austro-German Intrigue or How the World War Was Brought About*, New York, 1920.

188. J. B. Hayne, *French Foreign Office*, p. 45.

189. Sur les subventions versées à des journalistes à Saint-Pétersbourg : Pourtalès à Theobald von Bethmann-Hollweg, Saint-Pétersbourg, 2 décembre 1911, PA – AA, R 10544 ; sur les subventions britanniques : Mulligan, *Origins of the First World War*, p. 169.

190. Georges Louis au Département politique et commercial, MFA, Saint-Pétersbourg, 24 février 1912, AMAE NS Russie 41.

191. Genther Kronenbitter, « *Krieg im Frieden* ». *Die Führung der k.u.k. Armee und die Grossmachtpolitik Österreich-Ungarns 1906-1914*, Munich, 2003, p. 450.

192. « English money » : Comte Mirbach-Sorquitten à Theobald von Bethmann-Hollweg, 3 juillet 1914, PA – AA, R 10544 ; Constantinople : Sean MacMeekin, *The*

Berlin-Baghdad Express. The Ottoman Empire and Germany's Bid for World Power 1898-1918, Londres, 2010, p. 69.

193. Jules Cambon à Maurice Paléologue, Berlin, 10 mai 1912, AMAE PA – AP, 43 Cambon Jules, 56, f° 205.

194. Jules Cambon à Raymond Poincaré, Berlin, 26 octobre 1912, AMAE PA-AP, 43 Cambon Jules 56, f°s 51-52.

195. Helmuth von Moltke à Theobald von Bethmann-Hollweg, 2 décembre 1912 PA – AA Berlin, R 789.

196. Krumeich, *Armaments and Politics,* p. 48 ; Schmidt, *Frañkreichs Außenpolitik*, p. 216-218, 227.

197. Cité in Harold Temperley et Lilian M. Penson, *Foundations of British Foreign Policy from Pitt to Salisbury*, Cambridge, 1938, p. 519-520.

198. Justin de Selves à Georges Louis, 21 août 1911, *DDF,* 2ᵉ série, vol. 14, doc. 200, p. 255-256 ; Georges Louis à Justin de Selves, 1ᵉʳ septembre 1911, *DDF,* 2ᵉ série, vol. 14, doc. 234, p. 305-307.

199. Heinrich von Tschirschky à Theobald von Bethmann-Hollweg, rapportant une conversation avec Jovanović, 18 novembre 1912 ; Pourtalès à Theobald von Bethmann-Hollweg, rapportant une conversation avec Serguey Sazonov, Saint-Pétersbourg, 10 décembre 1912, PA – AA, R 10895.

200. Pourtalès à Theobald von Bethmann-Hollweg, Saint-Pétersbourg, 17 novembre 1912, PA – AA, R 10895 ; sur cette pratique de la diplomatie russe, voir aussi Dietrich Geyer, *Russian Imperialism,* p. 315.

201. Ronald Bobroff, « Behind the Balkan Wars. Russian Policy towards Bulgaria and the Turkish Straits, 1912-1913 », *Russian Review,* 59 / 1, 2000, p. 76-95, ici p. 79.

202. Pourtalès à Bernhard von Bülow, Saint-Pétersbourg, 11 décembre 1908, *GP,* vol. 26 / 1, doc. 9187, p. 387-388 ; Guillaume II à François-Joseph, Berlin, 26 janvier 1909, *GP,* vol. 26 / 2, doc. 9193, p. 401-402 ; Nicolas II à Guillaume II, Saint-Pétersbourg, 25 janvier 1909, *GP,* vol. 26 / 2, doc. 9194, p. 402-404.

203. Edward Grey à Herbert Asquith, 13 septembre 1911, cité in Friedrich Kiessling, *Gegen den grossen Krieg ?,* p. 40 ; Pourtales à Theobald von Bethmann-Hollweg, Saint-Pétersbourg, 12 février 1910, PA – AA, R 10894.

204. David Stevenson, *Armaments,* p. 160.

205. Radolin à Theobald von Bethmann-Hollweg, Paris, 10 février 1910, PA-AA, R 10894.

206. Guillaume à Davignon, 5 janvier 1914, MAEB AD, France 12, 1914.

207. Dominik Geppert, *Pressekriege,* p. 123, 230.

208. Dominic C. B. Lieven, *Nicholas II,* p. 192.

209. Dominik Geppert, *Pressekriege,* p. 358.

210. Tatichtchev à Nicolas II, 27 février 1913, GARF, fonds 601, op. 1, del 746 (2).

211. Bernhard Rosenberger, *Zeitungen,* passim ; Geppert, *Pressekriege,* p. 27.

212. Friedrich von Bernhardi, *Germany and the Next War,* traduit par Allen H. Powles, Londres, 1912, not. chap. I.

213. Friedrich Kiessling, *Gegen den grossen Krieg ?,* p. 70, 99.

214. James Joll, 1914 : *The Unspoken Assumptions. An Inaugural Lecture Delivered 25 April 1968*, Londres, 1968).

215. Sur le « patriotisme défensif », credo adopté par défaut dans toutes les opinions publiques européennes, voir William Mulligan, *Origins,* p. 159.

216. R. B. Brett, 3ᵉ vicomte Esher, « To-day and To-morrow », in id., *To-day and To-morrow and Other Essays*, Londres, 1910, p. 13 ; id., *Modern War and Peace*, Cambridge, 1912, p. 19.

217. Cité in John Gooch, « Attitudes to War in Late Victorian and Edwardian England » in id., *The Prospect of War : Studies in British Defence Policy, 1847-1942*, Londres, 1981, p. 35-51.

218. Sur cette « idéologie sacrificielle », voir Alexander Watson et Patrick Porter, « Bereaved and Aggrieved : Combat Motivation and the Ideology of Sacrifice in the First World War », *Historical Research,* 83, 2010, p. 146-164 ; sur la description positive de la guerre, voir Glenn R. Wilkinson, « "The Blessings of War" : The Depiction of Military Force in Edwardian Newspapers », *Journal of Contemporary History,* 33, 1998, p. 97-115.

219. Cité in Caroline E. Playne, *The Pre-War Mind in Britain : A Historical Review,* Londres, 1928, p. 148.

220. Pour une excellente analyse de ces questions, voir Zara S. Steiner, « Views of War : Britain Before the Great War – and After », *International Relations,* 17, 2003, p. 7-33.

221. William C. Fuller, *Civil-Military Conflict,* p. 197, id., *Strategy and Power,* p. 395.

222. Gerd Krumeich, *Armaments and Politics,* p. 101-102 ; David G. Herrmann, *The Arming of Europe,* p. 194.

223. David Stevenson, *Armaments,* p. 150 ; David G. Herrmann, *The Arming of Europe,* p. 113-114.

224. Caroline E. Playne, *The Pre-War Mind,* p. 147-148.

225. Brendan Simms, *The Impact of Napoleon. Prussian High Politics, Foreign Policy and the Crisis of the Executive, 1797-1806,* Cambridge, 1997).

226. Andrew Preston, *The War Council : MacGeorge Bundy, the NSC, and Vietnam,* Cambridge, MA, 2006).

227. Philip E. Mosely, « Russian Policy in 1911-1912 », *Journal of Modern History,* 12, 1940, p. 69-86, ici p. 86.

5. L'IMBROGLIO DES BALKANS

1. George Frederick Abbott, *The Holy War in Tripoli,* Londres, 1912, p. 192-195.

2. Lt-Col Gustavo Ramaciotti, *Tripoli. A Narrative of the Principal Engagements of the Italian-Turkish War,* Londres, 1912, p. 117.

3. Ernest N. Bennett, *With the Turks in Tripoli. Being Some Experiences of the Turco-Italian War of* 1911, Londres, 1912, p. 24-25.

4. Ernest N. Bennett, *With the Turks,* p. 77.

5. George Young, *Nationalism and War in the Near East,* Oxford, 1915.

6. « M. Miroslaw Spalaïkovitch », entretien avec Miroslav Spalajković in *La Revue diplomatique,* 31 juillet 1924, coupure archive in AS, fonds personnel Miroslav Spalajko-vić, Fiche 101, f° 95.

7. William C. Askew, *Europe and Italy's Acquisition of Libya 1911-1912,* Durham NC, 1942, p. 19 ; sur l'incorporation d'une garantie libyenne dans le second renouvellement de la Triple-Alliance en 1887, voir Holger Afflerbach, *Der Dreibund. Europäische Gross-macht- und Allianzpolitik vor dem Ersten Weltkrieg,* Vienne, 2002, p. 691.

8. R. J. B. Bosworth, *Italy, the Least of the Great Powers. Italian Foreign Policy before the First World War,* Cambridge, 1979, p. 137-138.

9. Enrico Serra, « La burocrazia della politica estera italiana », in R. J. B. Bosworth et Sergio Romano (dir.), *La Politica estera italiana (1860-1985),* Bologne, 1991, p. 69-90, ici p. 80.

10. Miles Ignotus, « Italian Nationalism and the War with Turkey », *Fortnightly Review*, 90, décembre, 1911, p. 1084-1096, ici p. 1088-1091 ; Askew, *Europe and Italy's Acquisition of Libya*, p. 25, 27 ; Francesco Malgeri, *Guerra Libica (1911-1912)*, Rome, 1970, p. 37-96.

11. Sur le chauvinisme socialiste au moment de l'invasion, voir Ernest N. Bennett, *With the Turks*, p. 7.

12. R. J. B. Bosworth, *Italy*, p. 151.

13. Pietro di Scalea à San Giuliano, 13 août 1911, cité in R. J. B. Bosworth, *Italy*, p. 158.

14. C'est ainsi que Edward Grey résume sa conversation avec l'ambassadeur dans une lettre à Sir Rendell Rodd, voir Edward Grey à Rendell Rodd Rodd, 28 juillet 1911, TNA FO 371 / 1250, f° 311.

15. R. J. B. Bosworth, *Italy*, p. 152-153.

16. Edward Grey à Arthur Nicolson, Londres, 19 septembre 1911, *BD*, vol. 9 / 1, doc. 231, p. 274.

17. R. J. B. Bosworth, *Italy*, p. 159 ; Afflerbach, *Dreibund*, p. 693.

18. Cité in R. J. B. Bosworth, *Italy*, p. 160.

19. L'ambassadeur était l'ancien secrétaire d'État aux Affaires étrangères Marschall von Bieberstein, fortement opposé à la campagne italienne. Sur les tensions en Allemagne, voir W. David Wrigley, « Germany and the Turco-Italian War, 1911-1912 », *International Journal of Middle Eastern Studies*, 11 / 3, 1980, p. 313-338, not. p. 315, 319-320 ; aussi Francesco Malgeri, *Guerra Libica*, p. 138 ; Afflerbach, *Dreibund*, p. 693-694.

20. Francesco Malgeri, *Guerra Libica*, p. 119.

21. Mémorandum San Giuliano à Giolitti, Fiuggi, 28 juillet 1911, in Claudio Pavone, *Dalle carte di Giovanni Giolitti : quarant'anni di politica italiana*, 3 vol., Milan, 1962, vol. 3, *Dai prodromi della grande guerra al fascismo, 1910-1928*, doc. 49, p. 52-56.

22. Timothy W. Childs, *Italo-Turkish Diplomacy and the War Over Libya*, Leiden, 1990, p. 44-45.

23. Rapport de San Giuliano à Giolitti, 28 juillet 1911, in Pavone, *Dalle carte*, p. 52-56.

24. Timothy W. Childs, *Italo-Turkish Diplomacy*, p. 46-47.

25. Chevalier Tullio Irace, *With the Italians in Tripoli. The Authentic History of the Turco-Italian War*, Londres, 1912, p. 11-12.

26. Pour un bon récit des combats autour de Tripoli en octobre et novembre 1911, malgré un fort parti pris pro-italien, voir W. K. MacLure, *Italy in North Africa. An Account of the Tripoli Enterprise*, Londres, 1913, p. 60-109 ; sur les atrocités commises par les Italiens et de façon plus générale, la résistance arabe, voir Francesco Malgeri, *Guerra Libica*, p. 195 et p. 165-194.

27. Les textes des traités et du *Firman* impérial accordant l'autonomie sont reproduits in Timothy W. Childs, *Italo-Turkish Diplomacy*, p. 243-253.

28. Sergio Romano, *La Quarta Sponda : La Guerra di Libia (1911-1912)*, Milan, 1977, p. 14.

29. Francesco Malgeri, *Guerra Libica*, p. 303, 306-308, 309.

30. Francesco Malgeri, *Guerra Libica*, p. 327-329.

31. Paul Cambon à Raymond Poincaré, 25 janvier 1912, *DDF*, 3ᵉ série, vol. 1, doc. 516, p. 535-538, ici p. 536.

32. Sur l'échec du système « du concert des nations » au cours des dernières années de l'avant-guerre, voir Richard Langhorne, *The Collapse of the Concert of Europe. International Politics, 1890-1914*, New York, 1981, not. p. 97-107 ; Günther Kronenbitter,

« Diplomatisches Scheitern : Die Julikrise 1914 und die Konzertdiplomatie der europäischen Grossmächte », in Bernhard Chiari et Gerhard P. Gross (dir.), *Am Rande Europas ? Balkan – Raum und Bevölkerung als Wirkungsfelder militärischer Gewalt*, Munich, 2009, p. 55-66. Francis R. Bridge, « Österreich(-Urgarn) unter der Großmächten », in Wandruszka et Urbanitsch (dir.), *Die Habsburgermonarchie*, vol. 6 / 1, p. 196-373, ici p. 329-332.

33. Rainer Lahme, *Deutsche Außenpolitik 1890-1894. Von der Gleichgewichtspolitik Bismarcks zur Allianzstrategie Caprivis*, Göttingen, 1990, p. 316-337, 494.

34. Cité in William L. Langer, *The Franco-Russian Alliance, 1890-1894*, Cambridge, 1929, p. 83.

35. John D. Treadway, *Falcon and Eagle*, p. 88-89.

36. Andrew Rossos, *Russia and the Balkans. Inter-Balkan Rivalries and Russian Foreign Policy (1908-1914)*, Toronto, 1981, p. 36.

37. Richard C. Hall, *The Balkan Wars, 1912-1913. Prelude to the First World War*, Londres, 2000, p. 11.

38. Cité in Robert Elsie (dir.), *Kosovo. In the Heart of the Balkan Powder Keg*, Boulder, 1997, p. 333.

39. Chiffres calculés à partir de Richard C. Hall, *Balkan Wars*, p. 24.

40. Richard C. Hall, *Bulgaria's Road to the First World War*, Boulder, 1997, p. 78-79.

41. Alex N. Dragnich, *Serbia, Nikola Pašić and Yugoslavia*, New Brunswick, 1974, p. 101.

42. Rapaport (consul général des Pays-Bas) à Vredenburch (ambassadeur des Pays-Bas à Bucarest, précédemment en poste en Serbie), Belgrade, 23 mars 1913, NA, 2. 05. 36, 9 Consulaat-Generaal Belgrado en Gezantschap Zuid-Slavië.

43. Andrew Rossos, *Russia and the Balkans*, p. 161 ; Ivan T. Teodorov, *Balkanskite voini (1912-1913). Istorischeski, diplomaticheski i strategicheski ocherk*, Sofia, 2007, p. 182.

44. Ivan T. Teodorov, *Balkanskite voini*, p. 259, 261.

45. Kiril Valtchev Merjansky, « The Secret Serbian-Bulgarian Treaty of Alliance of 1904 and the Russian Policy in the Balkans before the Bosnian Crisis », mémoire de master, Wright State University, 2007, p. 19, 27, 52, 79.

46. Andrew Rossos, *Russia and the Balkans*, p. 175.

47. Rapaport à Vredenburch, Belgrade, 27 mai 1913, NA, 2. 05. 36, doc. 9, Consulaat-Generaal Belgrado en Gezantschap Zuid-Slavië, 1891-1940.

48. Philip E. Mosely, « Russian Policy in 1911-1912 », *Journal of Modern History*, 12, 1940, p. 73-74 ; Andrew Rossos, *Russia and the Balkans*, p. 12, 15.

49. Ronald Bobroff, *Roads to Glory. Late Imperial Russia and the Turkish Straits*, Londres, 2006, p. 23-24.

50. Voir David Schimmelpenninck van der Oye, « Russian Foreign Policy : 1815-1917 », in Dominic C. B. Lieven (dir.), *Cambridge History of Russia*, 3 vol., Cambridge, 2006, vol. 2, *Imperial Russia, 1689-1917*, p. 554-574, ici p. 573.

51. Cité in Andrew Rossos, *Russia and the Balkans*, p. 27.

52. Vasilij N. Strandmann, *Balkanske Uspomene*, traduit du russe en serbe par Jovan Kachaki, Belgrade, 2009, p. 238-239.

53. Nikolaï Hartwig à Neratov, Belgrade, 6 octobre 1911 in *IBZI*, série 3, vol. 1, part 2, doc. 545.

54. Philip E. Mosely, « Russian Policy », p. 74 ; pour une analyse de ces développements, voir Edward C. Thaden, « Charykov and Russian Foreign Policy at Constantinople in 1911 », *Journal of Central European Affairs*, 16, 1956-1957, p. 25-43 ; aussi Alan Bodger, « Russia and the End of the Ottoman Empire », in Marian Kent (dir.),

The Great Powers and the End of the Ottoman Empire, Londres, 1984, p. 76-110 ; Ronald Bobroff, *Roads to Glory,* p. 24-25.

55. George Buchanan à Arthur Nicolson, Saint-Pétersbourg, 21 mars 1912, *BD*, vol. 9 / 1, doc. 563, p. 561-562 ; Edward C. Thaden, *Russia and the Balkan Alliance of 1912*, University Park, TX, 1965, p. 56-57 et « Charykov and Russian Foreign Policy at Constantinople », in id. et Marianna Forster Thaden, *Interpreting History. Collective Essays on Russia's Relations with Europe*, Boulder, 1990, p. 99-119.

56. Ronald Bobroff, *Roads to Glory,* p. 26-27.

57. Ronald Bobroff, *Roads to Glory,* p. 30-31.

58. Sergueï Sazonov à Alexandre Izvolski, Saint-Pétersbourg, 2 octobre 1912, AVPRI, fonds 151 (PA), op. 482, d. 130, l. 5.

59. Sergueï Sazonov, conversation avec Neklioudov, Davos, octobre 1911, cité in Thaden, *Russia,* p. 78.

60. Sur la conviction de Sergueï Sazonov que les Autrichiens auraient occupé le sand-jak si les Russes n'avaient pas « lié » Vienne par un accord sur le statu quo, voir Sergueï Sazonov, lettre confidentielle aux ambassadeurs russes à Paris, Londres, Berlin, Vienne, Rome, Constantinople, Sofia, Belgrade, Cetinje, Athènes, Bucarest et Saint-Pétersbourg, 18 octobre 1912, AVPRI, fonds 151 (PA), op. 482, d. 130, l. 79-81.

61. Katrin Boeckh, *Von den Balkankriegen zum Ersten Weltkrieg. Kleinstaatenpolitik und ethnische Selbstbestimmung auf den Balkan*, Munich, 1996, p. 26-27 ; David Stevenson, *Armaments and the Coming of War. Europe 1904-1915*, Oxford, 1996, p. 232-233.

62. Andrew Rossos, *Russia and the Balkans,* p. 45.

63. Sur les articles secrets et la Convention militaire du 12 mai 1912, voir Katrin Boeckh, *Von den Balkankriegen,* p. 25-27 ; Edward C. Thaden, *Russia,* p. 56, 101, 103 ; Ronald Bobroff, *Roads of Glory,* p. 43-44.

64. Sergueï Sazonov à Benckendorff 24 octobre 1912, retranscrit in « Pervaya Balkan-skaya voina (okonchanie) », KA, 16, 1926, p. 3-24, doc. 36, p. 9 ; voir aussi Benno Siebert (dir.), *Benckendorffs diplomatischer Schriftwechsel*, 3 vol., Berlin, 1928, vol. 2, doc. 698, p. 462-463 ; David MacLaren MacDonald, *United Government*, Belgrade, 2008, p. 180.

65. David MacLaren MacDonald, *United Government,* p. 181.

66. Radoslav Vesnić, *Dr Milenko Vesnić, Gransenjer Srbske Diplomatije and Foreign Policy in Russia 1900-1914,*, Cambridge, MA, 1992) p. 296.

67. David Stevenson, *Armaments,* p. 234 ; Ernst Christian Helmreich, *The Diplomacy of the Balkan Wars, 1912-1913*, Cambridge, MA, 1938, p. 153 ; Edward C. Thaden *Russia,* p. 113.

68. Ernst Christian Helmreich, *Balkan Wars,* p. 156-157.

69. Conversation avec Sergueï Sazonov rapportée in George Buchanan à Edward Grey, 18 septembre 1912, *BD*, vol. 9 / 1, doc. 722, p. 693-695, ici p. 694.

70. Sergueï Sazonov à Neklioudov, Saint-Pétersbourg, 18 octobre 1912, AVPRI fonds 151 (PA), op. 482, d. 130, l. 69-70.

71. Andrew Rossos, *Russia and the Balkans,* p. 87-88.

72. *Novoïe Vremia*, cité in George Buchanan à Edward Grey, 30 octobre 1912, *BD*, 9 / 2, doc. 78, p. 63-66.

73. Sergueï Sazonov à Alexandre Izvolski, Benckendorff, Sverbeïev, etc., 31 octobre 1912, KA, vol. 16, doc. 45, cité in Ronald Bobroff, *Roads to Glory,* p. 48.

74. George Buchanan à Edward Grey, 30 octobre 1912, *BD*, vol. 9 / 2, doc. 78, p. 63-66 ; Sergueï Sazonov à Krupensky (ambassadeur russe à Rome), Saint-Pétersbourg,

8 novembre 1912 ; Sergueï Sazonov à Nikolaï Hartwig, Saint-Pétersbourg, 11 novembre 1912, tous deux in AVPRI, fonds 151 (PA), op. 482, d. 130, l. 110, l. 121-121 verso.

75. Sergueï Sazonov à Nikolaï Hartwig, « télégramme secret », Saint-Pétersbourg, 11 novembre 1912, AVPRI, fonds 151 (PA), op. 482, d. 130, l. 121-122 ; « Note de l'ambassade de Russie », 12 novembre 1912, *DDF*, 3ᵉ série, vol. 4, doc. 431, p. 443-434 ; Andrew Rossos, *Russia and the Balkans*, p. 97.

76. Pourtalès à Theobald von Bethmann-Hollweg, Saint-Pétersbourg, 17 novembre 1912, PA – AA, R 10895.

77. Sergueï Sazonov à Alexandre Izvolski, Saint-Pétersbourg, 14 novembre 1912, in Friedrich Stieve (dir.), *Der diplomatische Schriftwechsel Iswolskis, 1911-1914*, Berlin, 4 vol., 1925, vol. 2, *Der Tripoliskrieg und der Erste Balkankrieg*, doc. 566, p. 345.

78. Rapport de George Buchanan daté du 28 novembre 1912, cité in Leonard Charles Frederick Turner, *Origins of the First World War*, Londres, 1973, p. 34 ; voir aussi le commentaire concordant de Pourtalès in Pourtalès à Theobald von Bethmann-Hollweg, Saint-Pétersbourg, 17 novembre 1912, PA – AA, R 10895.

79. George Buchanan à Arthur Nicolson, Saint-Pétersbourg, 9 janvier 1913, *BD*, vol. 9, doc. 481, p. 383.

80. Cité in Andrew Rossos, *Russia and the Balkans,* p. 109 ; sur l'incapacité plus générale de la Russie à « fixer son propre agenda et s'y tenir », voir Hew Strachan, *The First World War*, Oxford, 2001, p. 20.

81. David Stevenson, *Armaments*, p. 234 ; Helmreich, *Russia and the Balkans,* p. 157-162.

82. Sergueï Sazonov à Vladimir Kokovtsov, « très confidentiel », Saint-Pétersbourg, 23 octobre 1912 AVPRI, fonds 151 (PA), op. 482, d. 130, l. 46-46 verso.

83. Sergueï Sazonov à Vladimir Kokovtsov, Saint-Pétersbourg, 23 octobre 1912 AVPRI, fonds 151 (PA), op. 482, d. 130, l. 47-47 verso.

84. V. I. Bovykin, *Iz istorii vozniknoveniya pervoi mirovoi voiny : Otnosheniya Rossii i Frantsii v 1912-1914 gg*, Moscou, 1961, p. 136-137.

85. Bruce W. Menning, « Russian Military Intelligence, juillet 1914. What St Petersburg Perceived and Why It Mattered », tapuscrit non publié.

86. Pierre de Laguiche au ministère de la Guerre, Saint-Pétersbourg, 16 décembre 1912, cité in David Stevenson, *Armaments*, p. 237.

87. David MacLaren MacDonald, *United Government*, p. 185.

88. David Stevenson, *Armaments*, p. 260.

89. V. I. Bovykin, *Izistorii vozniknoveniya*, p. 152-153.

90. Sur la réponse de Vienne à cette ouverture, voir Heinrich von Tschirschky à MFA Vienne, 28 décembre 1912 ; Arthur Zimmermann à Heinrich von Tschirschky, Berlin, 3 janvier 1913, Heinrich von Tschirschky à Theobald von Bethmann-Hollweg, Vienne, 2 janvier 1913, *GP*, vol. 34 / 1, doc. 12580, 12605, 12607, p. 91, 117-119, 120-121.

91. Sur les mesures militaires russes, voir Edward Grey à George Buchanan, 2 janvier 1913 ; George Buchanan à Edward Grey, 30 décembre 1912, *BD*, vol. 9 / 2, doc. 438, 419 ; sur la « mobilisation », voir Georges Louis à Raymond Poincaré, 25 et 27 décembre 1912, *DDF*, 3ᵉ série, vol. 5, doc. 122, 131, p. 142-143, 153.

92. Sur la situation en Autriche, voir David Stevenson, *Armaments*, p. 262 ; sur la Russie : Pourtalès à Theobald von Bethmann-Hollweg, Saint-Pétersbourg, 20 février 1913, PA – AA, R 10896.

93. Sur la crise et la désescalade subséquente, voir Lucius à Foreign Ministry, 23 décembre 1912, *GP*, 43 / 1, doc. 12570 ; George Buchanan à Edward Grey, 30 décembre 1912, Edward Grey à George Buchanan, 2 janvier 1913, *BD*, 9 (2),

doc. 419, 438 ; Louis à Raymond Poincaré, 25 et 27 décembre 1912, *DDF,* 3ᵉ série, vol. 5, doc. 122, 131.

94. Sur l'impact de la crise de l'hiver 1912-1913 sur les relations austro-russes dans les Balkans, voir Samuel R. Williamson, « Military Dimensions of Habsburg-Romanov Relations During the Era of the Balkan Wars », in Béla K. Király et Dimitrije Djordjević (dir.), *East Central European Society and the Balkan Wars,* Boulder, 1987, p. 317-337.

95. Buisseret à Davignon, Saint-Pétersbourg, 7 janvier 1913, MAEBAD, Russie 3, 1906-1913.

96. V. I. Gurko, *Cherty i Siluety Proshlogo. Pravitel'stvo i Obshchestvennost' v tsarstvova-nie Nikolaya II v Izobrazhenii Sovremennika,* Moscou, 2000, p. 241.

97. A. Yu Ariev (dir.), *Sud'ba Veka, Krivosheiny,* Saint-Pétersbourg, 2002, p. 91.

98. S. E. Kryzhanovskii, *Vospominaniia,* Berlin, 1938, p. 20.

99. En 1910, Krivochéïne écrit même à Stolypine pour lui demander d'augmenter les effectifs des troupes stationnées le long du fleuve Amour, à l'est des implantations russes. Krivochéïne à Stolypine, Saint-Pétersbourg, 30 avril 1910, RGIA, F. 1276, op. 6, d. 690, L 129-130 ob.

100. A. Yu Ariev (dir.), *Sud'ba Veka,* p. 189.

101. Harold H. Fisher (dir.), *Out of My Past. The Memoirs of Count Kokovtsov Russian Minister of Finance, 1904-1914, Chairman of the Council of Ministers, 1911-1914,* traduit par Laura Matveev, Stanford, 1935, p. 349.

102. I. V. Bestuzhev, « Bor'ba v Rossii po Voprosam Vneshnei Politiki Nakanune Pervoi Mirovoi Voiny », *Istoricheskie Zapiski,* 75, 1965, p. 44-85, ici p. 74, 162 ; Krivo-chéïne s'est aussi opposé à Kokovtsov sur la question des subventions agricoles, mesure à laquelle ce dernier était opposé pour des raisons de rigueur budgétaire. Sur les tensions politiques générées des deux côtés par les relations commerciales russo-allemandes, voir Horst Linke, *Das Zarische Russland und der Erste Weltkrieg. Diplomatie und Kriegsziele 1914-1917,* Munich, 1982, p. 23-24.

103. A. Yu Ariev (dir.), *Sud'ba Veka,* p. 189.

104. David MacLaren MacDonald, *United Government,* p. 185.

105. Pavel Milioukov, *Political Memoirs 1905-1917,* traduit par Carl Goldberg, Ann Arbor, 1967, p. 177.

106. Sir George Buchanan, *My Mission to Russia and Other Diplomatic Memories,* 2 vol., Londres, 1923, vol. 1, p. 71.

107. Andrew Rossos, *Russia and the Balkans,* p. 19.

108. Cité in Andrew Rossos, *Russia and the Balkans,* p. 28.

109. Andrew Rossos, *Russia and the Balkans,* p. 29.

110. Les conseils de Serguéï Sazonov à Sofia : Serguéï Sazonov à Neklioudov, Saint-Pétersbourg, 31 octobre 1912 ; les soupçons portés sur la France : Serguéï Sazonov à Alexandre Izvolski, Saint-Pétersbourg, 8 novembre 1912, tous deux cités in V. I. Bovykin, *Iz istorii vozniknoveniya,* p. 138, 142.

111. Voir l'analyse que Serguéï Sazonov fait de l'opinion du tsar, cité in Ivan T. Teodorov, *Balkanskite voini,* p. 192.

112. Serguéï Sazonov à Bobchev, 12 juin 1913, cité in Ivan T. Teodorov, *Balkanskite voini,* p. 233.

113. Andrew Rossos, *Russia and the Balkans,* p. 192 ; Ivan T. Teodorov, *Balkanskite voini,* p. 42, 212.

114. Carnegie Endowment for International Peace (dir.), *Report of the International Commission to Enquire into the Causes and Conduct of the Balkan Wars,* Washington, 1914, p. 264.

115. Richard C. Hall, *Balkan Wars,* p. 135.

116. Wolfgang-Uwe Friedrich, *Bulgarien und die Mächte 1913-1915,* Stuttgart, 1985, p. 21-26.

117. André de Panafieu à Stephen Pichon, Sofia, 20 janvier 1914, *DDF,* 3ᵉ série, vol. 9, doc. 118, p. 139-141.

118. Alexandre Savinsky à Sergueï Sazonov, Sofia, 1 février 1914, *IBZI,* 3ᵉ série, vol. 1, 157, p. 144-148, not. p. 147.

119. Friedrich, *Bulgarien und die Mächte,* p. 27.

120. Note du département, conditions pour un prêt bulgare, Paris, 16 février 1914, *DDF,* 3ᵉ série, vol. 9, doc. 306, p. 389-390.

121. Malenic à Nikola Pašić, Berlin, 30 juin 1914, AS, MID-PO, 415, fᵒˢ 613-620.

122. Alexandre Savinsky, *Reflections from a Russian Diplomat,* Londres, 1927, p. 215-223 ; Dard (ambassadeur français à Sofia) à Gaston Doumergue (ministre des Affaires étrangères français), Sofia, 18 mai 1914, *DDF,* 3ᵉ série, vol. 10, doc. 246, p. 379-382.

123. Wolfgang Uwe Friedrich, *Bulgarien und die Mächte,* p. 33-35 ; Gaston Doumergue à Alexandre Izvolski, Paris, 30 mai 1914, *DDF,* 3ᵉ série, vol. 10, doc. 305, p. 455.

124. Matthew A. Yokell, « Sold to the Highest Bidder. An Investigation of Diplomacy Regarding Bulgaria's Entry into World War I », mémoire de master, University of Richmond, 2010, p. 33-35, consultable en ligne sur : https://dspace.lasrworks.org/bitstream/handle/10349/911/10HISYokellMatthew.pdf?sequence=1 ; Dard à Gaston Doumergue, Sofia, 29 mai 1914, *DDF,* 3ᵉ série, vol. 10, doc. 302, p. 452.

125. Alexandre Savinsky, *Reflections,* p. 223-224.

126. Samuel R. William, « Vienna and July 1914 : The Origins of the Great War Once More », in Samuel R. William et Peter Pastor (dir.), *Essays on World War I : Origins and Prisoners of War,* New York, 1983, p. 9-36, not. p. 19.

127. Czernin à Leopold von Berchtold, Bucharest-Sinaia, 22 juin 1914, *ÖUAP,* vol. 8, doc. 9902, p. 173-176, ici p. 174.

128. La conversation entre Sazonov et Bratianu est rapportée in Sergueï Sazonov, « Audience text for Nicholas II », 18 juin 1914, in *IBZI,* série 1, vol. 3, doc. 339, p. 296 ; ministère des Affaires étrangères français, département des Affaires politiques et commerciales (Europe), « Note pour le président du Conseil » Paris, 11 juillet 1914, AMAE NS, Russie 46 (politique étrangère. Autriche-Hongrie-Russie), fᵒˢ 312-4, ici fᵒ 314.

129. Buisseret à Davignon, Saint-Pétersbourg, 25 novembre 1913, MAEB AD, Russie 3 1906-1914.

130. Nikolaï Hartwig à Sergueï Sazonov, Belgrade, 24 février 1914, *IBZI,* série 3, vol. 1, 314, p. 311-313.

131. Miroslav Spalajković à Nikola Pašić, Saint-Pétersbourg, 8-21 janvier 1914, AS, MID-PO, 416, fᵒˢ 420-421.

132. Miroslav Spalajković à Nikola Pašić, Saint-Pétersbourg, 14-27 mars 1914, AS, MID-PO, 416, fᵒ 451.

133. Miroslav Spalajković à Nikola Pašić, Saint-Pétersbourg, 24 avril-7 mai 1914, AS, MID-PO, 416, fᵒ 475.

134. Léon Descos (ambassadeur français à Belgrade) à Gaston Doumergue (ministre français des Affaires étrangères) Belgrade, 6 avril 1914, *DDF,* 3ᵉ série, 1911-1914, vol. 10, doc. 80, p. 124-126.

135. Milos Bogičević, *Die auswärtige Politik Serbiens 1903-1914,* 3 vol. Berlin, 1931, vol. 1, p. 280 ; Friedrich Würthle, *Die Spur führt nach Belgrad,* Vienne, 1975, p. 28.

136. Nikolaï Hartwig à Sergueï Sazonov, Belgrade, 14 janvier 1914, *IBZI*, série 3, vol. 1, doc. 7, p. 5-6.

137. « Austrian Sympathies », *The Times*, 18 octobre 1912, p. 5 col. B.

138. Katrin Boeckh, *Balkankriegen*, p. 26-27.

139. Francis R. Bridge, *From Sadowa to Sarajevo. The Foreign Policy of Austria-Hungary, 1866- 1914*, Londres, 1972, p. 346 ; voir aussi « Servia and the Sea », *The Times*, 9 novembre 1912, p. 7, col. A.

140. [Wickham Steed], « The Problem of Albania », *The Times*, 18 novembre 1912 p. 5 col. A. La presse nationaliste panslaviste en Russie est de la même opinion.

141. Samuel R. Williamson, *Austria-Hungary and the Origins of the First World War*, Houndmills, 1991, p. 127-128 ; Francis R. Bridge, *From Sadowa to Sarajevo*, p. 347 ; pour une étude détaillée de l'affaire Prochaska, voir Robert A. Kann, *Die Prochaska-Affäre vom Herbst 1912. Zwischen kaltem und heissem Krieg*, Vienne, 1977.

142. Cité in John D. Treadway, *Falcon and Eagle*, p. 125.

143. Friedrich Kiessling, *Gegen den grossen Krieg ? Entspannung in den internationalen Beziehungen (1911-1914)*, Munich, 2002, p. 186.

144. Cité in John D. Treadway, *Falcon and Eagle*, p. 137.

145. Rapaport à Vredenburch, Belgrade, 23 avril 1913, NA, 2. 05. 36, 9, Consulaat-Generaal Belgrado en Gezantschap Zuid-Slavië 1891-1940.

146. Nikolaï von Giers (ambassadeur russe au Monténégro) à Nicolas II, Cetinje [début janvier] 1913 et 21 janvier 1913, GARF, fonds 601, op. 1, del. 785.

147. Buisseret à Davignon, Saint-Pétersbourg, 11 avril 1913, MAEB AD, Russia 3.

148. George Buchanan à Arthur Nicolson, 1er mai 1913, cité in John D. Treadway, *Falcon and Eagle*, p. 148.

149. Pour le texte de cette résolution, voir Robert Elsie, « Texts and Documents of Albanian History », consultable en ligne sur http://www.albanianhistory.net/texts20_1/AH1913_2.html.

150. Ce récit suit la séquence décrite dans un chapitre manuscrit non publié de Samuel R. Williamson « Serbia and Austria-Hungary : The Final Rehearsal, octobre 1913 ».

151. Déclaration de Jovan Jovanović, ambassadeur serbe à Vienne, au *Neue freie Presse*, rapportée in « The Albanian Outbreak », *The Times*, 27 septembre 1913, p. 5, col. A ; « Return of M. Pashitch to Belgrad », *The Times*, 1er octobre, p. 6, col. E.

152. Samuel R. Williamson, « Serbia and Austria-Hungary », p. 14-15.

153. « M. Pashitch in Vienna », *The Times*, 4 octobre 1913, p. 5, col. C ; Samuel R. Williamson, « Serbia and Austria-Hungary », p. 19.

154. Samuel R. Williamson, « Serbia and Austria-Hungary », p. 21.

155. « Servian Aggression in Albania », *The Times*, 16 octobre 1913, p. 7, col. C.

156. Cité in Samuel R. Williamson, *Austria-Hungary*, p. 153.

157. Rapport sur les commentaires de Sergueï Sazonov in O'Beirne (chargé d'affaires britannique à Saint-Pétersbourg) à Edward Grey, Saint-Pétersbourg, 28 octobre 1913, in *BD*, vol. 10 (i), doc. 56, p. 49.

158. Paul Schroeder, « Stealing Horses to Great Applause. Austria-Hungary's Decision in 1914 in Systemic Perspective », in Holger Afflerbach et David Stevenson (dir.), *An Improbable War*, p. 17-42, not. p. 38-40.

159. Major von Fabeck à Général Staff, Berlin, 11 février 1913, avec en annexe le brouillon d'une lettre de Helmuth von Moltke à Franz Conrad von Hötzendorf, Berlin, 10 février 1913, PA – AA, R 10896.

160. Guillaume II, commentaire en marge d'un télégramme du Wolffsches Telegraphenbureau à Guillaume II, Berlin, 4 novembre, 1912, in *GP,* vol. 33, p. 276-277, doc. 12321 ; Varnbüler à Weizsäcker, Berlin, 18 novembre 1912, HSA Stuttgart E 50 / 03 206.

161. Guillaume II, commentaire en marge sur Alfred von Kiderlen-Wächter à Guillaume II, Berlin, 3 novembre 1912, in *GP,* vol. 33, p. 274-276, doc. 12320.

162. Guillaume II au ministère allemand des Affaires étrangères, Letzlingen, 9 novembre 1912, in *GP,* vol. 33, p. 302, doc. 12348.

163. E. C. Helmreich, « An Unpublished Report on Austro-German Military Conversations of November 1912 », *Journal of Modern History,* 5, 1933, p. 197-207, ici p. 206. C'est ainsi que l'archiduc François-Ferdinand rapporte le contenu de la conversation ; l'ambassadeur d'Autriche Szögyenyi, lui, rapporte une attitude plus agressive, à savoir que le Kaiser avait dit être prêt à accepter le risque d'une guerre contre l'ensemble des pays de l'Entente.

164. David Stevenson, *Armaments,* p. 250, 259 ; E. C. Helmreich « Unpublished Report », p. 202-203.

165. Guillaume II à François-Ferdinand (brouillon), 24 février 1913, PA – AA, R 10896.

166. Szögyényi à MFA Vienne, Berlin, 28 octobre 1913, *ÖUAP,* vol. 7, doc. 8934, p. 512.

167. Velics à Leopold von Berchtold, Munich, 16 décembre 1913, *ÖUAP,* vol. 7, doc. 9096, p. 658.

168. Fritz Szapáry au ministère des Affaires étrangères, Saint-Pétersbourg, 25 avril 1914, *ÖUAP,* vol. 7, doc. 9656, p. 25-27.

169. Lawrence Sondhaus, *Architect of the Apocalypse*, Boston, 2000, p. 120.

170. Samuel R. Williamson, « Serbia and Austria-Hungary », p. 23 ; Hugo Hantsch, *Leopold Graf Berchtold. Grandseigneur and Staatsmann*, 2 vol., Graz, 1963, vol. 2, p. 499-500.

171. John D. Treadway, *Falcon and Eagle,* p. 143-144, 145.

172. John D. Treadway, *Falcon and Eagle*, p. 150-156.

173. David Stevenson, *Armaments,* p. 271 ; voir aussi Samuel R. Williamson, *Austria-Hungary,* p. 155-156.

174. Samuel R. Williamson, *Austria-Hungary,* p. 157-158.

175. Norman Stone, « Army and Society in the Habsburg Monarchy 1900-1914 », *Past & Present,* 33, avril 1966, p. 95-111 ; sur les effectifs de l'infanterie, voir Holger Herwig, *The First World War. Germany and Austria-Hungary, 1914-1918*, Londres, 1997, p. 12.

176. Günther Kronenbitter, *Grossmachtpolitik Österreich-Ungarns,* p. 146, 147, 149, 154.

177. Voir le texte de la Convention dans l'appendice de George F. Kennan, *The Fateful Alliance. France, Russia and the Coming of the First World War*, Manchester, 1984, p. 271.

178. George F. Kennan, *The Fateful Alliance*, p. 250-252.

179. Gabriel Hanotaux à Montebello (ambassadeur français à Saint-Pétersbourg), Paris, 10 avril 1897, *DDF,* série 1, vol. 13, doc. 193, p. 340-346.

180. David Stevenson, *Armaments,* p. 125.

181. Pour une analyse de ces questions à laquelle je dois une grande partie de mon propos, voir Stefan Schmidt, *Frankreichs Außenpolitik in der Julikrise 1914. Ein Beitrag zur Geschichte des Ausbruchs des Ersten Weltkrieges*, Munich, 2009, p. 246-250 ; voir aussi

Murielle Avice-Hanoun, « L'Alliance franco-russe (1892-1914) », in Ilja Mieck et Pierre Guillen (dir.), *Deutschland-Frankreich-Russland. Begegnungen und Konfrontationen. La France et l'Allemagne face à la Russie*, Munich, 2000, p. 109-124, ici p. 113-114.

182. Friedrich Stieve, *Iswolski und der Weltkrieg, auf Grand der neuen Dokumeater-Veröffentlichurg des Deutschen Auswartigen Amtes*, Berlin, 1924, p. 45.

183. Sur cette question, voir Dominic C. B. Lieven, *Russia and the Origins of the First World War*, Londres, 1983, p. 48 ; Luigi Albertini, *The Origins of the War of 1914,* trad. Isabella M. Massey, 3 vol., Oxford, 1953, vol. 1, p. 372-373 ; Edward C. Thaden, *Russia,* p. 115-118 ; pour le récit apologétique que Raymond Poincaré fait de ces conversations, dont il nie toute portée politique, voir du même auteur, *Au service de la France – neuf années de souvenirs*, 10 vol., Paris, 1926-1933, vol. 2, p. 202.

184. Raymond Poincaré à Alexandre Izvolski, Paris, 16 novembre 1912, *DDF,* 3ᵉ série, vol. 4, doc. 468, p. 480-481.

185. Gerd Krumeich, *Armaments and Politics in France on the Eve of the First World War. The Introduction of the Three-Year Conscription 1913-1914,* trad. Stephen Conn, Leamington Spa, 1984, p. 28.

186. Paul Cambon à Jules Cambon, Paris, 5 novembre 1912, AMAE PA – AP, 43, fᵒˢ 251-257, ici fᵒ 252-500.

187. Jules Cambon à Paul Cambon, Berlin, 14 décembre 1912, AMAE PA – AP, 100, fᵒˢ 178-180.

188. Douglas Porch, *The March to the Marne. The French Army, 1871-1914*, Cambridge, 1981, p. 169-170.

189. Douglas Porch, *The March to the Marne*, p. 169-170.

190. Alexandre Izvolski à Serguèï Sazonov, Paris, 28 mars 1912, *IBZI*, série 3, vol. 2, part 2, doc. 699.

191. Risto Ropponen, *Die Kraft Russlands. Wie beurteilte die politische und militärische Führung der europäischen Grossmächte in der Zeit von 1905 bis 1914 die Kraft Russlands ?,* Helsinki, 1968, p. 235.

192. Gerd Krumeich, *Armaments and Politics,* p. 28 ; Mosely, « Russian Policy », p. 84 ; Serguèï Sazonov, *Les Années fatales*, Paris, 1927, p. 57.

193. Raymond Poincaré, « Entretien avec M. Sazonoff », août 1912, AMAE, AE NS, Russie 41, fᵒˢ 270-272, 282-283. Dans le récit que Serguèï Sazonov fait de la même rencontre, il note le mécontentement du ministre français mais observe que ce dernier en vient vite à trouver de bonnes raisons d'apprécier « l'importance politique majeure » du Traité serbo-bulgare, voir Serguèï Sazonov, *Les Années fatales,* p. 60.

194. Notes prises à la suite de diverses conversations, Saint-Pétersbourg, 12 août 1913, AMAE, Papiers Jean Doulcet, vol. 23, Saint-Pétersbourg IV, Notes personnelles, 1912-1917, fᵒ 312.

195. Risto Ropponen, *Die Kraft Russlands,* p. 236.

196. Alexandre Izvolski à Serguèï Sazonov, Paris, 12 septembre 1912, in Friedrich Stieve, *Schriftwechsel Iswolskis,* vol. 2, doc. 429, p. 249-252, ici p. 251.

197. Alexandre Izvolski à Serguèï Sazonov, Paris, 24 octobre 1912, cité in Bovykin, *Iz istorii vozniknoveniya,* p. 137.

198. Raymond Poincaré à Alexandre Izvolski, 4 novembre 1912, in Narodnogo komissariata po inostrannym delam (dir.), *Materialy po istorii franko-russkikh otnoshenii za 1910-1914 gg : sbornik sekretnykh diplomaticheskikh dokumentov byvshego Imperatorskogo rossiiskogo ministerstva inostrannykh del Moscow,* 1922, p. 297 ; voir aussi V. I. Bovykin, *Iz istorii vozniknoveniya,* p. 142.

199. Alexandre Izvolski à Sergueï Sazonov (lettre), Paris, 7 novembre 1912, in V. I. Bovykin, *Iz istorii vozniknoveniya*, p. 295-297 ; Friedrich Stieve, *Schrift wechsel Iswolskis*, vol. 2, doc. 554, p. 335-357, ici p. 336.

200. Andrew Rossos, *Russia and the Balkans*, p. 100.

201. Alexandre Izvolski à Sergueï Sazonov, 17 novembre 1912, in Narodnogo komissariata po inostrannym delam (dir.), *Materialy po istorii franko-russkikh otnoshenii za 1910-1914 g.g : sbornik sekretnykh diplomaticheskikh dokumentov byvshego Imperatorskogo rossiikogo ministerstva inostrannykh del Moscow*, 1922, p. 299-300, doc. 169 ; sur les assurances données par Raymond Poincaré, voir Friedrich Stieve, *Iswolski und der Weltkrieg*, p. 99, 121 ; du même auteur (dir.), *Schriftwechsel Iswolskis*, vol. 2, doc. 567, p. 346 ; voir aussi V. I. Bovykin, *Iz istorii vozniknoveniya*, p. 146.

202. Alexandre Izvolski à Sergueï Sazonov, 20 novembre 1912 et Alexandre Izvolski à Sergueï Sazonov, 20 novembre, *IBZI*, série 3, vol. 4, part 1, doc. 298 et 300.

203. Raymond Poincaré, *Au service de la France*, vol. 2, p. 199-206, où l'auteur accuse Alexandre Izvolski d'enjoliver ses conversations avec l'ambassadeur et d'en faire « des récits pittoresques et outrés ».

204. Stefan Schmidt, *Frankreichs Außenpolitik*, p. 256.

205. Alexandre Ribot, note du 31 octobre 1912, AN, 563 AP 5, cité in Stefan Schmidt, *Frankreichs Außenpolitik*, p. 257.

206. « Note de l'état-major de l'armée », 2 septembre 1912 et Paul à Jules Cambon, Dieppe, 3 septembre 1912, *DDF*, 3ᵉ série, vol. 3, dos. 359, 366, p. 439-440, 449-451.

207. Paul à Jules Cambon, Paris, 5 novembre 1912, AMAE, PA – AP, 43, Jules Cambon, *Lettres de Paul à Jules (1882-1922)*, 101, fᵒˢ 251-7, ici fᵒˢ 252-253.

208. Ignatiev à Yakov Jilinski (chef d'état-major russe), Paris, 19 décembre 1912, cité in V. I. Bovykin, *Iz istorii vozniknoveniya*, p. 149.

209. Ignatiev à Yakov Jilinski, Paris, 19 décembre 1912, cité in V. I. Bovykin, *Iz istorii vozniknoveniya*, p. 149.

210. Sur Millerand, ministre de la Guerre de janvier 1912 à janvier 1913, voir Marjorie M. Farrar, « Politics Versus Patriotism : Alexandre Millerand as French Minister of War », *French Historical Studies*, 11 / 4, 1980, p. 577-609 ; sur la carrière antérieure en tant que socialiste modéré, voir Leslie Derfler, *Alexandre Millerand. The Socialist Years*, La Haye, 1977 ; pour une analyse équilibrée de son évolution politique, voir Marjorie M. Farrar, *Principled Pragmatist : The Political Career of Alexandre Millerand*, New York, 1991 ; des réflexions intéressantes sur les tensions qui ont marqué la carrière de Millerand sont analysées in Antoine Prost, Marie-Louise Goorgen, Noëlle Gérome et Danielle Tartakowsky, « Four French Historians Review English Research on the History of French Labour and Socialism », *The Historical Journal*, 37 / 3, 1994, p. 709-715, not. p. 714.

211. Ignatiev à Yakov Jilinski, Paris, 4 décembre 1912, cité in V. I. Bovykin, *Iz istorii vozniknoveniya*, p. 150.

212. Lucius à Theobald von Bethmann-Hollweg, Saint-Pétersbourg, 8 janvier 1913, rapportant une conversation avec Sergueï Sazonov, PA – AA, R 10896.

213. Raymond Poincaré, « Notes journalières », 29 janvier 1914, BnF (NAF 16026), Poincaré MSS ; Hayne, *The French Foreign Office and the Origins of the First World War, 1898-1914*, Oxford, 1993, p. 239.

214. Gordon Wright, *The Reshaping of French Democracy. The Story of the Founding of the Fourth Republic*, New York, 1948, p. 10.

215. John F. V. Keiger, *France and the Origins of the First World War*, Londres, 1983, p. 117.

216. Sur ses relations avec le ministre des Affaires étrangères Jonnart, voir le journal intime de Paléologue, entrées du 22 janvier et 13 février 1913, in Maurice Paléologue, *Au Quai d'Orsay à la veille de la tourmente. Journal 1913-1914*, Paris, 1947, p. 15, 42.

217. Cité in John F. V. Keiger, *France and the Origins*, p. 120.

218. William C. Fuller, *Strategy and Power in Russia, 1600-1914*, New York, 1992, p. 440, 444.

219. David Stevenson, *Armaments*, p. 161.

220. William C. Fuller, *Strategy and Power*, p. 439.

221. « 8ᵉ Conférence. Procès-verbal de l'entretien du 13 juillet 1912 entre les chefs d'état-major des armées française et russe », AMAE, AE NS, Russie 41, fᵒˢ 131-137, ici fᵒˢ 134-135.

222. État-major de l'armée, 3ᵉ bureau, « Note sur l'action militaire de la Russie en Europe », AMAE, AE NS, Russie 41, fᵒˢ 255-263.

223. David Stevenson, *Armaments*, p. 162.

224. Raymond Poincaré, « Entretien avec l'empereur – Chemins de fer stratégiques » ; « Entretien avec M. Sazonoff – Mobilisation », Saint-Pétersbourg, août 1912, AMAE, AE NS Russie 41, fᵒˢ 278-279, 288.

225. Raymond Poincaré, « Entretien avec Kokowtsoff – Chemins de fer stratégiques », Saint-Pétersbourg, août 1912, AMAE, AE NS Russie 41, fᵒ 280.

226. V. I. Bovykin, *Iz istorii vozniknoveniya*, p. 147.

227. Samuel R. Williamson, « Joffre Reshapes French Strategy, 1911-1913 », in Paul Kennedy (dir.), *The War Plans of the Great Powers, 1880-1914*, Londres, 1979, p. 133-154, ici p. 134-136.

228. Sur la version allemande du même paradoxe, voir Jonathan Steinberg, « A German Plan for the Invasion of Holland and Belgium, 1897 », in Paul Kennedy (dir.), *War Plans*, p. 155-170, ici p. 162. Steinberg fait ici référence à la stratégie allemande, mais le même problème se posait aux décideurs français.

229. M. B. Hayne, *French Foreign Policy*, p. 266.

230. D. N. Collins, « The Franco-Russian Alliance and Russian Railways, 1891-1914 », *The Historical Journal*, 16 / 4, 1973, p. 777-788, ici p. 779.

231. Buisseret à Davignon, Saint-Pétersbourg, 25 février 1913, MAEB AD, Russia 3, 1906-1913.

232. François Roth, « Raymond Poincaré et Théophile Delcassé : Histoire d'une relation politique », in Conseil général de l'Ariège (dir.), *Delcassé et l'Europe à la veille de la Grande Guerre*, Foix, 2001, p. 231-246, ici p. 236.

233. V. I. Bovykin, *Iz istorii vozniknoveniya*, p. 151.

234. Théophile Delcassé à Stephen Pichon, Saint-Pétersbourg, 24 mars 1913, *DDF*, 3ᵉ série, vol. 6, doc. 59, p. 81-82 ; sur la même question soulevée auprès de Sergueï Sazonov, voir Théophile Delcassé à Jonnart, Saint-Pétersbourg, 21 mars 1913, *DDF*, 3ᵉ série, vol. 6, doc. 44, p. 66.

235. Conversation du 18 juin 1914 avec Théophile Delcassé, rapportée par le général de Laguiche, attaché militaire à Saint-Pétersbourg, in Georges Louis, Les *Carnets de Georges Louis*, 2 vol., Paris, 1926, vol. 2, p. 126.

236. B. V. Ananich, *Rossiya I mezhdunarodyi kapital 1897-1914. Ocherki istorii finansovykh otnoshenii*, Leningrad, 1970, p. 270-271.

237. Sur la loi des Trois Ans et le rôle joué par Raymond Poincaré dans son adoption, voir John F. V. Keiger, *Raymond Poincaré*, Cambridge, 1997, p. 152-153, 162-163 ; Gerd Krumeich, *Armaments and Politics*, p. 112-113.

238. John F. V. Keiger, *France and the Origins*, p. 144.

239. Guillaume à Davignon, Paris, 17 avril 1913, 12 juin 1913, MAEB AD, France 11, Correspondance politique – légations.

240. Guillaume à Davignon, Paris, 16 janvier 1914.

241. Guillaume à Davignon, Paris, 28 mai 1914.

242. John F. V. Keiger, *France and the Origins,* p. 136-137.

243. Entrée du jeudi 18 avril 1913 in Maurice Paléologue, *Journal,* 1913-1914, p. 103.

244. John F. V. Keiger, *France and the Origins,* p. 136 ; sur ces événements, voir également les entrées du 16 avril au 5 mai 1913, in Paléologue, *Journal, 1913-1914,* p. 100-124.

245. Gerd Krumeich, *Armaments and Politics,* passim.

246. Guillaume à Davignon, Paris, 9 juin 1914, MAEB AD, France 12, Correspondance politique – légations.

247. Sur l'opposition croissante à la loi des Trois Ans, voir Guillaume à Davignon, Paris, 16 janvier 1914, MAEB AD, France 12, Correspondance politique – légations.

248. Sur la chute du gouvernement Ribot le jour même de sa formation, voir Guillaume à Davignon, Paris, 13 juin 1914, MAEB AD, France 12, Correspondance politique – légations.

249. Rapport du capitaine Parchement, en visite dans le district de Vilna en octobre 1912, cité in Pertti Luntinen, *French Information on the Russian War Plans, 1880-1914,* Helsinki, 1984, p. 175.

250. Verneuil à [Stephen Pichon], Brolles, 7 juillet 1913, AMAE NS Russie 42, f°s 58-60, ici f° 59.

251. Cité in Stefan Schmidt, *Frankreichs Außenpolitik,* p. 271-273.

252. Stefan Schmidt, *Frankreichs Außenpolitik,* p. 275.

253. Pierre de Laguiche à Dupont, 14 février 1914, cité in Stefan Schmidt, *Frankreichs Außenpolitik,* p. 279.

254. Paul Kennedy, « The First World War and the International Power System », in Steven E. Miller (dir.), *Military Strategy and the Origins of the First World War,* Princeton, 1985, p. 7-40, ici p. 28.

6. DERNIÈRES CHANCES : DÉTENTE ET DANGERS 1912-1914

1. Cité in Zara S. Steiner, *The Foreign Office and Foreign Policy, 1898-1914,* Cambridge, 1969, p. 153.

2. Sur les rencontres de Port Baltiski du 4 au 6 juillet 1912, voir Harold H. Fisher (dir.), *Out of My Past. The Memoirs of Count Kokovtsov, Russian Minister of Finance, 1904-1911, Chairman of the Council of Ministers, 1911-1914,* traduit par Laura Matveev, Stanford, 1935, p. 322.

3. Notes de Theobald von Bethmann-Hollweg sur une conversation avec Sergueï Sazonov, 6 juillet 1912, *GP,* vol. 31, doc. 11542, p. 439-444.

4. Harold H. Fisher (dir.), *Memoirs of Count Kokovtsov,* p. 320.

5. Notes de Pourtalès, 29 juin 1912, *GP,* vol. 31, doc. 11537, p. 433-436.

6. Sergueï Sazonov, *Les Années fatales,* p. 48-49.

7. Harold H. Fisher (dir.), *Memoirs of Count Kokovtsov,* p. 320-321.

8. Theobald von Bethmann-Hollweg au ministère des Affaires étrangères, Port Baltiski, à bord du *Hohenzollern,* 6 juillet 1912, *GP,* vol. 31, doc. 11540, p. 437-438.

9. Sur la détente considérée comme une évolution potentielle du système internatio-nal avant 1914, voir Friedrich Kiessling, *Gegen den grossen Krieg ? Entspannung in den internationalen Beziehungen (1911-1914)*, Munich, 2002, p. 77-148.

10. Theobald von Bethmann-Hollweg au ministère des Affaires étrangères, Port Bal-tiski, à bord du *Hohenzollern*, 6 juillet 1912, *GP*, vol. 31, doc. 11540, p. 437-438.

11. Klaus Hildebrand, *Das vergangene Reich. Deutsche Außenpolitik von Bismarck bis Hitler (1871-1945)*, Stuttgart, 1995, p. 269-276.

12. Cf. Volker Berghahn, *Germany and the Approach of War in 1914*, Basingstoke, 1993, p. 120-122 et Imanuel Geiss, « The German Version of Imperialism : Weltpoli-tik », in Gregor Schöllgen, *Escape into War ? The Foreign Policy of Imperial Germany*, Oxford, New York, Munich, 1990, p. 105-120 ; ici p. 118.

13. Tel est le schéma élaboré par Bethmann-Hollweg (« Sketch of a Conceivable For-mula ») pour mener les négociations anglo-allemandes, cité in Richard T. B. Langhorne, « Great Britain and Germany, 1911-1914 », in Francis Harry Hinsley (dir.), *British Foreign Policy under Sir Edward Grey*, Cambridge, 1977, p. 288-314, ici p. 293-294.

14. Niall Ferguson, *Pity of War*, Londres, 1998, p. 72 ; Richard T. B. Langhorne, « Great Britain and Germany », p. 294-295.

15. Richard T. B. Langhorne, « The Naval Question in Anglo-German Relations, 1912-1914 », *Historical Journal*, 14, 1971, p. 359-70, ici p. 369 ; cf. Fritz Fischer, *War of Illusions. German Policies from 1911 to 1914*, traduit par Marian Jackson, Londres, 1975, p. 123-131.

16. R. J. Crampton, *Hollow Détente. Anglo-German Relations in the Balkans, 1911-1914*, Londres, 1980, p. 56-58, 72-73 ; Friedrich Kiessling, *Gegen den grossen Krieg ?*, p. 103.

17. Sur les objectifs de la mission et le « désaveu » de Haldane par le gouvernement britannique, voir Bernhard Daniël Ernst Kraft, *Lord Haldane's Zending naar Berlijn in 1912. Deduitsch-engelsche onderhandelingen over de vlootquaestie*, Utrecht, 1931, p. 209-211, p. 214-217, p. 220-221 ; brouillon d'une note adressée au gouvernement alle-mand, mars 1912, cité in Gregor Schöllgen, *Imperialismus und Gleichgewicht. Deut-schland, England und die orientalische Frage, 1871-1914*, Munich, 1984, p. 330.

18. Bernhard Daniël Ernst Kraft, *Zending naar Berlijn*, p. 246.

19. Samuel R. Williamson, *The Politics of Grand Strategy. Britain and France Prepare for War, 1904-1914*, Cambridge, MA, 1969, p. 258.

20. Arthur Nicolson à Francis Bertie, 8 février 1912, TNA FO 800 / 171, cité in Zara S. Steiner, *Foreign Office*, p. 127.

21. Francis Bertie à Arthur Nicolson, Paris, 11 février 1912, cité in Thomas Otte, *The Foreign Office Mind. The Making of British Foreign Policy, 1865-1914*, Cambridge, 2011, p. 364 ; sur l'implication et l'engagement de Nicolson en faveur de la Convention anglo-russe, voir Keith M. Neilson, « "My Beloved Russians" : Sir Arthur Nicolson and Russia, 1906-1916 », *International History Review*, 9 / 4, 1987.

22. Jonathan Steinberg, « Diplomatie als Wille und Vorstellung : Die Berliner Mission Lord Haldanes im Februar 1912 », in Herbert Schottelius et Wilhelm Deist (dir.), *Marine und Marinepolitik im kaiserlichen Deutschland, 1871-1914*, Düsseldorf, 1972, p. 263-282, ici p. 264 ; sur la mission et son échec, voir aussi Michael Epkenhans, *Die wilhelminische Flottenrüstung. Weltmachtstreben, industrieller Fortschritt, soziale Integration*, Munich, 1991, p. 113-137 ; David Stevenson, *Armaments and the Coming of War : Europe 1904-1914*, Cambridge, 1996, p. 205-207.

23. Edward Goschen à Arthur Nicolson, Berlin, 20 avril 1912, TNA FO 800 / 355, f°s 20-22.

24. « Foreign Affairs. The Morocco Crisis. Sir E. Grey's Speech », *The Times*, 28 novembre 1911, p. 13, col. B.

25. Kühlmann à Theobald von Bethmann-Hollweg, Londres, 14 octobre 1912, *GP*, vol. 33, doc. 12284, p. 228 ; voir aussi la discussion in Jost Dülffer, Martin Kröger et Rolf-Harald Wippich, *Vermiedene Kriege. Deeskalation von Konflikten der Grossmächte zwischen Krimkrieg and Ersten Weltkring 1856-1914*, Munich,1997, p. 650.

26. R. J. Crampton, *Hollow Détente*.

27. Friedrich Kiessling, *Gegen den grossen Krieg ?*, p. 89, 122 ; Paul W. Schroeder, « Embedded Counterfactuals and World War I as an Unavoidable War », p. 28-29.

28. Ronald Bobroff, *Roads to Glory. Late Imperial Russia and the Turkish Straits*, Londres, 2006 ; sur les inquiétudes françaises sur la position de George V : Guillaume à Davignon, Paris, 11 avril 1913, MAEB AD, France 11, Correspondance politique – légations.

29. Ira Klein, « The Anglo-Russian Convention and the Problem of Central Asia, 1907-1914 », *Journal of British Studies*, 11, 1971, p. 126-147, ici p. 128.

30. Ira Klein, « The Anglo-Russian Convention », p. 141.

31. Edward Grey à George Buchanan, Londres, 11 février 1914, Edward Grey à George Buchanan, Londres, 18 mars 1914, TNA, Grey Papers, FO 800 / 74, cité in Thomas MacCall, « The Influence of British Military Attachés on Foreign Policy Towards Russia, 1904-1917 », thèse de doctorat, université de Cambridge, 2011, p. 53.

32. Prince Karl Max von Lichnowsky, *My Mission to London, 1912-1914*, Londres, 1918, p. 29.

33. Zara S. Steiner, *Foreign Office*, p. 121-140, 149 ; Thomas Otte, *Foreign Office Mind*, p. 380.

34. Thomas MacCall, « British Military Attachés », p. 33-75.

35. George Hamilton à Richard Haldane, 1er septembre 1909, cité in Thomas Mac-Call, « British Military Attachés », p. 60.

36. Notes de H. A. Gwynne, rédacteur en chef du *Morning Post*, au sujet d'une interview confidentielle d'un diplomate du Foreign Office, probablement Sir William Tyrrell, cité et analysé in Keith M. Wilson, « The British Démarche of 3 et 4 December 1912 : H. A. Gwynne's Note on Britain, Russia and the First Balkan War », *Slavonic and East European Review*, 60 / 4, 1984, p. 552-559, ici p. 556.

37. Arthur Nicolson à Edward Goschen, Londres, 15 avril 1912, *BD*, vol. 6, doc. 575, p. 747.

38. Arthur Nicolson à Edward Goschen, Londres, 25 mai 1914, TNA, FO f⁰ˢ 162-164, ici f⁰ 163. 800 / 374.

39. Friedrich Kiessling, *Gegen den grossen Krieg ?*, p. 82-83, Bovykin, *Iz istorii voznik-noveniya*, p. 180.

40. Cité in Zara S. Steiner, *British Foreign Office*, p. 134 ; sur les opinions d'Arthur Nicolson plus généralement, voir p. 128, 129, 131, 133, 134, 136-137 ; Otte, *Foreign Office Mind*, p. 384.

41. Guillaume à Davignon, Paris, 14 avril 1913, MAEB AD, France 11, Correspon-dance politique – légations.

42. Otte, *Foreign Office Mind*, p. 358-359, 387-388.

43. Arthur Nicolson à Bunsen, Londres, 30 mars 1914, TNA, FO 800 / 373, f⁰ˢ 80-83, ici f⁰ 83.

44. Ces aspects du système international sont décrits in Friedrich Kiessling, *Gegen den grossen Krieg ?*, et Holger Afflerbach et David Stevenson (dir.), *An Improbable War ?*

The Outbreak of World War I and European Political Culture before 1914, Oxford, 2007, tous deux passim.

45. Jules Cambon à Raymond Poincaré, Berlin, 28 juillet 1912, AMAE, PA-AP, 43, Cambon Jules 56, f° 45.

46. Annika Mombauer, *Helmuth von Moltke and the Origins of the First World War*, Cambridge, 2001, p. 145, p. 211, p. 281.

47. David Stevenson, *Armaments*, p. 159-163.

48. David Stevenson, *Armaments*, p. 247.

49. Pour la façon dont les Allemands interprétaient l'attitude des principaux commandants russes, voir e.g. Pourtalès à Theobald von Bethmann-Hollweg, Saint-Pétersbourg, 20 novembre 1912 ; Griesinger (ambassadeur allemand à Belgrade) à Theobald von Bethmann-Hollweg, 5 février 1913 ; la citation est tirée de Romberg (ambassadeur allemand à Berne) à Theobald von Bethmann-Hollweg, Berne, 1er février 1913, rapportant une conversation entre l'attaché militaire russe à Berne et un membre de la légation austro-hongroise in PA-AA, R 10895.

50. *The Times*, 3 décembre 1912, p. 6, col. B.

51. *The Times*, 3 décembre 1912, p. 6, col. B.

52. Cité in Lamar Cecil, *Wilhelm II*, 2 vol., Chapel Hill, 1989 et 1996, vol. 2, *Emperor and Exile, 1900-1941*, p. 186 ; sur le discours de Bethmann-Hollweg et sa signification, voir Jost Dülffer, Martin Kröger et Rolf-Harald Wippich, *Vermiedene Kriege*, p. 652-654.

53. Pour une reconstitution exhaustive de la réunion et une discussion de sa signification, voir John C. G. Röhl, « Dress Rehearsal in December : Military Decision-making in Germany on the Eve of the First World War », in id., *The Kaiser and His Court. Wilhelm II and the Government of Germany*, Cambridge, 1994, p. 162-189, ici p. 162-163.

54. John C. G. Röhl, « Dress Rehearsal », passim ; aussi, du même auteur, « Admiral von Müller and the Approach of War, 1911-1914, *Historical Journal*, 12, 1969, p. 651-673. L'interprétation que donne Röhl de ce « conseil de guerre » de décembre 1912 comme ayant constitué le lancement du compte à rebours d'une guerre planifiée à l'avance par l'Allemagne n'est pas l'opinion prédominante. Lors d'une conférence organisée à Londres en octobre 2011 (« The Fischer Controversy 50 Years On », 13-15 October 2011, German Historical Institute London), Röhl a radicalisé son interprétation, suggérant que le Conseil de guerre avait été le moment où les Allemands avaient decidé de ne pas déclarer la guerre immédiatement, mais différer jusqu'à l'été 1914 – argument que Fischer avait développé auparavant, *War of Illusions*, p. 164, 169. La thèse du délai est également centrale dans la démonstration proposée dans le troisième tome de la biographie que Röhl consacre au Kaiser, voir John C. G. Röhl, *Wilhelm II. Der Weg in den Abgrund, 1900-1941*, Munich, 2008.

55. John C. G. Röhl, « Dress Rehearsal » ; David Stevenson, *Armaments*, p. 288-289 ; Fritz Fischer, « The Foreign Policy of Imperial Germany and the Outbreak of the First World War », in Gregor Schöllgen, *Escape into War ?*, p. 19-40 ; ici p. 22 ; Marilyn Shevin Coetzee, *The German Army League*, New York, 1990, p. 36-37 ; Wolfgang J. Mommsen, « Domestic Factors in German Foreign Policy before 1914 », *Central European History*, 6, 1973, p. 3-43, ici p. 12-14.

56. Erwin Hölzle, *Die Selbstentmachtung Europas. Das Experiment des Friedens vor und im Ersten Weltkrieg*, Göttingen, 1975, p. 180-183 ; Klaus Hildebrand, *Das vergangene Reich*, p. 289.

57. Gottlieb von Jagow à Karl Max von Lichnowsky, Berlin, 26 avril 1913 ; Gottlieb von Jagow à Flotow, Berlin, 28 avril 1913, *GP*, 34 / 2, p. 737-738, 752 ; sur la construction des sous-marins et les autres mesures prises pour la marine, voir Holger H. Herwig, « *Luxury* » *Fleet. The Imperial German Navy (1888-1918)*, Londres, 1980, p. 87-89 ; Gary E. Weir, « Tirpitz, Technology and Building U-boats 1897-1916 », *International History Review*, 6, 1984, p. 174-190 ; Hew Strachan, *The First World War*, Oxford, 2001, p. 53-55.

58. Helmuth von Moltke à Theobald von Bethmann-Hollweg et Heeringen, 21 décembre 1912, cité in David Stevenson, *Armaments*, p. 291-292.

59. David Stevenson, « War by Timetable ? The Railway Race Before 1914 », *Past & Present*, 162, 1999, p. 163-194, ici p. 175.

60. Peter Gattrell, *Government, Industry and Rearmament in Russia, 1900-1914. The Last Argument of Tsarism*, Cambridge, 1994, p. 133-134.

61. Fritz Fischer, *Griff nach der Weltmacht. Die Kriegszielpolitik des kaiserlichen Deutschland 1914-1918*, Düsseldorf, 1961, p. 48.

62. Voir David Stevenson, *Armaments*, p. 298, 314 ; I. V. Bestuzhev, « Russian Foreign Policy, February-June 1914 », *Journal of Contemporary History*, 1 / 3, 1966, p. 93-112, ici p. 96.

63. Paul Kennedy, « The First World War and the International Power System », in Steven E. Miller (dir.), *Military Strategy and the Origins of the First World War*, Princeton, 1985, p. 29.

64. Militär-Bericht Nr. 28, Saint-Pétersbourg, 8-21 mai 1914 (copie à destination de l'Amirauté du Reich), BA-MA Fribourg, RM5 / 1439. Je suis reconnaissant à Oliver Griffin de m'avoir envoyé une photocopie de ce document. L'opinion de Moltke (du 15 décembre 1913 et 11 juillet 1914) est citée in David Stevenson, « War by Timetable ? », p. 186.

65. Matthew Seligmann et Roderick MacLean, *Germany from Reich to Republic*, Londres, 2000, p. 142-144.

66. Niall Ferguson, « Public Finance and National Security. The Domestic Origins of the First World War Revisited », *Past & Present*, 142, 1994 ; sur les appels de Moltke à une guerre préventive en 1908-1909, voir Fritz Fischer, *Griff nach der Weltmacht*, p. 49-50 ; du même auteur, *War of Illusions*, p. 88 ; Norman Stone, « Moltke-Conrad : Relations Between the German and Austro-Hungarian General Staffs », *Historical Journal*, 9, 1966, p. 201-228 ; Isabel V. Hull, « Kaiser Wilhelm II and the "Liebenberg Circle" », in John C. G. Röhl et Nicolaus Sombart (dir.), *Kaiser Wilhelm II. New Interpretations*, Cambridge, 1982, p. 193-220, not. p. 212 ; Holger H. Herwig, « Germany », in Richard F. Hamilton et Holger H. Herwig (dir.), *The Origins of World War I*, Cambridge, 2003, p. 150-187, not. p. 166.

67. Dieter Hoffmann, *Der Sprung ins Dunkle oder wie der 1. Weltkrieg entfesselt wurde*, Leipzig, 2010, voir not. le tableau p. 325-330.

68. Cité in Stefan Schmidt, *Frankreichs Außenpolitik in der Julikrise 1914. Ein Beitrag zur Geschichte des Ausbruchs des Ersten Weltkrieges*, Munich, 2009, p. 276.

69. Henry Wilson, commentaire en marge d'un résumé d'une dépêche d'état-major envoyée de Saint-Pétersbourg par le colonel Knox, 23 mars 1914, TNA, WO 106 / 1039.

70. Kevin Kramer, « A World of Enemies : New Perspectives on German Military Culture and the Origins of the First World War », *Central European History*, 39, 2006, p. 270-298, ici p. 272 ; sur le lien entre la crainte de la guerre et le sentiment d'y être prêt, voir aussi Friedrich Kiessling, *Gegen den grossen Krieg ?*, p. 57.

71. Theobald von Bethmann-Hollweg à Eisendecher, 26 décembre 1911 et 23 mars 1913, tous deux cités in Konrad H. Jarausch, « The Illusion of Limited War : Chancellor Bethmann-Hollweg's Calculated Risk, July 1914 », *Central European History*, 2 / 1, 1969, p. 48-76.

72. Lamar Cecil, *Wilhelm II*, vol. 2, p. 195.

73. Erich von Falkenhayn à Hanneken, 29 janvier 1913, cité in Holger Afflerbach, *Falkenhayn : Politisches Denken und Handeln im Kaiserreich*, Munich, 1994, p. 102 (Falkenhayn deviendra ministre de la Guerre le 7 juin 1913).

74. Erich von Falkenhayn à Hanneken, 29 janvier 1913, cité in Holger Afflerbach, *Falkenhayn*, Munich, 1994, p. 102, p. 76.

75. Sur la primauté des leaders civils dans l'Europe de 1914, voir Marc Trachtenberg, « The Coming of the First World War : A Reassessment », in id., *History and Strategy*, Princeton, 1991, p. 47-99.

76. Anon., *Deutsche Weltpolitik und kein Krieg !*, Berlin, 1913.

77. Klaus Hildebrand, *Das vergangene Reich*, p. 278.

78. Hew Strachan, *First World War*, p. 33.

79. Sur les différentes options allemandes, voir Klaus Hildebrand, *Das vergangene Reich*, p. 277-282.

80. Mehmet Yerçil, « A History of the Anatolian Railway, 1871-1914 », thèse de doctorat, Cambridge, 2010.

81. Marschall von Biberstein à Theobald von Bethmann-Hollweg, Constantinople, 4 décembre 1911, *GP*, vol. 30, doc. 10987.

82. Carl Mühlmann, *Deutschland und die Türkei 1913-1914. Die Berufung der deutschen Militärmission nach der Türkei 1913, das deutsch-türkische Bündnis 1914 und der Eintritt der Türkei in den Weltkrieg*, Berlin, 1929, p. 5.

83. Mehmet Yerçil, « Anatolian Railway », p. 91.

84. Mehmet Yerçil, « Anatolian Railway », p. 95-120.

85. Helmut Mejcher, « Oil and British Policy Towards Mesopotamia », *Middle Eastern Studies*, 8 / 3, 1972, p. 377-391, not. p. 377-378.

86. Cité in John C. G. Röhl, *Wilhelm II. The Kaiser's Personal Monarchy, 1888- 1900*, traduit par Sheila de Bellaigue, Cambridge, 2004, p. 953.

87. Sur l'intérêt porté par les Allemands au panislamisme comme instrument de politique étrangère, voir Sean MacMeekin, *The Berlin-Baghdad Express. The Ottoman Empire and Germany's Bid for World Power (1898-1918)*, Londres, 2010, p. 7-53.

88. Fritz Fischer, *Griffnach der Weltmacht*, p. 54.

89. Herbert Feis, *Europe, The World's Banker 1870-1914*, New York, 1939, p. 53 ; Ulrich Trumpener, *Germany and the Ottoman Empire 1914-1918*, Princeton, 1968, p. 3-11 ; Harry N. Howard, *The Partition of Turkey, 1913-1923*, Norman, 1931, p. 49-50.

90. Klaus Hildebrand, *Das vergangene Reich*, p. 281-282.

91. Sur le personnage de « Golch Pacha » et d'autres conseillers militaires allemands présents à Constantinople avant l'arrivée de Liman, voir Bernd F. Schulte, *Vor dem Kriegsausbruch 1914. Deutschland, die Türkei und der Balkan*, Düsseldorf, 1980, p. 17-38.

92. Carl Mühlmann, *Deutschland und die Türkei*, p. 10-11 ; Klaus Hildebrand, *Das vergangene Reich*, p. 297.

93. Theobald von Bethmann-Hollweg, *Betrachtungen zum Weltkriege*, 2 vol., Berlin, 1919, vol. 1, p. 88-89.

94. Sur la campagne de presse commanditée par les autorités dans *Novoïe Vremia*, voir David MacLaren MacDonald, *United Government and Foreign Policy in Russia, 1900-1914*, Cambridge, MA, 1992, p. 191 ; sur la détermination des autorités ottomanes à

profiter de la mission allemande pour améliorer leurs forces armées et se protéger de futures annexions, voir Sverbeïev (ambassadeur russe à Berlin) à Sergueï Sazonov, 16 janvier 1914, *IBZI*, série 3, vol. 1, doc. 21, p. 22-23.

95. Tatichtchev à Nicolas II, Berlin, 6 novembre 1913, GARF, fonds 601, op. 1, del 746 (2).

96. Extrait du rapport de Bazarov du 16 décembre 1913, in Fischer, *War of Illusions*, p. 334. On ne sait pas clairement comment Bazarov avait appris le contenu de cette audience.

97. Cité in Karl Max von Lichnowsky, *My Mission to London*, p. 14.

98. Pourtalès au ministère des Affaires étrangères allemand, 28 novembre et 5 décembre 1913, *GP*, vol. 38, doc. 15457, 15466 ; Carl Mühlmann, *Deutschland und die Türkei*, p. 12.

99. V. I. Bovykin, *Iz istorii vozniknoveniya*, p. 125-126 ; Fritz Fischer, *War of Illusions*, p. 147-148.

100. Sergueï Sazonov à Demidov (ambassadeur russe à Athènes), Saint-Pétersbourg, 16 octobre 1912, copies envoyées à Constantinople, Paris et Londres ; Sergueï Sazonov à Girs, Saint-Pétersbourg, 18 octobre 1912 ; Sergueï Sazonov aux ambassadeurs russes à Paris, Londres, Berlin, Vienne et Rome, 5 octobre 1912, tous ces documents in AVPRI, fonds 151 (PA), op. 482, d. 130, l. 14, 20, 22.

101. Vladimir A. Soukhomlinov à Neratov, 11 août 1911, *IBZI* série 3, vol. 1, doc. 310, p. 375-378, ici p. 376.

102. Sergueï Sazonov à Alexandre Izvolski, 4 novembre 1912 (copies à Londres et Constantinople) ; Sergueï Sazonov à Girs (ambassadeur à Constantinople), « télégramme secret », Saint-Pétersbourg, 2 novembre 1912, tous deux in AVPRI, fonds 151 (PA), op. 482, d. 130, l. 96, 87.

103. Ronald Bobroff, *Roads to Glory*, p. 52-53.

104. Sergueï Sazonov à Vladimir Kokovtsov et aux chefs de service, 12 novembre 1912, cité in Ronald Bobroff, *Roads to Glory*, p. 55.

105. Sergueï Sazonov à Nicolas II, 23 novembre 1912, cité in Bovykin, *Iz istorii vozniknoveniya*, p. 126.

106. Ia. Zakher, « Konstantinopol i prolivy », KA, 6, 1924, p. 48-76, ici p. 55, et KA, 7, 1924, p. 32-54.

107. Ronald Bobroff, *Roads to Glory*, p. 76-95.

108. Sergueï Sazonov au chargé d'affaires russe, Londres, 7 décembre 1913, in Benno von Siebert (dir.), *Graf Benckendorffs diplomatischer Schriftwechsel*, Berlin, 1928, vol. 3, doc. n° 982, p. 208-209.

109. Dominic C. B. Lieven, *Russia and the Origins of the First World War*, Londres, 1983, p. 47 ; Etter (chargé d'affaires russe, Londres) à Sergueï Sazonov, Londres, 14 janvier 1914, *IBZI*, série 3, vol. 1, doc. 3, p. 2-3.

110. Louis Mallet à Edward Grey, Londres, 23 mars 1914, TNA FO 800 / 80 ; Grande-Bretagne, débats à la Chambre des communes, 1914, vol. 59, col. 2169-2170, tous deux cité in William I. Shorrock, « The Origin of the French Mandate in Syria and Lebanon : The Railroad Question, 1901-1914 », *International Journal of Middle East Studies*, 1 / 2, 1970, p. 133-153, ici p. 153 ; voir aussi Stuart Cohen, « Mesopotamia in British Strategy, 1903-1914 », *International Journal of Middle East Studies*, 9 / 2, 1978, p. 171-181, not. p. 174-177.

111. Protocole d'accord entre SE Khourshid Pacha, ministre de la Marine, au nom du gouvernement ottoman, et l'amiral Limpus, 25 mai 1912, Limpus Papers. Caird

Library, NMM, LIM / 12 ; sur la mission de Limpus, voir aussi Paul G. Halpern, *The Mediterranean Naval Situation, 1908-1914*, Cambridge, MA, 1971, p. 321.

112. Voir « Instructions for Hallifax Bey », 11 mai 1914, Limpus Papers, LIM / 9.

113. Limpus à l'Amirauté ottomane, 5 juin 1912, Limpus Papers, LIM 8 / 1 (lettres reliées), f°s 63-67.

114. Limpus à l'Amirauté ottomane, 5 juin 1912, Limpus Papers, LIM 8 / 1 (lettres reliées), f°s 68-69.

115. Théophile Delcassé au ministère des Affaires étrangères, 29 janvier 1914, AMAE NS, Russie 42, f°s 223-224 ; voir aussi Alexandre Izvolski à Sergueï Sazonov, Paris, 15 janvier 1914, *IBZI*, série 3, vol. 1, doc. 12, p. 12-14, rapportant l'opposition des Français à un boycott financier de l'Empire ottoman par les Russes.

116. Alexandre Izvolski à Sergueï Sazonov, Paris, 18 décembre 1913 ; Alexandre Izvolski à Sergueï Sazonov, Paris, 18 décembre 1913, in Friedrich Stieve (dir.), *Der diplomatische Schriftwechsel Izwolskis*, vol. 3, doc. 1179, 1181, p. 425-425, 428-431 ; Dülffer, Kröger et Wipplich, *Vermiedene Kriege*, p. 663-664.

117. Sergueï Sazonov à Benckendorff, Saint-Pétersbourg, 11 décembre 1913, in Benno Siebert (dir.), *Benckendorffs diplomatischer Schriftwechsel*, 3 vol., Berlin, 1928, vol. 3, doc. 991, p. 217.

118. Sur ce rapport, voir David MacLaren MacDonald, *United Government*, p. 193 ; sur la « focalisation » créée par l'affaire Liman, voir Hew Strachan, *First World War*, p. 61.

119. M. Pokrowski, *Drei Konferenzen. Zur Vorgeschichte des Krieges*, traduction anonyme, [Berlin], 1920, p. 34, 38.

120. M. Pokrowski, *Drei Konferenzen. Zur Vorgeschichte des Krieges*, traduction anonyme, [Berlin], 1920, p. 34, 38.

121. Klaus Hildebrand, *Das vergangene Reich*, p. 298.

122. Pokrowski, *Drei Konferenzen*, p. 39, 41 ; sur le rôle de Sergueï Sazonov dans ces discussions, voir Horst Linke, *Das Zarische Russland and der Erste Weltkrieg. Diplomatie and Kriegsziele 1914-1917*, Munich, 1982, p. 22.

123. George Buchanan à Edward Grey, 3 avril 1914, cité in Dominic C. B. Lieven, *Russia and the Origins*, p. 197.

124. Commentaire de conclusion en marge de Pourtalès à Theobald von Bethmann-Hollweg, Saint-Pétersbourg, 25 février 1914, *GP*, vol. 39, doc. 15841, p. 545 ; voir aussi la discussion in Dülffer, Kröger et Wippich, *Vermiedene Kriege*, p. 670.

125. Cité in David MacLaren MacDonald, *United Government*, p. 193.

126. Sergueï Sazonov, *Fateful Years, 1909-96 : The Reminiscences of Serge Sazonov*, traduit par N. A. Duddington, Londres, 1928, p. 80.

127. Liszkowski, *Zwischen Liberalismus und Imperialismus. Die Zaristische Außenpolitik vor dem Ersten Weltkrieg im Urteil Miljukovs und der Kadettenpartei, 1905-1914*, Stuttgart, 1974, p. 224-225.

128. Louis Mallet à Edward Grey, n° 400, 2 juin 1914, et minutes rédigées par Russell et Eyre Crowe, 9 et 14 juin 1914, cité in Thomas Otte, *Foreign Office Mind*, p. 378-379.

129. Dominic C. B. Lieven, *Russia and the Origins*, p. 42-46 ; voir aussi Bovykin, *Iz istorii vozniknoveniya*, p. 129.

130. Ronald Bobroff, *Roads to Glory*, p. 151 ; id., « Behind the Balkan Wars », p. 78.

131. « Journal der Sonderkonferenz, 8. Februar 1914 », in Mikhail Nikolaïevitsch Pokrowski, *Drei Konferenzen*, p. 47, 52.

132. Mikhail Nikolaïevitsch Pokrowski, *Drei Konferenzen*, p. 52-53.

133. V. I. Bovykin, *Iz istorii vozniknoveniya*, p. 128.

134. Stephen Schröder, *Die englisch-russische Marinekonvention*, Göttingen, 2006, p. 97-101 ; Horst Günther Linke, *Das Zarische Russland*, p. 28-30.

135. Cité in Stephen Schröder, *Die englisch-russische Marinekonvention*, p. 128.

136. William A. Renzi, « Great Britain, Russia and the Straits, 1914-1915 », *Journal of Modern History*, 42 / 1, 1970, p. 1-20, ici p. 2-3 ; Mustafa Aksakal, *The Ottoman Road to War in 1914. The Ottoman Empire and the First World War*, Cambridge, 2008, p. 46.

137. Serguei Sazonov à Nikolaï Hartwig, cité in Friedrich Stieve, *Iswolski and der Weltkrieg, auf Gund der neuen Dokumenten-Veröffentlichung des Deutschen Auswärtigen Amtes*, Berlin, 1924, p. 178.

138. Guillaume à Davignon, Paris, 14 avril 1914, MAEB AD, France 11, Correspondance politique – légations.

139. Sur l'importance capitale de cette idée dans le raisonnement de Serguei Sazonov, voir Ronald Bobroff, *Roads to Glory*, p. 151-156.

140. John H. Herz, « Idealist Internationalism and the Security Dilemma », *World Politics*, 2 / 2, 1950, p. 157-180, ici p. 157 ; sur la pertinence et l'influence de ce problème pour la crise de 1914, voir Jack L. Snyder, « Perceptions of the Security Dilemma in 1914 », in Robert Jervis, Richard Ned Lebow et Janice Gross Stein, *Psychology and Deterrence*, Baltimore, 1989, p. 153-179 ; Klaus Hildebrand, « Julikrise 1914 : Das europäische Sicherheitsdilemma. Betrachtungen über den Ausbruch des Ersten Weltkrieges », *Geschichte in Wissenschaft und Unterricht*, 36, 1985, p. 469-502 ; Gian Enrico Rusconi, *Rischio 1914. Come si decide una guerra*, Bologne, 1987, p. 171-187.

141. Arthur Nicolson à Fairfax Cartwright, Londres, 18 mars 1912, TNA, FO, 800 / 354, f⁰ˢ 253-254.

142. Serguei Sazonov, *Les Années fatales*, p. 63.

143. Francis Bertie à Edward Grey, Paris, 26 novembre 1912, in *BD*, vol. 9 / 2, doc. 280, p. 206.

144. Prince Max von Lichnowksy, *Heading for the Abyss*, New York, 1928, p. 167-168, italiques conformes à l'original.

145. Prince Max von Lichnowksy, *Heading for the Abyss*, p. 167-168, italiques conformes à l'original.

146. Cambon à Raymond Poincaré, Londres, 4 décembre 1912, *DDF*, 3ᵉ série, vol. 4, doc. 622, p. 642-643 ; voir aussi Keith M. Wilson, « The British Démarche », p. 555.

147. Paul W. Schroeder, « Embedded Conterfactuals », p. 37.

148. Compte rendu d'une conversation avec Witte par un agent spécial de la Hamburg-Amerika Line, annexé à Müller à Theobald von Bethmann-Hollweg, Hambourg, 21 février 1913, PA-AA, R 10137, Allgemeine Angelegenheiten Russlands, 1ᵉʳ janvier 1907-1931 décembre 1915 ; pour un autre rapport affirmant que la guerre n'était populaire qu'au sein d'une fraction de l'élite russe, voir Kohlhaas (consul général allemand à Moscou), mémorandum, Moscou, 3 décembre 1912, PA-AA, R 10895.

149. Sur cette tendance de la politique britannique, voir Christopher John Bartlett, *British Foreign Policy in the Twentieth Century*, Londres, 1989, p. 20 ; Paul W. Schroeder, « Alliances, 1815-1914 : Weapons of Power and Tools of Management », in Klaus Knorr (dir.), *Historical Dimension of National Security Problems*, Lawrence, KS, 1976, p. 227-262, ici p. 248 ; Christel Gade, *Gleichgewichtspolitik oder Bündnispflege ? Maximen britischer Außenpolitik (1909-1914)*, Göttingen, 1997, p. 22 ; sur l'abandon par la France de la politique d'« équilibre des pouvoirs », voir V. I. Bovykin, *Iz istorii vozniknoveniya*, p. 133.

150. Edward Grey à Francis Bertie, Londres, 4 décembre 1912, *BD*, vol. 9 / 2, doc. 328, p. 244 ; Edward Grey dit à peu près la même chose à l'ambassadeur George

Buchanan à Saint-Pétersbourg, voir Edward Grey à George Buchanan, 17 février 1913, 1912, *BD*, vol. 9 / 2, doc. 626, p. 506.

151. Sur les doutes que les Britanniques nourrissaient à l'égard des desseins autrichiens, le présupposé que Vienne était un satellite de Berlin et les disfonctionnements du système austro-hongrois, voir Friedrich Kiessling, *Gegen den grossen Krieg ?*, p. 127-129 ; Hew Strachan, *First World War*, p. 81.

152. Katrin Boeckh, *Von den Balkankriegen zum Ersten Weltkrieg. Kleinstaatenpolitik und ethnische Selbstbestimmung auf dem Balkan*, Munich, 1996, p. 121, 131 ; Vasilij N. Strandmann, *Balkanske Uspomene*, traduit du russe en serbe par Jovan Kachaki, Belgrade, 2009, p. 244 ; Nikola Pašić à Sergueï Sazonov, 2 février 1914, *IBZI*, série 3, vol. 1, doc. 161, p. 149-150. Sur ces livraisons qui ont pris quelque temps à être traitées par le système russe : Vladimir A. Soukhomlinov à Sergueï Sazonov, 30 mars 1914 ; Sergueï Sazonov à Nikolaï Hartwig, Saint-Pétersbourg, 9 avril 1914 ; Sergueï Sazonov à Nikolaï Hartwig, Saint-Pétersbourg, 14 avril 1914 ; Nikolaï Hartwig à Sergueï Sazonov, 28 avril 1914 – tous in *IBZI*, série 1, vol. 1, doc. 161, p. 149-150 ; *IBZI*, série 1, vol. 2, doc. 124, 186, 218, 316, p. 124, 198, 227-228 et 309.

153. Miranda Vickers, *The Albanians. A Modern History*, Londres et New York, 1999, p. 70.

154. Mark Mazower, *The Balkans*, Londres, 2000, p. 105-106.

155. Notes sur une conversation avec André de Panafieu par Jean Doulcet, secrétaire à l'ambassade de France à Saint-Pétersbourg, Saint-Pétersbourg, 11 décembre [1912], AMAE, Papiers Jean Doulcet, vol. 23, Notes personnelles, 1912-1917 ; Vasilij N. Strandmann, *Balkanske Uspomene*, p. 239.

156. Arthur Nicolson à Charles Hardinge, Londres, 1 février 1912, cité in Richard Langhorne, « Anglo-German Negotiations Concerning the Future of the Portuguese Colonies, 1911-1914 », *Historical Journal*, 16 / 2, 1973, p. 361-387, ici p. 371.

157. Wilhelm von Schoen à Theobald von Bethmann-Hollweg, Paris, 22 mars 1912, *GP*, vol. 31, doc. 11520, p. 396-401, ici p. 400-401.

158. Sergueï Sazonov, *Les Années fatales*, p. 61.

159. Theobald von Bethmann-Hollweg, *Betrachtungen zum Weltkrieg*, vol. 2, p. 133.

160. Sur le « durcissement » de cette conception de la masculinité dans le corps des officiers avant 1914, voir Markus Funck, « Ready for War ? Conceptions of Military Manliness in the Prusso-German Officer Corps before the First World War », in Karen Hagemann et Stephanie Schüler-Springorum (dir.), *Home / Front. The Military, War and Gender in Twentieth-Century Germany*, New York, 2002, p. 43-68.

161. Rosa Mayreder, « Von der Männlichkeit », in Mayreder, *Zur Kritik der Weiblichkeit*, Essays éd. Hana Schnedl, Munich, 1981, p. 80-97, ici p. 92.

162. Christopher E. Forth, *The Dreyfus Affair and the Crisis in French Masculinity*, Baltimore, 2004 ; voir aussi les articles in Karen Hagemann et Stefanie Schüler-Springorum (dir.), *Home / Front*, not. Karen Hagemann, « Home / Front. The Military, Violence and Gender Relations in the Age of the World Wars », p. 1-42 ; sur les conceptions de la masculinité parmi les élites en Allemangne et en Grande-Bretagne, voir Sonja Levsen, « Constructing Elite Identities. University Students, Military Masculinity and the Consequences of the Great War in Britain and Germany », *Past & Present*, 198 / 1, 2008, p. 147-183 ; sur les tensions au sein des modèles hégémoniques de masculinité, Mark Connellan, « From Manliness to Masculinities », *Sporting Traditions*, 17 / 2, 2001, p. 46-63.

163. Samuel R. Williamson, « Vienna and July : The Origins of the Great War Once More », in Samuel R. Williamson et Peter Pastor (dir.), *Essays on World War I : Origins and Prisoners of War*, New York, 1983, p. 9-36, not. p. 13-14.

164. Vasilij N. Strandmann, *Balkanske Uspomene*, p. 241.

165. Hugo Hantsch, *Leopold Graf Berchtold. Grandseigneur und Staatsmann*, 2 vol., Graz, 1963, vol. 2, p. 374, 455, 475 n. 14, 500, 520.

166. Vasilij N. Strandmann, *Balkanske Uspomene*, p. 244.

167. Joachim Radkau, *Das Zeitalter der Nervosität. Deutschland zwischen Bismarck und Hitler*, Munich, 1998, p. 396-397.

168. Georg Jellinek, *System der subjektiven Öffentlichen Rechte*, Fribourg, 1892, p. 8-17, 21-28 ; sur l'analyse de Jellinek du « pouvoir normatif des faits », voir Oliver Lepsius, *Besitz und Sachherrschaft im öffentlichen Recht*, Tübingen, 2002, p. 176-179.

169. Denis Diderot, « Composition in Painting », *Encyclopédie*, vol. 3, 1753, in Beatrix Tollemache, *Diderot's Thoughts on Art and Style*, New York, 1893-1971, p. 25-34.

170. Tatichtchev à Nicolas II, Berlin, 28 février 1914 et 13 mars 1914, GARF, fonds 601, op. 1, del 746 (2).

7. MEURTRE À SARAJEVO

1. *Pijemont*, 28 juin 1914, cité in Wolf Dietrich Behschnitt, *Nationalismus bei Serben und Kroaten, 1830-1914*, Munich, 1980, p. 132.

2. Leon Biliński, *Wspomnienia i dokumenty*, 2 vol., Varsovie, 1924-1925, vol. 1, p. 282.

3. Cité in Vladimir Dedijer, *The Road to Sarajevo*, Londres, 1967, p. 10.

4. Cité in Joachim Remak, *Sarajevo. The Story of a Political Murder*, Londres, 1959, p. 25.

5. Déposition de Veljko Čubrilović, in Josef Kohler (dir.), *Der Prozess gegen die Attentäter von Sarajevo. Nach dem amtlichen Stenogramm der Gerichtsverhandlung aktenmässig dargestellt*, Berlin, 1918, p. 72.

6. Déposition de Cvijetko Popović, in Josef Kohler, *Der Prozess*, p. 77.

7. Déposition de Gavrilo Princip, in Josef Kohler, *Der Prozess*, p. 30.

8. Igelstroem (consul général russe à Sarajevo) à Nikolaï Chebeko, Sarajevo, 7 juillet 1914, *IBZI*, série 3, vol. 4, doc. 120, p. 123.

9. Rebecca West, *Black Lamb and Grey Falcon. A Journey through Yugoslavia*, Londres, 1955, p. 332.

10. Cité in Joachim Remak, *Sarajevo*, p. 131.

11. Cité in Joachim Remak, *Sarajevo*, p. 134.

12. Ces souvenirs sont ceux du responsable yougoslave de l'Office de tourisme de Sarajevo tels que Rebecca West les a recueillis lors de sa visite dans cette ville en 1936-1937, voir Rebecca West, *Black Lamb and Grey Falcon*, p. 333, 350.

13. Déposition d'Oskar Potiorek, in Josef Kohler, *Der Prozess*, p. 156-157.

14. Cité in Vladimir Dedijer, *Road to Sarajevo*, p. 15 ; Rudolf Jeřábek, *Potiorek. General im Schatten von Sarajevo*, Graz, 1991, p. 82-86.

15. Josef Kohler, *Der Prozess*, p. 30.

16. Déposition d'Oskar von Potiorek, in Josef Kohler, *Der Prozess*, p. 157.

17. Déposition de Franz von Harrach, in Josef Kohler, *Der Prozess*, p. 159.

18. Stefan Zweig, *Die Welt von gestern. Erinnerungen eines Europäers*, 2ᵉ éd., Hambourg, 1982, p. 251. Cité ici d'après Stefan Zweig, *Le Monde d'hier*, Paris, Belfond, [1982], 1993, nouvelle traduction de l'allemand de Serge Niémetz, p. 268.

19. Robert John Weston Evans, « The Habsburg Monarchy and the Coming of War », in Robert John Weston Evans et Hartmut Pogge von Strandmann (dir.), *The Coming of the First World War*, Oxford, 1988, p. 33-57.

20. Journal intime, entrée du 17 septembre 1914 in Rosa Mayreder, *Tagebücher 1873-1936*, dir. Harriet Anderson, Francfort-sur-le-Main, 1988, p. 145.

21. Prince [Alfons] Clary[-Aldringen], *A European Past*, traduit par Ewald Osers, Londres, 1978, p. 153.

22. Journal intime, entrée du 1ᵉʳ juin 1914 in Arthur Schnitzler, *Tagebücher 1913-1916*, éd. Peter Michael Braunwarth, Richard Miklin, Susanne Pertlik, Walter Ruprechter et Reinhard Urbach, Vienne, 1983, p. 117.

23. Leon Biliński, *Wspomnienia i dokumenty*, vol. 1, p. 276.

24. Nikolaï Chebeko à Sergueï Sazonov, 1ᵉʳ juillet 1914, *IBZI*, série 3, vol. 4, doc. 46, p. 52.

25. Jaroslav Hašek, *The Good Soldier Švejk*, traduit par Cecil Parrott, Londres, 1974 ; repr. 2000, p. 4. Cité ici d'après Jaroslav Hašek, *Le Brave Soldat Chvéïk*, [Gallimard, 1932], traduit du tchèque par Henry Horejsi, Gallimard, « Folio », 1997, p. 27.

26. Joseph Roth, *The Radetzky March*, traduit par Michael Hofmann, Londres, 2003, p. 327.

27. Robert A. Kann, « Gross-Österreich », in id., *Erzherzog Franz Ferdinand Studien*, Munich, 1976, p. 26-46, ici p. 31.

28. Comte Ottokar Czernin, *In the World War*, Londres, 1919, p. 36.

29. Rudolf Kiszling, *Erzherzog Franz Ferdinand von Österreich-Este. Leben, Pläne und Wirken am Schicksalsweg der Donaumonarchie*, Graz, 1953, p. 49-50.

30. Robert Hoffmann, *Erzherzog Franz Ferdinand und der Fortschritt. Altstadterhaltung und bürgerliche Modernisierungswille in Salzburg*, Vienne, 1994, p. 94-95.

31. Journal intime, entrées du 28 juin et 24 septembre 1914, in Arthur Schnitzler, *Tagebücher*, p. 123, 138.

32. Voir Bernd Sösemann, « Die Bereitschaft zum Krieg. Sarajevo 1914 », in Alexander Demandt (dir.), *Das Attentat in der Geschichte*, Cologne, 1996, p. 295-320.

33. Djordjević à Nikola Pašić, Constantinople, 30 juin 1914, AS, MID-PO, 411, fᵒˢ 744-748, ici fᵒˢ 744-745.

34. Nikolaï Chebeko à Sergueï Sazonov, 1ᵉʳ juillet 1914, *IBZI*, série 3, vol. 4, doc. 47, p. 53.

35. Voir, par exemple, « Die Ermordung des Thronfolgerpaares », in *Prager Tagblatt*, 29 juin 1914, 2nd Extra-Ausgabe, p. 1 ; « Ermordung des Thronfolgerpaares », in *Innsbrucker Nachrichten*, 29 juin 1914, p. 2 ; « Die erste Nachricht », « Das erste Attentat », « Das tödliche Attentat », in *Pester Lloyd*, 29 *juin* 1914, p. 2 ; « Die letzten Worte des Erzherzogs », in *Vorarlberger Volksblatt*, 1ᵉʳ juillet 1914, p. 2.

36. « Franz Ferdinand über Seine Ehe », in *Die Reichspost*, 30 juin 1914, édition du soir, p. 4.

37. Karl Kraus, « Franz Ferdinand und die Talente », *Die Fackel*, 10 juillet 1914, p. 1-4.

38. Voir, par exemple, « Nichtamtlicher Teil », in *Wiener Zeitung*, 29 juin 1914, p. 2.

39. « Ermordung des Thronfolgerpaares », in *Innsbrucker Nachrichten*, 29 juin 1914, p. 1 ; « Die Ermordung des Thronfolgers und seiner Gemahlin », in *Die Reichspost*, 29 juin 1914, p. 1 ; sur l'archiduc incarnation de l'avenir de la dynastie Habsbourg, voir aussi, « Erzherzog Franz Ferdinand. Das Standrecht in Sarajevo », in *Neue freie Presse*, 30 juin 1914, p. 1.

40. József Galántai, *Hungary in the First World War*, Budapest, 1989, p. 26-27.

41. Franz Kafka, *Tagebücher*, dir. Hans-Gerhard Koch, Michael Müller et Malcolm Pasley, Francfort-sur-le-Main, 1990, p. 543.

42. Cité in Joachim Remak, *Sarajevo*, p. 183.

43. Joachim Remak, *Sarajevo*, p. 186.

44. Oskar Potiorek à Leon Biliński, Sarajevo, 29 juin 1914, *ÖUAP*, vol. 8, doc. 9947, p. 213-214, ici p. 214.

45. Luigi Albertini, *The Origins of the War of 1914*, traduit par Isabella M. Massey, 3 vol., Oxford, 1953, vol. 2, p. 55, 97-98.

46. Joachim Remak, *Sarajevo*, p. 194-196, 198.

47. Oskar Potiorek à Leon Biliński, Sarajevo, 28 juin 1914 ; Oskar Potiorek à Leon Biliński, Sarajevo, 28 juin 1914 ; Oskar Potiorek à Leon Biliński, Sarajevo, 29 juin 1914, *ÖUAP*, vol. 8, doc. 9939, 9940, et 9947, p. 208, p. 209, p. 213-214 ; sur le besoin de Oskar Potiorek d'apaiser une culpabilité probablement inconsciente en ordonnant l'arrestation de tous les Serbes prétendument suspects résidant en Bosnie, voir Jeřábek, *Potiorek*, p. 88.

48. Wilhelm Ritter von Storck à MFA Vienne, Belgrade, 29 juin 1914 ; Wilhelm Ritter von Storck à MFA Vienne, Belgrade, 29 juin 1914, *ÖUAP*, vol. 8, doc. 9949. Oskar Potiorek à Krobatin, Sarajevo, 29 juin 1914, *ÖUAP*, vol. 8, doc. 9948, p. 214 ; sur l'insistance de Potiorek sur la complicité de Belgrade dans l'attentat, voir aussi Roberto Segre, *Vienna e Belgrado 1876-1914*, Milan, [1935], p. 48.

49. Oskar Potiorek à Krobatin, Sarajevo, 29 juin 1914, *ÖUAP*, vol. 8, doc. 9948, p. 214 ; sur les accusations répétées de Potiorek quant à la complicité de Belgrade, voir aussi Roberto Segre, *Vienna e Belgrado 1876-1914*, Milan, [1935], p. 48.

50. Wilhelm Ritter von Storck à MFA Vienne, Belgrade, 29 juin 1914, *ÖUAP*, vol. 8, doc. 9943, p. 210-212.

51. Wilhelm Ritter von Storck à MFA Vienne, Belgrade, 29 juin 1914, *ÖUAP*, vol. 8, doc. 9943, p. 210-212.

52. Heinrich Jehlitschka à MFA Vienne, télégramme, Üsküb, 1er juillet 1914, *ÖUAP*, vol. 8, doc. 9972, p. 237-240, ici p. 239.

53. Wilhelm Ritter von Storck à MFA Vienne, Belgrade, 30 juin 1914, *ÖUAP*, vol. 8, doc. 9951, p. 218-219. Des dépêches similiares ont été envoyées d'autres régions de Serbie : voir par exemple le rapport de l'attaché consulaire Josef Umlauf à Mitrovica, 5 juillet 1914, *ÖUAP*, vol. 8, doc. 10064, p. 311-312.

54. Annexé à Wilhelm Ritter von Storck à MFA Vienne, Belgrade, 1er juillet 1914, *ÖUAP*, vol. 8, doc. 9964, p. 232-234 ; pamphlet publié par Straza le 30 juin, HHStA, PA I, Liasse Krieg, 810, f° 78.

55. En fait, l'avertissement a été formulé de manière vague et générale, aucun détail du complot n'a été fourni et Jovanović s'est adressé à Biliński, et non à Berchtold ; transcription de *Stampa*, 30 juin 1914, HHStA, PA I, Liasse Krieg, 810, f° 24.

56. Jovanović (ambassadeur serbe à Vienne) à Nikola Pašić, Vienne, 1er juillet 1914 ; voir aussi du même au même, Vienne, 6 juillet 1914, AS, MID-PO, 411, f°s 659, 775.

57. Vladan Djordjević (ambassadeur serbe à Constantinople) à Nikola Pašić, Constantinople, 29 juin 1914. Djordjević rapporte que l'ambassadeur roumain à Constantinople avait averti la presse serbe de ne pas « célébrer cette action, mais au contraire de la condamner ». Djordjević n'était pas d'accord, et a demandé à Pašić de conserver un ton « digne et réservé » : Vesnić à Nikola Pašić, Paris, 1er juillet 1914, AS, MID-PO, 411, f°s 662, 710.

58. Mark Cornwall, « Serbia », in Keith M. Wilson (dir.), *Decisions for War 1914*, Londres, 1995, p. 55-96, ici p. 62.

59. Sur les dénégations de Pašić, voir Luigi Albertini, *Origins*, vol. 2, p. 99 ; Djordje Stanković, *Nikola Pašić, saveznivi i stvaranje Jugoslavije*, Zajecar, 1995, p. 40.

60. Voir le rapport Czernin (ambassadeur austro-hongrois à Saint-Pétersbourg) à MFA Vienne, Saint-Pétersbourg, 3 juillet 1914, *ÖUAP*, vol. 8, doc. 10017, p. 282-283 ; retranscription intégrale de l'article in *Vetchernieïe Vremia*, 29 juin 1914, *ÖUAP*, vol. 8, doc. 10017, p. 283-284.

61. Fritz Szapáry à MFA Vienne, Saint-Pétersbourg, 21 juillet 1914, *ÖUAP*, vol. 8, doc. 10461, p. 567-568.

62. Consul-général Heinrich Jehlitschka à MFA Vienne, télégramme, Üsküb, 1er juillet 1914, *ÖUAP*, vol. 8, doc. 9972, p. 237-240, ici p. 239.

63. Nikola Pašić à toutes les légations serbes, Belgrade, 1er juillet 1914 ; Nikola Pašić à toutes les légations serbes, Belgrade, 14 juillet 1914, in *DSP*, vol. 7 / 1, doc. 299, 415.

64. Wilhelm Ritter von Storck à MFA Vienne, Belgrade, 3 juillet 1914 ; Wilhelm Ritter von Storck à MFA Vienne, Belgrade, 3 juillet 1914, *ÖUAP*, vol. 8, doc. 10000, 10004, p. 274, 276.

65. Wilhelm Ritter von Storck à MFA Vienne, Belgrade, 30 juin 1914, *ÖUAP*, vol. 8, doc. 9950, p. 218.

66. *Neue freie Presse*, 7 juillet 1914, n° 17911, p. 4, col. 1.

67. Cornwall, « Serbia », passim.

68. Sur la décision de maintenir un silence hautain, voir, par exemple, Nikolaï Hartwig à Serguei Sazonov, 9 juillet 1914, *IBZI*, série 3, vol. 4, doc. 148, p. 147.

69. Wilhelm Ritter von Storck à MFA Vienne, Belgrade, 30 juin 1914, *ÖUAP*, vol. 8, doc. 9951, p. 218-219.

70. Hugo Hantsch, *Leopold Graf Berchtold. Grandseigneur und Staatsmann*, 2 vol., Graz, 1963, vol. 2, p. 557.

71. Cité in Hugo Hantsch, *Berchtold*, p. 558.

72. Hugo Hantsch, *Berchtold*, p. 559.

73. Leon Biliński, *Wspomnienia i dokumenty*, vol. 1, p. 238.

74. Voir par exemple, Leon Biliński à Oskar Potiorek, Vienne, 30 juin et 3 juillet 1914, *ÖUAP*, vol. 8, doc. 9962, 10029, p. 227-231, 289-291.

75. Voir le compte rendu de la réunion du 13 octobre in Conrad von Hötzendorf, *Aus meiner Dienstzeit*, 1906-1918, 5 vol., Vienne, 1921-1925, vol. 3, p. 464-466.

76. John Leslie, « The Antecedents of Austria-Hungary's War Aims. Policies and Policy-makers in Vienna and Budapest before and during 1914 », in Elisabeth Springer et Leopold Kammerhold (dir.), *Archiv und Forschung. Das Haus- Hof und Staatsarchiv in seiner Bedeutung für die Geschichte Österreichs und Europas*, Vienne, 1993, p. 366-367.

77. Leon Biliński, *Wspomnienia i dokumenty*, vol. 1, p. 277.

78. Nikolaï Chebeko, *Souvenirs. Essai historique sur les origines de la guerre de 1914*, Paris, 1936, p. 185.

79. Heinrich von Tschirschky à Theobald von Bethmann-Hollweg, Vienne, 30 juin, in *DD*, vol. 1, doc. 7, p. 10-11.

80. Sur les motivations de Musulin, voir le mémoire rédigé par le comte Alexander Hoyos et retranscrit in Fritz Fellner, « Die Mission "Hoyos" », in id., *Vom Dreibund zum Völkerbund. Studien zur Geschichte der internationalen Beziehungen 1882-1919*, dir. Heidrun Maschl et Brigitte Mazohl-Wallnig, Vienne, 1994, p. 112-141, ici p. 135.

81. John Leslie, *Antecedents*, p. 378 (citation : Fritz Szapáry à Leopold von Berchtold, 19 novembre 1912).

82. Joseph Redlich, journal intime, entré du 24 juillet 1914, in Fritz Fellner (dir.)., *Schicksalsjahre Österreichs, 1908-1919 : Das politische Tagebuch Josef Redlichs*, 2 vol., Graz, 1953-4, vol. 1, p. 239.

83. Leopold von Berchtold, « Die ersten Tage nach dem Attentat vom 28. Juni », cité in Hugo Hantsch, *Berchtold*, vol. 2, p. 552.

84. Ambassadeur Mérey (Rome) à sa mère, 5 mai 1914, cité in Fritz Fellner, « Die Mission "Hoyos" », p. 119.

85. Voir Robert A. Kann, *Kaiser Franz Joseph und der Ausbruch des Krieges*, Vienne, 1971, p. 11, citant une interview de Leon Biliński ; William Jannen, « The Austro-Hungarian Decision for War in July 1914 », in Samuel R. Williamson et Peter Pastor (dir.), *Essays on World War I : Origins and Prisoners of War*, New York, 1983, p. 55-81, not. p. 72.

86. Ce commentaire aurait été rapporté à Margutti par l'aide de camp de l'empereur, le général comte Paar, voir [Albert Alexander] Baron von Margutti, *The Emperor Francis Joseph and His Times*, Londres, [1921], p. 138-139.

87. Mémoires de Leopold von Berchtold, cité in Hugo Hantsch, *Berchtold*, vol. 2, p. 559-560.

88. István Tisza, mémorandum à l'empereur François-Joseph, Budapest, 1er juillet 1914, *ÖUAP*, vol. 8, doc. 9978, p. 248-249.

89. Günther Kronenbitter, *Krieg in Frieden. Die Führung der k.u.k. Armee und die Grossmachtpolitik Österreich-Ungarns 1906-1914*, Munich, 2003, p. 465-466 ; Roberto Segre, *Vienna e Belgrado*, p. 49 ; Sidney Bradshaw Fay, *The Origins of the First World War*, 2 vol., New York, vol. 2, p. 224-236.

90. Mémoires de Leopold von Berchtold, cité in Hantsch, *Berchtold*, vol. 2, p. 560, 561.

91. Franz Conrad von Hötzendorf, *Aus meiner Dienstzeit*, vol. 4, p. 34 ; Samuel R. Williamson, *Austria-Hungary and the Origins of the First World War*, Houndmills, 1991, p. 199-200.

92. Notes de Hoyos sur une conversation avec Naumann, 1er juillet 1914, *ÖUAP*, vol. 8, doc. 9966, p. 235-236 ; aussi Luigi Albertini, *Origins*, vol. 2, p. 129-30 ; Dieter Hoffmann, *Der Sprung ins Dunkle : Oder wie der 1. Weltkrieg entfesselt wurde*, Leipzig, 2010, p. 181-182 ; Fritz Fischer, *War of Illusions. German Policies from 1911 to 1914*, traduit par Marian Jackson, Londres, 1975, p. 473.

93. Cité in Luigi Albertini, *Origins*, vol. 2, p. 138.

94. Szögyényi à Leopold von Berchtold, Berlin, 4 juillet 1914, *ÖUAP*, vol. 8, doc. 10039, p. 295.

95. Szögyényi à Leopold von Berchtold, Berlin, 4 juillet 1914, *ÖUAP*, vol. 8, doc. 10039, p. 36 ; cf. Fritz Fischer, *War of Illusions*, p. 418.

96. István Tisza, mémorandum à l'empereur François-Joseph, Budapest, 1er juillet 1914, *ÖUAP*, vol. 8, doc. 9978, p. 248-249.

97. István Tisza, mémorandum à l'empereur François-Joseph, Budapest, 1er juillet 1914, *ÖUAP*, vol. 8, appendice au doc. 9984, p. 253-261.

98. François-Joseph au Kaiser Guillaume II, 2 juillet 1914, *ÖUAP*, vol. 8, doc. 9984, p. 250-252.

99. Rapport de Szögyényi sur Hoyos, 1908, cité in Verena Moritz, « "Wir sind also fähig, zu wollen !" Alexander Hoyos und die Entfesselung des Ersten Weltkrieges », in Verena Moritz et Hannes Leidinger (dir.), *Die Nacht des Kirpitschnikow. Eine andere Geschichte des Ersten Weltkrieges*, Vienne, 2006, p. 66-96, ici p. 82-83.

100. Fritz Fellner, « Die Mission "Hoyos" », p. 119, 125, 115-116.

101. Pour une discussion éclairée des intentions de Berchtold, à laquelle ce qui précède est redevable, voir Samuel R. Williamson, *Austria-Hungary*, p. 195-6 ; sur la mission Hoyos voir aussi Manfred Rauchensteiner, *Der Tod des Doppeladlers. Österreich-Ungarn*

und der Erste Weltkrieg, Graz, 1994, p. 70-73 ; Hugo Hantsch, *Berchtold*, vol. 2, p. 567-573.

102. Leopold von Berchtold, rapport sur une conversation avec l'ambassadeur allemand, Vienne, 3 juillet 1914, *ÖUAP*, vol. 8, doc. 1006, p. 277-278.

103. Conversation avec Brătianu rapportée in Czernin à MFA Vienne, Sinaia, 24 juillet 1914, HHStA, PA I, Liasse Krieg 812, f°s 699-708.

8. L'ONDE DE CHOC

1. Cité in David Fromkin, *Europe's Last Summer. Who Started the Great War in 1914 ?*, New York, 2004, p. 138.

2. Rumbold à Edward Grey, Berlin, 3 juillet 1914, *BD*, vol. 11, doc. 26, p. 18.

3. Friedrich Meinecke, *Erlebtes, 1862-1919*, Stuttgart, 1964, p. 245.

4. Akers-Douglas à Edward Grey, Bucarest, 30 juin 1914, *BD*, vol. 11, doc. 30, p. 23.

5. Poklewski-Koziell à Sergueï Sazonov, 4 juillet 1914, *IBZI*, vol. 4, doc. 81, p. 87 ; Hristić à Nikola Pašić, Bucarest, 30 juin 1914, AS, MID-PO, 411, f° 689.

6. Dayrell Crackanthorpe à Edward Grey, Belgrade, 2 juillet, 1914, *BD*, vol. 11, doc. 27, p. 19-20.

7. Möllwald à MFA Vienne, Cetinje, 29 juin 1914, HHStA, PA I, Liasse Krieg, 810, f° 22.

8. Note du ministère de la Guerre (signée Krobatin), Vienne, 2 juillet 1914 ; Leopold von Berchtold à Möllwald, *ÖUAP*, vol. 8, doc. 9996, 10040, p. 270-271, p. 295-296.

9. Miroslav Spalajković à Nikola Pašić, Saint-Pétersbourg, 9 juillet 1914, AS, MID-PO, 412, f° 28.

10. Rodd à Edward Grey, Rome, 7 juillet 1914, *BD*, vol. 11, doc. 36, p. 28 ; Mérey à Leopold von Berchtold, Rome, 2 juillet 1914, *ÖUAP*, vol. 8, doc. 9988, p. 263 ; Mikhailović à Nikola Pašić, Rome, 1er juillet 1914, AS, MID-PO, 411, f°s 762-765.

11. Sverbeïev à Sergueï Sazonov, correspondance privée, Rome, 30 juin 1914, *IBZI*, série 3, vol. 4, doc. 29, p. 37 ; Mikhailović à Nikola Pašić, Rome, 1er juillet 1914, AS, MID-PO, 411, f°s 762-765.

12. John F. V. Keiger, *France and the Origins of the First World War*, Londres, 1983, p. 139, p. 145.

13. Szécsen à Leopold von Berchtold, Paris, 1er juillet 1914, *ÖUAP*, vol. 8, doc. 9970, p. 237.

14. Bosković à Nikola Pašić, Londres, 18 juillet 1914, AS, MID-PO, 411, f° 684.

15. Mensdorff à MFA Vienne, Londres, 16 juillet 1914, HHStA, PA I, Liasse Krieg, 812, f° 478.

16. Czernin à MFA Vienne, Bucarest, 10 juillet 1914, HHStA, PA I, Liasse Krieg, 810, f° 369.

17. Jovanović à Nikola Pašić, Berlin, 13 juillet 1914, AS, MID-PO, 412, f°s 63-64 ; Miroslav Spalajković à Nikola Pašić, Saint-Pétersbourg, 12 juillet 1914, HHStA, PA I, Liasse Krieg, 810, f°s 105-106.

18. Nikolaï Chebeko à Sergueï Sazonov, Vienne, 30 juin 1914 ; Vienne, 1er juillet 1914, Vienne, 1er juillet 1914, *IBZI*, série 3, vol. 8, doc. 32, 46, 47, p. 39, p. 53, p. 54.

19. Nikolaï Hartwig à Sergueï Sazonov, Belgrade, 30 juin 1914, *IBZI*, série 3, vol. 4, doc. 35, p. 43 ; sur l'importance du scandale Friedjung comme prétexte pour rejeter sans appel les arguments de l'Autriche contre la Serbie, voir aussi Manfred Rauchensteiner, *Der Tod des Doppeladlers. Österreich-Ungarn und der Erste Weltkrieg*, Graz, 1994, p. 77.

20. Bronewsky à Sergueï Sazonov, Sofia, 8 juillet 1914, *IBZI*, série 3, vol. 4, doc. 136, p. 143.

21. Benckendorff à Sergueï Sazonov, Londres, 30 juin 1914, *IBZI*, série 3, doc. 26, p. 32.

22. Sverbeïev (ambassadeur à Berlin) à Sergueï Sazonov, 2 juillet 1914, *IBZI*, série 3, doc. 62, p. 68.

23. Bunsen (ambassadeur à Vienne) à Edward Grey, 5 juillet 1914, *BD*, vol. 11, doc. 40, p. 31-32.

24. Carlotti à San Giuliano, Saint-Pétersbourg, 8 juillet 1914, *IBZI*, série 3, vol. 4, doc. 128, p. 128 ; la publication russe de cette communication précise qu'il n'existe pas de documents relatifs à cette conversation dans les archives du ministère des Affaires étrangères russe, et dans le récit que Czernin fait de cette même rencontre, il décrit la conversation, mais ne mentionne pas ce point précis. Peut-être Czernin avait-il acquis cette information confidentielle de la part d'un contact à Vienne, mais souhaitait dissimuler le fait qu'il avait divulgué les intentions autrichiennes à Sazonov. La concordance entre les révélations de Czernin et l'opinion des décideurs viennois suggère cependant que le commentaire a bien été fait et que l'échange est authentique.

25. Fritz Szapáry à Leopold von Berchtold, 18 juillet 1914, *ÖUAP*, vol. 8, doc. 10365, p. 495.

26. Communication verbale de Nikolaï Chebeko à Leopold von Berchtold le 30 juillet à Vienne, voir Nikolaï Chebeko, *Souvenirs. Essai historique sur les origines de la guerre de 1914*, Paris, 1936, p. 258.

27. Szécsen à Leopold von Berchtold, 4 1914, *ÖUAP*, vol. 8, doc. 10047, p. 299.

28. Edward Grey à George Buchanan, Londres, 8 juillet 1914, *BD*, vol. 11, doc. 39, p. 31.

29. Bunsen à Edward Grey, 5 juillet 1914, *BD*, vol. 11, doc. 41, p. 31-32.

30. Bernadotte Everly Schmitt, *Interviewing the Authors of the War*, Chicago, 1930, p. 10. Alors que Schmitt a accepté les dénégations d'Artamonov, Albertini a été plus sceptique, voir Luigi Albertini, *The Origins of the War of 1914*, traduit par Isabella M. Massey, 3 vol., Oxford, 1953, vol. 2, p. 81-86.

31. Guillaume II, commentaire en marge de Heinrich von Tschirschky à Theobald von Bethmann-Hollweg, Vienne, 30 juillet 1914, in Imanuel Geiss (dir.), *Julikrise und Kriegsausbruch 1914. Eine Dokumentensammlung*, 2 vol., Hanover, 1963 / 4, ici vol. 1, doc. 2, p. 59.

32. Leopold von Berchtold, compte rendu d'une conversation avec Heinrich von Tschirschky, 3 juillet 1913, *ÖUAP*, vol. 8, doc. 10006, p. 277 ; Hugo Hantsch, *Leopold Graf Berchtold. Grandseigneur und Staatsmann*, 2 vol., Graz, 1963, vol. 2, p. 566-568.

33. Szögyényi à Leopold von Berchtold, Berlin, 5 juillet 1914, in *ÖUAP*, vol. 8, doc. 10058, p. 306-307.

34. Mémoire de Hoyos in Fritz Fellner, « Die Mission "Hoyos" », in id., *Vom Dreibund zum Völkerbund. Studien zur Geschichte der Internationalen Beziehungen 1882-1919*, éd. H. Mashl et Brigitte Mazohl-Wallnig, Vienne, 1994, p. 137.

35. Holger Afflerbach, *Falkenhayn : Politisches Denken und Handeln im Kaiserreich*, Munich, 1994, p. 151 ; Albertini, *Origins*, vol. 2, p. 142 ; Annika Mombauer, *Helmut von Moltke and the Origins of the First World War*, Cambridge, 2001, p. 190 ; Imanuel Geiss, *Julikrise*, vol. 1, p. 79.

36. Szögyényi à Leopold von Berchtold, Berlin, 6 juillet 1914, *ÖUAP*, vol. 8, doc. 10076, p. 320.

37. Imanuel Geiss, *July 1914. The Outbreak of the First World War. Selected Documents*, New York, 1974, p. 72 ; Luigi Albertini, *Origins*, vol. 2, p. 137-140.

38. Luigi Albertini, *Origins*, vol. 2, p. 147 ; Hugo Hantsch, *Berchtold*, vol. 2, p. 571-572.

39. Luigi Albertini, *Origins*, vol. 2, p. 159, 137-138 ; Holger Afflerbach, *Falkenhayn*, p. 151 ; David Stevenson, *Armaments*, p. 372, 375.

40. Imanuel Geiss, *July 1914*, p. 72 ; David Stevenson, *Armaments and the Coming of War. Europe 1904-1915*, Oxford, 1996, p. 372 ; Szögyényi à Leopold von Berchtold, Berlin, 28 octobre 1913, *ÖUAP*, vol. 7, doc. 8934, p. 513-515.

41. Sur les inquiétudes britanniques au printemps et à l'été 1914 quant à la fiabilité de la Russie, voir Thomas Otte, *The Foreign Office Mind. The Making of British Foreign Policy, 1865-1914*, Cambridge, 2001, p. 376-378 ; sur les craintes des Français d'un éventuel retour de Sergueï Witte : Stefan Schmidt, *Frankreichs Außenpolitik in der Julikrise 1914. Ein Beitrag zur Geschichte des Ausbruchs des Ersten Weltkrieges*, Munich, 2009, p. 266-268.

42. Konrad H. Jarausch, « The Illusion of Limited War : Chancellor Bethmann-Hollweg's Calculated Risk, July 1914 », *Central European History*, 2 / 1, 1969, p. 48-76 ; *Gian Enrico Rusconi, Rischio 1914. Come si decide una guerra*, Bologne, 1987, p. 95-115.

43. Konrad H. Jarausch, « Bethmann-Hollweg's Calculated Risk », p. 48.

44. Dieter Hoffmann, *Der Sprung ins Dunkle : Oder wie der 1.Weltkrieg entfesselt wurde*, Leipzig, 2010, p. 159-162 ; *Le Matin*, 4 janvier 1914 ; voir aussi Ignatiev à Danilov (quartier-maître général russe), Paris, 22 janvier 1914, *IBZI*, série 3, vol. 1, 77, p. 65-68, ici p. 66. Alexandre Izvolski soupçonnait l'article d'avoir été inspiré par un fonctionnaire du Quai d'Orsay, voir *IBZI*, série 3, vol. 1, 77, p. 66, n. 1.

45. Cité in Hermann von Kuhl, *Der deutsche Generalstab in Vorbereitung und Durchführung des Weltkrieges*, Berlin, 1920, p. 72.

46. Pourtalès à Theobald von Bethmann-Hollweg, 13 juin 1914, *DD*, vol. 1, doc. 1, p. 1.

47. Guillaume II, notes en marges de la traduction du même article article, 13 juin 1914, *DD*, vol. 1, doc. 2, p. 3.

48. Theobald von Bethmann-Hollweg à Karl Max von Lichnowsky, Berlin, 16 juin 1914, *GP*, vol. 39, doc. 15883, p. 628-630, not. p. 628.

49. I. V. Bestuzhev, « Russian Foreign Policy, February-June 1914 », *Journal of Contemporary History*, 1 / 3, 1966, p. 96.

50. Mémorandum de l'état-major général, Berlin, 27 novembre 1913 et 7 juillet 1914, PA-AA, R 11011.

51. Zara S. Steiner, *Britain and the Origins of the First World War*, Londres, 1977, p. 120-124 ; Wolfgang J. Mommsen, « Domestic Factors in German Foreign Policy before 1914 », *Central European History*, 6, 1973, p. 3-43, ici p. 36-39.

52. Karl Dietrich Erdmann (dir.), *Kurt Riezler. Tagebücher, Aufsätze, Dokumente*, Göttingen, 1972, journal intime, entrée du 7 juillet 1914, p. 182-183. La publication de ce journal intime a donné lieu à une longue controverse, souvent acrimonieuse, à la fois sur l'étendue de la responsabilité allemande dans le déclenchement de la guerre (la « controverse Fischer » n'était alors pas terminée) et sur l'authenticité même du journal (tout particulièrement des sections de l'avant-guerre). Bernd Sösemann en particulier a accusé Erdmann d'avoir présenté le manuscrit comme un « journal intime » offrant au lecteur un point de vue contemporain sur les évènements, alors qu'il consistait en une série de feuilles volantes, considérablement remaniées, partiellement tronquées, combinées à ce qui s'apparente à des entrées originales ainsi que des interpolations plus tardives.

Voir Bernd Sösemann, « Die Erforderlichkeit des Unmöglichen. Kritische Bemerkungen zu der Edition : Kurt Riezler, Tagebücher, Aufsätze, Dokumente », *Blätter für deutsche Landesgeschichte*, 110, 1974 ; du même auteur, « Die Tagebücher Kurt Riezlers. Untersuchungen zu ihrer Echtheit und Edition », *Historische Zeitschrift*, 236, 1983, p. 327-369, ainsi que la réponse détaillée de Erdmann : Karl Dietrich Erdmann, « Zur Echtheit der Tagebücher Kurt Riezlers. Eine Antikritik », *Historische Zeitschrift*, 236, 1983, p. 371-402. Sur l'intérêt persistant de cette édition et des notes de Riezler, malgré le caractère complexe de la source, voir l'introduction de Holger Afflerbach à la réédition de l'édition Erdmann, Göttingen, 2008.

53. Karl Dietrich Erdmann, *Riezler*, journal intime, entrée du 7 juillet 1914, p. 182.

54. Karl Dietrich Erdmann, *Riezler*, journal intime, entrée du 8 juillet 1914, p. 184 ; sur l'importance de cet argument au regard de la stratégie allemande, voir aussi Jürgen Angelow, *Der Weg in die Urkatastrophe. Der Zerfall des alten Europa 1900-1914*, Berlin, 2010, p. 25-26.

55. Alexander Hoyos, « Meine Mission nach Berlin », in Fritz Fellner, « Die Mission "Hoyos" », p. 137.

56. « Protocol of the Ministerial Council for Joint Affairs convened on 7 July 1914 », *ÖUAP*, vol. 8, doc. 10118, p. 343-351, ici p. 343-345.

57. « Protocol of the Ministerial Council for Joint Affairs convened on 7 July 1914 », *ÖUAP*, vol. 8, doc. 10118, p. 343-351, ici, p. 349.

58. Gunther E. Rothenberg, *The Army of Francis Joseph*, Lafayette, 1976, p. 177-179 ; Manfried Rauchensteiner, *Tod des Doppeladlers*, p. 74-5 ; Roberto Segre, *Vienne e Belgrado 1876-1914*, Milan, [1935], p. 61.

59. Samuel R.Williamson, *Austria-Hungary and the Origins of the First World War*, Houndmills, 1991, p. 199.

60. Franz Conrad von Hötzendorf, *Aus meiner Dienstzeit, 1906-1918*, 5 vol., Vienne, 1921-1925, vol. 4, p. 33.

61. Leopold von Berchtold, Rapport à l'empereur, 14 juillet 1914, *ÖUAP*, vol. 8, doc. 10272, p. 447-448.

62. Franz Conrad von Hötzendorf à Leopold von Berchtold, Vienne, 10 juillet 1914, *ÖUAP*, vol. 8, doc. 10226, p. 414-415.

63. Nikolaï Chebeko, *Souvenirs*, p. 214 ; Sidney Bradshaw Fay, *The Origins of the First World War*, 2 vol., New York, vol. 2, p. 243-248.

64. Exaspéré, l'ambassadeur autrichien le comte Mérey informe Vienne des indiscrétions allemandes dans un télégramme envoyé le 18 juillet ; dans sa réponse, Berchtold lui indique qu'il a appris de « sources confidentielles sûres » – référence codée à des interceptions – la teneur des instructions envoyées par Rome à ses ambassades de Bucarest et Saint-Pétersbourg, voir Mérey à Leopold von Berchtold, Rome, 18 juillet 1914 et Leopold von Berchtold à Mérey, Vienne, 20 juillet 1914, *ÖUAP*, vol. 8, doc. 10364, 10418, p. 494, 538. Sur les conséquences de la rupture du secret, voir Samuel R. Williamson, *Austria-Hungary and the Origins*, p. 201 ; du même auteur, « Confrontation with Serbia : The Consequences of Vienna's Failure to Achieve Surprise in July 1914 », *Mitteilungen des Österreichischen Staatsarchivs*, 43, 1993, p. 168-177 ; du même auteur, « The Origins of the First World War », *Journal of Interdisciplinary History*, 18, 1988, p. 795-818, ici p. 811-818. Sur ce sujet, voir aussi : San Giuliano à Berlin, Saint-Pétersbourg, Vienne et Belgrade, 16 juillet 1914, in Italian Foreign Ministry (dir.), *I Documenti Diplomatici Italiani*, 4ᵉ série, 1908-1914, 12 vol., Rome, 1964, vol. 12 doc. 272 ; R. J. B. Bosworth, *Italy, the Least of the Great Powers : Italian Foreign Policy before the First World War*, Cambridge, 1979, p. 380-386.

65. Voir Nikolaï Chebeko, *Souvenirs*, p. 213.

66. Dayrell Crackanthorpe à Edward Grey, Belgrade, 17 juillet 1914, *BD*, vol. 11, doc. 53, p. 41.

67. Nikola Pašić aux légations serbes, Belgrade, 19 juillet, AS, MID-PO 412, f° 138.

68. Luigi Albertini, *Origins*, vol. 2, p. 254-257, pour davantage de détails.

69. Robin Okey, *The Habsburg Monarch, c. 1765-1918. From Enlightenment to Eclipse*, Londres, 2001, p. 377.

70. William Jannen, « The Austro-Hungarian Decision for War in July 1914 », in Samuel R. Williamson et Peter Pastor (dir.), *Essays on World War I : Origins and Prisoners of War*, New York, 1983, not. p. 58-60.

71. Sur la confiance de Vienne en la capacité de dissuasion de l'Allemagne, voir Roberto Segre, *Vienna e Belgrado*, p. 69.

72. Mémorandum composé entre le 28 juin et 7 juillet 1914 par Berthold Molden, journaliste indépendant travaillant pour le département de presse du ministère des Affaires étrangères de Vienne, cité in Solomon Wank, « Desperate Counsel in Vienna in July 1914 : Berthold Molden's Unpublished Memorandum », *Central European History*, 26 / 3, 1993, p. 281-310, ici p. 292.

73. Mémorandum Molden, cité in Solomon Wank, « Desperate Counsel in Vienna », p. 293.

74. Edna Ullmann-Margalit, « Big Decisions : Opting, Converting, Drifting », université hébraïque de Jérusalem, Centre for the Study of Rationality, Discussion Paper # 409, accessible en ligne à http://www.ratio.huji.ac.il/. Voir aussi : Edna Ullmann-Margalit et Sidney Morgenbesser, « Picking and Choosing », *Social Research*, 44 / 4, 1977, p. 758-785. Je suis reconnaissant à Ira Katznelson d'avoir attiré mon attention sur ces articles.

75. Edna Ullmann-Margalit, « Big Decisions », p. 11.

76. Wilhelm Ritter von Storck à MFA Vienne, Belgrade, télégramme, 6 juillet 1914, HHStA, PA I, Liasse Krieg 810, f° 223 ; d'après ce rapport l'ambassadeur britannique Crackanthorpe aurait confié à Storck qu'il trouvait le comportement de « ses collègues de la Triple-Entente plus qu'étrange ».

77. D'où les soupçons de l'ambassadeur italien Cora, qui avait été présent en diverses occasions (dont la fameuse soirée de bridge) où Nikolaï Hartwig s'était moqué du défunt archiduc ; voir Wilhelm Ritter von Storck à Leopold von Berchtold, Belgrade, 13 juillet 1914, HHStA, PA I, Liasse Krieg 810, f° 422.

78. Giesl à Leopold von Berchtold, Belgrade, 11 juillet 1914, *ÖUAP*, vol. 8, doc. 10193, p. 396-398 ; il y a un récit plus détaillé de la mort de l'ambassadeur in Basil Strandmann à Sergueï Sazonov, Belgrade, 11 juillet 1914, *IBZI*, série 1, vol. 4, doc. 164, p. 163.

79. Cité in Luigi Albertini, *Origins*, vol. 2, p. 277.

80. Sergueï Sazonov à Basil Strandmann, Saint-Pétersbourg, 13 juillet 1914, *IBZI*, série 1, vol. 4, doc. 192, p. 179.

81. Léon Descos à Viviani, Belgrade, 11 juillet 1914, *DDF*, 3e série, vol. 10, doc. 499, p. 719-721, ici p. 721.

9. LES FRANÇAIS À SAINT-PÉTERSBOURG

1. Louis de Robien, « Arrivée en Russie », Louis de Robien MSS, AN 427, AP 1, vol. 2, f°s 1-2.

2. Louis de Robien, « Arrivée », f°s 3-4.

3. Louis de Robien, « Arrivée », f°s 6-7.

4. Louis de Robien, « Arrivée », f°s 8-9.

5. Louis de Robien, « Arrivée », f° 13.

6. Louis de Robien, « Arrivée », f° 12.

7. M. B. Hayne, *The French Foreign Office and the Origins of the First World War, 1898-1914*, Oxford, 1993, p. 117-118.

8. Maurice Paléologue, *Cavour*, Paris, Plon, 1926, p. 56.

9. Daeschner à Doulcet, Paris, 25 mai 1914, AMAE, PA-AP, 240 Doulcet, vol. 21.

10. Alexandre Izvolski à Sergueï Sazonov, Paris, 15 janvier 1914, *IBZI*, série 3, vol. 1, doc. 13, p. 14-16 ; Francis Bertie à Edward Grey, Paris, 26 janvier et 15 juin 1912 ; voir Francis Bertie à Arthur Nicolson, 26 janvier 1912, TNA FO 800 / 165, f°s 133-134.

11. Louis de Robien, « Arrivée », f° 10.

12. Francis Bertie à Arthur Nicolson, 26 janvier 1912, TNA FO 800 / 165, f°s 133-134 ; « lamentable choix » : Gérard, ambassadeur au Japon, commentaires du 18 juin 1914, rapportés in Georges Louis, *Les Carnets de Georges Louis*, 2 vol., Paris, 1926, vol. 2, p. 125.

13. Eyre Crowe, note marginale à Francis Bertie à Edward Grey, Paris, 26 janvier 1912, cité in John F. V. Keiger, *France and the Origins of the First World War*, Londres, 1983, p. 5.

14. John F. V. Keiger, *France and the Origins*, p. 51.

15. M. B. Hayne, *French Foreign Office*, p. 253-254, 133.

16. Alexandre Izvolski à Sergueï Sazonov, Paris, 15 janvier 1914, *IBZI*, série 3, vol. 1, doc. 13, p. 14-16.

17. Compte rendu d'une conversation avec Paléologue, début janvier 1914, in Vasilij N. Strandmann, *Balkanske Uspomene*, traduit du russe en serbe par Jovan Kachaki, Belgrade, 2009, p. 240.

18. Sur la réputation de loyauté de Margerie envers Raymond Poincaré, voir Sevastopulo (chargé d'affaires russe, Paris) à Sergueï Sazonov, Paris, 15 janvier 1914, *IBZI*, série 3, vol. 1, doc. 16, p. 19 ; sur l'affection et la loyauté de Margerie envers Raymond Poincaré, voir Bernard Auffray, *Pierre de Margerie (1861-1942) et la vie diplomatique de son temps*, Paris, 1976, p. 243-244 ; John F. V. Keiger, *France and the Origins*, p. 51.

19. « The French Army », *The Times*, 14 juillet 1914, p. 8, col. D ; « French Military Deficiencies », « No Cause for Alarm », *The Times*, 15 juillet 1914, p. 7, col. A. ; Gerd Krumeich, *Armaments and Politics in France on the Eve of the First World War. The Introduction of the Three-Year Conscription 1913-1914*, traduit par Stephen Conn, Leamington Spa, 1984, p. 214 ; John F. V. Keiger, *France and the Origins*, p. 149.

20. Raymond Poincaré, journal intime, entrée du 15 juillet 1914, notes journalières, BNF 16027.

21. Raymond Poincaré, journal intime, entrée du 11 juillet 1914.

22. Raymond Poincaré, journal intime, entrée du 18 juillet 1914.

23. Raymond Poincaré, journal intime, entrée du 16 juillet 1914.

24. Raymond Poincaré, journal intime, entrée du 20 juillet 1914.

25. Maurice Paléologue, *La Russie des Tsars pendant la Grande Guerre*, Paris, Plon, 1921, p. 3-4.

26. Luigi Albertini, *The Origins of the War of 1914*, traduit par Isabella M. Massey, 3 vol., Oxford, 1953, vol. 2, p. 189.

27. Maurice Paléologue, *La Russie des Tsars pendant la Grande Guerre*, Paris, Plon, 1921, p. 2.

28. Maurice Paléologue, *La Russie des Tsars pendant la Grande Guerre*, Paris, Plon, 1921, p. 4.

29. Raymond Poincaré, journal intime, entrée du 20 juin 1914, notes journalières, BNF 16027.

30. Raymond Poincaré, journal intime, entrée du 21 juin 1914.

31. Maurice Paléologue, *La Russie des Tsars pendant la Grande Guerre*, Paris, Plon, 1921, p. 10. Szapáry rapporte aussi une « référence indirecte à l'affaire Prochaska », voir Fritz Szapáry à Leopold von Berchtold, Saint-Pétersbourg, 21 juillet 1914, *ÖUAP*, vol. 8, doc. 10461, p. 567-268 ; Friedrich Würthle, *Die Spur führt nach Belgrad*, Vienne, 1975, p. 207, 330-331.

32. Raymond Poincaré, journal intime, entrée du 21 juin 1914, notes journalières, BNF 16027.

33. Maurice Paléologue, *La Russie des Tsars pendant la Grande Guerre*, Paris, Plon, 1921, p. 10.

34. Louis de Robien, « Voyage de Poincaré », AN 427 AP 1, vol. 2, f° 54. Robien n'était pas présent lorsque ces mots furent prononcés, mais a entendu parler de l'effet qu'ils avaient eu sur des témoins russes.

35. Fritz Szapáry à Leopold von Berchtold, Saint-Pétersbourg, 21 juillet 1914, *ÖUAP*, vol. 8, doc. 10461, p. 568 ; cf. pour un point de vue différent sur cet échange, voir John F. V. Keiger, *France and the Origins*, p. 151, qui affirme que Szapáry avait tort de voir une menace dans les propos du président.

36. Raymond Poincaré, journal intime, entrée du 21 juin 1914, notes journalières, BNF 16027.

37. Louis de Robien, « Voyage de Poincaré », f° 55.

38. Louis de Robien, « Voyage de Poincaré », f° 57.

39. Raymond Poincaré, journal intime, entrée du 21 juin 1914, notes journalières, BNF 16027.

40. Raymond Poincaré, journal intime, entrée du 22 juin 1914.

41. Christopher Andrew, « Governments and Secret Services : A Historical Perspective », *International Journal*, 34 / 2, 1979, p. 167-186, ici p. 174.

42. Louis de Robien, « Voyage de Poincaré », f°s 56-58.

43. Maurice Paléologue, *La Russie des Tsars pendant la Grande Guerre*, Paris, Plon, 1921, p. 14-15.

44. Cette anecdote est rapportée par Laguiche à l'ambassadeur français à Saint-Pétersbourg (qui est alors Georges Louis) et au ministère de la Guerre, en date du 25 novembre 1912 ; consultable au service historique de la Défense, Château de Vincennes, Carton 7 N 1478. Je suis reconnaissant au professeur Paul Robinson de la Graduate School of Public and International Affairs de l'université d'Ottawa d'avoir attiré mon attention sur ce document et de m'en avoir communiqué la référence.

45. Maurice Paléologue, *La Russie des Tsars pendant la Grande Guerre*, Paris, Plon, 1921, p. 15.

46. Raymond Poincaré, journal intime, entrée du 22 juin 1914, Notes journalières, BNF 16027.

47. Raymond Poincaré, journal intime, entrée du 23 juin 1914.

48. Maurice Paléologue, *La Russie des Tsars pendant la Grande Guerre*, Paris, Plon, 1921, p. 16-17.

49. Louis de Robien, « Voyage de Poincaré », f° 62.

50. Louis de Robien, « Voyage de Poincaré », f°s 62-63.

51. Maurice Paléologue, *Cavour*, Paris, Plon, 1926, p. 57.

10. L'ULTIMATUM

1. « Protocols of the Ministerial Council held in Vienna on 19 July 1914 », *ÖUAP*, vol. 8, doc. 10393, p. 511-514 ; Franz Conrad von Hötzendorf, *Aus meiner Dienstzeit 1906-1918*, 5 vol., Vienne, 1921-1925, vol. 4, p. 87-92.

2. La question est posée in Czernin à Leopold von Berchtold, « top secret », Sinaia, 27 juillet 1914, HHStA, PA I, Liasse Krieg 812, f°s 193-198.

3. Szögyényi à MFA Vienne, Berlin, 14 juillet 1914, HHStA, PA I, Liasse Krieg 812, f° 446.

4. Szögyényi à MFA Vienne, Berlin, 14 juillet 1914, HHStA, PA I, Liasse Krieg 812, f° 512.

5. Samuel R. Williamson, *Austria-Hungary and the Origins of the First World War*, Houndmills, 1991, p. 203.

6. Lewis Bernstein Namier, *In the Margin of History*, Londres, 1939, p. 247.

7. Manfried Rauchensteiner, *Der Tod des Doppeladlers. Österreich-Urgarn und der Erste Weltkrieg*, Graz, 1994, p. 78.

8. Voir le texte de la note autrichienne et de l'ultimatum in *ÖUAP*, vol. 8, doc. 10395, p. 515-517. Cité ici d'après Henry Barby, *La Guerre mondiale avec l'armée serbe ; de l'ultimatum autrichien à l'invasion de la Serbie (1915)*, Paris, Albin Michel, 1876, p. 18-23. Consultable en ligne sur : http://fr.scribd.com/doc/32286416/La-Guerre-Mondiale-avec-l-Armee-Serbe-de-l-Ultimatum-Autrichien-a-l-Invasion-de-la-Serbie-1915-Hanry-Barby.

9. Wiesner à Leopold von Berchtold (deux télégrammes), Sarajevo, 13 juillet 1914, *ÖUAP*, vol. 8, doc. 10252, 12253, p. 436-437 ; sur l'impact du rapport de Wiesner, voir Sidney Bradshaw Fay, *The Origins of the First World War*, 2 vol., New York, vol. 2, p. 236-239.

10. Bernadotte Everly Schmitt, *Interviewing the Authors of the War*, Chicago, 1930, p. 22.

11. Luigi Albertini, *The Origins of the War of 1914*, traduit par Isabella M. Massey, 3 vol., Oxford, 1953, vol. 2, p. 90-97.

12. Musulin a rédigé la première version du point 6 ; elle a été corrigée par Berchtold, recorrigée par Musulin et ensuite reformulée par Forgách, Luigi Albertini, *Origins*, vol. 2, p. 255-256.

13. Edward Grey à Bunsen (ambassadeur à Vienne), rapportant sa conversation avec Karl Max von Lichnowsky, *BD*, vol. 11, doc. 91, p. 73-74 ; Churchill cité in David Fromkin, *Europe's Last Summer. Who Started the Great War in 1914 ?*, New York, 2004, p. 184.

14. Accord de Rambouillet, accord intérimaire pour la paix et l'autonomie au Kosovo, accessible en ligne sur : http://www.diplomatie.gouv.fr/fr/pays-zones-geo/kosovo/colonne-droite-2743/documents-de-reference-2741/article/accord-de-rambouillet-27-05-99.

15. Ian Bancroft, « Serbia's Anniversary is a Timely Reminder », *The Guardian*, 24 mars 2009, accessible sur http://global.factiva.com/ha/default.aspx.

16. Dayrell Crackanthorpe à Edward Grey, Belgrade, 18 juillet 1914, *BD*, vol. 11, doc. 80, p. 64-65.

17. Légation royale de Serbie, Londres, à Netherlands MFA, 18 octobre 1912, NA 2.05.3, Ministerie van Buitenlandsa Zaken, doc. 648, Correspondentie over de Balkanoorlog.

18. Giesl à Leopold von Berchtold, Belgrade, 23 juillet 1914, *ÖUAP*, vol. 8, doc. 10526, p. 596.

19. Luigi Albertini, *Origins*, vol. 2, p. 285.

20. Souvenirs de Ljuba Jovanović, cité in Luigi Albertini, *Origins*, vol. 2, p. 347.

21. Ces détails sont rapportés par Gruić, cité in Luigi Albertini, *Origins*, p. 347.

22. Leopold von Berchtold à Giesl, Vienne, 23 juillet 1014, *ÖUAP*, vol. 8, doc. 10519, p. 594.

23. Basil Strandmann à Sergueï Sazonov, 24 juillet 1914, *IBZI*, série 3, vol. 5, doc. 35, p. 38.

24. Voir les souvenirs du colonel Pavlović, rapportés au cours d'entretiens avec Luciano Magrini in October 1915, pendant la retraite de Serbie, voir Luciano Magrini, *Il dramma di Seraievo. Origini i responsabilità della guerra europea*, Milan, 1929, p. 203-205.

25. Nikola Pašić à Miroslav Spalajković, Belgrade, 24 juillet 1914, *DSP*, vol. 7 / 2, doc. 501 ; Prince régent Alexander au tsar Nicolas II, retranscrit in Basil Strandmann à Sergueï Sazonov, 24 juillet 1914, *IBZI*, série 3, vol. 5, doc. 37, p. 39.

26. Luciano Magrini, *Il dramma di Seraievo*, p. 205-206.

27. Nikola Pašić aux légations serbes, Belgrade, 25 juillet 1914, British Foreign Office (dir.), *Collected Diplomatic Documents Relating to the Outbreak of the European War*, Londres, 1915, p. 389-390.

28. Dayrell Crackanthorpe à Edward Grey, Belgrade, 12 h 30, 25 juillet 1914, *BD*, vol. 11, doc. 114, p. 87-88.

29. Miroslav Spalajković à Nikola Pašić, Saint-Pétersbourg, envoyé à 18 h 15, le 22 juillet 1914, *DSP*, vol. 7 / 2, doc. 484.

30. Luigi Albertini, *Origins*, vol. 2, p. 354.

31. Miroslav Spalajković à Nikola Pašić, Saint-Pétersbourg, envoyé à minuit, le 24 juillet 1914, *DSP*, vol. 7 / 2, doc. 527.

32. Gale Stokes, « The Serbian Documents from 1914 : A Preview », *Journal of Modern History*, 48, 1976, p. 69-84, ici p. 72. Spalojković à Nikola Pašić, Saint-Pétersbourg, envoyé à 1 h 40, le 25 juillet (mais daté de façon erronée au 24 juillet par les éditeurs), *DSP*, vol. 7 / 2, doc. 503.

33. Miroslav Spalajković à Nikola Pašić, Saint-Pétersbourg, 8 heures, le 25 juillet 1914, *DSP*, vol. 7 / 2, doc. 556.

34. Miroslav Spalajković à Nikola Pašić, Saint-Pétersbourg, 15 h 22, 25 juillet 1914 ; Miroslav Spalajković à Nikola Pašić 14 h 55, le 26 juillet 1914, *DSP*, vol. 7 / 2, doc. 559, 556.

35. Sur les conséquences de ces télégrammes envoyés de Russie, voir Luigi Albertini, *Origins*, vol. 2, p. 354-356 ; et plus particulièrement sur le rejet par Sergueï Sazonov des points 5 et 6 de l'ultimatum, voir Luciano Magrini, *Il dramma di Seraievo*, p. 206 ; Gale Stokes, « Serbian Documents » ; cf. Mark Cornwall, « Serbia », in Keith M. Wilson (dir.), *Decisions for War 1914*, Londres, 1995, p. 79-80. Cornwall, dont l'analyse des développements à Belgrade reste insurpassée, affirme que la formulation des télégrammes de Saint-Pétersbourg était trop imprécise pour lever tous les doutes de Pašić quant à l'intention des Russes de venir en aide à la Serbie. Il est exact que Sazonov était resté assez vague – il ne pouvait en être autrement – sur les détails de ce que pouvait faire la Russie, ou sur le calendrier. Ma propre opinion est que les indications de plus en plus précises contenues dans les télégrammes de Spalajković suffisaient certainement à rassurer les leaders serbes que la Russie était sur la voie d'une intervention. Mais il faut reconnaître que les Serbes étaient déterminés à résister depuis le début, ce qu'impliquait la façon dont Belgrade avait géré la crise depuis son déclenchement.

36. Sur le transit et les heures d'arrivée des télégrammes, voir la note des éditeurs sur Miroslav Spalajković à Nikola Pašić, Saint-Pétersbourg, envoyé à minuit, le 24 juillet 1914, *DSP*, vol. 7 / 2, doc. 527, et Gale Stokes, « Serbian Documents ».

37. Souvenirs de Gruić cités in Luigi Albertini, *Origins*, vol. 2, p. 363-364.

38. Alexander Musulin von Gomirje, *Das Haus am Ballhausplatz. Erinnerungen eines österreich-ungarischen Diplomaten*, Munich, 1924, p. 241.

39. Texte de la réponse (en français) in « Note der serbischen Regierung und die Belgrader Gesandtschaft », Belgrade, pas de date [25 juillet 1914], *ÖUAP*, vol. 8, doc. 10648, p. 660-663. Cité en français d'après Henry Barby, *La Guerre mondiale avec l'armée serbe ; de l'ultimatum autrichien à l'invasion de la Serbie (1915)*, Paris, Albin Michel, 1876, p. 28-34. Consultable en ligne sur : http://fr.scribd.com/doc/32286416/La-Guerre-Mondiale-avec-l-Armee-Serbe-de-l-Ultimatum-Autrichien-a-l-Invasion-de-la-Serbie-1915-Hanry-Barby.

40. Miloš Bogičević, *Le Procès de Salonique*, juin *1917*, Paris, 1927, p. 132 ; Joachim Remak, *Sarajevo. The Story of a Political Murder*, Londres, 1959, p. 207.

41. Texte de la réponse (en français) in « Note der serbischen Regierung an die Belgrader Gesandschaft », Belgrade, pas de date [25 juillet 1917], *ÖUAP*, vol. 8, doc. 10648, p. 660-663.

42. Roberto Segre, *Vienna e Belgrado 1876-1914*, Milan, [1935], p. 78 ; voir aussi James Joll, *The Origins of the First World War*, Londres, 1984, p. 13 ; Joachim Remak, « 1914 – The Third Balkan War : Origins Reconsidered », *Journal of Modern History*, 43, 1971, p. 353-366.

43. Voir « Monarchiefeindliche Bilder im Belgrader Kriegsministerium », note incluse dans le dossier transmis aux légations austro-hongroises après la réception de la réponse serbe, *ÖUAP*, vol. 8, doc. 10654, p. 665-704, ici p. 704.

44. Attaché militaire à Belgrade au chef d'état-major, Belgrade, 25 juillet 1914, Kriegsarchiv Wien, AOL Evidenzbureau, 3506, 1914, Resumés d. vertraulichen Nachrichten – Italian, Russland, Balkan, « B » [Balkan] ; Nikolaï Chebeko, *Souvenirs. Essai historique sur les origines de la guerre de 1914*, Paris, 1936, p. 231.

45. Mon récit du départ de Giesl doit beaucoup à Luigi Albertini, *Origins*, vol. 2, p. 373.

46. Leopold von Berchtold à Mensdorff, Vienne, 24 juillet 1914, *ÖUAP*, vol. 8, doc. 10599, p. 636.

47. Macchio à Leopold von Berchtold, Vienne, 25 juillet 1914 ; Leopold von Berchtold à Macchio, Lambach, 25 juillet 1914, *ÖUAP*, vol. 8, doc. 10703, 10704, p. 731-732.

48. Luigi Albertini, *Origins*, vol. 2, p. 376-380.

49. Miroslav Spalajković à Serbian MFA in Niš, Saint-Pétersbourg, 4 h 10, 26 juillet 1914, *DSP*, vol. 7 / 2, doc. 584.

50. Franz Joseph, « The Imperial Rescript and Manifesto », 28 juillet 1914, transcrit et reproduit in « Austria-Hungary's Version of the War », *New York Times Current History of the European War*, 1 / 2, 1914 : 26 décembre, p. 223-226, ici p. 223, consultable en ligne sur le site Periodical Archives Online.

51. Rapaport à Vredenburch, Belgrade, 28 juillet 1914, NA, 2.05.36, 9, Consulaat-Generaal Belgrado en Gezandschap Zuid-Slavië.

52. Ernest Jones, *Sigmund Freud : Life and Work*, 3 vol., Londres, 1953-1957, vol. 2, p. 192.

11. Coups de semonce

1. Maurice Paléologue, *La Russie des Tsars pendant la Grande Guerre*, Paris, Plon, 1921, p. 23.

2. Louis de Robien, « Copie des notes prises par Chambrun du 23 juillet au 3 août 1914 », AN 427, AP 1, Louis de Robien MSS, vol. 2, f° 2. Cette source intéressante consiste en des notes annexées par Robien à la copie carbone d'un compte rendu dactylographié rédigé par Chambrun à la demande de Viviani détaillant les activités de l'ambassadeur durant les derniers jours précédant le déclenchement de la guerre.

3. George Buchanan à Edward Grey, 24 juillet 1914, *BD*, vol. 11, doc. 101, p. 81.

4. Maurice Paléologue, *La Russie des Tsars pendant la Grande Guerre*, Paris, Plon, 1921, p. 24.

5. Louis de Robien, « Copie des notes prises par Chambrun », f° 2.

6. Fritz Szapáry à Leopold von Berchtold, Saint-Pétersbourg, 24 juillet 1914, *ÖUAP*, vol. 8, doc. 10616, 10617, 10619, p. 645, 646-647, 648.

7. C'est ainsi que Yanouchkevitch rapporte la conversation au général Dobrorolski, responsable du département de la mobilisation de l'armée russe, voir Sergueï K. Dobrorolski, « La mobilisation de l'armée russe en 1914 », *Revue d'Histoire de la Guerre Mondiale*, 1, 1923, p. 53-69, 144-59, ici p. 64 ; sur le communiqué de presse, voir Maurice Paléologue, *La Russie des Tsars pendant la Grande Guerre*, Paris, Plon, 1921, p. 26.

8. Ces citations, basées sur les Mémoires inédits du ministre des Finances Peter Bark, sont tirées de leur transcription in Dominic C. B. Lieven, *Russia and the Origins of the First World War*, Londres, 1983, p. 142.

9. A. Yu Ariev (dir.), *Sud'ba Veka. Krivosheiny*, Saint-Pétersbourg, 2002, p. 76 ; voir aussi les lettres de Menshikov, l'un des principaux éditorialistes de *Novoïe Vremia*, à Krivocheïne in RGIA, not. F. 1571, op. 1, d. 181, l. 2-3.

10. Harold H. Fisher (dir.), *Out of My Past. The Memoirs of Count Kokovtsov, Russian Minister of Finance, 1904-1914, Chairman of the Council of Ministers,1911-1914*, traduit par Laura Matveev, Stanford, 1935, p. 349.

11. Voir sa lettre à Krivocheïne in RGIA, F. 1571, op. 1, d. 289, l. 3, 7.

12. D'après le compte rendu de Bark cité in Dominic C. B. Lieven, *Russia and the Origins*, p. 142-143.

13. Bark cité in Dominic C. B. Lieven, *Russia and the Origins*, p. 143-144.

14. Sonderjournal des russischen Ministerrats, 24 juillet 1914, *IBZI*, série 3, vol. 5, doc. 19, p. 25-26.

15. Leonard Turner, « Russian Mobilisation in 1914 », *Journal of Contemporary History*, 3 / 1, 1968, p. 75-76.

16. Dominic C. B. Lieven, *Russia and the Origins*, p. 59-61 ; sur l'importance des décisions russes des 24 et 25 juillet, voir aussi Jürgen Angelow, *Der Weg in die Urkatastrophe. Der Zerfall des alten Europa 1900-1914*, Berlin, 2010, p. 145.

17. Bruce W. Menning, « Russian Military Intelligence, juillet 1914. What St Petersburg Perceived and Why It Mattered », tapuscrit inédit, p. 20 : Sergueï K. Dobrorolski, « La mobilisation de l'armée russe », p. 64-67.

18. Sergueï K. Dobrorolski, « La mobilisation de l'armée russe », passim ; Sidney Bradshaw Fay, *The Origins of the First World War*, 2 vol., New York, vol. 2, p. 286-300.

19. Leonard C. V. Turner, « Russian Mobilisation », p. 65-88, ici p. 75 ; Alfred Knox, *With the Russian Army, 1914-1917*, 2 vol., New York, 1921, vol. 1, p. 42.

20. Luigi Albertini, *The Origins of the War of 1914*, traduit par Isabella M. Massey, 3 vol., Oxford, 1953, vol. 2, p. 558 ; Turner, « Russian Mobilisation ».

21. Dominic C. B. Lieven, *Russia and the Origins*, p. 144-5 ; Sergueï K. Dobrorolski, « La mobilisation de l'armée russe », p. 68 ; Leonard C. F. Turner, « Russian Mobilisation », p. 76.

22. Regulation Concerning the Period Preparatory to War of 2 March 1913, paraphrasé in Sidney Bradshaw Fay, *Origins*, vol. 2, p. 316-318.

23. De l'Escaille à Davignon, Saint-Pétersbourg, 26 et 27 juillet 1914, voir aussi Buisseret à Davignon, Saint-Pétersbourg, 26 juillet 1914, MAEB AD, Empire russe, 34.

24. Széchényi à MFA Vienne, Copenhague, 26 juillet 1914, HHStA, PA, I. Liasse Krieg, 812, f° 63.

25. Hein à MFA Vienne, Kiev, 27 juillet 1914, HHStA, PA, I. Liasse Krieg, 812, f° 226.

26. Andrian à MFA Vienne, 27 juillet 1914, Szczakowa, 27 juillet 1914, HHStA, PA, I. Liasse Krieg, 812, f° 237.

27. Von Haydin à MFA Vienne, Moscou, 28 juillet 1914, HHStA, PA, I. Liasse Krieg, 812, f° 3.

28. Stürghk (citant le rapport Statthalter Galicia) à MFA Vienne, Vienne, 28 juillet 1914, HHStA, PA, I. Liasse Krieg, 812, f° 26.

29. Corossacz à MFA Vienne, Tiflis, 28 juillet 1914, HHStA, PA, I. Liasse Krieg, 812, f° 69.

30. Sur ces dépêches, voir Sean MacMeekin, *The Russian Origins of the First World War*, Cambridge, MA, 2011, p. 62 ; sur les concentrations inquiétantes de chevaux, Sergueï K. Dobrorolski, « La mobilisation de l'armée russe », p. 68-69.

31. Maurice Paléologue, *La Russie des Tsars pendant la Grande Guerre*, Paris, Plon, 1921, p. 27.

32. George Buchanan à Edward Grey, Saint-Pétersbourg, 18 juillet 1914, *BD*, vol. 11, doc. 60, p. 47.

33. Harold H. Fisher, *Memoirs of Count Kokovtsov*, p. 346-347.

34. Harold H. Fisher, *Memoirs of Count Kokovtsov*, p. 347.

35. Ignatiev à état-major général, Paris, 30 juillet 1914, RGVIA, fonds 15304-Upravlenie Voennogo Agenta vo Frantsii, op. 2, d. 16, Rapports et communications sur cahiers spéciaux, l. 38.

36. Guillaume à Davignon, Paris, 30 juillet 1914, MAEB AD, France 12, Correspondance politique – légations.

37. Maurice Paléologue à Quai d'Orsay, 18 h 30, le 24 juillet 1914 ; 23 heures, le 24 juillet 1914 ; 16 h 45, le 25 juillet 1914, tous ces documents en brouillon, AMAE, PA-AP, Maurice Paléologue, *Correspondance politique*, vol. 1, f°s 30-32 ; ce document est analysé in M. B. Hayne, *The French Foreign Office and the Origins of the First World War (1898-1914)*, Oxford, 1993, p. 298.

38. Pierre de Laguiche à état-major général français, cité in Paléologue à MFA Paris, Saint-Pétersbourg, 26 juillet 1914, cité in Sean MacMeekin, *Russian Origins*, p. 69.

39. C'est ainsi que Sergueï Sazonov rapporte la conversation à Paléologue, voir Maurice Paléologue au Quai d'Orsay, 19 h 30, le 26 juillet 1914, AMAE, PA-AP, Maurice Paléologue, *Correspondance politique*, vol. 1, f° 35 ; le compte rendu de Szapáry insiste sur le ton chaleureux et amical du ministre, mais se termine en suggérant que comme les préparatifs militaires russes sont déjà entamés, cette ouverture n'est qu'une tentative de gagner du temps, *ÖUAP*, vol. 8, doc. 10835, p. 804-806.

40. Le 8 novembre 1912, une commission militaire secrète avait adopté les nouvelles dispositions sur les mesures précédant la mobilisation générale, voir Sidney Bradshaw Fay, *Origins*, vol. 2, p. 308.

41. Maurice Paléologue à Quai d'Orsay, 16 h 45, le 25 juillet 1914, brouillon, AMAE, PA-AP, Maurice Paléologue, *Correspondance politique*, vol. 1, f° 32 verso.

42. Maurice Paléologue à Quai d'Orsay, 23 heures, le 24 juillet 1914, brouillon, *Correspondance politique*, vol. 1, f° 31 verso.

43. Sean MacMeekin, *Russian Origins*, p. 34.

44. Ronald Bobroff, *Roads to Glory. Late Imperial Russia and the Turkish Straits*, Londres, 2006, p. 52-53.

45. Mustafa Aksakal, *The Ottoman Road to War in 1914. The Ottoman Empire and the First World War*, Cambridge, 2008, p. 43 ; sur la course aux armements navals gréco-turque, voir Paul G. Halpern, *The Mediterranean Naval Situation, 1908-1914*, Cambridge, MA, 1971, p. 314-354.

46. Grigorovitch à Sergueï Sazonov, 19 janvier 1914, *IBZI*, série 3, vol. 1, doc. 50, p. 45-47.

47. Sergueï Sazonov à Benckendorff, Saint-Pétersbourg, 8 mai 1914, *IBZI*, série 3, vol. 2, doc. 384, p. 381-382, ici p. 382 ; Mustafa Aksakal, *Ottoman Road to War*, p. 46.

48. Sergueï Sazonov à Benckendorff, Saint-Pétersbourg, 30 juillet 1914, *IBZI*, série 3, vol. 5, doc. 281, p. 195.

49. Sur l'importance des Détroits dans la politique extérieure russe, voir Ronald Bobroff, *Roads to Glory*, passim ; pour une analyse faisant du contrôle des Détroits l'objectif principal de la politique russe pendant la crise de juillet, voir Sean MacMeekin, *Russian Origins*, p. 6-40, et p. 98-114, où MacMeekin met en lumière l'importance croissante des Détroits après le déclenchement de la guerre.

50. Dominic C. B. Lieven, *Russia and the Origins*, p. 45-47, 99-101.

51. Sergueï K. Dobrorolski, « La mobilisation de l'armée russe », p. 68.

12. Derniers jours

1. Le compte rendu classique est de A. T. Q. Stewart, *The Ulster Crisis*, Londres, 1969).

2. Voir Ian F. W. Beckett, *The Army and the Curragh Incident 1914*, Londres, 1986 ; James Fergusson, *The Curragh Incident*, Londres, 1964.

3. Zara S. Steiner, *Britain and the Origins of the First World War*, Londres, 1977, p. 215 : Keith Jeffery, *Field Marshal Sir Henry Wilson. A Political Soldier*, Oxford, 2006, p. 126.

4. Herbert Asquith à Venetia Stanley, 30 juin 1914, in Michael et Eleanor Brock (dir.), *H. H. Asquith. Letters to Venetia Stanley*, Oxford, 1985, p. 93.

5. Herbert Asquith à Venetia Stanley, 24 juillet 1914, in *Asquith*, p. 122.

6. Edward Grey à Francis Bertie, Londres, 8 juillet 1914, Imanuel Geiss (dir,), *Julikrise und Kriegsausbruch 1914. Eine Dokumentensammlung*, 2 vol., Hannovre, 1934-1934, vol. 1, doc. 55, p. 133 ; *BD*, vol. 11, doc. 38, p. 30.

7. Edward Grey à George Buchanan, Londres, 8 juillet 1914, Imanuel Geiss (dir,), *Julikrise*, vol. 1, doc. 56, p. 133-135 : *BD*, vol. 11, doc. 39, p. 30-31.

8. Conversations rapportées in Karl Max von Lichnowsky à Theobald von Bethmann-Hollweg, Londres, 9 juillet 1914, Imanuel Geiss (dir.), *Julikrise*, vol. 1, doc. 60, p. 136-137.

9. Mensdorff à MFA Vienne, Londres, 17 juillet 1914, *ÖUAP*, vol. 8, doc. 10337, p. 480-481.

10. Mensdorff à MFA Vienne, Londres, 24 juillet 1914, *ÖUAP*, vol. 8, doc. 10660, p. 636.

11. Zara S. Steiner, *Britain and the Origins*, p. 222.

12. Cité in H. D. Lasswell, *Propaganda Technique in the World War*, New York, 1927, p. 49.

13. Adrian Gregory, « A Clash of Cultures. The British Press and the Opening of the Great War », in Troy E. Paddock (dir.), *A Call to Arms. Propaganda, Public Opinion and Newspapers in the Great War*, Westport, 2004, p. 15-50, ici p. 20.

14. *John Bull*, 11 juillet 1914, p. 6 ; Niall Ferguson, *Pity of War*, Londres, 1998, p. 219 ; Adrian Gregory, « A Clash of Cultures », p. 20-21.

15. Bosković à Nikola Pašić, Londres, 12 juillet 1914, AS, MID-PO 412, f° 36 : l'article en question a été publié dans *John Bull*, 11 juillet 1914, p. 6.

16. Winston S. Churchill, *The World Crisis*, 2 vol., Londres, repr. 1968, vol. 1, p. 114.

17. Zara S. Steiner, *Britain and the Origins*, p. 224-225.

18. L'exposé de Wilson devant le Comité de Défense impériale du 23 août 1911 est cité in *BD*, vol. 8, doc. 314, p. 381-382.

19. Cité in Michael Brock, « Britain Enters the War », in Robert John Weston Evans et Hartmut Pogge von Strandmann (dir.), *The Coming of the First World War*, Oxford, 1988, p. 145-178, ici p. 150-151.

20. Voir Trevor Wilson (dir.), *The Political Diaries of C. P. Scott 1911-1928*, Londres, 1970, p. 96-97, p. 104.

21. Michael Brock, « Britain Enters the War », p. 153-154.

22. Edward Grey à Rumbold, Londres, 20 juillet 1914, *BD*, vol. 11, doc. 68, p. 54.

23. Sur l'incohérence et l'impossibilité de cette médiation à quatre proposée par Edward Grey, voir Sidney Bradshaw Fay, *The Origins of the First World War*, 2 vol., New York, vol. 2, p. 360-362.

24. George Buchanan à Edward Grey, Saint-Pétersbourg, 26 juillet 1914, *BD*, vol. 11, doc. 155, p. 107.

25. Arthur Nicolson à Edward Grey, rapportant une « Communication de l'ambassadeur d'Allemagne », 26 juillet 1914, *BD*, vol. 11, doc. 146, p. 155.

26. Le compte rendu détaillé que rédige Benckendorff à l'issue de sa conversation du 8 juillet avec Edward Grey confirme que le secrétaire d'État britannique ne contestait pas la position russe vis-à-vis de la Serbie, mais qu'il ne voyait la crise qu'en termes de relations entre deux blocs d'alliance, Benckendorff à Sergueï Sazonov, Londres, 9 juillet 1914, *IBZI*, série 3, vol. 4, doc. 146, p. 141-144.

27. George Buchanan à Edward Grey, Saint-Pétersbourg, 24 juillet 1914, *BD*, vol. 11, doc. 101, p. 80-82 (incluant les annotations).

28. Eyre Crowe, annotations datées du 25 juillet sur George Buchanan à Edward Grey, Saint-Pétersbourg, 24 juillet 1914, *BD*, vol. 11, doc. 101, p. 81.

29. Karl Max von Lichnowsky à Gottlieb von Jagow, Londres, 29 juillet 1914, in Max Montgelas et Karl Schücking (dir.), *Deutsche Dokumente zum Kriegsausbruch*, vol. 1, doc. 368, p. 86-89, ici p. 87.

30. Edward Grey à Edward Goschen, Londres, 30 juillet 1914, *BD*, vol. 11, doc. 303, p. 193-194.

31. Sur l'acceptation par Edward Grey des arguments et des griefs de l'Autriche contre la Serbie, voir Zara S. Steiner, *Britain and the Origins*, p. 220-223.

32. Raymond Poincaré, journal intime, entrée du 25 juillet 1914, notes journalières, BNF 16027.

33. Raymond Poincaré, journal intime, entrée du 25 juillet 1914.

34. Raymond Poincaré, journal intime, entrée du 25 juillet 1914, italiques rajoutées.

35. Jean-Jacques Becker, *1914. Comment les Français sont entrés dans la guerre. Contribution à l'étude de l'opinion publique printemps-été 1914*, Paris, 1977, p. 140 ; sur la passivité de la France, voir John F. V. Keiger, *France and the Origins of the First World War*, Londres, 1983, p. 166, p. 167 ; aussi du même auteur, « France », in Keith M. Wilson (dir.), *Decisions for War 1914*, Londres, 1995, p. 121-149, not. p. 122-123.

36. Sur l'opinion publique suédoise, dont on disait qu'elle « vit dans la crainte de la Russie », voir Buisseret à Davignon, Saint-Pétersbourg, 28 novembre 1913, MAEB AD, Russie 3, 1906-1914.

37. La conversation est rapportée in Raymond Poincaré, journal intime, entrée du 23 juillet 1914, notes journalières, BNF 16027.

38. Raymond Poincaré, journal intime, entrée du 25 juillet 1914.

39. Raymond Poincaré, journal intime, entrée du 25 juillet 1914.

40. Raymond Poincaré, journal intime, entrée du 27 juillet 1914. *La France* fait déjà route vers Copenhague lorsque la décision de retourner à Paris est prise.

41. Raymond Poincaré, journal intime, entrée du 27 juillet 1914.

42. Raymond Poincaré, journal intime, entrée du 27 juillet 1914.

43. Raymond Poincaré, journal intime, entrée du 27 juillet 1914.

44. Raymond Poincaré, journal intime, entrée du 27 juillet 1914.

45. Raymond Poincaré, journal intime, entrée du 28 juillet 1914.

46. John F. V. Keiger, « France », in Keith M. Wilson, *Decisions*, p. 123 ; Stefan Schmidt, *Frankreichs Außenpolitik*, p. 313.

47. Raymond Poincaré, journal intime, entrée du 29 juillet 1914, notes journalières, BNF 16027.

48. Joseph Caillaux, *Mes Mémoires*, 3 vol., Paris, 1942-1947, vol. 3, *Clairvoyance et force d'âme dans mes épreuves, 1912-1930*, p. 169-170.

49. Raymond Poincaré, journal intime, entrée du 29 juillet 1914.

50. Pierre de Laguiche à Messimy, Saint-Pétersbourg, 26 juillet 1914, *DDF*, 3ᵉ série, vol. 11, doc. 89, p. 77-78.

51. Une page est manquante dans le manuscrit conservé à la Bibliothèque nationale, voir Raymond Poincaré, journal intime, entrée du 29 juillet 1914, notes journalières, BNF 16027, fᵒ 124. Le dernier paragraphe note que les Britanniques ont demandé à Serguéï Sazonov son sentiment sur l'idée de réunir une Conférence des ambassadeurs des quatre puissances pour résoudre le conflit austro-serbe et se termine sur ce fragment : « Sazonoff a malheureusement » – laissant le lecteur sur sa faim.

52. Joseph Caillaux, *Mes Mémoires*, vol. 3, p. 170-171.

53. Serguéï Sazonov à Alexandre Izvolski, Saint-Pétersbourg, 29 juillet 1914, *IBZI*, série 3, vol. 5, doc. 221, p. 159-160 ; aussi note de l'ambassade de Russie. Communication d'un télégramme de M. Sazonoff, 30 juillet 1914, *DDF*, 3ᵉ série, vol. 11, doc. 301, p. 257-258.

54. Stefan Schmidt, *Frankreichs Außenpolitik in der Julikrise 1914. Ein Beitrag zur Geschichte des Ausbruchs des Ersten Weltkriegs*, Munich, 2009, p. 321.

55. Cité en partie in Viviani à Paléologue et Paul Cambon, Paris, 30 juillet 1914, *DDF*, 3ᵉ série, vol. 11, doc. 305, p. 261-263 ; mon interprétation de ce document suit celle de Stefan Schmidt in *Frankreichs Außenpolitik*, p. 317-320.

56. Voir John F. V. Keiger, « France », in Keith M. Wilson (dir.), *Decisions for War*, p. 121-149, ici p. 147.

57. Gabriel Hanotaux, *Carnets (1907-1925)*, éd. Georges Dethan, Georges-Henri Soutou et Marie-Renée Mouton, Paris, 1982, p. 103-104.

58. Raymond Poincaré, journal intime, entrée du 30 juillet 1914 ; sur ce lien voir Stefan Schmidt, *Frankreichs Außenpolitik*, p. 322.

59. Alexandre Izvolski à Sergueï Sazonov, Paris, 30 juillet 1914, *IBZI*, série 3, vol. 5, doc. 291, p. 201-202, italiques ajoutées ; voir aussi les discussions in John F. V. Keiger, « France », p. 127 ; Stefan Schmidt, *Frankreichs Außenpolitik*, p. 323-324.

60. Cité in Stefan Schmidt, *Frankreichs Außenpolitik*, p. 326. Schmidt affirme que Messimy envisageait sans doute une mobilisation sans concentration lorsqu'il a fait référence à une accélération des préparatifs « sans transports de troupes massifs ».

61. Raymond Poincaré, journal intime, entrée du 30 juillet 1914.

62. Sergueï K. Dobrorolski, « La mobilisation de l'armée russe », p. 147 ; l'article « Rossiya khochet mira, no gotova voine » parut in *Birjevaïa Viedomosti* et fut repris dans le journal nationaliste *Rech* le 13 mars 1914.

63. Sergueï K. Dobrorolski, « La mobilisation de l'armée russe », p. 147.

64. Sergueï K. Dobrorolski, « La mobilisation de l'armée russe », p. 148-149.

65. Baron M. F. Schilling (dir.), *How the War Began in 1914. Being the Diary of the Russian Foreign Office from the 3rd to the 20th (Old Style) of July, 1914*, traduit par W. Cyprian Bridge, Londres, 1925, p. 62.

66. Sergueï Sazonov, *Les Années fatales*, p. 216.

67. Sergueï Sazonov, *Les Années fatales*, p. 217-220 ; pour un excellent compte rendu de ces évènements, voir Sidney Bradshaw Fay, *Origins*, vol. 2, p. 450-481.

68. Sergueï K. Dobrorolski, « La mobilisation de l'armée russe », p. 151.

69. Ces décalages de dates sont exposés in Bruce W. Menning, « Russian Military Intelligence, July 1914. What Saint-Pétersbourg Perceived and Why It Mattered », tapuscrit non publié, p. 23 ; voir aussi ministère des Affaires étrangères (dir.), *Documents diplomatiques, 1914. La guerre européenne. Pièces relatives aux négociations qui ont précédé la déclaration de guerre de l'Allemagne à la Russie et à la France*, Paris, 1914, doc. 118, p. 116 ; sur d'autres omissions et suppressions, voir aussi Konrad G. W. Romberg, *The Falsifications of the Russian Orange Book*, traduit par W. Cyprian Bridge, Londres, [1923].

70. Télégramme n° 1538 à Londres, Paris, Vienne, Berlin et Rome, 28 juillet 1914, cité in Baron M. F. Schilling, *How the War Began*, p. 44.

71. Télégramme n° 1539 à Berlin, Paris, Londres, Vienne et Rome, 28 juillet 1914, cité in Baron M. F. Schilling, *How the War Began*, p. 44.

72. Télégramme de Benckendorff à Sergueï Sazonov, cité in Sergueï Sazonov, *Les Années fatales*, p. 200-201.

73. Cité in Baron M. F. Schilling (dir.), *How the War Began*, p. 43.

74. Sur l'opinion de Sergueï Sazonov quant à l'avertissement de Theobald von Bethmann-Hollweg, voir Luigi Albertini, *The Origins of the War of 1914*, traduit par Isabella M. Massey, 3 vol., Oxford, 1953, vol. 2, p. 491 ; Horst Linke, *Das Zarische Russland und der Erste Weltkrieg. Diplomatie und Kriegsziele (1914-1917)*, Munich, 1982, p. 33 ; sur l'échange avec Pourtalès, voir « 16 / 29 July », Baron M. F. Schilling (dir.), *How the War Began*, p. 48-49.

75. « 16 / 29 July », Baron M. F., p. 43.

76. De L'Escaille à Davignon, Saint-Pétersbourg, 30 juillet 1914, MAEB AD, Empire russe 34, 1914 ; ce télégramme, qui a été intercepté par les Allemands et publié pendant la guerre, devient un élément incontournable du débat sur la responsabilité de la guerre, voir par exemple German Foreign Office (dir.), *Belgische Aktenstücke, 1905-1914*, Berlin, [1917] ; voir aussi Theobald von Bethmann-Hollweg, *Betrachtungen zum Weltkrieg*, 2 vol., Berlin, 1919, vol. 1, p. 124.

77. Télégramme du Kaiser Guillaume II au tsar, Berlin, 29 juillet 1914, cité in Schilling (dir.), *How the War Began*, p. 55.

78. Voir, par exemple, Herman Bernstein, « Kaiser Unmasked as Cunning Trickster Who Plotted for War While He Prated of Peace. "Nicky" telegrams Reveal Czar as No Better, Falling Readily into Snares that "Willy" Set », *Washington Post*, 18 septembre 1917, coupure jointe à AMAE NS, Russie 45 Allemagne-Russie ; Herman Bernstein, *The Willy-Nicky Correspondence. Being the Secret and Intimate Telegrams Exchanged Between the Kaiser and the tsar*, New York, 1918 ; Sidney Bradshaw Fay, « The Kaiser's Secret Negotiations with the Tsar, 1904-1905 », *American Historical Review*, 24, 1918, p. 48-72 ; Isaac Don Levine (dir.), *The Kaiser's Letters to the tsar. Copied from Government Archives in Petrograd and Brought from Russia by Isaac Don Levine*, Londres, 1920. Ces premières éditions n'incluent pas la série de câbles échangés entre les deux souverains en 1914, probablement parce qu'il ne s'agissait pas de télégrammes personnels mais en réalité de câbles diplomatiques et qu'ils n'avaient donc pas été archivés avec la correspondance privée – je dois cette hypothèse à John C. G. Röhl, que je remercie chaleureusement.

79. Michael S. Neiberg, *Dance of the Furies, Europe and the Outbreak of World War I*, Cambridge, MA, 2011, p. 116.

80. Serguei Sazonov, *Les Années fatales*, p. 218.

81. Serguei Sazonov, *Les Années fatales*, p. 218-219.

82. Bruce W. Menning, « Russian Military Intelligence », p. 13-18 ; Dominic C. B. Lieven, *Russia and the Origins of the First World War*, Londres, 1983, p. 148-149.

83. Heinrich von Tschirschky à Theobald von Bethmann-Hollweg, Vienne, 2 juillet 1910, rapportant une conversation entre Koulakovski et Vladimir A. Soukhomlinov, PA-AA, R 10894.

84. Bruce W. Menning, « Russian Military Intelligence », p. 30-31.

85. Cité in V. R. Berghahn et W. Deist, « Kaiserliche marine und Kriegsausbruch 1914 », *Militärgeschichtliche Mitteilungen*, 1, 1970, p. 37-58 ; Albert Hopman (haut fonctionnaire de l'office du Reich à la Marine), journal intime, entrées du 6 et 7 juillet 1914, in Michael Epkenhans (dir.), *Albert Hopman. Das ereignisreiche Leben eines « Wilhelminers »*. *Tagebücher, Briefe, Aufzeichnungen, 1901 bis 1920*, Oldenbourg, 2004, p. 383, 385.

86. Biedermann (ministre plénipotentiaire de Saxe à Berlin) à Vitzthum (ministre des Affaires étrangères de Saxe) Berlin, 17 juillet 1914, in Immanuel Geiss, *Julikrise*, vol. 1, doc. 125, p. 199-200.

87. Theobald von Bethmann-Hollweg aux ambassadeurs à Saint-Pétersbourg, Paris et Londres, Berlin, 21 juillet 1914, in Immanuel Geiss, *Julikrise*, vol. 1, doc. 188, p. 264-266, ici p. 265.

88. Annika Mombauer, *Helmuth von Moltke and the Origins of the First World War*, Cambridge, 2001, p. 190-193, p. 196 ; sur la confiance des Allemands dans l'état de préparation de leurs forces armées, voir Mark Hewitson, *Germany and the Causes of the First World War*, Oxford, 2006, passim.

89. Cité in Leonard C. F. Turner, *Origins of the First World War*, Londres, 1973, p. 86.

90. Cité in Ulrich Trumpener, « War Premeditated ? German Intelligence Operations in July 1914 », *Central European History*, 9, 1976, p. 58-85, ici p. 64.

91. Ulrich Trumpener, « War Premeditated ? », p. 64.

92. Riezler, journal intime, entrée du 11 juillet 1914, in Karl Dietrich Erdmann (dir.), *Kurt Riezler. Tagebücher Aufsätze Dokumente*, Göttingen, 1972, p. 185.

93. Immanuel Geiss, *Julikrise*, vol. 1, doc. 123, p. 198.

94. « German View of French Disclosures », *The Times*, 17 juillet 1914, p. 7, col. C ; « Attitude of Germany », *The Times*, 25 juillet 1914, p. 10, col. C.

95. Annika Mombauer, *Helmuth von Moltke*, p. 194-195, n 44.

96. D'où la déduction du comte Kageneck, attaché militaire allemand à Vienne, voir Annika Mombauer, *Helmuth von Moltke*, p. 194. Sur l'impact des révélations faites par Humbert sur le raisonnement des Allemands pendant la crise, voir aussi Theodor Wolff (rédacteur en chef du *Berliner Tageblatt*), journal intime, entrée du 24 juillet 1914, rapportant le scepticisme des autorités sur l'état de préparation de la France, in Bernd Sösemann (dir.), *Tagebücher 1914-1919 : der Erste Weltkrieg und die Entstehung der Weimarer Republik in Tagebüchern, Leitartikeln und Briefen des Chefredakteurs am « Berliner Tageblatt » und Mitbegründers der « Deutschen Demokratischen Partei » Theodor Wolff*, Boppard, 1984, p. 64-65 ; Albert Hopman, journal intime, entrée du 14 juillet 1914, in Michael Epkenhans, *Tagebücher*, p. 389.

97. Risto Ropponen, *Italien als Verbündeter. Die Einstellung der politischen und militärischen Führung Deutschlands und Österreich-Ungarns zu Italien von der Niederlage von Adua 1896 bis zum Ausbruch des Weltkrieges 1914*, Helsinki, 1986, p. 139, 141-142, 209-210.

98. Theobald von Bethmann-Hollweg à Wilhelm von Schoen et Theobald von Bethmann-Hollweg à Karl Max von Lichnowsky, tous deux de Berlin, 27 juillet 1914, in Immanuel Geiss (dir.), *Julikrise*, vol. 2, doc. 491, 492, p. 103.

99. Gottlieb von Jagow à Karl Max von Lichnowsky (lettre privée), Berlin, 18 juillet 1914, in Karl Kautsky (dir.), *Die deutschen Dokumente zu Kriegsausbruch*, 4 vol., Berlin, 1927, vol. 1, doc. 72, p. 99-101, ici p. 100.

100. Sur la confiance que les Allemands avaient en la possibilité de « localiser » le conflit, voir Albert Hopman, journal intime, entrées des 8, 13, 24, 26 juillet 1914, p. 386, p. 388, p. 394-395, p. 397-398 ; sur les craintes de Jagow, Albert Hopman, journal intime, entrée du 21 juillet, p. 391-392 ; sur la comparaison de Theobald von Bethmann-Hollweg avec un « homme qui se noie », voir Alfred von Tirpitz, *Erinnerungen*, Leipzig, 1920, p. 242 ; sur ces aspects de la crise, voir aussi Samuel R. Williamson et Ernest R. May, « An Identity of Opinion », not. n 107, p. 353.

101. Guillaume II à François-Joseph, Balholm, 14 juillet 1914, *ÖUAP*, vol. 8, doc. 10262, p. 422-423.

102. Voir not. les annotations de Guillaume II sur Heinrich von Tschirschky à Gottlieb von Jagow, Vienne, 10 juillet 1914, in Imanuel Geiss, *July 1914. The Outbreak of the First World War. Selected Documents*, New York, 1974, doc. 16, p. 106-107.

103. Guillaume II, commentaires sur Heinrich von Tschirschky à Theobald von Bethmann-Hollweg, Vienne, 14 juillet 1914, in Imanuel Geiss, *July 1914*, doc. 21, p. 114-115.

104. Lamar Cecil, *Wilhelm II.*, 2 vol., Chapel Hill, 1989 et 1996, vol. 2, *Emperor and Exile, 1900-1941*, p. 202 ; Gottlieb von Jagow à Wedel (entourage de l'empereur), Berlin, 18 juillet 1914, in Geiss, *July 1914*, doc. 29, p. 121.

105. David Stevenson, *Armaments and the Coming of War, Europe 1904-1914*, Oxford, 1996, p. 376.

106. Voir G. A. von Müller, *Regierte der Kaiser ? Aus den Kriegstagebüchern des Chefs des Marine-Kabinetts im Ersten Weltkrieg Admiral Georg Alexander von Müller*, Göttingen, 1959 ; Holger Afflerbach, *Kaiser Wilhelm II. Als Oberster Kriegsherr im Ersten Weltkrieg. Quellen aus der militärischen Umgebung des Kaisers*, Munich, 2005, p. 11.

107. Holger Afflerbach, *Falkenhayn : Politisches Denken und Handeln im Kaiserreich*, Munich, 1994, p. 153.

108. Guillaume II à Gottlieb von Jagow, Neues Palais, 28 juillet 1914, in I. Geiss, *July 1914*, doc. 112, p. 256 ; Holger Afflerbach, *Falkenhayn*, p. 153.

109. Cité in Holger Afflerbach, *Falkenhayn*, p. 154.

110. Cité in Volker Berghahn, *Germany and the Approach of War in 1914*, Basingstoke, 1993, p. 202-203.

111. Luigi Albertini, *Origins*, vol. 2, p. 467 ; Immanuel Geiss, *July 1914*, p. 222.

112. Karl Max von Lichnowsky à Gottlieb von Jagow, Londres, 27 juillet 1914, in I. Geiss, *July 1914*, doc. 97, p. 238-239.

113. Theobald von Bethmann-Hollweg à Heinrich von Tschirschky, Berlin 10 h 15, 28 juillet 1914, Immanuel Geiss, *July 1914*, doc. 115, p. 259 ; David Stevenson, *Armaments*, p. 401-402 ; sur la différence de vues entre Theobald von Bethmann-Hollweg et Guillaume II ce jour-là, voir Immanuel Geiss, *Julikrise*, vol. 2, p. 164-165 (commentaire de Geiss).

114. Theobald von Bethmann-Hollweg à Guillaume II, Berlin 10 h 15, 28 juillet 1914, in Immanuel Geiss, *July 1914*, doc. 114, 117, p. 258, 261.

115. Ulrich Trumpener, « War Premeditated ? », p. 66-67.

116. Chelius à Guillaume II, Saint-Pétersbourg, 26 juillet 1914, in Immanuel Geiss (dir.), *Julikrise*, vol. 2, doc. 441, p. 47-49, ici p. 48.

117. Cité in Ulrich Trumpener, « War Premeditated ? », p. 66.

118. Ulrich Trumpener, « War Premeditated ? », p. 66.

119. État-major général, rapport du Bureau d'analyse du renseignement, 28 juillet 1914, cité in Ulrich Trumpener, « War Premeditated ? », p. 72.

120. Voir, par exemple, Theobald von Bethmann-Hollweg à Heinrich von Tschirschky, Berlin, 29 juillet 1914, deux communications du 30 juillet 1914, in Geiss (dir.), *Julikrise*, vol. 2, doc. 690, 695, 696, p. 287-288, p. 289-290, p. 290.

121. Erich von Falkenhayn, journal intime, 29 juillet 1914, cité in Holger Afflerbach, *Falkenhayn*, p. 155.

122. Volker Berghahn, *Germany and the Approach of War*, p. 215.

123. Erich von Falkenhayn, journal intime, 31 juillet 1914, cité in Holger Afflerbach, *Falkenhayn*, p. 160.

124. George V, rapporté par le prince Henri de Prusse, Henri à Guillaume II, 28 juillet 1914, in *DD*, vol. 1, p. 32-89.

125. Harold Nicolson, *King George the Fifth*, Londres, 1952, p. 245 ; Volker Berghahn, *Germany and the Approach of War*, p. 219.

126. Harold Nicolson, *King George the Fifth*, p. 246.

127. Karl Max von Lichnowsky à Gottlieb von Jagow, Londres, 29 juillet 1914, in Geiss, *July 1914*, doc. 130, p. 288-290.

128. Guillaume II, annotations sur Pourtalès à Gottlieb von Jagow, Saint-Pétersbourg, 30 juillet 1914, in I. Geiss, *July 1914*, doc. 135, p. 293-295.

129. Karl Max von Lichnowsky à Gottlieb von Jagow, Londres, 1er août 1914, *DD*, vol. 3, doc. 562, p. 66.

130. Karl Max von Lichnowsky à Gottlieb von Jagow, Londres, 1er août 1914, *DD*, vol. 3, doc. 570, p. 70.

131. Cité in Holger Afflerbach, *Falkenhayn*, p. 164.

132. Erich von Falkenhayn, journal intime, 1er août 1914, cité in Holger Afflerbach, *Falkenhayn*, p. 165-166. La version de Falkenhayn est globalement corroborée par Moltke, mais n'est peut-être pas entièrement fiable. D'après les Mémoires de Max von Mutius, aide de camp et témoin oculaire, le Kaiser avait demandé à Moltke si une violation des frontières à l'ouest – et plus spécifiquement l'entrée de la 16e division au

Luxembourg – pouvait encore être évitée. Moltke avait répondu qu'il n'en savait rien, et c'est un officier du département opérationnel de l'état-major, le lieutenant-colonel Tappen, qui a affirmé que c'était encore possible. Si tel est le cas, le Kaiser n'a pas désavoué directement Moltke, et s'est contenté de camper sur sa position. Quoi qu'il en soit, tous les récits de cet épisode rapportent le traumatisme que la scène a représenté pour le chef d'état-major, qui n'a cessé d'y revenir de manière obsessionnelle ; voir Holger Afflerbach, *Kaiser Wilhelm II als Oberster Kriegsherr im Ersten Weltkrieg. Quellen aus der militärischen Umgebung des Kaisers, 1914-1918*, Munich, 2005, p. 13.

133. Lamar Cecil, *Wilhelm II*, vol. 2, p. 107.

134. Annika Mombauer, *Helmuth von Moltke*, p. 222.

135. Guillaume II à George V, Berlin 1er août 1914, *DD*, vol. 3 doc. 575, p. 74.

136. Theobald von Bethmann-Hollweg à Karl Max von Lichnowsky, Berlin, 1er août 1914, *DD*, vol. 3, doc. 578, p. 76 ; Guillaume II à George V, Berlin, 1er août 1914, *DD*, vol. 3, doc. 575, p. 74.

137. Karl Max von Lichnowsky à Gottlieb von Jagow, Londres, 1er août 1914, *DD*, vol. 3, doc. 596, p. 89-91.

138. George V à Guillaume II, Londres, 1er août 1914, *DD*, vol. 3, doc. 612, p. 103-104.

139. Karl Max von Lichnowsky à Gottlieb von Jagow, Londres, 1er août 1914, *DD*, vol. 3, doc. 603, p. 95.

140. Cité in Holger Afflerbach, *Falkenhayn*, p. 167.

141. Karl Max von Lichnowsky à Gottlieb von Jagow, Londres, 29 juillet 1914, *DD*, vol. 1, doc. 368, p. 86-89.

142. Edward Grey à Francis Bertie, Londres, 31 juillet 1914, *BD*, vol. 11, doc. 352, p. 220.

143. Harry F. Young, « The Misunderstanding of August 1, 1914 », *Journal of Modern History*, 48 / 4, 1976, p. 644-665.

144. Stephen J. Valone, « "There Must Be Some Misunderstanding" : Sir Edward Grey's Diplomacy of August 1, 1914 », *Journal of British Studies*, 27 / 4, 1988, p. 405-424.

145. Keith M. Wilson, « Understanding the "Misunderstanding" of 1 August 1914 », *Historical Journal*, 37 / 4, 1994, p. 885-9 ; sur l'impact de l'instabilité financière internationale sur le raisonnement des décideurs britanniques, voir Nicholas A. Lambert, *Planning Armageddon. British Economic Warfare and the First World War*, Cambridge, MA, 2012, p. 185-231 ; pour une discussion de l'analyse de Lambert, voir Samuel R. Williamson, « July 1914 : Revisited and Revised », p. 17-18 ; je suis reconnaissant à Sam Williamson d'avoir attiré mon attention sur cet aspect de l'argumentation de Lambert.

146. Edward Grey à Francis Bertie, Londres, 1er août 1914, *BD*, vol. 11, doc. 419, p. 250.

147. Francis Bertie à Edward Grey, Paris, 2 août 1914, *BD*, vol. 11, doc. 453, p. 263 ; sur « l'impertinence » de cette réponse, voir Keith M. Wilson, « Understanding the "Misunderstanding" », p. 888.

148. Communiqué de l'ambassade d'Allemagne, Londres, 31 juillet 1914, *BD*, vol. 11, doc. 344, p. 217 ; l'avertissement a été répété le lendemain, voir communiqué de l'ambassade d'Allemagne, Londres, 1er août 1914, *BD*, vol. 11, doc. 397, p. 241.

149. Herbert Asquith à Venetia Stanley, Londres, 1er août 1913, in Michael et Eleanor Brock, *Letters to Venetia Stanley*, p. 140.

150. Edward Grey à Francis Bertie, Londres, 29 juillet 1914, *BD*, vol. 11, doc. 283, p. 180.

151. Edward Grey à Francis Bertie, Londres, 31 juillet 1914, *BD*, vol. 11, doc. 352, p. 220.

152. Edward Grey à Francis Bertie, Londres, 31 juillet 1914, *BD*, vol. 11, doc. 367, p. 226-227.

153. Edward Grey à Francis Bertie, Londres, 8 h 20, 1er août 1914, *BD*, vol. 11, doc. 426, p. 426 ; noter l'heure de cette dépêche : il s'agit d'un télégramme plus tardif que le premier cité pour ce jour-là, et qui donnait à l'ambassadeur plus de détails sur la conversation de Edward Grey avec Cambon.

154. Keith Eubank, *Paul Cambon : Master Diplomatist*, Norman, 1960, p. 170-171.

155. Conversation avec Cambon le 24 juillet raconté in André Géraud, « The Old Diplomacy and the New », *Foreign Affairs*, 23 / 2, 1945, p. 256-270, ici p. 260.

156. Edward Grey à Francis Bertie, Londres, 28 juillet 1914, *BD*, vol. 11, doc. 238, p. 156.

157. John F. V. Keiger, « France », p. 133.

158. Cambon à Viviani, Londres, 29 juillet 1914, *DDF*, 3e série, vol. 11, doc. 281, p. 228-229.

159. Zara S. Steiner, *Britain and the Origins*, p. 181-186.

160. Sur cette caractéristique de l'Entente, voir John F. V. Keiger, « Why Allies ? Necessity or Folly », manuscrit inédit d'une communication donnée au cours du colloque « Forgetful Allies : Truth, Myth and Memory in the Two World Wars and After », Cambridge, 26-27 septembre 2011. Je remercie John F. V. Keiger de m'avoir communiqué une copie de cette communication avant sa publication.

161. Geneviève Tabouis, *Perfidious Albion – Entente Cordiale*, Londres, 1938, p. 109.

162. Cité in Zara S. Steiner, *Britain and the Origins*, p. 225.

163. Herbert Asquith à Stanley, Londres, 29 juillet 1914, in Michael et Eleanor Brock, *Letters to Venetia Stanley*, p. 132.

164. Eyre Crowe, mémorandum du 31 juillet 1914, *BD*, vol. 11, inclus dans le doc. 369, p. 228-229.

165. Sur l'importance croissante du cabinet : Zara S. Steiner, *Britain and the Origins*, p. 228. Cambon est cité in John F. V. Keiger, « How the Entente Cordiale Began », in Richard Mayne, Douglas Johnson et Robert Tombs (dir.), *Cross Channel Currents. 100 Years of the Entente Cordiale*, Londres, 2004, p. 3-10, ici p. 10.

166. Austen Chamberlain, *Down the Years*, Londres, [1935], p. 94.

167. Colin Forbes Adams, *Life of Lord Lloyd*, Londres, 1948, p. 59-60 ; Austen Chamberlain, *Down the Years*, p. 94-101 ; Ian Colvin, *The Life of Lord Carson*, 3 vol., Londres, 1932-1936, vol. 3, p. 14-20 ; sur la conversation de Cambon avec Lloyd, not. p. 14-15 ; Leopold S. Amery, *My Political Life*, 3 vol., Londres, [1953-1955], vol. 2, p. 17-19.

168. Keith M. Wilson, *The Policy of the Entente. Essays on the Determinants of British Foreign Policy, 1904-1914*, Cambridge, 1985, p. 135.

169. Herbert Asquith à Stanley, Londres, 31 juillet 1914, in Michael et Eleanor Brock, *Letters to Venetia Stanley*, p. 138.

170. Winston S. Churchill, *The World Crisis*, Londres, 1931, p. 114.

171. Herbert Asquith à Stanley, Londres, 1er août 1914, in Michael et Eleanor Brock, *Letters to Venetia Stanley*, p. 140.

172. John Morley, *Memorandum on Resignation, August 1914*, Londres, 1928, p. 5.

173. Cité in Keith M. Wilson, *Policy of the Entente*, p. 137.

174. Lord Crewe à George V, rapportant les délibérations de la réunion du cabinet du 2 août 1914, 18 h 30, in John A. Spender et Cyril Asquith, *Life of Herbert Henry Asquith*, 2 vol., Londres, 1932, vol. 2, p. 82 ; John Morley, *Memorandum*, p. 21.

175. Sur le rôle joué par Samuel dans la rédaction de ces propositions et son efficacité à s'assurer du soutien de ses collègues, voir Keith M. Wilson, *Policy of the Entente*, p. 142 ; aussi Herbert Samuel à son épouse, Beatrice, 2 août 1914, in C. J. Lowe et

M. L. Dockrill, *The Mirage of Power*, 3 vol., Londres, 1972, vol. 1, p. 150-151 ; Cameron Hazlehurst, *Politicians at War, July 1914 to May 1915 : A Prologue to the Triumph of Lloyd George*, Londres, 1971, p. 93-98.

176. Sur l'intervention de Edward Grey et son « émotion », voir George Allardice Riddell (propriétaire du *News of the World*), *Lord Riddell's War Diary, 1914-1918*, Londres, 1933, p. 6.

177. Sur la place de la Belgique dans la pensée des pro-interventionnistes britanniques, voir John F. V. Keiger, « Britain's "Union Sacrée" in 1914 », in Jean-Jacques Becker et Stéphane Audoin-Rouzeau (dir.), *Les Sociétés européennes et la guerre de 1914-1918*, Paris, 1990, p. 39-52, not. p. 48-49.

178. Cité in Hermann Lutz, *Lord Grey and the World War*, traduit par E. W. Dickes, Londres, 1928, p. 101.

179. Christopher Addison, *Four and a Half Years*, 2 vol., Londres, 1934, vol. 1, p. 32, cité in Michael Brock, « Britain Enters the War », p. 161.

180. John F. V. Keiger, « Britain's "Union Sacrée" », in Jean-Jacques Becker et Stéphane Audoin-Rouzeau (dir.), *Les Sociétés européennes*, p. 39-52 ; Samuel R. Williamson, *The Politics of Grand Strategy. Britain and France Prepare for War, 1904-1914*, Cambridge, MA, 1969, p. 357-360.

181. Tel est l'argument avancé in Keith M. Wilson, « The British Cabinet's Decision for War, 2 août 1914 », *British Journal of International Studies*, 1975, p. 148-159 ; reproduit en tant que chap. 8 in Keith M. Wilson, *The Policy of the Entente*.

182. George Buchanan à Arthur Nicolson, Saint-Pétersbourg, 16 avril 1914, *BD*, vol. 10 / 2, doc. 538, p. 784-785.

183. Arthur Nicolson à Edward Goschen, 15 avril 1912, *BD*, vol. 6, doc. 575, p. 747 ; Zara S. Steiner, *Foreign Office*, p. 131 ; voir aussi Keith M. Wilson, *The Policy of the Entente*, p. 78 ; Zara S. Steiner, « The Foreign Office under Sir Edward Grey », in Francis Harry Hinsley (dir.), *British Foreign Policy under Sir Edward Grey*, Cambridge, 1977, p. 22-69, ici p. 45.

184. Samuel R. Williamson, *Politics of Grand Strategy*, p. 108-114, p. 167-204.

185. Eyre Crowe, annotation sur George Buchanan à Edward Grey, Saint-Pétersbourg, 24 juillet 1914, *BD*, vol. 11, doc. 101, p. 80-82, ici p. 82.

186. Isabel V. Hull, *Absolute Destruction. Military Culture and the Practices of War in Imperial Germany*, Ithaca, 2005, p. 160-181 ; Annika Mombauer, *Helmuth von Moltke*, p. 102, p. 105, p. 164-167, p. 225.

187. Alfred von Tirpitz, *Erinnerungen*, Leipzig, 1920, p. 241-242.

188. Note présentée le 2 août à 19 heures par M. Below Saleske à M. Davignon, ministre [belge] des Affaires étrangères, issu du « livre gris » belge in TNA, FO 371 / 1910, 2 août 1914, consultable en ligne sur http://www.nationalarchives.gov.uk/pathways/firstworldwar/first_world_war/p_ultimatum.htm.

189. Jean Stengers, « Belgium », in Keith M. Wilson, *Decisions for War*, p. 151-174.

190. Jean Stengers, « Belgium », p. 151-174 ; réponse du gouvernement belge à l'ultimatum allemand, 3 août 1914 à 7 heures, in Hugh Gibson, *A Journal from Our Legation in Belgium*, New York, 1917, p. 19.

191. Jean Stengers, « Belgium », p. 161, 162.

192. Hugh Gibson, *A Journal*, p. 15.

193. Jean Stengers, « Belgium », p. 163.

194. Hugh Gibson, *A Journal*, p. 22.

195. Cité in Jean Stengers, « Belgium », p. 164.

196. Maurice Paléologue, *La Russie des Tsars pendant la Grande Guerre*, Paris, Plon, 1921, p. 44.

197. Prince Karl Max von Lichnowsky, *My Mission to London, 1912-1914*, Londres, 1918, p. 28.

198. Hugh Gibson, *A Journal*, p. 21.

199. Bernd F. Schulte, « Neue Dokumente zu Kriegsausbruch und Kriegsverlauf 1914 », *Militärgeschichtliche Mitteilungen*, 25, 1979, p. 123-185, ici p. 140.

200. Rapport du colonel Ignatiev, 30 juillet 1914, RGVIA, fonds 15304-Upravlenie Voennogo Agenta vo Frantsii, op. 2, d. 16 – Rapports et communications sur cahiers spéciaux, l. 38.

201. Cité in Hew Strachan, *The First World War*, Oxford, 2001, p. 103.

202. V. I. Gurko, *Cherty i Siluety Proshlogo, Pravitel'stvo i Obschchestvennost' v tsarstvovanie Nikolaya II Izobrazhenii Sovremennika*, Moscou, 2000, p. 651.

203. W. Mansell Merry, *Two Months in Russia : July-September 1914*, Oxford, 1916, p. 76-77.

204. Tel est le résumé que donne Richard Cobb des impressions rapportées in Roger Martin du Gard, *L'Été 1914*, 4 vol., Paris, 1936-1940, in Cobb, « France and the Coming of War », in Robert John Weston Evans et Hartmut Pogge von Strandmann (dir.), *The Coming of the First World War*, p. 125-144, ici p. 137.

205. Hew Strachan, *The First World War*, p. 103-62, not. p. 153 ; sur les émeutes suscitées par la conscription en Russie, voir Joshua Sanborn, « The Mobilization of 1914 and the Question of the Russian Nation », *Slavic Review*, 59 / 2, 2000, p. 267-289.

206. Michael S. Neiberg, *Dance of the Furies*, p. 128.

207. Hugh Gibson, journal intime, entrée du 2 août in Hugh Gibson, *A Journal*, p. 8.

208. Voir Adrian Gregory, *The Last Great War. British Society and the First World War*, Cambridge, 2008, not. p. 9-39 ; du même auteur, « British War Enthusiasm : A Reassessment », in Gail Braybon (dir.), *Evidence, History and the Great War. Historians and the Impact of 1914-18*, Oxford, 2003, p. 67-85 ; pour un récit fouillé des réactions à la nouvelle du déclenchement de la guerre dans les différentes régions françaises, voir Jean-Jacques Becker, *1914 : Comment les Français*, p. 277-309 ; du même auteur, *L'Année 14*, Paris, 2004, p. 149-153 ; Stéphane Audoin-Rouzeau et Annette Becker, *1914-1918 : Understanding the Great War*, traduit par Catherine Temerson, Londres, 2002, p. 95 ; sur « le choc, la tristesse et la consternation » éprouvés par la majorité des Français, voir Leonard V. Smith, Stéphane Audoin-Rouzeau et Annette Becker, *France and the Great War*, Cambridge, 2003, p. 27-29 ; P. J. Flood, *France 1914-1918 : Public Opinion and the War Effort*, Basingstoke, 1990, p. 5-33 ; Jeffrey Verhey, *The Spirit of 1914. Militarism, Myth and Mobilization in Germany*, Cambridge, 2000, p. 231-236.

209. Joshua Sanborn, « Mobilization of 1914 », p. 272.

210. Récit de l'instituteur du village, cité in Flood, *France 1914-1918*, p. 7.

211. Stephen Graham, *Russia and the World*, New York, 1915, p. 2-3, cité in Leonid Heretz, *Russia on the Eve of Modernity. Popular Religion and Traditional Culture under the Last Tsars*, Cambridge, 2008, p. 195. Beaucoup de Mémoires russes rapportent cette confusion qui régnait avant que l'identité de l'adversaire ne soit connue, voir Bertram Wolfe, « War Comes to Russia », *Russian Review*, 22 / 2, 1963, not. p. 126-129.

CONCLUSION

1. Rebecca West, *Black Lamb and Grey Falcon. A Journey Through Yugoslavia*, Londres, 1955, p. 350.

2. Il s'agit des Mémoires du Prince B. A. Vasil'chiko, analysés in Dominic C. B. Lieven, « Bureaucratic Authoritarianism in Late Imperial Russia : The Personality, Career and Opinions of P. N. Durnovo », *The Historical Journal*, 26 / 2, 1983, p. 391-402.

3. Voir par exemple Mark Hewitson, *Germany and the Causes of the First World War*, Oxford, 2006, p. 3-4. Sur la thèse de Fischer comme forme d'engagement personnel contre l'héritage délétère du nazisme, voir Klaus Grosse Kracht, « Fritz Fischer und der deutsche Protestantismus », *Zeitschrift für neuere Theologiegeschichte*, 10 / 2, 2003, p. 224-252 ; Rainer Nicolaysen, « Rebell wider Willen ? Fritz Fischer und die Geschichte eines nationalen Tabubruchs », in Rainer Nicolaysen et Axel Schildt (dir.), *100 Jahre Geschichtswissenschaft in Hamburg (Hamburger Beiträge zur Wissenschaftsgeschichte)*, vol. 18, Berlin / Hamburg, 2011, p. 197-236.

4. Paul Kennedy, *The Rise of the Anglo-German Antagonism*, Londres, 1980, p. 467.

5. Voir Paul W. Schroeder, « Embedded Counterfactuals and World War I as an Unavoidable War », p. 42 ; pour une analyse magistrale qui interprète la guerre comme le résultat non intentionnel d'erreurs commises par une élite politique qui considérait une guerre généralisée comme une catastrophe, voir Gian Enrico Rusconi, *Rischio 1914. Come si decide una guerra*, Bologne, 1987.

6. Thèse de la « guerre éclair » : Gerhard Ritter, *Der Schlieffenplan. Kritik eines Mythos*, Munich, 1965 ; Lancelot Farrar, *The Short War Illusion. German Policy, Strategy and Domestic Affairs (August-December 1914)*, Santa Barbara, 1973 ; Stephen Van Evera, « The Cult of the Offensive and the Origins of the First World War », *International Security*, 9, 1984, p. 397-419 ; pour une critique de cette thèse : Stig Förster, « Der deutsche Generalstab und die Illusion des kurzen Krieges, 1871-1914 : Metakritik eines Mythos », *Militärgeschichtliche Mitteilungen*, 54, 1995, p. 61-95 ; pour un excellent commentaire sur ce débat : Holger H. Herwig, « Germany and the "Short-War" Illusion : Toward a New Interpretation ? », *Journal of Military History*, 66 / 3, p. 681-693.

7. Cité in Holger H. Herwig, « Germany and the "Short-War" Illusion », p. 686.

8. « Horace Blanchon » (pseud.), « Académie de Médecine », *Le Figaro*, 5 mars 1913, coupure de presse in NA Archief, 2.05.03, doc. 648, Correspondentie over de Balkan-oorlog.

INDEX

Remerciements

Le 12 mai 1916, James Joseph O'Brien, éleveur à Tallwood, dans le nord de la Nouvelle-Galles, s'engage dans l'Australian Imperial Force. Après deux mois d'entraînement à Sydney, le soldat O'Brien est affecté au 35ᵉ bataillon de la 3ᵉ division de l'AIF et embarque sur le *SS Benalla* pour l'Angleterre, où se poursuit son entraînement. Vers le 18 août 1917, il rejoint son unité en France, à temps pour participer à bataille de Passchendaele.

Jim était mon grand-oncle. Vingt ans après sa mort, ma tante Joan Pratt, née Munro, me confia son journal de guerre, un petit carnet brun rempli de listes d'affaires à emporter, d'adresses et d'instructions, parsemées ici et là d'entrées laconiques. Le 4 octobre 1917, après l'assaut sur la crête de Broodseinde, il écrit : « Ce fut un rude combat, comme je ne souhaite jamais en revivre. » Et le 12 octobre 1917, après la seconde offensive de Passchendaele :

> Nous avons quitté le camp (situé près d'Ypres) pour rallier le secteur Passchendaele du front. Nous avons marché dix heures et sommes arrivés épuisés. 25 minutes après (à 5 h 25 le 12 au matin) nous avons sauté par-dessus le mur de sacs de sable. Tout s'est bien passé jusqu'à ce que nous arrivions dans des marécages que nous avons eu beaucoup de mal à traverser. Quand nous y sommes finalement parvenus, les tirs de barrage s'étaient encore déplacés de 1,5 km vers l'avant, et nous avons dû forcer le pas. Vers 11 heures, nous avons atteint notre second objectif, que nous avons tenu jusqu'à 16 heures, puis nous avons dû battre en retraite. [...] Ce n'est que par la volonté de Dieu que je m'en suis sorti, car les balles de mitrailleuses et les éclats d'obus volaient de toute part.

Pour Jim, la guerre prit fin le 30 mai 1918 à deux heures du matin, au moment où, selon ses propres mots, il « arrêta un obus envoyé par la patrie et fut blessé aux jambes ». La bombe qui était tombée à ses pieds l'avait projeté en l'air et avait tué tous ceux qui l'entouraient.

Quand je l'ai connu, c'était un vieil homme fragile et ironique, dont la mémoire commençait à faiblir. Il n'aimait pas parler de la guerre, mais je me souviens d'une conversation qui se déroula lorsque j'avais neuf ans environ. Je lui avais demandé si les soldats avaient envie de se battre, ou s'ils avaient peur. Il avait rétorqué que cela dépendait. Et ceux qui avaient envie, se battaient-ils mieux que les autres ? « Non, m'avait-il répondu, c'étaient les premiers à faire dans leur pantalon. » Cette phrase – et tout particulièrement l'expression « les premiers » – m'a profondément marqué et j'y ai réfléchi pendant longtemps.

Nous demeurons hantés par l'horreur de ce conflit lointain. Mais son mystère se dissimule ailleurs, dans les événements obscurs et complexes qui ont rendu un tel carnage possible. En les explorant, j'ai contracté une dette intellectuelle immense, que je ne pourrai jamais honorer. De multiples échanges avec Daniel Anders, Margaret Lavinia Anderson, Chris Bayly, Tim Blanning, Konstantin Bosch, Richard Bosworth, Annabel Brett, Mark Cornwall, Richard Drayton, Richard Evans, Robert Evans, Niall Ferguson, Isabel V. Hull, Alan Kramer, Günther Kronenbitter, Michael Ledger-Lomas, Dominic Lieven, James Mackenzie, Alois Maderspacher, Mark Migotti, Annika Mombauer, Frank Lorenz Müller, William Mulligan, Paul Munro, Paul Robinson, Ulinka Rublack, James Sheehan, Brendan Simms, Robert Tombs et Adam Tooze m'ont permis d'affiner mes arguments. Ira Katznelson m'a donné de précieuses informations sur la théorie des décisions ; Andrew Preston sur les structures antagonistes qui concevaient les politiques étrangères ; Holger Afflerbach sur le journal intime de Kurt Riezler, la Triple-Alliance, et les subtilités de la stratégie allemande au cours de la crise de juillet ; Keith Jeffery sur Henry Wilson ; John Röhl sur le Kaiser Guillaume II. Harmut Pogge von Strandmann a attiré mon attention sur la mine d'informations méconnue que constituent les Mémoires de Basil Strandmann, un de ses aïeuls, qui fut le chargé d'affaire russe à Belgrade lors du déclenchement du conflit. Keith Neilson m'a communiqué une étude non publiée sur les individus alors à la tête du Foreign Office britannique. En avant-première, Bruce Menning m'a permis de lire son très important article sur le renseignement militaire russe, paru depuis dans le *Journal of Modern History*. Thomas Otte m'a envoyé les épreuves de son étude magistrale, *The Foreign Office Mind*, et Jürgen Angelow a fait de même pour *Der Weg in die Urkatastrophe*. John Keiger et Gerd Krumeich m'ont transmis des tirés à part et des références sur la politique étrangère française. Andreas Rose m'a envoyé un exemplaire tout juste paru de *Zwischen Empire und Kontinent*. Zara Steiner, dont les ouvrages font autorité, m'a généreusement fait bénéficier de son temps ainsi que de dossiers d'articles et notes. Tout au long des ces cinq années, Samuel R. Williamson dont les études de la crise internationale et de la politique étrangère autrichienne ont défriché plusieurs des pistes que je poursuis dans ce livre, m'a envoyé des chapitres inédits, m'a fait bénéficié de contacts et de références, et a répondu à mes questions sur les arcanes de la politique austro-hongroise ; l'amitié qui est née de ces échanges de courriels constitue l'une des récompenses du travail que j'ai entrepris dans cet ouvrage.

Ma reconnaissance va également à tous ceux qui m'ont aidé à surmonter les barrières linguistiques : Miroslav Došen, pour les sources imprimées en serbe et Srdjan Jovanović pour les archives conservées à Belgrade ; Rumen Cholakov pour les sources secondaire bulgares et Sergueï Podbolotov, infatigable ouvrier dans les vignes de l'histoire, dont la sagesse, l'intelligence et l'humour ont rendu mes séjours moscovites aussi agréables que fructueux. Je n'oublie pas non plus tout ceux qui ont généreusement accepté de relire tout ou partie de mon travail, à différents stades de son avancement : Jonathan Steinberg et John Thompson en ont tous deux relu l'intégralité et m'ont fait part de commentaires et de suggestions fort pertinents. David Reynolds m'a aidé à déminer les chapitres les plus délicats. Patrick Higgins a relu le premier chapitre et ses remarques critiques m'ont permis d'éviter certains écueils. Amitar Ghosh m'a fait bénéficier de ses réactions et m'a donné des conseils précieux. Je suis seul responsable des erreurs qui subsisteraient dans le texte.

J'ai le privilège d'avoir à mes cotés en la personne d'Andrew Wylie un agent à qui je dois beaucoup, et suis infiniment reconnaissant à Simon Winder des éditions Penguin pour ses encouragements, ses avis et son enthousiasme, ainsi qu'à Richard Duguid qui a supervisé la fabrication du livre. Mon infatigable correctrice Bela Cunha a traqué et supprimé toutes les erreurs, maladresses, incohérences et guillemets superflus qu'elle a pu trouver, sans jamais se départir de sa bonne humeur, malgré les incessantes modifications du texte que je lui ai infligées. Nina Lübbren, dont le grand-père, Julius Lübbren, était également présent à Passchendaele, bien que de l'autre côté du front, a supporté tout ce labeur avec une neutralité bienveillante. Avec amour et admiration, je dédie ce livre à nos deux fils, Josef et Alexander, dans l'espoir qu'ils ne connaîtront jamais la guerre.

TABLE DES ILLUSTRATIONS

TABLE DES CARTES

TABLE

Mise en pages par Meta-systems
59100 Roubaix

Cet ouvrage a été achevé d'imprimer en octobre 2013
dans les ateliers de Normandie Roto Impression s.a.s.
61250 Lonrai
N° d'édition : L.01EHBN000226.A004
N° d'impression : 133941
Dépôt légal : août 2013

Imprimé en France